Czerwony Pająk

CZTERY ŻYWIOŁY SASZY ZAŁUSKIEJ

Tetralogia kryminalna

tom I
Pochłaniacz
POWIETRZE

tom II
Okularnik
ZIEMIA

tom III
Lampiony
OGIEŃ

tom IV
Czerwony Pająk
WODA

KATARZYNA BONDA

Czerwony Pająk

MUZA

WARSZAWSKIE WYDAWNICTWO LITERACKIE

Projekt okładki: *Paweł Panczakiewicz/Panczakiewicz Art.Design*
Redaktor prowadzący: *Ewa Orzeszek-Szmytko*
Redakcja: *Irma Iwaszko*
Redakcja techniczna: *Karolina Bendykowska*
Korekta: *Mariola Hajnus, Katarzyna Głowińska (Lingventa)*

Fotografia na okładce:
© Amanda Conley/Trevillion Images

Ta książka jest fikcją literacką.
Ewentualne podobieństwo postaci, zdarzeń, okoliczności nie jest
zamierzone i może być jedynie przypadkowe.
Natomiast niektóre elementy intrygi pochodzą z akt
prawdziwych spraw kryminalnych. Poza tym historia opisana
w powieści zasadniczo nie odbiega od realiów.

ISBN 978-83-287-0960-7

Warszawskie Wydawnictwo Literackie
MUZA SA
Wydanie I
Warszawa 2018

WSZYSTKO MA SWÓJ KONIEC

Według Empedoklesa zasadę bytu tworzą cztery korzenie wszechrzeczy, nazywane też żywiołami, elementami lub pierwiastkami: powietrze, ziemia, ogień i woda. Elementy te są wieczne, bo „to, co jest", nie powstaje, nie przemija i jest niezmienne. Z drugiej strony zmienność istnieje, bo nie ma powstawania czegokolwiek, co jest śmiertelne, ani nie jest końcem niszcząca śmierć. Jest tylko mieszanie się i wymiana tego, co pomieszane.

Nie ma złego,
co nie wyjdzie ci
bokiem.

Po dobroci
połamią ci
kark.

Marcin Sendecki, *Lamety*

Zastarzały gniew budzi strach, że się przegra, zanim otworzy się usta. Oznacza, że wewnątrz osiąga się temperaturę krytyczną, czy się to okazuje na zewnątrz, czy nie. Zastarzały gniew otacza murem milczenia i poczuciem kompletnej bezsilności. Ale istnieje wyjście z tego zaklętego kręgu, a jest nim przebaczenie.

Clarissa Pinkola Estés, *Biegnąca z wilkami*
przeł. Agnieszka Cioch

PROLOG
(2016)

– Mama?

Sasza z trudem trzymała w dłoni telefon. Cała się trzęsła.

– Gdzie jesteś, kotku? – Uśmiechnęła się, choć po twarzy płynęły już łzy.

– U cioci.

– Cioci? – powtórzyła Załuska świszczącym szeptem. – Jakiej cioci?

– Zagranicznej. Jest tu jeszcze dwóch wujków. To znaczy nieprawdziwych, bo twojego brata nie ma. Ale cię znają. Są dosyć mili. – Po chwili dziewczynka zniżyła głos do szeptu. – Tylko trochę dziwni. Chyba pracują na wojnie.

– Na wojnie?

– Mają pistolety i spodnie, takie z ukrytymi kieszeniami, w których mieszczą się scyzoryk, latarka, pół bochenka chleba, a do tego jeszcze butelka z benzyną. Identyczne jak nosi wujek Duch, kiedy chodzi na szkolenia policyjne. Szkoda, że go tu nie ma. Byłoby pewnie wesoło.

Zamilkła. A potem szybko, ledwie słyszalnie, dodała:

– Ten młodszy ma ohydną bliznę na uchu. Jakby wpadł do ogniska. I nawet do jedzenia nie zdejmuje rękawiczek. Jedna jego ręka jest nieprawdziwa.

– Prawa? – upewniła się Sasza i głośno przełknęła ślinę.

Odganiała złe myśli: jej dziecka nie uprowadził Pochłaniacz, boss gangu obcinaczy palców, socjopata i protegowany Dziadka. Blizny na uchu dorobił się podczas tej samej akcji, w trakcie której Sasza zyskała swój wzór na plecach. Rękę ucięto mu w odwecie. Dopóki ojczyzna nie zafundowała mu nowoczesnej protezy, lubił obnosić się ze swoim hakiem, który wykorzystywał do dręczenia ofiar.

– Nie wiem. Nie pamiętam – padło w odpowiedzi.

Załuska za wszelką cenę starała się zachować spokój. Nie zdradzić przed córką, jak bardzo się o nią boi. Żeby mała nie wyczuła w jej głosie nawet cienia paniki. Nie wolno jej. Nie teraz.

– Jak się czujesz, słonko?

– Nudzę się. Nie ma tu żadnych innych dzieci. Kiedy skończysz pracę?

– Już niedługo.

– Jak dadzą ci urlop? – domyśliła się dziewczynka.

– Wkrótce się zobaczymy. Bądź dzielna. Kocham cię, córciu.

– Nikt tutaj nie robi dobrej pomidorowej. Zawsze pływają w niej jakieś zielone badyle.

Nagle zapadła cisza. Jakby ktoś wyłączył głośnik lub wyjął kabel z gniazdka.

– Córeczko! Karolcia? Karo… Słyszysz mnie? – powtarzała do martwego aparatu Sasza. W końcu również umilkła.

Nabrała powietrza. Czekała na rozkazy, ale po drugiej stronie jakby nie było nikogo. Połączenia jednak nie przerwano. Na wyświetlaczu widziała zmieniające się sekundy.

Chcieli, żeby się bała. By przejęta grozą zgodziła się na każde warunki. I Sasza była na to gotowa. Wokół przełyku zaciskała się jej pętla strachu. Nie była w stanie wydobyć głosu. Czyżby zmarnowała okazję? To był już trzeci kontakt z porywaczami. Pierwszy, kiedy pozwolili jej pomówić z małą. Tak długo na to czekała. Kręciło się jej w głowie z bezsilności. Zaciskała dłonie w pięści, aż zbielały jej knykcie. Nie czuła bólu, choć paznokcie wbijała sobie niemal do krwi. Mów, co ci przychodzi do głowy – pamiętała ze szkoleń. Zdobądź jak najwięcej detali. Odprysków danych, najdrobniejszych poszlak. Zmuś ich do rozmowy. Rzucaj groźby, kłam, blefuj. Wyprowadź z równowagi, uspokajaj. Byle nie odkładali słuchawki. Mów!

Nie mogła. Sytuacja ją przerosła. Emocje okazały się za silne. To nie taktyka przesłuchań całkiem obcej osoby. Uprowadzono jej jedyne dziecko. Wciąż jeszcze łudziła się, że córka jest w pobliżu. Nie chciała dopuścić do siebie myśli, że odciągnęli ją od telefonu siłą. Nie wiedziała, czy to zniesie, ile jeszcze zniesie. Była gotowa kraść, zabijać, byle zwrócili jej Karo. Mówiła im to za każdym razem, kiedy się kontaktowali. I za każdym razem działo się to samo: telefon, krótka rozmowa dotycząca obietnicy wykupu małej, a potem długie okresy milczenia. Dziś było jej wyjątkowo ciężko. Spróbowała wziąć się w garść. Otarła łzy, wyprostowała się.

– Mam już wolne. Przyjadę najszybciej, jak tylko zdołam. Karolina, słyszysz mnie? – wyrzucała z siebie słowa jak pociski, choć była prawie pewna, że dziewczynki nie ma już po drugiej stronie. Teraz do jej uszu dochodziły tylko trzaski i szmery, jakby ktoś szybkim krokiem przemieszczał się z aparatem w podmuchach silnego wiatru. – Kocham cię! Najmocniej na świecie. Pamiętaj, córeczko. Kocham! Pobaw się teraz i daj mi ciocię albo wujka do telefonu.

Na chwilę, która zdawała się wiecznością, wiatr ustał i Sasza znów wsłuchiwała się w monotonną ciszę.

– Nie myślisz racjonalnie. Stałaś się sentymentalna – rozległ się damski głos. Niski, oleisty, uwodzicielsko słodki. Jakby rozmówczyni całe życie wylegiwała się na szezlongu.

Zawsze tak brzmiała, na każdej akcji. Znajome tony wwiercały się Saszy do serca i haratały je na strzępy. Rozpoznała ten głos bez trudu. Sama szkoliła tę agentkę i wiedziała, że jest znacznie lepsza, niż ktokolwiek by przypuszczał. Dlatego też przez lata trzymała ją blisko siebie. Oddana firmie, zdolna do wszystkiego dla sprawy, sprytna – osobiście napisała w raporcie, kiedy widziały się ostatni raz. Co gorsza, kobieta znała dokładnie życiorys Załuskiej. Jej wszystkie tajemnice i słabości. Teraz doskonale rozgrywała nimi tę partię. Sasza żałowała każdej sekundy przeznaczonej na naukę narowistej uczennicy, która lata temu zniknęła jej z pola widzenia, a teraz najwyraźniej grała w przeciwnej drużynie. Profilerka chciała krzyczeć, przeklinać, roztrzaskać telefon o ścianę, ale nie była w stanie zrobić nic. Jęknęła tylko bezgłośnie. Tymczasem do jej ucha wlewała się melasa.

– Podobno kiedyś szukałaś mnie, ale to ja znalazłam ciebie. – Sasza wyczuła w jej głosie triumf, bezgraniczną satysfakcję.

Wtedy tama wściekłości pękła.

– Gdzie ona jest? – ryknęła zrozpaczona. – Oddajcie mi ją! Co wam zrobiło niewinne dziecko?! Zabierz mnie. Zrobię, co zechcesz!

– Nie wątpię – zaśmiała się kobieta. – Tyle że to już nieaktualne. Nie słuchasz, jesteś niesubordynowana, za bardzo uwierzyłaś w siebie. To jest system naczyń połączonych.

Czas samotnych wojowników minął. A ty nigdy nie przyjmowałaś tego do wiadomości. Zlekceważyłaś nas. Szkoda…

– Torbę wyrzuciłam na obwodnicy w ustalonym miejscu – weszła jej w słowo Sasza. – Była cała kwota. Co do złotówki. Pieniądze nieznaczone, nominały się zgadzały. Nikt się nie zgłosił.

– Widziałam. – Kobieta po drugiej stronie słuchawki westchnęła zrezygnowana. – Czekałyśmy z Karoliną na Kieleckiej. Potem zwiedziłyśmy dokładnie cmentarz witomiński. I już myślałam, że zakończę karierę niańki. Choć właściwie to polubiłam tę twoją małą. Jest dosyć rezolutna. W ciebie się chyba nie wdała. Namówiła mnie na nowe buty, bo zabraliśmy ją w kapciach.

– Pieniędzy nie chcecie – przerwała jej łamiącym się głosem Załuska. – Więc czego? Powiedz mi. Proszę – błagała.

Słodycz zniknęła. Głos stężał.

– Policjant od ciebie zgubił się w osiedlowych uliczkach. Przyjechał po kwadransie, jak już było po wszystkim. Przypadek?

Teraz ze słuchawki sączył się jad. Każde słowo bolało Saszę coraz bardziej.

– Nie powinnaś była informować swoich braci mundurowych. To nie było rozsądne. Zamiast córki miałabyś dziś do odbioru całkiem nowe adidasy w rozmiarze trzydzieści sześć.

Ostatnia groźba wypowiedziana była niskim, świdrującym tonem.

– To nie ja. Naprawdę. Oni… Ja nic… Nikomu. Policja nic nie wie.

– Nie tłumacz się.

Sasza zamarła. Czuła, jak ziemia usuwa się jej spod stóp.

– Na szczęście zmieniły się rozkazy. Przekonałam ich, że nie ryzykowałabyś życia jedynej córki. Zresztą to pewnie babcia. Ktoś ze znajomych został jej jeszcze w resorcie. Tak przy okazji, Laura czuje się już dobrze? Wyglądała na przestraszoną. Chyba nawet upadła.

– Jest po udarze – wyszeptała Sasza. Mocniej zacisnęła pięści. Paznokcie wbiły się w dłoń. Czuła piekący ból, który paradoksalnie dodawał jej sił. – Ale mówi. I rozpozna cię.

Kobieta po drugiej stronie zignorowała groźbę.

– Pieniądze się nie zgubiły? – Znów zimna kpina w głosie i udawana słodycz. – Bo może jeszcze się przydadzą. Dokumenty to czasem lepsza inwestycja niż bilety NBP. Ludzie jak głupi skupują nieruchomości. Tak między nami, stosunkowo tanio wyceniono takie słodkie dziecko.

– Mów, czego chcecie.

– Małą się nie martw. Jest bezpieczna. Do czasu.

– Nigdy ci nie ufałam.

– Bardzo słusznie – odparła rozbawiona kobieta. – Szkoda tylko, że to nieprawda.

– Nie mam tych papierów.

– To już wiemy.

– Ale mogę je zdobyć.

– Tylko dlatego jeszcze rozmawiamy.

– Wymienisz je na Karolinę? – W głosie Saszy wybrzmiała prośba, a nie taki efekt chciała osiągnąć, więc dodała: – Muszę tylko wiedzieć, czego potrzebujesz. Dokładnie. I ile mam czasu.

– To nie wystarczy. Potrzebny będzie komplet TW Calineczki.

– Za późno. Dziadek puścił to do obiegu.

– Ty nic nie wiesz!? – zdziwiła się kobieta. – Jak się uchowałaś w tej firmie? Wciąż wierzysz w bajki i czekasz na króla elfów? Dziadek odpalił się z broni służbowej.

– Kłamiesz! – wyszeptała Załuska. – Widziałam się z nim. Miał zupełnie inne plany. Dobrze wiesz, co trzymał w swoim archiwum.

– Trzy strzały. W drugiej połowie meczu, dlatego nie poszedł na okładki gazet. Warwara go znalazła. W garażu.

– On nigdy by tego nie zrobił!

– Zrobił, nie zrobił. Nie żyje – zirytowała się kobieta.

– Czasy się zmieniły. Stawka wzrosła. Twoją tarczę ochronną trafił szlag i masz ogień przy dupie, bo dziecko nadal jest z nami. A ty się nie rozliczyłaś.

Odsunęła się od słuchawki i krzyknęła karcącym głosem:

– Zapytałaś, czy możesz?! No to przeproś. Ciocia nie lubi niegrzecznych bachorów. Milcz, kiedy dorośli rozmawiają! Co powiedziałam!

Sasza usłyszała płacz córki, a potem tupot stóp i trzaśnięcie drzwiami. Gdyby mogła, zaatakowałaby kobietę po drugiej stronie telefonu czymkolwiek, co znalazłoby się teraz w zasięgu jej ręki.

– Zostaw ją! – warknęła. – Jeśli coś jej się stanie...

Kobieta jedynie fuknęła i po rosyjsku zwróciła się do któregoś ze swoich towarzyszy:

– Zabierz ją. I niech Ludmiła weźmie to do prania. Za karę młoda ma siedzieć w kajucie. I żadnego komputera!

Po chwili znów odezwała się do Saszy. Była zimna, wypluwała z siebie słowa jak automat.

– Jest rozkaz zdetonowania Wilmora. Teraz rozumiesz, dlaczego jesteś potrzebna?

– On nie istnieje! – krzyknęła Sasza. – To postać stworzona przez Dziadka. Mam szukać jakiegoś cienia? Sama wiesz najlepiej. To szaleństwo!

– Jeśli zależy ci na córce, wypełnisz zadanie. Żywa lub martwa. Dobrze zrozumiałaś.

Rozległy się krzyki. Saszy zdawało się, że słyszy rosyjski i angielski, uderzono w gong, a potem połączenie zostało przerwane.

Sasza jeszcze długo siedziała bez ruchu, wpatrując się w wyświetlacz telefonu. Sięgnęła po papierosa, zaciągnęła się, ale nie czuła smaku tytoniu. Nie czuła właściwie nic.

Za oknem świeciło piękne słońce. Roześmiani ludzie spacerowali deptakiem, rozbrzmiewała wesoła muzyka. Jakaś para całowała się pod ogołoconym z liści kasztanowcem. Profilerka poczekała, aż minie fala gniewu i przyjdzie chłód, jaki zwykle ogarniał ją, kiedy pojawiały się złe wieści: jesteś spalona, zwolniona, umierasz. Właśnie tej sytuacji bała się latami. Ukrywała ten lęk pod maską chłodu i opanowania. Aż wreszcie jest. Moment, w którym z przeszłości tak skomplikowanej, że nie pamięta się wszystkich adwersarzy, pojawia się jeden z nich, który zapragnął wyrównać rachunki. Przecież wiedziała, że to się zdarzy. Po to wróciła z Anglii. W głowie kręciło się jej od domysłów: Wilmor. Karolina. „Seryjny samobójca" dopadł Dziadka. TW Calineczka. Duchy przeszłości.

– I tutaj się mylisz. Zawsze wszystko rozumiałam – mruknęła już spokojniej Załuska. – Żywa lub martwa? To się okaże.

Rozprostowała dłoń i zlizała kropelkę krwi. Zapięła suwak kurtki pod samą szyję, jakby zakładała zbroję, i przymknęła oczy. Koniec pościgu. Ulga. Od dawna nie myślała tak trzeźwo i nie była tak zdecydowana. Nie ten wygrywa wojny, kto jest silny, lecz ten, kto umie czekać.

ZAGINIONA DZIEWCZYNA
(2000)

Deszcz zacinał prosto w twarz, kiedy Ludwik Kot wczołgał się wreszcie na pokład. Powinien rozpocząć wachtę dziesięć minut temu, ale nikt raczej nie przejął się jego spóźnieniem. Bujało przeokrutnie, żołądek znów podszedł mu do gardła. Kot z trudem trzymał się w pionie. Wyciągnął drżącą dłoń i już wymacał hak, żeby przypiąć karabinek zabezpieczający, ale stracił równowagę i padł jak długi we wzorowo sklarowane liny. Głową uderzył o burtę.

– O! Doktorek wylazł z wyra!

Dobiegł go tłumiony śmiech. Wszyscy członkowie załogi stałej mieli na sobie czerwone sztormiaki służbowe. I bez problemu utrzymywali się w pionie. Cholerni zawodowcy.

– Wyżelowana *vagina dentata* w rurkach. Tu ci się nie przydadzą!

Rozpoznał głos starszego bosmana. Marek Kryński zwany Kretem jako dzieciak nic praktycznie nie widział bez szkieł grubych jak denka od butelek. Przed laty mieszkali z Ludwikiem w jednej klatce na Chyloni. Matka Kota przygarniała młodego Kryńskiego, kiedy pijany ojciec skakał do niego z łapami. Opatrywała stłuczenia, Kret regularnie nocował u nich na sofie w przedpokoju, rano jadł jajecznicę i ryczał jak bóbr, prosząc Boga o niepowrót z morza ojca rybaka.

21

Ojciec umarł dopiero dekadę później. Nie zabrało go morze, przez pomyłkę wypił w gdyńskim Pekinie flaszkę metanolu. A Kret, odkąd poddał się operacji oczu i wyrzucił okulary, chyba zanadto uwierzył w siebie.

W tym czasie Ludwik skutecznie o nim zapomniał. Skończył medycynę, dostał się na praktykę w miejskim szpitalu w Gdyni i zaręczył z ambitną Kasią, stomatologiem z dodatkową specjalizacją z medycyny estetycznej. To za jej sprawą znalazł się na „Darze Młodzieży". Kasia wymarzyła sobie, aby w podróż przedślubną popłynąć na żaglowcu do Antwerpii. Nazywała go górnolotnie morskim ambasadorem Polski, opowiadała o spektakularnych rejsach po wszystkich oceanach świata, o tysiącach studentów Akademii Morskiej w Gdyni, którzy szkolili się na nim od 1982 roku. Roztaczała wizje: będą z Ludwikiem samodzielnie klarować żagle, wchodzić na reję bombrama, stać za sterem na psiej wachcie i śpiewać w mesie szanty. Ludwik był pewien, że tą podróżą Kasia chce zaimponować ojcu, pułkownikowi Bronisławowi Zawiszy, a przede wszystkim udowodnić, że jej narzeczony nie jest mięczakiem. Ludwik tymczasem, choć rodowity gdynianin, całe życie unikał statków, marynarzy i rybaków. Teraz jednak, czy to z miłości do ukochanej, czy po to, by przed samym sobą nie wyjść na tchórza, zdecydował się wyłożyć na tę wspólną przygodę po cztery tysiące od głowy i płynąć wraz z dzieciakami jako załogant.

Niestety, Kasia nie dotarła do portu. Wysłała za to rozkosznego esemesa: „Mam konferencję w Monako. To dla mnie szansa. Widzimy się po powrocie. Bądź zuchem, Lu. #załujeteskniekocham #ahoj". Pół godziny później przyszedł mejl – buźka z serduszkiem i jej roześmiane zdjęcie na tle półki z nowymi preparatami do ostrzykiwania zmarszczek. Kasia była w kusym kitelku, obejmował ją jakiś grubas. Na plakietce miał napisane: Circo V. Morales. Udając, że musi załatwić niecierpiącą zwłoki sprawę służbową, Ludwik dorwał się do komputera kapitana i wyszukał w sieci dossier doktora. Dowiedział się, że Morales jest gwiazdą włoskiego programu telewizyjnego *Idealne ciało*. Więc to tak wygląda twoja szansa – pomyślał z przekąsem, po czym stracił zasięg.

Podniósł głowę. Wstyd palił go aż po czubki uszu. Płowe włosy opadły mokrymi strąkami na twarz. Gęsta, słona ciecz rozpylana przez porywisty wiatr mieniła się w promykach słońca i zaburzała widoczność. Ludwikowi kręciło się w głowie, przed oczyma latały mu mroczki. Z niepokojem wpatrywał się w główki portu. Gdańsk wyłaniał się z białej bryzy, bajkowy i monumentalny jak na filmie fantasy, a on myślał tylko o jednym: stanąć na twardym gruncie, uciec stąd jak najszybciej. Niech Kaśka sama spełnia żeglarskie marzenia.

Drobinki soli drażniły policzki, choć i tak były miłą odmianą po smrodzie panującym pod pokładem, gdzie spędził ostatnią wachtę, sprzątając cudze wymiociny. Ludwik pierwszy raz płynął po Bałtyku. Wiedział, że to morze płytkie, z krótką falą, a więc buja z większą częstotliwością. Zawsze sądził, że ma zaburzenia błędnika, bo nigdy nie wymiotował na łódce. Na morzu okazało się, że jest wręcz przeciwnie. Za to męska duma cierpiała w zderzeniu z prymitywnymi drwinami i serią upokorzeń.

Uderzono w gong. Na pokładzie zaroiło się od marynarzy. Minęli go rządkiem studenci Akademii Morskiej w szkolnych sztormiakach, którzy dziarsko ruszyli do zrzucania żagli. Fregata za pół godziny miała wejść do gdyńskiego portu, by zabrać delegację z NATO i ruszyć na szerokie morze do ojczyzny diamentów. Poza Ludwikiem wszyscy byli tą perspektywą zachwyceni.

– Przygotować się do brasowania! – ryknął pierwszy oficer. – Wzięli brasy! Brasujemy na trawers! *Let go* gejtawy i gordingi! Wzięli szoty! Na reje! Klar na portowo! Przygotować cumy. Szpringi!

Po chwili „Dar Młodzieży" przypominał już sopocki deptak w sezonie. Przy sterze Ludwik zauważył kobietę z kucykiem. Metr pięćdziesiąt wzrostu, perkaty nos, wąskie zaciśnięte usta. Twarz ogorzała od wiatru, piegi rozlane jak archipelagi na starej mapie piratów. Wcześniej nosiła na głowie bejsbolówkę, jej daszek przesłaniał stalowe oczy kobiety. Teraz Ludwik widział, że biją z nich siła i pewność, jakich nigdy nie czuł w sobie.

– Słynna Eva Rodriguez, potomkini ostatniego pirata dwudziestego wieku i pierwsza kobieta kapitan polskiej Marynarki Wojennej – szeptano o niej. – Ponoć postawiła się zwierzchnikom, kiedy nie dostała awansu. Zagroziła odejściem. Ma jaja ze stali.

Ludwik spojrzał na tę drobną żeglarkę i poczuł respekt. Jakimś cudem zdołał powstrzymać torsje, stanął niemal na baczność. Postanowił, że wytrwa, nie zachowa się jak tchórz, nie ucieknie. Kaśka i jego przyszły teść nie będą się z niego nabijali przez najbliższe lata.

– Kret, na stanowisko. Nie opierdalaj się – powiedziała łagodnie kobieta i spojrzała wymownie na Ludwika.

– Tak jest, kapitanie – odparł karnie Kret. I już go nie było.

Ludwik Kot podziękował jej wzrokiem. Zdawało mu się, że uniosła kącik ust w uśmiechu. Ale to była tylko chwila.

– Przejmij ster, doktorze. Trzymaj kurs – rozkazała i ruszyła na dziób.

– Suka się panoszy – skomentował któryś z kompanów Kreta, gdy tylko się oddaliła. – Baba z łajby, morzu lżej.

– Nie pomoże piękna łódka, gdy za ster posadzisz fiutka – dodał inny.

Ludwik położył dłonie na kole sterowym, obejrzał się dyskretnie. Postarał się zapamiętać twarze mężczyzn złorzeczących pani kapitan. Znał poglądy takich jak oni. Obcował z nimi od dziecka. Ojciec wciąż powtarzał: dowódca płci żeńskiej kala honor marynarza. Z tym większym zainteresowaniem przyglądał się filigranowej blondynce, jak wydaje rozkazy, podejmuje decyzje, płynnie przechodzi z angielskiego na hiszpański, bo jak się okazało, załoga była wielonarodowa.

Mimo narastającej ulewy udało im się sprawnie podejść do kei. Ludwik stał przy sterze do końca, do ostatniej cumy. Kiedy pół godziny później zszedł do swojej kajuty, by zadzwonić do Kaśki, czuł się jak młody bóg. Odebrał wiadomości – kolejne targowe wygibasy z dzióbkami i emotikonami. Zdecydował, że najlepszą karą dla wiarołomnej narzeczonej będzie jego milczenie. Położył się na koi i zamknął oczy. Odprężył się. Sam nie wiedział, kiedy zapadł w sen. Obudził go hałas, gong i syrena alarmowa. Zerwał się z poczuciem winy i wyjrzał na pokład. Załoga karnie stała w rzędzie i wpatrywała się w toń. Przez chwilę Ludwik słyszał tylko krzyki mew. Zbliżył się i tak jak pozostali wychylił się za burtę.

– Tam stała. – Pryszczaty student, wciąż w szelkach zabezpieczających, wskazywał policjantowi w mundurze dziób statku. – Wtedy widziałem panią kapitan ostatni raz.

– Jej rzeczy zniknęły – usłyszał szepty pozostałych. – Nie ma jej worka. Taki zielony, wojskowy klasyk. Mocno sponiewierany.

– Może zeszła na ląd? Przecież nie wypadła! Kiedy?

– Są nurkowie? – Mężczyzna w marynarce, ze skórzaną aktówką pod pachą zwrócił się do mundurowych. – Przeszukać akwen. Bez odwołania.

– To prokurator. – Do Ludwika podszedł Kret. – Wcięło ją – dodał z satysfakcją i wyszczerzył zęby w uśmiechu, jakby faktycznie miał co prezentować. Doktor z trudem powstrzymał się, by nie zaoferować mu wizyty u przyszłej żony. – Nie wypłyniemy przed jutrem. Twoja pani rycerz, Lu, zniknęła między Gdańskiem a Gdynią. Zapadła się pod ziemię. Co za wstyd przed delegacją NATO. I kto cię teraz obroni?

Ludwik już nie słuchał. Skołowany wpatrywał się w horyzont, nasłuchiwał rozpaczliwych plotek, a potem biegiem ruszył do swojej kajuty. W jednej chwili zmienił zdanie. Jednak zadzwoni do Kaśki. Pochylił się, by wyciągnąć walizkę, w której był telefon. Spod koi wysunął się zielony worek, faktycznie mocno obszarpany. Widać od razu, że nie należał do niedzielnego żeglarza. Kot zamarł. Były to niewątpliwie rzeczy pani kapitan. Pierwsze, co przyszło mu do głowy, to, że Kret je podrzucił. Pewnie zawiera kradziony towar. Może narkotyki? Prawie cała rodzina Ludwika mieszkała na „Zegarkowie". Wiedział, że ludzie morza szmuglują wszystko i wszędzie. Czyżby z powodu wizyty policji na statku chcieli go w coś wrobić? Jedyny turysta na łajbie byłby idealnym kozłem ofiarnym. Obejrzał się strachliwie na drzwi. Nie miały nawet lichej zasuwki. Zablokował je kamizelką ratunkową i bosakiem, a potem rozsupłał węzły. Jednym ruchem wyrzucił zawartość worka na sąsiednią koję.

Nie było tego wiele. Kilka T-shirtów, dres, sterta bawełnianych majtek z odprutymi gumkami, co dziwne – różnych rozmiarów. Zawiniątko w reklamówce. Ludwik drżącymi dłońmi rozpakowywał pakiet. Oczyma wyobraźni widział już biały proszek albo kryształy, lecz ze zdziwieniem stwierdził, że to tylko erotyk dla kobiet obwiązany flanelową piżamą. Przewertował. Jako zakładki kapitan używała rysunku wykonanego dziecięcą ręką. Dwie kobiety trzymające się za rękę wpatrują się ze skarpy w morze. Na łódce siedzi pies albo wilk. Z wywalonym jęzorem wpatruje się w dwóch mężczyzn w wodzie. Wyglądają, jakby tonęli. Autorką rysunku ewidentnie była dziewczynka. Dziwne, pomyślał. Odwrócił kartkę. Nie było podpisu. Tylko coś jakby fragment pieczątki z logotypem i numerem seryjnym, wykonanej czerwonym tuszem. Domyślił się, że to papier listowy jakiejś organizacji. Dalej pęk kluczy na zwykłym kółku, stara nokia oraz nowiutka portmonetka, a w niej monety euro i trochę funtów brytyjskich w banknotach. Poza tym dokumenty w laminacie: paszport, legitymacje, pieczątka z wizerunkiem pająka umazana czerwonym tuszem oraz łańcuszek z połową serduszka. Wyjął pieczęć, przyjrzał się jej, a potem jeszcze raz podniósł do oczu rysunek dziecka. Porównał odbitkę na kartce i kawałek drewna z gumką. Były identyczne. Tusz się rozmazał, ale można było dopatrzyć się kształtów odnóży pająka. Szukał dalej: kremy, maść na komary, dwie identyczne czapki z napisem EVA (jedna bardzo zniszczona, druga nowa), sprej przeciwgrzybiczy, prezerwatywy, lubrykant z aloesem i czerwona jedwabna sukienka. To było wszystko.

Obawiał się, że ktoś zastuka do drzwi, ale panowała absolutna cisza. Spakował dobytek do worka, zasupłał go, z trudem odtwarzając węzły żeglarskie, i wsunął pod niedoszłą koję Kaśki, po czym wyjął swoją walizę. Zamykał ją, kiedy pod łóżkiem dostrzegł drewnianą pieczątkę i telefon. Musiał je przeoczyć przy pakowaniu. Nie miał czasu znów rozwiązywać węzłów, więc schował przedmioty do kieszeni z postanowieniem, że wyrzuci je do ulicznego kosza na śmieci zaraz po zejściu na ląd. Odsunął prowizoryczną blokadę, obejrzał się na kajutę ostatni raz. Wyciągnął worek i zarzucił go sobie na plecy. Mesa była pusta. Znalazł pojemnik na śmieci i bez wahania ukrył w nim bagaż chwackiej pani kapitan. Kiedy chwilę później, odprowadzany szyderczym spojrzeniem Kreta, schodził z pokładu, taszcząc swoją walizę po trapie, zaczepił go jeden z mundurowych.

– Byłem już przesłuchiwany – oświadczył bardzo uprzejmie. Zdołał się nawet uśmiechnąć. Sam był zdziwiony, jak kłamstwo gładko przeszło mu przez gardło. Wskazał prokuratora stojącego na dziobie żaglowca.

Policjant przyjrzał mu się badawczo.

– Pan nie wraca?

– Rozmyśliłem się – odparł szczerze Ludwik, po czym wręczył policjantowi wizytówkę z firmowymi danymi szpitala. – Nie widziałem nic podejrzanego, ale jeśli będzie trzeba, jestem do państwa dyspozycji – zapewnił.

Kiedy był już na lądzie, odetchnął z ulgą. Ojciec miał rację, mówiąc, że syn nigdy nie będzie żeglarzem. Mylił się natomiast, kiedy starając się go upokorzyć, twierdził, że Ludwik boi się wody, trudnych warunków, zimna. Jego syn okazał się jednym z lepszych nurków amatorów w województwie. Na łajbie wytrzymywał z trudem, pod wodą natomiast czuł się doskonale. Powziął postanowienie, że nigdy już nie zrobi niczego wbrew sobie. Reszta była jedynie konsekwencją tej decyzji. Tak, zrywa z wiarołomną Kaśką – uśmiechnął się do siebie i doznał ulgi. Może i jest szczurem lądowym, ale on sam wie najlepiej, co czyni go mężczyzną. Przed odejściem przyjrzał się ostatni raz trzymasztowej fregacie. Dopiero stojąc twardo na ziemi, dostrzegał jej absolutne piękno.

MEDUZA
(2016)

Ponton czekał w umówionym miejscu. Nocą nie był widoczny w tych zaroślach, ale kiedy wzejdzie słońce, z pewnością wzbudzi zainteresowanie jakiegoś służbisty. Krzysztof Zawisza wiedział, że choć teren jest ogólnie dostępny dla cywili, wojsko obserwuje tutaj każdy kąt. Nie było łatwo sprawić, by dzisiejszego poranka oślepło. Tanio tym bardziej nie. Ale od czego ma się dawnych przyjaciół z WSI. Zresztą nie o pieniądze chodziło. Ani też wcale nie o przygodę. W życiu Zawiszy działo się ostatnio zbyt wiele; nieustanny natłok myśli, moc zadań, długotrwały stres i potężna odpowiedzialność za podjęte decyzje, które rzutowały na życie setek ludzi.

Dziś wieczorem znów leciał do Warszawy. Czekała go trudna przeprawa. Wynajęto go, by zaprowadził porządek w koncernie farmaceutycznym. Miał zwolnić czterech dyrektorów, w tym CEO, i zrestrukturyzować firmę administracyjnie, zanim zamkną czwarty kwartał podatkowy. Wiedział, że to słuszna decyzja. Zdawał sobie też sprawę, że to na nim – człowieku do wynajęcia – a nie na zarządzie skrupi się cała nienawiść wyeliminowanych z gry tygrysów. Będą gryźć, szarpać się i podważać jego kompetencje. Mogą posunąć się do nieczystej gry, a faktury za swoje usługi wciąż jeszcze nie wystawił. Proces reorganizacji spółki trwa już czwarty miesiąc.

Do tego wszystkiego presja teściów i żony, by w końcu się rozmnożyć, nie pozwalała na złapanie dystansu. Wizyty u ginekologów, zabawa w in vitro i wciąż niewypełnione kwity z ośrodków adopcyjnych, korowód pań psycholog i konsultantów lustrujących każdy zakątek ich domu. Coraz częściej kłócił się z żoną. Jeszcze chwila, a przestaną ze sobą rozmawiać. O sypianiu w jednym łóżku w ogóle nie będzie mowy. Teść, który bada najmniejszy rachunek, nicuje każde wypowiedziane słowo, przewiduje najdrobniejszy ruch. Krzysztof potrzebował ciszy. Kasia miała swoją jogę, on choć na chwilę chciał zająć głowę jednym jedynym zadaniem: troską o własne bezpieczeństwo pod wodą. Tylko w ten sposób potrafił się zrelaksować.

Zmierzył wzrokiem poniemiecką torpedownię na Babich Dołach i próbował wzbudzić w sobie emocje, które towarzyszyły mu zawsze, kiedy w sieci oglądał zdjęcia budowli. Ale po ekscytacji, którą od miesiąca dzielili z Horacym, a z której naśmiewały się ich żony, gdy w najdrobniejszych szczegółach planowali ten wypad, nie został nawet ślad. Wszystko zniweczył wczorajszy telefon od przyjaciela.

– Dzidzia gorączkuje. Nie zostawię Misi samej. Sorki, Kris – usłyszał i już wiedział, że nie wolno mu powiedzieć nawet jednego słowa.

To naturalna kolej rzeczy. Rodzina, odpowiedzialność, zmiana priorytetów. Oni z Kasią wciąż mieli to jeszcze przed sobą. Tak naprawdę czuł jednak ogromny zawód i złość. Tyle starań po nic. Samotne nurkowanie to żadna frajda, a ponadto od pierwszego szkolenia, które odbył osiem lat temu, instruktorzy powtarzali mu, że podstawą jest asekuracja i tylko doświadczony płetwonurek może decydować się na pływanie w pojedynkę. Ale nie miał wyjścia. Odizolować się. Włączyć tryb samolotowy. Tylko to pomoże mu zachować higienę psychiczną.

Mroczne pozostałości poniemieckiej budowli nie sprawiały o tej porze wrażenia tak imponujących, jak za dnia, na zdjęciach z drona. Pamiętał jednak, że to, co najciekawsze, znajduje się pod wodą.

Zawsze to Horacy obsługiwał motor na ich wyprawach, ale kiedy zadzwonił wczoraj przed północą z przeprosinami, zapewnił, że przyjaciel spokojnie poradzi sobie z prostym napędem elektrycznym. Krzysztof rzucił na brzeg ciężką torbę i dokładnie obejrzał ponton. Zwykły wysięgnik zamiast steru, komplet wioseł. Silnik włączało się jednym przyciskiem. Łatwizna. Choć starał się wziąć jak najmniej sprzętu i zdecydował się na niepełną butlę z mieszanką tlenowo-azotową – głównie dlatego, że nie miał czasu jej nabić – ramię niemal mu zdrętwiało od spacerów z tym ładunkiem. Powinienem był zaparkować bliżej – zganił sam siebie w duchu. A potem zobaczył czerwoną łunę na linii horyzontu. Brzask detronizował właśnie królową nocy. Przez krótki moment zdawało się, że morze nabrało koloru wina. Krzysztof urzeczony wpatrywał się w burgundową toń i pomyślał, że teraz Zatokę Gdańską wypełnia po brzegi nie woda, lecz krew.

Rozmasował plecy, rozruszał ramiona. Miał tylko cztery godziny, z czego połowę zamierzał przeznaczyć na nurkowanie. Zainstalował butlę, dokręcił rurki, sprawdził ciśnienie. Na piankę włożył jacket. Wsunął cztery ołowiane obciążniki oraz dopiął do pasa wodoodporny olympus i nowe evolveo, którym w razie awarii mógł wezwać pomoc, wciskając jeden guzik. Przed zwodowaniem pontonu sprawdził zawór. Kiedyś miał już problem z drożnością i doskonale pamiętał, jak pod wodą, sparaliżowany strachem, doił butlę z tlenem bez skutku. Wtedy postanowił, że nigdy więcej nie pozwoli sobie na żadne zaniedbanie.

Silnik zaskoczył. Wiatr owiewał Krzysztofowi twarz, od chłodnej bryzy mężczyzna dostał gęsiej skórki. Kiedy zbliżał się do celu, czerwona kula słońca zdążyła wznieść się już nad horyzont i wrócił optymizm. Oranżowe światło zalało teraz torpedownię, odsłaniając każdy wyszczerbiony fragment betonu, każde ptasie gniazdo, pręt konstrukcyjny. Krzysztof poczuł niemal rozkosz, ale też i dumę z podjętej dziś rano decyzji. Może tak miało być? Czasami trzeba zmierzyć się z życiem absolutnie samodzielnie. Wsłuchiwał się w krzyk mew i czuł, że sprawy ziemskie przestają już mieć znaczenie. Nikną ich siła, zasięg, waga. Wraz z odległością pokonywaną w kierunku otwartych wód zatoki stawały się miałkie i coraz bardziej cudze.

Pomarańcza na niebie, plusk. Chłód wody otulającej ciało zimnym celofanem, kiedy ciecz wpływa między piankę a skórę. Wreszcie klik i cisza. Ziemię zostawił własnemu losowi. Wszechogarniająca woda niczym milczące porozumienie była teraz jego uniwersum. Każdy szmer słyszał zwielokrotniony, głuchy. Napawał się tym nowym światem bez barw, zapachów, głosów. Za to pełnym cieni. Chwilę jeszcze widział krawędzie. Jakaś rybka przepłynęła mu tuż koło nosa. Błysnęły żółć, szafir i zieleń. Ale może to tylko małe flesze istniejące wyłącznie w jego wyobraźni, bo w Bałtyku, a zwłaszcza na tej głębokości, kolorów już się nie widzi. Potem, w miarę jak schodził niżej i niżej, jakby zsuwał się do kieszeni olbrzyma, tracił kontakt ze wszystkim. Coraz mniej pamiętał ziemskie troski, kłótnie. Natłok emocji zelżał niemal do zera. Było tylko tu i teraz. Woda otulała go ciasno. Z radością oddał się we władanie jej łagodnej, kojącej, choć zaborczej siły. Zanurzasz się, znikasz w bezczasie, rezygnujesz z walki. Oddajesz się cały, gotowy absolutnie na wszystko. Tak właśnie smakuje prawdziwa miłość. Zawsze to powtarzał żonie.

Czarno. Gdzie góra, gdzie dół? Wypuścił kilka bąbelków. Nie widział już zupełnie nic. Czas włączyć latarkę. Pora na *magic hour*. Srebrny snop zatrzymał się na wyłomie fundamentów budowli. Kopniak adrenaliny. Obezwładniające piękno w czystej postaci. Może to, co na wierzchu faktycznie przypomina widoki ze starego francuskiego programu *Fort Boyard*, w którym uczestnicy chodzili na linie, żonglowali, dokonywali cudów à la surwiwal lat sześćdziesiątych. Dziś Krzysztof się z tych podniet śmiał. Pod wodą nie poradziliby sobie wcale. Dopiero teraz, w tej ciszy, bebechy torpedowni naprawdę oszałamiały. Dzieło godne mistrza horroru.

Pamiętał, że zostawił ponton od wschodu. Zerknął na komputer na ręku. Cztery metry, sześć, dziesięć. Dość. Nie miał uprawnień do penetrowania wraków ani ochoty na większe ryzyko. Tlenu starczy na dwie godziny, może ma jeszcze kwadrans rezerwy. Nie był pewien. Pęcherzyki powietrza idą w górę. Jest dobrze. Wszystko pod kontrolą.

Dwukrotnie dokonał przedmuchu. Złapał się za nos, by wyrównać ciśnienie atakujące bębenki. Starał się płynąć ostrożnie. Widoczność ograniczała się jedynie do srebrnego snopa światła latarki. Konstrukcja była betonowo-metalowa. Wyżarte przez rdzę pręty zbrojeniowe mogły wyrosnąć przed nurkiem znienacka, przeciąć piankę, rurki, zaatakować niczym krwiożercze rekiny, ale Krzysztof czuł się już tak dobrze, tak lekko, że włączył kamerę i postanowił opłynąć obiekt dookoła. Z daleka dochodziły go stłumione szmery nieubłaganie kruszonego przez morski żywioł betonu i żelastwa poruszanego przez fale. Gdyby w oddali pojawiła się motorówka lub choćby kajak, usłyszałby ich zwielokrotniony odgłos.

Przypomniał sobie pierwsze nurkowania w bazie na Lanzarote. I tę niedostępną Francuzkę, która pod wodą nieoczekiwanie chwyciła go za rękę. Potem kochali się na plaży każdego dnia o wschodzie słońca. Przez całe dziesięć dni. Nigdy więcej jej nie widział, nie miał od niej żadnych wiadomości. Telefon, który podała, nie działał, a czasy Facebooka przyszły lata później. Niezbyt dokładnie pamiętał jej twarz, nie był pewien nazwiska, ale ten dotyk na czterech metrach zanurzenia zapamiętał na zawsze. To wspomnienie było tak sugestywne, że aż się wzdrygnął. Jak dawno to było? Na pewno nie był jeszcze żonaty. Nie miał nawet pomysłu, kim zostać, czym się w życiu zajmować. Kto mógł przypuszczać, że zacznie robić wielkie pieniądze jako Harvey Keitel biznesu, jak go złośliwie przezywano, nawiązując do słynnej postaci sprzątacza trupów z *Pulp Fiction*? Czy w ogóle przewidywał wtedy, jak potoczy się jego życie?

Charlotte, tak chyba miała na imię ponętna paryżanka. Teraz już dokładnie widział w wyobraźni jej oczy i drobne zmarszczki wokół ust. Była od niego dużo starsza. Pewnie dlatego nie chciała kontynuować wakacyjnej znajomości. Mąż, dzieci, te sprawy.

Poczuł coś na płetwie. Z ciekawości przesunął snop światła w lewo. Coś czerwonego. Coś błyszczącego. Zawrócił. Czy to możliwe? Czerwień na tej głębokości? I wtedy zobaczył sukienkę rozpostartą w toni jak monstrualna meduza. Niżej drobne stopy. Pomarszczone palce niczym u praczki. Nienaganny lakier na paznokciach, krwiście czerwony, jak kreacja kobiety. A więc to nie złudzenie. Dotyk był prawdziwy. Drgnął odruchowo, wydało mu się, że topielica przesunęła nogę w jego kierunku, ale to była tylko fala. Latarka wysunęła mu się z rękawicy, spadła w toń, a on spanikował. Nagła ciemność i świadomość, że ona jest obok. Nieżywa? Tak całkiem martwa?

Atawistyczny strach był silniejszy od rozumu. Krzysztof nabrał nagle haust powietrza, kolejny i gwałtownie się zakrztusił, czując ucisk w płucach, gdy reduktor nie nadążył z podaniem wymaganej dawki tlenu. Spróbował wyregulować oddech. Jeszcze gorzej. Huśtawka. Zaraz się udusi, odpłynie w niebyt! Zostanie tutaj na zawsze, zapomni o wszystkim. Było to kuszące, ale reduktor jednak działał i wciąż podawał mieszankę. Oddech wrócił do normy.

Powoli. Spokojnie. Odsunął się od kobiety, zatrzymał bez ruchu. Pragmatyzm, zimna krew. Jak w pracy. Włączył latarkę zapasową, którą miał zaczepioną na ramieniu. Była mniejsza, ale dawała tyle samo światła. Co robić? Wersja A: Uciekać. Mogę mieć kłopoty. Niech ktoś inny ją znajdzie. Może wystarczy anonimowy telefon? Wersja B: Zostać bohaterem bulwarówek. Nurek znalazł ciało! Co najwyżej wlepią mi mandat. Wersja C: Ratować ją? Jestem dobrym człowiekiem. Czyżby? Powiedzcie to zwalnianym dyrektorom.

A może trzeba ją jakoś wydostać? Jak? Dlaczego ja? Dlaczego dziś? A dlaczego nie? Kurwa.

Miotał się tak, jednocześnie opływając ją i oglądając z różnych stron z czystej ludzkiej ciekawości. Wróciło racjonalne myślenie. Rozejrzał się, czy nie ma tu nikogo więcej. Nie. Tylko on i ta kobieta w czerwieni. Musiała znajdować się w głębinie już jakiś czas. Skóra jej łydki w najbardziej miękkim miejscu nadgryziona była przez morskie żyjątka. Kostka opuchnięta, w tym świetle księżycowo biała. Wyżej ramiona rozpostarte jak do lotu. Czarna skórzana kurtka z naderwanym rękawem pełniła w tym obrazie rolę skrzydeł. To sprzączkę zamka widział wcześniej jako blik. Twarzy kobiety nie potrafił dostrzec. Podpłynął pełen obaw do góry, poświecił. Na głowie topielicy zakręcono czarny worek.

Znów spojrzał na komputer na ręku. I jeszcze raz. Niebywałe – zdziwił się. Tkwię tutaj tak długo? Tlenu zostało na trzydzieści dwie minuty. Już w tej chwili powinien wynurzyć się na cztery metry i zrobić sobie ośmiominutową przerwę, co daje mu jakieś dwadzieścia minut na wszystko, a jeszcze trzeba zaliczyć wynurzenie. Nie wolno tego zrobić zbyt gwałtownie. Zadbaj o siebie – podpowiadał instynkt. Nie ma na co czekać. Kiedy się wznosił, pojął, jakim cudem kobieta zawisła akurat tutaj i nie wypłynęła na powierzchnię ani nie opadła na dno. Kawałek niebieskiej cumy jednym końcem oplatał jej kostkę, a do drugiego przywiązany był solidny kamień. Krzysztof nie mógł się powstrzymać. Podpłynął do łącznika. Przyjrzał się blokadzie. Lina zaczepiła się o pręt. Pokryty rdzą i nieregularny, ale z jednej strony ostry niczym nóż. Sznur przetarty był już do połowy. Jeszcze kilka dni i pęknie. Wtedy kamień spadnie na dno, a topielica będzie wolna.

Przez chwilę zastanawiał się, czy jej w tym nie pomóc, ale nie miał już czasu. Podjął ostateczną decyzję o ewakuacji. Nagle poczuł na karku ucisk, a potem chrupnięcie. Obok zobaczył czerwoną mgiełkę. To krew. Oblał go zimny pot. Nic go nie bolało, a jednak bez wątpienia był ranny. Zaczął powoli wysuwać się spod pręta, ale szło opornie. Zakleszczył się. Szarpnął silniej. Teraz otaczały go już gęste strużki czerwieni. Słyszał tarcie, odgłosy pękania, wreszcie ucisk drutu zelżał. Ale wraz z uczuciem ulgi przyszedł lęk. Krzysztof nie miał pojęcia, jak bardzo uszkodzona została powierzchnia rury doprowadzającej mieszankę. Czy za chwilę zamiast powietrza nie otrzyma przez ustnik solidnej dawki słonej wody? Musiał mieć pewność. Zsunął rękawicę, by sprawdzić osprzęt. Spadła wprost na odsłonięty dekolt kobiety, a potem spłynęła w dół i w ciemności stracił ją z oczu. Poczuł się dziwnie, jakby dotknął martwej piersi, ale już po chwili o tym nie myślał, bo w ustach miał wodę. Ścisnął ustnik zębami, przedmuchał. Nie pomogło. Znów się napił, zadławił. Szybki rzut oka na komputer. Tlenu zostało na jedenaście minut. Wypuszczał bąbelki, by ustalić, gdzie jest powierzchnia wody, i błyskawicznie świat czerni zamieniał się w szarość. Wiedział, że idzie zbyt szybko, bo przeganiał pęcherzyki powietrza. Ale nie potrafił inaczej. Wola przetrwania była silniejsza.

Wypływał dwie minuty, wciąż wydychając powietrze. Zmniejszające się ciśnienie rozkurczało mu płuca, a zużyte powietrze musiało znaleźć ujście. Wreszcie zobaczył słońce błyskające pod taflą. Pamiętał o naciśnięciu przycisku alarmowego oraz wystawieniu ręki przed wyjściem nad poziom wody, ale gdy wynurzył głowę i nabrał powietrza, poczuł się tak, jakby do przełyku ktoś nalał mu gorącego żelaza. W piersi go piekło, drapało, czuł, jak płuca pękają niczym zbyt gwałtownie napompowany balon. Umieram – pomyślał z goryczą. Dobrze wiedział, że zgubiło go to, co niejednego przed nim człowieka morza. Zafascynowany syreną przestał uważać i wtedy właśnie zaatakował go tutejszy rekin. Nie spodziewał się tylko, że to tak dojmujący ból. Na to nie był zupełnie przygotowany.

Rzutka przeleciała tuż przed nosem Roberta Duchnowskiego i wbiła się centralnie w tarczę. Wypuszczono ją z niewielką siłą lub też z bardzo dużej odległości, bo zaraz odkleiła się i spiralnym ruchem spadła na podłogę. Duch zdjął czapkę, obejrzał, czy nie ma na niej uszkodzeń, a potem odwrócił się i zmierzył karcącym spojrzeniem salę, tropiąc dowcipnisia. Nie napotkał jednak żadnego spojrzenia wymierzonego w swoją stronę. Wyglądało na to, że wszyscy zajęci są rozmową.

Jeszcze kwadrans temu Robert w towarzystwie najważniejszych person polskiej policji asystował w zawodach przeciągania liny, gry w rzutki i innych konkurencji zespołowych. Na stole prezydialnym pomiędzy paterami pełnymi ciastek z marmoladą i pustymi szklankami po słonych paluszkach i gazowanych napojach wciąż stały nieodebrane nagrody. Jego ludzie pokonali dziś wszystkich rywali. Zgarnęli wszystko, co było do wzięcia. A on sam, by pokazać, jak świetną mają kadrę na Wybrzeżu, swoim trzem naczelnikom: prewencji, kryminalnego i drogówki ufundował osobiście zaprojektowane statuetki walczących byków. Wręczył je publicznie, z honorami, dokładnie opisując zasługi i podpierając się danymi liczbowymi. Aplauz zdobył

ogromny. Zadał bobu pozostałym komendantom woje-
wódzkim. Wiedział od swoich ludzi, którzy pozdejmowali
już galowe mundury i rozpoczęli bibkę w wynajętym na ten
cel domu wczasowym Czarna Chata w Piasecznie, że policjanci z innych komend zazdroszczą im takiego szefa.

Zamierzał dołączyć do imprezowiczów, jak tylko rozmó-
wi się z szefem w sprawie swojej nominacji na komendanta.
Miał już dosyć żartów z nieszczęsnego tytułu p.o. Poszukał
w tłumie Konrada Waligóry i z niekłamaną zazdrością obserwował byłego szefa i przyjaciela. Wali czuł się w stolicy
jak w domu, choć przenieśli go do Głównej zaledwie kwartał
temu. Dlaczego więc dotąd nie wstawił się za moją nomina-
cją? – rozmyślał Duchnowski. Papiery poszły pocztą już
w ubiegłym miesiącu. Odpowiedzi żadnej. Leży widać na
trzeciej kupce, tej do rozważenia na święty nigdy. Duch do
tej pory nie miał drugiego zastępcy, a ten pierwszy i jedyny
nie potrafił nawet obliczyć wskaźnika wykrywalności. Przed
awansem ledwie rok przesiedział w dyżurce. Za to niezwykle często chodził do kościoła i świetnie sprawdzał się w za-
bezpieczaniu pielgrzymek. Koledzy szybko nadali mu przydomek „Papież".

Policjanci nie mają poglądów politycznych? Gówno
prawda. Duch zrozumiał to po trzeciej odprawie w stolicy.
Niby był bardzo blisko najwyższego stołka w Trójmieście.
Właściwie wszystkie karty trzymał w ręku: przed osiemdziesiątym dziewiątym nie było go w służbach, poglądy
odpowiednie, plam na życiorysie żadnych. W każdym razie
kwitów na niego nie mają. Ale przejadło mu się już przesia-
dywanie w firmie po godzinach i nadzorowanie osobiście
każdej bzdury. Papiery, podpisy, pieczątki – do tego sprowa-
dzało się jego życie. Zamierzał dziś zawalczyć o swoje albo
wracać do kryminalnego. Tam przynajmniej cieszył się sza-

cunkiem i miał odpowiednią dawkę adrenaliny. Chodzenie na pasku nie było jego mocną stroną, a o byciu notariuszem nigdy nie marzył. Wóz albo przewóz. Rybki albo akwarium. Zdegradować się nie da. W razie czego zagrozi, że pójdzie na emeryturę. Choć tej opcji właściwie nie brał pod uwagę, traktował ją raczej jako ostateczność. Odejść, rzucić raport o zwolnienie i kilka bluzgów na pożegnanie mógł zawsze. I wcale się do tego nie śpieszył.

Prawda była taka, że pragnął tego stołka jak nigdy w życiu żadnej baby. Zasmakował już we władzy, kupił na kredyt upragniony motocykl i nie tak łatwo mu go odbiorą. Zaparł się. Dlatego przedwczoraj oddał mundur do pralni, poszedł do fryzjera, kazał nawoskować buty i założył nowiutkie spinki od Zegny. A jeszcze rok temu uznałby takie zabiegi za przejaw śmiechu wartej próżności. Nie po to wreszcie tłukł się tyle godzin do Warszawy, żeby pić dereniówkę albo niebieski spirytus w podrzędnym ośrodku z kiblami na korytarzu, w towarzystwie swoich chłopaków, których notabene na co dzień gonił za picie w pracy.

Konrad stał pod oknem ze szklanką wody gazowanej w ręku i elektronicznym papierosem w butonierce, otoczony emerytowanymi generałami. Jako jedyny funkcyjny nie włożył munduru. Duch zachodził w głowę, co to za nowa moda. Średnia wieku jego towarzyszy nie przekraczała pięćdziesiątki. Jeden z nich żwawo emablował zgrabną Mulatkę w nieskazitelnie białych spodniach. Kobieta się nie odzywała. Stała na baczność, wyprężona jak struna i tylko nieznacznie kiwała głową, udając zainteresowanie. Duch dałby głowę, że wszyscy zgromadzeni myślą wyłącznie o jej pośladkach, których jędrność bezceremonialnie eksponowała śnieżna materia. Ściągnął chyba kobietę myślami, bo nagle podniosła głowę, założyła pukiel włosów za ucho, na którym zalśnił diament, i uśmiechnęła się do niego, jakby zachęcała, by uwolnił ją od nudnego rozmówcy. Ruszył więc zdecydowanie do ataku, ale drogę zastąpiło mu dwóch gości w pogniecionych garniturach, zasłaniając widok na karmelową piękność.

– Niezły pomysł z tym bykiem na statuetce, inspektorze – zagaił leniwie chudszy o wyglądzie filmowego esesmana. Był niewysoki, ale żylasty, jakby składał się wyłącznie z naciągniętych sprężyn. Kiedy mówił, jabłko Adama poruszało mu się niczym żywe stworzenie. Była w nim jakaś nieokreślona nerwowość, skryta energia, która nie miała nic wspólnego z sytuacją. Duchowi przyszło na myśl porównanie do silnika na jałowym biegu. W każdej chwili maszyna może zostać puszczona w ruch i pozorny spokój zniknie. – Sam pan inwestował?

– A ten zegarek też niekiepawy – dodał drugi mężczyzna, nieco lepiej odżywiony, wskazując zabytkową certinę, którą Duch dostał w ubiegłym roku na urodziny od Saszy Załuskiej.

Poza animowanym duchem zabawką, którego podarowała mu po pierwszej wspólnie rozwiązanej sprawie, był to jedyny prezent, jaki od niej otrzymał. Twierdziła, że zegarek należał do jej ojca. Miał dla niej głównie wartość sentymentalną, ale kiedy Robert zaniósł go do zegarmistrza, by wyregulować mechanizm, dowiedział się, że czasomierz wart jest pięć do siedmiu tysięcy. Nigdy nie powiedział o tym Saszy. Bał się – a nuż pomyśli, że chciał go zastawić? Nie byłoby to zresztą dalekie od prawdy, gdyż rozważał i taką opcję – był w tamtym czasie kompletnie spłukany. Ale też kiedy się rozstali, nie zwrócił cacka, mimo że był to bardzo drogi upominek. Ona zaś się tego nie domagała. Zakładał ten zabytkowy czasomierz wyłącznie na takie okazje jak ta

– by zadać szyku lub wzbudzić zawiść u ludzi, którzy i tak nigdy nie będą jego przyjaciółmi.

– To certina Załuskiego – stwierdził nagle bez ceregieli ten sprężysty. – Pęknięte szkło, złoty cyferblat, pomarańczowy sekundnik wysadzany diamentami. Ten zegarek swego czasu owiany był legendą. Podobno zamiast mechanizmu miał wbudowany detonator.

– Raczej otwieracz do konserw – zażartował drugi, praśniejszy agent. A potem nagle spoważniał. – W każdym razie, skoro ma pan ten zegarek, musiał być pan kimś ważnym dla konsula. I dla jego córki Saszy, jasna rzecz.

Robertowi nagle zrobiło się głupio. Wysunął z rękawów przepisowy centymetr mankietu, by policjantom zaparło dech w piersiach na widok jego ametystowych spinek, a następnie wyciągnął z kieszeni składany nóż z ząbkami, którym sprawnie porozkrawał leżące na półmiskach pomarańcze. Ku jego zdziwieniu były czerwone i soczyste. Sok spływał mu po rękach aż na mankiety niczym krew oprawianej zwierzyny. Chwycił ze stołu serwetkę i bardzo dokładnie wytarł w nią dłonie. Dopiero potem zajął się kozikiem.

– Postanowiłem zapomnieć o przeszłości – wycedził z wyższością. – Jeśli jestem wam winien pieniądze, przepraszam.

Flegmatyk zaśmiał się sztucznie i wyciągnął dłoń do powitania. Była zimna i wilgotna od potu.

– Nadkomisarz Filip Kryger, specgrupa do spraw porwań w celu wymuszenia okupu – przedstawił się. – Do Nowego Roku tajna.

– Widzę – mruknął Duch, po czym dyskretnie wytarł rękę o spodnie.

– Czyli normalnie robimy na swoich etatach, a to, co po godzinach, jest ku chwale ojczyzny. – Mrugnął zawadiacko do Ducha sprężysty i powstrzymał się od podania ręki do czasu, aż Duchnowskiemu uda się osuszyć swoją. – Maurycy Kwiatkowski. Dla przyjaciół MauMau albo normalnie po polskiemu – Moritz. Dobierają nas, jak pan zauważył, wedle dziwnych imion oraz miejsc pochodzenia. – Wskazał kolegę: – Biłgoraj. – A potem na siebie: – Głuchołazy. Dlatego tak się odjebaliśmy. – Zagrzmiał szczerym śmiechem. – Przyjechali my do stolicy, to się bawim.

Duch od razu go polubił.

– Robert Duchnowski. Gdańsk. – Odchrząknął. – Chyba się nie zakwalifikowałem.

– Będzie ciężko, Duchu – odparł z kolejnym mrugnięciem MauMau, po czym poprawił słuchawkę w uchu.

Poła marynarki się odchyliła i Duch dostrzegł czarne szelki oraz wysadzaną ćwiekami skórzaną kaburę. To w połączeniu z tanim garniturem zastanowiło go nie mniej niż dalsza część wypowiedzi żylastego agenta.

– Co innego, gdybyś miał na nazwisko Westyta i prowadził firmę transportową. Ale ty przecież, Duchu, jesteś resortowe dziecko. Matula z samej Warszawy. Pół życia przesiedziała na MDM-ie, co? Bonów do pewexu nigdy wam nie brakowało. Ja to nie wiedziałem wtenczas, że takie coś istnieje. Kiosk Ruchu był dla mnie szałem nad szały.

Robert z trudem powstrzymał się przed reprymendą wobec nieoczekiwanego przejścia na ty. Gryzło mu się też słownictwo agenta z jego ewidentną inteligencją i sprytem. Wietrzył w tym przypadkowym spotkaniu grubszy podstęp. Zanim jednak wybuchnie, wolał się najpierw upewnić, z kim ma do czynienia. Rzucił raz jeszcze okiem na wymięte marynarki agentów i nabrał powietrza. Niedawno sam używał takich kiepskich wód toaletowych. Żelazko zaś przydawało mu się wyłącznie do prasowania zalanych piwem dokumentów.

– Dobry jesteś w rzutki, Moritz? – Zmierzył zimnego blondyna podejrzliwym spojrzeniem.

– Słaby. – MauMau wzruszył ramionami. – Ale kolega Kryger jest niezły. A co? Zostało ci kilka byków do rozdania?

– Tylko rozpłodowe. – Duch się rozejrzał. – Pali się tu gdzieś?

– Za śmietnikami – usłyszeli damski głos.

Robert się odwrócił. To samo uczynili pozostali. Już w półobrocie Duch poczuł, że nastrój mu się jednak poprawia. Zmierzała bowiem ku nim karmelowa bogini w bieli.

– To nasza szefowa – pośpieszył z szeptanym wyjaśnieniem MauMau. – Inspektor Claudine Morawska.

– Inspektor? – upewnił się Duch. – Ta czekoladka ma dwa stopnie wyżej ode mnie?

MauMau skinął niechętnie głową.

– I w tym roku może pójść wyżej. Radziłbym nie bagatelizować publicznie jej słów. Ani też nie komentować koloru skóry i rozmiaru dróg oddechowych oraz powstrzymać się przed zaglądaniem...

– Zrozumiałem – przerwał mu Robert. – Znaczy się: feministka?

– W pracy jest dosyć władcza. Nawet jak na kobietę, powiedziałbym gruboskórna. – Kwiatkowski przestrzegł Ducha dobrotliwie.

Ten jednak nie wziął sobie jego słów do serca i kiedy Mulatka ruszyła przodem, wpatrywał się w dolne partie jej ciała jak pies w kość. MauMau kontynuował:

– Grudziądz. Kalamata. Czasami Wiedeń. W Paryżu ma byłego męża.

– I podobno zamek – dorzucił Kryger świszczącym szeptem. – Z fosą.

– Posiadaczka fosy może być tylko szefową. – Robert uśmiechnął się do nowych kolegów. – A przy tym jest absolutnie bezkonkurencyjna w kwestii nazewnictwa.

MauMau podał Duchowi ogień. Kiedy Robert odpalał, agent przytrzymał jego dłoń dłużej, niż należało. Duch zaciągnął się tylko raz i zapobiegawczo odsunął się od Kwiatkowskiego na bezpieczną odległość. Mimo iż gromił go spojrzeniem, w niebieskich oczach MauMau zobaczył błysk zadowolenia. Przez chwilę agent wyglądał jak łobuz, któremu udało się zrobić kumplowi psikusa.

– Słyszeliśmy o uprowadzeniu córki waszej profilerki – zaczęła Claudine, kiedy wszyscy już zapalili.

Głos miała niski, chrapliwy. Idealnie dopasowany do jej drapieżnej urody. Robert nie miał wątpliwości, że to kawał suki, w najlepszym tego słowa znaczeniu.

– Dobrze pani mówi po polsku – zdecydował się jej nieco schlebić.

– To niezbyt trudne, jeśli mieszka się w kraju od drugiego roku życia – odparowała kobieta.

Była nadzwyczaj poważna, co tylko przydawało jej zmysłowości. Duch z łatwością wyobraził ją sobie jako dzikiego kota. Z pewnością potrafi być naprawdę groźna. Strasznie go to brało. Z trudem koncentrował się na tym, co mówiła.

– Interesuje nas ta sprawa – ciągnęła inspektor Morawska. – Motyw, *modus operandi* sprawców. Jaki jest jej status?

– Nijaki. – Duch wzruszył ramionami. – Wyczerpaliśmy wszystkie środki. Przeszukanie terenu, przesłuchanie świadków i rodziny, media, fundacje, zdjęcia, plakaty, podsłuchy. I nic. Zero.

– A dlaczego?

– Sprawcy skontaktowali się z matką tylko raz. Pilotowaliśmy przekazanie okupu.

– Pół bańki papieru. Nikt się nie zgłosił. Wiemy – przerwała mu Claudine. – Co jeszcze?

– Była na kablu. Analiza głosu jest w aktach. Nieustalony mężczyzna. Akcent wschodni. Nie zdążyliśmy określić miejsca pobytu dziecka. Podejrzewamy łódź, statek. Przemieszczają się. Stąd trudności w namierzeniu. To był krótki kontakt. Raczej figurant.

– Liczyłam, że pani Załuska się tutaj pojawi. – Kobieta znów bezceremonialnie przerwała Duchowi, lecz tym razem policjant nie ukrywał zniecierpliwienia. Claudine dostrzegła to, spacyfikowała go gestem. – Firma jest winna swoim ludziom wykorzystanie wszelkich środków. Aleksandra Załuska to przecież nasz człowiek. Niedobrze jest, kiedy w takiej sprawie nie ma wyników. Wie pan, że przyjechaliśmy tutaj na polecenie pani generał?

– Byłej pani generał? – Duch nie mógł się powstrzymać od drobnej złośliwości. – Tej od spódnicy?

Claudine zignorowała niestosowny żart Ducha.

– Była tylko jedna kobieta na tym stanowisku – odezwał się MauMau.

Claudine spiorunowała go wzrokiem.

– Sasza Załuska się z nią kontaktowała. Opisała sytuację. Przesłała zebrany materiał. Oczywiście skany dokumentów.

– Doniosła na mnie? – Robert zaśmiał się nerwowo. Teraz zaczynał rozumieć, dlaczego pisma w sprawie jego awansu pozostały bez odpowiedzi. Załuska robi mu kreczą robotę. Czuł narastające wzburzenie. Z trudem się hamował. – To żart?

Claudine zgasiła papierosa.

– Nie, nie skarżyła się na pana. Muszę jednak stwierdzić, że niektóre czynności wykonano dosyć pobieżnie. – Uśmiechnęła się. – I niech pan nie dopatruje się w działaniach zrozpaczonej matki ataku na własne stanowisko. Ma pan dzieci?

– Nie poczekała na odzew. Mówiła dalej: – Trzy córki. Dziewczynki mieszkają z pana eks. Znamy się z jej nowym mężem. To dobry dyrektor administracyjny. Sumienny – dodała z przekąsem i przerwała, widząc lwią zmarszczkę na twarzy Roberta. – Jak by się pan czuł na miejscu Saszy?

Duch nie odpowiedział. Zaczynała go irytować ta kocica. Niby dlaczego tak się puszy? Bo ma dwie stokrotki więcej na pagonie? Pewnie i tak nigdy nie wkłada munduru.

– Nic nie wycieknie – zapewniła tymczasem pośpiesznie Claudine. – Może się pan czuć z nami bezpiecznie.

– Jak chuj w torcie. – Duch przybliżył się do Morawskiej na wyciągnięcie dłoni, aż dotarł do niego słodki zapach. Nie odsunęła się. Poczuł respekt. Udał, że sięgał tylko do popielniczki. MauMau tymczasem nie spuszczał Roberta z oka. Duch rzucił więc wyzywająco, oglądając się kolejno na każdego z nowej ekipy: – Co jest grane?

– Sasza dostała pismo. Wezwanie przyszło na pana biurko. Nie podpisał go pan.

– Tak? – Duch przekrzywił głowę i zmrużył kpiąco oczy. – Nie pamiętam.

– Mimo to Załuska potwierdziła dzisiejszą obecność.

Teraz Duch się zaniepokoił.

– Niby gdzie i komu?

Claudine wyjęła srebrną papierośnicę i sięgnęła po kolejnego papierosa. Kryger natychmiast pośpieszył z zapalniczką.

– Pytam pana po ludzku, bo się martwię, jak się kobieta czuje. Dziecko jej wzięli pół roku temu. Śladów brak. Okupu nie odebrali. Jedno nagranie. Może z nią źle. Pije?

– Nic o tym nie wiem.

– Ale wiedział pan, że ma z tym kłopot?

Duch skinął głową.

– Wszyscy wiedzieli. I wiedzą.

– Takie sytuacje sprzyjają powrotom do nałogu. Nie chcielibyśmy, żeby do tego doszło.

– Z tego, co wiem, jakoś sobie radzi – zaczął Duch i zaraz przerwał. – Ale co ja i pani mamy do tego?

– Wie pan, pracowałyśmy kiedyś razem. To świetna agentka. Bardzo ceniona. Były różne sytuacje, absolutnie niebezpieczne. Nigdy się nie posypała. Ustawa o ochronie świadków koronnych ma dopiero dziewiętnaście lat. Wszyscy widzimy, co się teraz dzieje w kraju.

– A co się dzieje?

– Wychodzą na jaw różne sprawy. Czyszczony jest system. To dobrze, bardzo dobrze, że się sprząta, ale warto wtedy stawiać na zaufanych ludzi. A nie tylko werbować młodych. Doświadczenie jest ważne. Osobiście pożegnałam ze trzydziestu kolegów. Ich winą było to, że zatrudnili się przed przełomem. Wielu z nich pije, sam pan wie. Nie każdy dobrze znosi takie rewolucje.

– Chcecie ją ponownie zwerbować?

– Zaraz zwerbować – obruszyła się Claudine. – Po prostu martwimy się o nią, o jej sytuację, zaginione dziecko.

– I o to, co powie i komu, gdyby się nawaliła lub gdyby od tego zależało uratowanie dziecka – dokończył Duch.

Zapadło milczenie.

– Dziś w Belvedere jest zamknięte spotkanie – odezwał się MauMau i ponownie przysunął do Ducha.

Claudine dała mu jednak znak. Obaj tajniacy natychmiast wycofali się do budynku. Duch wyczuł napięcie między kobietą a Kwiatkowskim. Czyżby Mulatka odrzuciła kiedyś zaloty aryjskiego przystojniaka? Czy może raczej chodzi o stanowisko? Nie znoszą się, rywalizują – tego Robert był pewien.

– Będą tam wszyscy – wróciła do tematu Morawska, kiedy zostali już sami. – Nie musi pan liczyć na swojego kolegę.

Waligóra, czy tak? Szef analityki kryminalnej. Gówno, nie stanowisko.

– Ciepła posadka – ucieszył się Duch. – W jego wieku to niezły stołek.

– Zwłaszcza że przed osiemdziesiątym dziewiątym był już w firmie. Dlatego nie jest tak mocny, jak mu się wydaje. Nabija sobie punkty przed odejściem. Siedem stów miesięcznie więcej to rocznie...

– Osiem tysięcy czterysta. Zawsze byłem dobry z matmy.

Teraz Claudine zbliżyła się nieznacznie. Zrobiła to jednak inaczej. Nie agresywnie, lecz miękko, jak kot. Nie była zbyt wysoka. Od Saszy niższa o jakieś piętnaście centymetrów, pomyślał instynktownie. Za to jak zbudowana! Z góry doskonale widział wgłębienie w jej dekolcie. Na jednej z obłędnych piersi miała uroczy pieprzyk. Przy każdym poruszeniu biust trząsł się niczym galaretka. Robert był pewien, że nie tknął go żaden konował plastyczny. Przełknął ślinę na samą myśl o tym, co jeszcze kryje się pod białą materią.

– Wali nigdy za panem nie stanie. Tego może być pan pewien.

– I cóż ja biedny pocznę...

Claudine nie spodobała się jego kpina.

– Widzę, że to, co o panu mówią, to wszystko prawda.

– Arogancki, lecz zabójczo przystojny?

– Pozostańmy raczej przy ambicji. – Jak zwykle weszła mu w słowo. Powoli zaczynał się do tego przyzwyczajać. – Chce pan dużo od życia: doświadczać, zdobywać, mieć. Osobiście popieram.

Nigdy tak o sobie nie myślał, ale poczuł się mile połechtany. Uśmiechnął się przepraszająco i odsunął na bezpieczną odległość.

– To jakieś niesprawdzone pogłoski.

52

– Może pan błyskawicznie załatwić swoją sprawę. A także sprawę pierwszego i drugiego zastępcy. To pestka. Ale najpierw znajdziemy córkę Załuskiej, bo ona nie powinna nikomu nic mówić. A już tym bardziej nie wolno nam dopuścić, by została wykorzystana do zdobycia czegoś, czego ujawnienie zagroziłoby bezpieczeństwu narodowemu naszego kraju.

Duch momentalnie spoważniał.

– Czy to jest propozycja nie do odrzucenia? – upewnił się.

Claudine uśmiechnęła się szeroko, odsłaniając harmonię pięknych zębów. Przysłoniła dekolt. Pieprzyk ukrył się pod białą tkaniną.

– Będę szczera – zaczęła. Duch natychmiast pojął, że jest wręcz przeciwnie. – To jest szansa dla pana i dla nas. Bardzo źle, że nie przekazał pan Załuskiej służbowego wezwania. W razie kontroli to zaniedbanie obowiązków nie będzie miało większego znaczenia. Oczywiście jeśli ściągnie pan ją tutaj na wieczór. Choć przyznaję, było to całkiem sprytne posunięcie, bo negocjowalibyśmy teraz z nią. A pan – kto to może wiedzieć – być może z p.o. wkrótce trafiłby do swojego dawnego wydziału.

– To nie jest znów taka straszna perspektywa – odburknął Duch. – Adrenalina, zagadki kryminalne, skórzana kurtka, motocykl.

– Albo komenda rejonowa. Powiedzmy w Karwi. – Pastwienie się sprawiało jej wyraźną satysfakcję. – Niżej pan z pewnością nie spadnie z tym stopniem. Zresztą nie ode mnie to zależy. Bardzo wiele się teraz zmienia.

Mulatka już się nie uśmiechała. Duch był pewien, że ma do czynienia z rasowym drapieżnikiem. Dał się nabrać jak sztubak. Kręciła nim, jak chciała. Wpatrywał się w oczy tej kobiety, kimkolwiek naprawdę była, i myślał jedynie o tym, że chce ją poskromić. A ona to wiedziała. Dawno już się tak nie bał i nie pragnął jednocześnie żadnej kobiety. Wyjęła cielistą szminkę, pociągnęła nią usta i dyskretnie je oblizała. Duch obserwował jej kocie ruchy z ironicznym uśmiechem na twarzy, ale i milczącym zachwytem.

– A jeśli Sasza nie przyjedzie?

Przecież jesteś znakomitym szefem, wielbionym przez podwładnych, cenionym na szczycie. Przed tobą piękna perspektywa. Komendant wojewódzki załatwia takie sprawy jednym telefonem, czyż nie? A szykuje się nowe rozdanie. Pamiętaj o tym.

Przysunęła się. Pachniała ciastkami i dymem papierosowym. Jej skóra była jedwabista, lekko połyskliwa, zupełnie inna niż jej rodaczek czystej krwi słowiańskiej.

– Mój ojciec pochodzi z Ruandy. Mama z Grudziądza – wyznała i strzepnęła mu z munduru niewidoczny pyłek. – Najbliżsi mówią do mnie po prostu Klaudia.

– Szykuje się więc całkiem udany wieczór.

– To dopiero początek. – Złożyła usta w ciup, jak do pocałunku. – Chciałabym, żebyś kogoś poznał. Spodoba ci się. – Urwała.

– To niemożliwe.

Claudine się spięła, co bardzo go rozbawiło. A więc jesteś próżna, pomyślał. Tu cię mam. I dodał, z namysłem rozciągając sylaby:

– Nie może mi się dziś nikt bardziej spodobać od ciebie.

Dostrzegł w jej oczach iskierkę prawdziwego zainteresowania.

– Daj spokój. – Udała trzpiotkę, ale zaraz spoważniała. – Jest taka dziennikarka z Londynu. Rodzice byli Polakami, ona wychowała się w Anglii. Kręci z nami kolejny materiał.

– Z tajną grupą?! – Tym razem to on wszedł jej w słowo. Był ubawiony.

– Jeszcze tylko dwa miesiące. Potem szef nas ujawni. Razem z naszymi dokonaniami. Film dokumentalny zrealizowany dla BBC bardzo pomoże nam marketingowo. Pomyślałam, że może poza awansem chciałbyś wziąć udział i w fejmie.

– W czym? – Robert się skrzywił.

– Pokażesz swoją komendę, najlepszych ludzi.

– Muszę zapytać bossa. – Duch udawał obojętność, ale słabo mu to wychodziło. Chciał, bardzo chciał się popisać. Pokazać im wszystkim, że nie był jedynie p.o.

– Sandra ma już na taśmie twoje wystąpienie z bykami. – Mulatka mrugnęła do niego znacząco. – Niezłe na debiut w telewizji. Przemontuje, udzielisz jej wywiadu, pokręci się na twoich śmieciach, zrobi trochę przebitek. A jeśli chodzi o zgodę komendanta, to ja ci ją gwarantuję.

– Tak jak stanowisko? – roześmiał się drwiąco Duch. – Widzę, że wiele możesz.

Claudine nie zaszczyciła go tym razem uśmiechem.

– Sporo. Ale nie mów nikomu.

Zerknęła na zegarek.

– Mamy sześć godzin na ściągnięcie tutaj Załuskiej. W razie konieczności możecie ją dowieźć radiowozem. Choćby była pijana w sztok lub w inny sposób niedysponowana. Rozumiesz?

– Coś jej grozi?

Claudine sięgnęła do torebki i wyjęła rzutkę. Podała Duchowi.

– Chcemy tylko porozmawiać.

Jekyll podstępem wydostał się z domu i żwawym krokiem ruszył w kierunku dołu na tyłach ogrodu, w którym z doktorem Szymonem Konwerskim z Uniwersytetu Adama Mickiewicza w Poznaniu osiemnaście dni temu ułożyli truchło niedużego prosiaka. Tym razem nie przykryli zwłok brezentem, lecz ubrali je w spodnie i T-shirt. Całość przymocowali siatką, a we wszystkich czterech rogach dołu zakopali pułapki na owady biegające. Pierwsze na zwłokach pojawiły się oczywiście larwy muchówki, potem przyszły chrząszcze skórniki. Jekyll odwiedzał swoją świnkę każdego dnia i pieczołowicie rejestrował oraz oznaczał kolejne robaki. Nigdy przy Szymonie nie użyłby tego określenia, ponieważ entomolog był bezkompromisowy w doborze słownictwa i szkolił Jacka wyłącznie po to, by popularyzować metodę, a nie rozpowszechniać stereotypy. Obaj wiedzieli, że w Polsce nadal brakuje ekspertów do opiniowania. Wykształconych w tej dziedzinie biegłych sądowych wciąż jest mniej niż palców u obu rąk. A technicy kryminalistyki z braku wiedzy po prostu pomijają te ślady podczas oględzin. Jekyll chciał to zmienić. Od kilku lat wykładał w Szkole Policji w Pile i na innych uczelniach, gdzie poza pobieraniem odcisków, odbitek, śladów biologicznych uczył adeptów także analizy owadów, które przychodzą do zwłok. Choć odór był niewątpliwy, Jekyll nigdy nie używał maseczki. Lubił bowiem tę „maciejkę" wciągać na samo dno płuc. Poprawił lateksowe rękawiczki i był już gotów do wyłapywania obiektów biegających. Na nic nie zdadzą się wszelkie mechaniczne sprytne pułapki. Pęsetą można tylko dranie uszkodzić, nawet te opancerzone chrząszcze z rodziny gnilikowatych. Odsunął teraz fragmenty pokrytych szlamem tkanin, jakie pozostały na ciele zwierzęcia, i przyjrzał się rozłożonej tkance, a następnie rozpoczął pobieranie. W tym momencie w kieszeni zawibrowała jego komórka, wybrzmiały pierwsze takty arii z *Traviaty*. Jekyll zamarł ze szczypcami w jednej i plastikowym pudełkiem w drugiej dłoni. Przeklął się w myślach, że nie wyciszył dzwonka, bo jeśli ten poniemiecki czajnik nie zamilknie, małżonka wykryje jego tajemnicę, a mieli już o to niejedną scysję. Anielka tolerowała wiele jego kryminalistycznych eksperymentów, ale na rozkładające się zwłoki w ogrodzie nigdy nie wyraziłaby zgody. Prędzej zakopałaby w tym grobie jego samego i z całą pewnością by go nie odwiedzała. Musiał więc się ukrywać i odwiedzać prosiaka potajemnie. Nadchodziły zaś jeszcze cięższe czasy, bo w przyszłym tygodniu zjeżdżała do nich chmara pociotków oraz chrześnica Anieli z małymi dziećmi. Gdyby żona nakryła teraz Jekylla na nielegalnych działaniach hobbystycznych, wywaliłaby go z domu jak nic. A tak się składało, że garsoniery nie miał. Czekałoby go więc waletowanie u Ducha, co dałoby się jeszcze przeżyć, zwłaszcza że p.o. gdańskiego komendanta praktycznie nie bywał w domu. Jekyll piłby więc w spokoju co wieczór zgrzewkę piwa, żywił się szprotami z puszki z cebulą, oglądał *CSI* i czytał Suworowa. Tyle że taki piękny eksperyment szlag by trafił. Nie po to przecież napocił się, by ukatrupić tego prosiaka, oddał mu swoją odzież, o kopaniu dołu nocami nie wspominając, żeby teraz siedzieć przed telewizorem u Ducha i gadać z jego zezowatym kotem.

Znów rozbrzmiał dzwonek. Jekyll błyskawicznie odrzucił połączenie. Nastała błogosławiona cisza, ale po chwili aria zagrzmiała jeszcze głośniej, bo Aniela ustawiła mu dźwięk rosnąco, twierdząc, że nie odbiera od niej połączeń z powodu szwankującego słuchu. O wielka naiwności! A potem jeszcze raz i jeszcze. Jekyll wyjrzał zza winkla, czy nie nadchodzi ślubna. Odstawił sprzęt, zdjął rękawiczki i wysupłał z kieszeni komórkę. Sześć nieodebranych. Wszystkie od Ducha. A szwagierka Dora wciąż go ostrzega, że myśl jest energią. Po cholerę dziś wspominał przyjaciela? Wszedł w wiadomości. Wszystkie tej samej treści: „Zadzwoń, pilne". Przy czym każde kolejne wezwanie okraszone było większą liczbą przekleństw. Jekyll się zmarszczył. Od kiedy to pan szef tak bardzo mnie pragnie? Wściekł się? Stało się coś w tej Warszawie? A może chodzi o Saszę? – zastanawiał się. W końcu nacisnął zieloną słuchawkę i szybkim marszem ruszył pod ogrodzenie.

– Halo? – Ledwie zdążył odezwać się szeptem, gdy Duch huknął mu do ucha:

– Ile razy mam jeszcze słuchać *Pszczółki Mai*? Ogłuchłeś czy jak?!

– Ja też za tobą tęskniłem, najdroższy – szeptał dalej Jekyll. – Od wczoraj się nie widzieliśmy, a już ci mnie brakuje. Wracaj, to obejmę cię moimi włochatymi udami. Wzruszyłem się normalnie jak na pasterce.

– Beż żartów, Buchwic. Muszę pogadać z Saszą.

Jekyll natychmiast spoważniał. Duch prawie nigdy nie zwracał się do niego po nazwisku. Znaczyć to mogło tylko jedno z dwojga: „uszy teściowej" lub „najgorsze".

– Znaleźliście Karolinę?

– W tej sprawie status się nie zmienił.

Jekyll odetchnął z ulgą. Więc jednak w pobliżu Ducha znajdował się szpicel. Dam ci popalić, zdecydował, po czym także przyjął oficjalny ton:

– Niedobrze, szefie. Co się urodziło?

– Załuska jest potrzebna.

– A co ja jestem, jej niańka? Zadzwoń do Adeli, niech ją wezwie. To przecież twoja asystentka, szefie.

– Nie może się dodzwonić.

– Może sam spróbuj? Korona ci z głowy nie spadnie.

– Myślisz, że nie dzwoniłem?

– To pilna sprawa jakaś? Unikasz jej od tygodnia. Na audiencję dziewczyna chce się wbić. Czyli teraz przyjmujesz tylko w Warszawie?

– Odwal się.

– Mam robotę, Duchu. I tak to nie będziemy gadali.

– Człowieku, sprawa jest prosta i pilna. Potrzebuję, żeby tu była dziś wieczorem.

– Poważnie? – przerwał mu Jekyll. Ale ponieważ Duch milczał, ciągnął utyskiwanie: – Trzeba było jej wręczyć wezwanie na zlot oficjeli, a nie chachmęcić i chować je pod stołem. Ona i tak wiedziała, że nie podpisałeś.

– Martwię się, że zapiła.

– Nie sądzę – odparł Jekyll, ale bez przekonania.

– Ostatnio nie była w najlepszej formie.

– Trudno się dziwić.

– Nie odbiera telefonów od nikogo.

– Przez pierwszy tydzień nie spała wcale. Przez drugi wisiała na kablu. Dopiero po pół roku straciła wiarę. Gdyby miała pić, dawno by już zaczęła, nie sądzisz? Ma prawo mieć doła. Nikomu nie życzę takiej sytuacji. No, z wyjątkiem mojej szwagierki Dory. Ale jeszcze się zastanowię. Napisz mejl, krótką wiadomość tekstową. Sym-pa-tycz-ną. To zwykle działa.

– Dobre rady zawsze w cenie – zbiesił się Duch.

– Znajdź Załuską i dostarcz mi ją. Jakby trzeba było ją dowieźć, możesz wziąć Kowalczyka. Ucieszy się. Ma tutaj dziewczynę. Może zostać choćby do poniedziałku. To polecenie służbowe.

– Chyba cię Bozia nie kocha, Duchu – odparował gromkim głosem Jekyll, na chwilę zapominając o małżonce. Zaraz się jednak zreflektował i zniżył głos: – Przewijałem cię prawie, szczylu. Nosa zasmarkanego wycierałem. Ze mną jeździłeś na pierwsze zdarzenia! Wyciągałem cię ze szponów Słonia, Jonaszu! Trzymałem cię za rączkę, kiedy pierwszy raz rzygałeś, a delikwent tylko dwa miesiące leżał pod kaloryferem. Nigdy wyśmiać nie dałem! Polecenie, kurwa, służbowe wsadź sobie w otwór odbytniczy, komendancie p.o.! Albo z twojej jamy gębowej wydostaje się otwarty tekst poparty materiałem dowodowym, co jest, do jasnej ciasnej Anielki błogosławionej w niebiosach, grane, albo dzwoń do swojego Papieża i jemu zjebki rzucaj. W końcu jest twoim drugim, nie? Z tego, co wiem, nie ma dziś żadnej drogi krzyżowej do zabezpieczania. Zresztą ostro zarobiony jestem. Co ja mogę, prosty technik?

Zgodnie z oczekiwaniem w słuchawce rozległ się stek wyzwisk. Jekyll profilaktycznie odsunął aparat od ucha. Kiedy na chwilę zapadła cisza, ponownie go przystawił. Duch dyszał ciężko.

– Już? – upewnił się Jekyll. – Mówisz, synu marnotrawny. Jestem cały twój.

– Mają tutaj ekipę specjalną w sprawie porwań dla okupu. Chcą zająć się tą sprawą.

– Znaczy nam ją zabrać?

– Oferują pomoc.

– Taa – ziewnął Jekyll. – A gdzie byli wcześniej? W poszukiwaniach dziecka czterdzieści osiem godzin to priorytet. Minęło pół roku. Po małej ani śladu. Ja bym zwariował. Sasza i tak dobrze się trzyma. Powiedziałeś im, że od trzech miesięcy szukamy już ciała?

– Nie siejmy defetyzmu – uciął Robert. – Mają swoje metody, kontakty. Myślę, że są skuteczni.

– Teraz to już musztarda po obiedzie, Duchu, żeby nie powiedzieć dosadniej: polityka. Sam wiesz najlepiej.

– Nie wiem.

– To ci mówię.

– Jeśli szczerze, to... – zaczął Duch po długim namyśle. – Nadzór chętnie im oddam. Ta sprawa to gorący kartofel. Właściwie co o niej wiemy?

– O kim?

– No, o Załuskiej.

– Co ty chrzanisz, Duchu? Kto zna lepiej Saszę niż ty?

– Właśnie nie jestem pewien, stary. Nie mam czasu teraz tłumaczyć. Porwanie dziecka ma związek z nią. Z jej przeszłością.

– No raczej – żachnął się Jekyll. – Odkrył, kurwa, Amerykę.

– Co tak naprawdę o niej wiemy? – powtórzył Duch i zawiesił głos. – Tyle, ile ci powiedziała. Koniec.

Jekyll w tle usłyszał kilka głosów. Myślał gorączkowo. Był skołowany. Jedyne, co przychodziło mu do głowy, to odwlekać. Wypuścić Ducha. Niech się wysypie.

– Jak bibka z generałami? – zmienił temat.

– Oficjałka jeszcze trwa. Właściwa impreza zaczyna się wieczorem. I Sasza jest potrzebna.

– Jako zabezpieczenie?

– Jako karta wejściowa.

– Nic nie rozumiem – przyznał szczerze Jekyll. – Co tam się stało?

– Wszystko ci wyjaśnię. Ale nie przez telefon. I nie teraz. Zrobisz to dla mnie? Pójdziesz? Zgarnij ją i wyekspediuj najszybciej, jak zdołasz. Wyślę ci adres, pod który trzeba ją odstawić. Jeśli byłaby pijana...

– Nie jest – zapewnił Jekyll, tym razem stanowczo.

– Gdyby była, ocuć ją, podaj sodę, roztwór z chlorkiem magnezu, wodę z kiszonej kapusty albo i klina. Wsio rawno. Byle była spionizowana. A zresztą to też nie jest konieczne. Wystarczy, że przywieziesz ją w jednym kawałku. Sprawdź jej lokal, mieszkanie matki, brata. Tego pajaca z wariatkowa, co jeździ białą vespą, też odwiedź. Może z nim się łajdaczy.

– To nawet nie jest śmieszne.

– Chcę jej pomóc – skapitulował Duch. – Mimo wszystkiego, co było. To źle?

Jekyll spojrzał na prosiaka, a potem na walizkę ze sprzętem. Układał to z pół godziny. Druga szansa nadarzy się dopiero po świętach. Chyba że przyjdzie mróz, jeśli Bóg będzie miłosierny.

– Sprawdzę, co jest grane – obiecał wreszcie. A potem dodał na jednym oddechu, starając się, by brzmiało to jak ojcowska reprymenda: – Nie podoba mi się to. Bardzo źle wygląda. Coś kombinujesz, Duchu. Coś ukrywasz. Robię to dla niej, dla jej dzieciaka. Nie dla ciebie, draniu. Co się z tobą dzieje, człowieku?

Dopiero wtedy zauważył, że Robert już się rozłączył. Niestety nie dane mu było porządnie przeanalizować sprawy, bo z naprzeciwka nadchodziło realne zagrożenie. W trakcie dynamicznej rozmowy z Duchnowskim Jekyll nie zauważył, jak na podjazd wtoczył się zielony garbus zwany przez Anielę pieszczotliwie żabką, a teraz po trawie, w fartuchu lekarskim i szpilkach, maszerowała ku niemu jego ukochana małżonka. To, że Anielka zdecydowała się zmarnować tak drogie obuwie (wiedział o tym, bo sam za nie zapłacił), zwiastowało poważne kłopoty.

Ludwik Kot prawie skończył czytać książkę Sławomira Cenckiewicza o pierwszym polskim prezydencie RP, po czym zajrzał przez bulaj do wnętrza komory hiperbarycznej. Przyjrzał się leżącej postaci, sprawdził wskaźniki. Człowiek podłączony do mieszanki z tlenem wyglądał, jakby spał. Był tak wysoki, że stopy zwisały mu z kozetki. Słowem, był niemal tak długi jak doktor, na dodatek o połowę chudszy i tysiąc razy przystojniejszy, a takich spotykało się arcyrzadko, właściwie wcale. Ordynator Ludwik Kot od lat był uznawany za największego żigolo tej kliniki, choć z tej opinii nigdy nie korzystał, gdyż wierzył w miłość do grobowej deski i był wierny swojej żonie, jak, nie przymierzając, słoń.

Kiedy wczoraj wojskowi przywieźli na jego dyżur nieprzytomnego nurka, ordynator nie dał im żadnej gwarancji, że pacjent odzyska przytomność. Obejrzał uszkodzony sprzęt, zbadał pacjenta i postawił diagnozę: zbyt szybkie wynurzenie spowodowało zatory gazowe w mózgu i niedotlenienie. Niewykluczone, że cierpiał także na chorobę dekompresyjną, ale dolegliwości ze strony stawów nie sposób stwierdzić u nieprzytomnego. Dryfujący ponton z człowiekiem na pokładzie dostrzegł młody żołnierz, który zszedł z wachty za potrzebą. Gdyby gołowąs nie złamał tego dnia przepisów, nurek w ciągu najbliższych dni miałby sprawiony państwowy pogrzeb, bo jak dotąd nie ustalono jego personaliów. Tajemnicą wciąż było także, gdzie dokładnie nurkował i czy był sam. Niestety poza chudym przystojniakiem i jego wypasionym sprzętem nic więcej nie znaleziono.

W gruncie rzeczy bardzo rzadko w Klinice Medycyny Hiperbarycznej i Ratownictwa Morskiego zdarzały się tak spektakularne przypadki, choć personel był przygotowany na reanimację i leczenie nawet załogi okrętu podwodnego. W pogotowiu czekało sześć komór hiperbarycznych, sprzęt szkoleniowy i kilka jednostek mobilnych, które wyglądały jak dekompresyjna karetka pogotowia. O ludziach wyszkolonych na taką okoliczność nie wspominając. Mimo to pojawienie się nurka N.N. było dla wszystkich wydarzeniem niecodziennym. Głównie dlatego, że faceta przetransportowała do kliniki armia.

Doktor Kot polecił więc położyć pacjenta w swojej ulubionej komorze Gamma, największej i najbardziej energochłonnej, do której mógł swoje dwa metry wzrostu wcisnąć bez składania się w scyzoryk. Przez cały dyżur miał na niego oko. By samemu nie zachorować na chorobę dekompresyjną, do komory mógł wejść tylko raz na dobę, lecz ani wieczorem, ani nocą nie wydarzyło się nic godnego uwagi. Teraz w komorze będzie z nim pielęgniarka. Trafiło na Lidkę, najbardziej gadatliwą i pyskatą z całego zespołu. Ale kompetentną, a to kompensowało jej ostry język. Lekarz doskonale wiedział, że nawet jeśli mężczyzna się obudzi, nie ma żadnej gwarancji, że będzie w stanie mówić, poruszać się, funkcjonować jak przed wypadkiem. Po takim niedotlenieniu organizmu bardziej prawdopodobne będą raczej trwałe uszkodzenia. Doktor Kot widział już w Centrum

Medycyny Morskiej i Tropikalnej zdarzenia zarówno absolutnie wspaniałe, jak i straszne. Trzynastolatek po postrzale, ludzie z nagłą głuchotą, trudno gojące się rany, cały szereg podwodnych samobójców, jak nazywał brawurowych nurków niedzielnych. Zwykle młodzi, piękni chłopcy, którzy po jednym nierozważnym zanurzeniu kończyli sparaliżowani od pasa w dół. Wszyscy ci pacjenci trafiali do kliniki i byli leczeni w komorach za pomocą tlenu podawanego pod wysokim ciśnieniem. Czasem w połączeniu z innymi gazami. Tlen pod ciśnieniem to w sumie niesamowity lek, ale cuda zdarzają się naprawdę rzadko. U niektórych efekty pojawiały się po kilku dniach, inni musieli uzbroić się w cierpliwość, bo leczenie trwało miesiącami. Byli i tacy, którzy nie mieli szczęścia wcale. W medycynie i biologii nie ma rzeczy niemożliwych. Są tylko niesamowite. Dla wszystkich było jednak jasne, że im łagodniej nurek będzie wracał do zdrowia, tym lepiej dla niego. Zbyt gwałtowne przebudzenie ze śpiączki mogło się skończyć nieodwracalnymi dysfunkcjami fizycznymi.

Początkowo wojskowi interesowali się swoim znaleziskiem bardzo intensywnie. W końcu ten człowiek plątał się po ich terenie. Podobno wszczęto dochodzenie, kto, jak, gdzie i dlaczego zezwolił nurkowi wejść na ich wody w zakazanym miejscu. Rutynowo zgłoszono sprawę policji. Ale jak zwykle w sprawach N.N., papierek zaksięgowano i nikt się nie pojawił. Doktor nie był zdziwiony. Piątek, piąteczek, piątunio. Wszyscy jak jeden mąż przybiegną tu w poniedziałek rano. Była też sprawa pontonu. Jak dotąd nie zidentyfikowano jego właściciela. To wszystko zdawało się doktorowi bardzo tajemnicze. Kiedy zaś jeszcze przemilczano tę informację w lokalnych mediach, upewnił się jedynie, że sprawa musi być kryminalna. Czyżby faceta faktycznie nikt nie szukał? Sprzęt, z którego go wycinali, był kosztowny i świadczył o profesjonalizmie nurka. To, dokąd zadryfował – zdaniem doktora, który zaraz sprawdził pływy na swoim komputerze, przeanalizował kierunek wiatru i współrzędne, które otrzymał w przelocie od wojaków – wskazywałoby na logiczne wyjaśnienie: port wojskowy. Ale na razie nikt tej wiedzy od doktora nie potrzebował, więc i on sam się z nią nie wychylał.

Zaledwie Kot odłożył książkę o Wałęsie, czerwony przycisk „emergency" zaczął pulsować. Lekarz wychylił się i przez szybkę dostrzegł uniesiony kciuk asystenta. Zajrzał ponownie do pacjenta, który miał już otwarte oczy i rozglądał się lękliwie po wnętrzu komory. Lekarz dał mu jeszcze chwilę, po czym wstał i zaczął odkręcać śluzę. Wszedł do komory. Gaz wpływał do środka, wywołując nieznośny hałas, doktor ziewał więc przepisowo, by pozbyć się bólu uszu. Powietrze gęstniało wyczuwalnie, zrobiło się okrutnie gorąco. Wyrównał ciśnienie, a potem chwycił podkładkę z kartą pacjenta oraz podręcznymi notatkami i tak uzbrojony wszedł do części szpitalnej, gdzie przebywał dotąd nurek z pielęgniarką. Przedstawił się, wyjaśnił sytuację.

– Jak się pan czuje? – Starał się, by jego głos brzmiał łagodnie.

Pacjent był nieco blady, ale poruszał kończynami, reagował na światło, choć wciąż nie odzywał się nawet słowem.

– Czy pan mnie słyszy?

Delikatne skinienie głową.

– Jak się pan nazywa?

Cisza.

– Czy pana coś boli?

Powolne zaprzeczenie, wreszcie gest przypominający wzruszenie ramion.

– Wie pan, dlaczego pan się tutaj znalazł?

Wtedy nurek zaczął się wić.

– Spokojnie! – Lekarz rzucił mu się na ratunek. – Bo jeszcze mi tu rury poodkręca. I obaj będziemy wymagali gruntownego leczenia w komorze.

Nurek wyrwał mu podkładkę i nakreślił kilka liter. Kot odczytał wielkie „P", haczyk, jakby odwrócone „l", i zakręcone „a".

– Człowieku – zaśmiał się. – Do palarni jeszcze zdążymy. Wytrzymasz.

Nurek patrzył na lekarza jak na wariata. Znów z trudem nakreślił kilka hieroglifów, wreszcie długopis wypadł mu z dłoni. Nie miał jeszcze pełnego czucia w rękach.

– Widzę, że siły do walki są – ucieszył się szczerze Kot. – A będzie tylko lepiej.

Pielęgniarce w komorze zlecił podanie dodatkowej dawki leku uspokajającego, a przez bulaj pokazał asystentowi, by zwiększył ciśnienie. Nurek natychmiast się uspokoił, zaczął odpływać. Po chwili znów spał.

– Ciesz się, że obudziłeś się na moim dyżurze, bo po południu przychodzi szefowa. Ona dopiero da ci do wiwatu. I żadnego palenia nie będzie. Przez miesiąc zrobi ci taki detoks, że po wyjściu od razu zaciągniesz się połową paczki.

W szybie bulaja dostrzegł zażywnego mężczyznę w niebieskim stroju służbowym. Wymienili z asystentem umówione komendy i doktor rozpoczął w śluzie procedurę wynurzania. Syk uciekającego powietrza nie był taki głośny jak poprzednio, ale za to wnętrze śluzy wypełniła lodowata mgła przejmująca do szpiku kości. Uszy odpuszczały ciśnienie z delikatnymi trzaskami, ale, jak zwykle u niego, nierówno. Znowu będę wychodził, jakbym był lekko zawiany, pomyślał.

– Ile dziś?

– Chyba ze sto atmosfer, Edwardzie.

– Bez przesady, ale nawet te sześć to prawie cztery lampki martini od rana. Co za wspaniały zawód, Lu. Dają ci pooddychać narkotycznymi gazami i jeszcze za to płacą.

– Zaiste. Leokadii jeszcze nie ma?

– Piele dziś grządki na działce. Ewcia ją zastąpi. Już się zaanonsowała.

– Niech ją Bóg błogosławi. Masz ty fart. A mój chłopiec, jak widzisz, skutecznie się wybudził. I wygląda na okaz zdrowia. Szkoda, że muszę schodzić.

– Ależ zostań – zaśmiał się doktor Edward Pinkwart. – Choćby i cały weekend.

Doktor Kot się zawahał.

– Może i warto. Ciekawa obserwacja do badań. Ewa chyba nie będzie miała nic przeciw. Tylko zrobię sobie coś ciepłego do picia. Zobaczę, jak się sprawuje. Będzie spał, pojadę.

– Siadaj za kółko, jak wytrzeźwiejesz, chłopie – przestrzegł go Pinkwart.

– Już mi odpuściło, a poza tym Marysia mnie odbiera – skłamał Kot.

– To ona ma prawo jazdy?

– Do prowadzenia psa na smyczy nie jest konieczne.

– Zawsze się nabieram.

– Tak się układa – mruknął Kot.

Spojrzeli na nurka. Twarz znów mu się wypogodziła. Spał w najlepsze. Lidka zerkała na monitory medyczne w komorze i wypełniała dokumentację wściekła, że nie ma do kogo zagadać.

– Chyba jednak szykuje się spokojna sobota – rzekł Kot.
I podał koledze *Człowieka z teczki*. – Dobra. Czytałeś?

– Nie chcę się denerwować.

– Masz rację. Po tej lekturze należy się wyspowiadać.
A może lepiej i przed nią. Prewencyjnie.

– Znów te twoje żarty – żachnął się Pinkwart.

– Całkiem szczerze rzekłem. – Kot się uśmiechnął. – To
idę włączyć kawusię. Bez odbioru.

Przybili piątkę i zmienili się na czatach.

Doktor wszedł do swojego gabinetu, włączył ekspres,
przygotował kapsułkę z kawą i odwrócił podkładkę, by ją
odłożyć do szuflady. Nagle go olśniło. Z dolnej szuflady
spod sterty potwierdzeń zapłaty rachunków, starych długo-
pisów i gumek recepturek wyciągnął zmechaconą saszetkę.
Wydobył z niej pieczątkę z czerwonym pająkiem, którą
znalazł na „Darze Młodzieży", oraz archaiczny telefon. Odwrócił aparat. Z tyłu przyklejona była karteczka z jedynym
numerem zapisanym w jego pamięci. Doktor Kot nigdy nie
odważył się go wykręcić. Teraz też chwycił słuchawkę, długo się wahał, a potem ją odłożył. Wtedy też do niego dotarło, że pozostałe mazaje nurka wcale nie są prośbą o papierosa, lecz początkiem współrzędnych GPS. Kontrolnie
wrzucił dane 54°35'16'N do GeoHacka, ale i bez programu
wiedział, jaką lokalizację wskażą. Wprawdzie żeglarz z niego żaden, za to nurek doskonały. I znał swój teren. Torpedownia na Babich Dołach w Gdyni była dla podwodnych
szperaczy obowiązkowym terytorium do odhaczenia na
mapie Polski. Smaku dodawał też fakt, że penetracja na tym
terenie pozostawała nie do końca legalna. Pod wodą wolno
było przebywać, opływać obiekt ze wszystkich stron, ale

wspinaczka po konstrukcji niejednokrotnie kończyła się słonym mandatem.

– Pan ordynator? – Do pokoju zajrzał człowiek w polarowym dresie i pepegach. Kozia bródka. Niemodne okulary. Zmierzwiona srebrna grzywa i, mimo obfitego brzucha, specyficzna giętkość w ruchach. Krasnal, jak Boga kocham, pomyślał Ludwik Kot.

– Czym mogę służyć? – Doktor wyprostował się i spojrzał na intruza z wysokości swoich prawie dwóch metrów wzrostu.

– Ja w sprawie siostrzeńca, nurka. Jak on się miewa?

– Wie pan, nazwisko wiele by ułatwiło. Mamy tu cały oddział intensywnej terapii. Nawet jeśli nie weźmiemy pod uwagę segregacji genderowej, połowa z nich mogłaby być pana siostrzeńcami.

– Podobno przywieźli go wczoraj nieprzytomnego. Czy już wiadomo, ile potrwa leczenie? Siostra bardzo się niepokoi. I jego żona, nie ukrywam, też.

Rozbiegane spojrzenie, lustracja dokumentów. Wreszcie wzrok przybysza spoczął na zdjęciu satelitarnym, które właśnie wyszukał system. Trafiony, zatopiony. Doktor Kot znał ten typ. Jego ojciec był kiedyś internowany. Z takimi jak ten nieproszony gość prowadził boje o niepodległość ojczyzny i przegrał. Z któregoś przesłuchania już nie wrócił. Podobno zakrztusił się kawałkiem chleba, ale na stypie Ludwik słyszał szepty dorosłych, że trumny nie otwierano, bo był cały siny. Pobili ojca na śmierć, ale zastraszona rodzina wolała milczeć. On sam na dołku był tylko raz. Ale nigdy tego epizodu nie zapomni. Fachowo zrobili mu z twarzy miazgę, kiedy nie dał się zwerbować na uchola własnego ojca. Od tamtej pory Ludwik wyczuwał byłych esbeków na kilometr, choćby od lat byli na emeryturze. Obejrzał się teraz i bez ceregieli wygasił ekran komputera.

– Mogę prosić o pana dokumenty? Z kim mam przyjemność?

Facet zaczął się wycofywać.

– Chyba zostawiłem w samochodzie.

– Chyba wezwę ochronę – zablefował Kot.

Trzasnęły drzwi. Lekarz, upojony mieszanką gazów, był gotów ruszyć za tajniakiem i zrobić coś szalonego, na przykład schwytać byłego esbeka i osobiście odtransportować na pobliski komisariat, ale te marzenia przerwał dzwonek służbowej linii. Czerwonego przycisku na siódemce w klinice używano bardzo rzadko: „zagrożenie życia – wszystkie ręce na pokład". Odebrał więc bez zwłoki.

– Lulu, ten nurek... Ja nie wiem, jak to się mogło stać.

– Co z nim?

– Śluza była otwarta. Wyszedłem tylko z Lidką po łóżko transportowe.

– I co?

– Nie ma go. Została jedynie piżama.

Lekarz natychmiast przełączył słuchawkę na mobilną i wybiegł z pokoju. Za winklem dopadł szafy z rzeczami, które pracownicy kliniki przynosili dla pacjentów. Wkrótce będzie można otworzyć na tej bazie niezły lumpeks. Drzwi były otwarte, chwiały się w zawiasach. Kot grzebał pośpiesznie we wnętrzu szafy, szukając worków z dużymi rozmiarami. Wokół leżały porozrzucane sukienki, torba z pończochami, biustonosz. Widać, że ktoś splądrował szafę systematycznie.

– Zawiadom policję.

– Ludwiku, czy to rzeczywiście konieczne?

– Tego gieroja przywiozła armia. Nie odpuszczą jego zgubienia. Pomyśl też, co będzie, kiedy media dowiedzą się, że nie zawiadomiłeś policji.

– Będę przesłuchiwany?

– I ja, przyjacielu. Wespół w zespół.

– Ewa się wścieknie. A Leokadia!

– Pogadam z szefową, a Ewą się nie martw. Dzwoń na alarmowy.

– Ale co im powiem? Jeszcze nigdy nie zdarzyło się nam nic tak skandalicznego.

– Nam? – zaśmiał się Kot. – Chyba przeceniasz moje zasługi. To ty byłeś na posterunku. Powiedz policji, żeby szukali mężczyzny wzrostu metr dziewięćdziesiąt siedem, bardzo szczupłego, nie więcej niż osiemdziesiąt pięć kilo wagi. Będzie miał na sobie czerwony moherowy sweter z jeleniem i spodnie do jazdy konnej.

– W takiej chwili żartujesz, Lu? – oburzył się Pinkwart. – Tym razem się nie nabiorę.

– Mówię poważnie, Edziu. Kamery musiały go nagrać. Jeśli puszczą teraz w okolicę psy gończe, raczej trudno będzie go przeoczyć.

Doktor pogrzebał jeszcze chwilę w szafie, policzył pary butów.

– Oraz adidasy. Rozmiar czterdzieści sześć, w odblaskowe paski. Bez sznurówek.

– Skąd to wiesz? – Pinkwart się zdziwił.

– Sam je przyniosłem – odparł Ludwik. – Kończę. Mam sprawę na mieście. Radź sobie.

Opuścił klinikę, a kiedy oddalił się na odległość kilometra, wyciągnął swoją komórkę, włączył brak identyfikacji numeru i wykręcił numer zapisany na starej nokii. Sygnał był właściwy. Czyżby numer wciąż istniał? Ludwik czuł tak wielkie podniecenie, że z trudem utrzymał telefon w spoconej dłoni. Ktoś podniósł słuchawkę już po pierwszym dzwonku.

– Horacy. – Ton był zimny, rzeczowy. – Jaki jest kłopot, Eva? Skąd mam cię zdjąć?

Doktor spanikował. Natychmiast przerwał połączenie, wyłączył całkowicie aparat i wrzucił go do pobliskiej studzienki ściekowej. Tamże poleciała za chwilę niewielka pieczątka z czerwonym pająkiem.

– Abonent czasowo niedostępny. Skrzynka jest pełna. Nie możesz zostawić wiadomości – usłyszał Jekyll kolejny raz, a mimo to wybrał numer Saszy ponownie. Prowadził jak zwykle ostrożnie, nie przekraczając prędkości, choć denerwował się coraz bardziej. Pielgrzymkę zaczął od domu matki Załuskiej. Pocałował też klamkę w apartamencie Saszy. A potem ten sam scenariusz czekał go w kawalerce jej brata. Jakby wszyscy zmówili się, by wyjść z domu o tej samej porze. Przez chwilę łudził się, że są gdzieś razem, bo to dziwna koincydencja, że wszystkie domy opustoszały jednocześnie. Odwiedził więc narzeczoną Karola Załuskiego, która przywitała go w piżamie, z kompresem na szyi. Przechodziła akurat ciężką anginę. Jak się okazało, dziewczyna wciąż mieszkała z rodzicami, a ci niezbyt zachwyceni byli związkiem z bratem Saszy. Chyba zresztą dopiero od niego dowiedzieli się, że młodzi wrócili do siebie po poważnym kryzysie. Dziewczyna obiecała, że kiedy tylko wytropi kogoś z rodziny Załuskich, da mu znać. Był pewien, że mówiła szczerze. Zaniepokoiła się nie mniej niż on. W jego obecności obdzwoniła wszystkie ciotki i dalszych kuzynów, z którymi kiedykolwiek miała kontakt, ale nikt nic nie wiedział o aktualnym miejscu pobytu Saszy. Niektórzy w ogóle nie mieli pojęcia o dramacie z małą, bo z częścią ciotek profilerka nie utrzymywała kontaktu. Rodzina Załuskiej tylko z daleka wyglądała na zgraną drużynę.

Najwięcej czasu Jekyll spędził na herbatce ze starszą panią, przyszywaną babcią Karoliny, która wypłakała mu w rękaw połowę Zatoki Puckiej, obarczając winą za uprowadzenie dziewczynki Łukasza Polaka oraz Ducha. Tego wieczoru niania musiała być u lekarza i Łukasz, wiedząc, że Sasza spotyka się z Robertem, wspaniałomyślnie podjął się opieki nad małą. Babcia dziękowała mu gorąco, wręczając dwojaki z kolacją oraz własnej roboty ciasto z jagodami, a on zawiódł na całej linii. Jak się potem okazało, przekazał dziecko Laurze, matce Saszy, która już wtedy nie była w najlepszej formie. To z jej domu kilka godzin później skutecznie uprowadzono Karolinę. Jekyll wiedział jednak, że choć starsza pani nie mówi tego wprost, najcięższą winą za porwanie Karo obarcza matkę. Sasza powinna być tego dnia z dzieckiem, a nie gzić się w łóżku z jakimś policjantem. Babcia była zbyt wytworna, by wyrazić się tak dosadnie, lecz ta teza przewijała się niemal w każdej jej wypowiedzi. Wreszcie skierowała Jekylla do Ukrainki, która od dwóch lat sprzątała u Załuskiej. Piękna brunetka o sarnich oczach, o imieniu Andżelina, oświeciła go, że Załuskiej nie ma w mieście dłużej, niż sądził.

– Co najmniej od miesiąca wcale nie wracała do domu. Nie zmieniała rzeczy, nie było prania. Czysta umywalka i nic, zupełnie nic w zlewie kuchennym. Właściwie nie miałam co robić. To prałam firanki, podlewałam kwiaty, myłam zamrażalnik. Zresztą... – Zawahała się, czy powinna to ujawnić, ale Jekyll zmroził ją rozkazującym spojrzeniem, więc westchnęła tylko ciężko i dodała: – Sasza trzymała tam, no wie pan, broń. Nie jedną, kilka sztuk. I naboje. Po-

tem, jak ona zniknęła, to pistolety razem z nią. Za to zamrażalnik pełen był wódki.

Jekyll podniósł głowę.

– Butelek smirnoffa. Są tam pewnie do teraz.

– Zamknięte?

Andżelina znów się zawahała.

– Niektóre były częściowo opróżnione.

Jekyll ukrył twarz w dłoniach. Andżelina schwyciła go
za rękę.

– Ale ja nie wierzę, że ona piła. W koszu żadnych flaszek. Miałam męża pijaka. Znam się na tym. Nigdzie,
w żadnym zakamarku nie zobaczyłam ukrytego szkła.

– Może sama je wynosiła?

– Nie wiem. – Andżelina wzruszyła ramionami. Długo
się zastanawiała. – Choć pijacy są sprytni. Czasem bardzo
trudno to wykryć. Prawda!

Milczeli.

– A czasami na klatce schodowej pojawiały się dziwne
osobistości.

– Co masz na myśli?

– Jakby szykowali włam albo kradzież.

– To nie to samo?

Schwyciła ze stołu serwetkę i składała ją nerwowo na
nieskończenie wiele coraz mniejszych kwadracików.

– Czyhali na nią. Może dlatego nie wracała.

– Kiedy kontaktowała się z tobą ostatni raz?

– Jeszcze nie było mrozów. To będzie już z miesiąc. Potem tylko zostawiała mi pieniądze pod doniczką z juką.

– Czyli jednak bywała w domu?

– Albo kto inny zostawiał. Jej więcej nie widziałam. Kazała sprzątać, bywać i nawet chciała, żeby mieszkać. Ale
ja się bałam. Różne typy widziałam z okna. Samochody

stawały na światłach z włączonym silnikiem. Najczęściej czarna limuzyna, szyby przysłonięte. Człowiek za kierownicą w kółko palił papierosa. Czarnego, cienkiego. Takie małe cygaro. Kiedy wychodziłam, mijałam czasem stertę niedopałków. Nosił garnitur i jasne rękawiczki. To nie była żadna mafia.

– Byłabyś w stanie go rozpoznać?

Andżelina gwałtownie zaprzeczyła.

– Ale samochód tak.

Podeszła do torebki, wygrzebała z niej telefon.

– Raz zapisałam numer.

Podała mu go na wydartym z gazety karteluszku.

– Starałam się nie wracać wieczorami z jej domu. Ustaliłyśmy, że będę przychodzić dwa, trzy razy w tygodniu. Pokręcę się, niby coś zrobię. Chodziło jej o to, żeby paliło się światło. I muzykę kazała włączać. Głośno. To włączałam. Aż sąsiad przychodził z pretensją.

– Nawet wiem który – mruknął Jekyll. – Tajny współpracownik Jałowiec. Nie ma tygodnia, żeby nie przysłał donosu. Ostatnio w sprawie drzew.

Andżelina zmarszczyła czoło. Pokręciła głową, komunikując tym samym, że nie wie zupełnie, o co policjantowi chodzi. Jekyll machnął tylko ręką, więc ciągnęła swój wątek:

– Drzwi do pokoju dziecka zamknęła i włożyła tam zapałkę albo nitkę. Jakieś takie coś do zamka. Sama przybiła zasuwę. Nie wolno było mi tam wchodzić. Tydzień temu powiedziała, że dosyć. Mam się nie pojawiać. Da mi znać, jak będzie trzeba.

– Jak ci to powiedziała?

Andżelina wstała i wyjęła z szuflady kuchennej kopertę. Zauważył, że trzymała ją pod sztućcami. Podała mu bez słowa.

„Pani Andżelino. Dziękuję za wszystko. Zadzwonię, to ustalimy kolejny termin. Niech pani na siebie uważa. Sasza". Oprócz kartki w kopercie znalazł pięćset złotych.

– Nic nie wydałam – zapewniła kobieta, bijąc się w pierś, i nagle się rozpłakała. – Co to wszystko znaczy? Co jej się stało? Przecież to dobra kobieta. Pomogła mi złożyć dokumenty do ZUS-u. Legalnie mnie zatrudniła, choć nie musiała. Wiem, że z litości. Bardzo dużo było z tym zawracania głowy. Chodziła ze mną do urzędów. Pocieszała, jak z mężem rozwód brałam. Płaciła mi zawsze więcej, niż trzeba. Tak mi jej szkoda.

Jekyll jednego był pewien: dzisiejszego dnia nie wytrzyma już kolejnego kobiecego szlochu. Wstał.

– Weź klucze.

Apartament Saszy w Sopocie lśnił czystością. Widać Ukrainka o sarnich oczach miała talent do tej roboty. Kiedy otworzyli drzwi i zobaczył śnieżnobiałą podłogę, miał ochotę zdjąć buty, by jej nie skalać. Andżelina tak zresztą uczyniła, a potem ustawiła obuwie na uprasowanej flaneli przy wycieraczce. Potem założyła na stopy foliowe ochraniacze, na dłonie naciągnęła gumowe rękawiczki. Pomyślał, że on sam, kiedy wchodzi na miejsce zbrodni, robi dokładnie to samo. Ale tym razem nie miał takiego zamiaru. Rozległ się dźwięk jego telefonu i bez patrzenia na wyświetlacz wiedział, że to Duch się niecierpliwi. Jak na razie nie miał dla niego żadnych nowych wieści. To go ostatecznie zmobilizowało. Ruszył schodami na górę, wspierając się na nieco chybotliwej metalowej barierce, wprost do zamkniętego pokoju na górze. Kopniakami wyważył drzwi, spodziewając się najgorszego. W środku panował zaduch. Zasłony zasunięto.

Nie znalazł jednak ciała dziecka, krwi ani żadnych oznak przestępstwa. Na podłodze leżały tylko porozrzucane zabawki. Łóżko dziewczynki było skotłowane, jakby dopiero co z niego wyszła. Góra od piżamy znajdowała się na poduszce, spodnie luźno zwisały z ramy łóżka. Na krześle przed dziecinną toaletką wisiała błyszcząca turkusowa sukienka, jakby żywcem wyjęta z planu bajki Disneya. Andżelina stała w progu i wiedział, że ma ochotę zabrać się do układania, ale zatrzymał ją gestem. Obszedł pomieszczenie, odsunął kotary, otworzył okno. Wyjrzał. Zdało mu się, że ktoś stoi za drzewem. Postać schowała się w ostatniej chwili. Ale może to tylko złudzenie? Projekcja powstała pod wpływem opowieści sprzątaczki? Przejrzał półki z książkami: kolekcja Pax, wszystkie tomy *Harry'ego Pottera*, seria o konikach Nele Neuhaus, albumy ze zdjęciami, kolorowanki *Top Model*. Wszystko pieczołowicie ułożone według kolorów. Z boku mnóstwo ozdób, dzwoneczków, wstążeczek i bibelotów, jakie w wieku dziesięciu lat gromadzą dziewczynki. Biurko zawalone drobiazgami. Fragmenty włóczki, szmatek, stos ozdobnych igieł i szpilek. Sterty plastikowej biżuterii. Nie znalazł nic, co mogłoby popchnąć go na właściwe tory. W żaden sposób nie zbliżył się do rozwiązania zagadki, która jeszcze rano brzmiałaby kosmicznie: gdzie jest Sasza?

– Miejsce na komputer? – krzyknął.

Andżelina wychyliła się zza barierki i wskazała ogromny blat na stojakach, godny architekta, umiejscowiony zaraz pod schodami. Zeszli tam razem. Był równie czysty jak reszta sprzętów w mieszkaniu. Nie było na nim nic poza kubkiem z długopisami, okładką płyty London Grammar oraz listą zakupów. Przeczytał: ziemniaki, kolendra, tuńczyk 3x, zielona herbata, makaron penne 2x. Skreślone farfale 3x. Odwrócił kartkę. Była to faktura za usługę gastronomiczną w Tapas Barcelona. Tysiąc dwieście pięćdziesiąt trzy złote z VAT-em. Dane firmy zgadzały się z działalnością gospodarczą Saszy. Płatność gotówką. Jekyll znał tę maleńką restaurację i wiedział, że trzeba by zastępu wojska, żeby zjeść tam kolację za taką kwotę. Jedzenie było faktycznie świetne, zwłaszcza kiełbaski chorizo zapiekane w soczewicy, ale ceny zdecydowanie niewygórowane. Właściciele prowadzili też sprzedaż win. Znali się na tym i jeśli cena z rachunku opiewała na kilka najdroższych flaszek z ich oferty, mogłoby się to zgadzać. To Jekylla bardzo zaniepokoiło. Zerknął na datę wystawienia. Był to dzień kontaktu z porywaczami Karoliny. Jekyll dobrze zapamiętał tę datę. Koordynował nagranie i potem ze swoimi ludźmi próbował zlokalizować rozmówcę. Niestety bez skutku. Wtedy widzieli Załuską ostatni raz.

– Od kiedy to tutaj leży?

– Nie mam pojęcia.

– Pokaż wódkę – zarządził.

Andżelina ruszyła do lodówki. Otworzyła zamrażalnik. Był pusty i ciemny.

– Wyłączony – szepnęła zawiedziona kobieta i naraz podniosła rękę do ust. Z boku, w kałuży wody pływał brunatny kawałek jakby rozmrożonego mięsa. Jekyll wyjął latarkę, poświecił. A potem przesunął Andżelinę i usadził ją na krześle, bo cała się trzęsła. Z bocznej kieszeni kurtki wyjął jałowe rękawiczki i pęsetę. Podniósł znalezisko. Bardzo dokładnie obejrzał fragment wskazującego palca kobiety, odciętego w pierwszym stawie, z paznokciem pomalowanym na czerwono. Choć był sflaczały i oślizgły, technik nie wątpił, że da się pobrać linie papilarne, a potem dokonać analizy porównawczej. Z trudem odganiał od siebie myśli, do kogo mógł należeć.

– Nie wyjemy – upomniał Ukrainkę, zanim znów zaczęła płakać. – Nic nie mówimy. Bóg nas kocha. I włącz to cholerstwo. – Wskazał zamrażalnik, a potem wydzwonił swoją ekipę. Przyjechali z przenośnym pojemnikiem do transportu organów do przeszczepów, kompletnym sprzętem kryminalistycznym i luminolem do wykrywania krwi na ścianach, bo tak im polecił.

Zabezpieczanie śladów w mieszkaniu Saszy zajęło mu dobre kilka godzin. Duch przestał dzwonić, kiedy dostał zdjęcie palca z zamrażarki. Zapytał jedynie, kto z prokuratury ma dziś dyżur. Uspokoił się, że jego dobra znajoma Janina Rudnicka. Mieli podobne poczucie humoru i spokrewnione koty. Rudy Duch Roberta był rodzonym bratem Rudej Rudnickiej. Jekyll zawsze z niepokojem obserwował ich powitania. Nie mówili o sprawach, paragrafach ani o pogodzie, tylko licytowali się anegdotami, co zbroiły ich pupile. Zaśmiewali się przy tym do łez. Ponieważ ich podopieczni mieli identyczne imiona, osobom z zewnątrz ciężko było się połapać w tych opowieściach. Zresztą Jekylla nigdy to zbytnio nie zajmowało. Był psiarzem.

Zanim prokurator dojechała, Jekyll próbował pomówić z Duchem, ustalić kolejność działań, ale teraz dla odmiany to Robert nie podnosił słuchawki.

Kiedy zapieczętowali lokal Załuskiej, uwolnili klatkę schodową z policyjnych taśm, tłum gapiów się rozszedł, a sąsiad Jałowiec udzielił wywiadów wszystkim dziennikarzom w mieście, Jekyll ruszył na Chylonię do Gdyni, by rozmówić się z Łukaszem.

Zbliżały się święta i do Trójmiasta zjeżdżały tabuny turystów. Pełno było wszędzie zakochanych par, kochanki spacerowały w nowiutkich futrach. Przed Grandem roiło się od słomianych wdowców w ciemnych okularach przeciwsłonecznych, choć słońca nie było ani na lekarstwo. Ludzie przesiadywali w knajpach, łazili chodnikami, ignorując kompletnie przejścia dla pieszych. Z ich obecności cieszyli się przede wszystkim handlarze, taksiarze i właściciele cichych kwater. Poza sezonem letnim tylko przełom listopada i grudnia liczył się dla ich budżetów. Zwłaszcza że większość przyjezdnych nie brała faktur i płaciła gotówką. Jekyll liczył, że w Gdyni będzie spokojniej, ale tłum tylko zgęstniał. Wszyscy ciągnęli do portu i na molo w Orłowie. Za to na plaży nie było żywego ducha. Tylko ekipa studentów nagrywała etiudę zaliczeniową: naga dziewczyna biegała przed kamerą po molo i pozorowała skok do wody.

Jekyll miał mętlik w głowie, ale wyglądało to źle. Obwiniał się, że zostawił Załuską samą z jej problemem. Był pewien, że nie bacząc na ryzyko, zaczęła działać na własną rękę, bo przestała liczyć na policyjne wsparcie. Pamiętał ich ostatnie spotkanie. Była przybita. Mówiła mało, głównie pytała. Jeśli się odzywała, to kąśliwie, nerwowo, zaczepnie. Prowokowała go. Tak, teraz sobie przypominał. Chyba powiedział, że ma jej dosyć. Wciąż powtarzała te same teksty: „Moja wina", „Po co wracałam?", „To było do przewidzenia". Nie rozklejała się już. Tkwiła w apatii. Wyobrażał sobie, co czuła: bezsilność, osamotnienie i zagrożenie. Tak, bała się, to zrozumiałe. Dlatego była taka nieprzyjemna. Przecież to cała Sasza. Jestem dzielna i bojowa. Nikt nie może zauważyć, że sobie nie radzę. Nawet w takiej sytuacji duma jest dla mnie ważniejsza niż... Nie chciał myśleć dalej. Teraz widział, że zachowywała się jak zranione zwierzę, które atakuje, a tak naprawdę chce, by je uratować. A on obraził się, kiedy go drasnęła. Zabrał rękę, poszedł swoją drogą. Dotarło do niego, że wtedy próbowała się zwierzać. Sprawdzała go, ile zniesie, ale on tego nie dostrzegł. Zostawił ją samą. Porzucił.

Porzuciliśmy ją wszyscy. Duch, ja, Łukasz. Początkowo była ogólna mobilizacja, szukali Karoliny dniami i nocami. Potem zapał opadł. Żadnych efektów. Każdy trop okazywał się fałszywy. Sasza narowista, niewspółpracująca. Duch w końcu wysłał ją na przymusowy urlop, bo uznał, że za bardzo się wtrąca.

Jekyll czuł się jak idiota. Uderzył rękoma o kierownicę, wybrzmiał klakson. Wiedział, że jeśli coś jej się stało, jeśli to jej palec, jeśli dziecko się nie znajdzie, nigdy już spokojnie nie zaśnie. Więc chociaż w domu czekała go awantura o prosiaka, nie wróci dziś dopóty, dopóki nie pomówi z Polakiem. Nie pozwoli na to, by ta sprawa pozostała niewyjaśniona. Gorączkowo próbował sobie przypomnieć tropy tej dyskusji, ale było to zbyt miałkie, puste i wiedział, że może być już na wszystko za późno. Im bardziej oddalał się od Gdańska, tym bardziej był przekonany, że zagrożenie, o którym nie miał wtedy pojęcia, istniało dużo wcześniej. I że kontaktów z porywaczami mogło być więcej, niż Załuska deklarowała. Przestała im ufać, więc zatajała prawdę. A może i kłamała także w innych kwestiach. Nie mógł tego wykluczyć. Stawka była wysoka. Chodziło o Karolinę. A może Sasza już wtedy podejrzewała, kto stoi za porwaniem. Z jakiejś przyczyny nie zdradzała nazwisk. Nie rozumiał dlaczego. Jednak to musiała być przyczyna jej humorów. Jekyll miał tylko nadzieję, że cokolwiek zrobiła, jakkolwiek walczy, robi to z głową i że, do cholery, nie dała się zabić. Zaraz jednak przypomniał sobie ten palec i pomyślał, że chyba jest durniem, jeśli wciąż liczy na szczęśliwe zakończenie.

– Pani siada.

Potężny rudobrody mężczyzna wyglądem przypominający wikinga zdjął rząd segregatorów z połamanego krzesła, przystawił je do biurka i zajął miejsce przy staroświeckim komputerze. Drugie siedzisko, z oparciem, ale porządnie zakurzone, przesunął w stronę kobiety.

– Dziękuję, postoję.

Katarzyna Zawisza nadal stała na baczność. W ręku trzymała dowód osobisty oraz torebkę w jakiś słynny wzorek, wartą zapewne roczną pensję policjanta, i wpatrywała się w zdjęcia uśmiechniętej dziewczynki w zabawnym niebieskim kapeluszu, z adnotacją: „Zaginęła Karolina Załuska, lat 10", którymi wyklejone były niemal wszystkie wolne ściany. Plakaty były już wyblakłe, zniszczone. Na niektórych przymocowano nowsze zdjęcia osób zaginionych.

W gardle jej zaschło. Poczuła ucisk w piersi.

– To chwilę potrwa – uprzedził ją lojalnie wiking i upił łyk herbaty.

Kilka granulek fusów osadziło mu się na bujnej brodzie. Zerknął na brudne krzesło i uderzył w nie kilka razy dłonią. W powietrze wzniósł się kłąb kurzu. Spotkali się spojrzeniem. W oczach policjanta Katarzyna dostrzegła skruchę.

– Naprawdę, jest w porządku – zapewniła pośpiesznie i przestąpiła z nogi na nogę.

Wygładziła jasną sukienkę, dotknęła wisiorka.

– Okej, to otwieram plik i działamy. Zgłoszenie o zaginięciu. Protokół oględzin. Miejsca, rzeczy, osoby. Przesłuchanie świadka. Poproszę o dowód tożsamości. – Uśmiechnął się ciepło.

Był potężny jak skała, ale miał w sobie łagodność, która koiła jej niepokój. Czekając, przyglądała się niewielkiemu zagraconemu pomieszczeniu i nie mogła się nadziwić, jakim cudem zmieszczono tutaj sześć biurek. Wiking w tym czasie wstukiwał dane.

Ktoś szarpnął klamkę i weszło trzech mężczyzn w dresach. Katarzyna Zawisza w ostatniej chwili uchyliła się przed ciosem drzwiami. W tym samym momencie segregatory z krzesła zwaliły się na podłogę z hukiem.

– Ania! – Wiking wychylił się na krześle.

Po chwili do pokoju wbiegła śliczna blondynka w spodniach motocyklowych i T-shircie z Frankiem Wallace'em. Z werwą zabrała się do sprzątania. Katarzyna zastanawiała się, jak dziewczyna wytrzymuje cały dzień w skórzanym kombinezonie. Kaloryfery w pomieszczeniu były odkręcone na cały regulator.

– Proszę mówić – zachęcił ją wiking.

Katarzyna się rozejrzała. Pierwszy raz była na komisariacie i zaskoczyło ją, że ma złożyć zeznania przy wszystkich. Dwudziestolatka sumiennie układała wysunięte z teczek dokumenty. Trzech karków, których z powodzeniem można by wziąć za członków gangu, a nie pracowników polskiej policji, usadziło się za swoimi komputerami z telefonami przy uszach. Rozmawiali, nie zniżając głosu. Nikt nie kwapił się do opuszczenia lokalu. Kobieta się zawahała.

– Ja w sprawie męża – wyszeptała. – Zaginął.

Wiking zanotował jej słowa skwapliwie.

– Wyjechał na nurkowanie i do tej pory nie wrócił – dodała już pewniej.

Dresiarze pokończyli widać swoje rozmowy, bo zapadła krępująca cisza. Nadal udawali zajętych pracą, ale kobieta wyczuwała na sobie ich spojrzenia.

– A zna pani ten dowcip? – odezwał się jeden z nich, z samego końca pokoju. Na sobie miał najbardziej jaskrawy strój, jaki Katarzyna widziała w całym swoim życiu. Pomarańcz z niebieskim, zielone paski i do tego odblaskowe napisy na piersi. – Mąż nie wrócił do domu. Żona myśli, że jest u kochanki. Kochanka – że u żony. A on pojechał ponurkować.

Nikt się nie zaśmiał. Katarzyna zamrugała kilkakrotnie.

– Nie znam.

– Szkoda. Bo może warto najpierw przesłuchać kolegów. Wiking odchrząknął.

– Jest weekend. Różnie w życiu bywa, wie pani. Może poszedł w tango?

– Krzysztof nie jest rozrywkowy. – Kobieta zmusiła się do zachowania spokoju.

– Wszyscy tak mówią. – Przywódca dresów znów zabrał głos.

– Banan, zrób mi z tego wykres. – Wiking wrzucił policjantowi na biurko stos papierów. – Bo widzę, że cierpisz na nadmiar wolnego czasu.

Policjant zwany Bananem natychmiast włożył do uszu słuchawki. Nawet z odległości kilku metrów słychać było ostre techno.

– Umówił się z przyjacielem – ciągnęła Katarzyna. – Zawsze pływają razem. Wiem jednak, że Horacy wczoraj odwołał wyprawę. Dziecko zachorowało, nie chciał zostawiać żony samej. A sprzęt mieli przygotowany. Sądzimy, że Krzysztof zdecydował się jednak wyruszyć.

– Nazwisko, adres i telefon pana Horacego.

– To pseudonim. Wszyscy tak na niego mówią. Naprawdę nazywa się Wojciech Kłyś. – Katarzyna dyskretnie potarła powiekę, a następnie wyciągnęła telefon i podyktowała numer telefonu do protokołu.

Policjant zwany Bananem znów podniósł głowę. Katarzyna zauważyła, że wymienili spojrzenia z wikingiem.

– Pani wie, że nie możemy przeszukać całego wybrzeża? To zbyt kosztowne.

– Mam tego świadomość. – Katarzyna nabrała powietrza. Głośno westchnęła, a potem zaczęła recytować.

– Znam swoje prawa. Nie wolno panu odmówić mi pomocy. Może jeszcze dziesięć lat temu odesłałby mnie pan z kwitkiem, ale nie dzisiaj. Od czterech lat policjant ma obowiązek przyjąć zawiadomienie o zaginięciu osoby i sklasyfikować owo zaginięcie. Jeżeli zaginie dziecko albo osoba najbliższa, a mąż jest taką osobą, i osoba zgłaszająca przekaże fakty albo dokumenty, to zaginięcie kwalifikowane jest do pierwszej kategorii i wtedy szef jednostki może postawić na nogi cały garnizon miejski, a nawet wojewódzki.

– Oczywiście – zgodził się, zaskoczony jej wiedzą, policjant. – Gdyby pojawiły się okoliczności wskazujące, że coś się zdarzyło, mam obowiązek przyjąć zgłoszenie i – jak pani to nazywa – postawić na nogi cały garnizon ludzi. Pytam więc jeszcze raz: czy zdarzyło się coś niepokojącego? I gdzie?

– Wiking zastukał ołówkiem w blat stołu. Był zniecierpliwiony. – Mąż musiał pani powiedzieć, gdzie zamierza nurkować.

– Torpedownia na Babich Dołach – wydusiła kobieta.

– Bardzo długo się do tej wyprawy przygotowywali.

– Miał sprzęt? Wysłał sygnały alarmowe? Rozumie pani? Gdyby zawęzić teren poszukiwań, może udałoby się złożyć wniosek o płetwonurków.

– Jego koledzy są gotowi podjąć taką próbę – zaczęła kobieta. – Rozmawiałam z Horacym przed wejściem na komendę.

– To komisariat.

– Właśnie – zgodziła się potulnie Katarzyna. – Zgłosiło się piętnastu. Mogliby rozpocząć poszukiwania choćby zaraz. To oczywiście tylko amatorzy, ale jednak nurkowali w różnych stronach świata. Mają doświadczenie.

– To nie jest zabawa. – Wiking zmroził ją wzrokiem. – Jeśli się o tym dowiem, będę musiał przedsięwziąć określone środki. Na to potrzebne są zgody, odpowiednie przeszkolenie. To zorganizowana akcja.

– Przepraszam. Tylko myślałam... – Zapowietrzyła się kobieta. – Mój tata obiecał wsparcie, gdyby była taka potrzeba.

Wiking podniósł rękę. I uśmiechnął się przepraszająco.

– Nie słyszałem tego.

Katarzyna przyjrzała się pozostałym obecnym w pomieszczeniu.

– Ja też nic nie mówiłam. – Zawiesiła głos i pochyliła głowę.

Zapadło milczenie. Słychać było tylko stukanie w klawiaturę i szelest dresu Banana, który podrygiwał w rytm skocznej muzyki. Katarzyna była jednak pewna, że nie traci z jej zeznań ani jednej informacji.

– Gdybym miała od męża jakikolwiek sygnał, natychmiast bym panu powiedziała. Nie wierzę, że odszedł, poszedł w cug czy, jak państwo sugerują, uciekł do kochanki. Zaraz po nurkowaniu zamierzał lecieć do Warszawy. Miał sprawę służbową. Bardzo ważną. Być albo nie być dla jego firmy konsultingowej. Ogromny kontrakt. Znam go cztery lata.

– Cztery? – Wiking odchrząknął. – No tak, sporo. Rozumiem powagę sytuacji, ale sporo to rzecz względna. Czasami ludzie po trzydziestu latach bycia razem dowiadują się o sobie rzeczy zaskakujących. Wie pani może, czy ta warszawska sprawa była dla niego trudna, stresująca? Może nie radził sobie z jakimś problemem? Mieliście kłopoty osobiste? Po czterech latach to może i jakaś przyjaciółka, coś. Różnie bywa.

– I uciekł? Nigdy! To najbardziej odpowiedzialny człowiek, jakiego znam.

– Kłóciliście się? Doszło w niedalekiej przeszłości do scysji między wami? Obawiał się czegoś? Może mąż miał depresję, długi?

– Sugeruje pan, że popełnił samobójstwo? – przestraszyła się kobieta.

– W żadnym wypadku – żachnął się policjant. – Szukam jedynie pretekstu, by wszcząć poszukiwania. Czy pani wie, ile zgłoszeń zaginięć mamy rocznie, miesięcznie, tygodniowo?

Katarzyna wpatrywała się w niego nierozumiejącym wzrokiem.

– W większości to zaginięcia kontrolowane, planowane i skutecznie wykonane. Ludzie wychodzą z domu po zapałki i już nie wracają. Uciekinierzy niekoniecznie wyglądają jak menele na dworcach. Niektórzy zamiast rozwiązywać problem, wolą od niego uciec. Czasem jest to rodzaj pokrętnego wzięcia na siebie odpowiedzialności. Uwolnienia rodziny od kłopotu. Ktoś bankrutuje, wie, że jest ciężarem dla rodziny, bliskich, więc uznaje, że lepiej odejść, zniknąć.

– Nie wierzę w to. Sytuacja firmy męża była, jest – poprawiła się natychmiast kobieta – bardzo stabilna. Jesteśmy dobrze sytuowani.

– Zabrał jakiś bagaż? Wypłacił większą sumę z konta?

Katarzyna wyglądała, jakby zaraz miała zemdleć. Przysunęła zakurzone krzesło i klapnęła na nie z impetem, a potem ukryła twarz w dłoniach.

– Miał walizkę. – Rozpłakała się. – Zawsze pakowałam go w kabinówkę. Tym razem chciał większą. Planował szereg spotkań i potrzebował czterech garniturów. Wziął też całą dokumentację firmy, którą restrukturyzował. I plik starych dokumentów z WSI. Kiedyś tam pracował. Wiem, że je zabrał, bo trzymał to wszystko w sejfie u rodziców. Tydzień temu wypłacił z konta czterdzieści siedem tysięcy. Chyba też zlikwidował lokatę walutową. Powiedział, że się skończyła i zainwestuje dolary w coś innego. Zgodziłam się. To nie jest tak, że zabrał wszystkie pieniądze. Staramy się o dziecko. To znaczy próbujemy różnych metod. Jeden ze znajomych Krzysia zna doktora, który ma klinikę w Szwajcarii. Ponoć obiecał, że nas przyjmie. Chciał tylko, żeby nie było śladu zapłaty. – Urwała.

Rozejrzała się po zebranych. Policjant w kolorowym dresie odwrócił głowę do okna. Wyłączył muzykę. Już nie udawał, że nie słucha. Głupio mu się widać zrobiło, że na początku z niej żartował. Pozostali też byli pod wrażeniem jej historii.

– Poza tym jest jeszcze jedna sprawa – odezwała się znowu. – Miesiąc temu mieliśmy włamanie. System alarmowy zawiódł. Ochroniarze dotarli, kiedy było już po wszystkim. Podobno przerwa w dostawie prądu. Żadnych nagrań. Płacimy za monitoring kilkaset złotych miesięcznie i ten jeden jedyny raz, kiedy byli potrzebni, akurat patrzyli w inną stronę. Splądrowano tylko gabinet Krzysia. Wybebeszono wszystko z szuflad, półek. Papiery fruwały po całym pokoju, niektóre były podarte, zaplamione. Zrzucono książki z biblioteczki. W niektórych miejscach powyrywano klepki z podłogi. Odinstalowano drzwiczki wywietrzników, zdjęto kaloryfery. Krzysztof mówił, że szukano skrytek. Ale to był tylko kamuflaż. Tak naprawdę, w moim odczuciu, interesowało ich co innego. Krzysio po odejściu z WSI kupił szafę pancerną. Nic specjalnego. Zwykła metalowa skrzynka na długi klucz. Waży chyba ze trzysta kilo. Nie dało się jej przesunąć, ani – jak sądzę – wynieść. Była nadpalona. Krzysztof uważa, że próbowali wysadzić zamek bombą. Nie zdecydowali się na to, bo większa ilość ładunku wybuchowego zniszczyłaby także zawartość. Ostatecznie, w co trudno uwierzyć, nic nie zginęło. Sprzęt elektroniczny, moja biżuteria, akty notarialne naszego domu i innych nieruchomości, także mojej rodziny, leżały na swoim miejscu. Właściwie bez zabezpieczenia. Złodziei to nie interesowało. Wypili tylko zapas piwa z lodówki i pocięli obraz, który wisiał nad kominkiem. Ten obraz Krzysio dostał na prezent pożegnalny, kiedy likwidowano Wojskowe Służby Informacyjne.

– Zgłosiliście włamanie?

Katarzyna pokręciła głową.

– Krzysztof uznał, że skoro nie ma strat, to nie ma o czym mówić. Zażądał tylko rekompensaty od firmy ochroniarskiej. Mieliśmy nie płacić za monitoring przez najbliższe cztery miesiące i negocjować dogodne stawki na przyszły rok. Pokłóciliśmy się o to strasznie. Pytałam: a co by było, gdyby któreś z nas tego dnia zostało w domu? A gdybyśmy mieli dziecko, czy je też by narażał? Czy te papiery warte są naszych głów? Czy coś przede mną ukrywa?

– Co to były za dokumenty? – odezwał się policjant w dresie i nagle się poderwał. Ruszył do drukarki.

Katarzyna spojrzała mu prosto w oczy i odparła bardzo stanowczo:

– Nie mam pojęcia.

Nikt z obecnych jej nie uwierzył, więc dodała:

– Prywatne archiwum męża. Ale wtedy wyniósł to wszystko do moich rodziców. Ojciec jest członkiem rady nadzorczej banku. Założył mu skrytkę depozytową. To właśnie część tych dokumentów Krzysio zabrał na nurkowanie. I z nimi zaginął.

Zadzwonił telefon. Kolorowy dres podniósł słuchawkę i mruknął coś zniechęcająco. W pokoju panowała nieprzyjemna cisza. Zanim policjant skończył mówić, zaczął zbierać do kieszeni porozrzucane na biurku przedmioty: komórkę, zapalniczkę, papierosy. Wreszcie odłożył słuchawkę i chwycił kluczyki do auta.

– Nosi pani nazwisko małżonka? – zwrócił się do Katarzyny.

– Ojca – odparła zdziwiona. – Kris ma takie samo. Przyjął moje.

Zawahała się, jakby nie była pewna, czy to jest czas i miejsce, by o tym mówić, ale strach o męża był silniejszy.

– Zmienił je po odejściu z WSI. Chciał zatrzeć ślady.

– Ślady? – Wiking poczochrał brodę. – Czego?

Katarzyna wzruszyła tylko ramionami, po czym z ulgą zwróciła twarz w kierunku Banana, który powiedział bez emocji, jakby podane przez nią fakty nie zrobiły na nim najmniejszego wrażenia:

– Chyba znaleźli wóz pani męża. Niebieskie bmw X6 M? – Podał numer rejestracyjny.

Kobieta wyciągnęła telefon.

– Muszę zapytać tatę.

Wiking skinął głową, by się upewniła. Kobieta wyszła na korytarz. Torebkę położyła na krześle. Wypadły z niej szminka, srebrna papierośnica i kluczyki do bentleya.

Wiking podszedł, by podnieść przedmioty, ale się rozmyślił i w ostatnim momencie cofnął dłoń. Zwrócił się do Banana, zniżając głos.

– Dobrze by było, żeby ta paniusia pojechała z wami. Bo się potem tatulek przypnie, że były zaniedbania. Wietrzę tu ostry hajs. I władzę. Może chłopiec coś przeskrobał, zabrał materiały nacisku z czarnej skrzynki i nie bez powodu nie wrócił z tego nurkowania.

Banan wyjął z kieszeni komórkę, pokazał włączony dyktafon.

– Nic mnie już nie zdziwi – mruknął. Wskazał plakat z podobizną dziecka Saszy Załuskiej – wyblakły i podarty na rogach, a potem zapiął dresik pod samą szyję. – Jak skończycie, Anka ją podrzuci.

– To chyba niezgodne z regulaminem – zmarkotniał wiking. – Raczej nie mam kombinezonu do wypożyczenia.

– Co ty nie powiesz? – Banan stał już w drzwiach, a za nim bez słowa ruszało jego dwóch milczących kompanów. – To niech tatuś ją podwiezie. Coś czuję, że to on kręci tym małżeństwem. Czy ten obecnie szczęśliwy bankier nie był słuchany sześć lat temu w prokuraturze w związku z aferą paliwową? Pułkownik, inżynier, doktor habilitowany. Kumpel Dziadka, naszego polskiego 006, co to zdecydował się odejść na emeryturę, a potem go kropnęli. Tfu, sam sobie to zrobił.

– To nie nasz kaliber – przerwał mu konfidencjonalnie wiking. – Jak wrócicie, spiszesz raport i puścisz to do wojewódzkiej.

– Pewnie – zgodził się ochoczo Banan. – Tylko o tym marzę. A Bronka Zawiszę kojarzę jeszcze z czasów studiów. To, że nie skończyłem prawa, nie znaczy, że się nie interesowałem historią tego kraju. Gość był we władzach FOZZ-u, przez chwilę nawet jako drugi sekretarz rady nadzorczej. Coś ci to mówi? Obecnie najstarsze polskie pieniądze. Zrabowane i sprywatyzowane. Tak zwana arystokracja poresortowa. Zapytam jeszcze Jankę. Ona będzie wiedziała więcej. Miała na tym punkcie bzika, bo w czasach asesury koledzy Bronka Zawiszy dali jej popalić. Gdyby nie słynny prokurator Norin, straciłaby robotę i pewnie siedziałaby dziś tutaj z nami w oślej ławce. Zresztą Ruda przeczytała wszystko i zna połowę IPN-u. Tak swoją drogą, w dzisiejszej prokuraturze mają listę nietykalnych. Zawisza jest na samym jej szczycie. Mogę się założyć.

Po czym rzucił na stół plik kartek, który zdjął z drukarki. Wiking spojrzał na zdjęcie dobrotliwego starszego pana w niemodnym garniturze, a potem na drzwi, za którymi Katarzyna Zawisza ustalała szczegóły z ojcem.

– Później. – Poczochrał brodę srodze zafrasowany i pośpiesznie schował wydruk do szuflady, jakby dokument go zawstydził.

– Ale przyjrzyjcie się dyskretnie temu tatulkowi. Niech Ania zamówi materiał i zrobi analizę.

– Odyn, wiesz, ile tego jest? To jej zajmie pół roku!

– Muszą wystarczyć trzy dni. Na więcej nie możemy jej wyizolować z bieżączki. A na razie gęba w kubeł. – Wiking uśmiechnął się półgębkiem. – Najpierw dupochron.

Banan skinął głową.

– Szóstka nurka zaparkowana jest na Babich Dołach. Torpedownia jak nic. Życzliwy widział sprawców demolki, ale zawiadomił nas, jak już odjeżdżali.

– Skąd wiedziałeś, że to ten wóz?

– W bagażniku leży kombinezon nurka i zapasowa butla. Adres rejestracji też jest ciekawy. Osiedle na Marinie. W dzielnicy nagród szefów UOP-u, oczywiście. Znów tatuś.

– Nazwisko po WSI rozumiem, ale wózek? – Wiking się skrzywił.

– Puszczę tam moich tropiących. Może coś wyniuchają.

– A sam nurek?

– Oby nie w Bałtyku. Mam dziś o siedemnastej, kurwa, wesele.

– W niedzielę? – zdziwił się jeden z ludzi Banana.

– Dziś sobota, ćwoku.

– Wiesz, ile rodzinnych bibek opuściłem tym sposobem? – pocieszył go wiking. – Człowiek przynajmniej się nie denerwuje. I głowa mniej boli.

Banan zatrzymał się, wygładził odblaskowe lamówki dresu.

– Jestem całkowicie spokojny – odparł. – To moje własne.

Wszyscy spojrzeli na niego zaskoczeni. Wiking zerknął na zegarek.

– To masz mało czasu. Druga.

Banan wyjął telefon. Kliknął w wyświetlacz i skrzywił się.

– Fakt. – Pokiwał głową. A potem, cały rozanielony, pokazał zebranym zdjęcie na tapecie. Uśmiechała się do nich efektowna kobieta w identycznym dresie, jaki miał na sobie teraz Banan. W rękach, niczym maskotkę, trzymała rudego kota. Wszyscy wydali stosowny odgłos aprobaty.

– A tam. – Policjant machnął ręką. – Najwyżej nic nie będę się przebierał.

Klatkę schodową przy ulicy Zamenhofa 17 wypełniał smakowity zapach. Ktoś smaży mielone, zawyrokował Jekyll. Dotarł pod siódemkę i zidentyfikował zdolną kucharkę. Drzwi otworzyły się i drogę przebiegł mu sznur harcerzy. W drzwiach stał gruby facet w czarnym siatkowym podkoszulku i spodenkach Sindbada mocno opuszczonych w kroku. Jekyll nie tak wyobrażał sobie producentkę mielonych. Na widok technika grubas splunął solidnie na wycieraczkę i trzasnął drzwiami. Policjant obejrzał się za siebie, ale poza nim nie było nikogo. Przygładził włosy i ruszył dalej, mrucząc pod nosem:

– Czyżbym aż tak źle wyglądał?

Kiedy przechodził obok drzwi ofiary mody, krzyknął wprost do judasza:

– Dobrego dnia, panie władzo, się mówi!

Łukasz Polak zajmował lokal piętro wyżej. Stalowe drzwi w kolorze biegunki, odrapane przy zawiasach, nasunęły Jekyllowi skojarzenie z lokalami konspiracyjnymi. W Polsce bardzo dbano o zachowanie prywatności świadków koronnych, których było nad Wisłą już osiemdziesięciu czterech. Szkoda tylko, że policja podpisała przetarg na drzwi u jednego dostawcy i wszystkie lokale miały wstawione identyczne stalowe konstrukcje. Pewnie Łukasz kupił to mieszkanie z drugiej ręki po Splinterze albo Kurczaku. Bułka, z tego, co ustalili fejsbukowi detektywi, zajmuje wielki dom z basenem w Kieleckiem. Czasem Jekyll myślał, że kariera skruszonego bandyty niektórym się opłaca.

Dzwonka nie było. Znów kłaniał się program ochrony świadków. Jekyll zwinął dłoń w pięść, uderzył solidnie. Usłyszał chrząknięcie na dole i domyślił się, że to Sindbad stoi na czatach. Jakby nie mógł się zająć smażeniną.

– Policja! – podniósł głos. – Proszę otworzyć.

Na dole ktoś natychmiast zasunął potężny rygiel. Aż echo poszło. Tymczasem z wnętrza mieszkania docierały do niego ciche kroki. Judasz wciąż jednak pozostał ciemny.

– To ja. Jekyll.

Skrzypienie. Cisza. Jakieś szuranie. Szczęknęły klucze i drzwi się uchyliły. Przez szparę technik zobaczył najpierw jasną czuprynę, a potem przystojną twarz Polaka ze sporym sińcem pod okiem. Błękitne tęczówki, przekrwione białka. Wygląd zupełnie nie korespondował z wesołym tonem.

– Cześć. Jaka niespodzianka.

Jekyll popchnął drzwi i wszedł do środka. Dopiero wtedy się odezwał:

– Mogę?

W korytarzu panowała ciemność, ale dalszą część pomieszczenia wprost zalewało słońce. Okna zajmowały całą ścianę. Dwa z nich zaklejono gazetami. Trzecie wytapetowano tylko do połowy. Balkon był szczelnie zamknięty, choć temperatura wewnątrz sięgała pewnie trzydziestu stopni. Zaraz po wejściu Jekyll poczuł, że po plecach spływają mu strużki potu. Sprzętów było niewiele, jakby resztki po wyprowadzce domowników. Duży materac bez pościeli. Pod ścianą rząd kartonów oklejonych kolorowymi fiszkami.

Jekyll dostrzegł w nich grzbiety płyt kompaktowych. Na samym środku otwartej przestrzeni stał antyczny stolik. Na nim kilka puszek z piwem i miseczka z orzeszkami. Były rozsypane. W metalowej popielniczce leżał szczur od herbaty oraz kilka rozmokłych petów.

– Palisz? – zdziwił się Jekyll.

Łukasz podniósł rękę do twarzy, jakby chciał zasłonić siniak, ale obaj wiedzieli, że to niewiele pomoże.

– Czasami. Z nudów.

– Czyli w moim towarzystwie zawsze było zajmująco? – Jekyll uśmiechnął się z przymusem. – Szukam Saszy.

– Tutaj? – Łukasz zdawał się zdziwiony.

– Nie wiesz, gdzie jest?

Polak obejrzał się za siebie, a potem postąpił krok do przodu, spychając Jekylla do ściany. Technik nie miał wyjścia. Cofnął się dwa kroki. Znów stali w ciemnym korytarzu.

– Nie mam pojęcia i nie chcę wiedzieć. Pokłóciliśmy się.

– Rozumiem i współczuję. – Technik odchrząknął. – Ale wiesz, nie mogę się do niej dodzwonić. Cała jej rodzina wyparowała. Są nowe... Duch... – zaczął Jekyll i nagle przerwał.

Łukasz stał w miejscu i najwyraźniej nie był zainteresowany tym tematem. W ogóle był jakiś dziwny. Pijany? Naćpany? Jekyll czuł, że coś nie gra. Może Robert ma rację i facet jest prawdziwym świrem? W końcu tyle lat przesiedział w domach bez klamek.

– Dobrze się czujesz?

Łukasz uśmiechnął się idiotycznie. Mrugnął.

– Wprost wybornie.

Jekyll przyglądał się bacznie Polakowi. Znów mrugnięcie. Tik nerwowy?

– Brałeś coś?

– Ja? Nie. Nic – miotał się Polak. – Jestem czysty. Jedno piwo. Dwa może.

– Trzy?

– Może trzy. – Łukasz znów potarł siniak. Jekyll dostrzegł cienką czerwoną pręgę na jego nadgarstku. Jakby nosił zbyt ciasną bransoletę, którą niedawno zdjął. – Trochę upadłem.

Jekyll postąpił dwa kroki do przodu. Nabrał powietrza. Nie czuł od Polaka woni alkoholu. Łukasz był spocony, owszem, włosy miał przetłuszczone. Resztka wody kolońskiej, czosnek. Ale żadnego drinka czy papierosów. Tego ostatniego był pewien. Miał alergię na palaczy. Jeszcze dziesięć lat temu sam jarał jak smok.

– Sasza tu jest? Pijecie razem?

Łukasz czknął teatralnie i chwycił Jacka za rękaw, a potem siłą odciągnął na korytarz.

– Ona ze mną? Nigdy! Zresztą nie widziałem jej od dwóch tygodni – zapewnił skwapliwie. Zbyt skwapliwie.

– Od dwóch?

– Może dłużej – zaraz skorygował wypowiedź Polak. – Ale wiesz, mówiła coś o wycieczce do Wiednia. Podobno jest nowa wystawa Schielego.

– Schielego mówisz? – Jekyll zmarszczył czoło.

– Chciałbym to zobaczyć. A ty? – powtórzył Łukasz znacznie głośniej, niż potrzeba, i mrugnął dwukrotnie.

Jekyll zrozumiał: ktoś był w dalszej części pomieszczenia. Sięgnął do kabury, ale Polak pokręcił głową. Pokazał dłonią, by Jekyll się uspokoił. W tym geście było coś rozpaczliwego.

– Zawsze o tym marzyłem – odparł tubalnie Jekyll i wycofał się bardzo powoli. – No to cześć. Jakby się pojawiła, powiedz, że szukają jej z administracji wspólnoty. Wiesz, ma zaległości za fundusz remontowy. Dam ci znać, jak będę miał bilety do opery.

– Jasne. Cześć. – Łukasz znów pokręcił głową, a potem wskazał na okno zaklejone gazetami.

– To trzymaj się.

– Też.

– Poszedł dziad?

Kobieta w płaszczu wyszła z wnęki kuchennej i rozsiadła się na krześle koło stolika. Z kieszeni płaszcza wyjęła taśmę izolacyjną i podała żylastemu dryblasowi w wojskowym uniformie. Policzki miał chorobliwie zapadnięte, jakby z niedożywienia. Nos haczykowaty, oczy lekko wyłupiaste. Ciemnoblond szczecina ostrzyżona jak u rekruta, z tyłu głowy zwisał tylko mały kosmyk zapleciony w warkoczyk – świadectwo, że kiedyś mężczyzna nosił długie pióra. Skinął jej głową i odszedł od okna, które równo wytapetował gazetami. Chwycił Łukasza pod ramiona, usadził na krześle. Sprawnie przymocował jego ręce do oparcia. Nogi zablokował plastikowymi zaciskami. Drugi mężczyzna – mały, siwy, z kozią bródką, w okularach bez oprawy – przerzucał w tym czasie szpargały w kartonach pod ścianą. Metodycznie wyciągał dokumenty, wertował je i rzucał na kupkę koło swoich stóp, głośno cmokając.

– Mało brakowało. – Kobieta założyła nogę na nogę. Z innej kieszeni płaszcza wyjęła paczkę orzeszków i zaczęła je wrzucać do ust. – To jak będzie?

– Kajetan Wróblewski nigdy mnie nie lubił. Marnujecie czas – odparł spokojnie Łukasz. – Jeśli miałby mi coś zostawić w spadku, to tylko ampułkę z trucizną.

– Zbyt wiele oczekujesz, panie Polak. Co za idiotyczny pseudonim – prychnęła.

– Wręcz przeciwnie. Znam swoje miejsce w szeregu. Nie wychylam się i nie roję sobie niczego. W przeciwieństwie do ciebie, Sandro.

Kobieta zajrzała do paczki. Wygrzebała kilka ostatnich pistacji. Łupinki wylądowały na stoliku.

– Dziadek jej nie ochronił i tobie też się nie uda – mruknęła znudzona. – Tylko pogarszasz sytuację. A ona? Znajdzie się. Zawsze się znajdują.

– Znam ten tekst. Dotyczy ciał. Martwych.

– Faktycznie. – Kobieta wsypała sobie do ust resztkę orzeszków i ciaśniej zaciągnęła pasek prochowca. – Bo jak zwykle jestem lepiej poinformowana od ciebie.

– Nie możecie skrzywdzić dziecka.

– Kto tutaj mówi o dziecku?

– Krępowanie, szydera. Chcesz mnie przestraszyć? Tak, boję się. I naprawdę nie wiem, gdzie ona jest. Przed chwilą mówiłem prawdę.

– Prawdę – żachnęła się kobieta zwana Sandrą. – Dla ciebie i dla tej twojej flamy byłoby lepiej, gdybyś w końcu przestał kłamać.

– Jesteś zazdrosna – oświadczył zimno Łukasz. – Po tylu latach? To śmieszne.

– I tak bym za ciebie nie wyszła – burknęła. – Tak więc dobrze się stało, że wtedy spieprzyłeś sprawę.

Łukasz wiedział, że kobieta kłamie. Przed laty była w nim śmiertelnie zakochana. Dawała tego dowody i nawet ze sobą sypiali. Planowała huczny ślub, do czego przekonała swojego ojca, który początkowo odmawiał zgody na wejście do rodziny artysty-wariata, za jakiego wtedy uznawano Łukasza. Właściwie wszystko było zaplanowane, ale on tuż przed ceremonią wybrał Saszę. Co gorsza, pomógł jej uciec, czym naraził Sandrę na śmieszność w ich małym środowisku. Nigdy nie zapomniała mu tej zniewagi. Polak westchnął teraz ciężko. Wiedzieli, kogo do niego wysyłają. Osobisty odwet. Sprytnie to Jelcyn rozegrał.

– Chcemy odzyskać Karolinę – powtórzył. – Sasza zgodziła się na wasze warunki. Po co ten cyrk?

Zaciął się.

– To twoja córka.

Spojrzał na nią z nienawiścią. Nie zaprzeczył. Nie było sensu.

– A co ja mogę? Przewoziłem tylko ten raport z BEA. Widziałem Jesiotra jeden raz. Ale dokument był zalakowany. Nikt nie odważył się złamać pieczęci. Nawet Pawłowski nie wie, co zawiera.

– Tu się mylisz. Jesiotr wie doskonale. Zna nazwiska, bo sam go pisał. Ale pary nie puści. To jego ubezpieczenie na życie. Zresztą gadał z Norinem.

– Norin wie?

Kobieta w prochowcu wzniosła oczy do sufitu.

– Tak mówią. Ale jest spacyfikowany. Swoją córkę uratował, lekcję odrobił, więc się nie interesuje, czego i tobie szczerze życzę. Nawet do Kiszczaka nie pojechał, a to mogła być jego ostatnia szansa.

– Raczej gwóźdź do trumny.

– Jak zawsze w wielkiej grze. Nie zaryzykujesz, nie wygrasz. Teraz czeka w swojej trumnie, aż mu dobiją wieko. Każdy ma wybór. Gdyby wtedy podjął walkę, sprawy dziś by nie było. Może i Dziadka wcześniej by posunęli, a sytuacja polityczna mogłaby dziś być inna. W każdym razie jemu zawdzięczamy sukces łódzkiej prokuratury. Już dziś wiadomo, kto zabił Grubego Psa. To był napad rabunkowy. Generał Leki nie miał farta. Przypadki chodzą po ludziach. Szkoda, że świadek koronny, który się przyznał, już nie żyje. Jak zresztą każdy, kto dostał zlecenie na komendanta.

Łukasz obejrzał się na chudego jegomościa, który pieczołowicie tapetował gazetami jego okna. Chciał dodać, że nie wszystkich wykosili, ale się powstrzymał. Zamiast tego zdecydował się jej dogryźć.

– Ale wtedy ty nie miałabyś swojego kierowniczego stanowiska. Żal by było, co?

– Za to ty miałbyś betonowe buty – odparowała. – Zasługujesz na nie od dawna. Po chuj ratowałeś Calineczkę?

– Ma na imię Sasza – wysyczał Łukasz.

– A ja jestem księżną Walii. – Zaśmiała się złowrogo. – Sam nie wiesz, dla kogo nadstawiasz karku.

– Wiem o niej wszystko – odparł i wytrzymał jej nienawistne spojrzenie. – Cokolwiek mi wmówisz, nie ma znaczenia, bo nie znam aktualnego miejsca jej pobytu.

– To nieważne – poddała się Sandra. – Zresztą wiemy, że raport Pawłowskiego nie został zniszczony. Jest kopia poświadczona przez Jesiotra. I wiemy, że ty nie wiesz, gdzie jest, ale ona owszem. Może i go ma. Dlatego się zaszyła.

– Sasza ma raport BEA?

– Chyba, że nie Jon Snow.

Łukasz spróbował się oswobodzić.

– Czy naprawdę nie możemy rozmawiać normalnie?

– Nic nie rozumiesz – westchnęła zniecierpliwiona kobieta. – Nikogo już dziś nie obchodzi zabójstwo generała, syndykat zbrodni z Wybrzeża, polonijni biznesmeni ani nawet ośrodek wiedeński. Teraz religia jest w szkołach, a aborcja na ulicy. Sądy, media i wielka inkwizycja.

– Nie mam telewizora, ale zorientowałem się, że cała władza znajduje się w jednych rękach. Za to ty zmieniasz front w zależności od korzyści. I jakoś nadal nie udało ci się złapać męża. Czyżby w firmie byli sami geje?

Skrzat odwrócił się rozbawiony. Kobieta w płaszczu była za to wściekła. Łukasz uznał, że trafił w sedno, ale nic nie powiedział.

Sandra z kieszeni płaszcza wyjęła paralizator i uderzyła nim Polaka bez ostrzeżenia. Nie na tyle jednak mocno, by stracił przytomność. Zacisnął usta i wrzasnął, aż skrzat przerwał studiowanie dokumentów.

– Słuchaj mnie uważnie, Pająku z Koziej Wólki! – Sandra mówiła teraz podniesionym głosem. – To twój oficer zlecił uprowadzenie dzieciaka. Ja je nadzorowałam. Nie mogę ujawnić szczegółów, ale rozkaz poszedł z góry. Spytasz, dlaczego? Bo twoja była aktualna ma, i zresztą zawsze miała, dostęp do tych kwitów nacisku. Wiem, że gdybyś ją spytał, zaprzeczyłaby. Ale taka jest prawda. Nigdy nie była z tobą szczera. Co do meritum: wcześniej te dokumenty były bezwartościowe. Ot sterta makulatury pod podłogą. Dziś ich potrzebujemy. Dziadek popełnił błąd, że zrobił próbę ich ujawnienia. Słona cena za głupi szantaż. Myślał, że jest królem. A umarł król, niech żyje król.

Polak wysłuchał jej perory spokojnie. Twarz wykrzywiał mu nadal grymas bólu, ale nawet mrugnięciem oka nie dał po sobie poznać, jak bardzo jest wściekły. Sandra znała go jednak nie od dziś. Powstrzymała się przed komentarzem, choć obojgu cisnęły się na usta jedynie przekleństwa. Okazuje się, że Dziadek był dla nich groźniejszy po śmierci niż za życia.

– Ciekawa historyjka. – Łukasz wypluł skrzep krwi i otrząsnął się z trudem. Podniósł głowę. Wykrzywił usta w nonszalanckim uśmiechu. – Przypomnę ci, że szef służby ma dostęp do materiałów zbioru zastrzeżonego i decyduje, czy ich użyć, których użyć i które ujawnić. Pozwala mu to na polityczne wykorzystanie tych czy innych dokumentów, choćby bezpieki, przeciwko konkretnym osobom w celu osiągnięcia konkretnych korzyści. Natomiast informacje o aktywach bezpieki wszystkich departamentów MSW PRL dostały się w ręce osób prywatnych lub obcych agencji. IPN nie jest i nigdy nie będzie ich dysponentem. Jak wiadomo, materiały nacisku mają moc tylko dopóty, dopóki pozostają tajne. Ujawnienie ich automatycznie sprawia, że robią się niegroźne. Tak się składa, że Sasza to wie. Zadajesz mi zagadkę do rozwiązania? Kto jest teraz królem? Kto zdrajcą? Chyba to oczywiste. Zawsze najbliższy przyjaciel. Minister szykuje zamach. Zbiera dupochrony. A ty, jak głupia, chodzisz na jego pasku. Do czasu, mała patriotko. Liczysz, że ktoś kiedyś będzie o tobie pamiętał? Nigdy nie zdobędziesz sławy. I nie masz, niestety, klasy Krystyny Skarbek, choć się za nią przebierasz. Zawsze będziesz tylko słabą kopią samej siebie. Żal mi cię. Uważaj lepiej, z kim się kładziesz do łóżka, Sandro.

Znów strzał. Tym razem w krocze. Mężczyzna zgiął się wpół na ile pozwalały więzy. Zemdlał. Kobieta w płaszczu odgarnęła włosy, chwyciła pierwszą z brzegu gazetę i zaczęła się nią wachlować.

– Jeść się chce – zwróciła się do żylastego chudzielca z haczykowatym nosem. – Może pizza?

Mężczyzna odłożył klej, papiery i podszedł do telefonu stojącego przy łóżku. Podniósł słuchawkę. Sapnął, zanim zaczął wybierać numer.

– Co ty robisz, Bułka? – syknęła.

– Jesteś głodna. Znam jeden numer. To niedaleko. Przywiozą.

Kobieta pokręciła głową z niedowierzaniem.

– To jest lokator – wskazała Polaka. – A nas tu nie ma – wyjaśniała mu jak dziecku. – Ciebie, mnie, Remontnika. Nie ma nas tutaj! Już nie jesteś gangusem. Mamy sprawę załatwić tak, by było czysto. Nikt nie będzie po nas sprzątał.

Bułka długą chwilę przetwarzał dane, aż wreszcie podszedł do Łukasza i schwycił go wraz z krzesłem, a następnie przeniósł w pobliże telefonu. Niestety Polak nadal był nieprzytomny. Przelewał się chudzielcowi przez ręce. Bułka wpatrywał się w opadającą coraz bardziej do przodu sylwetkę.

– Chyba przesadziłaś, Sandra.

Kobieta podeszła do Polaka.

– Po prostu ma słabe jaja. Zawsze tak było.

Dała znak. Bułka uderzył mężczyznę z pięści w twarz. Łukasz przewrócił się z krzesłem na bok. Kobieta westchnęła ciężko.

– Masz go obudzić, nie skatować.

– Tylko go połaskotałem – zdziwił się Bułka i obejrzał swoją dłoń wielkości bochna chleba.

Kobieta rozsunęła płaszcz. Pod spodem miała wydekoltowaną sukienkę w różyczki.

– To masz problem.

Dryblas znów się zawiesił. W końcu wygenerował chyba jakąś myśl, bo postawił krzesło i złapawszy Polaka za brodę, zaczął nim energicznie potrząsać. Co jakiś czas patrzył proszącą w stronę szefowej. Wreszcie kobieta nie wytrzymała. Podeszła i wymierzyła Łukaszowi siarczysty policzek.

– Pobudka! – zakomunikowała, kiedy Polak otworzył oczy. – Jeśli chodzi o twoją byłą, zmienił się człowiek i dobiegł kres waszej kryszy. Mamy pozwolenie ją zdetonować. Czaisz?

– Więc dla-sze-ho tego nie sssrobisz? – wychrypiał Łukasz.

– Przynieś wody. – Sandra zwróciła się do Bułki.
– Zimnej!

I do Polaka:

– A kto powiedział, że sprawa nie jest w progresie. Na razie Calineczka ma rolę do wypełnienia. Problem wyłącznie w tym, że zerwała się ze smyczy.

Łukasz zaczął się radośnie śmiać. Kobieta na chwilę wpadła w osłupienie, ale po chwili dołączyła do Polaka. Bułka i człowiek zwany Remontnikiem patrzyli na to zaskoczeni. Następnie Sandra wyjęła z rąk Bułki szklankę i chlusnęła Łukaszowi w twarz.

– Spodziewaj się jeszcze wielu gwałtownych wypadków i nagłych śmierci.

Natychmiast zapadła cisza.

– Daleko ta pizzeria? – zwróciła się do Bułki. – Widzę, że to może jeszcze potrwać.

– Na nogach dam radę.

Skinęła głową.

– Sandro – odezwał się Łukasz, zdawało się, że tym razem ulegle. – Naprawdę nie mam pojęcia, gdzie jest Załuska. Mnie też zakręciła.

– Nie wierzę ci.

Kobieta pochyliła się i spod materaca wyciągnęła „Dziennik Bałtycki". Spojrzała na Remontnika, a potem na Polaka. Przewertowała. Szpaltę z ogłoszeniami poznaczono długopisem. Pojedyncze litery i cyfry tworzyły ciąg arytmetyczny. Stronę z nekrologami w połowie wydarto.

– Co tutaj było?

Łukasz wzruszył ramionami. Zaczerwienił się.

– Muchę zabijałem. – Uśmiechnął się krzywo. – Może pająka?

– Wiem, co to jest, debilu. To zaszyfrowana wiadomość. Do kogo? – Nadepnęła Łukaszowi szpilką na stopę. – Jesteście z tą suką w kontakcie.

Mężczyzna wydał z siebie stłumiony jęk. W tym samym momencie zawyła syrena. Skutecznie zagłuszyła dalsze jęki Polaka. Nikt nie usłyszał też trzaśnięcia drzwi. Bułka ruszył na połów pożywienia.

Jekyll obszedł blok dookoła i skierował się do części z balkonami. Minął słynną wiatę, która miała służyć mieszkańcom do integracji sąsiedzkiej, ale lokalne pijaczki przejęły ją na imprezownię. Długo rozmyślał nad dziwacznym zachowaniem Łukasza. Kto jeszcze był w mieszkaniu? Dlaczego Polak chronił intruza? Jaki to ma związek z zaginięciem Saszy? I jeszcze to mruganie, siniaki, pręgi na nadgarstkach. Wiedeńskie wystawy? Jak miał rozszyfrować ten kod? Czy ta rozmowa go w ogóle zawierała? O co chodziło ojcu Karoliny? Nie miał jednak wątpliwości, że Polak potrzebuje wsparcia.

Tymczasem na klatce zaroiło się od harcerzy. Ciągnęli węże strażackie i wpinali je do hydrantów.

– Co to, Bałtyk wylewa? Szykuje się nowy potop szwedzki? – mruczał do siebie Jekyll, krążąc po osiedlu.

Najpierw żałował, że wyszedł z mieszkania bez bliższej penetracji, ale potem uznał, że nic straconego. Wszak kiedyś, jeszcze w czasach narzeczeństwa, wspinał się do Anielki nocami po barierkach i tą samą drogą wracał, bywało, że przed świtem, w głębokich ciemnościach. Jej rodzice nigdy ich nie złapali. A dziś dzień był słoneczny, widoczność doskonała. Może jest już stary, fantazja i motywacja też nie ta sama, ale co szkodzi spróbować? Winien był to Saszy.

I Łukaszowi. Musiał przyznać, że polubił tę ich małą. Zawsze przecież mógł wezwać posiłki.

Kiedy już zidentyfikował właściwy balkon po szybach zaklejonych gazetami, okazało się, że czeka go przemiła niespodzianka. Dzielni harcerze ułożyli worki z piaskiem w taki sposób, że tworzyły schody. Jekyll nie bez wysiłku wspiął się na właściwie piętro, myśląc tylko o tym, by powiadomić kolegów z prewencji, że nocą będą mieli w tym rejonie sporo włamań na śpiocha.

Chwilę stał pod osłoną z gazet i próbował zaglądać przez szpary, kiedy zawyła syrena. Odruchowo odskoczył, a potem przykucnął i zajrzał do pomieszczenia. Niestety widział tylko dolną jego część. Wyraźnie jednak zidentyfikował stolik z rozsypanymi orzeszkami, puszki od piwa, niedopałki. Dalej damskie kozaki na szpilkach, krzesło z nogami Łukasza i w rogu niebieskie pepegi oraz stertę papierów. Przy łóżku stała walizka z karabinkiem. O ścianę oparto kij do bejsbola. Odruchowo wyciągnął broń z kabury, odbezpieczył. Wyłączył dźwięk w telefonie, a potem spróbował pchnąć drzwi balkonowe, ale nie ruszyły się nawet na milimetr. Przeżegnał się. Pocałował krzyżyk, który nosił na szyi, i uderzył w szybę ramieniem. Wtedy leżący na podłodze Łukasz otworzył oczy i z ruchu jego warg Jekyll odczytał komunikat: „Uciekaj! Znajdź Saszę".

Rozległo się pukanie do drzwi, a potem znów zabrzmiała syrena. Sandra dała znak Remontnikowi, który wyjął z buta mały nożyk i ukrył go w dłoni, po czym szybkim truchtem ruszył do judasza.

– Chyba jakiś alarm – wrócił z meldunkiem. – Na klatce roi się od mundurowych.

Kobieta nie zareagowała. Wyciągnęła z kieszeni płaszcza puzderko. Z namaszczeniem posmarowała różem usta, aż stały się wiśniowe, potem założyła okulary w rogowej oprawie i spadochroniarski beret, pod którym schowała swoje bujne loki. Dopiero wtedy podeszła do drzwi. Szarpnęła klamkę.

Za drzwiami stał Bułka ze stosem pudełek z napisem „La Bufala". Za nim w równym rzędzie ustawili się harcerze. Na widok Sandry zasalutowali i jeden z nich, najmniejszy, wygłosił mowę o ćwiczeniach przeciwpowodziowych. Kobieta niezbyt uważnie słuchała o symulacji uszkodzenia urządzeń monitorujących i zarządzonej ewakuacji wszystkich mieszkańców. Jednym ruchem wciągnęła dryblasa z pizzami do środka, a do młodzieży rzuciła:

– Spocznij i wypierdalać. – Trzasnęła drzwiami.

Podeszła do Polaka i złożyła na jego ustach pocałunek. Resztkę utlenionej substancji wytarła w chustkę.

– Rozpakuj go – rozkazała Bułce, który akurat kończył połowę pizzy hawajskiej z ananasem. Zanim zdążył przeżuć kolejny kęs, dorzuciła groźbę: – Wszystko spierdoliłeś. Opiszę to w raporcie.

– Będę się streszczać. – Odwróciła się do Łukasza, z satysfakcją patrząc, jak mężczyzna wije się i zapluwa. – Masz na znalezienie Calineczki trzy do czterech dni. Przekaż Załuskiej, że nie ucieknie od kreta i będzie wesele. Matka mysza już o to zadbała. Król elfów to zwykła bujda. Nie istnieje. Jeśli się spóźnisz, twoja córka zginie. Ale ty będziesz pierwszy. Chyba że dostaniemy raport austriackich służb na czas oraz bonus. – Potrząsnęła wybrakowaną gazetą. – Wybieraj. Będę cię obserwowała.

– A Sasza? – wydusił Łukasz. – Zawarłyście przecież umowę.

– Ona już się nie liczy. Ma tylko doprowadzić nas do Wilmora. Dobrze o tym wiesz, Pająku.

Piętnastu mężczyzn w piankach, z butlami na plecach i w pełnym oprzyrządowaniu, ruszyło plażą wprost w kipiel wzburzonego morza. Szli równo. Zanurzali się powoli, stopniowo, porozumiewając się oszczędnymi ruchami dłoni. Przed nimi, niczym skamieniały pradawny smok wynurzający się z roziskrzonej słońcem topieli, majaczyły ruiny poniemieckiej torpedowni.

Teren od lądu zabezpieczali żołnierze. Na skraju skarpy stał wianuszek ludzi w garniturach. Niektórzy mieli lornetki w rękach. A za nimi powoli zbierał się tłum gapiów. Z oddali dobiegały dźwięki włączonych krótkofalówek, gwizdy syren alarmowych i pokrzykiwania porządkowych.

– A jeśli go znajdą? – Katarzyna Zawisza podniosła głowę i wtuliła się w ramię starszego mężczyzny w musztardowym kożuchu. – Sama już nie wiem, czy tego chcę.

– Lepiej wiedzieć, córko – odparł pułkownik Zawisza. – Najstraszniejsza prawda zawsze jest cenniejsza od niewiedzy.

– Kasiu! Bronek! – zawołała z oddali pulchna kobieta w karakułowym płaszczu. Zdjęła kapelusz i trzymając go w ręku, zbiegała po drewnianych schodkach obstawionych gęsto mundurowymi, choć tusza nie pozwalała jej na zbytnie przyśpieszenie. Bronisław wypuścił na chwilę z objęć Katarzynę i wyszedł na spotkanie żonie.

– Jak ona się czuje? – wydyszała Zuzanna.

– Bywało gorzej – odparł Bronisław, oglądając się, czy córka nie słyszy. Na szczęście zajęła się konwersacją z wojskowymi. Pokazywali jej coś na mapie. – Ale może być bardzo źle, bo sytuacja się komplikuje.

Zuzanna podniosła głowę i chwyciła męża za rękę. Odeszli jeszcze kawałek.

– Dokładnie tak, jak przewidziałeś – szepnęła.

Skinął głową.

– Ale tak było trzeba.

– Nie jestem pewna. Mogłeś nie oddawać mu tych papierów. Ja bym je zniszczyła, skoro ty się bałeś – dodała z wyrzutem.

Machnął ręką, jakby chciał powiedzieć: „to już nieważne", choć oboje wiedzieli, jakie to ma znaczenie.

– Udało mi się załatwić pozwolenie – zmienił temat i wskazał ludzi w garniturach oraz wojskowych na skarpie. – Procedury policyjne ominęliśmy kwitem z Marynarki Wojennej.

Żona znów patrzyła na Bronisława z uwielbieniem i wdzięcznością, więc ciągnął:

– Koledzy Krzysia z dawnej ekipy zaoferowali wsparcie. Horacy ich skrzyknął. Dobry z niego chłopak. Wiesz, że oni mają swój klub? Wciąż trzymają się razem. Niesamowite.

– Widać to im się opłaca – mruknęła kobieta.

– Zadzwoniłem też do Mariana z Hagi. Przyleci najbliższym samolotem. Wygląda na to, że nieoczekiwanie stworzyła się okazja do spotkania po latach. Za chwilę przybędzie tutaj cały dawny resort. Nawet Ryszard Domin się odezwał. Z wiadomych przyczyn nie może przyjechać, ale przekazuje ci pozdrowienia.

Zuzanna podziękowała nobliwym skinieniem głowy, ale nie wyglądała na szczęśliwą. Raczej przerażoną.

– Nie mam obiadu – powiedziała.

– Nic nie szkodzi. – Zawisza przytulił ją. – Zamówiłem stolik w Marinie. Pewnie pojedziemy prosto stąd. Trzeba zabrać Kasię i wprowadzić ją w temat. Bez detali. Ostrożnie.

– Czy to konieczne? – Teraz już Zuzanna nie kryła zaniepokojenia. – Przecież to nie są sprawy dla kobiet.

– Najwyższy czas – zapewnił z przekonaniem. – Poza tym to dla jej dobra. Żeby nie narobiła większych kłopotów. Po co poszła na ten komisariat? Poradzilibyśmy sobie sami. Teraz będę musiał zająć się awansem wszystkich policjantów w tym pokoju, żeby im skrócić języki. Znów koszty. A i tak pojawią się plotki. Wiesz, jak jest.

– Masz rację. – Zuzanna szczelniej otuliła się futrem. – Szambo i tak wybije.

– Szkoda, że nie wzięłaś cieplejszego szalika. – Spojrzał w niebo, poprawił żonie jedwabną chustkę i pocałował w czoło. – Żebyś znów nie dostała anginy.

Stali w milczeniu, przestępując z nogi na nogę. Wiało okrutnie. Co gorsza, zaczynało mżyć. Zuzanna odwróciła się w stronę morza i oboje wpatrywali się w widmo torpedowni. Lśniła w słońcu. Mewy podrywały się z jej zakamarków co jakiś czas.

– Jego tam nie ma – powiedziała nagle Zuzanna. – Jesteś za bardzo spokojny.

Bronisław milczał. Wydawał się opanowany, ale żona wiedziała, że to pozory. Na skroni pulsowała mu niebieska żyłka, usta miał spierzchnięte. Czyżby bał się nalotu dawnych kolegów? Zuzanna zdawała sobie sprawę, że zabiera je obie na to spotkanie, by odwlec moment rozliczeń. Przy

115

kobietach nikt nie poruszy tematu pieniędzy. Nigdy wcześniej Zawisza nie zasłaniał się rodziną, więc sytuacja jest
podbramkowa. Co nawywijał ten Krzysztof? Komu się naraził? W co nas wpakował? – myślała. A tak dobrze mu
z oczu patrzyło.

– Obdzwoniłyśmy szpitale i komisariaty. Żadnego śladu.

– Jest ślad.

– Żyje?

Bronisław skinął głową.

– To dobrze czy źle?

Nie odpowiedział.

– Czyli źle – skwitowała. – Dokąd prowadzi ślad?

– Centrum Medycyny Morskiej i Tropikalnej. Od tego
trzeba było zacząć.

– Dzwoniłyśmy – żachnęła się Zuzanna.

– Za wcześnie.

– Co ustaliłeś?

– Niewiele. – Bronisław wzruszył ramionami. – Wtedy
jeszcze Krzysztof był w śpiączce. Ale niestety nic mu nie
jest. Uruchomiłem kontakty.

Kobieta chwyciła męża za rękę.

– Ty wiesz, gdzie on jest?

– Na razie go nie ma. – Podeszli bliżej. – Jest tylko mężczyzna N.N., pasujący do rysopisu Krzysia, którego wyło-
wili wojskowi za zatoką. Rozmawiałem z Tadkiem Otto.
Jeszcze godzinę temu jego ludzie mieli go na oriencie. Gdyby Krzyś się skontaktował, miej na uwadze, że jesteśmy
podsłuchiwani w doskonałym towarzystwie. Jest jeszcze
coś. Pamiętasz byłego chłopca Kasi? Tego doktora. Pracuje
tam. To on przyjmował męża Kasi na oddział.

Zuzanna zawahała się, zanim zadała kolejne pytanie:

– Ludwik nam zagraża?

Bronisław nieznacznie pokręcił głową. Zuzanna czekała w napięciu na jego odpowiedź.

– Raczej nie. Major Biskupski go sprawdzał. Nie zna nawet personaliów nurka.

– I niech tak zostanie.

– Dlatego tym bardziej Kasia powinna poznać szczegóły. Oni nie mogą się spotkać. A Krzysztof musi się zdecydować, po której stronie stoi. Zadbam o to.

– Coś się dzieje – przerwała mu Zuzanna.

Z morza wynurzyła się najpierw ręka, a potem ktoś wystrzelił pierwszą racę. Wojskowi przesunęli się w szeregu wzdłuż plaży. Potem stopniowo zaczęli się wynurzać nurkowie. Na piasku zrobiło się gęsto od ludzi ze sprzętem.

– Nosze – padło z oddali.

– Wezwijcie policję! Jest ciało!

– Ciało? – Zuzanna zakryła usta dłonią. – A jednak... O Boże wszechmogący... Bronek!

Katarzyna podbiegła do rodziców, zanosząc się płaczem. Objęli się. Bronisław trzymał córkę ciasno w ramionach i w napięciu przyglądał się zamieszaniu. Wreszcie z toni wyszedł ostatni nurek, ciągnąc obiema dłońmi sporej wielkości ciężar. Gdy tylko stanął na lądzie, ściągnął maskę i opadł na piasek.

– To Horacy – powiedział Bronisław.

Inni nurkowie ruszyli mu na pomoc.

– Muszę go zobaczyć! – krzyknęła Katarzyna.

Wyrwała się ojcu i nie czekając na pozwolenie, potykając się, podbiegła do topielca.

Nie mieściły się nogi albo głowa. Łukasz na tysiąc sposobów próbował zwinąć się w kłębek. Nijak nie wychodziło. Bagażnik auta był za mały.

– A świniak się mieści, choć jest od ciebie dwa razy grubszy – przygadywał Jekyll i pośpiesznie przykrywał Polaka kraciastym kocem, całym w psiej sierści.

Następnie otworzył swoją walizeczkę i odsłoniwszy głowę Łukasza, chwycił go za kark, jak do pocałunku, po czym wacikami umoczonymi w jakimś płynie usunął precyzyjnie z jego ust resztki maści, którą wypacykowała Polaka Sandra. Specyfik musiał piec okrutnie, bo mężczyzna z trudem to wytrzymywał.

– Puszczaj! – Wyrywał się. – Boli!

Jekyll trzymał go jednak jak w kleszczach i dokładnie pudrował, smarował i oklepywał, jakby od urodzenia marzył o pracy w salonie piękności. Z daleka musiało to wyglądać dwuznacznie, bo z okna wychylił się rumiany mężczyzna.

– Hej, zostaw go, zwyrodnialcu!

Jekyll natychmiast zarzucił na Łukasza poplamiony brunatną substancją fizelinowy płaszcz i siłą wcisnął mu głowę w szparę między zawiasami bagażnika. Rozległ się trzask. Spod koca wydobył się potok wyzwisk.

118

– Jest i mój przyjaciel – mruknął zasapany technik.
– Sindbad w żonobijce, mistrz patelni. Alem zgłodniał.

A potem odwrócił się do wystającej z okna głowy i rzucił najpoważniejszym tonem, na jaki był w stanie zdobyć się w tej chwili:

– Trwają ćwiczenia trzeciej brygady LGBT. Ludność transportuje się teraz na Popiełuszkę. Widzicie, co się dzieje, towarzyszu. Harcerze po klatkach grasują. Zobowiązuję obywatela do zachowania tajemnicy państwowej. Ku chwale ojczyzny. – Zasalutował.

Czerwona z wściekłości głowa ukryła się za firanką. Jekyll był pewien, że Sindbad wybiegł już na klatkę schodową i zmierza na podwórko. Błyskawicznie zmienił decyzję. Wydostał Łukasza z paki, usadził na przednim siedzeniu pasażera, zwaliwszy z niego pół szafy ubrań, których – sądząc po stopniu czystości – używał do swoich eksperymentów kryminalistycznych. Spod nóg wygrzebał tajemnicze pakunki owinięte w szary papier, pudła po odebranych przesyłkach, środki do pobierania śladów i zestaw drucianych pułapek na owady. Z trudem ładował teraz to wszystko na tył auta.

– Od początku mówiłem, że to durny pomysł – kwękał Polak, rozprostowując kości i wciąż trąc spierzchnięte usta.

– Szybko! – Jekyll wrzucał do bagażnika spadające na chodnik przedmioty, a pomiędzy przekleństwami szeptał sobie tylko znane modlitwy. – Zaraz tutaj będzie żonobijca z kolegami. Żeby tylko nie wydzwonił brygady RR, której z takim trudem się pozbyliśmy dzięki błogosławionemu hufcowi.

Rozległ się dzwonek. Jekyll szczerze się zdziwił. Przecież na balkonie Polaka wyciszył dźwięk komórki. Dopiero po dłuższej chwili domyślił się, że to radiostacja w aucie. Była sprzężona z jego służbowym telefonem i kiedy nie odbierał, przekierowywała połączenia do wozu. Zwykle był z tego systemu bardzo zadowolony. Ale dzisiejszego dnia wszystko szło nie tak, więc zanim gestem pokazał Łukaszowi, by kliknął przycisk na kierownicy, zamarł przestraszony.

– Gdzie jesteś, Dżeki? – usłyszał piskliwy głos prokurator Janiny Rudnickiej.

Ten, kto oceniałby ją po głosie, srogo by się zawiódł. Jak mówił Banan, jej wieloletni konkubent i pierwszy zaprzysiężony kawaler gdańskiej komendy, z Janki był prawdziwy lachon. A co gorsza, ona była z takiego komplementu niezwykle dumna. Szkoda tylko, że oprócz urody i tupetu kobieta nie miała w sobie za grosz empatii. Najcieplejsze uczucia okazywała swojemu rudemu kocurowi. To jednak sprawiało, że pasowali do siebie z mizoginem Bananem jak ulał.

– Pod komendą – skłamał Jekyll bez mrugnięcia okiem.

– To zawracaj. Jest zgłoszenie na plażę w Gdyni. Topielec na torpedowni. Masz sprzęt?

Jekyll zapinał właśnie swoją podręczną walizkę. Łukasz spojrzał pytająco na technika, ale ten w milczeniu wciąż walczył z zamkiem. W służbowym zestawie panował nieporządek, co Jekyllowi się nie zdarzało. Dopiero kiedy poukładał pudełka i buteleczki, ułożył pędzelki oraz opuścił ponownie wieko, a zaczepy trzasnęły koncertowo, wsunął walizkę do bagażnika i odrzekł:

– Odstawiłem do domu.

Po drugiej stronie rozległ się jęk zawodu.

– Skoro jest nieżywy, piętnaście minut nieszczęśnika nie zbawi – przerwał prokuratorce Jekyll. Nagle coś go tknęło i nabrał powietrza, by opanować panikę. – A ten topielec to ma płeć?

– Nie wiem. Sama dopiero jadę.

– Nie zapytałaś?

– Co miałam pytać? Dopiero z papierów palca Załuskiej się wykopałam. A dziś jeszcze mam imprezę. Wesele.

Jekyll wymruczał w odpowiedzi coś niezrozumiałego, uznając zachowanie prokuratorki za niestosowne.

– Przepraszam – usłyszał po chwili i bardzo się zdziwił, że Rudnicka zna takie słowa. Chyba nigdy wcześniej nie słyszał z jej ust przeprosin, więc może i ją jednak ruszyła sprawa palca znalezionego w mieszkaniu Saszy. – Jak się czegoś dowiem, zadzwonię. Wolałabym jednak, żebyś przyjechał jak najszybciej. Banan coś odkrył. Teraz nie bardzo mogę gadać.

Jekyll dał znak Łukaszowi, by zakończył połączenie. Zapadła cisza. Technik stał dłuższą chwilę bez ruchu, pogrążony w myślach. Wpatrywał się tępo w drzwi, z których, jak się spodziewał, powinien wyjść rumiany Sindbad. Teraz jednak Jekyll czekał na niego z niecierpliwością. Zbyt wiele się wydarzyło. Zbyt niewielki miał na to wszystko wpływ. Czuł, że zaczynają go świerzbić ręce, i nie ręczył za siebie. Gdyby teraz pojawiła się kobieta w prochowcu albo jej podopieczni: chudy dryblas czy choćby skrzat nożownik, Jekyll przejechałby ich swoim czołgiem na oczach wszystkich. A potem poprawiłby jeszcze walcem, rozmarzył się. Dopiero wtedy poczułby się lepiej.

– Wiedziałeś o palcu? – huknął do Łukasza.

Mężczyzna pochylił głowę. Potwierdził.

– Widziałem się z nią. Kilka dni temu. Powinna była natychmiast trafić na ostry dyżur. Ale nie poszła. Bała się. Pomogłem jej zmienić opatrunek.

– Kto jej to zrobił? Dlaczego?

– Nie chciała nic powiedzieć – uciął temat Łukasz.

– Uszanowałem to.

Jekyll usiadł za kierownicą. Ruszył gwałtownie, przycisnął gaz do dechy. Kiedy znaleźli się na estakadzie Kwiatkowskiego, wyprzedzał na trzeciego, zajeżdżał drogę, komu się dało, i trąbił jak opętany. Przerażony Polak chwycił się za rączkę przy podsufitce. Patrzył w milczeniu na Jekylla i bał się odezwać. Najwidoczniej miarka się przebrała i technik był w tym momencie nieobliczalny. Nigdy wcześniej nie widział go w takim stanie. Zrozumiał w tej chwili, dlaczego tak sympatyczny osobnik, jakim na co dzień był Jekyll, nosił taką właśnie ksywkę. Kiedy mijali port, starał się skupić na widoku pracujących nieustannie suwnic, czerwonych ramp i żółtych dźwigów, a nie na własnych emocjach, a tym bardziej na samopoczuciu Jekylla. W końcu technik zjechał z trasy łączącej port promowy ze stocznią oraz autostradą, a turkusowe dźwigozaury zniknęły Polakowi z oczu. Wjechali w małą uliczkę pod estakadą i długo kluczyli między filarami. Buchwic zahamował gwałtownie, aż obaj polecieli do przodu. Wyjął z piterka przy pasie swój telefon, włączył go i odczytał wiadomości.

– Tylko nie licz, że zaparkujesz na osiedlu wojskowym, przy Zielonej, na Babich Dołach. Przybyły wszystkie jednostki i kupa oficjeli – odczytał na głos, naśladując piskliwy głos prokurator Rudnickiej. Zamilkł gwałtownie, kolejne esemesy recytował już beznamiętnie. Ostatni wyszeptał łamiącym się głosem: – To kobieta. Przykro mi, Dżeki. Czekamy.

Mężczyźni spojrzeli po sobie. Przez długą chwilę żaden się nie odezwał. W końcu Jekyll wyjął ze schowka klucze i podał Polakowi.

– Odstawię cię teraz do mojego lokalu konspiracyjnego. To działka ze starym sadem. Nadole. Sam środek lasu, kilometr od Jeziora Żarnowieckiego. Nie ma prądu, ale do

wiosny przeżyjesz jakoś na jagodach i jabłkach. Anielka za-
wekowała ich więcej niż Hortex. Nie ma kto tego jeść. Kurę
u sąsiada upolujesz. W garażu masz łuk – próbował żartować, ale żadnemu nie było do śmiechu.

Polak trzymał klucze w dłoniach. Bawił się nimi nerwowo.

– To nie Sasza – rzekł stanowczo.

Jekyll w odpowiedzi tylko wzruszył ramionami. Do tej
pory nie było czasu porozmawiać. Łukasz nie wiedział
o rozmowie technika z Duchem, nie spotkał się z członkami
rodziny Saszy, jej sprzątaczką. I na razie Jekyll nie uważał
za stosowne wprowadzać ojca Karoliny w te tajemnice.
Chciał najpierw poukładać to wszystko w swojej głowie.

– Masz papierosy? – Odwrócił się nagle do Polaka i Łukasz był pewien, że Jekyll ma zamglone oczy.

– Nie palę. Wiesz przecież.

– Faktycznie – mruknął zawiedziony technik.

Znów długo milczeli.

– Ten mały skrzat w pepegach – odezwał się znów Jekyll. – Znam go dobrze. To były esbek. Major Mirosław
Biskupski. Ma ksywę Remontnik. Szef słynnego zespołu
czyścicieli, znanego bardziej jako komando śmierci. Był on,
taki jeden jąkała i stara baba z kokiem. Widzę, że teraz
zastąpili ją nowszym modelem, ta jest o wiele ładniejsza.
Paluch Remontnika zabezpieczono w sprawie Jaroszewiczów i Popiełuszki. A także zabójstw dwóch innych księży:
Suchowolca i Niedzielaka. Idę o zakład, że jakby poszukać,
to także w kilku innych, całkiem nowych sprawach. Mówili,
że potem ukradziono akta. Wóz z dokumentami wyparo-
wał spod prokuratury. Nikt nic nie widział, sprawców nie
znaleziono. – Jekyll zatrzymał się. Spojrzał na milczącego,
zapatrzonego w szybę Polaka. Wznowił swój monolog:
– Zresztą nickoniecznie chodzi o dochodzenia z paragrafu

123

sto czterdzieści osiem. To zwykle dziwaczne samobójstwa, nagłe choroby i wypadki. Do zawałów też raczej nie jesteśmy wzywani. A ofiarami są dawni funkcyjni. Ludzie jeszcze przed chwilą trzymający władzę. Były generał, były poseł, były komendant, były sekretarz ministra. Na jego miejscu siedzi już nowa lalka, a on wciąż ma wiedzę. Niekoniecznie wygodną. Major za księdza Popiełuszkę odsiedział swoje. Kiszczak objął go amnestią, a potem zaliczyli mu lata odsiadki w poczet emerytury. Pewnie ma większą pensję niż Duch jako komendant. Myślałem, że w końcu kojfnie, ale żyje psubrat już wiek chyba i nawet nieźle się trzyma. Co gorsza, teraz widzę, że jest nawet bardziej pożyteczny niż kiedyś. Ktoś mi mówił, że kupił apartament w Orłowskiej Riwierze. Wiesz, że jedyny materiał dowodowy, czyli ślad jego linii papilarnych na folii negatywowej, myszy zjadły w archiwum czy woda go zalała. Sam już nie wiem, jaką wersję podano oficjalnie. W każdym razie jakieś zrządzenie losu. Teraz, choćby nawet się pojawiał we wszystkich resortowych samobójstwach, wychodzi na N.N. Zlikwidowano jedyny dowód bezpowrotnie. Wszystko się ładnie spina. A ten wysoki chudzielec to Bułka. Ma status świadka koronnego, nową tożsamość i ochronę państwa. To dzięki jego zeznaniom rozbito polską mafię. Ale też dzięki niemu doszło do położenia sprawy zabójstwa generała Lekiego. Choć media nigdy o tym nie napiszą.

— Nie jestem aż tak ważny, by posyłać do mnie gangsterską gwiazdę. — Łukasz zdawał się znudzony wywodem. Jakby fakty przedstawione właśnie przez Jekylla nie były dla niego żadną nowiną. — Może tylko podobny?

— Mówię ci, że to on — upierał się Jekyll. — Braliśmy go tyle razy na gorące krzesło, że rozpoznałbym go po zapachu

124

strachu. Duch go słuchał, Wali. Wszyscy. On mnie nie pamięta. Nikt nie zapamiętuje techników. To dobra fucha, mówię ci. Był ucholem naszych, niemieckiej policji oraz sam nie wiem ilu służb. Trzymał z Jesiotrem, a kiedy zorientował się, że to agent, wydał go swoim. Pawłowski cudem uszedł z życiem. Mówią, że kupił sobie odpust win czymś, co zdobył w trakcie pracy dla Austriaków. Dokument zniszczono. Nie wiem, co to było. – Jekyll zawahał się i Łukasz zrozumiał, że jakąś informację policjant zataił.

Nadal jednak milczał.

– To wtedy Jesiotr zrezygnował – kontynuował Jekyll. – Ale nienawidzą się do dziś. Zawsze mówiłem, że zarówno Bułka, jak i Jesiotr chodzili na pasku służb. Gdyby gangster nie rozgrywał spraw z politykami, nigdy by się nie wykaraskał. Wystawił Bobasa, Słonia, Pochłaniacza. Kurczak do dziś siedzi. I Dyżurnego, ale ten go przechytrzył. Prowadzi biznes. Hurtownię ryb czy coś w tym rodzaju. Norin mi opowiadał. Pewnie jeszcze wielu innych Bułka sprzedał. Dziś go za to podziwia nowe pokolenie, dla którego skruszony gangster to bohater z komiksu. Swoją drogą Jesiotr za sprawą Bułki prawie stracił nogę. Wpuścili mu w więzieniu „krokodiła”, taki ruski szuwaks, narkotyk bardzo zanieczyszczony, który nie daje objawów. Zakażenie wdało się od razu. Dopiero Austriacy go odratowali. Tym ostatecznie przekonali naszego agenta, żeby się wycofał. Hoduje gdzieś jesiotry na dachu, widziałem zdjęcia. Chyba to była Zielona Góra. Dobudował sobie piętro w blokasie i ma ich całkiem w nosie: mafię, polityków, esbecję. Tylko pozazdrościć. Reszta, no cóż, raczej nie żyje. Mafia rozbita. W firmie też porządeczek, ale wcześniej rękoma tych zbójów wyczyścili system, przeprali kasę z FOZZ-u i ogólnie sprywatyzowali Polskę Ludową. Dzięki takim sojuszom jak Bułki z Remontnikiem mamy dziś demokrację i wolny rynek. Czego od ciebie chcieli?

– Żebym wystawił Saszę.

Jekyll milczał.

– Nic nie wskórali, bo ja nic nie wiem. Poważnie.

– Gdybyś nie wiedział, nie dostałbyś pocałunku śmierci.

Łukasz znów dotknął ust.

– Trucizna, która pod wpływem ciepła utlenia się i powoli zabija – zaczął wykład Jekyll. – Służby zwykle używają jej do dyskretnych nakłuć, na przykład szpikulcem parasolki. Kojarzysz słynne zabójstwo Georgiego Markowa? Agent KGB wstrzyknął mu pod skórę platynową kulkę z niewielkimi nacięciami, przez które substancja uwalniała się stopniowo. Chyba z pięć dni. Objawy jak po grypie, gorączka, nudności. Potem w końcu zasypiasz. Czy ślicznotka w płaszczu powiedziała ci, ile masz czasu? Skład nie jest jednorodny. Zależy, ile nasion rącznika użyto do przygotowania mieszanki.

– Czego? – Polak się skrzywił.

Wciąż nie dowierzał Jackowi, ale widać było, że jest zaniepokojony.

– To rycyna. – Jekyll spojrzał na Łukasza z politowaniem. Teraz był już całkowicie poważny. – Bardzo niebezpieczna substancja. Ale jeśli nie było rany, skaleczenia, to moim zdaniem do krwiobiegu nie dostało się zbyt wiele tego cholerstwa. Babka chciała cię nastraszyć.

– Raczej mnie nie lubi – przyznał Łukasz. – I ma powód.

– Jeszcze kilka dni pożyjesz. Prawie wszystko usunąłem.

Zapadła cisza. Polak był zniecierpliwiony. Wyglądał, jakby się gdzieś śpieszył.

– Musimy jechać – powiedział i oddał Jekyllowi klucze.

– Nie wiem, czy ci mówiłem, ale duże Trójmiasto raczej

mało mnie interesuje. Jestem wieśniakiem z Rewy. Z wyboru. Deska, kite, nurkowanie. Pierwsze pieniądze zrobiłem, wożąc turystów po wrakowisku. Nie miałem jeszcze osiemnastu lat.

– Byłem na cmentarzysku statków. – Jekyll spojrzał na Łukasza pierwszy raz z szacunkiem. – Nie wiedziałem, że nurkujesz.

Polak wzruszył ramionami.

– Rumia, Reda, Wejherowo. Małe Trójmiasto – to jest mój świat. A pod wodą nie musisz z nikim rozmawiać. To mi pasuje.

Jekyll przygryzł wargi. Podłubał kluczykiem w uchu. Słuchał Łukasza z uwagą.

– Więc jak będę chciał zniknąć, znajdę sobie willę przy plaży i tam się schowam. O tej porze roku na Pucyfiku nie ma nikogo.

Technik włączył centralny zamek. Drzwi się odblokowały.

– Co jest? – zdziwił się Łukasz.

– Wysiadasz. – Jekyll włączył silnik. – No już! – Rzucił Łukaszowi klucze. – W razie czego.

– A co z Saszą? – zapytał Łukasz.

Jekyll nie odpowiedział. Wcisnął Łukaszowi do ręki karteluszek, na którym gosposia Saszy nabazgrała numer rejestracyjny auta kręcącego się pod domem profilerki w Sopocie.

– To rządowy sprzęt. Sprawdziłem. Wypuść swoje czułki i zbadaj, kto z waszej firmy zagiął na nią parol. Facet lubi czarne cygaretki i skórzane rękawiczki. Tyle, jeśli chodzi o rysopis.

Łukasz wpatrywał się w karteczkę.

– Jekyll, chyba musimy pogadać poważnie – powiedział i obejrzał się, czy nikt ich nie słyszy.

– To nieuniknione – zgodził się Jekyll i uśmiechnął smutno. – Ale na spokojnie. Wiem, że dopadniesz tę gnidę. Nie chcę wiedzieć, jak to zrobisz. Potrzebuję tylko nazwisko tego gnoja. Z resztą poradzę sobie własnymi kanałami. Wtedy też pomówimy o tych dokumentach, co ich niby nie widziałeś.

– Znajdę cię – padło w odpowiedzi.

Łukasz patrzył za nawracającym Jekyllem. Kiedy technik mijał Polaka zmierzającego na przystanek autobusowy pod estakadą, wychylił się przez szybę.

– Jest jeszcze dziecko. Twoim zadaniem jest się nie narażać.

Zwłoki ułożono na piasku, tuż przy linii brzegowej. Wyglądały jak dekoracja z filmu. Czerwony jedwab okleił napuchnięty od wody tułów. Do jednej z nóg topielicy wciąż przywiązany był kamień. Kurtka ze skóry sterczała sztywno niczym skrzydła potężnego ptaka. Worek na głowie się rozplątał, spod niego wysypywały się rude włosy.

Jekyll zbliżył się do ofiary i przyjrzał otarciom, zasinieniom na gołych nogach, a potem obejrzał dokładnie kurtkę, którą kobieta miała na sobie. Rękaw był naderwany – prawdopodobnie od tarcia o kruszący się beton podwodnej części torpedowni, gdzie – jak wstępnie założono – zawisło ciało. Na wysokości prawego ramienia znajdowała się charakterystyczna łata w kształcie błyskawicy. Miała jaśniejszy kolor niż reszta skóry. Jekyll znał tę część garderoby doskonale. Pół roku temu zaproponował, że odda kurtkę znajomemu kuśnierzowi do naprawy, bo nie mógł patrzeć na tę dziurę. Załuska śmiała się, że to rana wojenna z Łodzi. Obnosiła ją z dumą i pytała, czy Jekyll nie ma przypadkiem brata, bo chętnie by za niego wyszła. Teraz technik obszedł ciało dookoła i przyjrzał się dłoniom ofiary. Paznokcie pomalowano na krwistą czerwień. Prawa dłoń była kompletna. W lewej brakowało górnej części palca wskazującego.

GRUBY PIES
(1998)

Gosia Werner kończyła szorować z tłuszczu piekarnik, kiedy znów zatkał się odpływ, a brudna woda wytrysnęła fontanną ze zlewu, opryskując dziewczynę od stóp po czubek nosa. Rzuciła blachę i pośpiesznie zaczęła zbierać mokrą breję na szufelkę. Pod oknem leżała miotła ze złamanym trzonkiem. Nadawała się lepiej niż ręczniki, które miała pod ręką, przynajmniej Gosia nie musiała dotykać obierek oraz resztek rozmokłego jedzenia, które rura wypluwała nieprzerwanie. Dziewczyna wypełniła już nieczystościami połowę drugiego wiadra, kiedy zorientowała się, co jest przyczyną awarii. Znalazła klucz francuski i wcisnęła się do komórki za zlewami. Całą siłą swojego czterdziestopięciokilowego ciała naparła na przyrdzewiały zawór. Wiedziała, że tym sposobem odetnie bieżącą wodę w restauracji, ale nie miała wyjścia. Udało jej się dosłownie w ostatniej chwili, zanim nieczystości sięgnęły ścian i szafy z garnkami. Przycisnęła za mocno. Rura z zaworem pękła. Chwilę pryskała jeszcze niczym mały wodospad, wreszcie odpadła razem ze sporym kawałkiem przegniłej dykty wprost na kolana Gosi. Dziewczyna przesunęła ją ostrożnie i odłożyła na zalaną brązową breją podłogę.

Ręce jej drżały, żyły wyszły na wierzch, paznokcie miała połamane, ale fontanny zniknęły. Dopiero wtedy usiadła na skrzynce z pustymi butelkami i rąbkiem przemoczonej sukienki wytarła z brudu walkmana, którego cały czas miała w kieszeni fartucha. Kaseta wciąż się kręciła. Edyta Bartosiewicz nie przestała śpiewać nawet na chwilę. Gosia poczekała, aż wybrzmią ostatnie takty *Koziorożca*, a potem wspięła się na parapet okna i ukryła urządzenie pod zapasem serwetek. Obok położyła słuchawki.

Teraz dopiero osaczył ją jazgot z sąsiednich pomieszczeń klubu. Skończył się koncert Lady Pank, rozlegały się gwizdy i gromkie brawa. Rozentuzjazmowane kobiety piszczały. Goście domagali się bisów.

Gosia spojrzała na pobojowisko. Pomyślała, że nie przynależy do tego świata zza ściany i nigdy nie będzie jego częścią. Nie wiedziała nawet, czy tego chce. Ukryta w norze na zapleczu czuła się absolutnie niewidzialna, bezpieczna i bardzo jej to pasowało. Czystą ścierką otarła twarz. Biała tkanina zabarwiła się na brunatny kolor. Drugą stroną osuszyła ręce i nogi, a potem wycisnęła włosy. Czekało ją teraz mnóstwo dodatkowej pracy. Miała nadzieję, że zespół zagra jeszcze kilka kawałków na bis, bo w przeciwnym razie kierownik sali z pewnością ją wyrzuci. Ostatnio ostrzegł, że jeśli jeszcze raz przeleje szambo, pożegnają się bez ostatniej tygodniówki. Ale stało się, znów zatopiła się w muzyce Edyty i odkleiła od rzeczywistości, choć tak bardzo starała się uważać na odpływ. Nie wiedziała, jak tym razem wytłumaczy awarię zaworu i zdemolowany zlewozmywak.

Rozległ się brzdęk, a potem Gosia usłyszała pisk przesuwanej taśmy na wysięgniku. Przez arkadę ktoś podał jej kolejne pięćdziesiąt talerzy oraz skrzynkę sztućców do mycia. Westchnęła ciężko. Nawet gdyby nie miała na głowie sprzątania całego pomieszczenia, nie wyszłaby stąd przed świtem. Wstała i zabrała się do zdejmowania brudnej zastawy z wysięgnika, zanim i on zerwie się pod ciężarem porcelany z Wałbrzycha. Gdyby ładunek się potłukł, nie odpracowałaby tego do końca roku. Była dziś na zmywaku sama. Wszystkie sprzątaczki, które przyjęto, odkąd Gosia tutaj pracowała, szybko awansowały na kelnerki. Dwie starsze i sprytniejsze jeszcze zanim stanęły na zmywaku, utleniły włosy, bo tylko blondynki miały prawo usługiwać gościom. Były dumne, że poza noszeniem talerzy mogą raz w tygodniu występować na rurze do tańca opuszczanej z fanfarami w trójmiejskim klubie. Inne dostały kupon do fryzjera zaraz po wizycie w prywatnej salce w podpiwniczeniu Maxima, zwanej pieszczotliwie Komorą Sinobrodego. Były z tego bardzo dumne, choć Gosię ich awans napawał przerażeniem. Wiedziała oczywiście, że w Komorze nie tylko się je, pali cygara i pije zagraniczne alkohole; uprawiało się tam też płatny seks i nie zawsze były to rozkoszne figle. Widziała obrażenia na ciałach dziewczyn, które dostąpiły zaszczytu bywania w tajemnej sali. Znała dobrze chłopców efebów, przyjeżdżających nocami do Komory, a odjeżdżających nad ranem bmw w kolorze szampana do prywatnych lokali. Czasami rozpakowywała osprzęt, który przychodził jako uzupełnienie wyposażenia Komory: łańcuchy, pejcze, skórzane konstrukcje przypominające ogłowie konia lub monstrualne lustra i sterty puchatej bielizny – sądząc z rozmiarów, raczej męskiej.

Dla Gosi był to inny świat i raczej nie chciała do niego należeć. Ukrywała swoją nieklasyczną urodę pod brzydkimi ubraniami z darów kościelnych i organizacji charytatywnych wspierających dom dziecka, gdzie się wychowywała.

Odkładała każdą zarobioną złotówkę i marzyła o wyjeździe daleko stąd. Wkuwała słówka z rozmówek polsko-angielskich i słuchała hiszpańskich kursów na kasetach magnetofonowych wypożyczanych z biblioteki. Jeśli już wyruszy, to za granicę. Była tego pewna. Choć zwykle pracowała nocami, nadal udzielała się w hufcu. Na spotkania z dziećmi, głównie z rodzin patologicznych, przychodziła czasami niewyspana, z podkrążonymi oczyma. Miała swoją drużynę sześcio- oraz jedenastolatków i nie potrafiła ich zostawić, choć była zdecydowanie za stara na takie hobby. Wiedziała, że dzieciaki potrzebują tych spotkań. Dla niektórych były to jedyne zajęcia, w trakcie których głośno się śmiały. Kiedyś sama dzięki harcerstwu odnalazła dobro w tym mrocznym świecie. Dlatego z radością nosiła mundur harcmistrzyni, organizowała biwaki, uczyła podopiecznych gry w siatkówkę, opowiadała bajki, pocieszała. Słowem, dbała o nich jak kura o stado piskląt. Nikomu o tym nie mówiła, bo wiedziała, że wywoła jedynie kpiny i szyderstwa. Tak naprawdę, pomagając, czuła się lepsza. Robiła to dla siebie. By nie zapomnieć, że dobro istnieje.

Praca w Maximie dawała jej natomiast odrobinę niezależności. Nie zarabiała wiele, lecz wystarczająco, by móc sobie od czasu do czasu kupić kasetę czy książkę. W fikcyjnych historiach znajdowała nadzieję, że życie zależy od marzeń, hart ducha bierze się z pokonania słabości. Odwaga to nie brak strachu, ale umiejętność panowania nad nim. Wreszcie że jest możliwe przeistoczenie się w kogoś całkiem innego i zostawienie niechlubnej przeszłości za sobą. Bardzo chciała kiedyś spalić za sobą mosty. Nie czuła się upokorzona, przebywając w tym brudnym miejscu, szorując gary czy nawet zmywając podłogi z rzygowin po całonocnych bibkach, w których uczestniczyła elita Trójmiasta, bogacze i celebryci. Maxim dla wielu był miejscem absolutnie niedostępnym. W latach siedemdziesiątych jeden drink potrafił kosztować równowartość przeciętnej polskiej pensji. Bywali tu Roman Polański, Günter Grass, Boney M. Z perspektywy Gosi Werner zaś kryjówka idealna. Zresztą jej samej przecież nikt nie oglądał. Nie czuł tego smrodu, nie słyszał jej ciężkich westchnień, kiedy dźwigała piekarniki do oskrobania.

Właściwie w tej kanciapie bywała z nią tylko kulawa Waleria. Pięćdziesięcioletnia rozwódka z wąsem, wagi ciężkiej, która pracowała głównie w dzień. Noce brała co drugi czwartek, sobotę i niedzielę, bo wtedy jej konkubent – strażnik na tutejszym parkingu – miał wolne i mógł zostać z dzieciakami, a mieli ich sześcioro, najmłodsze dopiero poszło do przedszkola. Wtedy był też największy ruch w Maximie. Zjeżdżały się sławy, organizowano koncerty, czasem zamykano lokal na prywatne imprezy. Ale kulawa Waleria zajmowała tak dużo miejsca i była tak powolna, że Gosia wolała już pracować sama. Z trudem znosiła odór tej kobiety i jej gadulstwo. Poza tym zbyt przypominała jej własną matkę, której Gosia nie potrafiła nienawidzić, choć wszyscy mówili, że powinna. Nieustannie marzyła, że któregoś dnia spotkają się ponownie i Gosia udowodni rodzicielce, jak dobrze poradziła sobie bez jej wsparcia. Waleria tymczasem była przekonana, że młoda Wernerówna nie ma żadnych ambicji.

– Wiek słuszny, oczy niekaprawe, usta jakby karminem sączone, a trzęsie się o swoją dupę, jakby była wysadzana rubinami – mruczała pod nosem w dobrej wierze, zawsze używając bezosobowej formy grzecznościowej. – Niechby i klepali ją pijaki po zadku, co jej szkodzi? Denatury nie piją, koniaki tylko zagraniczne albo „wiski". Dolary za stanik

wsadzają i czekolady nie pożałują. Zagranicznej! Niechby
i co innego czasem zrobiła, a co, to żaden grzech, jak z musu.
Życie lepsze już potem nie będzie. Ale ta udaje durnowatą,
że niby taka kościołowa czy nieśmiała. To i zostanie w tym
bagnie – wieszczyła, mamrocząc. – Chce chyba mój los podzielić. A kulawa nie jest. Zawsze to coś!

Gosia uśmiechała się tylko głupawo do Walerii i ustawiała głośniej swoją ulubioną kasetę Edyty, której wszystkie
piosenki znała już na pamięć. Nigdy tych tyrad nie komen-
towała. Tak naprawdę bardzo chciałaby wydostać się z tej
nory, ale i się bała. Zresztą nie umiała się mizdrzyć do Mecenasa, właściciela Maxima. Nie była też w stanie zmusić
się do kokietowania Romana Maciulewicza, jowialnego gru-
basa bardziej znanego pod pseudonimem Jelcyn, pełniącego
honory szefa sali, a tak naprawdę zarządzającego tym interesem. A bez jego względów nie miała co liczyć na „awans"
do Komory.

Pracowała ciężko, dumę miała jednak nieskalaną. Nie
miała sobie nic do zarzucenia i spokojnie patrzyła każdego
ranka w lustro.

Od siedmiu godzin nie usiadła nawet na chwilę. Raz
tylko, pod pretekstem pójścia do łazienki, ukryta za kotarą
przyglądała się sali, bo po aplauzie zorientowała się, że przyjechał zespół. Liczyła, że zobaczy Panasewicza albo Bory-
sewicza, ale skutecznie zasłaniał ich tłum fanów oraz nie-
odłączny łańcuszek groupies. Otaksowała tylko opięte kusymi
spódniczkami pośladki swoich rozchichotanych rówieśnic
tłoczących się wokół stolika gwiazd. Ze stoickim spokojem
patrzyła na białe obrusy, obrazy w barokowych ramach,
kryształowe żyrandole, złote samowary oraz słynne drzewo
rosnące w samym środku klubu, po czym wróciła na swoje
miejsce. Niedługo potem wybiło szambo.

Zdołała z grubsza wytrzeć podłogę i dotarła do dykty wyrwanej razem z rurą spod zlewozmywaka. Podniosła ciężar i przetaszczyła go na korytarz, by po zakończonej pracy wynieść go na śmietnik. Kiedy opierała go o ścianę, dostrzegła kabelek oraz fragmenty taśmy izolacyjnej. Zaciekawiona podważyła płyty. Wewnątrz znajdowało się prymitywne urządzenie elektroniczne – płytka z podzespołami, transformatory oraz szklane okienko. Teraz, kiedy zalała sprzęt wodą i wyrwała kabel, z pewnością nie działał. Wróciła i zabrała się do sprzątania pod zlewozmywakiem. Wsunęła głowę w zatęchłą przestrzeń i zamarła. W podłodze była dziura, nieporadnie wywiercona i oklejona byle jak taśmą izolacyjną. Obok leżały uszkodzony obiektyw i kamera ciasno owinięta folią. Dopiero wtedy do Gosi dotarło, że kawałek pilśni, który wyniosła na korytarz, przykrywał ukryty sprzęt do nagrywania. Biegiem przytargała dyktę z powrotem i zbiła deski, nie bacząc na to, że jeszcze bardziej uszkodzi podzespoły. Wyjrzała na korytarz. Nikt się nie zbliżał. Wróciła do skrytki w podłodze i przyłożyła oko do otworu.

Pomieszczenie częściowo wyłożone było lustrami, podłogę wyścielono grubym puchatym dywanem w kolorze wina. Pod jedną ze ścian stały rozłożyste sofy, pufy i dziwaczne łóżko z wysoką metalową konstrukcją, do której przymocowano różnego typu pasy i nabijane ćwiekami obroże. Była też huśtawka, która nasuwała raczej skojarzenie z szubienicą, oraz rząd dmuchanych lalek ustawionych jak modelki na wybiegu. Ściany z jednej strony przykryte były welurowymi draperiami niczym w Czarnej Chacie z serialu Lyncha. Przez chwilę Gosia poczuła prawdziwą grozę. Brakowało tylko martwej Laury Palmer i agenta Coopera. Odsunęła twarz od dziury w podłodze, usiadła pod ścianą i oparła się o kaloryfer, zupełnie nie czując, jak żeliwne żeberka wbijają się jej w plecy. Zbierała myśli. A więc to jest Komora Sinobrodego, a właściwie jej część, bo ze strzępek rozmów dziewcząt i chłopców, którzy tam bywali, wiedziała, że pokoje w podpiwniczeniu mają bardzo różne stylizacje. Wszystko zależy od fantazji klienta.

– Czyś ty na głowę upadła? – Z rozmyślań wyrwał ją głos Jelcyna.

Szef sali wmaszerował do kanciapy w smokingu. Pachniał kiełbasą i kadzidłem. Niebieski fular mienił się tęczowo pod jego podwójnym podbródkiem. Na wąsach wisiał mu okruch ciasta, lecz w ręku przepisowo trzymał nieskazitelnie biały ręcznik z prążkowanego adamaszku. Twarz miał dobrotliwą, jowialną. Oczy lekko skośne, schowane w wałkach tłuszczu, włosy całkiem białe. Zapewne przez podobieństwo do pierwszego demokratycznego prezydenta Rosji wszyscy zwali go Jelcynem. Złośliwi twierdzili, że jego wygląd nie ma tutaj nic do rzeczy. Doskonale mówił po rosyjsku, choć się z tym nie afiszował. Czasem bywali w Maximie oficerowie KGB, podobnie jak wszystkich innych służb świata. To tutaj panie z towarzystwa pierwszy raz miały okazję tańczyć z czarnoskórym marynarzem, a zamożni Polacy zakosztować Tajek. Bywali tu wszyscy. Ten, kto się liczył, bawił się w orłowskim Maximie i siedział pod słynnym drzewem wewnątrz lokalu.

– Gdzie czysta zastawa?

Gosia odstawiła z łoskotem wiadro, udając, że właśnie kończy myć podłogę.

– Szambo wybiło – szepnęła i nieoczekiwanie wybuchnęła płaczem.

Sama była zaskoczona, jak wiele ma w sobie z komediantki.

– Czuję.

Jelcyn wycofał się dwa kroki, nabrał haust powietrza, by po chwili znów wkroczyć do pomieszczenia.

– To czegoś nic nie powiedziała?! – ryknął i naparł w jej kierunku jak atakujący byk.

– Drzwi zakryj! – polecił. – I nie becz, bo po garach dostaniesz.

Gosia momentalnie zdusiła łkanie. Stanęła na baczność i chwyciła za klamkę. Stykali się niemal biodrami.

– Nie te, idiotko – żachnął się szef sali i bez skrępowania zaczął się rozbierać. Dziewczyna cofnęła się bojaźliwie. – Na korytarz! Żeby mi tu te jebaki nie wlazły. Mecenas nam nogi z dupy powyrywa za ten burdel, coś tutaj zrobiła.

Gosia natychmiast zablokowała zasuwkę. Kiedy wróciła po nowe dyspozycje, Jelcyn – już w samych gaciach – przyglądał się zardzewiałej rurze. U jego stóp stała skrzynka z narzędziami, a obok leżał zestaw metalowych prętów. Gosia zauważyła, że dykta z kabelkami w tajemniczy sposób zniknęła. Miejsce zaś, skąd przed chwilą zaglądała do Komory, Jelcyn sprytnie zastawił skrzynkami z piwem.

– Wodę musiałam odciąć – powiedziała cicho, starając się za wszelką cenę nie patrzeć w stronę prawie gołego kierownika sali. Nie mogła się jednak pozbyć z pamięci tego włochatego brzuszyska. – Bryzgało po ścianach. Bałam się, że zaleje niższe kondygnacje. – Urwała.

– Nie da się ukryć – zarechotał w odpowiedzi Jelcyn, a zwały tłuszczu trzęsły się jak galareta. W końcu pogładził się po futrze na klacie i pokiwał głową. – Mogło być gorzej. Znacznie, psia mać, gorzej. Mądra dziewczynka.

Zaskoczona Gosia uśmiechnęła się lekko i aż poróżowiała z zadowolenia.

– Impreza dopiero się zaczyna. Villas i Łazuka są – ciągnął Jelcyn. Wskazał swoją odzież pieczołowicie zawieszoną na haku w korytarzu. – I tak ci awans dać miałem. Dobrze interesy idą.

– Ja nie prosiłam – zaczęła Gosia w niemym przerażeniu. – Nie mam badań. Kelnerki chyba muszą mieć. Sanepid...

– Nie denerwuj mnie już, Kopciuchu. Czwórkę weźmiesz. Sziksy ruchać się wolą w piwnicy niż rabotać. – Szef sali zaśmiał się ze swojego żartu. – Na dół cię jeszcze nie puszczam. Tak dobrze to nie ma! Swoją drogą ta twoja mała znów tu była. – Zawiesił głos.

Gosia skupiła na nim czujne spojrzenie.

– Ela? – upewniła się. – Szukała mnie?

– A gdzie tam – zaśmiał się rubasznie. – Do Juliana lazła. Boksu jej się zachciewa. Ledwie żem ją odciągnął. Jakiś żołnierzyk se ulżył za werandą. Aż się zapluła, tak druta ciągła. Może ją do Komory wezmę, bo widzę, że ma zapał stokrotka. Tylko młoda jeszcze. Prokuratury mi tu nie trza. Ledwie się ogarniam ze starymi klientami. Chyba że będzie indywidualne zapotrzebowanie.

Gosia z trudem powstrzymała się, żeby nie wybuchnąć.

– Gdzie ona jest?

– Powieźli ją do dom – odparł już spokojniej. Gosia odniosła wrażenie, że ze współczuciem. – Cała kolejka była. Chętnych ma ta cichodajka co niemiara. Aż dziw bierze, że to twoja rodzina.

– Mamy różnych ojców.

– To taka zamiana! – Gwizdnął. – Aż żal, bo niektórzy już pytają o ciebie. Można się pomylić. Gdyby nie kolor włosów, sam bym się nabrał.

– Ona ma dopiero piętnaście lat.

– Tapety tyle nałożyła, że mogłaby być twoją matką. Gada jak profesjonalistka – zaczął, ale zaraz przerwał. – Zresztą to nie moja sprawa. Jutro włosy utlenisz, a dziś musi być tak, jak jest. Dookoła idź, nie przez salę. Gości mi wystraszysz.

Zrobił z dłoni koszyczek i podsadził ją do okna. Gosia brudną tenisówką stanęła mu na ręku, zgrabnie przerzuciła nogę przez framugę i lekko zeskoczyła na trawnik.

– Jednak ucieczki z bidula do czegoś się przydają – zaśmiał się Jelcyn i wychylił się, by podać jej mydło i ręcznik. W drugim ręku trzymał uniform: czarną obcisłą sukienkę z lycry, biały falbaniasty fartuszek i drapowany czepek.

– Tylko nie pobrudź – rzucił, a potem zabrał się do systematycznego odgruzowywania pomieszczenia i nie zwracał już na nią uwagi. Gosia stała jeszcze chwilę w miejscu. Czuła przyjemny powiew wiatru i z radością myślała o czekającej ją kąpieli.

– Zastawa rezerwowa jest w kredensie. – Jelcyn znów wychylił się z okna. – Zamelduj się u barmanki. Niech nikt nie waży się tutaj przychodzić. A jeszcze Tarasa mi tu zawołaj! Ale bystro! Niech weźmie narzędzia. Wszystkie – podkreślił.

Sebastian Hamelusz otworzył szybę i wystawił rękę z papierosem. Wiedział, że Gutek będzie się pieklił, jeśli wyczuje dym w aucie. Choć Gustaw Moro sam palił jak smok, a i klientom pozwalał we wnętrzu dymić do woli, wściekał się, kiedy kierowca robił to pod jego nieobecność. Podobnie było ze słuchaniem muzyki na postojach. Awantura była też o grzanie silnika na pusto i paprochy na tapicerce. Gutek w trakcie jazdy słuchał tylko kabaretów Jana Pietrzaka nagranych na kasety przez swoją byłą konkubinę Beatę Biały, laureatkę pierwszych organizowanych przez siebie wyborów Miss Polonia, i żarł sandwicze z salcesonem od matki, sypiąc okruchy gdzie popadnie.

Seba wydmuchał niebieską mgiełkę za okno, a potem zdecydował się wysiąść. Zaparkował naprzeciwko drzwi wejściowych do Maxima i od kilku godzin nudził się jak mops. Gutek przesiadywał tutaj niemal codziennie, ale trudno było przewidzieć, kiedy skończy interesy. Czasami wytaczał się dopiero o świcie, pijany jak bela, w otoczeniu hałastry małolatek i pochlebców, innym razem zaś odjeżdżali spod restauracji po zaledwie szocie wódki. Sebastian od małego żył „na czujce". Tajniaków rozpoznawał, gdy tylko materializowali się na horyzoncie. I nigdy jeszcze się nie pomylił. Mówiono, że Seba węch ma lepszy niż rasowy pies, bo też i był synem milicjanta. Stary Hamelusz nie dożył transformacji. Trzech nastolatków zakatowało go cegłówką w bramie w pierwszym dniu obrad Okrągłego Stołu. W śledztwie sprawcy zarzekali się, żc nie znali profesji ofiary. Sądzili także, że w portfelu mężczyzna będzie miał więcej niż dwadzieścia tysięcy złotych. Przed denominacją ta kwota nie starczyłaby nawet na pół litra wódki. Ponoć poszło o zakład: czy jesteś w stanie zabić człowieka? Dzieciaki zatrzymano już o świcie. Sypały się nawzajem. Proces przebiegł szybko i bez relacji w mediach. Cały kraj żył nową demokracją. Świat radował się obaleniem komunistów w kraju nad Wisłą. Zabójcy trafili do poprawczaka, a w dniu uzyskania pełnoletności wyszli na wolność i zniknęli bez śladu. Sebastian był świadkiem zakopania w gdyńskim lesie tylko jednego z nich. Dwaj pozostali zasłużyli na uczciwą odpłatę, więc prawdopodobnie zjadły ich już bałtyckie ryby. Słoń uznał, że syn milicjanta nie powinien uczestniczyć w egzekucjach, choć młody buńczucznie nalegał, by samemu dokonać pomsty. Słoń honorowo obiecał, że dopilnuje sprawy za niego.

– Dokonując odwetu, bierzesz na siebie ciężar świata – przemawiał jak ojciec chrzestny. – Przyjdzie i na ciebie pora. Jeszcze nie jesteś gotów, chłopcze.

Kiedy Sebastian otrzymał dowód osobisty, dowiedział się prawdy o relacji ojca z gangsterem. Za komuny Słoń był wtyką Hamelusza. Donosił milicjantowi o tym, co dzieje się w półświatku na Wybrzeżu, a w zamian ojciec Sebastiana krył bandytę i kasował jego konkurentów, gromadząc na nich dowody w prowadzonych przez siebie dochodzeniach. Można powiedzieć, że dzięki jego ojcu Jerzy Popławski, cwany jubiler, który dorabiał się na handlu walutą pod kantorami i rabowaniu aut, wyrósł na prawdziwego bossa trójmiejskiego półświatka.

– Długi należy spłacać – kontynuował Słoń, kiedy Sebastian okazał się wreszcie gotów, by wstąpić w szeregi gangu. – Teraz, gdy sytuacja polityczna się zmieniła, nasza relacja również uległaby zmianie. Musisz wiedzieć, że pod koniec Hamel był zdecydowany. Działał z nami i dla nas. W gruncie rzeczy wszystko jest względne. Ojciec byłby z ciebie dumny, że dokonałeś właściwego wyboru.

To Sebastiana ostatecznie związało z Popławskim. Przyrzekł mu lojalność i nawet nie mrugnął, kiedy Słoń oddał go na służbę Gutkowi Moro, by miał oko na nieobliczalnego biznesmena i donosił mu o wszystkim, co deweloper kombinuje.

Restauracja była pełna, a wciąż przybywali kolejni goście. Przed wejściem stały nowiutkie limuzyny na warszawskich blachach. Sporo było też marynarzy i cudzoziemców. Dziś po południu do Gdyni przybiło kilka drobnicowców oraz prom pełen Niemców z kieszeniami nabitymi walutą. O tej porze wszyscy ostatecznie lądowali na Orłowie i kończyli noc w Maximie.

Seba rozprostował ramiona. Przeszedł się alejką. Mijając wejście do klubu, nieznacznie skinął głową Julianowi Górskiemu, ps. Góra lub Julek, młodemu, ale już słynnemu bokserowi, który jak dotąd nie przegrał ani jednej walki. Bokser stał na bramce wyłącznie dla prestiżu Maxima. Mecenas płacił mu za tę stójkę w dolarach. Mężczyźni przywitali się na tyle dyskretnie, by nikomu nie przyszło do głowy, że są w komitywie. Kiedy Seba miał wolne, wypijali czasem po kilka lufek. Nigdy jednak w Maximie i zawsze z dala od wspólnych znajomych. To była dziwna przyjaźń, bo Julek zawsze gadał jak najęty, opowiadał z emfazą, pytał i sam sobie odpowiadał, a Sebastian milczał, rechotał z żartów przyjaciela, komentując ewentualnie sytuację równoważnikami zdań. Tak naprawdę jednak rozumieli się bez słów. Byli w tym samym wieku, urodzili się dokładnie tego samego dnia i roku, w różnych miejscach na świecie, a fizycznie zdawało się, że to ogień i woda. Julek – potężny, ogolony na pałę – budził respekt samym wyglądem zakapiora. Lubił swoją rosnącą z dnia na dzień sławę. Chętnie pozował do zdjęć paparazzim. Ubóstwiał śmiać się i bawić. Sebastian – wysoki, chudy wręcz, z falą kasztanowych włosów opadających fantazyjnie na oczy – stał zawsze w cieniu, jakby wstydził się swojej urody amanta. Twarz miał delikatną, prawie bez zarostu i gdyby nie wybity po jednej z bójek ząb, trudno byłoby go przyporządkować do branży, w której działał. Nie znosił swojego przezwiska „Laluś" i tylko szefowie mogli go tak nazywać, nie narażając się na rękoczyny. Julian zawsze zwracał się do przyjaciela po imieniu. Ich przyjaźń niedawno została wystawiona na próbę, kiedy Julek zdecydował się objąć przedstawicielstwo Ryszarda Domina, ps. Pastuch, polonijnego biznesmena i agenta wywiadu, którego, jak się okazało, Słoń – szef Sebastiana – szczerze nienawidził, choć od lat wspólnie przemycali z Niemiec wozy, by je sprzedawać w Rosji. Nikt z gangu nie rozumiał, dlaczego Słoń po prostu nie pozbędzie się Pastucha, tak jak to zrobił z innymi konkurentami, którzy nie uznawali jego władzy. Mówiono coś o dokumentach nacisku, którymi Pastuch szantażuje Słonia, jego długach wobec polonijnego biznesmena i kobiecie, która ich podzieliła, a której imienia nie wolno było głośno wymawiać. Wszyscy jednak wiedzieli, że brzmi ono Warwara. Mówiono, że

Rosjanka była tak piękna, iż Słoń, kiedy tylko ją zobaczył, zaoferował za jedną noc z nią swój własny dom. Był gotów pozbawić dachu nad głową całą rodzinę. Na szczęście dostał kosza. Warwara lubiła pieniądze, ale była ambitna. Ryszard Domin natomiast przez długi czas odpowiadał jej oczekiwaniom finansowym i prestiżowym. Oficjalnie nie należał przecież do półświatka. Obsypywał kochankę diamentami i zabierał w wojaże po świecie. Ale i to się jej znudziło. Porzuciła Pastucha dla młodego „borowika", który ją bił i poniewierał. Kiedy się rozstali, zniknął bez śladu. Mówiono, że jego ciało zakopane jest w gdyńskich lasach. W końcu piękna Rosjanka wyszła za umocowanego w rządzie zamożnego starca o pseudonimie Dziadek. Julek zbierał na ich temat dane i dzielił się nimi z Sebastianem, choć chłopak wolał się tym nie interesować. Uważał, że im mniej wie, tym dłużej będzie żył, z czego Julek się śmiał.

Choć Słoń i Pastuch wciąż patrzyli sobie na ręce oraz pilnowali, by stan zimnej wojny nie przeistoczył się w krwawą walkę, to na zewnątrz tworzyli wspólny front i wspierali się biznesowo. Konsultowali nawzajem swoje decyzje, dawali gwarancje bezpieczeństwa w razie starć z innymi grupami przestępczymi. Mieli tych samych dostawców broni, cyngli, lecz przede wszystkim – wspólnego wroga, który paradoksalnie robił z nich twardych sojuszników. Obaj śmiertelnie nienawidzili Wojciecha Kłysia, pseudonim Pochłaniacz, młodego wilka z Będzina, który parę lat temu osiadł na Wybrzeżu i skutecznie przesuwał swoje terytorium wpływów, jednocząc się z mafią pruszkowską, której wyczyny aktualnie nie schodziły z pierwszych stron gazet. Mówiono, że to tylko przykrywka, bo prawdziwym pracodawcą Pochłaniacza jest MSW. Nie było jednak na to żadnych dowodów. Kłyś słynął z tego, że lubował się w obcinaniu palców dłużnikom oraz szczycił się niesamowitymi wprost znajomościami w elitach władzy. Jako pierwszy w Gdyni zaczął legalizować mafijne pieniądze. Dziś był nie do pokonania nawet dla urzędników skarbowych. Mówiło się, że niemal wszystkie najlepsze lokalizacje nowoczesnych apartamentów były jego pralniami, a połowa rady miejskiej miała już tam mieszkania. W prasie Pochłaniacz pokazywał się jako rzutki biznesmen, konsekwentnie zaprzeczając niechlubnemu przydomkowi szefa gangu obcinaczy palców. Pastuch swoimi szpiegowskimi metodami dowiedział się jednak, że Pochłaniacz wcale nie zrezygnował z ulubionego procederu, a co gorsza przygotowuje całkiem nowy i superbezpieczny kanał przerzutu narkotyków z Kolumbii, bo do tej operacji zatrudnił zwalnianych właśnie na fali zmiany ustroju politycznego wpływowych esbeków, którzy nie przeszli weryfikacji. Ta informacja spowodowała, że Słoń i Pastuch chwilowo zakopali topór wojenny, a nawet rozpoczęli aktywną współpracę. Mimo to Julek i Sebastian woleli nie drażnić swoich mocodawców.

Nie czuło się jeszcze jesieni. W dzień wciąż panowały upały. To rzadkość nad Bałtykiem, więc może dlatego Wybrzeże nadal okupowali turyści, a doliniarze mieli pełne ręce roboty.

Teraz jednak plaża opustoszała. Noc była ciepła, jasna. Księżyc, okrągły jak hostia, wisiał na niebie obsypany gwiazdami. W jego blasku drobna postać wynurzająca się z morza zdała się Sebastianowi jedynie mirażem trytona lub nimfy morskiej. Ruszył wzdłuż krzaków, by nie stracić bałtyckiej Afrodyty z oczu. Dziewczyna kilkakrotnie zanurzała się w zimnej wodzie, a potem spacerowała z rozpostartymi

ramionami w spienionych bałwanami falach. Prawie dziecko, choć widać było, że lada dzień rozkwitnie. Biodra miała
szerokie, pośladki jędrne, kształtne. Najbardziej niesamowite były jednak jej włosy. Sebastian jeszcze nie widział
czegoś takiego: zdawały się płonąć. Wyjął papierosa i wpatrywał się w nagą zjawę zdecydowanie dłużej, niż powinien.
Ciało miała alabastrowe, w księżycowej poświacie aż niebie-
skawe. Z pewnością całe lato unikała słońca. Nie było w niej
niczego wyzywającego, ani grama wulgarności. Dałby sobie
rękę uciąć, że wciąż była jeszcze niewinna, nieświadoma
własnych walorów, czysta. W końcu wytarła się i ubrała
w uniform kelnerki z Maxima, ściągnęła miedziane włosy
i umocowała na nich czepek. Sebastian domyślił się, że jest
nowa. Kojarzył wszystkie kobiety zatrudnione w klubie. Tę
widział pierwszy raz. Kiedy ognistowłosa ruszyła na przełaj,
w kierunku restauracji, do wejścia kuchennego na rampie,
poczuł dławienie w gardle i impuls, że musi ją ratować.
Nie zastanawiając się dłużej, łamiąc wszelkie reguły usta-
lone przez Gutka, po prostu poszedł za nią.

Gosia nigdy nie czuła się tak szczęśliwa. W wyobraźni
widziała już tipy w dolarach, pensję na etacie, ubezpieczenie
społeczne i prawdziwe jedzenie, którego tak wiele przecież
zostawało, więc kelnerki wszystko zabierały dla siebie. Tyle
razy słyszała, że trzeba płacić łapówki, prostituować się,
a i tak czekać na wakat, by zdobyć posadę kelnerki tak
znanego klubu. Ona nie będzie musiała z nikim sypiać,
płaszczyć się. Jelcyn nie zaproponował jej pracy w zamian
za coś. Po prostu ją docenił, cieszyła się. Poprawiła sukienkę, brudne łachmany zawinęła w kulę i z ulgą pozbyła się
ich, wrzucając do najbliższego pojemnika na śmieci, po

czym tanecznym krokiem ruszyła do jednego z bocznych wejść restauracji. Nie mogła się doczekać, aż ujrzy zaskoczoną minę barmanki, która tyle razy upokarzała ją przed wszystkimi pracownikami, i prawie zaśmiała się w głos.

– Nominały się nie zgadzają – usłyszała znienacka. – Pakujesz i wypierdalasz.

– Coś ty za bardzo chytry, Gutek – padło z drugiej strony krzaków.

Gosia się zatrzymała. Czuła, że nie powinno jej tutaj być. Bała się nawet poruszyć.

– Nic pasuje, to zwijaj mandżur. – Znów to samo ściszone parsknięcie. – Klientów na ten śnieg znajdziemy. Nie zmarnuje się. Jesiotr dopiero otworzył furtki transferowe. Będzie pracował tylko ze stałą ekipą.

– Kto mówi, że ja rezygnuję?

– To o co się rozchodzi? Twojego psa szlag już trafił.

– A ta trzecia walizka? Kupujesz kota w worku, Gutek? Za takie pieniądze? Nietypowe.

– Bardzo – padła odpowiedź, a potem rozległ się głuchy dźwięk tarcia metalu o metal. – Ale ciekawość pierwszy stopień do piekła. Ryzykowałem, więc sprawdzam.

Gosia zajrzała między liście. Rampa, z której zamierzała wejść do klubu, obstawiona była ludźmi z krótkimi karabinkami w rękach. Trzy z nich wymierzone były w jednego człowieka. Miał wąsy i ekscentryczną marynarkę w kratę, zdecydowanie zbyt ciepłą na tę porę roku. Reszta towarzystwa nosiła się na sportowo. W samym środku wysokiej trawy, na krześle w stylu ludwikowskim, wyniesionym najprawdopodobniej z restauracji, siedział krępy mężczyzna w okularach połówkach. Gosia zwróciła uwagę na jego buty z wężowej skóry, na niewielkim obcasie i ze spiczastymi noskami. Minę miał godną władcy i już na pierwszy rzut oka wyglądał na zajadłego. Najwyraźniej uzurpował sobie prawo do bycia rozgrywającym w tej kompanii.

Drzwi do pomieszczenia, w którym zwykle zmywała, były teraz zdjęte z zawiasów i oparte o ścianę. Obok stał zbiornik, z którego próbowała zatamować wyciek szamba. Taras, Ukrainiec zatrudniony w restauracji jako złota rączka, trzymał w ręku ten sam klucz, którym zakręcała zawory. Była pewna, że w tej chwili gotów jest użyć go w zgoła innym celu. Na ziemi, w trawie, leżał pokrwawiony i zakneblowany mężczyzna, a obok niego cztery potężne walizki opakowane w folię elastyczną. Trzy z nich, otwarte, były wypełnione torebkami oklejonymi szczelnie taśmą. Dziewczyna domyślała się, co zawierają. Ostatnia była zamknięta. Mężczyzna w kraciastej marynarce trzymał na niej stopę. Wokół, rozstawieni w ciasnym kręgu, stali znudzeni faceci w dresach. Jeden z nich wyróżniał się wzrostem i choć chudy jak szczypior, widać było, że dysponuje potężną siłą. Na tle reszty wyglądał niczym olbrzym. W ręku miał kij do bejsbola. Czyścił go akurat z brunatnej substancji i jakichś resztek.

– Bułka! – Facet w butach z węża dał sygnał chudzielcowi.

Krąg się zacieśnił. Żylasty dryblas ruszył do ataku na człowieka w tweedzie.

– Na twoim miejscu, Kurczak, jeszcze bym się zastanowił. – Gutek Moro wypluł groźbę i szarpnął mężczyznę leżącego na ziemi. Twarz ofiary wykrzywił grymas bólu. Gosia rozpoznała go bez trudu. Tyle lat marzyła o tej chwili. Tak wiele razy wyobrażała sobie śmierć Piotra Marii Stokłosy, kapitana żeglugi wielkiej i swojego ojczyma, który doprowadził do tego, że jej własna matka oddała ją do domu dziecka. Tak, kiedyś podskoczyłaby z radości, ale teraz, kiedy była świadkiem jego powolnej agonii, bo nie wyglądało na to, by Stokłosa miał szansę wyjść z tego cało, czuła jedynie litość. Odchyliła głowę. Liście zaszeleściły. Odruchowo cofnęła się, ale pechowo nadepnęła na pustą butelkę, która poturlała się, robiąc okropny rumor. Karabinki zmieniły położenie. Wszystkie głowy zwróciły się w jej stronę. Gosia nie zwlekała z ucieczką.

Nie odbiegła nawet kilku metrów, gdy poczuła, że ktoś zaatakował ją od tyłu. Położył jej dłoń na ustach, tak że nie mogła oddychać. Unieruchomił, trzymał jak w kleszczach. Nie była w stanie się poruszyć ani wydobyć głosu. Mrugała tylko rozpaczliwie. Czepek kelnerki spadł na ziemię, włosy rozsypały się na plecach. Wtedy mężczyzna odwrócił ją do siebie i położył palec na ustach, nakazując milczenie. Czuła zapach tytoniu pomieszany z jego potem oraz lekko wyczuwalną wodą kolońską. Ta mieszanka nie była jej wstrętna. Instynkt podpowiadał jej, że ten człowiek nie zrobi jej krzywdy. Wpatrywała się w ładną, niemal dziewczęcą twarz. Nagle uśmiechnął się szelmowsko. Zauważyła, że ma nieznacznie ukruszoną jedynkę, ale wcale go to nie szpeciło. Pomyślała, że bił się lub ścigał na motocyklu. Odpowiedziała mu oczyma, że poddaje się jego woli. Znów dostrzegła błysk w jego oku, lewy kącik nieznacznie poszedł w górę. Porozumieli się bezbłędnie.

Odholował ją na róg budynku i pokazał gestem, by uciekała. Zrobiła, jak kazał. Tuż przed wejściem jednak się zatrzymała i patrzyła, jak chłopak, bo miał niewiele więcej lat niż ona, rusza rozkołysanym krokiem za krzaki, i raczej domyśliła się, niż słyszała, że rozmawia z ludźmi z bronią.

Nagle obok niej wyrósł mężczyzna w marynarce z koca. Potem zza krzaków wynurzył się jeszcze jeden człowiek. Ten w ekstrawaganckich butach, wyglądający na bossa i nazywany

Kurczakiem. Zdjął okulary połówki, zmrużył oczy i zapytał półgłosem:

– To ona, Gutek?

Mężczyzna w marynarce z koca skinął głową.

– Zajmij się tym – polecił Kurczak, podając mu pistolet i bardzo powoli wrócił na swój prowizoryczny tron.

Gosia obejrzała się za siebie. Jej młody obrońca zniknął. Wokół nie było nikogo. Kiedy mężczyzna zwany Gutkiem wskazał ścieżkę prowadzącą na plażę, karnie ruszyła za nim.

– Powinienem powiedzieć: witaj, córko – odezwał się po dłuższej chwili.

Gosia zatrzymała się i cofnęła bojaźliwie. Chwycił ją za ramię.

– Jak się miewa Agnieszka?

Dotknął włosów dziewczyny. Przesuwał je między palcami, jakby coś sobie przypominał. Zniosła to, spinając się jednak jak zwierzę do skoku.

– Słucham? – wydukała skołowana.

Gustaw Moro zdawał się znudzony.

– Agnieszka Werner. Tak twoja matka nazywała się przed ślubem z tym pacanem marynarzem, który za chwilę będzie gryzł glebę. Kurczaka można zdradzić tylko raz. Ostatni. Nosisz jej nazwisko. Imię wybrałem ja, więc pamiętam. Małgorzata. Wyrosłaś na kobietę znacznie piękniejszą niż ona.

Gosia gwałtownie wyrwała się z jego kleszczy, ale mężczyzna tylko zaśmiał się pod wąsem.

– Widzę, że rozumu też ci nie brakuje. Moja krew.

Nagle spoważniał.

– Jelcyn od dawna mi o tobie opowiada, więc wstawiłem się u Mecenasa. Bo chyba nie wierzysz w jego bezinteresowną miłość do bliźnich? – Wskazał na jej fartuszek i sukienkę kelnerki. – Wszystko kosztuje.

154

Gosia instynktownie zasłoniła brzuch i zgarbiła się, by ukryć dekolt.

– Przecież mamy wspólny interes. Nie powiesz mi, że kochałaś Piotra Marię jak ojca. Sprzedałby cię za garść moniaków, okradłby przed śmiercią ze złotych zębów i naszczał na twój grób.

Gosia skrzywiła się. Chciała odpowiedzieć temu nadętemu starcowi, że jeśli prawdą jest, iż to on uwiódł jej nastolletnią matkę, mamił obietnicami, a zaraz po porodzie zostawił je obie bez środków do życia, to właśnie na jego grób należałoby naszczać najpierw.

– Przepraszam, ale nie wiem, o czym pan mówi – powiedziała, siląc się na obojętność.

A potem, zanim zdążył odpowiedzieć, odwróciła się i zaczęła biec. Zdawało się jej, że pokonanie kilkusetmetrowej odległości trwa całe wieki. Nikt nie ruszył za nią w pogoń, nie powalił na ziemię. Do jej uszu dobiegł jedynie gromki śmiech Gutka i jego groźba:

– Laluś dostanie dziś wciry. Nie wygrzebie się z tej niesubordynacji. Jest pozamiatany.

Wchodząc do Maxima, usłyszała strzały. Całą zmianę drżała na samą myśl, że ten młody chłopak zapłacił za jej głupotę życiem, i zastanawiała się, co powie, kiedy przyjedzie policja, jednak nie usłyszała syreny. Za to o świcie przed wejściem zaroiło się od czarnych bmw. Widziała z okna, że ochroniarze pakowali do bagażników czarne worki. Nie była pewna, czy to te walizki, które widziała w nocy, czy może ciała zabitych. Wtedy za kierownicą jednego z aut dostrzegła swojego wybawcę. Nawet nie spojrzał w jej kierunku, ale ucieszyła się, że jest żywy. Pozostali bohaterowie tej historii zupełnie jej nie interesowali.

– Dopiero cię awansowałem, a już nosek zaswędział. – Podszedł do niej Jelcyn. Nadal był w smokingu, choć koszula była już przepocona, spodnie wymiętoszone i uwalane białym proszkiem. Fular zwisał smętnie z kieszeni. Wyszukał w paczce papierosa. Włożył do ust. Nie zapalał. Wpatrywał się wnikliwie w twarz dziewczyny. – Jutro bądź na dziesiątą wieczór. Coś ładnego włóż – dodał. – Ustalimy, co dalej, bo nieźle namieszałaś.

Z kieszeni wysupłał czepek, który zgubiła na tyłach restauracji, otrzepał go, ale jej nie podał. Twarz miał poważną. Wiedziała, że jest w kłopotach.

– Ja się starałem, Seba się starał, ale Kurczak wie, że to byłaś ty i widziałaś. Zostało ci tylko jedno.

– Co? – jęknęła. – Ja nie rozumiem…

– Masz szczęście, że Gutek lubi małolaty. Wprawdzie jesteś dla niego za stara, ale chuda jesteś, biust jeszcze niedorozwinięty. Napalił się na ciebie już dawno temu. W kółko mnie o ciebie pytał. Zobowiązał się przed Kurczakiem wziąć to na siebie. Tylko zrób coś z włosami. Białe mają być. Bo wiesz, rude to wredne. – Uśmiechnął się smutno i odszedł.

Gosia obciągnęła zbyt krótką spódnicę.

– Sprzedali mnie? – zwróciła się do Ukraińca, który siedział na schodach i czyścił sobie paznokcie kozikiem.

Taras długo nie odpowiadał. Zdawało się, że czynność pochłania go tak, iż stracił kontakt ze światem, ale Gosia znała go dobrze i wiedziała, że w końcu powie jej prawdę. Obejrzała się za siebie. Jelcyn schował się już do środka. Zawahała się, ale w końcu usiadła obok.

– Czego oni ode mnie chcą?

Ukrainiec uparcie milczał. Był niski, lecz potężny jak mały niedźwiedź. Chciałaby mieć takiego ojca. Wyobrażała sobie, że otacza ją muskularnym ramieniem i obiecuje, że zajmie się tym tematem, a ona by mu wierzyła. Nie było w tym nic erotycznego. Miała tylko potrzebę wypłakać się i zasnąć kamiennym snem. Ale Taras nie zbliżył się do niej nawet na milimetr. Za to na schody wyszedł znów Jelcyn z kluczami. Zakładał sztaby, przekręcał kolejne zamki.

– To nic strasznego. Dasz sobie radę. – Ziewnął.

Gosia ukryła twarz w dłoniach. Włączyła walkmana, włożyła słuchawki do uszu. Rozbrzmiały pierwsze takty *Snu*. Przewinęła. Poleciała *Bitter Sweet Symphony*. A potem *Come As You Are*. Kiedy kaseta wkręciła się w odtwarzacz i dziewczyna była zmuszona nawinąć taśmę jeszcze raz, Taras w końcu się odezwał:

– *Eto uże nie tolko twoj biznes, Margareta. Wsie oni iszczeznut. Uwidisz. Idiot wojna.*

– Chcesz mieć uchwałę, kup sobie prezydenta – zaśmiał się Gustaw Moro i skinął na Gosię, by przyniosła więcej lodu. Dziewczyna chwyciła metalowe wiaderko i ruszyła do aneksu kuchennego. Idąc, przyjrzała się swojemu odbiciu w ścianie okien zimowego tarasu. Miała świadomość, że wszyscy obecni w tym pomieszczeniu odprowadzają ją łakomym spojrzeniem. Nie bez przyczyny Gutek nakazał jej dziś włożyć sukienkę z gumowanego materiału, która przykleiła jej się do ciała i bezceremonialnie eksponowała wszystkie jego walory. Obwiesiła się też całym złotem, którym ją obdarował do tej pory. Wiedziała, że jeśli musiałaby uciekać, nie będzie czasu na pakowanie. Poza nią w salonie nie było innych kobiet. Ludzie Jerzego Popławskiego siedzieli na miękkich sofach. Grali w karty na żetony, udając głuchych. Tak naprawdę chłonęli każde słowo szefa i byli w pogotowiu. Przed nimi stały napoje bezalkoholowe oraz miska ponczu, który Gosia nauczyła się robić, kiedy zamieszkała u Gutka przy Króla Jana III. Ten dom podziwiali wszyscy. Gutek jako pierwszy w latach osiemdziesiątych zbudował sobie basen na dachu nowoczesnego apartamentowca. Lokal miał być wizytówką jego możliwości budowlanych i tak było w istocie. Każdy, kto wybierał się po andruty, niemal na wyciągnięcie dłoni mógł podziwiać błękitną lagunę otoczoną rododendronami. Budziło to w wielu prawdziwą zawiść, co jednak tylko cieszyło Gutka. Broń gości została zdeponowana i leżała w plastikowym pudełku, w śluzie u ochroniarzy apartamentu dewelopera. Dziewczyna była jednak przekonana, że gdyby podczas narady Słoń z Gutkiem nie doszli do porozumienia, poradzą sobie gołymi rękoma. Z boku, na pufie rozsiadł się Waldek Pilichowiak, patykowaty kurier z Wejherowa zwany Tamagoczim. Był niewiele starszy od Gosi, raczej chuchro o zapadniętych policzkach. Na twarzy nawet śladu zarostu. Nie brał udziału w dyskusji, nic nie jadł i nie pił. Już na początku debaty założył słuchawki i zapamiętale grał w elektroniczną gierkę dla dzieci. Gutek wyraźnie go nie znosił. Co jakiś czas zerkał podejrzliwie na bandytę i wykrzywiał twarz w pogardliwym grymasie.

– Nie wspominałeś, że wyjdzie tak drogo. – Słoń poprawił okulary na nosie. – Ani że choć mam płacić więcej, udziałów dostanę mniej.

– Sprawa wykracza daleko poza poziom polityki lokalnej – podkreślił rozpromieniony Gutek.

– To się jeszcze okaże.

– Sam w ubiegłym roku mówiłeś, Jerzyku, że się nam opłaci. Tobie się nie udało. Za bardzo afiszujesz się w Sopocie z Julkiem. Wszyscy wiedzą przecież, że nasz zwycięski bokserek to figurant Pastucha. Ale od czego ma się przyjaciół? Wystarczy pięć właściwych numerów, by dotrzeć do papieża, a my potrzebujemy tylko spacyfikować szeryfa – dodał, po czym rozejrzał się, czy osiągnął odpowiedni efekt.

– Szkoda tylko, że jednym z tych kontaktów jest twój brat, a nie ty – odciął się Słoń i cmoknął z dezaprobatą.

– A może Anatol, Bogu ducha winny młodszy Moro, jeszcze o niczym nie wie?

Gutek zerwał się. Gracze zamarli z kartami w rękach. Czekali na sygnał Popławskiego, lecz Słoń milczał.

– Kurwa. – Tamagoczi rozpaczliwie wciskał guziki gierki.

– Ja pierdolę!

Dopiero po chwili podniósł głowę i uśmiechnął się głupawo.

– Sorry – zwrócił się do Słonia.

Ten podniósł dłoń, Tamagoczi natychmiast odłożył gierkę. Nie zdjął jednak słuchawek. Powietrze zgęstniało.

Gutek wahał się. Chciał coś powiedzieć, międlił w ustach przekleństwa. Ostatecznie powstrzymał się od pyskówki, usiadł bardzo powoli. Rozpiął guzik tweedowej marynarki. Włożył do ust truskawkę. Połknął ją razem z szypułką. Mlasnął.

– Brat zrobi, co mu każę – powiedział głośniej, niż powinien.

Nie zabrzmiało to wiarygodnie.

– Skoro tak mówisz – odparł z przekąsem Słoń. – Nie wypada mi nie wierzyć. Jest to raczej istotne, bo jak się domyślam, to on wykłada większość kasy. Ale jakby co, mam numer do twojego komornika. W pierwszej kolejności zażądam oszacowania tego właśnie budynku. Basen mi niepotrzebny, ale będę miał blisko na wafle.

Gutek wybuchnął kontrolowanym śmiechem. Słoń się przyłączył. Wszystko znów było, jak należy. Następnie gangster sprawnie okrążył stół, omijając przeszkody dla wózka, po czym wyjął cygaro z pudełka stojącego przed Gutkiem. Długo kręcił je w dłoniach, powąchał, by w końcu odciąć końcówkę, ale kiedy Gutek pośpieszył z zapalniczką, zmienił zamiar. Odkroił sobie spory kawał tortu bezowego i rozgniótł go na talerzyku, robiąc z ciasta papkę. Gutek przypatrywał się tym działaniom z obrzydzeniem. Ludzie Słonia zaś znów się odprężyli i rzucali ukradkowe spojrzenia w stronę nóg Gosi. Tamagoczi także wrócił do swojej gry.

– Miałeś udane lato, Gustawie. – Słoń przejechał teraz wózkiem pod okno. Przyjrzał się ogromnemu basenowi wykładanemu portugalską porcelaną. Na tafli wody pływało kilka jesiennych liści. – Małolata się sprawdza?

– Jak złoto. – Gutek nerwowo upił łyk drinka. Skrzywił się. – Co z tym lodem?

W tym momencie dziewczyna postawiła na stole oszronione wiaderko. Gutek gwałtownie podciął ją pod kolanami. Zaskoczona, straciła równowagę i opadła wprost na kościste kolana biznesmena. Objął ją wpół i siłą przyciągnął do siebie, miętosząc jej pośladki oraz piersi, jakby to była plastelina. Nie zaprotestowała, ale na jej twarzy wraz z rumieńcem pojawił się grymas wstrętu. Kiedy Gutek chciał ją pocałować, odwróciła głowę.

Słoń obserwował ten popis z wielkim zaciekawieniem. Kątem oka złapał również wściekłe spojrzenie stojącego przy drzwiach Lalusia. Kierowca zbielał na twarzy, z trudem się hamował. Gosia tymczasem cmoknęła powietrze w okolicy czoła Gutka i delikatnie, lecz stanowczo, wysupłała się z jego objęć.

– Może kawy? – zaszczebiotała do Popławskiego. – Herbaty?

– Ma pani rumianek? – zainteresował się gangster. – O tej porze piję tylko ziółka. Lekarz mi zalecił.

Gosia skinęła głową i zwróciła się do karków na sofie.

– A panowie?

Wyraźnie się ożywili. Kokietowali ją, jakby znajdowali się w Wersalu. Zamówili colę i dodatkową porcję paluszków, ale kiedy najmłodszy i najbardziej napompowany sterydami mięśniak spytał o strogonowa, ruszyła do kuchni, kręcąc przesadnie biodrami.

– Pojawiła się raczej nieoczekiwanie. – Słoń odchrząknął z niewinną miną. – Ufasz jej?

Gutek przyjrzał mu się badawczo.

– Inaczej miałaby już włoskie obuwie.

– Trochę szybko się wprowadziła. Pozwalasz jej tutaj być.

– Tak jak ty tym bydlakom – odburknął Gutek i spojrzał na Tamagocziego. – Nie słyszałem, żeby Kurczak podpisał z nami pakt o nieagresji.

– Z tobą niczego nie musimy podpisywać – odpowiedział mu Tamagoczi z kpiącym uśmiechem i chciał jeszcze coś dodać, ale Słoń go uciszył.

– To sprawa między mną a Kurczakiem. Nasz biznes to nie twój biznes. Niech cię o to głowa nie boli.

Gutek nie miał wyjścia, zapamiętał zniewagę i postanowił całkowicie ignorować Tamagocziego.

– Sprawdziłem ją – zapewnił Słonia.

Mężczyzna wysupłał z bocznej saszetki przytroczonej do wózka mały notes w skajowych okładkach. Otworzył, poślinił ołówek.

– Nie rób sobie kłopotu. Nie ma jej w bazie – uciął Gutek.

– Zamiast twoich zapewnień wolałbym jej PESEL. Z ostatnią twoją świnką było sporo zawracania głowy. Straciliśmy trzydzieści fur, że o czterech zaufanych żołnierzach nie wspomnę. Kurczak się wkurwił, bo wypłynęła na Zatoce. A co gorsza, jej mamusia prawie poszła do mediów.

– Prawie poszła – podkreślił Gutek. I uderzył się w pierś, jakby składał przysięgę. – Załatwione. Zapomniane. *Mea culpa*.

– Sypać zaczęła w najmniej odpowiednim momencie. Zablokowała nam korytarz w obwodzie kaliningradzkim.

Jeszcze długo nie będzie tam czysto. No i jest jeszcze ta twoja Beatka z młodym kochasiem ze stadniny – ciągnął niestrudzony Słoń, ale Gutek natychmiast mu przerwał.

– Do tej sprawy jeszcze wrócimy. Już nie będę się z nimi bawił.

Popławski westchnął.

– Ostatni raz po tobie sprzątałem. Chciałbym, żeby to było jasne.

– Jak słońce! Otwarcie korytarza tureckiego dla kolumbijskiego śniegu naprawi nasze stosunki z Kurczakiem. Wczoraj się z nim widziałem. Pracują bardzo efektywnie. Niemcy aż kwiczą z radości na zatrzymanie ludzi Pastucha. Dwie pieczenie przy jednym ogniu. To się nazywa kapitalizm. A i Jesiotr będzie zadowolony.

– Takie bzdety nie obchodzą go chyba w wiedeńskim sanatorium. Dostał izolatkę, z tego, co wiem.

– I bardzo dobrze. Sypie? Słyszałem, że trafili go ruskim krokodylem. Ponoć nogę mieli mu odjąć. Jak on teraz, biedak, będzie ruchał o kulach?

Słoń wzruszył ramionami i zamaszyście zamknął notes. Spojrzał raz jeszcze na Gosię krzątającą się w kuchni. A potem łypnął na Sebastiana, który nie spuszczał z dziewczyny wzroku, i wreszcie na Gutka.

– Guciu – zaczął po ojcowsku, choć byli w tym samym wieku. – Znasz jej starego. On zna ciebie. Nigdy nie byliście i nie będziecie przyjaciółmi. Na co ci to?

Gutek zaśmiał się nerwowo.

– Człowieku, ona nie ma ojca. Wziąłem ją z domu dziecka. A kapitan Stokłosa niech się cieszy, że wciąż ma komplet kończyn oraz głowę. Bo jakby zadarł z Pochłaniaczem, brakłoby mu już kilku paluszków do liczenia kapuchy. Od wczoraj obiecał poprawę. Słyszałeś pewnie – dodał z dumą Gutek.

163

– Z Maxima ją wziąłeś. – Słoń nie pozwolił na zmianę tematu. – Ukrywała się tam. Jelcyn gadał, że matka schowała ją w bidulu, bo kapitan do niej lazł. Ma też siostrę. – Przerwał, widząc dziwne zacietrzewienie na twarzy Gutka. – Też niezła dupa, tylko chyba niepełnoletnia. A Jesiotr, jak się dowie, co zrobiłeś z jego przydupasem żeglugi wielkiej, potnie ci ją na paski. – Zwrócił wzrok na dziewczynę.

– Tak swoją drogą, muszą teraz na gwałt szukać nowego kapitana na „Juratę". Podobno Eva wygrywa w przedbiegach. Wraca za kilka dni z Wiednia z Pochłaniaczem w obstawie, bo szukają jej wszystkie służby. Wiedziałeś, że oni są razem? Ech, nie chciałbym być w twojej skórze, jak Jesiotr się dowie. – Machnął ręką.

Gutek przyjrzał się koledze rozbawiony.

– „Jurata" to przypał. Wspomnisz moje słowa.

Słoń udał, że nie słyszy. Przypatrywali się obaj dziewczynie w czerwonej sukience. Gosia, otoczona dobrze zbudowanymi mężczyznami w dresach, uwijała się teraz przy ekspresie do kawy. Atmosfera w tamtej części mieszkania kipiała testosteronem. Co chwila słychać było salwy śmiechu.

Gutek perorował więc dalej:

– Popukałbyś, co? Mogę się podzielić. Jak mi się znudzi, puszczę ją do drugiego obiegu.

– Twój kutas, twoje ryzyko – mruknął wyraźnie znudzony dyskusją Słoń. Wciąż walczył z bezą. – Zresztą za stary jesteś na kazania. Ta dziewczyna jest dobra, ale to jeden strzał. Z tym że to ty leżysz na deskach. I od kiedy to taki jesteś przyjaciel Wojtka Kłysia? Pochłaniacz dowie się, że robisz coś na lewo i z radością wyjmie swój sekator.

– Wystarczy – mruknął Gutek.

– Jak chcesz. – Słoń podniósł do ust kęs tortu. – Tylko ci dobrze radzę. Nie kombinuj nic za jego plecami, bo Pochłaniacz po prostu lubi ucinać paluchy. I nie zawaha się, nawet jeśli wczoraj przyrzekał ci sojusz.

– Nic nie kombinuję.

– Akurat. – Słoń wzruszył ramionami. – Srali muchy, będzie wiosna.

– Wracając do naszych spraw – rzucił niby od niechcenia Gutek, znacznie zniżając głos. Rozejrzał się. – Mam solidną kartę przetargową. Dokument, który wart jest…

– Nic nie jest wart – wszedł mu w słowo Popławski.

Tym razem nie krył wściekłości.

Jego gwałtowna reakcja zaskoczyła Gutka, mimo to nie odpuszczał.

– Pismaki już to dostały. Mam swój ekran w „Głosie Wybrzeża". Materiał idzie za dwa tygodnie i lider gdańskiej opozycji będzie skompromitowany.

Słoń zaśmiał się szczerze rozbawiony.

– Nikt się dziś nie przejmie wątkiem esbecji w życiorysie. Choćby i facet został prezydentem. Lustracja to mowa nienawiści. Gruba kreska jest teraz na topie. Nie uwalniajmy bomb z łajnem, kojarzysz? Dla wszystkich tak jest lepiej.

– To nie to. Żadne tam esbeckie teczki. Mam coś całkiem nowego – rozpromienił się Gutek. Szczerze się ucieszył, że mówią o dwóch różnych sprawach. – Chodzi o dużą forsę do wyjęcia. O Pierwszego Psa.

– Od dawna mam go w kieszeni – zbył go lekceważąco Słoń. – Sam go wsadziłem na to stanowisko.

– O Pierwszego Grubego Psa.

Gutek podniósł do góry szklankę z drinkiem. Mrugnął do Popławskiego. Ten milczał jak głaz. Jego twarz nie wyrażała niczego.

– To za otwarcie furtki transferowej – kontynuował tymczasem Gutek. – Całej autostrady dla naszego śniegu.

– Naszego? – Słoń zmarszczył czoło. – Śniegu? Wiesz, że jestem absolutnym fanem motoryzacji. Biznes rozrywkowy też lubię całkiem, nie powiem. Kobiety, wszelkie zboczenia i dewiacje nie są mi obce. Narzędzia terroru, balistyka, kino, czasem krótka smycz, ale prochu nie lubię. Nie toleruję. Nie zezwalam. Tępię. – Podniósł głos, a im dłużej mówił, tym bardziej się nakręcał i coraz wyżej wstawał z wózka. – Poza tym, z tego, co wiem, ty jesteś biznesmenem. Czyścisz w budowlance pieniądze, które ja zarobię. Nie odwrotnie.

– Rozumiem, Jerzyku, że to jedynie wersja oficjalna – przerwał mu Gutek. – Szkoda, bo naprawdę cenię twoją opinię. Też jestem tradycjonalistą. Honor to podstawa. Ale choć przykro mi to mówić, alkohol i papierochy to już przeszłość. Czas zainwestować w nowe technologie. W ropę. Energetykę. Cały kraj woła o jeszcze. Popyt znacznie przewyższa podaż. To biznes rozwijający się szybciej niż moja oryginalna branża. Budowlanka zresztą nada się doskonale do wyczyszczenia tych złociszy, które zarobimy na MDMA i kryształach.

– Mówisz do mnie jak do dziecka – żachnął się Słoń. I zarechotał jak z doskonałego żartu. – My zarobimy? Ja z tobą? A dlaczego miałbym wchodzić w jakiekolwiek partnerstwo? Mam już wspólników. Sprawdzonych i pewnych od lat. Może małe przypomnienie: ty pracujesz pode mną, Gutek. Dla mnie. Ty jesteś mój. Zapomniałeś?

Gutek udał, że nie słyszy pogardy w głosie Popławskiego.

– Taras, skocz no do garażu – krzyknął do Ukraińca skulonego przy kaloryferze.

Wszyscy odwrócili głowy. Niektórzy dopiero teraz zauważyli niewysokiego, ale umięśnionego i nieproporcjonalnie szerokiego w barach mężczyznę, który wzbudzał respekt. Potężne ramiona, dłonie wielkości patelni. Ogromny arbuz zamiast głowy, ogolony na łyso, z mnóstwem blizn i tatuaży wykonanych głównie cyrylicą. Reszta ciała mężczyzny była drobna i wiotka. Nogi chude, patykowate. Stopy w za dużych gumowych klapkach zdawały się karykaturalnie krótkie, jakby nie dawały oparcia tak rozbudowanemu tułowiowi.

– Przynieś swoją torbę podróżną – polecił Gutek. – Tę w niebieską kratę. Mniejszą.

Ukrainiec wytoczył się z salonu bardzo powoli, kląskając głośno klapkami. Kiedy mijał się w drzwiach z Lalusiem, uścisnęli sobie dłonie, co nie uszło uwagi Popławskiego.

– Skąd go wytrzasnąłeś?

– Z kątowni – zaśmiał się Gutek. – Przydałby ci się, co? Sam go znalazłem i wykształciłem.

– Chyba nie w robieniu wrażenia. Gadanego też nie ma. – Słoń się skrzywił. – Ani gustu.

– Ma dobre oko i silne ręce – pośpieszył z wyjaśnieniem Gutek, pusząc się jak paw. – Jeszcze nie raz mnie o niego poprosisz. W pojedynkę poradziłby sobie z twoimi trzema i to bez metalowych pomocy naukowych.

– A tak na poważnie?

– Przypałętał się na pekaesie, co, Gosia? – krzyknął do nowej dziewczyny, jakby szukał u niej wsparcia. – Na truskawki do Polszy przyjechał, ale ma taką maskę, że nikt go nie chciał zatrudnić. Pomyślałem, że się nada. Jelcyn go przytulił w Maximie. I miałem rację. Daję ci na niego gwarancję jakości. Pamiętasz działacza kółek rolniczych i wieloletniego dłużnika Pochłaniacza, bo na kampanię pieniądze wziął, ale z umów się nie wywiązał?

– Podnóżka pana polityka po solarium z krawatem w wesołe prezerwatywy?

– Powiem inaczej, jak mówi o sekretarzu byłego ministra nasz przyjaciel Pochłaniacz: żona tego cwela, co na psiarni wystawił szanowanego biznesmena na trzy lata, już jest wdową. Bierz się do niej. – Gutek wzruszył ramionami i gromko śmiał się z własnego żartu.

Słoń trawił wiadomość.

– Samobójstwo. Nasz Taras gołymi rękami go odpalił. Taki chłop ma naturalny ścisk w grabuli. Musiał się śpieszyć, by po zadławieniu charakterystyczna bruzda samobójcza posiadała cechy przyżyciowości, jak mawia mój kolega doktor z czterdziestoletnim stażem pracy z trupami. Niemożliwe? Owszem. Ale psiarnia nawet palucha nie znalazła ani peta, bo Taras nie pali. Tylko przekrwiona przegroda nosowa i pajączki w gałkach ocznych ofiary mogły sprawę rypnąć, ale z tym sobie jakoś poradzili magicy od techniki moich kumpli ze służb. Nie wnikałem, jak to załatwili. Jest w każdym razie posprzątane i wszystkie papiery w aktach są czyste. Kosztowało to parę złotych, ale inwestycja już teraz się zwraca. Tak na poważnie to Afganistan, pierwsza linia. Szkolenie GRU i legitka na czołgi. Na ciele ma trzydzieści dwie blizny. Chcesz, to ci pokaże w wolnej chwili. W jednej z dziur może chować pomarańczę. Zmartwychwstał ze trzy razy. Raz po nim przejechało działko bojowe. No i te urocze tatuaże.

– Prawdziwy skarb – potwierdził Słoń. – Fakir albo talent. Trzymasz go w domu? Nie boisz się, że cię zje, jak przymkniesz oko?

– W nocy też, Jerzyku, więc nie zapraszam. – Gutek znów zaśmiał się fałszywie. – Swoją drogą szykuje się piękna przygoda. Jeśli nie chcesz, nie będę cię przekonywał. Wiem, że się nie lubicie z Wojtkiem, ale Pochłaniacz dawno obiecał swój akces, a ja się zgodziłem.

– Zgodziłeś się – zakpił Słoń i roześmiał się głośno, jakby usłyszał doskonałą anegdotę. – Wspaniałe wieści.

Gutek nadął się obrażony.

– Poza tobą mamy innych chętnych. Nie chcę, żeby jucha przedwcześnie poszła w miasto, bo po co dostarczać im podniet, jak do podziału tortu wystarczy trzech. Na więcej styknie.

– Trzech? To jest jeszcze ktoś następny poza mną i tym szczurem Pochłaniaczem? – Słoń zerknął na Tamagocziego. – Kto trzeci? Kurczak?

– No ja. – Gutek udał zdziwionego. – Ty, oczywiście, ja i Pochłaniacz. Czwarta część idzie na koszty.

– Pochłaniacz? Na jakie koszty? – wychrypiał Słoń. – Kurczak wie?

Gutek zacisnął usta. Tamagoczi przestał grać. Rejestrował przebieg rozmowy, jakby zapisywał ją na twardym dysku. Zaczynało robić się nieprzyjemnie. Niestety Gutek nie dostrzegał zagrożenia. Ciągnął, radośnie klaszcząc w dłonie:

– Drogie to było i nie wykluczam, że cena jeszcze wzrośnie. Ale kiedy Gruby Pies zostanie spacyfikowany, nikt poza nami się nie wciśnie! Zmonopolizujemy rynek. Dlatego trzeba spieniężyć wszystko, co się da, i zainwestować w towar. Opłacić magazyny. Ochronę, psiarnię. Pierwsze transporty są już na Kontenerowej. W moim magazynie – dokończył z dumą.

Słoń zawiesił w powietrzu widelczyk z bezą.

– Obyczajówka czy TW?

Gutek pokiwał mu palcem, jak małemu chłopcu.

– Śpij spokojnie, Jerzyku. Detonacja stuprocentowa. Dlatego drożej wychodzi.

– Przejdźmy do biblioteki. – Słoń spojrzał na otwarte drzwi gabinetu Gutka. – Nie będę kupował kota w worku.

– Nie musimy tam iść. – Gutek nagle spoważniał. Pochylił głowę w kierunku Słonia i zniżył głos do szeptu:
– Nie muszę ci pokazywać tych dokumentów. One ciebie dotyczą. I Pastucha, z którym od dawna negocjujesz temat kolumbijskiego kanału, bo te bajki moralne o szkodliwości prochu to możesz wstawiać swojej babci. Grubego Psa też tam znajdziemy, więc chyba jednak współpracował, a teraz, kiedy został wyeliminowany, gra z politykami, by wrócić. Posunął się ponoć do głupiego blefu wobec służb, co Pochłaniacz wyniuchał, ale ja generała nawet rozumiem. Wie i sra pod siebie ze strachu. To dlatego polazł do mocodawców z raportem. Liczy na nowe otwarcie, a powinien przeczekać. Jeśli nie masz sposobu na pokonanie przeciwnika, zabierz mu nerwy. Będzie twój. – Gutek cieszył się jak dziecko.
– Razem z wierchuszką największych czerwonych pająków radzą pewnie teraz, co robić, kogo odpalać najpierw. Wyjścia więc za bardzo nie ma. Ale na razie cicho sza. Nikomu nie powiem, Jerzyku.

Słoń wpatrywał się w Gutka z nienawiścią. Kipiał z wściekłości, ale jak zwykle zachował spokój.

– Ile? – syknął.

– Tyle, ile każdy ze wspólników. Trzydzieści procent.

– A gwarancje?

– Żadnych.

Słoń zdobył się na uśmiech.

– Mam nadzieję, że zabukowałeś sobie grób? – powiedział.

– W alei zasłużonych – odparł niefrasobliwie Gutek.
– Nie ma się co wstydzić. Takie czasy. Wszyscy ambitni to robili. Gangrenę najskuteczniej się leczy za pomocą amputacji. Byle nie zwlekać za długo, bo zostaje tylko modlitwa. Na razie proponuję ci biznes na uczciwych warunkach.

Przydadzą się twoje kontakty, żołnierze. Forsa też idzie na trzy, odejmując część kosztową. Sam rozumiesz. Potrzebujemy Pochłaniacza, by wyrównać siły, bo twoje są w tej sytuacji, powiedziałbym, nieco nadwyrężone. – Zawiesił głos.

Słoń wpatrywał się w Gutka w napięciu. Obaj wiedzieli jednak, że gangster ma związane ręce i musi się zgodzić.

– Otwierasz puszkę Pandory, panie prezes – odezwał się w końcu Popławski, a Gutek odetchnął z ulgą. – Znasz chyba konsekwencje?

– Liczę na nie. – Gutek się uśmiechnął. – I powiem ci więcej. Dorzucę to cacko w czerwonej sukience, jeśli masz ochotę.

Pomachał do dziewczyny częstującej właśnie parującym strogonowem trzech ludzi Słonia. Gosia odmachała mu niemrawo. Posłał jej całusa. Natychmiast odwróciła się na pięcie. Mimo tego dodał:

– Warto spróbować. Nieznacznie używana.

Słoń wpatrywał się w dziewczynę. Siedzący wokół niej mężczyźni prześcigali się w koszarowych żartach.

– Wolałabym jednak dobrego cyngla. – Słoń wskazał miejsce przy kaloryferze, gdzie siedział Taras. – Bo wiesz, Gruby Pies to betka. Widać musi zostać uciszony dla dobra wszystkich zainteresowanych. A jest ich cała zgraja i mają środki. To nie moja bajka. Nie będę się mieszał do polityki. Jestem na to za krótki. Mnie martwi twój nagły pociąg do Pochłaniacza. Znam Wojtka od dzieciaka. Pierwszy palec obciął przy mnie i już wtedy dało mu to dużo frajdy. Gra tylko o swój statek do Kolumbii i choćbyś mnie przekonywał, że jest twoim funflem, że mu ufasz, wchodzisz tym sposobem do czyśćca.

Odblokował koła wózka i zaczął wykręcać.

– Na twoim miejscu sprawdziłbym jednak PESEL tej małej. Pojawiła się w tym momencie nie bez przyczyny. Skąd wiesz, czy Stokłosa albo Jelcyn ci jej nie podstawili? Ona nie jest taka, jak te poprzednie.

– No pewnie. Jest brzydsza, starsza, ale ma tyłeczek stworzony do łupania orzechów. I to naturalny rudzielec. Wszędzie.

– Nie jest durna – westchnął Słoń. – Takie omijasz, żenisz się z nimi albo szybko je zakopujesz. Inaczej zyskują przewagę.

Tamagoczi ruszył do kuchni. Gosia podała mu porcję gulaszu, ale odmówił. Przy stoliku na dłuższą chwilę zapadła cisza.

– Skoro praktycznie zgadzamy się we wszystkim – Gutek odchrząknął, widząc zniecierpliwienie na twarzy Popławskiego – mam prośbę o jedną małą przysługę. Jak dla przyjaciela.

Słoń zdjął okulary, przetarł je jedwabną ściereczką. Wpatrywał się w Gutka oczyma krótkowidza.

– Wiesz, jaki mam kłopot z tym dżokejem? Tym chłystkiem mojej byłej. Tej kurwy Beaty.

– To matka twoich dzieci.

– Tej suki w rui.

– Chyba już dość napsułeś im krwi. Od pożaru jej sklepu minął ledwie tydzień. Czy jeszcze nie?

– Stare dzieje. – Gutek machnął ręką. – Wczoraj Taras z Sebą wóz mu naremontowali. Tak dla żartu, kwalifikuje się na szrot. Patrzyłem z radością, jak pukawka dymał do pracy eskaemką.

– A co ja mam z tym wspólnego?

– Zutylizujesz go.

– Ja? – zdziwił się szczerze Słoń. Z trudem ukrywał oburzenie. Nie był przyzwyczajony do słuchania rozkazów.

Zwykle sam je wydawał. Wskazał na swój wózek inwalidzki.

– Zasadniczo nie mam kompetencji.

– No przecież, że nie oczekuję aż takiego dowodu przyjaźni, Jerzyku. Poślij tam kogoś solidnego. Zapłacę za robociznę.

– Masz swojego ruska.

– Rzuca się w oczy. Poza tym tutaj mi potrzebny. Psa nie mam, a domu ktoś musi pilnować.

– To braciak już nieaktualny?

– Akcję wstrzymaj. – Gutek spoważniał. – Do czasu Grubego Psa. To wiele zmieni.

– To zmieni wszystko.

– Żebyś wiedział, kumie. – Zadowolony Gutek poczochrał wąsa. – Cały układ sił.

– Dlatego ja w to nie wchodzę – zdecydował Słoń, a ciszę, która zapadła, można było kroić. – Na twoim miejscu też bym się zastanowił. Będziesz miał na głowie całą psiarnię. Gra moim zdaniem zbyt ryzykowna. Taką wiadomość możesz przekazać swoim mocodawcom. I nie chodzi o Pochłaniacza. Ani o pieniądze.

Gutek z trudem ukrywał zaskoczenie.

– Zlecenie jest kryte. Czekamy na wytyczne z MSWiA. Ten, kto zrobi ten dil, będzie królem.

– Na krótko. Szybko zostanie zutylizowany.

– Na stare lata zrobiłeś się strachliwy.

– Po prostu stać mnie jeszcze na dokonywanie wyborów – warknął Słoń.

Trzasnęły drzwi. Do pokoju wczłapał Ukrainiec. Z siatki wyciągnął kilka oklejonych taśmą pakową prostopadłościanów. Ułożył je rzędem na stoliku. Gutek dał mu znak. Taras wyciągnął zza skarpety swój wojskowy nóż i jednym ruchem rozciął folię, ukazując białe kryształy wielkości

173

mirabelek. Słoń z daleka widział, że towar jest pierwsza klasa.

Taras każdą czynność wykonywał precyzyjnie i powoli, jakby świat zewnętrzny zbytnio go rozpraszał. Popławski z zadowoleniem przyglądał się poczynaniom Ukraińca, doceniał jego ukryty intelekt, trzymanie emocji na wodzy i wyuczony spryt. Cudzoziemiec nikomu nie patrzył w oczy. Z nikim nie zadzierał. Doskonale wyczuwał, kto jest kim w tym pomieszczeniu i jaka jest obecnie jego własna pozycja. Ale ona się zmieni. Bo facet miał swoje zasady. W przeciwieństwie do Lalusia przy drzwiach, który aż się pienił na widok nowej flamy Gutka. Słoń czuł, że młody kocha się w dziewczynie, i doświadczenie podpowiadało mu, że z tym dwojgiem będą jeszcze kłopoty, choć ten idiota Gutek zdawał się niczego nie dostrzegać. Zdobył się więc na miły wyraz twarzy i wyciągnął dłoń do Tarasa.

– Miło pana poznać. Jerzy Popławski. Dla przyjaciół Słoń.

– *Rad poznakomitsa* – odparł człowiek niedźwiedź.

W tym momencie ludzie Słonia przestali jeść. Wszyscy obserwowali tę scenę w napięciu. Był to nieczęsty widok. Słoń nie zwykł spoufalać się z żołnierzami. Być może żaden z nich nie dostąpił tego zaszczytu. A jednak gangster zrobił wyjątek dla sobaki Gutka, jak nazywano za plecami Tarasa w ich ścisłym gronie. Jeśli dodać do tego, że działo się to w domu człowieka, którego Słoń, gdyby mógł, udusiłby dziś własnymi rękoma za bezczelną potwarz, stała się rzecz absolutnie niebywała.

Taras zdawał się nie dostrzegać wagi tej wiekopomnej chwili. Ledwie wysunął swoją potężną grabę i przyłożył ją do ręki Popławskiego, wstał, oblizał ostrze z narkotyku i odszedł na swoje legowisko przy kaloryferze.

– Bardzo dobrze wychowany siepacz – pochwalił go Słoń. – Polubiłem go.

– To mój cyngiel. – Gutek skorygował zazdrośnie słowa rywala, kładąc nacisk na słówko „mój", po czym przesunął paczki z narkotykami w kierunku Popławskiego. – Czyściutki. Zrobisz sobie jeden do trzech. Doskonała jakość. O taką zawsze ciężko w biznesie. To gościniec dla twoich chłopców i zachęta do przemyśleń. Żebyś wiedział, że myślę perspektywicznie o naszej współpracy.

Prokurator Dariusz Norin wyłączył z prądu maszynę do pisania i zaczął układać akta. W biurze pozostały już niedobitki. Tylko młoda asesor Janka Rudnicka ślęczała nad dokumentami wrzuconymi jej rano przez szefa, by w trybie pilnym wezwała na przesłuchanie nieoczekiwanego świadka. Norin zdziwił się, bo był piątek, kwadrans po piętnastej, a w polskiej prokuraturze nie było zwyczaju zostawania po godzinach, jeśli ktoś nie miał dyżuru. Taką przywarę z jego wydziału miał tylko on, o co żona od lat ciosała mu kołki na głowie i nijak nie mogła go tego oduczyć. Dziś jednak nie zamierzał podtrzymywać tej niechlubnej tradycji. Renata od rana czekała na niego na Mazurach. Był pewien, że ma już na sobie te poszarpane spodenki z dżinsu, które tak lubił. Zadzwoniła, gdy tylko przybyła do Sztynortu, i pochwaliła go, że tango, które wynajął, jest piękne, a żagle całe, nie tak jak w ubiegłym roku. Policzyła też garnki i sztućce. Wszystko się zgadzało. Pogoda szykowała się idealna. Wiało tak, że bez Norina nie weźmie się do halsowania. Kazała mu przywieźć tę dużą latarkę i sprawdzić, czy płyn na komary jest w bocznej kieszeni jego torby, a potem skończyła jej się widać karta, bo połączenie przerwano. Znał wystarczająco żonę, by wiedzieć, że sprawę uznała za załatwioną i ruszyła na zakupy. Liczył, że zgromadzi odpowiedni zapas puszek i chleba, bo nie zamierzali schodzić na ląd przez najbliższy tydzień. Pewnie będzie utyskiwała, że sama musiała nosić ciężary, bo on jak zwykle został dłużej w pracy. Ale dobrze wiedział, jak udobruchać swoją smoczycę. Zrobi jej niespodziankę i przyjedzie wcześniej. Dziś rano zatankował micrę do pełna, a wieczorem zajmie się Renią, jak zawsze na wodzie. Oboje uwielbiali wspólne wyprawy. Ostatnio tak rzadko Ania zgadzała się pojechać do dziadków. Miała już dwanaście lat i uważała się za panienkę. A łóżkowe szaleństwa w czterdziestometrowym mieszkaniu z dzieckiem typu jestem-już-prawie-dorosła-i-wiem-co-tam--robicie-więc-sobie-darujcie nie wchodziły w grę.

Norin otworzył szafę. Z ulgą odwiesił zmiętoloną togę, w której miał odczytywać dziś akt oskarżenia w sprawie uprowadzenia TIR-a aż po dach zapakowanego papierosami z przemytu przez stałą grupę przestępczą. Znał dobrze wszystkich tych chłopaków, podobnie jak ich kobiety, które szpalerem witały go przed wejściem do sali. Rzucały w jego kierunku nienawistne spojrzenia, bo zanim prokurator Norin stworzył wydział przestępczości zorganizowanej, ich mężowie lub kochankowie stawali do takich spraw z wolnej stopy. Żaden się nie przyznawał, dawali sobie nawzajem alibi, a uprowadzenia ciężarówek z kradzionym towarem zwykle rozchodziły się po kościach, bo do trucka przemycanego alkoholu czy tytoniu nikt się nie przyznawał. Norin sprytnie jednak powiązał wszystkie śledztwa i regularnie udowadniał w aktach oskarżenia, że nie są to pojedyncze incydenty, lecz regularne działania gangu, co poskutkowało aresztami dla wszystkich. Najpierw na trzy miesiące, potem cały kolejny rok, ponieważ gangsterzy okazali się okrutnie chorowici i w ten sposób próbowali przeciągać wydanie orzeczenia. Dlatego kobiety całą wściekłość o to, że ich ukochani znajdują się za kratami, wyładowywały na jego skromnej osobie. Chyba siódmy już raz przybył do sądu, by usłyszeć, że rozprawa zostaje odroczona, a wiedział ze swoich źródeł, że następnym krokiem członków grupy będzie wyeliminowanie ławnika, co może oznaczać rozpoczęcie procesu od początku. Nie chciał dziś jednak o tym myśleć. W sądzie był sezon urlopowy, a na napisanie odpowiedniego pisma i rozwiązanie tej kwestii miał czternaście dni. Wróci z Mazur, zajmie się podsądnymi.

Otrzepał z paprochów prokuratorski uniform. Z wieszaka zdjął swój wysłużony sztormiak. Spod biurka wygrzebał torbę podróżną, a z niej cywilne ciuchy. Wyjściowe buty zamienił na pepegi, dyżurną marynarkę powiesił na krześle. Nie będzie jej oglądał przez cały urlop. Chwycił dżinsy i T-shirt, po czym wesoło pogwizdując, ruszył do łazienki, by uwolnić się wreszcie z koszuli i spodni od garniaka. Ten, kto lubi chodzić w kostiumie Kena, z pewnością ma duszę adwokata, tyle że nie dostał się na wymarzoną aplikację – zawsze to powtarzał. Na nic się zdadzą powieściowe mity o prokuratorach elegancikach. To nie Ameryka.

– Panie Darku. – Przed wejściem do łazienki zaczepiła go śliczna asesorka.

Janka Rudnicka była boso, w rozchełstanej bluzce. Ołówkową spódnicę miała wygniecioną i przesuniętą zamkiem naprzód. W rękach trzymała plik dokumentów w różnych miejscach poznaczonych kolorowymi fiszkami. Wyglądała na poruszoną. Była tak młoda i ładna, że kiedy tylko pojawiła się w wydziale, od razu zaproponował jej przejście na ty. To jednak nie zmieniło jej postawy. Przeciwnie, wzmogło jedynie respekt. Zaprzestała jedynie tytułowania go „panem prokuratorem", ale uparcie pozostała przy

„panu" i nadal traktowała go z absolutnie bezkrytycznym szacunkiem. A on wprost to ubóstwiał.

– Czy mogę na słówko?

– Za pół godziny muszę być na dworcu. – Norin próbował ją zbyć, ale Janka patrzyła tak błagalnie, że nie mógł powstrzymać się od żartu. – Chyba że zainteresowanie moją osobą ma nieco inne podłoże. – Wskazał koedukacyjną toaletę dla personelu.

Kobieta roześmiała się z wdziękiem.

– Znów pomyłka. – Uniósł kącik ust w kpiącym uśmiechu. – Tylko dwadzieścia centymetrów różnicy wzrostu, a człowiek całe życie przegrywa z Banderasem.

– Każą mi go zatrzymać. Co najmniej na czterdzieści osiem.

– I bardzo dobrze – odparł, wciąż udając powagę. – Zbójom nigdy nie zaszkodzi więzienny wikt. Zawsze po weekendzie rozmowa jest sympatyczniejsza.

– Kiedy to nie jest jakiś tam zbój. A sprawa o korupcję.

– Gratuluję. – Dariusz Norin poczochrał się po brodzie drwala. – Widzę, że w końcu panią docenili.

– To polityk. Lider partii. Trzy lata temu, nie będąc jeszcze wtedy w rządzie, wziął od dilera lancię i nie wpisał jej do zeznania podatkowego. Kiedy się zepsuła, oddał ją do salonu i odmówił pokrycia kosztów remontu, a teraz sprawa wypłynęła.

– Przypadki chodzą po ludziach – mruknął od niechcenia, ale zaciekawiła go.

– Były pracownik dilera złożył zawiadomienie, ale moim zdaniem to prowokacja. Poza tym nasz polityk nie stawił się na przesłuchanie. Mają jakieś obrady czy komisję. Z trudem udało się go zawiadomić o wezwaniu. A ja dostałam wyraźnie polecenie od szefa Antczaka, żeby sprawę dziś zamknąć. Brzydzę się polityką, ale rozumiem te gry. Miałam kiedyś chłopaka, który kandydował. Zresztą skutecznie. Od tamtej pory staram się nie posiadać telewizora.

– Urwała.

– Wyrazy współczucia – mruknął Norin. Rudnicka zaś uśmiechnęła się szeroko. Kosmyk włosów spadł jej na oczy. Zdmuchnęła go z gracją. Była teraz śliczniejsza niż Marilyn Monroe w najlepszych latach.

– Przyjmuję. Wybitna kanalia. Poza tym nie znosił mojego kota.

– Ten związek nie miał więc przyszłości.

Janka w odpowiedzi podała mu akta. Przejrzał je pobieżnie. Wystarczyło przeczytanie tylko kilku protokołów z brzegu i już wiedział, że kobieta ma rację. Nie interesowało go zupełnie, do jakiej partii należał polityk, ani też jego zeznanie podatkowe. Był urzędnikiem państwowym i jego obowiązkiem było dbanie o to, by ewentualna wina została udowodniona. A z zebranych dokumentów nie wynikało to jednoznacznie.

– Więc musi pani go zatrzymać?

Kobieta milczała. Potem powoli kiwnęła głową.

– Szef nawet się ucieszył, że świadek się nie stawił. Kazał mi przesłać dokument z zarzutami bezpośrednio do siebie. Mam czas do osiemnastej. I teoretycznie podstawę. Teoretycznie – powtórzyła dobitniej.

Norin milczał dłuższą chwilę.

– Ale pani nie jest przekonana, że do przestępstwa doszło?

– Faktem jest, że auto wziął. Podpisał dokument użyczenia, ale to nie była korupcja. Nie jeździł nim nawet miesiąc. Pewnie zorientował się, że to może zostać wykorzystane przeciwko niemu. Mógł też zostać zmanipulowany. Sam tego wozu nie odebrał. Wysłano kierowcę z jego biura poselskiego, bo wtedy szykowali się do kampanii wyborczej. W dokumentach widnieje jedynie słowo „testy". Nie dostał tej lancii na prezent. – Wyciągnęła umowę. – Ja osobiście nie widzę tu znamion przestępstwa. Prokurator Antczak niestety tak... – Przerwała.

– Więc boi się pani, że jeśli nie wypełni pani polecenia, pani kariera błyskawicznie się skończy? – Norin się uśmiechnął. – Poważny dylemat. Konformizm czy ideały?

Kobieta pochyliła głowę. Prokurator zmrużył szelmowsko oczy i wziął ją pod rękę. Kiedy szli korytarzem do jej pokoju, zniżył głos do szeptu i dodał:

– Pani Janeczko, proszę działać tak, jak oczekuje tego od pani szef. Niech okręgówka dostanie swoją wersję wydarzeń. Ale po zakończeniu procedury proszę nie zapomnieć zostawić akta na moim biurku. – Zatrzymał się. – Sprawdzę, czy nie zrobiła pani błędów formalnych. – Uśmiechnął się zawadiacko. – A potem osobiście wyślę je jeszcze raz Arkadiuszowi.

Tym razem się nie roześmiała, choć w lot pojęła plan.

– Co na to powie prokurator Antczak? Czy to nie będzie niebezpieczne? – wyszeptała, nie kryjąc już przerażenia.

– Dla pani? – zdziwił się. – Nie.

Rudnicka wahała się dłuższą chwilę.

– A dla pana?

– Zawsze lubiłem być bohaterem. Zwłaszcza w oczach pięknych kobiet.

Tym razem obdarzyła go jednym z dziesiątek swoich przeuroczych uśmiechów i pobiegła do pracy.

Norin zaś stał jeszcze długo w pustym korytarzu i rozmyślał. Nie nad tym, czy dobrze robi, bo co do tego był przekonany. Zastanawiał się, dlaczego jego szef włazi w tyłek opozycji i fabrykuje aferę. Co na tym zyska? Kogo kryje? I jakie to może mieć konsekwencje dla urzędu? Bo że sprawa jest śliska, nie podlegało dyskusji.

Kiedy rzecz wreszcie ułożyła mu się w głowie, nacisnął klamkę i wszedł do toalety. Przebrał się, wyciągnął czerwonego marlboro, zapalił. Zanim jeden papieros się skończył, odpalił drugiego. Wydmuchując dym i strzepując popiół, gdzie popadnie, ruszył do Błękitnego Pudla na sopockim Monciaku, prokuratorskiego bufetu. Poza oskarżycielami lubiła się tutaj zbierać gangsterska brać. Wpatrywał się w karki siedzących przy bitkach wołowych klientów i zastanawiał się, co robi Renia. Czy dzwoniła już do pracy, na dyżurkę, do domu i co jej powie tym razem, kiedy zawita na jacht późną nocą. Kluczyki do auta paliły go w kieszeni jak wyrzut sumienia. Co on właściwie wyprawia? Czy robi to dla tej laleczki, która może wcale nie zagrzeje tutaj miejsca? Dla jej nóg, biustu, uśmiechu, figlarnego spojrzenia? A może wyłącznie dla siebie? Znęciło go niebezpieczeństwo, nabrał chętki na rozgrywkę? Tak naprawdę wcale się nie wahał. Był pewien, że na jego oczach dzieje się niegodziwość, i tylko szukał usprawiedliwień, a raczej pretekstu, by postąpić słusznie, choć to czysta głupota. Strzał we własne kolano. Mógłby ruszyć już zaraz i byłby na Mazurach przed zmrokiem. Nie zrobił tego.

Wrócił do swojego gabinetu. Akta Markiewicza już tam leżały. Wyjął najnowszą kartę, szybko przeleciał wzrokiem. Sprawdził, czy podpis asesorki jest czytelny, a potem zmiął ją w kulę i wrzucił do szuflady. Włączył znów maszynę do pisania i założył nowy papier. Po to przecież powołali go na stanowisko. Już kończył, kiedy rozdzwonił się telefon. Nie odebrał. Wiedział, że trzeba pozwolić Renacie wychodzić złość. Dzwonek rozległ się ponownie, potem drugi raz, trzeci. Wyjął więc kabel z gniazdka i dopisał ostatnie trzy zdania. Spiął nowe akta. Wydzwonił umyślnego, by dostarczył je natychmiast do prokuratora okręgowego. Chciałby widzieć minę Antczaka, kiedy otworzy tę niespodziankę. Kopię zostawił w swojej szafie pancernej. Stał już ponownie spakowany w drzwiach, wpatrywał się w ciemne okna, kiedy ciszę przeciął jednostajny dźwięk telefonu. Tym razem na sąsiednim biurku. Tym samym, przy którym od rana siedziała młoda asesorka. Nabrał powietrza. Podniósł słuchawkę, przyłożył do ucha. Rozpaczliwie szukał dobrej wymówki dla żony, lecz wiedział, że ona i tak wie wszystko i jak zwykle zrozumie. Niech się tylko zobaczą na jachcie. Zawsze mówiła, że kocha go właśnie dlatego, że jest jak skała, opoka. Niezdolny do krętactw i lawirowania.

– Halo? – Mimo tego głos mu zadrżał, stał się piskliwy.

– Serwus, Norin – usłyszał w słuchawce i natychmiast usiadł. Serce biło mu mocno i chciało mu się śmiać.

– Aleś mnie przestraszył, Jesiotr.

– A czego to niby boi się pierwszy polski szeryf prokuratury? Nawet Bułka kark przed tobą skłania. Słoń kwiaty ci z okazji rocznicy ślubu przesyła, a Kurczak skrzynki wina.

– Których nie odbieram.

– I za to masz ich dozgonny szacun. Ty grasz swoją rolę, oni swoją. To, że stoicie po dwóch stronach barykady, niczego nie zmienia. Liczą się zasady. Zawsze. Witaj w kraju, Napoleonie Norin.

– Słyszałem, że cię posadzili w Wiedniu. Tym razem za handel kradzionymi wozami. I do nas ten proceder dociera. Mam już kilka odprysków tych spraw na tapecie.

– Ale poszedłem na współpracę – zarechotał Jesiotr. – Austriacy się nie połapali, dopóki mój prowadzący im blachy nie przywiózł. Glejt wystawili, potem wzięli mnie w obroty i przewerbowali za kupę szmalcu. Ale jaja. Co robisz dziś wieczorem? Jutro mam spotkanie w Głównej i potem znów wylatuję. Tym razem Kolumbia. Czekoladowe pupy, kałasznikowy i komary jak byki. Ja to mam przesrane.

– Nie wiem, z czego się tak cieszysz.

– To już koniec. Ostatnia misja, Norin. Dziś wódka. Jakoś obłaskaw Renatę. Ona cię kocha jak nikt.

– Właśnie chyba przestała. Od rana czeka w Sztynorcie, a ja jak zwykle w robocie, jak zauważyłeś.

– To wtopa, Norin.

– Gładko powiedziane.

– I tak dziś żadnego pekaesu nie złapiesz – kusił Jesiotr.

– Mam własny – bronił się słabo Norin.

– Ale skoro Renata na Mazurach, to Ania pewnie u babci, więc i chata wolna. Mam kilka flach płynnego złota. Nie żaden szajs z akcyzą.

Norin wyjął paczkę marlborków. Była pusta.

– Czekaj, sprawdzę tylko rozkład.

Podszedł do swojego biurka, zerknął, czy jest na nim porządek, i włączył telefon do gniazdka. Spojrzał na torbę podróżną, potem na swój sztormiak. Wrócił do odłożonej słuchawki.

– Za pół godziny u mnie – zarządził i wyszedł z prokuratury, zanim telefon na jego biurku znów zaczął dzwonić.

Szara koperta z czerwoną pieczęcią z laki leżała na szafce na buty przy wejściu, ale ani Norin, ani Jesiotr przez cały wieczór nie podejmowali tego tematu. W butelce single malt widać było dno. Norin podniósł ostatni drink do ust. Jesiotr zrobił to samo.

184

– Nie dorobiłeś się jeszcze? – Rozejrzał się po niewielkim mieszkaniu. Meblościanka, wzorzysta kanapa, paprotka na telewizorze i wyświechtany dywan, który małżeństwo Norinów dostało w prezencie ślubnym od teścia. Ostatni remont, nie licząc samodzielnego malowania, robili w tym lokalu jeszcze przed narodzinami córki.

– I to raczej się nie zmieni. – Norin wzruszył ramionami. – Ale nadrabiam poczuciem humoru.

Jesiotr wstał, przyniósł kopertę. Przesunął szklanki, popielniczkę. Pieczołowicie starł popiół ze stołu i rzucił dokumenty przed prokuratorem, jakby to był kawał mięsa do pokrojenia.

– Ten raport to moja przepustka do wolności, Darek. Mam dosyć.

– Dosyć czego? Kasy czy adrenaliny? Przecież ty to kochasz. Jak będziesz żył bez kombinowania i zapędzania wszystkich w kozi róg? – zaśmiał się Norin.

– Dosyć strachu. Zdrowie mi siada. – Pokazał obandażowaną nogę. – Ostatnie posiedzenie w sanatorium prawie przypłaciłem protezą. Wtedy powiedziałem sobie: szlus. Lokal kupiłem w Zachodniopomorskiem. Tam się zaszyję. Basen sobie zbuduję na dachu. I będę miał ich gdzieś – zaśmiał się niepewnie agent. A potem dodał już całkiem poważnie: – Chcieli mnie wrobić w gwałt na mojej byłej. Rozumiesz? Sprawę spreparowali na cacy. Dziesięć lat temu miałem ją pobić, zgwałcić i zmusić do aborcji. Ja, rozumiesz? To tylko początek. Znam ich metody. Ta rozgrywka już nie na moje nerwy. Za stary jestem na takie zabawy.

Norin zerknął na okładkę. Widniało na niej prawdziwe nazwisko przykrywkowca: Jerzy Pawłowski, służby BEA.

– Widzę, że i ciebie żarty się trzymają.

Pawłowski wzruszył ramionami.

– Nazwisko jak nazwisko. Potrzebuję dostarczyć to generałowi.

– To dzwoń do sekretarki. Przyjmą cię z honorami.

– Nie obecnemu. Byłemu. On nie jest w to umoczony. W przeciwieństwie do wicepremiera i kilku ludzi z listy najbogatszych. Że o ludziach z resortu PRL nie wspomnę. Ale ci, którzy go wstawili na stołek, owszem, są na tej liście i ponieważ generał miesiąc temu wypadł z gry, będzie tym bardzo zainteresowany, jak myślę. Nikt nie lubi, jak się bawisz jego kosztem. Sam tego doświadczyłem.

– To jakiś szantaż?

Jesiotr sięgnął po butelkę. Potrząsnął szkłem. Z torby wyciągnął kolejną, ale Norin pokręcił głową. Agent z ciężkim westchnieniem odłożył flaszkę.

– Gra. O Polskę. Pomożesz?

Norin odsunął dokumenty.

– Jestem patriotą, ale dziś usłyszałem na ten temat piękne zdanie. Pozwolisz, że zacytuję. Polityka mnie brzydzi.

– Jesteś urzędnikiem państwowym. Nie powiesz mi, że nie odczuwasz zmian.

– Ojczyzna i władza to dwie różne sprawy.

– Możesz na tym wiele wygrać. Masz córkę. Jest jeszcze mała, ale za chwilę koszty ci wzrosną. Renia też ucieszyłaby się z nowego samochodu i wakacji za granicą dwa razy do roku.

– Ten, co mamy, nam wystarcza. A wakacje w kraju bardzo lubimy. Słuchaj, Jurek, nie jestem idiotą. Domyślam się, co tam jest, albo raczej co może być. – Norin zaciął się w sobie. – Wolę swoją małą wojenkę. Sam sobie radź.

– Przecież wiem, do jakiej roli cię szykują – żachnął się Pawłowski. – Nie uciekniesz od polityki. I nie udawaj, że ci z tym źle. Szykują wielką popisówkę dla mediów: likwidacja mafii. Ty zaś pretendujesz do miana pierwszego szeryfa Trzeciej RP. A to jest – poklepał dokumenty – prawdziwa przestępczość zorganizowana. Nie tylko twoje chłopaki od przemytu i rozbojów, które wciąż chodzą na smyczach ubeków.

– Mam gdzieś, kto kogo dokąd prowadza. Byle uczciwych ludzi nie wybijali. To, co robią między sobą, jak się czyszczą. – Norin wzruszył ramionami. – Czasami to nawet lepiej.

Jesiotr ciągnął jednak dalej, bynajmniej nie zbity z pantałyku.

– Tutaj masz wszystko, czego potrzebujesz do swoich aktów oskarżenia. Nie tylko krajowe kontakty. Niemcy są za współpracą, Austriacy już dawno cisną, żeby rozbić półświatek na Wybrzeżu. A zresztą to nie tylko podwarszawskie bandziory. Jest przecież jeszcze Kraków, całe Wybrzeże i Podkarpacie. System jest ścisły i niewiele ról zostało do obsadzenia. Zresztą wiemy obaj, że zbóje, których trzymasz za gardło, to tylko pionki w rękach peerelowskich aparatczyków. Wiesz, kto nimi zarządza, nawet jeśli Kurczakowi czy Słoniowi wydaje się, że są bossami. Służby wciąż rozdają karty. Nie minęło nawet dziesięć lat od przełomu.

– Znów jakaś polityczna agitka. A dowody? Masz coś, co poskutkuje procesami, aresztowaniami? Jestem prokuratorem, a nie agentem zero zero siedem. Nie szukam sensacyjek, jak ty. Nie łamię prawa, nie naginam się. Działam w procedurze i wyłącznie jeśli mam na człowieka odpowiedni paragraf.

– Akurat – zaśmiał się Jesiotr. – A akcja z dzisiejszą lancią? Ktoś kazał ci wsadzać nos do gorącej wody? Myślisz, że nie zauważą twojego sabotażu z Markiewiczem?

Norin aż się zapowietrzył. Zastanawiał się, skąd Jesiotr wie o tej sprawie. Czyżby był aż tak mocny? Chyba nie

docenił przyjaciela. Mimo to postanowił grać w otwarte karty. Nie wstydził się swoich działań. I nie miał sobie nic do
zarzucenia.

– Działałem w zgodzie z literą prawa. To, co chcieli zrobić temu politykierowi, jest naruszeniem zasad. Nie obchodzi mnie, kim jest ten klient ani z jakiej jest brygady. Prawej
czy lewej. To była zwykła nieuczciwość. Ktoś znacznie wyżej ulokowany miał na tym skorzystać. Tyle.

– Wiem, wiem, jesteś nieprzemakalny, nieprzekupny,
odporny i niewidoczny. Na dodatek nie masz czerwonych
koneksji, ale oni cię lubią, bo potrafisz się zbiesić, a to dobrze wygląda w mediach. Wiarygodnie. Dlatego właśnie
ciebie wybrali do tej roli i dlatego rozmawiamy. Ciebie po-
słuchają.

– Mnie? – Norin zatoczył ramieniem okrąg, jakby obejmował przestrzeń, w której się znajdowali. – Rozejrzyj się,
Jureczku. Chyba wypiłeś dziś za dużo. Człowieku, my
w Kartoflandzie nie mamy nawet porządnego prawa. Luk
jest tyle i nieuregulowanych kwestii, że papugi tłuką kapu-
chę na wypuszczaniu z puszek niewinnych. Nie mogę skru-
szyć bandyty, wziąć go na współpracę, bo nie mam narzędzi.
Nie mogę mu zapewnić zmiany tożsamości, bezpieczeństwa
przed kumplami. To nie Italia. Czy wiesz, że jak byłem w rejonie i za mojej kadencji wzrosła liczba zatrzymań, zaraz
przenieśli mnie do okręgówki na szeregowca? Tak zwany
awans prewencyjny. Uciszanie za pomocą dodatku do pensji
i premii za zamknięcie japy oraz łechtanie ambicji ryczał-
tem na benzynę.

– Ale zgodziłeś się. Nikt cię nie zmuszał.

– A co miałem zrobić? Patronem prokuratury jest Piłat.
Im prędzej nauczysz się umywać ręce i czytać między wierszami, jaka winna być treść oskarżenia, tym szybciej awan-

sujesz. Samodzielne myślenie szkodzi. Oczywiście, mogłem też wziąć stanowisko wiceszefa prokuratury, ale to by oznaczało, że mam siedzieć cicho do końca. Takiej marchewki bym nie przełknął. Musiałbym pobić w domu wszystkie lustra, żeby nie oglądać co rano swojej kłamliwej mordy. Choć, masz rację, po tych wszystkich latach awansowałbym do stolicy i mieszkalibyśmy już pewnie w Chotomowie na esbeckim osiedlu.

– Właśnie! – ucieszył się Pawłowski. – Nie poszedłeś na to. Oni to wiedzą.

– Co wiedzą?

– Ile razy mam ci powtarzać! To widać jak na dłoni. W swoim szaleństwie jesteś chorobliwie uczciwy, ale nadal pitbull. Wrzucą cię w to, pozwolą paszczyć i ścigać, ale cały czas będą cię prowadzić tak, żebyś nie ruszył nikogo z zarządzających. – Jesiotr nagle przerwał. – A ustawy będą. Wiesz, że trwają nad tym prace. Prawica nie odpuści. Dla nich to sprawa honoru. Nie udało się z lustracją, to załatwią esbeków tylnymi drzwiami. Mówisz, że nie chcesz smyczy, a już od dawna chodzisz im przy nodze.

– Stworzyłem mapę polskiej mafii – oburzył się Norin. – Wiem dokładnie, co się dzieje i kto jest kim. Od czegoś trzeba zacząć.

– Walczysz z najniższym poziomem tej struktury. To fasada. Wyłącznie żer dla mediów. Dziennikarze rzucili się na wojnę gangów, a ty jak debil, z pocałowaniem rączki, bierzesz udział w zasłonie dymnej. Tak to się załatwia. Zwykłe odwracanie uwagi od spraw najistotniejszych. – Zniecierpliwiony Jesiotr machnął ręką i zanim Norin zdążył zaprotestować, przełamał pieczęć i wysupłał z koperty trzy pliki dokumentów z obwolutą.

– Co ty robisz? – przeraził się prokurator.

Jesiotr uciszył go gestem.

– Sam to napisałem, człowieku. Mam tego kilka kopii. Za kogo mnie masz? Mogę w każdej chwili przybić nową lakę. Z jakim godłem chcesz? Polskim, niemieckim czy austriackim? Mogę dać i wszystkie trzy pieczątki. Z każdą służbą pracuję. Czytało to już ze sto osób. Nikt pary nie puścił. I odsyłają mnie od Annasza do Kajfasza. Nie wiedzą, kto okaże się tym śmiałkiem, który otworzy puszkę Pandory.

– Ja mam nim być? – zaśmiał się Norin.

– Daruś, jeszcze nie zwariowałem. Mówię ci to, bo wiem, że to jest bomba. Nie może pójść oficjalną drogą. Wiesz, dlaczego dopiero w Wiedniu udało mi się to skończyć? Bo tam jest ziemia neutralna dla agentury całego świata. Austriacy też mają dosyć. Dopiero tam dostałem zielone światło na ujawnienie osób, które podzieliły tort Polski Ludowej i dzielą go nadal. A teraz, jeśli pozwolisz, obarczę cię tą wiedzą, bo będąc na stanowisku szefa najważniejszego wydziału prokuratury, musisz znać bebechy. Rzecz najpilniejsza to sprawa kanału narkotykowego z Kolumbii. Przemyt na taką skalę zawsze idzie za przyzwoleniem służb. Nie da się całkowicie wyeliminować tej branży, można ją tylko kontrolować. Tutaj masz nazwisko pułkownika, który kręci tym interesem. A to tylko wierzchołek góry lodowej.

Norin spojrzał na pierwsze nazwiska i natychmiast sięgnął po papierosa. Jesiotr podał mu ogień. Otworzył nową butelkę. Tym razem prokurator nie protestował.

– Znasz? – Pawłowski się uśmiechnął. – Pułkownik Tadeusz Otto, szef pierwszego departamentu. Jego figurant to Ryszard Domin, polonijny biznesmen z Chicago, ksywa Pastuch lub Kałboj, choć oczywiście za żadną nie przepada. Przedstawia się pieszczotliwie: dla przyjaciół Rychu. Wszak wszystkie Ryśki to fajne chłopaki. Domin zaczynał od firmy poligraficznej, na którą dostał bezzwrotną pożyczkę od resortu. Był wielce oddany Solidarności, prawdziwy mecenas patriota. Dostarczał opozycji tusz i papier do powielaczy. Maszyna, na której wydrukowano pierwszą wolną gazetę, pochodziła od niego. Wcześniej finansował druk niektórych publikacji, to znaczy resort mu to zlecał. Nawet go chyba popisowo internowali. Po transformacji przerzucili go do kontrwywiadu i skierowali do Kanady. Teraz już działał w branży farmaceutycznej. Moi kumple z BEA obstawiają, że został w pewnym momencie przewerbowany. Może Amerykanie, może KGB? Moim zdaniem jednak GRU. Wojsko masz w trzeciej części dosyć dobrze nakreślone. Choć na ten moment jestem za krótki, żeby cokolwiek wykluczyć. A pułkownik Tadeusz Otto? Nasz stary znajomek i człowiek byłego ministra. To on trzęsie polską policją. Zza winkla, rzecz jasna. Po latach w SB umie się to robić bez afiszowania. Na jego wniosek powołano młodego z drogówki. Komendant Leki nie cieszył się długo stanowiskiem. Marzyła mu się autonomia, więc go odwołali. Tak wyglądają te nominacje. Otto z brygadą rozstawiają pionki na szachownicy. Twoi partnerzy do walki z mafią to zwykli figuranci esbeków.

– Chyba fantazja cię ponosi.

– Myśl sobie, co chcesz, Norin – zniecierpliwił się Jesiotr. – Siedzisz w tym, będziesz prokuratorem, bo w kosmos cię nie wystrzelą, a oni dobrze wiedzą, na czym ci zależy. Możesz sobie nosić ortalionową kurteczkę i być nieprzemakalny. Na każdego znajdzie się hak. Ty masz rodzinę.

– To groźba?

– Ostrzeżenie. Człowieku, nie trzeba być agentem, żeby widzieć gołym okiem, jak cię złamać. I już nie pierdol, bo wiesz dobrze, o czym mówię. Mała Ania, najdroższa Renata. Kochasz je obie nad życie. To wystarczy.

Norin odsunął zagraniczną flaszkę Jesiotra. Postawił na stole zwykłą czystą.

– Mam już dosyć tych perfum – rzucił rozzłoszczony, po czym ruszył do kuchni po nową paczkę papierosów i czyste kieliszki. Rozlał zamaszyście, aż kilka kropel spadło na dokumenty.

– Ja się nie boję – zapewnił i zaraz dodał: – To też powinni wiedzieć, skoro tak dobrze mnie znają. I nie mam sobie nic do zarzucenia. Nawet żony nigdy nie zdradziłem, a okazji nie brakowało.

– Wiem, stary. – Jesiotr odetchnął z ulgą. Wreszcie się zgadzali. I choć prokurator tego nie mówił, zdawał sobie sprawę z zagrożenia. Było realne. To dobrze wróżyło dalszej rozmowie. – Wracając do Domina. Na zewnątrz kreacja jest idealna. Mucha nie siada. Po prostu złote dziecko biznesu, czego się tknął, robił z tego miliony.

– Takich jak on jest cała lista. Tygodnik „Naprzód" co roku publikuje na swoich łamach ich oświadczenia majątkowe – wtrącił znudzony prokurator.

– Wiadomo. Każdy z nich, jak jeden mąż, to ten sam typ. TW, uchol albo figurant. Dziś w kraju nie ma innych pieniędzy niż te zagrabione w czasie komuny przy pomocy służb. Zresztą to ludzie z byłego resortu pociągają za sznurki. Domin i jemu podobni to wyłącznie figuranci. Mają dobrą legendę, ale dają twarz. W razie draki jakiś pułkownik Otto zawsze wyciągnie ich z opresji. Sprawdź sobie KRS największej polskiej fabryki jogurtów i koniecznie zerknij na nazwiska członków zarządu.

– Znów Otto?

Jesiotr skinął głową.

– Figurował do ubiegłego roku. Teraz nie ma po nim śladu. Robi oszałamiającą karierę polityczną. Za kilka lat wszystko wyczyści gumka myszka. Nikt się do niego nie dokopie i niczego mu nie udowodnią. Choćby nikłego powiązania. Nie wiem, kogo podstawią na jego miejsce. Teraz jest jakiś *no name*, chyba rodzina ze strony żony. Leszek Grabowski. Figurant, na moje oko. Ma dwadzieścia dwa lata i nawet się tam nie pojawia, sprawdziłem.

– Słup – podsumował Norin.

– Razem z twoim Kurczakiem i siostrą Pochłaniacza – dodał ochoczo Jesiotr. – W zarządzie masz też młodego Moro. Nie tego pajaca dewelopera, co zbratał się ze Słoniem, ale Anatola, dawnego TW Otta. I tutaj zagadka. Jakim sposobem Tolek, syn rybaka, a dziś jeden z najbogatszych Polaków, zdobył nowatorski system komputerowy i nabił kabzę na sprzedaży oprogramowania dla państwowych spółek? Skąd miał pieniądze na franczyzę od Japończyków? Oni wszyscy mają doskonałe pomysły, ale cynk i pierwszą kasę dała im Polska Ludowa, a raczej bezrobotna bezpieka, która hula dziś w biznesie jak doświadczona kurwa na rurze. Tym sposobem dochodzimy do twojego podwórka. Zerknij na listę członków zarządu pierwszej polskiej komercyjnej telewizji. Weźmy pierwszy przykład z brzegu: pułkownik Bronek Zawisza, który działał jeszcze w FOZZ-ie. Co ty myślisz, przypadek? Teraz zakłada banki. Wpuszcza do Polski Portugalczyków. A dlaczego? Bo z nimi pracował w wywiadzie wojskowym. Sprywatyzują zaraz nasz największy państwowy bank. Będą nam, kurwa, drukowali pieniądze! A pamiętasz panią sędzię, gwiazdę procesów mafijnych? Wkrótce będzie szefem Trybunału Konstytucyjnego. Ma to obiecane. Są przecieki, że szykują ją na ministra. Wspomnisz moje słowa. Wiesz, jak zaczynała? W Przemyślu Otto wziął ją na stopa.

– Autostop raczej nie jest zakazany.

– Wiedzieli, że miała tam matkę. Wiedzieli, że jeździła okazją, bo do jej wioski pekaes dociera tylko dwa razy dziennie, a musiała być w pracy następnego dnia. Otto przejeżdżał nieprzypadkowo. Ustawili to. Wiem to na stówę.

– To nadal nie nosi cech przestępstwa.

– Może ona faktycznie wierzy w ich idee. – Jesiotr zaperzył się, jakby musiał wyjaśniać dorosłemu człowiekowi rzeczy oczywiste. – Może i nie zdaje sobie sprawy, jak sugerujesz, choć wątpię. Odpowiedni ludzie przy władzy ciągną swoich. A ci, którzy faktycznie pociągają za sznurki, nie śpieszą się na parnas na Wiejską. Wolą działać z ukrycia.

– Tak było i za Cesarstwa Rzymskiego.

– Nie bredź mi tu o Agrypinie, Daruś. Mam rację. Wiesz lepiej ode mnie, jak działa ten układ. I choć teraz zaprzeczasz, to doskonale rozumiesz. Pod takimi ludźmi robisz. To sitwa. Jesteś członkiem polskiej mafii, chłopie. Tego gangu nie stworzyły luki prawne ani grupka gości z bejsbolami, która zapragnęła władzy. Starzy bandyci za komuny byli ucholami esbecji, korzystali z tych kontaktów całe dziesięciolecia, wykształcili młodych, zbudowali imperium. Ale to nie ich ziemia, tylko agenciaków, którzy kiedyś służyli za przykrywki firm polonijnych, a teraz, gdy czasy się zmieniły, przychodzą do swoich prowadzących po zaległe wierzytelności. Młodzi nic jeszcze nie rozumieją. Nie minęła nawet dekada. Ludzie mają swoje sklepy, iluzję dobrego życia, kwitnie komercja, której nasi ojcowie, ba, dziadkowie nie doświadczali. Zachłysnęliśmy się komfortem. Uwierzyliśmy, że my też możemy zbudować małą Amerykę, jeśli będziemy cicho. Tylko że nie każdy zrobi biznes, a tylko ci, którzy mają dostęp do danych i kapitału. Danych wciąż dostarcza bezpieka. Kasę poniekąd też. Rękoma twojej braci z gangów. A co będzie za dwadzieścia lat? System się utrwali.

Niemcy, po nauczce z Adolfem, wyczyścili swój gnój. U nas w stajni położono perskie dywany. Tyle że namakają gównem i kurewsko śmierdzą.

– Jezu, Jureczku, już nie mieszaj do tego wojen. Zapędzasz się – jęknął umęczony Norin. – Do puenty. Nie musisz mi tutaj robić lekcji historii. Sam wiem, jak było. Jestem od ciebie starszy.

– Może dlatego tak trudno ci się odciąć – zaatakował Jesiotr. – Sytuacja się zmieniła, ale długi trzeba zwracać. Zawsze. Dlatego teraz Domin, wielki pan biznesmen, pod pretekstem mienia przesiedleńczego ze Stanów szmugluje kradzione auta, a w nich narkotyki, ale to tylko ochłap rzucony twoim drobnym gangsterom, żeby się obłowili i byli do dyspozycji. Jak myślisz, dlaczego nikt nigdy nie wpadł?

– Ależ wpadają. Nie mam w co rąk włożyć.

– Mówię o poważnych wpadkach. Sam powiedz, jak to możliwe, że od kilku lat nie było żadnego większego przypału z narkotykami?

– Nie jestem dzieckiem. Wiem, co teraz powiesz. Sprawa jest kryta, bo część kasy z tego biznesu wzięli politycy. I jak ja mam to udowodnić?

Jesiotr wyciągnął z pliku dokumentów długą listę.

– Przecież daję ci to na tacy. Nazwiska, kwoty, daty. Na kampanię, na swoje prywatne domiszcza, na uciszenie gadatliwych. I wezmą też z kolumbijskiego kanału. Pamiętasz aferę „Żelazo"?

Norin wykrzywił twarz w grymasie pogardy. Jak miał nie znać tej sprawy? Na Jesiotrze nie zrobiło to jednak wrażenia.

– Trzej bracia na usługach esbecji zrobili skok stulecia na niemieckie złoto. Przywieźli sto kilogramów, złożyli w ministerstwie. Dostali z tego dilu sześć procent, a resztę rozparcelowano. Cyrankiewiczowa chwaliła się kolią z brylantami. Nawet wtedy byli równi i równiejsi.

– Sprawiedliwie nie znaczy, że po równo – mruknął prokurator.

– A komu braciaki się mieli poskarżyć? – oburzył się Jesiotr. – To i tak cud, że udało im się przeżyć. Bo w dzisiejszych czasach raczej by podgrzewali trawę. Teraz jest to samo. Co prawda nie złoto, ale narkotyki, broń i handel ludźmi. Idziemy z czasem i postępem. Ropa, banki, media. To są dzisiejsze żyły złota. Powoli ta ekipa prywatyzuje nasz kraj. To nie jest demokracja, to folwark kilku osób. Otto jest jednym z nich. A on ma swoich nad twoją głową.

Norin milczał. Jesiotr ciągnął więc dalej:

– Streściłem ci tylko dwa pierwsze akapity swojego raportu. Istotnych nazwisk jest więcej. Warto, byś poznał te konfiguracje. Bo to nieoczywiste powiązania biznesu, polityki i członków dawnego resortu. Prawdziwa czerwona pajęczyna. Tym powinieneś się zająć. Jeśli trzeba, masz moje wsparcie. Ja odchodzę, ale znam wszystkich. Wiem wiele.

– Taki z ciebie patriota? – zakpił Norin. – Przecież to jest tajne. Nie znajdę tego w oficjalnym obiegu. Jak mam wykorzystać rzecz procesowo? A może w ujawnieniu tej listy masz swój interes? Niemcy to twoi nowi mocodawcy. Dla kogo tak naprawdę pracujesz?

– Odpierdol się. Nikt mnie nie opłacił. Ale, przyznaję, ten raport to mój dupochron. I mam misję, zgadza się. Tak samo jak i ty. Dlaczego, myślisz, siedzimy tu i gadamy? Co mam, kurwa, zrobić z tą wiedzą? Jak dalej żyć, patrząc na to gówno?

– Może wyjedź na Baleary? Kup sobie jacht, ożeń się – zaśmiał się kąśliwie Norin.

– Próbowałem. Uwierz. Ale szlag mnie trafia. Tak po ludzku. Razem możemy to wysadzić.

– Nie pomogę ci – oświadczył nagle Norin.

– Co?

– Idź już spać, Jesiotr. – Prokurator spojrzał na zegarek. Właśnie minęła pierwsza. – Muszę dziś wcześnie wstać. Renia łeb mi urwie. Ale podwiozę cię do komendy.

– Wiesz, że to nie może pójść drogą oficjalną. – Pawłowski nie krył zawodu. – Polską policją kręci Otto. Posadził na stołku swoją nową marionetkę, bo stara się skończyła. Ale to zawsze jest ich człowiek. Dlatego muszę dyskretnie rozmówić się z Maksem Lekim. Facet zna ten mechanizm i miałby interes, by zaryzykować ujawnienie listy. Bo nie powiesz mi, że jest zadowolony, że go odstawili od koryta.

– Odwet? Daj spokój. On za tydzień wyjeżdża do Brukseli. Awansowali go. Będzie oficerem łącznikowym. Klawe życie.

Jesiotr spojrzał na Norina znacząco.

– Załatwili go, jak i ciebie załatwią. Pozornym awansem. Nie widzisz tego? Ale on się z tym nie pogodził. Próbował znaleźć na nich esbeckie kwity.

– Na kogo? – zdenerwował się prokurator. – Nazwiska.

– Na generała Otto. Na Bronka Zawiszę. Na Romka Maciulewicza, ksywa Jelcyn. Ten nigdy nie objął eksponowanego stanowiska, ale pensję płaci mu MSWiA.

– Skąd wiesz?

– Wiem, bo Leki kłapie językiem na prawo i lewo. Jest na nich wściekły. Dlatego tak bardzo wspierał walkę z gangami. Liczył, że któryś z łachudrów skruszeje i wyda mocodawców. Ale oni nic nie wiedzą. Zawsze wpada tylko koordynator. Dalej trop się urywa. I dlatego jestem pewien, że ten ostatni generał, wcześniej gwiazda ruchu drogowego, weźmie te kwity i pójdzie z tym, gdzie trzeba, bo zechce rozegrać swoją partię. A żeby coś zmienić, trzeba tych aparatczyków zmusić do działań. Sprowokować. Na tym zależy Niemcom i Austriakom. Będziemy mieli wsparcie.

Norin wstał. Zaczął sprzątać ze stołu.

– Pokój Ani jest wolny. Nie wiem, czy pościel czysta.

– Myślałem, że jednak masz jaja.

Norin spojrzał na przyjaciela. Jesiotr widział, że prokurator walczy ze sobą.

– Jak sam zauważyłeś, mam rodzinę. Nie będę narażał żony i dziecka. – Wskazał raport. – I nie będę tego czytał. Prosiłbym cię, abyś ponownie zapieczętował swój ładunek, bo ja się na sapera nie nadaję. Co innego, jeśli wypłynie przy okazji zgonu jakiegoś mafiosa, rozróby, strzelaniny, co będę mógł mieć w protokole. Wtedy możesz na mnie liczyć.

– Gadasz jak papuga!

Jesiotr był wściekły. Wstał. Podszedł do okna, odchylił firankę. Na parkingu pod topolą stała zaparkowana czarna limuzyna. Dziwnie wyglądała wśród tanich autek na blokowisku. Chciał wspomnieć o tym prokuratorowi, ale po namyśle odpuścił. Przyjaciel i tak dostał dziś sporą dawkę adrenaliny. Wtedy ponownie usłyszał głos Norina:

– Ale znam człowieka, który może pomóc. Kajetan Wróblewski zwany Dziadkiem. Zaczynał od techniki, potem działał w jedynce, więc był pod Ottem. Wywalili go ze Służby Bezpieczeństwa za niesubordynację, grubo przed weryfikacją. W raportach pisali mu na zmianę, że jest idiotą albo indywidualistą, co w służbach jest synonimem. Moim zdaniem to bardzo przedsiębiorczy człowiek. Ma trzypokojową bibliotekę. Zawsze o takiej marzyłem. Ukrył się najpierw w kryminalnym, potem dali go do pezetów. Miał zaskakująco dużo danych o interesujących mnie osobistościach. Pewnie z przyczyn, o których wspominałeś. Jestem przekonany, że to znacznie lepszy adres, żeby do-

trzeć do byłego czy też urzędującego generała, niż ja. Straszna szuja. Nie lubimy się. Dlatego może być zainteresowany
twoim raportem.

– No stary! – rozpromienił się Jesiotr.

W tym momencie zadzwonił dzwonek. Obaj mężczyźni
zerwali się z foteli. Norin zerknął przez wizjer. Na klatce
schodowej stał policjant w mundurze. Prokurator dał znak
Jesiotrowi, by ukrył się w kuchni. Sam zaś chwycił w dłoń
szklankę i na wpół opróżnioną butelkę wódki, po czym
podszedł do drzwi. Pawłowski zebrał dokumenty, wsunął
je pod dywan.

– Panie prokuratorze – wyrecytował formułkę policjant.
– Prokurator generalny wzywa pana do biura ministra.

– Ministra? O tej porze? Czy w związku z tym mogę
liczyć na nadgodziny? – próbował żartować Norin. Udał, że
się zatoczył. Wzniósł toast. Czknął, całkiem prawdziwie.
– Bo wie pan, jestem akurat na urlopie. Żegluję sobie.

Policjant zachował niewzruszoną twarz. Spojrzał w bok,
a potem odchrząknął i kontynuował, jakby był robotem:

– Będę pana asekurował. Radiowóz już czeka. Proszę
za mną.

Norin grał na zwłokę. Bardzo powoli zdejmował kapcie,
sznurował trapery oraz zapinał na wszystkie zamki i za-
trzaski wysłużony sztormiak. W tym czasie kręcił się po
korytarzyku i nagle dyskretnie się wychylił, by zerknąć na
drugiego gościa czekającego na niego na klatce. Prokurator
okręgowy Arkadiusz Antczak miał na sobie flauszowy
płaszcz, spod którego wystawały spodnie od piżamy.

– Arek? – zdziwił się Norin. – Ciebie też zgarnęli?

– To ja cię zgarniam, idioto. Osobiście. Na polecenie premiera. Teraz już przeholowałeś – wysyczał zwierzchnik.
– Czy wiesz, z jakim trudem udało się wycofać szczotki

„Rzeczpospolitej"? Straty są ponoć ogromne. Gdyby to jutro poszło, byłaby afera. W ostatniej chwili udało się uratować kompromitację prokuratury. Redaktor Eliza Bach miała już z tego czołówkę.

– Z czego? – Norin szczerze się zdziwił.

– Z tej lancii. Co ci strzeliło do głowy, Daruś? Prokurator Norin się rozpromienił.

– Korupcja senatora? Dziś zatrzymanie, dziś publikacja – szydził. – A skąd pani redaktor Bach miała materiały, skoro wysłałem ci je grubo po osiemnastej? Telepatia czy ezoteryka? Chyba w UOP-ie przeszła kurs szybkiego czytania, bo mnie przebrnięcie przez umowy dilerskie zajęło kilka godzin, a robię w tym nie od dzisiaj.

– Wyłaź. – Szef okręgówki machnął ręką zrezygnowany.

– Sam będziesz się tłumaczył ministrowi. Ja tym razem umywam ręce.

– Jakbyś kiedykolwiek za mną stanął.

– Bierzcie go, aspirancie, bo mu wpierdolę – jęknął prokurator Antczak.

– Tylko kota nakarmię – rzucił Norin i szybko zatrzasnął przed mundurowym drzwi oraz przekręcił zasuwę. Odwrócił się do skołowanego Jesiotra, rzucił mu klucze do mieszkania, a potem przy akompaniamencie walenia do drzwi i okrzyków: „policja", „wyważymy drzwi", na rachunku za prąd zapisał numer telefonu oraz adres.

– Dzwoń do Dziadka. Budkę masz pod delikatesami. Albo od razu jedź do Gdańska. Piękna willa w Oliwie. Cały dół wypełniony książkami. Nie powołuj się na mnie! A zresztą, jak chcesz. Mam ich wszystkich w dupie.

– Gruby Pies szkodzi moim interesom. Sto tysięcy papierów. – Ryszard Domin złożył menu restauracji Marina i skinął na kelnera, który szybkim krokiem zmierzał już do ich stolika. – Ja wezmę ośmiornicę na przystawkę, bażanta, tylko bez ryżu, i sorbet z mango. Panowie?

Przy stole oprócz biznesmena siedzieli jeszcze dwaj mężczyźni: Kurczak – niski mięśniak o posturze byka, w stalowym garniturze oraz butach z wężowej skóry, i Pochłaniacz – młodszy o dekadę przystojniak o zimnym spojrzeniu, ubrany w czarny dres, który nosił jak mundur. Nawet nie wzięli do rąk karty dań.

– To samo – zdecydował Kurczak.

– Więc trzy razy? – upewnił się kelner.

Domin łaskawie potwierdził. Wyjął cygaro. Kelner podał mu nożyk i popielniczkę.

– Napiją się panowie czegoś? – zagaił uniżenie.

– Woda z gazem – oświadczył Domin. Rzucił okiem na milczących towarzyszy i dodał: – Poprosimy karafkę.

– I kawa. Czarna – odezwał się nagle Kurczak. Spojrzał na Pochłaniacza, który wciąż pozostawał w pozycji sfinksa zwróconego w stronę Domina. – Dwie – skorygował. – Ta druga z cukrem.

– Oczywiście. – Kelner się skłonił.

Domin obserwował swoich gości ze spokojem.

– Trzeba to zrobić, dopóki Gruby Pies jest w kraju. Do Brukseli wyjeżdża za tydzień. – Wyjął telefon. Wykręcił numer. – Gdzie jest teraz?

Padła odpowiedź. Domin natychmiast się wyłączył.

– Lagos, Lunos. Jakoś tak. – Spojrzał na zegarek. – Jest po dziesiątej. Każdego dnia do trzynastej bywa w tym miejscu. Szczegóły później. Potem jedzie do domu, wychodzi po córkę do szkoły, ale jej lepiej w to nie mieszać. Żony też. Będzie potrzebna. Jak psy zaczną niuchać, nie może pojawić się nawet podejrzenie, że była zamieszana.

– A będzie? – huknął przystojniak i zacisnął dłoń na nożyku do ryb.

Domin zignorował pytanie. Kontynuował:

– We wtorki i czwartki między siedemnastą a dwudziestą pierwszą ma randkę z kochanką. Można go też upolować w Chotomowie. Buduje tam dom. Jeździ daewoo espero: wiśniowe lub zielone. Bez kierowcy. To musi być spektakularne. Jedna dziura. Na czysto. Macie dobrego cyngla?

Kurczak poluzował kołnierzyk i położył łokcie na stole. Domin zwrócił uwagę na sygnet z zielonym kamieniem i tatuaż na każdym z palców, tworzący napis „Jola". Gangster wysupłał ze zmiętej paczki papierosa. Wyglądał, jakby zbierał się do odpowiedzi, ale zamiast niego odezwał się Pochłaniacz.

– Dwieście.

Domin rozparł się na fotelu i zaciągnął cygarem. Powoli pokręcił głową.

– Stawka nie podlega negocjacjom.

Zapadła cisza. Pochłaniacz wziął do rąk kartę dań. Przewertował.

– Jak smakuje ośmiornica?

202

Domin przyjrzał się baczniej rozmówcy. Kurczak wzruszył ramionami i zaśmiał się sztucznie.

– Wojtek jest tradycjonalistą. Nie lubi ryzyka.

Domin pierwszy raz okazał zniecierpliwienie, ale widząc upór na twarzach kontrahentów, rzucił:

– Sto pięćdziesiąt.

Pochłaniacz wstał od stołu.

Domin i Kurczak spojrzeli na niego zaskoczeni.

– Idę do kibla. – Ruszył, ale po chwili zawrócił. – Jelcyn wspominał o dwustu. I Gruby Pies nie jeździ wiśniowym albo zielonym, ale obydwoma. Tak, będzie cyngiel. Najlepszy. Dwieście.

Domin zmusił się do uśmiechu.

– Chyba że sami po sobie posprzątacie, panie Kłyś.

Pochłaniacz otworzył i zamknął usta. Domin go zaskoczył. Już miał odparować cios, ale Kurczak kopnął go pod stołem i wydął wargi w pogardliwym grymasie.

– Jak zawsze, panie Pastuch.

Pochłaniacz natychmiast się uspokoił. Było 1:1. Wszyscy wiedzieli, że Ryszard Domin nie znosi tego pseudonimu. Uważał go za obraźliwy. Spojrzał teraz na drugi koniec sali. W ich kierunku szedł już Julek Górski, okrzyknięty przez dziennikarzy Górą, bramkarz z Maxima. W gronie gangsterów nikt nie używał tej ksywy. Był po prostu Julkiem.

– Więc dobrze. Ale zostawiam sobie nadzór.

Wstał i podszedł do kontuaru. Uregulował należność. Wrócił.

– Ośmiornica smakuje trochę tak jak kurczak, tylko jest bardziej ścisła. – Ukłonił się. – W interesach też wolę działania zachowawcze. Smacznego.

Kiedy Domin zniknął z lobby hotelu, Julek dosiadł się do gangsterów.

– Czyli bierzecie?

Kurczak się zawahał.

– Jeszcze się zastanawiam – odparł. – Nie znam cycka. Gdzie się chował?

Julek obejrzał się za siebie. Po biznesmenie nie było już śladu.

– W Ameryce. Ale zlecenie krajowe. Ustawi was na długo.

Wrócił Pochłaniacz. Obok niego stał żylasty dryblas o twarzy sępa, a to za sprawą lekko wyłupiastych oczu i haczykowatego nosa. W jednym uchu miał słuchawkę. Kabelek zwinięty spiralnie opadał mu na śnieżnobiały T-shirt. Nie śmiał nawet spojrzeć w oczy Kurczakowi, kiedy ten się pieklił.

– Słyszałeś, Bułka?

Wysoki chudzielec zwany Bułką wyjął z kieszeni małe urządzenie. Cofnął kasetę. Nacisnął „play". Zebrani usłyszeli głos Pastucha:

– Ośmiornica smakuje tak jak kurczak, tylko jest bardziej ścisła.

Kurczak rozpromienił się.

– Dobra robota, kapitanie. Dzwoń do Tadka Otto z ofertą. To faktycznie ustawi nas na długo.

Odprężony Pochłaniacz natychmiast klapnął na krzesło i zabrał się do lodowatej już kawy.

– Oby nie na zawsze – mruknął.

Kelner podał przystawki.

– Ja ci to szczerze odradzam, Andrzejku – przekonywał Kurczaka starszy mężczyzna w białej koszuli i bawarskiej kamizelce. – Ta sprawa wywali sufit. Będziecie mieli na karku nie tylko policję, prokuraturę i żandarmerię. Rząd weźmie to pod lupę. Wszystkie agencje dostaną zielone światło. Przecież waszymi rękoma rozpętują wojnę. Czy naprawdę jesteś na to gotów? Zacznie się nagonka. Dorobią do tego ideologię. Nikt nie wyjdzie żywy. Nikt!

Kurczak skinął na małżonkę. Jolanda, jak zwykle w szpilkach i dopasowanej mini, przyniosła teraz kawę. Rozlała ją do filiżanek. Odchodząc, czule pogłaskała męża po ramieniu. Chwycił ją za dłoń, pocałował. Uśmiechnęła się do niego, po czym wycofała do kuchni. Usiadła na stołku barowym i znudzona piłowała paznokcie. Wiedział jednak, że obserwuje naradę, słucha każdego argumentu. Pogadają o tym w łóżku.

– Śliczna ta twoja Jola. – Mężczyzna zmienił temat. – Ona za tobą w ogień by poszła.

– A ja za nią – mruknął Kurczak i zaraz zniżył głos. – Ja się wojny nie boję, Stachu.

Bardzo szanował Staszka Ejcherta, w branży znanego pod ksywką Dyżurny. Mężczyzna był dla niego jak ojciec. Kurczak niemal wszystkie decyzje konsultował z tym człowiekiem. Naśmiewano się, że to, czego Kurczak dokonał, najpierw musiał klepnąć Dyżurny, a potem zaakceptować Jolanda, ale boss mafii nigdy źle na tym nie wyszedł. Dziś, bodaj pierwszy raz w życiu, Ejchert tak usilnie go od czegoś odwodził. Kurczak obawiał się, że Dyżurny się starzeje.

– Zrozum, to dla nas szansa – przekonywał swojego doradcę, a tak naprawdę i siebie, bo od wizyty Pastucha w Marinie nieustannie bił się z myślami.

– Wywinduje nas na szczyt piramidy żywienia. Nikt nam już nie podskoczy.

– To ubeckie metody, posłuchaj starego – prosił tymczasem Dyżurny. – Ja pamiętam te czasy. Grają, a ty tańczysz. Kiedyś szło o życie, trzeba było współpracować. Dziś masz wybór. Możesz, ale nie musisz.

Kurczak się zamyślił. Milczeli.

– Mam wybór, mówisz? Czyżby? Jeśli ja nie wezmę zlecenia, ktoś inny mnie wyręczy. To i tak się stanie. Pochłaniacz już kleci ekipę rezerwową. Nie bez powodu podwoił stawkę. Chce mieć zabezpieczenie. Wiem, że rozmawiał z Gutkiem i Słoniem. Chyba się dogadali.

– I co? Niech się dogadują. Potem, jak psy zaczną niuchać, jeden drugiego sprzeda. Na co ci to? Pochłaniacz ma plecy Jesiotra, a ten pracuje ze służbami. To dlatego Pochłaniacz zawsze spada na cztery łapy. Kto wie, po której właściwie jest stronie. A może Jesiotr to tak naprawdę pies? Zawsze ma najświeższe dane. Przypadek?

– Może – potwierdził Kurczak. – Tylko co to zmienia? Po prostu krócej pożyje.

– Niezależnie od wersji wydarzeń – ciągnął *consigliere* Dyżurny. – Pochłaniacz się wywinie. Ty? Szczerze wątpię. Na chleb ci nie starcza? Konkurencję wymiotłeś. Z każdego gówna złoto robisz. Narkotyki to za mało?

– Narkotyki to dopiero będą, jak zrobimy ten dil. Ci, którzy zrobią Grubego Psa, dostaną kanał. Będą ustawieni na najbliższe dwadzieścia lat.

– Nie przesadzaj – skrzywił się Dyżurny.

– Jeśli nie wejdziemy teraz, zawsze już będziemy w drugiej lidze – zaoponował Kurczak.

– Mówisz: wszyscy, myślisz: ja. Chcesz być na szczycie. Rozumiem, synek, ale to nie jest słuszna droga. Góry zdobywa się, idąc zygzakiem. Nie po linii prostej. Poza tym nie budzi się śpiącego psa. Im o to idzie, żeby was poróżnić. To przypał. Po zawodach dopadnie was komando śmierci. W najlepszym razie odsiadka za stare grzeszki. Idziesz jak baranek na rzeź.

Kurczak dopił kawę. W sypialni zakwiliło dziecko. Rozległ się stukot szpilek. Żona Kurczaka pobiegła do małego. Po chwili słychać było już tylko rozkoszne gruchanie i głos Joli nucącej kołysankę.

– Jeszcze się zastanowię – skłamał Kurczak.

Dyżurny wstał.

– Jakby co, zawsze możesz na mnie liczyć. Choć decyzję, widzę, już podjąłeś. Nie zamierzam cię powstrzymywać. Pomyśl tylko o Joli, synu. Chyba nie chcesz, żeby dorastał bez ojca.

– Jeszcze się zastanowię – powtórzył Kurczak, tym razem już zniecierpliwiony. A potem objął Dyżurnego „na niedźwiedzia" i poklepał po plecach, aż zadudniło. – Dzięki, stary!

– Będzie dobrze – odparł Dyżurny.

– No ba! – mruknął Kurczak. – Nie inaczej.

Kiedy przyjaciel wyszedł, Kurczak zwrócił się do chudego dryblasa, który cały czas siedział przy drzwiach niczym Cerber. Odwijał właśnie z folii aluminiowej kolejną kanapkę, w które najwyraźniej zaopatrzyła go jego kobieta, bo były oklejone wesołymi serduszkami. Sądząc po liczbie kulek leżących na stoliku, zjadł takich przynajmniej sześć. Kurczak przyjrzał się zapadniętym policzkom swojego kapitana, jego długim, żylastym przedramionom i nie bez zazdrości pomyślał: Gdzie to całe żarcie się mieści?

– Posiliłeś się, Bułka?

Dryblas natychmiast schował żywność do torby, beknął dla zdrowotności i zapewnił:

– Chętnie zrobię sobie przerwę, szefie.

– Podeślij mi tu Gutka, bo jeśli faktycznie działa na własną rękę ze Słoniem, muszę cwela rozliczyć. Do tego przyda się Pochłaniacz. Powiedz mu, że będzie mógł sobie pofolgować. Tak to w życiu jest: mieczem wojujesz, od miecza giniesz.

– Weszli w to?

Głos w słuchawce był zniekształcony, ale Bułka doskonale wiedział, z kim rozmawia. Wyszedł z baru i udał, że idzie do auta. Przegonił swojego kierowcę. Chłopak ucieszył się, że dzisiaj ma wolne.

– Jak w masło, szefie. Kurczak wczoraj wezwał wszystkich i podzielił role. Obserwacja nie spuszcza Grubego Psa z oka. Ten klub Lagus to szkoła językowa. Okazało się, że komendant wkuwa słówka przed Brukselą.

– To za wiele już się nie nauczy – zarechotał rozmówca. – Czyli Kurczaka z Pochłaniaczem mamy odpalonych. Słoń?

– Wycofał się.

– Znajdźcie na niego kwity. Ten Gutek, nieudany biznesmen. On ma coś w zanadrzu. Dobrze by było zrobić mu kipisz w lokalu. Niech pakuje manatki, jeśli nie wystawi Słonia. I jeszcze mamy jego brata. Przypomnimy Anatolowi Moro, komu zawdzięcza fortunę, bo chyba zapomniał o spowiedzi. Zresztą nie zaszkodziłoby, gdyby dowiedział się o planowanym na niego ataku zleconym przez braciszka. Przyda nam się to, jak przyjdzie do przesłuchań.

– Tak, szefie.

– A cyngiel?

– Jest już duży wybór.

– Nie filozofuj mi tutaj, Bułka, tylko dawaj personalia.

– Przez chwilę Kurczak chciał robić to sam. Żona mu wyperswadowała. Zostają Bobas, Gargamel i Szulc.

– Bardzo dobrze. I tak zrobi to ktoś z naszych. Ale niech srają pod siebie ze strachu, bo wszystkie ekipy mają się tam spotkać. Do końca trzymamy efekt zaskoczenia. Czy wszyscy dostali ofertę?

– Raczej tak. – Bułka odchrząknął. – Tylko Jesiotr o niczym nie wie. Siedzi w Wiedniu. Podobno tym razem zamknęli go na długo. Mogę puścić mu grypsa. Chorąży Barnaba Kiszka to załatwi. Wisi mi przysługę. Mogę Światowidowi przypomnieć.

– Jesiotra nie mieszaj – padło kategorycznie. – Za to Barnabę uruchom w kontekście długu. Kiedy przyjdzie czas zatrzymań, bardzo potrzebne będą awarie monitoringu i garść sznurówek do zrobienia pętelek.

– Zrobi się – zapewnił Bułka.

– A więc mówisz, że miasto drży w posadach?

– Wszyscy żyją tylko tym zleceniem. Ci, którzy zostali dopuszczeni do sprawy Grubego Psa, czują się wyróżnieni i wiele sobie obiecują.

– Bo też to zmieni ich życie. Definitywnie – zaśmiał się rozmówca.

– Szefie. – Bułka wszedł mu w słowo. – A może złodziei by w to wmieszać?

– Złodziei?

– Jak będą robić śledztwo, można by wystawić na pierwszy ogień ekipę Strusia. To taka nasza złota rączka, ale skupił wokół siebie sporą grupę. Ma posłuch. Prokuratura miałaby jeszcze dodatkowe utrudnienie, Struś kradnie od dziecka. Nie ma fury, której by nie otworzył. Od dawna nie bierze się do niczego poza mercedesem czy audi, ale tutaj dostałby zlecenie płatne ekstra. Wiem, że ma kłopot z dziewczyną. Zaciążyła.

– A wiesz, Bułka, to nawet niegłupie. Rozumiem, że zalazł ci za skórę. Dwie pieczenie przy jednym ogniu.

– To nie tak, szefie. Może być ktoś inny – plątał się gangster. – Chodziło mi o motyw. Rabunek zawsze bezpieczniejszy niż polityka.

– Daj to pod rozwagę Pastuchowi. Niech Julek pogada ze Strusiem. Ale nie może być jeden złodziej, tylko cała ekipa. Im więcej ich na miejscu w tym dniu, tym lepszy cyrk.

– Zrobione.

– A na drugi raz ostrożniej, Bułka, z propozycjami. Kiedyś mnie wkurwisz.

– Tego bym nie chciał – zaśmiał się chytrze gangster. – Nie opłaca mi się wkurwiać pana pułkownika.

– I dzieciaki jakieś zorganizuj. Może Laluś od Słonia? I dziewczyna Gutka. Ona się jeszcze przyda. Jak zacznie się śledztwo, to by ładnie wszystkich połączyło. Prokuratorzy będą mieli pełne ręce roboty. Nikt pary nie puści. Bo też nikt nic nie wie. A ci, którzy nie zginą, pójdą do puszki na długie lata. Tym sposobem oczyścimy miasto z niepokornych.

– Zorientuję się.

– Pamiętaj, jakiś młody ambitny wilczek i jego laska – ciągnął rozmówca. – Ciężarna też może być. I tak nie przeżyje. A dziennikarze będą to pompować. To teraz leć. Duś ich i zadbaj o ekipę sprzątającą.

– Sam się tym zajmę, pułkowniku Otto.

– Wyjścia nie masz. Jak nie ty ich, to oni ciebie. Kiedy przyjdzie czas rozliczeń, ojczyzna o tobie nie zapomni. Damy ci opiekę.

Rozległ się sygnał zerwanego połączenia.

Siatki były ciężkie, więc Gosia kilka razy przystawała na schodach. Kiedy wreszcie zdyszana stanęła przed drzwiami, by wyciągnąć z torebki klucze, ze zdziwieniem stwierdziła, że mieszkanie jest otwarte. Z wnętrza dobiegał rytmiczny pop. Jak się domyśliła, miał zagłuszyć inne odgłosy. Założyła więc słuchawki i ze wsparciem *I Love You Mary Jane* Sonic Youth przekroczyła próg. Skierowała się wprost do kuchni. W zlewie jak zwykle powitała ją góra naczyń. Pomyślała, że wprawdzie zmieniła zaplecze Maxima na luksusowy apartament, ale jej rola pozostała ta sama. Nadal była Kopciuchem.

Obrzuciła spojrzeniem salon i tylko się upewniła, że Gutek ma w sypialni gościa. Na kanapie leżał stos częściowo rozpakowanych pudełek z sex shopu. Stół zastawiono smakołykami z delikatesów, obok salaterki z truskawkami mieniła się bursztynowo do połowy opróżniona karafka. Jedna z kryształowych szklanek miała na brzegu ślad różowej szminki.

Na ekranie telewizora wyginała się Shazza. Gosia pogłośniła więc walkman, by *Killing In The Name* Rage Against The Machine odciął ją od rzeczywistości, po czym zabrała się do wypakowywania zakupów. Zamierzała dziś zrobić gołąbki, ale w obliczu zastanej sytuacji zmieniła zdanie. Uderzyła kilka razy garnkami, zamknęła i otworzyła z łoskotem lodówkę. Powtórzyła bezgłośnie końcowy akord piosenki *Motherfucker!*, a następnie włączyła ekspres, choć wcale nie miała ochoty na kawę. Liczyła, że wystarczająco zaznaczyła swoją obecność. Ale z sypialni nikt nie wyszedł, jakby wciąż była niewidzialna. Przewinęła więc kasetę do początku, wyjęła z siatki paczkę kabanosów i usiadła na kanapie z książką. Mimo migających jej przed oczyma plastikowych obrazków Disco Relax i kojącej linii melodycznej *Where Is My Mind* Pixies w uszach wciąż docierały do niej jęki kobiety oraz pohukiwania Gutka. Nie była w stanie skupić się na *Królu szczurów*. Pogrzebała w leżącym obok asortymencie przebieranek seksualnych, zakręciła kajdankami i z kpiącym uśmiechem odłożyła akcesoria na stolik. Zdawało jej się, że figle kochanków trwać będą w nieskończoność.

W końcu wstała, podeszła do uchylonych drzwi sypialni i zajrzała do środka. Gutek siedział na łóżku ze spuszczonymi spodniami i w rozchełstanej koszuli. Głowę miał odrzuconą do tyłu, a na twarzy grymas skupienia. Między jego nogami klęczała chuda dziewczyna w czapce, z daszkiem założonym tyłem do przodu. Była młodziutka i miała brudne stopy. Poza czapką miała na sobie jedynie fluorescencyjną zieloną minispódniczkę typu lambada, zadartą w okolice pach. Gosia jakiś czas przypatrywała się daremnym wysiłkom dzierlatki, jej wypiętej kościstej pupie, aż w końcu znudzona przymknęła drzwi i ruszyła do gabinetu Gutka. Niezwykle rzadko zdarzało się, aby nie zamykał swojego królestwa na klucz, a wejść tam można było jedynie, krocząc wąskim korytarzykiem obok jego sypialni. Gosia korzystała więc z licznych okazji, kiedy przyprowadzał dziewczyny z klubu. W większości były niepełnoletnie, a przynajmniej na takie wyglądały. Nie miała wątpliwości, że właśnie tak poznał jej matkę. Kiedy myślała o tych odrażających okolicznościach własnego poczęcia, zbierało jej się na wymioty. Mimo tego była jednak ciekawa nieoczekiwanie odnalezionego ojca. Prawie nie rozmawiali, więc podglądanie i sekretne plądrowanie jego rzeczy traktowała jak spóźnione poznawanie go. Po latach spędzonych w bidulu zrobiła się czujna jak ptak i po prostu była w szpiegowaniu dobra. Ojciec nigdy jeszcze jej nie nakrył, a kilka razy naprawdę niewiele brakowało.

Gutek był snobem i miał niezły gust. Na ścianach wisiały obrazy wyglądające na oryginały. Stare, zabytkowe biurko z palisandru zajmowało większość miejsca pod oknem. Za nim umieszczono skórzany fotel, godny prezesa korporacji. Z boku, pod ścianami ciągnął się rząd szaf na dokumenty. Były w połowie wypełnione segregatorami oraz – ku zgrozie Gosi – atrapami Encyklopedii Brittanica. To, co zainteresowało ją jednak najbardziej, kiedy tutaj weszła, to bibeloty. Były to chyba jedyne elementy wystroju tego pomieszczenia, które choć w niewielkim stopniu odzwierciedlały duszę jej ojca. Gutek zbierał gipsowe madonny, złocone żaby, indyjskie słonie, grające karuzele i wizerunki rzeźbionych Żydów różnych rozmiarów. Twierdził, że przynoszą mu pieniądze, i Gosia była pewna, że w to wierzył. Był niedojrzały, infantylny, nie umiał stworzyć relacji z dorosłą kobietą, dlatego prowadzał się z małolatami. Gdyby ktoś mu jednak zarzucił, że ma skłonności pedofilskie, zleciłby oblanie go kwasem. Faktem jest, że nie zmuszał dziewczynek do seksu siłą. Był typem sprawcy uwodzącego, co nie znaczy, że nie potrafił być brutalny. Mamił nimfetki obietnicami, dawał łakocie, drobne upominki, czasami upijał, jak dzisiejszą młódkę w zielonej falbaniastej spódniczce. Uważał się przy tym za twardziela, który jest tylko miłośnikiem młodego ciała i pokazuje kolejnej nastolatce, jak żyć. Szkoda, podsumowała Gosia podczas którejś z nielicznych rozmów, że sam tego nie wie. W sumie było jej go szkoda. Wydawał się zagubionym w dorosłym ciele sztubakiem z podstawówki, który przegapił swoją szansę na miłość. I Gosia już nawet wiedziała, że tą szansą była jedna z seksownych dzierlatek, które zaliczył w swoim życiu Gutek, a na imię jej było Beata.

Na każdej półce znajdowała bowiem zdjęcia wysportowanej brunetki: na podium w skąpym kostiumie pływaczki; podczas walki w kisielu – jej twarz wykrzywia grymas wysiłku; z uśmiechem dzierżącej w dłoniach wysadzany kryształami blender; oraz triumfujące, kiedy to w syreniej sukni odbiera z rąk Gutka koronę Miss Polski. I wreszcie na przyjęciu zaręczynowym z dzikiem i pętami kiełbas na stołach oraz serpentynami zwisającymi z sufitu, które nieodparcie kojarzyło się z wiejskim weselem. Niektóre fotografie były rozdarte i posklejane, inne miały powycinane detale. Tak jak te z dziećmi, kiedy byli jeszcze z Gutkiem rodziną. Tulili się do siebie, wyglądali na zakochanych, a ich synowie zaśmiewali się z ich króliczych przebrań.

Gosia nigdy nie odważyła się zapytać ojca o Beatę Biały, choć sporo o niej słyszała. Głównie legendy typu: piękna i niebezpieczna. Któż inny zresztą wytrzymałby siedemnaście lat z takim socjopatą jak Gutek? Znęcał się ponoć nad konkubiną psychicznie i fizycznie, zdradzał ją, upokarzał, a potem przepraszał. To w czasie ich związku zapłodnił Agnieszkę Werner, matkę Gosi. I nikt do końca nie wiedział, ile jeszcze bywalczyń Maxima podzieliło jej los. W każdym razie trwali w tym toksycznym związku całe lata. Ostatecznie nigdy się nie pobrali. Ludzie z miasta mówili o Beacie z szacunkiem, mimo iż pięć lat temu kobieta postawiła się niepodzielnej władzy Gutka. Po jednej z kłótni wyszła z domu z reklamówką, zostawiła dzieci i zamieszkała z młodszym o dziesięć lat dżokejem. Jako jedna z niewielu osób w Trójmieście miała odwagę podać Gutka do sądu. Tylko jej upór sprawił, że odzyskała synów.

Oczywiście Gutek nigdy nie zapłacił ani grosza alimentów, nie podzielił się gromadzonym prawie dwadzieścia lat wspólnym majątkiem, ale Beata i tak sobie poradziła. Założyła z ukochanym sklepik jeździecki i szkółkę. Nie przelewa im się – słyszała plotki Gosia – ale są szczęśliwi. A im bardziej Gutek stara się im uprzykrzyć życie, tym bardziej się kochają. Nic tak nie jednoczy ludzi, jak wspólny wróg. Gutek natomiast oszalał z zazdrości. Trzy razy spalił ich interes, regularnie zlecał napaści na dżokeja, szantażował jego uczniów ze szkółki jeździeckiej, niszczył kolejne auta. Zakochani z czasem przyzwyczaili się do pogróżek odebrania życia wiarołomnej i przestali je brać serio. Gutek zaś poprzysiągł, że groźbę spełni. Nie mógł znieść myśli, że Beata buduje dobry związek z kimś innym. Ostatni news dotyczył potajemnego ślubu kochanków, który miał się odbyć za dwa tygodnie w kościele Stella Maris w Gdańsku. Gutek swoimi kanałami załatwił dokumenty nowożeńców złożone w kancelarii kościoła i tym sposobem Gosia wiedziała o Beacie niemal wszystko. Znała numer jej dowodu, PESEL, datę urodzenia, adres zameldowania, KRS jej firmy. Był czas, kiedy myślała tylko o tym, jakie to niesprawiedliwe, że nie jest córką kobiety, którą ten potwór kochał, a nie własnej matki. Można powiedzieć, że oboje

– zarówno Gosia, jak i Gutek – mieli na punkcie pięknej Beaty własną obsesję.

Teraz dziewczyna kolejno otwierała szafy i szafeczki. Przyglądała się zawartości, niczego jednak nie dotykając. W szafie Gutka między ekscentrycznymi marynarkami w kratę dostrzegła czerwoną gumowaną suknię, którą czasami kazał jej wkładać. Chwyciła ramkę z pociętym zdjęciem z zaręczyn ojca z Beatą. Kobieta miała na sobie właśnie tę sukienkę. Gosia natychmiast odstawiła fotografię. Potem otworzyła kolejną szafę. Wisiały w niej damskie ubrania. Wyjęła błyszczącą toaletę pieczołowicie zasznurowaną na krawieckim manekinie. Była pocięta w wąskie pasma. Tak samo reszta rzeczy. Pośpiesznie zamknęła to dziwne sanktuarium byłej ukochanej.

Miała już wychodzić, kiedy jej uwagę przyciągnął przekrzywiony obraz. Przesunęła go i poczuła się jak na planie filmowym. W ścianę wmontowano kolosalny sejf. Na drzwiach skarbiec miał klawiaturę numeryczną, klamka znajdowała się w pozycji pionowej. Dla Gosi to było i tak za wiele. Nigdy wcześniej nie zabawiła tak długo w zakazanym pokoju. Przesunęła obraz do poprzedniej pozycji i szybko wróciła do salonu.

Ledwie zdążyła zająć miejsce na sofie, do pokoju wkroczył Gutek. Koszulę miał wypuszczoną na spodnie, twarz zaczerwienioną z wysiłku, włosy wilgotne, jakby właśnie wyszedł spod prysznica.

– Jemy coś? – zaczął się przymilać. – Przyniosłaś coś dobrego?

Gosia zsunęła słuchawki na szyję i wskazała opakowanie po kiełbaskach.

– Ja już po obiedzie.

– Chyba się nie gniewasz? – Gutek zaśmiał się nerwowo.

Chwycił folię i wyniósł ją do kosza, jakby naprawdę był jej opiekunem. Gosia natychmiast zrobiła się czujna.

– Masz zdjęcia?

Nic nie odpowiedziała. Wskazała tylko na blat w kuchni. Gutek podszedł, obejrzał rząd fotografii.

– Nie wyszłaś za dobrze. – Odchrząknął niezadowolony. Znów był sobą. – Te fotki nie nadają się do zgłoszenia na konkurs piękności. Nawet jeśli ja je kwalifikuję. Pozory muszą być zachowane. To, co mi przyniosłaś, może służyć najwyżej jako zdjęcie sygnalityczne do akt policyjnych. Po gwałcie.

Gosia nawet się nie odwróciła.

– Jeśli tak uważasz – mruknęła. – Nic nie poradzę, że twoi magicy w Komorze Sinobrodego nie są wystarczająco zdolni, by oddać wspaniałość twoich genów. Może jednak zmienisz zdanie i koronę wręczysz jednej ze swoich koleżanek. Mnie na tym nie zależy.

Gutek aż się zapowietrzył ze złości.

– A czego oczekiwałaś? Ptasiego mleczka? – rzucił. Obejrzał się na drzwi do sypialni, a potem przeszedł do rzeczy: – Nie udawaj, że nie rozumiesz. Ja też mam swoje potrzeby. Poza tym miałaś wrócić wieczorem. Skąd miałem wiedzieć, że nie będziesz teraz ze swoimi harcerzami?

– W hufcu jest remont.

Szczęknęły drzwi. Gutek się poderwał. Gosia odwróciła głowę. Oboje wiedzieli, że dziewczynka, ukryta dotąd w sypialni, ruszyła do łazienki.

– Ona tu jeszcze jest? – syknęła Gosia i już kiedy to mówiła, poczuła się jak utyskująca żona. – Zresztą to nie moja sprawa. Oboje jesteśmy prawie pełnoletni. – Wstała. – Pójdę do siebie.

Gutek chwycił ją za rękę.

– Pozwoliłem jej dziś zostać. Idź się przewietrzyć.

Gosia z trudem powstrzymywała łzy.

– A dokąd mam iść?

– Na spacer?

– Nie tak się umawialiśmy.

– Tyle lat radziłaś sobie beze mnie, to jedna noc cię chyba nie zbawi? – odparł niefrasobliwie, a potem zniżył głos do szeptu i wskazał akcesoria z sex shopu. – Ta mała naprawdę nieźle się uwija. Mam zamiar dziś w nocy pokazać jej kilka rzeczy. Nie chcesz być tego świadkiem.

Gosia natychmiast zatkała uszy.

– Nie muszę tego słuchać.

– Tym bardziej zjeżdżaj – zaśmiał się Gutek. – Drogę do drzwi znasz.

Teraz dziewczyna zaczęła rozpaczliwie łkać.

– Dlaczego ty to robisz? Po co mnie przygarnąłeś? Ja wcale nie muszę tego znosić. Zaręczyłeś za mnie u dyrektorki. Przyniosłeś dokumenty. Dałeś jej kopertę. Wiem, że tam były pieniądze. Wykupiłeś mnie. Po co ta szopka z troskliwym ojczulkiem? Został mi tylko miesiąc do pełnoletności. Moje łóżko dali już komuś innemu.

– To może weźmiesz jej? – Gutek zmrużył chytrze oczy. – To twoja koleżanka. Może się znacie?

Gosia się zawahała. Nie wiedziała, co to za nowa gra, ale zdecydowała się nie wychylać.

– Dobrze. – Skinęła wreszcie głową. – Więcej mnie nie zobaczysz. Tylko zabiorę swoje rzeczy.

– Ty nic nie masz – wysyczał.

A potem, widząc przerażenie w oczach dziewczyny, zaśmiał się i przyciągnął ją do siebie, jakby chciał uderzyć. Wyrwała się, zanim zrobił zamach. Zbyt wiele razy była w takiej sytuacji. Walkman upadł na ziemię, włączył się.

Słychać było stłumioną muzykę. Gosia rozpoznała ostry rapcore Rage'ów.

– Żartowałem. – Gutek podniósł sprzęt, podał córce i najspokojniej w świecie ruszył do lodówki. – No to do jutra.

Gosia pozostała w tym samym miejscu. Nie wiedziała, co robić. W końcu chwyciła jedną z reklamówek z nadrukiem sex shopu. Wysypała zawartość i schowała do niej swojego walkmana, książkę oraz, po namyśle, granatowe trampki, które stały przy drzwiach. Kupiła je za pierwszą tygodniówkę w Maximie. Nie miał prawa ich jej zabrać.

– A ty dokąd?

Gutek wyrósł jak spod ziemi. Szarpnął torebkę. Rzeczy wysypały się na podłogę.

– Przecież mnie wygnałeś.

– Zostajesz.

Gosia splunęła mu w twarz. Kipiała teraz wściekłością.

– Puść mnie, skurwysynu, bo pójdę do prokuratury i powiem, że mnie zgwałciłeś.

Starł z policzka plwocinę. Milczał, ciężko dysząc.

– Nigdzie nie pójdziesz.

– To się zdecyduj! – rzuciła mu wyzwanie. – Nie jestem psem ani twoim meblem.

Stali, wpatrując się w siebie z nienawiścią. Wreszcie Gosia spakowała się ponownie, włożyła reklamówkę pod pachę i ruszyła zakazanym korytarzem do toalety w sypialni Gutka.

– Ona albo ja. Kto wychodzi? – krzyknęła.

Otworzyła zamaszyście drzwi. Na sedesie siedziała skulona dziewczynka. W tym momencie głos zamarł Gosi w gardle. Odezwała się z czułością jak do dziecka:

– Co ty tutaj robisz?

Gutek zbliżył się zaciekawiony. Nastolatka, czerwona teraz na twarzy jak piwonia, podciągała drżącymi dłońmi zakrwawione majtki. Pochyliła głowę, skuliła się jeszcze bardziej przy ścianie. Wycierała ręce o krótką spódniczkę. Fluorescencyjna zieleń była najbardziej soczystym detalem w tym pomieszczeniu.

– Tak myślałem, że się znacie – rozpromienił się Gutek. Obie spojrzały na niego. Żadna się nie odezwała.

– To ci niespodzianka. – Mężczyzna poklepał się po udzie i starł z włosów resztkę potu. Strzepnął na podłogę. Gosia odwróciła się z obrzydzeniem.

– Ona nie ma jeszcze piętnastu lat! – krzyknęła. Weszła do toalety, wyciągnęła dziewczynkę i poprowadziła przed sobą do wyjścia.

– Ty zboku! Wszystko zaplanowałeś!

Gutek nie spojrzał nawet w ich stronę. Spokojnie nalewał sobie burbona. Kiedy jednak dziewczęta dotarły do drzwi, kliknął pilotem, klamka się zatrzasnęła. Wzruszył ramionami i patrzył z lubością na ich przerażone twarze.

– Otwórz! – zażądała Gosia. – Nie zostaniemy tutaj. Jeszcze dziś pójdę na policję.

– Nie idź! – zapiszczała mała.

– Ty się lepiej nie odzywaj, Ela! – wrzasnęła Gosia. – Nie mów do mnie. Nic nie mów. Bardzo cię proszę.

– Skąd się znacie? – ponowił pytanie Gutek. Był znów czuły, słodziutki.

– Z Maxima – pisnęła młoda.

– Z bidula – w tym samym momencie odparła Gosia. – I dobrze o tym wiesz, zasrańcu.

Gutek upił łyk. Doskonale się bawił.

– Któraś kłamie. Ciekawe, która.

– To moja siostra – z dumą zadeklarowała Gosia.

– Wcale nie – krzyknęła młoda. – Nie jesteśmy spokrewnione.

– Jesteśmy rodziną! – żachnęła się Gosia. – On zna Agnieszkę, wiesz, idiotko? Pieprzył ją. Ale hardcore.

Gutek rozsiadł się wygodniej na sofie, przesunął reklamówki z osprzętem do filmów porno i poklepał siedzenie obok siebie. A potem, niczym wprawny iluzjonista, spomiędzy palców wysupłał złoty łańcuszek. Zaczął się nim bawić. Młodej aż oczy się zaświeciły.

– Chodź, Elżunia, pogadamy – zwrócił się do nastolatki.

Dziewczynka jak na komendę postąpiła krok do przodu. Dalej nie mogła jednak pójść. Gosia schwyciła ją mocno za ramię, trzymała jak w kleszczach. Zostań ze mną, prosiła wzrokiem. Ela zdołała się jednak wyrwać z objęć „siostry" i ruszyła w stronę Gutka.

– Ela, nie! – powiedziała dobitnie Gosia.

A potem, sama nie wiedziała kiedy, zamachnęła się i uderzyła dziewczynkę w twarz. Ta zwinęła się do pozycji embrionalnej, rozpaczliwie zapłakała. Gosia kucnęła, próbowała przytulić dziecko.

– Przepraszam. Nie chciałam. – Łkała razem z Elą. – To skurwysyn. Chce cię tylko wykorzystać. Zabawić się.

– Bo ty mi zazdrościsz – wychrypiała nastolatka przez łzy. – Chcesz mieć to wszystko dla siebie.

– Ale co? – zdziwiła się Gosia.

Ela zatoczyła ramieniem koło.

– To wszystko. Kasę, dom, jedzenie i jego. – Wskazała na dewelopera, który rozsiadł się jak na spektaklu. Gosia już dawno, może jeszcze nigdy, nie widziała go tak uradowanego. – Nie wrócę do bidula.

– Możesz iść do ojca. Ciebie nikt nie wyganiał.

– Bo myślałam, że mnie ochronisz... Obiecałaś...

– Próbuję. Tak mi nie pomagasz.

Ela spojrzała na dłoń Gosi na swoim ramieniu i delikatnie się wyswobodziła.

– Ja tu zostaję – oświadczyła piskliwym głosem.

Ale był w tym triumf. Pewnym krokiem ruszyła na środek salonu, po czym usiadła obok Gutka. Przytuliła się do niego. Założył jej łańcuszek na nadgarstek, jakby znakował ją jako swoją zdobycz.

Wtedy Gosia wpadła w furię. Upuściła reklamówkę ze swoim dobytkiem i rzuciła się z pięściami na Gutka, zaczęła go okładać.

– Nic się mną nie interesowałeś! Zostawiłeś mnie i mamę! – krzyczała. – A teraz zabrałeś mi jeszcze ją! Dlaczego nam to robisz?! Ona ma tylko mnie!

Gutek zniósł atak ze stoickim spokojem. Kiedy dziewczyna się uspokoiła, przytrzymał ją jeszcze chwilę unieruchomioną.

– Nikt jej do niczego nie zmuszał – powiedział. – Tak jak i ciebie.

Gosia podniosła głowę.

– Widziałam.

Gutek cisnął szklanką o ścianę. Kryształ rozprysł się na drobne kawałki. Ciecz spływała brązowymi strugami na podłogę. Dziewczęta patrzyły z przerażeniem.

– Nic nie widziałaś.

Gosia wstała.

– Ty jesteś zły – powiedziała. – Ona jest jeszcze dzieckiem. Nic nie rozumie. Ale ty tak. Karmisz się cudzą krzywdą. Tak samo kiedyś namieszałeś w głowie mamie. Była niewiele starsza od Eli. Kiedy dowiedziała się, że jest w ciąży, próbowała się zabić. Wiedziałeś? Pewnie, że tak. Ty przecież wiesz wszystko. Ja też mogłam dziś nie żyć. – Zawiesiła głos. – Co zrobiłeś? Podsunąłeś jej tego marynarza,

223

który do mnie przychodził nocami. A jak się poskarżyłam, zbił mnie tak, że... To przez ciebie matka oddała mnie do domu dziecka. Żeby mnie ratować.

– Matka oddała cię, bo cię nie chciała – odparował.
– Przeszkadzałaś jej w amorach. Miała wybór. Mogła wybrać ciebie i iść do pracy. Chciała mieć męża. To ma – zarechotał.
– Ela ma rację. Jesteś zazdrosna. Ale nie o mnie. O nią.
– Wskazał dziewczynkę, na której twarzy nie było już łez.

Była jeszcze blada, ale w kącikach ust błąkał się głupawy uśmiech. Gosia wiedziała, że dziecko nic nie rozumie. Chciałaby skończyć tę rozmowę, by Ela nie musiała jej słuchać, ale nie miała tyle siły. Gutek zaś ciągnął z upodobaniem, jakby kręcił nożem w ranie:

– Pasierbicę kochała bardziej niż córkę, więc zbuntowałaś Elę przeciw matce. Chciałaś mieć kogoś, kto będzie ci oddany. Kogoś, kogo będziesz mogła kontrolować. To zemsta. Znasz to uczucie doskonale. Jesteś moją kopią. Od razu to wiedziałem. Gdybyś była tak miła i sympatyczna jak Ela, nigdy nie wylądowałabyś w bidulu. Sama jesteś sobie winna.

Gosia nie odezwała się. Spojrzała na siostrę, a potem na ojca. Zdawało jej się, że nie czuje z nimi już żadnej więzi. Chciała odejść, zmienić skórę i nigdy nie wracać. Zostawić to wszystko za sobą, zacząć na nowo, jak bohaterka powieści przygodowej. Za Gutkiem nie zatęskni nigdy – tego była pewna. O Elę zawsze będzie się bała. Kiedy rozległ się dzwonek wideofonu, z ulgą ruszyła do drzwi. Podniosła słuchawkę i bez pytania nacisnęła przycisk otwarcia bramy.

– Do ciebie – powiedziała już spokojnie.

Usiadła na pufie koło kaloryfera, na której zwykł czekać w trakcie gangsterskich narad Taras. Musiała przyznać, że był to niezgorszy punkt obserwacyjny.

Wszedł Sebastian. Na widok Gosi lekko się spłonił, ale Gutek zachęcił go gestem do mówienia.

– Jest spotkanie w warszawskiej sprawie – zaczął oględnie kierowca. – Kurczak prosił, by przekazać. Na dwudziestą. Ponoć pan wie, gdzie.

Gutek pogładził Elżunię po obnażonym udzie.

– Potwierdź.

Sebastian skinął głową. Odchrząknął.

– Mieliśmy umówioną strzelnicę. Taras już jest na miejscu. Odwołać?

Gutek zapatrzył się w okno.

– Sam trafię. Nie podjeżdżaj.

Sebastian spojrzał tęsknie na Gosię, która siedziała z zaciśniętymi ustami. W ręku mięła reklamówkę. Gutek wstał, podniósł monstrualny czarny penis i zamachał nim przed oczyma przerażonej dziewczynki.

– My się zabawimy, Elżunia.

A potem skierował dildo na kierowcę.

– Zabierz tę złośnicę, żeby nam nie przeszkadzała. Weź dla niej amunicję. Niech się wyżyje. Złość piękności szkodzi. Wkrótce zaczynamy eliminacje do konkursu. Postanowiłem, że jednak będziesz startowała.

– Nigdy – mruknęła w odpowiedzi Gosia, ale karnie stanęła obok Sebastiana. Od razu poczuła się lepiej.

– Anuluję twój udział tylko wtedy, jeśli ktoś ci twarz pokanceruje – zaśmiał się Gutek, a potem zwrócił się arcypoważnym tonem do Lalusia: – Pilnuj jej i ma wrócić przed dwudziestą drugą. Śpisz dzisiaj, Kopciuchu, w gościnnym u Tarasa. Sprawdzę w monitoringu. Bądźcie grzeczni, dzieci.

– Nienawidzę go. Nienawidzę jej. Nienawidzę ich. – Gosia naciskała spust raz za razem, a odrzut pistoletu dawał jej wyłącznie satysfakcję. Kiedy skończyła się amunicja, zdjęła dźwiękoszczelne słuchawki i odwróciła się, kierując lufę w stronę towarzyszy. Kilku pochyliło się dla żartu, ktoś wykonał kontrolowany pad. Taras podszedł do dziewczyny i wyjął broń z jej dłoni.

– Teraz ty, Afganistan – padło z tłumu.

– *Mnie nie treba* – wykpił się Ukrainiec i przekazał sprzęt Sebastianowi. Chłopak zważył ciężar w dłoni, mrugnął do Gosi.

– To naprawdę pierwszy raz?

Skinęła głową, wciąż lekko oszołomiona.

Chłopcy obstąpili ją, poklepywali po plecach, chwalili.

– Jeszcze będzie z ciebie niezły cyngiel – śmieli się, ale Gosia nie słyszała strzałów ani treści rozmów.

Usiadła na pniaku i przymknęła powieki. Zatopiła się we własnych myślach. Wciąż jeszcze miała przed oczyma swoich wrogów. W wyobraźni ubiła całą rodzinę. To w Gutka, matkę i wreszcie ojczyma – ojca Elżuni, kapitana Piotra Marię Stokłosę – strzelała. W jego poranioną kastetem, na tyłach Maxima, twarz. W jego dumnie wypiętą pierś, krót-

kie nogi i muskularne ręce. Nie czuła wcale litości, kiedy
– w jej wyobraźni – kula roztrzaskiwała mu mózg. Dalej
likwidowała kuzynów, wujów, babcie, dziadków, ktokolwiek przyszedł jej do głowy, aż wreszcie została na rodzinnym zdjęciu całkiem sama. Latami tłumiony gniew wypełniał ją od stóp do głów. Tylko ciocię Tosię oszczędziła. Ona
jedyna była dla niej dobra. Niestety zabrało ją tajemnicze
zakażenie, zanim Gosia poszła do szkoły. Może gdyby żyła,
dziewczyna nie trafiłaby tutaj? Może udałoby się jej uniknąć tylu strasznych sytuacji, upokorzeń, lęków? Byłaby
kimś zupełnie innym.

Tak bardzo chciała uciec od własnych wspomnień. Od
tej pieczary, w której psychicznie wciąż tkwiła. Ciocia Tosia
chciała ją wziąć do siebie, ustanowić rodzinę zastępczą,
kiedy matka Gosi oddała pierworodną córkę do domu
dziecka. Aniołów nie ma – przeczytała gdzieś kiedyś, ale
wtedy nie zgodziła się z autorem. Dziś wreszcie rozumiała
tę metaforę. Żywi nie mogą być skończenie dobrzy, tak jak
nigdy nie są absolutnie źli. W każdym ze stojących tutaj
gangsterów widziała smugę światła. Żyli w mroku, używali
wulgarnego slangu, popisywali się okrucieństwem, ale wobec niej okazywali sympatię, a bywało, że byli rycerscy. Tak,
jeśli niebo istnieje, Antonina Werner na pewno tam jest.
Bo piekło znajduje się tutaj i Gosia czuła, że tkwi w samym
jego środku.

– Bobas czy Gargamel? Jak myślisz, którego wybiorą?

– Zależy, kto wygra przetarg. – Wreszcie zaczęły do niej
docierać strzępy rozmów. – Obstawiałbym Pochłaniacza.
Kurczak jest za miękki.

– Wychodziłoby więc, że Gargamel. Stary, twoje zdrowie.

Mężczyźni odłożyli już pistolety i otwierali flaszkę.
Dopiero teraz się zacznie, pomyślała Gosia i spojrzała na

Sebastiana. Złapał jej spojrzenie. Uśmiechnęła się nieśmiało. Ruszył w jej stronę.

– Ty, uważaj, to ostra sztuka jest. Wściekła na maksa – odezwał się ktoś.

– Da se Laluś radę. Nie z takimi już dawał – zaśmieli się pozostali, ustawiając się rzędem, jakby pozowali do plakatu *Chłopców z ferajny*.

Gosia się spłoszyła. Myślała gorączkowo. Nie zamierzała być kolejną zdobyczą młodego bandyty. A tym bardziej prostego kierowcy, choćby był nie wiadomo jak ładny. Kiedy jednak Sebastian się odezwał, całe jej zacietrzewienie zniknęło. Oblała się rumieńcem, spuściła wzrok.

– Lepiej? – powiedział łagodnie i spojrzał na miejsce obok niej na pieńku.

Odsunęła się na brzeg. Usiadł niebezpiecznie blisko.

– Też mam pojebany życiorys – odezwał się przyciszonym głosem.

Biło z niego ciepło i spokój, który dawał jej poczucie bezpieczeństwa. Łapała się na tym, że cała lgnie do niego. Ze swoich pokładów podejrzliwości krzesała racjonalne argumenty, że powinna uważać, ale wiedziała, że to bezcelowe. Miał ją w garści od pierwszego dotyku, wtedy na tyłach Maxima.

– Nikt tu nie jest normalny – rzucił któryś z kompanii.

Sebastian pochylił głowę. Gosia znów się odsunęła. Jeszcze kilka centymetrów i spadnę, pomyślała. Cała była napięta. Ledwie siedziała, z trudem utrzymując równowagę.

– Może się przejedziemy? – zniżył głos do szeptu i spojrzał łagodnie na dziewczynę: – Tu się nie da rozmawiać. – A głośniej dodał: – Pojedziemy po zagrychę.

– Akurat! – Rozległ się gremialny rechot. A potem chórem odśpiewali wers szlagieru disco polo: – Gdy cię tylko zobaczyłem, głowę nagle straciłem. Bara, bara, bara, riki, tiki, tak.

– To jak? – Chłopak zwrócił się znów do Gosi, starając się nie zważać na kpiny kolegów.

Wstała, otrzepała sukienkę. Spojrzała na swoje ręce. Były czarne od towotu. Na przegubach miała ciemne smugi prochu. Sebastian wyjął z kieszeni chusteczkę i zaczął wycierać jej dłonie. Pozwoliła mu, choć gwizdy kompanii tylko się wzmogły.

– Znam taką knajpkę – mówił przyciszonym głosem. – Spotykam się tam z przyjacielem. Nie jest to Bristol, ale ma dobry widok.

– Wszystko mi jedno. – Wyrwała dłonie z jego rąk, bo czuła, że pieką ją uszy.

Zza pleców Sebastiana dostrzegła nadchodzącego Ukraińca. Drobił kroki, machając rytmicznie rozłożystymi ramionami, jakby wiosłował w powietrzu.

– *Kuda jejo bieriosz?*

Sebastian spojrzał na Tarasa, a potem na Gosię.

– Na lody.

– *Morożonoje?*

– No.

– *Ja za niejo otwieczaju.*

– Wiem, stary. *Otwieczajesz. Otliczno.*

– *Eto choroszo, czto ty w kursie* – odparł Ukrainiec i odwrócił się do pozostałych: – *Kakaja kołbasa? Krakowskaja ili żywieckaja. Ja smatrywaju odsiuda. Poniał?*

– Ej, Afgan – zbuntował się jeden z chłopaków. – Myślałem, że nam coś pokażesz. Nauczysz ruskich młynków.

– *Nu pogodi* – mruknął Taras i objął młodych ramieniem. Szedł szybciej, niż wypadało, ale dotrzymali mu kroku.

– *Podwozka* – rzucił do Sebastiana, kiedy zbliżyli się do auta. – *Potom mienia zabieriosz*, jak będziesz odwoził krasawicę.

– Nie miałeś ćwiczyć? – zdziwiła się Gosia.

– *Wsio, czto znaju, uże znaju* – odparł lekko zmieszany. I gładko przeszedł na polski: – Nie przepadam za gnatami. Wolę walkę wręcz. Nasłuchałem się wystrzałów na wojnie. Wszystko mi się przypomina.

Sebastian uderzył Ukraińca w plecy.

– Ej, urabura, co jest, Misiu? – zarechotał. – Boisz się? Jak mój pies, normalnie.

Taras spojrzał na chłopaka swoimi jasnymi oczyma.

– Powiem ci prawdę. Nie mam okularów.

Oboje z Gosią wybuchnęli śmiechem. Taras chwilę wpatrywał się w nich zaskoczony, a potem też zaczął się śmiać.

– Jak się trochę uspokoi, pójdę do doktora. Zrobię sobie *oczki*.

– Dobre. – Sebastian znów go poklepał. – Niezły jajcarz z ciebie.

– Może pojedziesz z nami? – Gosia wyszła z nieśmiałą propozycją.

Sebastian był zaskoczony, ale nie zaprotestował. Taras zaś rozpostarł ramiona, chwycił młodych w objęcia, a potem się uśmiechnął.

– *Żełaju wam cwietow i szokoład, riebiata.*

Kiedy wsiadali już do samochodu, na teren prowizorycznej strzelnicy w lesie wjechał wojskowy truck. W mężczyźnie za kierownicą Gosia rozpoznała swojego ojczyma i obecnego męża matki – kapitana Piotra Marię Stokłosę. Twarz miał zapuchniętą, gęsto oklejoną plastrami. Obok niego na miejscu pasażera siedział niewielki mężczyzna w okularach, do złudzenia przypominający skrzata z bajek. Gosia szybko ukryła się w aucie. Taras i Sebastian stanęli tak, by zasłonić okna wozu. Kapitan zatrzymał się na wprost nich i odkręcił szybę.

– Jest Gargamel? – Nie spuszczał wzroku z Sebastiana.

Chłopak bez słowa wskazał ręką gąszcz drzew.

– Będziesz wieczorem na bankiecie u Słonia, Laluś? – padło kolejne pytanie.

Chłopak spłonił się i zacisnął usta ze złości.

– Jeśli szef każe – odparł.

Kapitan spojrzał we wsteczne lusterko i dodał gazu na jałowym biegu. Tylne koła zabuksowały w miejscu.

– Każe, każe – mruknął. – Jeszcze nie wie, że każe. Tak między nami, lepiej by było, żebyś dziś zdezerterował, ślicznoto. I słyszałem, że prowadzasz się z córką mojej ślubnej. Pilnuj dobrze tej lali. Narowista jest. Nie mów, że nie ostrzegałem. Jak to swój swego zawsze wyczuje. Wieczorem się policzymy, baszmaki.

– Znasz tego frajera? – odezwał się Sebastian, kiedy usiedli w obskurnej smażalni na plaży.

Gosia przyglądała się odłażącej farbie na ścianach i plastikowej planszy z listą dań w jadłospisie. Mazakiem oznaczono ceny ryb w panierce. Już wiedziała, że do każdego zestawu dodają frytki i surówkę z kapusty. Wybrała kergulenę. Mieszkała nad morzem od dziecka, ale nigdy jej nie jadła. W bidulu dawali co najwyżej filet z morszczuka lub mielonego dorsza. Sebastian wziął flądrę oraz herbatę z cytryną. Przed dziewczyną postawił małe piwo. Patrzyła na opadającą pianę, a po chwili odważnie umoczyła usta w chłodnym napoju. Pociągnęła łyk i zaraz się skrzywiła. Chłopak patrzył na nią z mieszaniną zaskoczenia i niedowierzania na twarzy.

– Nigdy nie piłaś alkoholu?

Pokręciła głową.

– Jestem harcerką. – Otarła usta i odsunęła od siebie trunek. A potem pochyliła się i zsunęła plastikowe baletki. Roztarła stopy. Były opuchnięte, na piętach miała małe bąble. Wskazała na szklankę z piwem. – To jest ohydne.

Zaśmiał się.

– Ja piję od trzeciego roku życia.

Spojrzała na niego zszokowana.

– Ojciec dawał mi próbować wódki, kiedy z nim zostawałem. Nie chciało mu się ze mną walczyć. Ponoć zanim zacząłem chodzić, już wymachiwałem młotkiem. W kółko coś broiłem. Dziś pewnie zdiagnozowaliby u mnie ADHD.

– Nie zgadłabym. – Uśmiechnęła się Gosia.

– Pewnie z tego wyrosłem – odpowiedział uśmiechem. – Potem miałem długą przerwę. Regularne spożycie datuję od pierwszej klasy zawodówki. Na tym etapie zakończyłem edukację.

– Kim chciałeś być?

– Mechanikiem. – Wzruszył ramionami. – Wywalili mnie z budy, bo wagarowałem. Wtedy zabili mi ojca. Pewnie słyszałaś. Składam dziś auta, ale papierów nie mam.

– Powinieneś wrócić do szkoły.

– Za stary już jestem na wkuwanie – zaśmiał się.

– To życie jest lepsze?

– Jest, jakie jest. A co z tym kapitanem? Ten drugi to szpion, stary ubek. Ojciec miał z nim kosę. Pamiętam, jak do nas przychodził.

Kelnerka przyniosła ich dania. Ryby ledwie mieściły się na papierowych tackach. Pachniały smakowicie.

– To tutaj spotykasz się z Julkiem? – zagaiła Gosia, kiedy zaspokoili pierwszy głód. – On naprawdę nie przegrał żadnej walki?

232

Sebastian podniósł głowę. Potwierdził. Nie chciał mówić o przyjacielu. W jego spojrzeniu Gosia dostrzegła nutkę zazdrości. Czyżby obawiał się, że dziewczyna zainteresuje się bokserem, a nie nim? Widać naprawdę mu na niej zależało. Poczuła ciepło w okolicy serca.

– Nie odpowiedziałaś na moje pytanie – wymruczał z pełnymi ustami.

Gosia odłożyła plastikowe sztućce.

– Moja matka urodziła mnie bardzo wcześnie. Dziś jestem trzy lata starsza niż ona, kiedy zaszła w ciążę. Z Gutkiem.

– Poważnie? – Sebastian omal się nie udławił. – Jesteś jego córką?

Gosia roześmiała się głośno i szczerze. Już nie pamiętała, kiedy czuła się tak swobodnie. Chciała mu ufać. Poczuła ulgę, że może podzielić się swoim bagażem. Zwłaszcza po dzisiejszym dniu. A ten chłopak umiał słuchać.

– Wiem, jak to brzmi. – Nabrała powietrza. – To nie jest mój kochanek, jak wszyscy myślą, tylko mój stary. A raczej dawca plemników. Do dnia, kiedy zobaczyliśmy się w Maximie, znałam go tylko z opowieści. Miałam kiedyś jakieś zdjęcie, ale matka je spaliła. Nie wiem nawet, czy go sobie nie wymyśliłam. Wyglądał na tej fotografii całkiem inaczej. Nie był w każdym razie taki stary i okropny. Podobno kiedyś mógł się podobać, choć nie mieści mi się to w głowie.

– No wiesz, małolaty uważają, że jest przystojny. Słyszałem, że nawet porównują go z Nicholsonem.

– Chyba po pijaku.

– No raczej. – Roześmieli się oboje.

A potem zapadła cisza. Sebastian zachęcił Gosię wzrokiem do dalszego mówienia:

– Całe życie słyszałam, że mogła mnie oddać zaraz po urodzeniu, ale serce ją ruszyło. Nigdy nie zrzekła się praw, a kiedy zmarła babcia, a potem ciocia – zawahała się – zaczęłam pielgrzymkę po domach dziecka. W tym czasie Agnieszka, bo kazała mi mówić do siebie po imieniu, że niby ją postarzam, szukała męża.

– Czyli balowała.

– I to jak. – Gosia znów zaczęła jeść. – Przeszkadzałam jej. Gutek ma rację.

– W czym?

– Dziś mi to wygarnął. Zabolało mnie, ale to prawda. Była kiedyś ładna, faceci na nią lecieli. Kiedy jednak okazywało się, że ma już dziecko, uciekali szybciej, niż się pojawiali. Potem trafił się pierwszy marynarz. Był podobno dłużej. Nie pamiętam go. Kiedy zaszła w ciążę, miałam ze dwa lata. Poroniła podobno, ale teraz wiem, że zrobiła zabieg. Potem byli kolejni ludzie morza. To był jej typ. Kapitana Stokłosę też znalazła w Maximie. Kiedy się poznali, był zwykłym majtkiem. Potem stopniowo awansował. Najpierw na pierwszego oficera, potem został kapitanem. Te awanse szły zbyt gładko, aby mogły być uczciwe, ale to już nie moja sprawa. Matka, nauczona doświadczeniem, powiedziała mu, że nie ma dzieci. To była ponoć wielka miłość. Tak w każdym razie twierdzi do dziś. Wtedy pierwszy raz mnie oddała. Tak naprawdę opieka po mnie przyszła. Matka szarpała się z nimi, ja płakałam. Im groziła, że ich zniszczy. Mnie obiecywała, że kocha i zabierze z bidula, jak tylko będzie mogła. No wiesz, żenujące. Ale jej wtedy wierzyłam. Chciałam wierzyć. Powtórzyło się to wiele razy. Tylko że jak nawet byłam z nią, jej i tak prawie nie było w domu.

– Nie chodziłaś do przedszkola?

– Nic takiego nie pamiętam. Wyparłam, żeby przetrwać. Dziura w pamięci, amnezja, rozumiesz?

– Chyba tak.

– Za to domu dziecka nie umiałam wymazać. Miałam już pięć czy sześć lat. Jestem w stanie wyliczyć każdą opiekunkę, każde brudne prześcieradło i każde jej odwiedziny, obietnice, przepłakane noce. Poważnie. Zresztą nie zawsze było źle. Miałam co jeść. Mało chorowałam. Nocami tylko jest mi czasem zimno i wtedy wszystko wraca. Nie zdajesz sobie sprawy, jak to jest, kiedy matka zapomni o tobie i jesteś sam przez trzy, cztery, pięć dni. A jak wraca, to z facetem. Pijana. Z czasem nauczyłam się milczeć, nie płakać. Wolałam przecież być z nią niż w bidulu. Starałam się być grzeczna, żeby mnie nie oddawała. Do dziś pamiętam w ustach smak strachu. Jest gorzki, jakby ci się treść żołądka wlewała do ust. – Przerwała.

Sebastian też milczał. Wyciągnął dłoń i dotknął Gosi. Zacisnęła swoją w pięść.

– Nie chcę litości.

Chłopak jednak nie zabrał ręki.

– Nie lituję się nad tobą. Myślę, komu najpierw wpierdolić.

Gosia uśmiechnęła się smutno. A potem jej twarz wykrzywił ironiczny uśmiech.

– Myślisz, że to mi pomoże? Że odwet odda mi te wszystkie lata? Stłumi nienawiść? Tak, to, co czuję, to złość, żal, pogarda. Nie przebaczyłam jej. Tak naprawdę o nią chodzi. Gutek, kapitan, marynarze, cała ta reszta – oni mnie nie obchodzą. To tylko pionki na szachownicy. Kiedy matka cię nie kocha, szukasz winy w sobie. Żyłam z tym całe lata i wciąż nie potrafię przestać zabiegać o jej uwagę. To jest jakby wgrane w krwiobieg.

Znów zamilkła. Reszty nie była w stanie wypowiedzieć na głos. Ze wstydu. Tego, że nieustannie czuła się gorsza od innych, wybrakowana, zbędna. Że to z nią jest coś nie tak, skoro nawet własna matka jej nie chce. Kiedy była młodsza, zwłaszcza gdy nikt nie widział, często płakała bez powodu. Potem stwardniała, stopniowo wyzbywała się delikatności. Nauczyła się żyć w tej zbroi, nie oczekiwać niczego więcej, niż dawał jej los, i tylko nie wystawiać się na zranienie. Z czasem zrozumiała, że nie było w tym jej winy. Po prostu miała nieszczęście urodzić się z łona kobiety, która nie potrafiła wziąć na siebie odpowiedzialności za własne błędy. To poczucie niższości ujawniało się jednak w najmniej oczekiwanych momentach i była niemal pewna, że już zawsze będzie patrzyła na inne rodziny podejrzliwie, szukając w nich rys i pęknięć, bo sama w głębi duszy nie wierzyła, że zasługuje na miłość. Dlatego tlił się w niej nieustannie gniew. Nie potrafiła go ugasić ani sobie z nim poradzić. Wypływał znienacka w zwykłych, prozaicznych sytuacjach w postaci agresji. Nie tylko werbalnej.

– Jestem dowodem na jej kurewstwo – stwierdziła teraz dobitnie, sama zaskoczona słowem, które wypowiedziała głośno. Za wszelką cenę chciała przykryć swoją chwilową słabość, skłonność do melancholii i poczucie krzywdy, więc dodała z szerokim uśmiechem, jakby opowiadała przedni żart: – I tego Agnieszka Werner, po mężu kapitanowa Stokłosa, nie może mi darować.

Zapatrzyła się w horyzont. Morze było spokojne, gładkie jak szaro-błękitna płachta. Niebo zaś już się różowiło. Za chwilę zajdzie słońce. Byli właśnie świadkami magicznych minut. Gosia złapała się na tym, że dawno, może nigdy jeszcze, nie czuła się tak swobodnie. Mówiła więc dalej:

– Z marynarzem szło na tyle dobrze, że w końcu mu o mnie powiedziała. Odwiedzała mnie, obiecywała, że zabierze do siebie. Ciotka chciała, żebym zamieszkała u niej. Ale potem nagle zmarła. Matka nigdy nie zrzekła się praw rodzicielskich. Dziś jestem taka mądra. Wtedy nic nie rozumiałam. Dla mnie sprawa była prosta: będę u mamy, u cioci, będę miała dom. Nie jedną półkę, numer łóżka w sali, a jak coś pójdzie nie tak, to wyrzucą mnie jak zużytą szmatę. Całe lata wierzyłam, że mnie kiedyś uratuje. Czekałam na ten dzień, w każde odwiedziny liczyłam na tę właśnie wiadomość. Że stanie się cud i będzie się zachowywała jak moja prawdziwa mama. Potem coraz mniej wierzyłam, wreszcie zrozumiałam, że jestem głupia. Że mam takie życie, a nie inne, i już zawsze będę sama. Pogodziłam się z tym. Jakoś musiałam żyć dalej. Ale nieważne. Kapitan któregoś razu wrócił z dzieckiem. To była Elżbieta. Powiedział, że matka Eli zmarła przy porodzie czy coś. Wszyscy wiedzieli, że on jest ojcem, ale nigdy o tym nie rozmawiali. Za to moja matka przygarnęła cudze dziecko jak własne. Nie rozumiałam, dlaczego mnie nie chciała, a zajmuje się obcym. Nienawidziłam tego noworodka. Ale po kilku latach, kiedy Ela przestała już być słodkim maleństwem, też trafiła do tego samego bidula. Ucieszyłam się. Uznałam, że sprawiedliwości stało się zadość. Jej, tej najsłodszej, też wymierzono karę, jak mnie. Czas mijał. Rosłyśmy. Sama nie wiem, jak to się stało. Zaczęłam jej bronić. Wiesz, w domach dziecka jest fala. Małe wojny, rozgrywki, gangi – jak w więzieniu. Takie tam, nieważne. Wzięłam ją kilka razy do hufca, prowadzę zbiórki dla dzieciaków, całkiem to lubię. I jakoś tak zbliżyłyśmy się do siebie, bo nie miałyśmy nikogo innego. Teraz matka ma dwoje legalnych dzieci z kapitanem, dom na „Zegarkowie" i została wzorową katoliczką.

Ksiądz przychodzi do nich święcić zastawę na Wielkanoc. Jak im się przypomni, to nas zapraszają. Odkąd zaczęłam rozumieć, że zawsze będę jej wyrzutem sumienia, plamą na honorze, już do nich nie chodzę. Po co mam ją drażnić? Niestety, Elżunia jest jeszcze na tym etapie, że jej zależy. Czasem tylko ma odpały i puszcza się po barach, ale to dlatego, że zbyt szybko poznała seks i tym sposobem szuka miłości. Jest znacznie bardziej emocjonalna niż ja.

– Kapitan się do niej dobierał? – domyślił się Sebastian.

– Jestem w stanie w to uwierzyć. Do mnie też próbował. Przestał, jak powitałam go spod kołdry nożem do siekania warzyw. Pewnie myślał, że planowałam uciąć mu klejnoty. – Zaśmiała się, by pokryć zdenerwowanie. – A ja wtedy nie bardzo wiedziałam, jak ta część ciała wygląda. Ale chyba trochę się mnie boi. Uważa za szurniętą, nieobliczalną, wariatkę. Pasuje mi taka opinia, bo mam spokój. Ale to tym bardziej nie rokuje, żebym kiedykolwiek wróciła do matki. Ot, taka to banalna historia – zakończyła, udając lekceważenie.

Sebastian milczał. Tylko na skroni pulsowała mu niebieska żyłka. Gosia wyczuwała jego napięcie. Była absolutnie pewna, że gdyby w tej chwili pojawił się któryś z jej wrogów, chłopak wstałby i bez słowa trzasnąłby go w pysk. Imponowało jej, że Sebastian ma w sobie coś z rycerza i gotów jest zasłonić ją swoją tarczą przed złem tego świata. Nigdy jeszcze czegoś takiego nie doświadczyła. Ale choć było jej przyjemnie, wprost pławiła się w tym uczuciu, to jednak nie do końca chłopakowi ufała.

– Ryba ci wystygła. – Wskazała jego tackę.

– Zawsze myślałem, że to ja mam przerąbane – odezwał się w końcu.

Gosia dyskretnie potarła zaczerwienione oczy.

– Nie będę się licytowała. Było, minęło. Zapytałeś, to odpowiadam. Znam tego frajera. To mąż mojej matki. Wiem, jaki nosi rozmiar buta, jakie kotlety lubi i czego się boi.

– Czego? – wychrypiał. I zaraz uśmiechnął się promiennie. – Poza tobą oczywiście.

– Wysokości.

– Zrzucę go z jedenastego piętra.

Roześmiała się.

– Tak uratujesz mnie przed złem? Bzdury – prychnęła. – Przecież sam siedzisz po uszy w tym gównie. Nigdy się stąd nie wydostaniesz. Nie masz szkoły. Co będziesz robił?

– A ty? – zapytał niezrażony.

– Wyjadę.

– Dokąd?

– Do Anglii albo Hiszpanii. Uczę się języków. Oczywiście na tyle, ile mogę. Z książek. – Zawahała się. – Ale któregoś dnia zniknę. Będę kimś innym. Zobaczysz.

– Zabierzesz mnie ze sobą? – Położył drugą dłoń na jej dłoni.

Chciała zapytać przewrotnie, czy naprawdę tego chce. Ile gotów jest poświęcić, by się wyrwać? Co jej dokładnie oferuje? Chciała z nim rozmawiać całą noc, uciec z nim. Była pewna, że nigdy by jej nie zdradził. Intuicja podpowiadała jej, że jest opoką, skałą. Był piękny, honorowy, wrażliwy. Miał świetliste, bystre spojrzenie. Udawał w gronie bandziorów jednego z nich, ale tak naprawdę był delikatny i czuły. Nie miała co do tego wątpliwości. Może to jego kiedyś sobie wyśniła?

W tym momencie wszedł na patio dobrze zbudowany mężczyzna. Gosia znała go z widzenia. To Julek, słynny bokser z Maxima. Ten, którego zdjęcia publikowano w gazetach

239

i którego nawet Jelcyn darzył respektem. Odruchowo zerknęła na zegar wiszący przy drzwiach. Nie było jeszcze ósmej.

– Gutek ma kłopoty. Masz być zaraz w Marinie – rzucił bez powitania Julek.

Sebastian przeprosił Gosię i bez pośpiechu odszedł z przyjacielem na bok. Dziewczyna słyszała jednak strzępy ich rozmowy.

– Chcą go wziąć do bagażnika i powieźć do lasu na Witomino. Kapitan z tym tajniakiem zarządza akcją. Podobno nie oddał długu Pochłaniaczowi. Szantażował kogoś. Braciak chyba maczał w tym palce. Jelcyn jest za krótki, ale dał cynę Słoniowi. To on mnie wysłał. Jeśli chcesz jeszcze pracować, radziłbym zakończyć randkę. Wracam. Lepiej, żeby ta laleczka nie powiedziała o nas nikomu. Mam nadzieję, że jesteś jej pewien.

Sebastian odwrócił się, spojrzał na Gosię. Pokiwał przyjacielowi głową.

– Mam nadzieję – powtórzył Julek. – Ryzykujemy obaj. Jeśli sprawę zwęszy Pastuch, nie będzie się bawił w obcinanie palców ani nawet kutasów.

Sebastian poklepał przyjaciela po plecach. Bokser wyszedł.

Gosia wstała, zaczęła zbierać swoje rzeczy. Sebastian pisał w tym czasie esemesa. Kiedy otrzymał odpowiedź, uśmiechnął się szelmowsko. Skrzywiła się, wkładając ponownie na nogi plastiki, a potem chwyciła za kufel i jednym haustem wypiła połowę zawartości.

– Nieźle ci poszło – skomentował Sebastian z podziwem.

– Drugi łyk nie jest taki obrzydliwy – odparła i dopiła resztę, choć kręciło się jej w głowie. Z trudem utrzymywała równowagę. – Idziemy?

Wpatrywał się w nią dłuższą chwilę, aż się spłoniła.

– Jesteś śliczna – powiedział w końcu. – Nie dziwię się, że twój stary chciał, żebyś brała udział w konkursie. Musi być z ciebie dumny.

– Wątpię. – Pochyliła głowę. – Ale dziękuję.

– To nie moja zasługa – odparł.

– Wiesz, jeśli to dla ciebie kłopot – zaczęła pośpiesznie – nie musisz mnie odwozić. Taras na ciebie czeka. Dam sobie radę. Jestem przyzwyczajona.

Sebastian wziął ją za rękę, przyciągnął do siebie. Znów poczuła ten sam zapach: nikotyna i woda kolońska. Absolutnie upajający miks, pomyślała. Była pewna, że ją teraz pocałuje, ale nie zrobił tego. Chwycił ją mocniej, przerzucił sobie przez ramię jak niezbyt ciężki pakunek i pobiegł w kierunku morza. Gosia krzyczała, żeby ją puścił. Okładała go pięściami, uważając jednak, by nie zrobić mu krzywdy, ale on tylko przyśpieszył.

– Będziemy się teraz kąpać – oświadczył, kiedy stanęli już na brzegu.

– A twoja praca?

– Nie ucieknie.

– Do niczego nie dojdziesz.

– Przecież i tak stąd wyjedziemy. – Mrugnął do niej, a potem dodał już całkiem poważnie: – Właśnie dostałem rozkazy. Akcja odwołana. Taras ma robotę na mieście. W związku z tym Słoń dał mi dzisiaj wolne. Ten wieczór zamierzam spędzić z tobą. Czy tego chcesz, czy nie.

– Chcę – odparła i zsunęła znów buty.

Czuła, jak chłodna woda koi jej pokaleczone stopy. Dżinsy Sebastiana były mokre aż do kolan.

– Będziesz brał udział w tej warszawskiej sprawie? – zapytała, kiedy rzucał adidasy na brzeg.

– Raczej jestem na to za krótki. – Zaśmiał się nerwowo. Podniósł głowę, przyciągnął ją do siebie. – A ty chciałabyś, żebym został tak doceniony?

– To nie jest zaszczyt – zaprzeczyła szybko. – To niebezpieczeństwo. Nie chcę, żebyś się narażał. – Zawahała się. – Nie chcę cię stracić.

Zobaczyła w jego oczach wzruszenie.

– To nie będę – zapewnił. – Ale pod jednym warunkiem.

– Tak?

– Kiedy będziesz wyjeżdżała, zabierzesz mnie ze sobą.

A potem dotknął wargami jej ust. Poczuła sól i pomyślała, że to nawet lepsze od polskiego rocka.

Męski kciuk razem z dziewczęcym palcem wskazującym leżały w porcelanowej miseczce, jakby to były przystawki do obiadu. Shazza zamarła z otwartymi ustami na ekranie telewizora.

Pochłaniacz przyglądał się półksiężycowi czerni pod własnym paznokciem i mruczał *Love Me Tender*. Przeczesał fantazyjną grzywkę dłonią, jakby był co najmniej królem popu, a potem dał sygnał siepaczom, by wznowili przesłuchanie. Bobas i Gargamel rytmicznie uderzali mężczyznę w brzuch. Podporucznik Mirosław Biskupski z nudów celował niewielkim nożykiem w oryginał Dwurnika wiszący na ścianie, jakby grał w rzutki. Płótno w wielu miejscach miało już nacięcia. Jeśli przesłuchanie potrwa jeszcze godzinę, nie będzie się kwalifikowało do renowacji.

– Masz jeszcze trzy godziny. – Pochłaniacz zwrócił się do przywiązanego do krzesła Gutka. – Potem żaden konował ci tego nie doszyje.

Katowany deweloper wił się, ale nie mógł nic odpowiedzieć, bo miał w ustach ścierkę.

– Więc powiadasz, że miałeś ochotę na Grubego Psa. Tak jak na dżokejka. I jeszcze braciszek. Cóż za zachłanność. Ano właśnie. Na chwilę zapomniałem o Tolku Moro.

243

To czym ty się zajmujesz w końcu: budowlanką czy kilerką? Bo ja tu widzę konkurencję. A nie lubię obcych na swoim podwórku.

– Daj już spokój, Pochłaniacz – wtrącił się zmęczony Słoń. Jego wózek stał przy drzwiach, Jerzy Popławski zaś kuśtykał od okna do okna. – Nie ma, to nie ma. Z gówna bicza nie ukręcisz. Buli – zwrócił się do masywnego jegomościa w białym dresie. – Weź już odwołaj chłopaków. Sami się zgłosimy na policję, jak będzie potrzeba. Psy też mają żony, dzieci. Ten pajac przecież nie musi podróżować radiowozem.

Łysy zwany Bulim podszedł do telefonu i wykręcił krótki numer. Zamruczał coś do słuchawki, odłożył ją, a potem wytarł szmatką, najwidoczniej na taką okoliczność noszoną w kieszeni. Następnie wyciągnął kabel z gniazdka i zarówno gniazdko, jak i kabelek pieczołowicie przetarł.

– Kręcisz się jak gówno w przeręblu, Buli. – Słoń cmokał zniecierpliwiony, obserwując te zabiegi. – Przecież i tak nikt nic nie znajdzie.

– Nie znajdzie, jeśli o to zadbam – mruknął policjant. – Samo się nie zrobi.

– Dobrze prawi – włączył się Pochłaniacz, ewidentnie zaznaczając swoją wyższość nad Słoniem. – Profeska to profeska. Dzięki takim panom jak Bulinek mam teraz relaks, Jerzyku. Wróćmy więc do tematu, bo się zgubiłem. Prostuj mnie, jeśli jestem w błędzie. Najpierw Gucio pobił mi uchola. Nieudolnie, ale jednak na bandaż wydać musiałem i kilka dni z roboty jest wyjęty. Co gorsza, nie załatwili tego między sobą, bo ten misio mi się poskarżył. Wył i skamlał, aż się wkurwiłem. Teraz ten bigos i to chwilę przed Grubym Psem. Jakby szpenio kapsel skądś wiedział, że wszystkie siły idą na Warszawę. Skąd wiedział, się pytam? Kto mu donosi, a może inaczej, kto u nas jest kretem, jak mawiają w szpiegowskich dreszczowcach. Nie podoba mi się to wszystko. Nie lubię. Nie polecam. Nie toleruję. Chyba to są łatwe do przewidzenia konsekwencje.

– Czy my mamy czas na twoje zabawy? – jęknął Słoń.

– Kończ waść albo go zostaw. Niech przemyśli swoje błędy w puszce.

– Muszę wiedzieć, czy w ogóle trafi do paczki. Bo może nie warto dawać mu kolejnej szansy. To kluczowe. Gdzie dokumenty? I zapamiętaj, Jerzyku, u mnie nie ma błędnych decyzji.

Słoń odwrócił się gwałtownie.

– Czy ja mam pięć lat? – zniecierpliwił się. – A my się nie znamy ze żłobka, Pochłaniacz.

– Widzisz? Mój drogi Jerzyk wkurwił się nawet na ciebie. Tak nabroiłeś, Gustawie Moro – wyartykułował elegancko Pochłaniacz, po czym bez ostrzeżenia uderzył ofiarę w brzuch. Gdyby sądzić po rozkosznej minie bandyty, znalazł w tym wiele uciechy. – Moich ludzi nie będziesz inwigilował ani podsuwał na nich kwitów. To oni się tym zajmują. Tym zajmują się moje psy. Bo cała komenda należy do mnie, zrozumiano? Ja płacę za mundury i policyjną benzynę. Nie będzie mi żadna łachudra podważała autorytetu. Rozpierdolić go!

– No nie – oponował Słoń. – Będzie straszny bałagan. Zabierzmy go w jakieś intymniejsze miejsce. Na Witomino.

Ale nikt go już nie słuchał. W stronę skatowanego porządnie Gutka zmierzało zwarte komando oprawców. Poprawiali kastety. Ważyli już w rękach pałki. Pochłaniacz głośno zagrzewał ich do boju:

– Chciałeś zabrać nam kolumbijski kanał i za to pójdziesz siedzieć. Skazuję cię na dożywocie. Zapewniam, że nie będzie to kara długoterminowa. Może zrozumiesz, że bezpieczniej jest budować te twoje rozpadające się domy z betonu, niż brać się do dyplomacji.

Nagle otwarły się drzwi. Do środka weszła Gosia, a za nią Sebastian. Młodzi zatrzymali się w miejscu. Gosia odruchowo chwyciła chłopaka za rękę. Wypuścił jej dłoń, ale po chwili znów ją chwycił i zrobił krok w tył, szarpnął, rzucając się do ucieczki. Za późno. Ludzie Pochłaniacza, w tym Gargamel i Bobas, ci sami, którzy kilka godzin temu bawili się z młodymi na strzelnicy, już ich trzymali. Musieli porządnie pobić Sebastiana, by wreszcie puścił dłoń dziewczyny. Gosia nie wydała z siebie najcichszego dźwięku. Nie uroniła jednej łzy. Zacisnęła tylko usta i liczyła przeciwników.

– Są i kochankowie. – Podszedł rozpromieniony Pochłaniacz.

Gosia bez pudła rozpoznała w mężczyźnie socjopatę. W domach dziecka nie raz miała z takimi do czynienia. Wiedziała, że zadawanie bólu sprawi mu radość, więc zamarła. Dyskusje nie miały sensu. Takiego typa mogła przekonać tylko bezsprzeczna korzyść. Pochłaniacz podniósł podbródek dziewczyny i obejrzał jej wydatne usta.

– Co za niespodzianka. Młodziutka panna Moro. Chociaż nieślubna, to z jakiejś przyczyny pośpiesznie zalegalizowana. Czy to ma związek z naszymi interesami? Z kanałem kolumbijskim? Z Jelcynem? Dlaczego przed nami ukrywałeś, Gutek, że dla niego donosisz? Na co ci to było? – Podniósł do góry jej dłoń. – I takie śliczne dziesięć paluszków. Komplecik.

Sebastian znów próbował rzucić się na Pochłaniacza, ale zaliczył tylko kolejne kopniaki od swoich niedawnych kumpli.

– Dzień dobry – odezwała się Gosia. – Mam nadzieję, że nie przeszkadzamy.

Rozległ się gromki rechot. Pochłaniaczowi zawtórowali wszyscy, nawet Słoń, który teraz przyglądał się dziewczynie ze szczerym zainteresowaniem.

– Patrzcie, jaka rezolutna – pochwalił Gosię gangster i mocniej ścisnął jej podbródek, aż wygięła usta w serduszko.

Dziewczyna wytrzymała ból. Wiedziała, że jeśli okaże uległość, bandyta odpuści. Po kilku sekundach zabrał rękę.

– Mnie to nie interesuje – stwierdziła, wskazując na wciąż zakneblowanego Gutka. – Mam do niego tylko jedno pytanie.

– O proszę, bohaterka!

Znów wybuch śmiechu.

– Słuchamy.

Gosia czuła, że odwaga ją opuszcza.

– Przyszłam zabrać swoje rzeczy. Chcę tylko…

– Co byś chciała, stokrotko?

– Chcę tylko wiedzieć… – Znów przerwała, bo Pochłaniacz wziął do rąk miseczkę i podszedł do niej na tyle blisko, by widziała każdą żyłkę na odciętych fragmentach ciała.

Na kobiecym drobnym palcu dostrzegła odrapany różowy lakier. Odwróciła szybko głowę. Nie zdołała jednak ukryć obrzydzenia. Mężczyznę bardzo to ucieszyło. Zdawało się, że złagodniał.

– Do rzeczy. Nie mam całej nocy, dziewczyno.

– Gdzie jest Elżbieta? – wydukała Gosia.

Zapadła cisza.

– A chuj mnie to obchodzi. – Pochłaniacz machnął ręką. – Zabrać ich. Kończcie!

– Czekaj, czekaj. – Słoń podniósł rękę. – To ta cichodajka. Wiesz która. – Wskazał miseczkę z palcami. – Zanim uciąłeś jej palec, poszła z tobą do sypialni.

– I dobrze się sprawiła. – Przystojna twarz Pochłaniacza na samo wspomnienie nabrała wyjątkowego blasku. – Widać i jej się spodobało.

Słoń przyglądał się młodemu bandycie z niesmakiem. Wreszcie odwrócił się do swoich ludzi.

– Znajdźcie ją.

Zbliżył się do Gosi.

– Kim ona dla ciebie jest? Znacie się?

Gosia zamarła. Za późno zrozumiała swój błąd. Dotarło do niej, że próbując ratować Elę, wydała „siostrę" na kolejne tortury. Może na śmierć.

– Proszę pana – znów się odezwała. – Znam w tym domu każdy kąt.

– Nie wkurwiaj mnie! – Pochłaniacz już szedł do Gosi, by się na nią zamachnąć.

Atak uniemożliwił Sebastian. Podciął agresora pod kolanami, aż ten się zachwiał. Dziewczyna w ostatniej chwili zdążyła się uchylić. O dziwo jednak, chłopak nie dostał kolejnych bęcków, bo pojawił się Słoń i szepnął coś do Pochłaniacza. W odpowiedzi przystojniak chwycił Gosię za brzeg sukienki, pociągnął do gabinetu Gutka. Już w korytarzu dziewczyna zorientowała się, że mieszkanie zostało splądrowane.

Postawili ją pod sejfem w ścianie. Obraz był zdjęty i częściowo wyrwany z ramy.

– Otwieraj.

Gosia spojrzała na gangsterów z niemą prośbą o łaskę.

– Otworzysz, przeżyjesz. Nie otworzysz, stracisz kilka paluszków. Twój Laluś może coś jeszcze. W każdym razie problemów z antykoncepcją nie będziecie już mieli.

Gosia się skupiła. Miała tylko jedną szansę. Policzyła do dziesięciu i drżącą dłonią wstukała datę urodzenia Beaty.

Przekręciła zamek. Sztaba odskoczyła. Dziewczyna miała wrażenie, że ziemia usuwa się jej spod stóp, a potem nagle ktoś wyłączył światło. Zemdlała.

– To mogę iść? – spytała, kiedy chwilę później ocknęła się, obaj mężczyźni zaś pogrążeni byli w analizie zawartości skrytki.

Spojrzeli po sobie.

– Ty zostajesz. My wychodzimy – stwierdził łagodnie Słoń i pomachał do dziewczyny teczką znalezioną w schowku. Nie była gruba. Zaledwie kilka stron w szarej okładce z czerwonym paskiem oraz wyblakłymi zielonymi pieczęciami. – I nie dzwoń na policję. Będziemy tam szybciej niż jakikolwiek radiowóz. Zresztą, co ja ci będę tłumaczył. Życie znasz. I powiem ci więcej: ty jesteś rozwojowa. Mamy dla ciebie zadanie.

– Dla mnie?

– I dla twojego Romea.

A potem rzucił na stół zawiniątko. Przez białą gazę przeciekała krew. Gosia poczuła, że żołądek podchodzi jej do gardła. Nie musiała rozwijać, by wiedzieć, że to jeden z palców odciętych dzisiejszego wieczoru. Nie wiedziała tylko, który jej podarowali: Gutka czy Elżbiety.

– Na pamiątkę od Pochłaniacza – rzucił na odchodne Popławski. – Tyle zostało z twojej koleżanki.

– Szkoda, że skurwysyn przeżył. – Wysportowana brunetka w bryczesach i granatowym rajtroku zerwała się z krzesła, po czym zaczęła chodzić w kółko. – Ale przynajmniej palce mu nie odrosną i nie wyjdzie do końca życia. Nie wyjdzie już nigdy. Niech tam zdechnie. Tfu!

Gosia siedziała na kanapie i wpatrywała się w Beatę Biały z niepokojem. Zastanawiała się, co z człowieka robi nienawiść. Po piękności ze zdjęć nie było nawet śladu. Kobieta była chorobliwie wychudzona, włosy miała przerzedzone, cerę koloru startych ziemniaków. Gosia obiecała sobie nigdy nie wyhodować takiej złości. Niestety, wyglądało na to, że czekają ją o wiele większe kłopoty niż problemy egzystencjalne czy uroda.

– To ta twoja Ela doniosła.

– Elżunia?

– Masz problemy z trybieniem? Wydała Gutka. Bankowo.

– Ale dlaczego?

– Bo tak! – huknęła na nią kobieta. – Bo niektórzy ludzie zrobią wszystko, by ochronić swój tyłek. Bo uznała, że skoro Gutek nie przeżyje, trzeba szukać sojuszu z Pochłaniaczem. Bo ma mentalność kurwy. Bo może chciała zachować resztę palców i nie miała innego wyjścia. Co mnie zresz-

250

tą ona obchodzi! I ciebie też nie powinna. Trzymaj się od niej z daleka. Przez tego bachora omal nie straciłam jedynej osoby na tym świecie, na której jeszcze mi zależy. Poza dziećmi, oczywiście.

Beata zadzwoniła do drzwi przed dwiema godzinami i od tamtej pory, przerywając swoją relację potokiem wulgaryzmów i obelg, opowiadała Gosi przebieg ostatniego wieczoru. Okazało się, że Gutek od dawna planował pozbyć się Beaty i jej narzeczonego. Teraz, kiedy dowiedział się o ślubie, podjął próbę ostateczną. Dwóch mężczyzn podjechało wczoraj pod stadninę. Musieli wiedzieć, że Mariusz, dżokej, w którym Beata była zakochana, ma tego dnia lekcje z młodzieżą, bo czekali na niego przed bramą. Dżokej wyszedł, by poprosić, aby przestawili wóz. Kiedy im tłumaczył, że konie się płoszą, zaczęli strzelać.

– Cyngiel wsiadł do wozu. Odjechali. Kilka przecznic dalej porzucili auto i zniknęli. Poszukiwania nie dały rezultatu. Byłam tam. Wybiegłam, kiedy tylko usłyszałam odgłos wystrzału. Jestem pewna, że gdybym pojawiła się wcześniej, mnie też próbowaliby ukatrupić. Trzymałam Maria za rękę, modliłam się i przeklinałam tego skurwysyna. – Znów poleciała solidna wiązanka. – Najgorsze jest to, że znam ich wszystkich. Prawie wszystkich: Bobasa, Gargamela, Lalusia, Tamagocziego, Strusia i Splintera. Ale ten strzelec był jakiś nowy. Niski, szeroki w barach, dosyć powolny. I chyba się potknął, może ręka mu drżała. Naćpany? Pijany? Nie wiem. Żeby z takiej odległości nie wcelować, a wywalił cały magazynek. Przecież nawet ja bym trafiła. Dzięki ci, Boże, za tego ofermę. Żadna kula nie miała prawa być śmiertelna. Oczywiście mediom tego nie powiem. Niech piszą, ile się da. Jeszcze Mario zabójcę rozpozna i wywiadów udzieli, jak tylko odzyska przytomność. Trzymają go teraz w śpiączce farmakologicznej, ale stan krytyczny minął – trajkotała Beata.

Gosia natomiast liczyła w myślach. Wyjechali z lasu o siedemnastej. Kwadrans po odstawili Tarasa pod dom. Potem pojechali do knajpy. Dwadzieścia po dwudziestej przyszedł Julek, pięć minut przed dwudziestą drugą byli pod ruderą Tarasa, pukali, walili do drzwi, ale go nie zastali. Okna pozasłaniane. Rygiel zasunięty. Kompletna cisza. Potem, kiedy Słoń z Pochłaniaczem zabrali Gutka, jeszcze raz wyszli z Sebastianem. Ukrainiec nie wrócił do tej pory, sprawdzała kilka razy. Nawet martwiła się, czy sobie czegoś nie zrobił. Kiedy wczoraj się rozstawali, był jakiś dziwny, podminowany. Teraz rozumiała dlaczego.

– A ty nie wiesz gdzie on jest? – Beata powtórzyła dobitniej. – Słyszysz mnie w ogóle?

Gosia ocknęła się i niechętnie wróciła do rzeczywistości.

– Cichodajka się na ciebie powołała. Mówię ci, lepiej zanieś go policji albo zniszcz, bo wezmą cię za współudział – kontynuowała Beata. – Mówię o tym pilocie do auta.

– Jakim pilocie?

– Do tego idiotycznego forda Ka, którym przyjechali zabójcy.

– Nie wiem, o co pani chodzi.

Beata wstała.

– Radziłabym ci się dowiedzieć. Przetrząśnij cały dom, garaż, basen osusz. Jeśli przyjdą na przeszukanie i go znajdą, leżysz. A przy okazji zabezpiecz te foty.

– Co? – Dla Gosi to już było za dużo. – Jakie foty?

– Halo, ziemia, świętoszko! Idzie o foty z Maxima. Pomogłabym ci, ale dopóki Gutek żyje, nie dołożę się nawet małym palcem do dewastacji tej nory. Nie zamierzam go prowokować. Ty to co innego. Klepki trzeba by było zerwać, wentylację rozłożyć na czynniki pierwsze. Parapety zdejmij, osłonki rur, cegły sprawdź i wyciągi. No i wanna, zabudowa w kuchni. Muszą gdzieś tutaj być.

Nagle przerwała i podniosła z sofy torebkę od Gucciego. Wysunął się z niej mały pistolecik.

– Zostawić ci?

Gosia kategorycznie pokręciła głową.

– To masz chociaż to. – Beata postawiła na stoliku pojemnik z gazem pieprzowym. – Mnie już niepotrzebne. Od dziś będę miała piękne i spokojne życie. A tak poza tym, moje kondolencje.

Dziewczyna odwróciła się, jeszcze bardziej zaskoczona niż widokiem eleganckiej broni.

– Niestety, drugie zabójstwo mu się udało. Ten kiler okazał się skuteczny. Ale rozmawiałam w szpitalu z lekarzami. Ponoć zadzierzgnięcie to bardzo humanitarna śmierć. Szybka i niebolesna. Tolek długo się nie męczył. Przykro mi z powodu twojego wujka.

– Ale ja go nie znałam. Nie wiem nawet, jak wygląda.

Beata przyjrzała się dziewczynie.

– Ty jednak niedzisiejsza jesteś. Co to, kurwa, za różnica. Anatol nie miał żony, dzieci. Żadnej właściwie rodziny. Rodzice Gutka zmarli, kiedy się zaręczaliśmy, chyba trzeci raz. Nie, czwarty. W Paryżu. Nasze dzieci wydziedziczył w testamencie za karę. Żebym ja na tym nie skorzystała. Nie walczyłam, bo on zawsze miał długi. Tylko kłopot byłby ze zrzekaniem się spadku. Chyba że to zmienił, nie mam pewności. O planach usunięcia z tego świata Anatola nic nie wiedziałam. Wystarczająco miałam z Gutkiem swoich kłopotów, by rozważać listę jego potencjalnych ofiar. Ale kończąc, wychodzi na to, że jesteś jedyną spadkobierczynią.

I nawet jeśli miałabyś dzielić się fortuną Tolka z moimi synkami, starczy dla całej trójki.

– Nadal nie rozumiem. – Gosia pokręciła głową.

– Czego, głupia! – zdenerwowała się Beata. – Jak myślisz, dlaczego Gutek tak cisnął, żeby usunąć brata? Bo go nie lubił? W żadnym razie. Lizał mu dupę przy każdej okazji i korzystał z jego kontaktów. Zlecił tę zbrodnię, bo Anatol to jeden z najbogatszych Polaków. W ubiegłym roku wskoczył na trzydzieste miejsce. Jeśli Gustaw nie przeżyje w tym więzieniu, w co nie wątpię, biorąc pod uwagę, jak działa Pochłaniacz, a on krzywd uczynionych nie zapomina, to możesz się uważać za posażną pannę.

Dla Gosi to było za wiele. Z nerwów chwyciła zaschnięte jabłko leżące na komodzie. Ugryzła je, choć nie czuła smaku, zapachu. A potem jak automat sięgnęła po karafkę i nalała sobie bursztynowego płynu do szklanki. Pomyślała, że jeszcze przedwczoraj widniała na niej szminka Eli. Przyglądała się bacznie czyściutkim teraz brzegom, a potem duszkiem wypiła zawartość. Przełyk natychmiast roztopił się w płomieniach iskierek. Poczuła ulgę. Napięcie schodziło stopniowo.

– Znajdź tego pilota. – Beata stała już w drzwiach. – Dla mojego i twojego dobra. Dla naszego wspólnego dobra. Nie będę ci słała paczek do więzienia.

Dom należał teraz tylko do niej. Pusty zdawał się większy niż był w istocie. Przez pierwsze dni przerażała ją ta cisza. Żadnego walenia do drzwi, upiornych dzwonków czy denerwujących brzęczyków wideofonu. Zupełnie nic się nie działo. Nikt jej nie odwiedzał, ona sama też nie wychodziła. Nie miała potrzeby ani odwagi mierzyć się ze światem. Pod zlewem znalazła kilka butelek z tym ciężkim alkoholem, który piła z karafki Gutka, w lodówce leżała bateria zmrożonych ruskich szampanów. Piła więc whisky, popijając szampanem, i, jak sobie przypomniała, zagryzała mielonką z puszek oraz ryżem ugotowanym w szybkowarze. Głównie spała. Zgodnie z zaleceniem Beaty przeszukała cały dom. W gabinecie zerwała nawet klepkę pod oknami, bo zdawało jej się, że deseczki mają inny odcień, i liczyła, że Gutek ma tam swój nieoficjalny sejf, ale pilota nigdzie nie było. Nie bardzo wiedziała, jak mógł wyglądać, z czasem jednak i o tym problemie zapomniała.

Zatrzymali ją tej samej nocy, kiedy zabrali Gutka. Trafiła na dołek z prostytutkami i kobietą, która próbowała zabić męża śrubokrętem. Nie zmrużyła oka nawet na chwilę. Zanim nastał świt, do celi wszedł mężczyzna w mundurze i w eskorcie strażniczek więziennych zawlókł ją do małego pokoju, gdzie brutalnie ją pobił, a potem usiłował zgwałcić. Nie udało mu się to wyłącznie z powodu dysfunkcji jego męskiego organu. Chciała wtedy stracić przytomność, ale nie było jej to dane. Pamiętała każdą sekundę tego aktu. Przekazał jej pozdrowienia z miasta i polecenie, że ma milczeć. I tak nie zamierzała nikomu już nigdy z niczego się zwierzać, więc szczerze zapewniła mundurowego, że nie puści pary z ust. Rano wpłacono kaucję. Asesor adwokacki oświadczył, że pieniądze wpłynęły z konta Beaty Biały. Gosia wiedziała, że to nie może być prawdą. Była kobieta jej ojca w banku miała jedynie długi. A jeśliby nawet dysponowała gotówką, z pewnością nie przeznaczyłaby ani grosza, by pomagać akurat jej – bękartowi innej kobiety, która zagraża jej dzieciom w kwestiach spadku. Ktoś musiał wydać jej polecenie. Ktoś, kogo Beata się bała. Do domu Gutka Gosia podjechała białą limuzyną. Zanim wysiadła, zapytała młodego prawnika tylko o jedno: jak brzmi nazwisko mężczyzny, który odwiedził ją w nocy w areszcie. Zdziwił się i jej nie uwierzył, bo przecież żeński areszt jest ochraniany przez kobiety.

Potem odkryła, że wystarczy tylko kilka szklanek lekarstwa, by świat znów wydawał się znośny. Dziwiła się, że tak łatwo można poprawić sobie nastrój. Gdy tylko wpadała w depresję, już sam dźwięk otwieranej flaszki i gulgot wódki nalewanej do szkła sprawiały, że czuła się lepiej. Taras się nie pojawił. Nie wiedziała też, co dzieje się z Sebastianem. Bała się dzwonić. Bała się wyjść z domu, rozmawiać z ludźmi. Bała się wytrzeźwieć. Przemieszczała się więc między stertami rzeczy, które sama wyrzuciła z półek i szuflad. Czasami, dla odprężenia, przebierała się za Beatę. Nie wszystkie ubrania okazały się zniszczone. Na przykład część sukienek dało się zacerować. Najpierw naprawiła powłóczystą, czerwoną. Kiedy zdjęła z manekina złotą kreację, najprawdopodobniej zaręczynową, tę pociętą w wąskie paski, korpus rozpękł się i z wnętrza wysypały się koperty ze zdjęciami, pakiet negatywów oraz saszetka z biżuterią. Gosi serce podeszło do gardła ze strachu, ale i z radości. Obejrzała znalezisko pobieżnie, schowała z powrotem do kapsuły z manekina i poszła po nową flaszkę. Miała powód, by świętować.

W wiadomościach podali, że na Wybrzeżu doszło do strzelaniny na tle porachunków mafijnych. Wybuchły także dwa ładunki pod samochodami bossów półświatka. Zginęło kilku żołnierzy Słonia, których znała, w tym Bobas, Gargamel, Szulc, a także tacy, o których słyszała po raz pierwszy. Mówiono, że egzekucji dokonano na tle konfliktów o kanał narkotykowy. Szczegółów nie podano. Tabloidy publikowały zdjęcia z biesiad bossów: Kurczak ze słynnym bokserem Julianem Górskim, który tym sposobem awansował w publikacjach prasowych na przywódcę trójmiejskiej mafii. Gosi chciało się z tych doniesień śmiać. Nikt nie wspominał o Słoniu, Pochłaniaczu oraz prawdziwych szefach gangu z Wybrzeża, którzy bywali w mieszkaniu Gutka, choćby tydzień temu. Jej ojca oskarżono o dwa zabójstwa: rywala i brata. Nikt nie zająknął się, że deweloper ma powiązania z mafią. Dziennikarze twierdzili, że Gutek zlecił oba zabójstwa z zazdrości. Na początku Gosia martwiła się, jak bardzo skatowano Sebastiana, czy jej chłopiec nie trafił do więzienia. Szybko jednak wszystko zlało się w jeden niezrozumiały sen.

Którejś nocy, kiedy przespała cały dzień i w kompletnych ciemnościach zasiadła przed telewizorem, by oglądać bardzo dziwne transmisje teatralne, ktoś zastukał w okno balkonowe. Przestraszyła się, bo rolet od dawna nie zasłaniała, a w rozświetlonym pokoju szyby odbijały jej wizerunek jak zwierciadło. Kto znajdował się za szybą, od strony basenu, nie widziała wcale. Chwyciła gaz pieprzowy, który zostawiła jej Beata, i niemrawo ruszyła do okna. Kiedy wstała, zarzuciło nią i sama się zdziwiła, jak bardzo jest pijana. Z trudem odblokowała klamkę. Po drugiej stronie zobaczyła Jelcyna, szefa sali w Maximie.

W rękach miał siatki z jedzeniem, a przez ramię przewieszony worek żeglarski. Poczuła się tak, jakby nadeszła odsiecz. Bez wahania rzuciła mu się na szyję.

– Powoli, daj mi wejść do środka – stękał grubas.

Ale gdy tylko poczuł jej oddech i zauważył pobojowisko w mieszkaniu, wstawił ją pod prysznic oraz zaaplikował płukanie żołądka.

– Jeszcze kilka dni, a wpadłabyś w delirkę – powiedział następnego dnia, kiedy zmusił ją do zjedzenia jajecznicy na boczku. – Nie żartuję.

Jelcyn spędził noc na kanapie w salonie. Gosia obudziła się w łóżku Gutka – tym samym, na którym ostatni raz widziała uprawiającą z nim seks Elżunię. Wykopała się z kołder ze wstrętem i natychmiast pobiegła pod prysznic. Kiedy wyszła, zorientowała się, że ktoś poodkurzał, zlikwidował stos butelek porozstawianych w różnych częściach domu, a także wyniósł śmieci. Jelcyn kończył właśnie myć piekarnik.

– Teraz porozmawiamy. – Postawił przed dziewczyną gorącą kawę i podał dwie tabletki przeciwbólowe. Po kilkudniowym przepiciu dziewczyna czuła się tak, jakby ktoś wrzucił jej głowę do karuzeli dla chomika z bogato rozmnożonym stadem na stanie. – Wiesz, jaką rolę przewiduje dla ciebie Słoń?

Gosia pokręciła głową.

– To się dowiesz ode mnie, ale jak przyjdzie co do czego, udawaj zaskoczoną. – Przerwał taktycznie. – Nie będzie trudna, lecz kluczowa. Masz zginąć.

Gosia zakrztusiła się kawą. Karuzela w jej głowie natychmiast się zatrzymała. Najchętniej pobiegłaby po jakąś flaszkę i upiła choć łyczek. Jelcyn tymczasem ciągnął:

– Nie wydaje się to skomplikowane, skoro jeszcze wczoraj próbowałaś otruć się alkoholem etylowym. Różnica jest nieznaczna. W tej drugiej wersji muszą być jedynie świadkowie zgonu. Skoro już znasz finał, przejdźmy do gry wstępnej. Początek idzie zgodnie z planem Słonia. Jutro macie się całować z Lalusiem na oczach żony generała. Pieska wypuścisz, on powinien szczekać. Takie małe zawsze szczekają. Miejsce będzie pod obserwacją. Dowiozą was pod sam cel. Nie ruszaj się stamtąd, aż będzie po wszystkim. Nie biegnij, nie krzycz, nie panikuj. Macie wrócić z tego spaceru rozanieleni, jak zakochana para znad morza pięć dni temu.

Gosia podniosła głowę i zmrużyła oczy.

– Ja wiem wszystko – podkreślił Jelcyn bez uśmiechu.

– Wszystko?

– Niektóre szczegóły mniej mnie interesują – odparł. – Inne bardziej. Jak na przykład przebieg jutrzejszej operacji. Trudno przewidzieć, co się stanie dalej, ale będzie dla was samochód. Dwaj moi ludzie zawiozą was do lasu. Tam zmienicie bryki i rozdzielicie się.

– A potem?

– Potem? – zastanawiał się Jelcyn. – Potem miałaś być już trupem.

Gosia się odsunęła. Patrzyła jak skrzywdzone zwierzę, gotowa drapać i gryźć. Czekała w gotowości do walki lub ucieczki. W zależności od dalszego rozwoju wydarzeń.

– O tym właśnie mówię. – Jelcyn poklepał ją po ramieniu. – Prawdziwy talent. Samorodek. Tylko cel jest dla ciebie ważny. Lekcja numer jeden: emocje da się okiełznać, jeśli człowiekowi wystarczająco mocno zależy na przeżyciu.

– Mnie na niczym nie zależy – weszła mu w słowo Gosia. – Nic nie mam, więc nie mogę niczego stracić.

Jelcyn nie odpowiedział. Ważył jej słowa. Kiedy w końcu się odezwał, w jego głosie wyczuła troskę:

– Ponieważ sporo zainwestowałem w interes z Gutkiem, no i winien jestem to twojemu staremu, po znajomości odroczę ci zostanie zwłokami, jak tego chce Słoń. To już moja część strategii. Tajna – podkreślił. – Zamiast tego wyprawisz się w podróż. Byłaś za granicą?

– Nigdy – pośpiesznie odparła Gosia. – Ale marzę o tym od zawsze.

– Więc Święty Mikołaj przybędzie. Dostaniesz dokumenty, pseudonim i będziesz kimś zupełnie innym. Tak jak zawsze chciałaś.

– To też pan wie? – zadrwiła, ale w głębi ducha czuła radość i co najdziwniejsze – wdzięczność. Dlatego dodała, wprawiając mężczyznę w prawdziwe zdumienie: – Nikt nie był dla mnie tak dobry. Mówię poważnie.

– Nie jestem dobry. Jestem pragmatykiem.

– Dlaczego więc opłaca się panu ratować Kopciucha?

– Mam swoje powody.

Gosia zastanowiła się, zanim zapytała:

– Muszą być poważne, bo to już trzeci raz. Zaczynam się zastanawiać, czego pan za to chce.

Jelcyn wpatrywał się w nią w milczeniu. Nie podejmował wątku. Widziała w jego oczach podziw dla jej intelektu i odwagi.

– Najpierw wyciągnął mnie pan z kłopotów, kiedy byłam świadkiem podziału łupów, na tyłach Maxima. Umieścił mnie pan u Gutka. To pan kazał mu mnie adoptować. Potem w więzieniu, kiedy ten strażnik... – Nie dała rady dokończyć zdania, ale dotknęła odruchowo twarzy, na której wciąż zieleniał potężny siniak. – Wpłacił pan kaucję. Pani Beata nigdy by tego nie zrobiła. Ona... ona... wolałaby, żebym tam została.

Jelcyn roześmiał się gromko. Był szczerze uradowany.

– Sama ją wpłaciłaś. Ze swoich pieniędzy. Tyle że rękoma Beaty. Tak przy okazji, gdyby w przyszłości czegoś od ciebie chciała, nie zgadzaj się. Już dostała swoją dolę z kasy Gutka. On już nie wróci.

Dziewczyna odruchowo pokręciła głową.

– Jak to? – zdołała wyszeptać.

– Tak będzie – potwierdził Jelcyn. – Tak czasami wychodzi. Musisz to przyjąć do wiadomości. Za długo nie pocieszyłaś się staruszkiem, co? – Uśmiechnął się.

Gosia się zawahała.

– Nie sądzę, bym bardzo tęskniła – odparła butnie, co znów wzbudziło aprobatę Jelcyna, choć starał się przywołać na twarz wyraz współczucia.

Próbowała ułożyć nowe fakty w logiczny ciąg, ale wciąż nic nie rozumiała. Odkąd pamiętała, nie miała domu, ojca, majątku ani żadnego przyjaciela. Poza Elżunią, rzecz jasna, która wciąż wpadała w tarapaty i tylko dlatego, że Gosia trzęsła się nad nią, nieustannie ratowała ją z opresji, przyszywana siostra ją tolerowała. Teraz nagle okazuje się, że komuś opłaca się jej pomagać, a nawet wyłożyć za nią z jej perspektywy ogromną kwotę. O co tutaj chodzi?

Jelcyn wyciągnął potężną dłoń, jakby chciał jej dotknąć. Zanim zdołał przytulić dziewczynę, odskoczyła, obrzucając go drapieżnym spojrzeniem. To zwykle wystarczało, kiedy ktoś próbował się do niej dobierać. Dalsze umizgi potrafiła odeprzeć siłowo. Ale Jelcyn nie był napastliwy. Gosia poczuła się nawet głupio, że zaliczyła go do seksualnych oprawców. Wyglądało na to, że miał dobre intencje. A jednak coś jej się nie zgadzało... Instynkt podpowiadał: wiać. Tyle że Jelcyn był jej jedynym sojusznikiem. I choć nie ufała mu, nie miała nikogo innego.

– Barnaba posunął się do czegoś więcej? – zapytał teraz Jelcyn.

Pochyliła głowę.

– Tego nie było w umowie. Czasami ludzie przekraczają swoje kompetencje. Jesteś bardzo atrakcyjną dziewczyną. Musisz zrozumieć.

Uniosła podbródek, zacisnęła usta. Oczyma ciskała błyskawice. A potem nagle rozpromieniła się, jakby przypomniała sobie coś miłego.

– Nic się nie stało – oświadczyła nieszczerze. – Chciałabym tylko poznać jego nazwisko.

– Barnaba Światowid Kiszka – odparł po namyśle Jelcyn. Odchrząknął. – Nie mogę ci obiecać, że zostanie upomniany. Chyba rozumiesz...

– To mi wystarczy – zapewniła. – Lubię niektóre dane poznać i zapamiętać.

Teraz mężczyzna roześmiał się z podziwem. Nie powtórzył żadnego komplementu, ale czuła, że jej odpowiedź go usatysfakcjonowała. Wyciągnął dłoń.

– Mów mi Jelcyn.

Po latach w bidulu wiedziała, że szybko zawiązana przyjaźń kończy się zwykle wrogością, ale podała mu rękę bez wahania.

– Gosia.

Następne jej pytanie odgadł, zanim zdążyła je zadać.

– Lalusia też uratujemy, jeśli będzie działał zgodnie z instrukcjami. Jeśli nie odbije mu palma i nie zacznie strugać bohatera. Taras jest niestety pozamiatany.

– Co pan ma, co masz… – zaraz się poprawiła – na myśli? Jelcyn ściągnął białe brwi. Potarł potylicę.

– Nic nie wiesz? Może i dobrze, że skitrałaś się tutaj z tymi flaszkami. Czasem lepiej się nie denerwować. Taras wygrał casting na cyngla. Piar Gutka zadziałał skutecznie. Po zabójstwie Anatola Moro i nieudanym, ale jednak spektakularnym ataku na dżokeja nasza złota rączka jest obecnie gwiazdą polskiej kilerki. Poza tym jest najbardziej ekonomiczny na rynku. Pracuje charytatywnie, bo jak się domyślasz, Gutek siedzi i raczej prędko nie wyjdzie, więc nie zapłacił Afganowi ani grosza, a po takiej gorącej sprawie cenniejsza od pieniędzy jest krysza. Tak się składa, że Słoń z Pochłaniaczem mu ją dają. Zakitrali go w zaprzyjaźnionej agencji. Wożę mu jedzenie. – Wskazał na żeglarski worek wypełniony fasolą i gołąbkami w słoikach. – Musi jeść nam z ręki, wykonywać polecenia. Inaczej Słoń wystawi go w try miga organom ścigania i zrobią popisowy proces. Cały kraj oblepiony jest jego podobiznami. Ludzie kopiują jego tatuaże. Świat schodzi na psy.

Gosia chciała uprzedzić Jelcyna, że to pomysł najgorszy z możliwych. Przecież Taras boi się huków, ma traumę wojenną, słaby wzrok i spalił akcję z dżokejem właśnie dlatego, że miał zabijać z broni palnej. To nie był przypadek ani zwykły stres.

Nic jednak nie powiedziała.

– A jeśli się nie uda, co z nim zrobicie?

– Co ma się nie udać? – żachnął się grubas. – Zawsze się udaje. Nie ten raz, to następny. Ciebie interesuje, żebyś swoją rolę odegrała porządnie.

– Całowanie? – Gosia uśmiechnęła się zawstydzona.
– Chyba sobie poradzę.

– Jakie tam całowanie – przerwał jej Jelcyn. – Kiedy bambry będą strzelać i ganiać się po podjeździe, z przedniego siedzenia wozu Grubego Psa masz zabrać kopertę. Szara, z czerwonym lakiem. Albo biała, bez ozdób. Może będzie w reklamówce, aktówce, papierze po śledziach. Nie wiem. Ale to w tej chwili najcenniejsza rzecz w tym kraju. Warta więcej niż konstytucja, hymn narodowy i wydruk z konta prezydenta razem wzięte. Generał Leki będzie ją miał, bo jest na nią kupiec. A on chce dobić targu.

– Kto jest tym kupcem?

Jelcyn uśmiechnął się zagadkowo i Gosia już wiedziała, że ów tajemniczy ktoś siedzi właśnie przed nią, popijając zimną kawę.

– Mniej wiesz, dłużej żyjesz. – Poklepał Gosię po policzku. – Wyższa polityka. To nie jest kłopot do zaprzątania takiej ładnej główki, jak twoja.

– A jeśli koperty nie będzie?

– To znaczy, że się spóźniłaś. Nie przesadzaj więc z tym mizdrzeniem.

– Czyli wszyscy idą po ten dokument?

– Zawsze mówiłem, że będą z ciebie ludzie.

Gosia się nachmurzyła.

– A co stanie się ze mną, jeśli go nie znajdę?

– Nie ma takiej opcji – zaperzył się Jelcyn. – Znajdziesz. I przyniesiesz go do mnie. Nikomu nic nie mów. Nawet Lalusiowi. Tylko tobie jednej ufam.

Tym jednym zdaniem mężczyzna upewnił Gosię, że powinna się zabezpieczyć. Nie tylko zadbać o siebie, ale i o najbliższych. Kiedy tylko Jelcyn poszedł się wykąpać, ruszyła do gabinetu ojca i wyjęła z manekina wszystko, co tam znalazła. Pliki pożółkłych dokumentów. Koperty z kompromitującymi fotografiami z Komory Sinobrodego w Maximie, które Gutek trzymał do szantażu. Przejrzała je znudzona, bo nie znała twarzy głównych bohaterów w lateksach, a homoseksualne inscenizacje były banalne. W przykręcanej nodze, na której mocowano manekina, znalazła wydruki z kont bankowych, kilka paszportów, czerwony notes z listą nazwisk oraz pliki dwudziestodolarówek powiązanych w rulony. Z tego ostatniego znaleziska ucieszyła się najbardziej. Potem poszperała w papierzyskach i w małym woreczku odkryła złoto. Obrączki ślubne z niewielkim rubinem, łańcuch gruby na palec, dwa sygnety, kolorowe kamienie pod oprawę oraz złotą certinę na skórzanym pasku. Zegarek założyła na rękę. Resztę zapakowała do sportowego plecaka. Zamknęła szafę, do sejfu w ścianie włożyła wyjęte na chybił trafił dokumenty z segregatorów. Wcześniej odpowiednio je zgniotła i spakowała w papierowe teczki. Po namyśle dołożyła do sejfu jeden rulon pieniędzy i biżuterię, w tym certinę, choć się jej podobała. Była jednak zbyt charakterystyczna i Gosia obawiała się, że Jelcyn domyśli się, iż odkryła schowek. A potem, jak gdyby nigdy nic, przebrała się w dżinsy i bluzę z kapturem. Kiedy Jelcyn opuszczał dom Gutka, Gosia siedziała już z książką na sofie i udawała bardzo zaspaną.

– Nie pij. – Pokiwał do niej palcem ostrzegawczo. – Najlepiej wcale.

Po czym wyszedł bez pożegnania, ale na jego ręku zobaczyła zegarek ojca, więc w ten prosty sposób, zupełnie nieświadomie, zawiadomił ją, że opróżnił sejf. Gosia odczekała dwie minuty i nie gasząc światła, pogłośniła ulubiony kanał Gutka, na którym teraz dla odmiany występowała Maryla Rodowicz. Następnie ruszyła tropem szefa sali w Maximie tą samą drogą – przez wyjście na basen. Schodkami przeciwpożarowymi zeszła na ulicę. Miała nadzieję, że Jelcyn nie weźmie taksówki. Prawa jazdy nigdy nie zrobił. Zawsze korzystał z pomocy kierowców Słonia lub Gutka. Na szczęście nie uszli daleko. Trzy przecznice dalej, przy ulicy doktora Teofila Zegarskiego, w domu bardzo podobnym do tego, który zbudował sobie Gutek, mieściła się agencja Shade. Gosia dobrze ją znała, ponieważ obok znajdował się dom sióstr zakonnych. Niektórzy klienci mylili te dwa przybytki i poszukując uciech cielesnych, nocami burzyli spokój mniszek. Kiedyś, zanim stanęła na zmywaku, najmowała się tam do sprzątania. Schowała się za drzewem i czekała, aż teren będzie czysty.

Nie musiała nawet podpatrywać kodu, jaki wpisuje Jelcyn, by wejść do środka. Jeszcze go pamiętała.

Taras na jej widok zbaraniał, a potem przytulił ją po ojcowsku. Tak jak kiedyś, na schodkach przed Maximem, bardzo tego potrzebowała. Teraz jednak to ona dawała mu wsparcie. To z jej mocy czerpał potężny jak mały niedźwiedź mężczyzna. Prawie nie rozmawiali. Streściła mu krótko plan ucieczki i obiecała, że wyjadą razem. Bez ceregieli wcisnęła mu do ręki rulon dolarów, łańcuch oraz oba sygnety. Opuściła agencję, zanim zeszły się dziewczęta, by sprawdzić, kto robi im konkurencję. Resztę pieniędzy i precjozów zaniosła Sebastianowi. Spytał, czy zostawiła coś dla siebie, więc odparła, że chyba nie zamierza wyjechać bez niej.

– Nigdy – zapewnił, a następnie rozebrał ją i ułożył na łóżku.

To była jej pierwsza noc spędzona z mężczyzną oraz ostatnia, kiedy komuś bezgranicznie ufała.

O umówionej porze Jelcyn czekał na tylnym siedzeniu pordzewiałego audi i kończył śniadanie. Z kanapki ściekał mu majonez, na podołku leżały skorupki od jaj, a obok, oparty o zagłówek, stał termos z kawą.

– Reflektujesz?

Gosia skinęła głową. Upiła łyk czarnej lury. Była obolała od obściskiwania, nasycona endorfinami i serotoniną. Miała wrażenie, że składa się tylko z ciała, które unosi się lekko nad ziemią. Zdrzemnęli się z Sebastianem może na dwie godziny. Z trudem dowlokła się do domu, zanim podjechał transport.

– Ciężka noc? – zagaił Jelcyn, widząc bladego Lalusia z malinką na szyi.

Spojrzał jeszcze raz na Gosię i natychmiast połączył fakty.

– Niestety, cierpię na bezsenność – odciął się Sebastian.

Mrugnął figlarnie do Gosi, która zajęła miejsce obok Jelcyna, a potem zaczął sobie szykować lusterka, przeglądał mapy, mył szyby.

– Dzisiaj masz wolne, Laluś – usłyszał chrapliwy głos Kurczaka. – Przejmujemy stery.

Z drugiej strony nadeszli skrzat oraz kapitan Piotr Maria Stokłosa. Pochłaniacz machał do nich z podjeżdżającego auta.

Gosia i Sebastian wymienili spojrzenia.

– Mówione było, że do zobaczenia, panie Laluś – rzucił kapitan.

– Jak mus, to mus – mruknął Sebastian. Po czym bez ociągania przysiadł się do Gosi i natychmiast rozpromienił: – Dzień dobry, kwiatuszku.

– A gdzie Afgan? – Skrzat się rozejrzał. – Czy po pana gwiazdę trzeba zajeżdżać?

– Ruszajcie. – Jelcyn strzepnął skorupki jaj na asfalt i wysiadł. – Szkoda czasu. Zgarniecie go po drodze.

Kapitan długo wpatrywał się jeszcze w Gosię, jakby starał się pojąć, jaka jest jej rola w tej drużynie. Dziewczyna uparcie go ignorowała. W końcu Jelcyn klepnął kufer wozu, jakby poganiał konia. Kurczak ruszył z piskiem opon. Skrzat schwycił za rączkę przy podsufitce. Sebastian nawet na chwilę nie puszczał dłoni Gosi. Choć z tyłu było mnóstwo miejsca, siedzieli zetknięci udami, jakby byli zrośnięci.

Prawie kwadrans czekali pod budynkiem agencji, w której ukryto Tarasa. Zaspane dziewczęta poinformowały, że Ukrainiec jest na miejscu, ale nikt nie schodził. Wreszcie poszedł po niego Sebastian. Minął kolejny kwadrans. Kurczak klął i naciskał klakson. Gosia dwa razy oferowała swoje wsparcie, ale podporucznik Biskupski odmawiał. Atmosfera stawała się coraz bardziej nerwowa. W końcu wyszli. A raczej Sebastian holował pijanego w sztok Tarasa, który słaniał się na nogach i mruczał coś pod nosem. Kurczak wyskoczył z wozu, z miejsca chciał obić Ukraińcowi pysk.

– Wstawiłem go pod prysznic. Wyrzygałem. Prześpi się i będzie dobrze – łagodził sytuację Laluś.

Ruszyli.

Podporucznik Biskupski włączył drugi program Polskiego Radia, więc całą drogę umilał im Jan Sebastian Bach na zmianę z inną muzyką barokową. Pasażerowie głównie milczeli. Tylko co jakiś czas ciszę przerywało głośne chrapanie Ukraińca.

Mimo początkowych trudności na miejsce przybyli dwie godziny przed czasem. Ustawili się na skraju parku, ale nawet nie wysiadając z wozu, Gosia dostrzegła same znajome twarze. Podstawieni byli przechodnie, rowerzysta, trzech łebków udających, że zepsuło im się auto, które to podnosili, to opuszczali na lewarku. Na parkingu widziała co najmniej cztery zaparkowane koślawo wozy i tylko jedno miejsce nadające się do postawienia większej limuzyny. Domyśliła się, że kiedy generał podjedzie na miejsce, nie będzie miał wyboru. Zostanie osaczony. Czekanie było najgorsze. Chciała do toalety, ale nie wiedziała, czy w krzakach nie czają się ludzie gangu. Nie była już pewna, czy strażnicy miejscy, hydraulicy, kominiarze i cały zastęp listonoszy nie mają pistoletów pochowanych w kieszeniach. Czuła, że jest bliska obsesji. Nagle podbiegła jakaś kobieta, zastukała w szybę i podała jej pieska. Był to włochaty york na różowej smyczy. Od razu nasikał jej na kolana.

– Chyba powinnam z nim spacerować? – zwróciła się do Kurczaka.

Gangster też był zdenerwowany. Palił jednego papierosa za drugim, warczał do Biskupskiego i przełączał mu kanał na techno. Walczyli o radio, jakby chodziło o czyjeś życie.

– To idź – wydał w końcu rozkaz Kurczak. – Ale jeszcze nie na posterunek. – Dam ci znak.

Tylko Taras wciąż spał najspokojniej na świecie.

– Stuknij Afgana, niech się ożywi. Sprawdzi rurki czy chociaż się przewietrzy. Napierdział mi tutaj fasolą, aż się rzygać chce.

– Będzie dobrze, Kurczaczku – zapewnił setny raz podporucznik. – To chochoł. Oni działają na przycisk on/off.

Gosia wypuściła pieska i ruszyła z nim na obchód. Po chwili dogonił ją Sebastian.

– Boję się – powiedziała szeptem.

– Nic się nie martw.

– Boję się o Tarasa. On... Wiesz przecież. Nie da rady.

– Da radę – zaśmiał się Sebastian. – Widziałaś jego blizny? To zawodowiec.

– On wtedy nie żartował.

– Przecież w jedną noc zrobił dwa zabójstwa. O innych nie wiesz. Sam byłem świadkiem, jak udusił faceta gołymi rękoma. Nie powinienem ci tego mówić... – Przerwał.

Gosia się zatrzymała.

– To się nie uda. Oni to wiedzą. Coś mi tu śmierdzi.

– Spokojnie, najdroższa.

Strzepnęła dłonie chłopaka ze swoich ramion.

– Masz plan B?

Sebastian patrzył na nią skołowany.

– A jeśli nas nie odbiorą? Albo odstrzelą w tym lesie po akcji? Nie podstawią innych aut? Do czego im jesteśmy potrzebni po wykonaniu zadania? Wiemy za dużo. Po co komu świadkowie?

Sebastian westchnął zrezygnowany.

– Wałkowaliśmy to całą noc.

– Ty nic nie mówiłeś. Nie mamy planu B – panikowała dziewczyna.

Nagle wszyscy na stanowiskach zamarli. Gosia widziała teraz trzech obserwujących na klatkach. Była pewna, że na dachu też są odpowiedni ludzie. Zdawało jej się, że słyszy trzask krótkofalówki.

– Przepraszam cię. Chyba wariuję.

Przytulił ją. Kurczak zamigał do nich światłami.

– Zaczęło się. – Odsunęła się nagle. – Chodźmy.

Sebastian karnie ruszył za nią chodnikiem. Spuścili psa ze smyczy. Na parking wjechało wiśniowe espero. Kierowca zatrzymał się przy wjeździe i rozejrzał za miejscem do parkowania. Gosia wzięła Sebastiana za rękę. Patrzyli na psa, który ruszył w bok i zaczął węszyć. Wokół nagle zrobiło się pusto. Poza nimi i wiśniowym espero na podjeździe nie było nikogo. Samochód kierował się na jedyne wolne miejsce pod blokiem. Z klatki wyszła kobieta z jamnikiem. Wypożyczony york zaczął przeraźliwie szczekać. Gosia uśmiechnęła się do Sebastiana. Nachylił się i delikatnie ją pocałował.

– Jeszcze nie – wyszeptała przez zęby.

– Każda okazja jest dobra – mruknął i znów ją przytulił.

Z wiśniowego wozu wysiadła kobieta z zakupami.

– To nie on – oświadczyła dziewczyna nieco głośniej niż trzeba. – To jakaś baba.

Wtedy zza zakrętu wychylił się Taras. Gosia widziała, jak wyciąga pistolet. Zdawało się jej, że długa lufa tłumika wprost trzęsie się w rękach Ukraińca. Tymczasem na parking wjechało kolejne espero. Tym razem zielone. Kierowca zatrzymał się, bo kobieta z siatkami grzebała się, zajmując niemal cały przejazd. Z samochodu wysiadł wysoki, szczupły mężczyzna w marynarce. Drzwi zostawił otwarte, silnik wciąż pracował. Zamienił z kobietą kilka słów, a potem wsiadł z powrotem do wozu, by wycofać i poszukać innego miejsca do zaparkowania. Taras znajdował się sto metrów od tej pary. Szedł na lekko ugiętych nogach, kryjąc się nieudolnie między wozami, jakby z trudem trzymał równowagę. Sebastian pochylił się, by znów pocałować Gosię, ale ta się uchyliła. Za winklem dostrzegła zakapturzoną postać.

Człowiek krzyknął, błysnął metal. Otwarły się drzwi zielonego auta.

– Uciekaj! – Gosia uderzyła Sebastiana w pierś. – Czekaj na mnie w lesie.

Sama zaś ruszyła biegiem w kierunku zielonego wozu, by ostrzec Tarasa. Wtedy padł głuchy strzał. Potem jeszcze kilka, jakby bzyknięcia komara. Kobieta od zakupów zaczęła głośno piszczeć. Psy szczekały. W oddali zawyła syrena. Taras zatrzymał się, złamał się wpół, jakby ukląkł, a potem wstał. Lufę miał wciąż skierowaną w chodnik. W oddali zaś widać było sylwetkę uciekającego mężczyzny w bluzie z kapturem. Twarz zasłaniał mu daszek bejsbolówki. Był postawny, raczej niemłody. Postrzelona kobieta cicho rzęziła wśród siatek z zakupami. Taras dobił ją jednym strzałem. Zapadła cisza. Mężczyzna z zielonego espero nie wydał nawet tchnienia. Siedział z głową przechyloną na bok i ugiętymi nogami, jakby za chwilę miał wysiąść z auta. Szyba od strony pasażera była uchylona. Gosia dostrzegła na siedzeniu segregator. Chwyciła go i ruszyła w długą. W oddali widziała biegnących z różnych stron ludzi. W tym Sebastiana i Tarasa, którzy zgodnie z umową zmierzali do tego samego miejsca w parku. W pewnym momencie się zrównali. Czuła, że brakuje jej tchu, że szybciej już nie zdoła. Ale jednak było to możliwe. Szczęśliwie dotarli do zakrętu. Na miejscu auta, którym przyjechali, była tylko niewielka plama oleju.

– Co teraz? – wychrypiał Taras.

Gosia wyrwała mu broń z ręki. Wcisnęła pistolet Sebastianowi.

– Bierz którekolwiek.

Sebastian przestrzelił zamek w jednym z zaparkowanych wozów. Rozległ się symultaniczny alarm.

– Do lasu – zadecydowała dziewczyna.

Ruszyli w tamtym kierunku. Kiedy przedarli się przez gąszcz drzew, poczuła się bezpieczniej, choć wiedziała, że to iluzja. Taras chrypiał ciężko. Bardzo mocno zostawał w tyle.

– Dopadną nas. – Pierwsza załamała się Gosia.

Zatrzymała się, oparła ręce o kolana. Położyła segregator na ziemi. Wypadły z niego notatki z lekcji angielskiego, tablice czasowników nieregularnych, kserówki ćwiczeń. Przerzucała dokumenty i czuła, jak łzy płyną strumieniami po jej policzkach, chociaż wcale nie chciała płakać. Sebastian szarpnął ją.

– Nie – zbuntowała się. Uparcie wertowała pliki kartek, szukała rozpaczliwie jakiegoś dokumentu, który byłby wart ludzkiego losu. Nic tam nie było. – Muszę wrócić – zameldowała.

Sebastian kręcił głową, nic nie rozumiejąc.

– Zaraz będzie tam pełno glin. Nie wolno ci! – krzyczał, ale Gosia już biegła z powrotem.

Zatrzymała się i przyjrzała gęstwinie.

– Idźcie – powiedziała.

– Nie zostawię cię – uparł się Sebastian. – To szaleństwo.

Taras wskazał skrzynkę elektryczną. Zacisnął usta i z trudem zapiął kurtkę, by młodzi nie zobaczyli potężnego krwotoku.

– To pierwsze miejsce, gdzie będą nas szukać – zdenerwował się Sebastian.

– Muszę – odparła Gosia. – Tylko wtedy mamy szansę przeżyć.

– Tego szukasz?

Zza transformatora wychylił się mężczyzna w bejsbolówce. Gosia od razu skojarzyła go z osobą uciekającą z miejsca zbrodni. To on dokonał egzekucji na generale.

Mężczyzna trzymał w ręku kopertę z jakimiś papierami. Głowę miał pochyloną, przysłoniętą dodatkowo daszkiem, ale kiedy z głowy spadł mu kaptur, mogli bardzo dokładnie przyjrzeć się jego twarzy. Był cały spocony. Po potylicy spływały mu strugi potu. Zdawał się jeszcze bardziej przerażony niż oni. O ile masa mięśniowa przydawała mu się na ringu, o tyle w szybkim truchcie była raczej przeszkodą. Efekt jeszcze potężniejszej sylwetki mężczyzna osiągnął, nakładając kilka warstw ubrań. To też zapewne spowalniało jego ruchy, bo kiedy uciekał, nie był w stanie rozwinąć prędkości. Gosia z bliska widziała go tylko raz, w maleńkiej smażalni, na pierwszej randce z Sebastianem, ale poznała go bez trudu. Jego zdjęcia widywała przecież w gazetach, czasami obserwowała go z oddali, kiedy stał na bramce w Maximie.

– Ty kurwo – krzyknął do przyjaciela Sebastian.

Głos uwiązł mu w gardle, bo Julek trzymał teraz na muszce Tarasa, który od pasa w dół cały był już zbroczony krwią. Nie miał sił ukrywać przed młodymi poważnego postrzału. Dawał im tylko jakieś niezrozumiałe znaki. Gosia i Sebastian zaczęli się cofać. Syreny policyjne było słychać coraz wyraźniej.

– Gdzie Jelcyn? – Gosia była przerażona. – Gdzie nasze wozy?

– Nie dali mi wyboru, Seba. – Julek odsunął lufę od szyi Ukraińca i strzelił do dziewczyny.

Sebastian zdążył jednak popchnąć Gosię na pobliskie drzewo. Upadła na twarz. Z nosa buchnęła jej krew, wargę miała rozciętą. Poczuła w ustach słonawy smak. Rozległ się kolejny strzał, potem trzeci. Za czwartym razem broń mu się zacięła. Wtedy Julek stracił czujność. To wystarczyło Tarasowi, by jednym ruchem wyłamać zabójcy ramię w łokciu i przygwoździć go do ziemi. Sebastian doczołgał się do broni, kopnął ją daleko w krzaki. Gosia wpatrywała się tępo, jak Ukrainiec gołymi rękoma dusi napastnika, a potem podeszła do trupa boksera. Przeszukała mu kieszenie. Miał ze sobą dokumenty oraz kluczyki do auta. Znów wstąpiła w nią nadzieja.

– Znajdziemy ten wóz.

Upadła na kolana i zaczęła wpinać do segregatora rozsypane notatki generała. Między jedną lekcję angielskiego a drugą wsunęła materiały zdobyte przez martwego wroga, ale po namyśle wyjęła je i wcisnęła sobie za pasek od spodni. Znalazła pistolet, z którego strzelał Julek, owinęła go apaszką i schowała do wewnętrznej kieszeni kurtki. Sebastian miał zamknięte oczy, ale oddychał. Jego twarz była blada jak papier. Kucnęła przy nim, pogładziła po policzku. Wykrzywił się z bólu.

– Uda się nam. Uciekniemy – powtarzała.

– Nic mi nie jest – wysyczał, choć oboje wiedzieli, że kłamie.

Krwawił niewiele, ale coraz bardziej odpływał. Uderzyła go po twarzy. Ocknął się, wykrzywił kącik ust, jakby do uśmiechu. Przyłożyła usta do jego czoła, a potem szarpnęła kurtkę, rozrywając zamek. Był ranny nie tylko w nogę, ale i w ramię. Taras rwał w tym czasie na strzępy swoją koszulę i starał się zatamować krew sikającą wciąż z brzucha. Gosia zabrała się do robienia mu opatrunku. W końcu, wspólnymi siłami, udało im się obwiązać tors Ukraińca prowizoryczną opaską uciskową ze szmat i powiązanych szalików. Zdawało się, że to wszystko trwa bardzo długo. Chwycili Sebastiana pod ręce.

– Możesz iść?

Sebastian skinął głową, ale omdlewał. Gosia była zbyt słaba, by go ciągnąć. Taras wziął więc chłopaka na plecy.

Z trudem dotarli do osiedlowej ścieżki, przy której stał zaparkowany tylko jeden samochód. Musieli przejść przez jezdnię. Gosia wyciągnęła kluczyki, szarpnęła Sebastiana do przodu. Taras ledwie łapał oddech. Z trudem stał na nogach.

– Zaczekam – jęknął i upadł, jakby ktoś wyłączył zasilanie niedźwiedziego ciała.

Gosia ułożyła przyjaciela w rowie i obiecała, że sprowadzi pomoc. Chwyciła Sebastiana pod ramię, pociągnęła go w kierunku auta. Drzwiczki się uchyliły, wysiadł z niego Jelcyn. Obopólne zdziwienie trwało ledwie kilka sekund. Jelcyn otrząsnął się z szoku szybciej. Właściwie nie dał po sobie poznać, że spodziewał się kogoś innego. Zaraz odstawił termos, odłożył na bok pojemnik z serkiem homogenizowanym. Gosia wcisnęła mu do rąk niebieski segregator. Oparła Sebastiana o bok samochodu. Ciężko dyszała.

– Wystawiłeś nas! – wychrypiała. – Omal nie zginęliśmy! Laluś jest ranny. Taras leży tam. Jest kompletnie nieprzytomny. Nie wiem, czy przeżyje.

– Dobrze się spisałaś, Sasza – pochwalił Gosię Jelcyn i podał jej nowiutki paszport.

Otworzył okładki. Zobaczyła swoje zdjęcie i przeczytała nazwisko: Aleksandra Załuska. Wszystkie pozostałe dane były fikcyjne. Zanim zdołała cokolwiek odpowiedzieć, z lasu wyłonił się Tamagoczi, średnio rozgarnięty gangus, który brał udział w jednej z ostatnich narad Gutka ze Słoniem. Jako jedyny nie zjadł jej strogonowa. Zapiął rozporek, rozejrzał się na boki, a następnie podszedł i strzelił Sebastianowi w sam środek czoła.

SASZA
(2016)

– Żyje i jest bezpieczna.

Krzysztof Jackowski otworzył oczy, ale nie patrzył na zebranych. Jego wzrok błądził gdzieś w przestrzeni. Na stole leżały zdjęcia Karoliny i jej ubrania. Jeden bucik. Fioletowa czapeczka. Kiedy Sasza wchodziła do pokoju córki, wiedziała, że być może robi to ostatni raz. Czuła wręcz fizyczny ból. Za wszelką cenę starała się jednak nie panikować, nie popaść w histerię. Musi walczyć i grać swoją rolę. Wciąż grać. Choć miała już naprawdę dosyć.

Antyczny zegar wybił pełną godzinę. Jasnowidz przeczekał dwa uderzenia, a kiedy w pomieszczeniu zapadła już cisza, zaczął znowu:

– Jest gdzieś na pełnym morzu. Nie widzę lądu. Śmieje się. Tak, jest raczej wesoła. Może nawet rozbrykana. Ma w rękach coś biało-pomarańczowego. To jest miękkie i włochate. Bardzo to lubi.

– To jej piesek. – Laura chwyciła Saszę za przedramię i ścisnęła, aż profilerkę zabolało. – Nazywa się Salceson. Przepraszam, ale naprawdę tak ma na imię. Czy ma apaszkę w ciapki? Zawsze był trochę brudny, bo Karolka praktycznie się z nim nie rozstaje. Musiała go wtedy wsadzić do plecaczka. Dobrze, że ma chociaż jego. – Nagle babcia rozpłakała się. – Nigdzie go potem nie znalazłam.

Profilerka z trudem zachowywała spokój. Nie wierzyła w ani jedno słowo jasnowidza. Znała policyjne opinie na temat jego skuteczności, choć media przypisywały mu wiele sukcesów. Szydziła kiedyś, że to ostatnia instancja w sprawach beznadziejnych, kiedy wyczerpią się już wszystkie możliwości formalne, a teraz sama tu przybyła. Jej rodzina potrzebowała nadziei. Ona tego potrzebowała. Bez sensu się łudziła... Żadnych konkretów. Tylko puste słowa. Można je interpretować na milion sposobów. Pasują do każdego zaginionego. Kto zresztą to weryfikuje, myślała.

A zjechali się dziś wszyscy. Nawet znienawidzone przez nią ciotki domagały się, by odezwała się do nich po wizycie u najsłynniejszego polskiego wizjonera. Zdawało się, że bardzo to przeżywają. Od kiedy to interesują się jej życiem, jej nieślubnym dzieckiem nie wiadomo skąd, które nie ma ojca. Tyle się o tym nasłuchała, a teraz, jak jedna, zakrzykują swoje sumienie. Sasza obiecała jednak Laurze, że wykona to polecenie, więc słowa dotrzyma. Dostaną swoją relację. Niestety, chyba już wiedziała, jaka ona będzie. Sama przecież się oszukiwała. Była gotowa na wszystko, byle tylko uwolnić się od poczucia winy. Ale to tylko działania zastępcze. Dopóki nie odzyska dziecka, nie znajdzie w sobie spokoju. Nie potrafiła sobie wybaczyć i nie wiedziała, jak ma dalej z tym żyć. To od początku była i jest jej wina. Nic już nie miało dla niej sensu.

– Nie. – Jackowski pokręcił głową. – Nie potrafię stwierdzić, co to takiego. Przykro mi, pani Lauro. Ale dziewczynka nie jest sama. Nikt jej nie krzywdzi. Wokół niej są ludzie. Myślę, że przychylni. Nie wyczuwam złej aury. Żadnych niskich wibracji. Chociaż chwileczkę. Tak, ta kobieta. Ale ona jest teraz daleko. Dziewczynka jest bezpieczna. Widzę kogoś, kto ją chroni. Mężczyznę w niebieskiej kurtce z kapturem. To inwalida. Może i jest w nim dzikość, ale w tej chwili tylko ta kobieta mogłaby zagrozić małej. Oni są chyba na łódce. Buja. Wieje. Karolina trzyma go za rękę. Tego mężczyznę. Kim on jest? Czuję jego energię. Jest bardzo silna. Zaburza mi odbiór. Coś mówi. Sałatka śledziowa.

Karol, brat Saszy, wymienił spojrzenia ze swoją dziewczyną. Ola wzrokiem dała znak Saszy. Profilerka wzruszyła ramionami. Była smutna, apatyczna, ale cieszyła się, że twarz Laury znów się rozpogodziła. Od czasu porwania babcia nie uśmiechnęła się ani razu. Za to w jedną noc postarzała się o dekadę. Z energicznej kobiety, nazywanej w rodzinie pieszczotliwie Mussolinim ze względu na swoje zapędy do rządzenia i wysokie ambicje, przemieniła się w niedołężną staruszkę. A potem było tylko gorzej. Kiedy tamtego dnia Sasza dotarła do szpitala, Laura była jeszcze w śpiączce farmakologicznej. Załuska wędrowała od sali do sali, szukając matki, i po prostu jej nie poznała. Minęła łóżko Laury, jakby to był ktoś obcy. Dopiero salowa przyprowadziła ją z powrotem do siwej starowinki, a na dowód pokazała kartę. Sasza się przeraziła. Laura miała całkiem białe włosy, oczodoły zapadły się w głąb czaszki, ręce zesztywniały. Nikt wtedy nie wiedział, jakie będą konsekwencje udaru, bo był bardzo rozległy. Czy Laura kiedyś zdoła poruszać się bez wózka? Nie wiadomo, czy kiedykolwiek z niego wstanie, choć pielęgniarze pocieszali ich, że przy wysiłku włożonym w rehabilitację takie rzeczy są możliwe.

– Skutki udaru cofają się z czasem – zapewniali. – Trzeba wierzyć i ćwiczyć.

Pewne było jednak to, że do pełnej formy już nie wróci. Przy okazji wykryto, że miała już dwa mniejsze udary wcześniej. Sama mogła o tym nie wiedzieć. To by wyjaśniało jej problemy z pamięcią, higieną i koncentracją. Jej stan prawdopodobnie się poprawi, ale Laura już sama się nie wykąpie, nie uczesze, nie włoży nawet rajstop. Potrzebowała pomocy przy najprostszych czynnościach. Lewą stronę ciała miała sparaliżowaną. Widać to było także na twarzy. Ale mówiła. Na początku mamrocząc, zjadając sylaby, zapluwając się. Potem zmiany zaczęły się cofać. Rehabilitacja, badania, suplementy diety, dopasowanie leków. Stopniowo Mussolini wracał do formy. I paradoksalnie im bardziej Laura warczała, ustawiała wszystkich, tym rodzina była szczęśliwsza.

Teraz kobieta mieszkała w ośrodku, gdzie miała dwudziestoczterogodzinną opiekę i pięćdziesięciu nowych znajomych. Nie wróci już do swojego pięknego domu. Gdyby sytuacja była inna, Sasza walczyłyby o pomoc domową dla mamy. Może nawet zamieszkałaby z nią. Brat z Olą też to rozważali. Pierwsze takie próby podjęto, ale okazało się, że musieliby zrezygnować z pracy, własnego życia. Laura zaś ze swoim charakterkiem dawała im popalić. Nie chciała nosić pampersów. Wstydziła się rozbierać przy obcej osobie, odmawiała kąpieli. Nie potrafiła utrzymać sztućców, więc – jak dziecko – zrzucała jedzenie ze stołu. Gardziła współczuciem – chowała leki i planowała rychłą śmierć, a potem wiła się z bólu, dostawała zapaści. Poniżała terapeutów, którzy próbowali wyprowadzić ją z depresji. Masażystę oskarżyła o molestowanie seksualne i przemoc. Każda kolejna opiekunka w jej opinii była złodziejką, a swoje rozliczne perwersje chciała realizować jej kosztem oraz za jej pieniądze. Jedzenie uważała za ohydne, pranie za brudne. Co gorsza, dzieci wcale nie miały pewności, czy w osądach Laury nie tkwi ziarno prawdy, bo jak miałyby to kontrolować? Osoby, które zatrudniano, przedstawiały referencje, ale na jaw wychodziły różne detale. Laura zarzucała córce i synowi cynizm, bezduszność oraz traktowanie instrumentalne.

I tylko jedno nie podlegało dyskusji: nikła w oczach. W jakimś stopniu miała rację: wszyscy skupili się na poszukiwaniach dziecka, staruszkę zostawiając samej sobie, w pustym domu, z obcymi. Sasza całymi dniami wysiadywała w komendzie, jeździła na kolejne przeczesywanie terenu i szeroko zakrojone akcje, które Duch z Jekyllem organizowali w ramach poszukiwań dziewczynki. Karol uciekł w pracę. Wracał nocą, kiedy matka już spała. Wychodził, zanim Laura łaskawie zeszła na śniadanie. Praktycznie się nie widywali. W pierwszych tygodniach wymieniło się sześć opiekunek. Tylko jedną zwolnili za porozumieniem stron. Reszta odchodziła sama. Niektóre nawet nie chciały zapłaty. Mówiły:

– Pani Załuska jest upiorna. To monstrum! Za żadne pieniądze!

Kiedy Laura w trakcie awantury z ostatnią opiekunką spadła z fotela i omal nie złamała sobie kości ogonowej, Sasza przestała się z matką pieścić. Pokłóciły się okrutnie. Laura bez ustanku powtarzała, że woli umrzeć niż iść do ośrodka.

– Chcesz mnie oddać do umieralni. Zawadzam ci! – wrzeszczała, a potem zamknęła się w sobie i nie odzywała się przez cały wieczór.

Sasza nijak nie była w stanie jej wyjaśnić, że miejsce przypomina pięciogwiazdkowy hotel.

– Będziesz miała służbę – zdobyła się na ostatni argument, licząc, że matkę to rozbawi.

Ale paradoksalnie Laurę to zmiękczyło. Przez następne dni była jeszcze najeżona, lecz kiedy Sasza pojawiła się z folderem ośrodka w Sopocie specjalizującego się w opiece nad starszymi osobami, który wyglądał jak reklama luksusowych wakacji, poprosiła o okulary i przejrzała zdjęcia, przeczytała opisy, studiowała jadłospis. Koniecznie chciała wiedzieć, czy będzie miała widok na morze. Wtedy do ataku przystąpił Karol, ukochany synek Załuskiej. Przeniósł się do matki na kilka wieczorów i pracował nad nią w sobie tylko znany sposób. Strategia zaowocowała sukcesem. Laura zgodziła się zamieszkać w hotelu na próbę. Ponieważ pokój z widokiem był już zajęty, wybrała najdroższy apartament trzypokojowy na najwyższym piętrze i kazała wyposażyć go na wzór jej domu. Mieli przewieźć jej łóżko, ukochany dywan, obrazy i porcelanę. Do kufrów zapakowała tyle książek, że trzeba by je było ułożyć w słupkach do sufitu, żeby się wszystkie zmieściły. Podobnie było z garderobą. Sasza żartowała, że nawet jeśli Laura zabierze jedną dziesiątą ubrań, i tak będą mogli otworzyć całkiem niezły lumpeks.

– Niech zginie choć jedna pończocha – fuknęła Laura i spojrzała na córkę wzrokiem bazyliszka. – Pamiętam wszystkie swoje kapelusze. Nawet w ciemnościach znalazłabym jedwabną apaszkę z Portofino. Gdyby nie ten cholerny wózek, oczywiście.

Zaśmiali się z Karolem w głos. Był to ewidentny dowód powrotu matki do zdrowia. Kiedy zaś Laura zaczęła wybierać ze szkatuły precjoza, w których zamierzała się prezentować na kolacjach, wiedzieli już, że decyzja jest słuszna. Ośrodek kosztował słono, ale o zdrowie i bezpieczeństwo ich matki dbał nieustannie cały sztab ludzi. Mogli zająć się tym, co najważniejsze – poszukiwaniami Karoliny. Nikt z nich wtedy nie przypuszczał, że nieobecność dziewczynki tak bardzo się przedłuży. Teraz wszyscy byli już u kresu sił. Dlatego Sasza umówiła dzisiejszą wizytę i słuchała tych bredni.

– Wyczuwam medium. Będzie chronić małą. Mówi o sałatce śledziowej. Na stole leży przepis – kontynuował Jackowski.

I podyktował zestaw wiktuałów, które posłużyły do przygotowania potrawy. Laura szturchnęła Saszę, by notowała każde słowo wizjonera. Wyglądała na prawdziwie przejętą. Córka z trudem wysupłała z torby kartkę i długopis. Obandażowana lewa ręka spuchła i bolała coraz bardziej, ale prawą miała sprawną. Wykonała więc posłusznie polecenie, choć Karol nie ukrywał zniecierpliwienia.

– Może jakiś konkret? – nieuprzejmie przerwał trans jasnowidza. – Na przykład współrzędne GPS? Nazwa tej łajby?

Jackowski otworzył oczy i wziął do rąk mapę.

– By określić miejsce przebywania dziewczynki, jak wspominałem wcześniej, potrzebuję czasu. To i tak wyjątkowa sytuacja, że wizja przyszła w państwa obecności. Rzadko tak się dzieje.

– Zapewne dzięki medium od sałatki – szydziła teraz otwarcie Sasza, choć poza bratem nikt jej kpiny nie odczytał.

Ola, narzeczona Karola, odblokowała już wózek przyszłej teściowej. Zbierali się do wyjścia.

Sasza przyjrzała się gabinetowi eksperta. Na ścianach wisiały dyplomy, certyfikaty oraz okładki gazet z krzyczącymi nagłówkami, co przewidział tym razem jasnowidz. W rogu pokoju stało biurko założone dokumentami i aktami spraw. Sasza dostrzegła na półkach mnóstwo literatury prawniczej, którą nie pogardziłby porządny adwokat. Złote pióra, gabloty z odznaczeniami. Wyglądało to wszystko imponująco.

W salonie czekali już nowi klienci. Śliczna żona jasnowidza podawała im herbatę, przemawiając kojącym głosem. Z radia dobiegała muzyka klasyczna.

– Sałatka śledziowa – szepnął do Saszy brat, kiedy wyszli już przed budynek i lokowali babcię w aucie. – W życiu większych bzdur nie słyszałem. Nic z tego nie wyjdzie.

– Wyjdzie, wyjdzie – pokrzykiwała tymczasem Laura. – A ja się dziś jeszcze pomodlę.

– Nie zaszkodzi – mruknął Karol. – Może to medium wskaże nam drogę.

– To ja wsiądę, bo zimno. – Ola podeszła do rodzeństwa i wskazała na auto, w którym czekała już starsza pani.

Karol podziękował narzeczonej skinieniem głowy.

– Pogadaj z babcią – rzucił głośniej, niż potrzeba. – Widzę, że ten spektakl dobrze jej robi. – A potem zwrócił się do siostry znacznie już łagodniej: – Zajmiemy się nią. Bądź spokojna.

– Będzie miała jak w niebie. – Sasza uśmiechała się smutno. – Sama chciałabym mieć na starość takie oparcie.

– No wiesz, masz szanse. – Załuski się rozpromienił. Widać było, że czuje się mile połechtany. – Jestem w końcu od ciebie dużo młodszy.

– Cztery lata – żachnęła się. – Ale ja jeszcze nie posiwiałam.

Karol natychmiast włożył kaszkiet. Mimo młodego wieku był już szpakowaty. Sprawa zaginięcia siostrzenicy odbiła się i na nim.

– I Łukasz też nie zginie.

Sasza spojrzała na Karola zaniepokojona.

286

– Mam taką nadzieję – wyszeptała i odetchnęła z ulgą, że chodzi o psa, a nie o Polaka, kiedy brat dokończył:

– Dostał nowe szelki. Świecą się w nocy. Ola utuczyła go już jak małego kucyka. Chyba tylko winogron ten pies nie żre. Dobra z niej kobita.

Odwrócił się do narzeczonej. Odmachała mu natychmiast.

– Może chciałaby mieć dziecko?

– Myślałem o tym – potwierdził Karol. – Ale na razie boję się ryzykować. Sama zobacz, jak jest u ciebie. Nie wiem, co bym zrobił, gdyby dopadli moją małą.

– Pozabijałbyś ich wszystkich. – Załuska przykryła śmiechem rozpacz. – Z kałacha. A potem poszedł siedzieć.

– Rzecz w tym, że nie wiadomo, kogo odpalić – odparł rzeczowo. – Posiedziałbym za Karolinę i dożywocie, gdybym miał pewność, że to coś da.

Milczeli dłuższy czas. Zadanie wykonali. Co teraz? Karol wyciągnął papierosy, ale Załuska pokręciła głową. On też widać się rozmyślił, bo schował paczkę do wewnętrznej kieszeni marynarki. Sasza nigdy wcześniej nie widziała go w takim stroju. Wyglądał, jakby miał na sobie mundur. Obejrzał się jeszcze raz na matkę niespuszczającą ich z oka nawet na krótką chwilę.

– Nie będę jej denerwował.

– Właśnie. – Sasza starała się przybrać łagodny wyraz twarzy.

A potem spróbowała się do Laury uśmiechnąć, ale wyszło krzywo i niezbyt szczerze, bo staruszka zaczęła pokazywać coś na migi i gramolić się z wozu.

Na szczęście Ola ją powstrzymała. Choć nieustannie mówiła coś do przyszłej teściowej, ta od tej chwili ostentacyjnie ją ignorowała. Sasza pomyślała, że aż tak źle z nią nie jest, skoro zachowała dawną czujność i w lot zorientowała się, że dzieci knują coś za jej plecami. Gdyby była na chodzie, dawno by już tutaj stała z nimi i bez litości dokonywała przesłuchania. Bez złotych rad i rozkazów by się nie obeszło. Niestety, teraz opieki wymagał Mussolini. Rodzeństwo musiało poradzić sobie samo.

– Gdybym nie wróciła do jutra wieczorem, opróżnij mój lokal. – Sasza zdrową ręką podała bratu klucze. Potem w torebce wyszukała zgnieciony wydruk komputerowy. Kartka po obu stronach zapisana była gęsto rzędami cyfr. Karol rzucił tylko okiem i zaraz ukrył notatki w kieszeni z papierosami.

– Tam masz kody, PIN-y, loginy i resztę biurokracji. Przelej wszystko na siebie, babcię, Olę oraz komu tam jeszcze ufasz. Wypłać gotówkę. Powinno być tego trochę. Kupcie mieszkanie, zainwestujcie. Sam wiesz. Dom Laury też zutylizujcie. Lepiej to szybko wyczyścić. Na pobyt mamy w ośrodku powinno wystarczyć z tego drugiego konta.
– Wskazała miejsce na jego piersi, gdzie znajdowała się kartka z kodami do banku.

– A ty?

– Zostaw jakieś grosze. Ja zresztą też dziś wybiorę, ile się da.

– Aż tak źle? – zapytał z kamienną twarzą.

Sasza zastanawiała się chwilę, wcisnęła ciaśniej zabandażowaną dłoń do kieszeni, aż poczuła ból, a potem odparła:

– Nie wiem.

Karol przytulił ją. Sasza pozostała sztywna. Poklepał ją więc po ramieniu jak kolegę.

– Rób swoje.

288

Podniosła głowę. Zobaczył, że siostra ma łzy w oczach. Zacisnął usta w pogardliwy grymas, ale kobieta wiedziała, że tak właśnie Karol broni się przed rozklejeniem. Oboje zdawali sobie sprawę, że być może więcej się nie spotkają. Wszystko ma swój koniec.

Żadne nie podejmowało tego tematu. Rozumieli się bez słów. Karol wyciągnął z kieszeni starą nokię, podał Saszy.

– Piątka nie działa.

– Pamiętam ją. – Pokiwała głową.

Oddała mu swój iPhone. Był wyłączony.

– Kiedy zniszczyć?

– Jutro. Powiedzmy, w południe. – Pociągnęła nosem. – Włącz za godzinę, bo mogą jeszcze zadzwonić. Wtedy dasz mi znać.

Wysupłała z kieszeni chusteczkę razem z kluczykami do wozu, w którym siedziały teraz Laura z Olą, i je także przekazała bratu.

– Dokumenty są w schowku. Tam, gdzie zwykle. W aucie masz biżuterię i takie tam sprzęty. Rozparcelujesz to. Co chcecie, weźcie, resztę upłynnisz, rozdasz. Ola nie będzie miała nic przeciw, jeśli nie odzyska swojego cacka?

Karol tylko pokręcił głową.

– Jest załatwione.

Sasza odwróciła się do brata plecami i wydmuchała nos. Starała się uspokoić, nie chciała, by patrzył, jak płacze. Podniósł rękę, by ją pocieszyć, ale już wzięła się w garść. Znów stała przed nim twarzą w twarz. Oczy i nos miała czerwone. Oddychała ciężko. W powietrzu wisiało słowo „żegnaj", więc zanim padło, znów ją objął.

– Uważaj na siebie, młody – wyszeptała.

Nic nie odpowiedział, ale zacisnął mocniej ramiona. Nie potrzebowała w tej chwili niczego więcej.

– To lecę. Mam jeszcze kilka spraw do załatwienia – dodała łamiącym się głosem, kiedy już wyswobodziła się z objęć Załuskiego. – Opiekuj się mamą.

A potem szybkim krokiem odeszła, by nie napotkać znów przenikliwego spojrzenia Laury, i wsiadła do czarnego mini z wgiętym zderzakiem, zaparkowanego naprzeciwko domu jasnowidza. Przekręciła kluczyk, a z radia poleciało *Skłamałam* Edyty Bartosiewicz. Nie wytrzymała. Skuliła się z głową na kierownicy i wyła jak zwierzę.

Żona podawała jasnowidzowi obiad, kiedy zadzwonił dzwonek do drzwi.

– Zapomniała pani czegoś? – usłyszała Sasza, zanim wyszła z przedsionka, a mężczyzna mógł ją rozpoznać.

– Widzę, że przez ściany też pan widzi.

– Niestety nie. – Uśmiechnął się smętnie. – Ale mam świetne maskujące firanki. Żona jest wrogiem palenia, więc sporo wystaję na balkonie. Zresztą lubię wiedzieć, kto płacze pod moimi oknami.

Załuska nie skomentowała. Wytarła buty i weszła do salonu. Bez pytania zajęła miejsce przy wielkim stole. Pokój urządzony był w stylu kolonialnym. Niektóre meble musiały być wiekowe. Załuska wręcz widziała pliki banknotów zainwestowanych w zdolnego renowatora. W dekorację tego wnętrza włożono dużo pracy. Każda świeczka, kokardka, zawieszka komponowała się z resztą. Dużo kwiatków i sielskich obrazków. Zaskakujące, jeśli wziąć pod uwagę profesję człowieka, który na co dzień rozmawia tutaj z duchami.

– Ładnie pan mieszka.

– Nie zawsze tak było. – Jackowski wychylił się na krześle. Wskazał na parującą zupę w wazie. Pachniała wspaniale.

Prawdopodobnie szczawiowa. Na talerzyku obok leżały pokrojone w ósemki jajka. – Głodna?

Sasza przełknęła ślinę. Nie pamiętała, kiedy ostatnio jadła coś ciepłego.

– Bardzo, ale jeszcze nie jestem w stanie niczego przełknąć. Może za tydzień.

Mężczyzna wpatrywał się w nią w skupieniu. Wiedziała, że bandaż jest już brudny i trzeba zmienić opatrunek, więc tylko położyła zdrową dłoń na chorej. Zrozumiał. Nie zadał nasuwającego się pierwszego pytania.

– Ale proszę jeść – zachęciła go. – Niech pan sobie nie przeszkadza.

Jackowski chwycił łyżkę i siorbnął zupy. Sasza tymczasem położyła na kolanach wielką skórzaną torbę, z którą przyszła, i zaczęła w niej grzebać.

– Pani mi nie wierzy – odezwał się, kiedy talerz był już w połowie opróżniony. – Myśli, że to bzdury. Jakieś aury, energie, magia i oszołomstwo. Ma mnie pani za pacana, który naciąga ludzi.

– Tanio pan nie policzył.

– Mówiłem, że co łaska.

– Przeprowadziłam rozeznanie – odparowała. – Zresztą babcia się uparła. Zrobiliśmy to dla niej.

Zamilkła.

– Bardzo mi przykro z powodu pani córeczki.

Sasza pochyliła głowę.

– Mnie też.

– To wszystko, co powiedziałem... – Zawahał się. – Ja sam tego nie rozumiem. To nie jest tak, że obrazy pojawiają się na pstryknięcie palca. Ta robota bywa niewdzięczna. Czasem długo z tym chodzę. Zazwyczaj nic z tego nie wynika. Poważnie. Bo zmarły może nie chcieć kontaktu. Jest spokojny, odszedł. Ma w dupie żywych. Gadać chcą tylko istoty tkwiące pomiędzy światami. Te niezdecydowane, które mają tutaj niezałatwione biznesy, rozżalone.

– Brutalnie zamordowane?

– Albo ci, którzy nie wiedzą, że nie żyją. I trzeba umieć z nimi negocjować. Bo jak za życia, nie każdy jest taki uczynny i dobry. Ile razy w bagażniku leżały rzeczy zaginionych, a ja sobie spokojnie kopię ogródek, oglądam mecz, jestem z żoną w łóżku, wie pani, na golasa, ten teges, bo przecież normalnie żyjemy... I jak nagle mnie nie trzepnie. Lecę wtedy do biura, żeby wszystko zapisać. Zwykle dyktuję Misi. Bo moich bazgrołów nie idzie odczytać. Ale częściej jest pustka. To jest okropnie wkurwiające. Ludzie czekają, liczą na mnie, a tu nic nie przychodzi. Chuj się zaparł i nie powie, gdzie leży. Co mu zrobisz? Czekam na marne. Czasem tygodniami. Bywa, że od razu idzie. Jak dziś. Z żywymi jest znacznie łatwiej. Kipią od emocji. Nieraz musiałem podstępem zmuszać zmarłych do kontaktu. Stosuję, że tak powiem, metody raczej niekonwencjonalne. – Zaśmiał się.

– I nie można być zbyt delikatnym, dobrotliwym. Raz tak opierdalałem martwego gościa, groziłem nawet, że żonę mu wyrucham, aż ludzie się zeszli i chcieli mnie na widłach wynieść. Bo to na wsi było. – Machnął ręką.

Uśmiechnęli się do siebie. Milczeli długą chwilę. Tym razem pierwsza odezwała się Sasza:

– Może to pana zdziwi, ale wierzę w energię. Myśl jest energią. Einstein. Matematyka. Skoro energia jest w żywych, to w zmarłych tym bardziej. Gdzie miałaby się podziać? To wszystko działa jak jeden wielki kocioł, w którym nieustannie buzuje dobro i zło, cisza i hałas, spokój i wściekłość.

– Teraz mnie pani bierze z włosem, tak? – Jackowski wykrzywił kąciki ust nieco cwaniacko.

Sasza pomyślała, że w swojej brzydocie jest nawet uroczy. Miał potężną charyzmę i zdawał sobie z niej sprawę. Nie bez przyczyny był gwiazdą w tej branży.

– Jest trochę tak, choć właściwie zupełnie inaczej, ale to temat na długą debatę. Załóżmy, że wystarczy mi to jako motywacja do dalszej rozmowy – dodał przekornie.

Sasza zaśmiała się kąśliwie.

– Jest pan szalony.

– Oczywiście – zgodził się skwapliwie. – Na świry tylko świra warto nasyłać.

– Nie męczy to pana?

– Wręcz przeciwnie! Ja się tym żywię. Jak długo nie ma mocnej sprawy, chodzę podminowany. Potrzebuję tego, jak inni normalnych podniet. Ale taka energia jak dziś zdarza się bardzo rzadko. Pani córka ma tam anioła stróża. Nie mam wątpliwości.

– Choć może być diabłem, tak?

– Co pani ma na myśli?

– To, że ten facet w kapturze, ten inwalida, ma interes, by ją chronić.

– Tego nie wiem – przyznał. – Ale to ma sens. Owszem, jeśli się komuś opłaca, bardziej się stara. Dotyczy to zresztą i żywych, i martwych. Jeśli coś się zmieni i ta wizja do mnie przyjdzie, poinformuję panią. Mam swoje zasady. Dopłata nie będzie potrzebna.

Sasza wpatrywała się w jasnowidza dłużej, niż potrzeba, ale nie pociągnęła tematu. Wreszcie znalazła teczkę, której szukała.

– Miał pan momenty zwątpienia?

– Milion razy.

– A pewności? Takiej stuprocentowej, że pana wizja jest słuszna.

– Drugie tyle.

– A co z pomyłkami? Przecież każdy się czasem myli. Ile ma pan na koncie błędnych hipotez?

Zastanowił się. Przesunął wazę z zupą, talerz i poszedł po popielniczkę. Spojrzał na żonę, ta kiwnęła głową. Podał zapalniczkę Saszy. Profilerka wyjęła swoje papierosy.

– Mam dziś dzięki pani dyspensę. – Zaciągnął się z lubością. – Ale wracając do pani pytania... Nie wiem. To jest jakby poza mną. To po prostu jest. Nie potrafię zostawić tych ludzi. Nie wiem, skąd się bierze ta umiejętność. Niektórzy mówią, że to dar, ale ja o niego nie prosiłem. Moje życie bez niego byłoby łatwiejsze, czy lepsze – nie wiem, ale inne. Mam jednak takie i niech już tak zostanie.

– Chcemy czegoś innego, a dostajemy to, co dostajemy. I trzeba się z tym pogodzić. Dźwignąć.

Teraz Jackowski się rozpromienił.

– Uważam podobnie.

– Choć nie zawsze jest to łatwe – dokończyła Sasza, po czym wyjęła z teczki wycinek z gazety. Czołówkę strony zdobiło zdjęcie uroczej blondynki z dołeczkami w policzkach i burzą kręconych ciemnoblond loków. Żółta pogrubiona czcionka na afiszu krzyczała: „ZNIKNĘŁA Elżbieta Stokłosa (17)". – Gdzie ona jest teraz?

Jasnowidz pochylił się nad fotografią, a potem zmrużył oczy i przyjrzał się ponownie Saszy, jakby skanował rysy jej twarzy. Poczuła się dziwnie. Przez chwilę mężczyzna wyglądał jak wąż szykujący się do ataku. Odruchowo cofnęła się na krześle do ściany.

– A to nie pani?

Nie wiedziała, czy pyta poważnie, czy sobie żartuje.

– Absolutnie nie. – Postukała w stół. – Dwutysięczny rok. Niestety nie mam aktualnej fotografii, sam pan rozumie.

Jackowski dolał sobie zupy. Zanurzył łyżkę, znów siorbnął, a potem nagle zerwał się z krzesła i ruszył do swojego gabinetu. Długo go nie było. Sasza zdążyła wypalić papierosa i poprosić o herbatę. Na stole pojawiło się też domowe ciasto z jagodami. Wzięła kęs, ale rosło jej w ustach, więc odłożyła przysmak na spodek. Wsłuchiwała się w tykanie zegara i ćwiczyła się w cierpliwości. W pierwszej chwili chciała pobiec do gabinetu za nim, ale uznała, że woli być teraz sam. Czuła, że trochę blefował i doskonale pamięta sprawę. Swego czasu cała Polska szukała przecież uroczej Elżuni. Drukowano T-shirty, pojawili się pierwsi detektywi internauci. Nagrania z kamer wypłynęły do mediów. Fundacja, podejrzani przyjaciele, spalony samochód i blondynka znikająca na deptaku. To była pierwsza polska historia godna ekranizacji. Filmowy spacer – cięcie – tajemnica. Podobny rozmach miała tylko sprawa Ewy Tylman z ubiegłego roku.

Sasza pozwoliła jasnowidzowi na skontaktowanie się z emocjami. Oszukiwała się, że cokolwiek jej powie, dostarczy jej informacji, nawet jeśli będzie kłamał. Choć tak naprawdę gdzieś w głębi duszy pragnęła, by wizjoner okazał się prawdziwy, by te setki spraw, którymi chwalił się na swojej stronie, nie były ściemą. Była w desperacji. Może i zwariowała. Ale tak bardzo chciała, by teraz, za chwilę, rozłożył przed nią mapę świata i pokazał jej konkretny punkt. A ona, nie zastanawiając się nad racjonalnością tej diagnozy, po prostu wyruszyłaby po swoje dziecko.

Wreszcie wrócił z własną teczką i kopertą bąbelkową sporych rozmiarów pod pachą. Zaczął wertować zapiski.

– Oczywiście. – Kiwał głową. – Słynna sprawa. Teraz dokładnie sobie przypominam. Elżunia Stokłosa. Zniknęła bez śladu przy Monciaku. Niosła w ręku buty, wracała z zakrapianej imprezy z przyjaciółmi. Pamiętam jej matkę.

– Zamyślił się. – Miała na imię Agnieszka. Córka wcale nie była do niej podobna.

Sasza podniosła głowę. Wpatrywała się w niego ze spokojem.

– Ta kobieta była... – Zawahał się. – Te telefony, które cały czas odbierała. Ten jej śliski małżonek. Kapitan.

– Tak?

– Ta matka nie była zainteresowana znalezieniem córki. To był spektakl dla gazet.

Saszy to nie zdziwiło. Ale kiedy Jackowski wskazał zdjęcie Elżbiety i odezwał się ponownie, zamarła.

– Ona nie żyje.

– To nieprawda. – Profilerka uśmiechnęła się z triumfem. – Pomylił się pan.

Wyjęła drugą kartkę. Tym razem wydruk z internetu.

– „Jackowski wie: Elżunia Stokłosa nie żyje" – przeczytała nagłówek. – Tak pan mówił policji i rodzinie w dwutysięcznym roku i później też. W każdej telewizji.

– Tak było. – Skinął głową. – Mówiłem. Ale potem to odwołałem.

Sasza wertowała dokumenty. Szukała konkretnej wiadomości.

– Gdzieś znalazłam, że przyznał się pan do pomyłki, ale sprawa już przygasła. Minął szum medialny. Ludzie szybko zapominają. To jak to jest z pana skutecznością? Żyła czy nie żyła?

– Wtedy żyła. Dałem się zwieść.

– Komu?

Jackowski wzruszył ramionami.

– Przychodzą do mnie nie tylko cywile. Różne służby korzystały z moich usług. Jak i dziś. Gangsterzy, sportowe gwiazdy: Gołota, Pershing. Celebryci, słynni przyszli samobójcy.

Także zwykli ludzie. Im najbardziej chcę pomagać. Bo oni też mają swój kosmos. Słowem, bardzo różne persony. Niektórzy chcieli zmienić swoje życie i zmarli im przeszkadzali. Inni, cóż, bali się. Na przykład jednego polityka ostrzegałem, żeby nie zbliżał się do worka bokserskiego, a on kochał boks. Potem, wie pani, jak go znaleźli? Nieważne. Jeśli chodzi o tę dziewczynę – wskazał znów zdjęcie Elżbiety – może byłem zmęczony, uległem sugestii. Ale potem to odszczekałem. To była moja pomyłka. Ciała zresztą, z tego, co wiem, wtedy nie znaleziono. Trzeba mieć w sobie odwagę cywilną, by przyznać się do takiego błędu.

– Doprawdy? – Sasza wciąż nie dowierzała.

Jasnowidz chwycił jedno ze zdjęć dziewczyny leżące na stole, a potem z koperty bąbelkowej wysupłał zieloną spódniczkę z fluorescencyjnym napisem „Lambada". Sasza rozpoznała ciuch. Przełknęła ślinę. Obrazy sprzed lat wróciły. Czuła, że oblewa ją zimny pot. Na szczęście Jackowski przestał ją prześwietlać wzrokiem. Zamknął oczy.

– Ból, ciemność, walka, woda – mówił jak w transie. – Ona wciąż jeszcze cierpi. Nie odeszła. I długo nie odejdzie. Ona nie chce odejść. Jest między wami połączenie. Bardzo silne. Ona nie chce odejść ze względu na panią. I jeszcze jedną osobę. Mężczyznę, którego kochała... Ten mężczyzna...

Nagle otworzył oczy, ale grymas przerażenia nie od razu zniknął z jego twarzy. Saszy ciarki przeszły po plecach. Wpatrywała się w wizjonera.

– I co pan zobaczył? Akt zbrodni? Twarz zabójcy?

Cień w jego oczach błyskawicznie się ulotnił.

– Tylko przebaczenie pozwoli – zaczął, ale Sasza nie dała się zwieść. Schwyciła go chorą dłonią.

– Niech pan mi powie.

– Niech pani mówi pierwsza. – Znów uśmiechał się kpiąco. – O co chodzi?

To się profilerce nie spodobało. Zapamiętała ten moment. Dobrze wiedziała, że jakąś informację zatrzymał dla siebie. Wykonał popisowy odwrót strategiczny. Jeszcze do tego wrócimy, zdecydowała.

Jasnowidz tymczasem sięgnął po papierosa. Zapalił. W kryształowej misie było już bardzo wiele niedopałków. Wypuścił dym. Pochylił głowę.

– Myliłem się. Wtedy. Ale dziś nie. Ten mężczyzna z jej życia. Pani go zna... – Spojrzał znów na bandaż na palcu Saszy. – To właśnie on ją... Ona to musiała wiedzieć. Znała tego, kto tak ją urządził. Ona panią woła. Prosi, by to ujawnić. Trzeba to zrobić, żeby ta istota odeszła. I przebaczyć. Dziś jestem pewien, że ta kobieta jest martwa.

– Skąd pan to wie? – zapytała Sasza.

Wstał i przyniósł cienką teczkę. Wewnątrz było zlecenie z ABW na wykonanie analizy poszukiwanej kobiety, dwie fotografie sygnalityczne formatu A5 oraz rachunek na tysiąc złotych.

Sasza wzięła do ręki jedno ze zdjęć. Obracała je na wszystkie strony. Nigdzie nie było danych personalnych widniejącej na nich osoby. Przyjrzała się twarzy kobiety. Bez trudu ją rozpoznała i z zazdrością stwierdziła, że Elżunia ładnie się zestarzała. Włosy miała nadal bujne. Oczy świetliste, pociągnięte grubym kohlem, usta czerwone. Ale nawet ten mocny makijaż nie dodawał jej lat. Na drugim zdjęciu wyglądała jednak inaczej. Była bez makijażu. Ciemnoblond włosy ufarbowane na rudo i zakręcone. Do złudzenia przypominały naturalne spirale Saszy. Może przez ten kolor, a może to był też efekt operacji plastycznych, twarz wydawała się bowiem szczuplejsza i chorobliwie blada, jak porcelanowa cera Załuskiej. Kobieta ze zdjęcia nie miała tylko piegów Saszy.

– Teraz rozumie pani moje pierwsze pytanie? – odezwał się Jackowski. – Wizje wizjami. Tutaj są fakty. Nie powiem, że można się pomylić, ale podobieństwo istnieje. Jakby ktoś bardzo się o to postarał.

– Gdzie ona jest?

– Nie żyje. – Wizjoner sięgnął po smartfon. Wyszukał w internecie pierwszą wiadomość na stronie „Dziennika Bałtyckiego". Artykuł dotyczył wyłowienia zwłok topielicy z torpedowni na Babich Dołach w Gdyni. Kiedy Sasza czytała zachłannie tekst, opróżnił popielniczkę.

– A jeśli chodzi o to, co zobaczyłem – odezwał się. Sasza podniosła głowę znad jego telefonu. – Może pani wierzyć lub nie, ale to bardzo dobrze dla pani córki, że ta dziewczyna jest już po drugiej stronie. To ona była tym złym duchem na łódce. Czułem jej obecność. Teraz już nie zagraża małej. – Wstał. – Dziś jestem już bardzo zmęczony. Ale jutro, pojutrze, nie wiem, czy kiedykolwiek i czy to będzie stuprocentowe, postaram się ustalić, gdzie znajduje się ta łódka. Zadzwonię. – Zawahał się, a potem dodał: – Moja żona była kiedyś pielęgniarką. Mogłaby to obejrzeć. – Wskazał obandażowaną dłoń Saszy, ale ta natychmiast pokręciła głową.

Schowała rękę za siebie. Jackowski nie naciskał. Widziała w jego oczach, że też się boi. Nie duchów, lecz żywych.

Chciała mu podziękować, zapewnić go, że wierzy w dusze i czasem sama rozmawia ze zmarłymi. Zwłaszcza kiedy odwiedzają ją ci, którzy zginęli z jej winy. Nigdy natomiast nie przychodzą zjawy, którym odebrała życie. Jednak się nie odezwała.

– Jeśli nie chce pani pomocy w zmianie opatrunku, prosiłbym, żeby pani już poszła. Zawsze mamy mniej czasu, niż się nam wydaje.

Major Barnaba Światowid Kiszka raz jeszcze policzył saszetki z nasionami i zamknął torbę na obie klamerki. Jak każdego dnia przed wyjściem z pracy podszedł do barku, do czarki na sake nalał działkę chlorofilu i wychylił jednym haustem. Potem włożył płaszcz, kapelusz, zmienił obuwie na wyjściowe, a kiedy był już gotów, podszedł do komputera i wylogował się z systemu. Do emerytury zostało mu sześć dni. Był coraz bardziej przekonany, że ma gdzieś pielęgnowanie ogrodu i majsterkowanie, które zdawały mu się cudownymi zajęciami, kiedy podejmował decyzję o odejściu. Teraz każdego dnia ze smutkiem opuszczał ten pokój. Wyciągnął z kieszeni klucz i jeszcze raz obejrzał się na biurko, gdy zadźwięczał dzwonek intercomu.

– Szefie, jest meldunek z Popowa – usłyszał głos pani Mieci. – Wiem, że już pan wychodzi, to przekieruję do zastępcy. Czy tak?

Major rzucił jednak teczkę i długim ślizgiem dopadł do słuchawki.

– Proszę łączyć, pani Mieczysławo – wydyszał. – Jestem.

Chwilę trzaskało, grała muzyczka, a potem po drugiej stronie rozległ się konfidencjonalny szept:

– Spory ruch u naszego Afgana.

– Aha – zachęcił dyżurnego dyrektor. – Kto tym razem?

– CBŚ. – Oficer zniżył głos jeszcze bardziej. – Kobieta z Trójmiasta. Wprowadziłem jej dane do systemu. Skan dokumentu właśnie się ładuje. Jak na niespełna dwadzieścia lat odsiadki i kompletnego zapomnienia, w ostatnim tygodniu Taras ma tylu gości, jakby mieszkał na dworcu.

Kiszka rozpinał już płaszcz. Odłożył kapelusz. Czuł, że pod mundurem się gotuje i pot płynie mu po plecach szeroką strugą.

– Wylogowałem się z systemu – mruknął. Odłożył słuchawkę na stół. – Chwila.

Szybko włączył komputer i wpisał hasło. Potem znów przyłożył słuchawkę do ucha. Dyżurny relacjonował:

– Przyjechała poza terminem odwiedzin. Machnęła dowodem osobistym i zażądała widzenia. Odprawiłem ją z kwitkiem, bo dziś tylko adwokaci, zresztą było po czternastej. Ale poczekała, aż wszyscy się zwiną, i wróciła z legitką CBŚ oraz dokumentem procesowym z dwutysięcznego roku. Ma pan tam wszystkie dane. Jakaś Milena Czarnecka. Odszukałem tę listę. Wtedy była wpisana na listę odwiedzających, ale nigdy się nie stawiła.

– Wpuściłeś ją? – warknął Kiszka.

– Musiałem – wił się dyżurny. – Kiedy się awanturowała, zadzwoniła sekretarka prezia z Centralnego Zarządu Służby Więziennej i potwierdziła, że dziewczyna ma wejść.

– Tak powiedziała? Od kiedy się słuchasz sekretarek?

– Szefie, zadzwoniłem najszybciej, jak mogłem.

Major milczał.

– Jest w środku?

– Dałem ich na ogród. Taras kosi dziś trawę i miał drewutnię wyremontować. Prawie skończył.

– Trzymaj ją tam – rzucił do dyżurnego Kiszka i opuścił gabinet.

Po drodze wezwał kierowcę, by zawiózł go do oddziału Zakładu Karnego w Popowie.

Taras na widok Saszy odłożył diaks i stanął na baczność. Chwilę zastanawiał się, kim jest zmierzająca ku niemu kobieta, ale zaraz ruszył kaczkowatym krokiem, by się przywitać. Uśmiechnęła się szeroko. Chyba nawet w piekle poznałaby to niedźwiedzie ciało i pałąkowate nogi. Niewiele się zmienił. Na pooranej zmarszczkami twarzy jak zwykle malował się stoicki spokój, ale oczy miał jasne, śmiejące się, dobre. Tylko jedna rzecz była nowa. Na nosie Ukraińca dumnie pyszniły się okulary w metalowej oprawie ze szkłami grubymi niczym denka od butelek.

– Margareta. – Objął ją, kiedy się zbliżyła.

Sasza ze zdziwieniem stwierdziła, że jest wyższa od Tarasa o pół głowy. Bardzo ją to rozbawiło.

– Wyrosłaś – mruknął, jakby czytał jej w myślach.

– A ty się zdeptałeś, okularniku.

– Taka kolej rzeczy.

Stali chwilę objęci. Sasza czuła bijące od mężczyzny ciepło i spokój oraz charakterystyczny zapach więzienia. Mieszanina stęchlizny, potu i niedomytego latami łoju. Ale wszystko przebijał, przyjemny w tych okolicznościach, odór ropy do kosiarki.

– Byłam w pobliżu – zagadnęła, kiedy usiedli na pieńku.
Park był pięknie utrzymany. W szopie Sasza zauważyła perfekcyjny porządek. Wiedziała, czyja to zasługa. – Więc tutaj masz teraz swoje królestwo.

Wyciągnął wciąż potężne ramię.

– Tam posadziłem kilka grządek truskawek. Dyrektor zakładu też ma żyłkę ogrodnika. Nie mogę narzekać. Dobrze mnie traktują.

Sasza długo milczała.

– Nie dziwię się. Swego czasu byłeś znany.

Pochylił głowę. Kiedy mówił, patrzył na wprost lub w bok, jak zwykle unikając wzroku kobiety. Zawsze tak się zachowywał.

– W każdym razie jeszcze mnie nie powiesili – próbował żartować. – Wszyscy inni nie żyją. Z naszych tylko Kurczak i Dyżurny się ostali. Andrzej siedzi we Wronkach. Czasem dostaję od niego jakiś gryps. Staszek z Jolą wciąż o niego walczą. Bułka i Splinter dostali korony. Ale Splinterowi zamienili na sześćdziesiątkę i jak tylko wyszedł, ktoś go odpalił. Pod sklepem mięsnym. Gdzieś w gazecie czytałem. Słoń zniknął bez śladu. Gutek połknął pałąk od wiadra. Jesiotr jakoś się wykaraskał. Zadali mu „krokodiła" i nogę mu odjęło. Podobno był agentem niemieckich służb, wiedziałaś?

Sasza skinęła głową.

– Wtedy nie. Dużo później, jak już zapadł twój wyrok. Był z tego dym.

Taras nie okazał zdziwienia. Ciągnął:

– Dyżurnego próbowali odpalić na zawał na imieninach. Bułka, jak zwykle, wyszedł obronną ręką. Film widziałem na podstawie jego książki. – Machnął ręką. – Taka tam bajeczka. Wszyscy nasi mają z tego bekę. Ale podobno spory hajs tłucze na tych knigach. Nawet u nas w pudle jest kilka odcinków na półkach. Nie chciało mi się tego czytać, choć młode chłopaki biją się o te kawałki papieru. Imponuje im. Wygląda na to, że ludzie mu wybaczyli. Według niektórych jest nawet bohaterem. Czasem myślę, że może tak właśnie trzeba żyć. Wybierać, kombinować i zawsze mieć dupochron. Żadnych ideałów.

– Jakieś na pewno mu przyświecają.

– Praktyczne, owszem. Choć wiadomo, że wersja oficjalna jest wzruszająca. Podobno żonę i syna chcieli mu położyć do trumny. Bronił ich po prostu.

– Jakby nas tylko po głowach głaskali – podsumowała Sasza.

Chorą ręką uchyliła brzeg torby i wyjęła z bocznej kieszeni papierosy. Ukrainiec przyjrzał się jej opatrunkowi.

– Byłam na dywaniku u szefa – wyjaśniła, zanim zdążyła to przemyśleć.

Czuła, że znów ma gorączkę. Wysupłała z kieszeni tabletki przeciwbólowe i połknęła połowę opakowania bez popijania. Taras pochylił głowę. Przesunęła w jego kierunku paczkę z papierosami. Wyjął sobie jednego. Odłamał filtr, zanim zapalił. Drugiego przypalił jej. Zaciągnęła się i dokończyła:

– Nie wykonałam rozkazu, dostałam naganę. Ale w sumie to było spotkanie z happy endem. On już nie żyje. Ja mam pamiątkę.

Potrząsnęła dłonią.

– Pochłaniacz? – zapytał Taras.

Zrobiła nieokreślony ruch głową.

– Służbowe sprawy moje – mówiła, oddzielając każde słowo i wydmuchując dym. – Miałam plan, żeby przyszyć, ale się nie złożyło. Na szczęście to lewa.

Milczeli.

– Dobrze mówisz po polsku – odezwała się ponownie.
– Prawie nie słychać akcentu.

Nie odpowiedział. Zaciągnął się chciwie i przymknął oczy z lubością.

– Tutaj taki szajs sprzedają. Dobrze niezłego tytoniu znów popróbować. Niedługo mam wokandę. Ale nie staję. Doleżę do końca. To teraz mój dom. – Znów zatoczył ramieniem koło.

Nie czuło się, że siedzą na terenie zakładu karnego. Drzewa szumiały, wokół uporządkowane rabatki, latem pewnie obsiane kwiatami, pobielone chodniki. W samym środku największego klombu, na którym przykryto chochołami róże, stała nieczynna fontanna z koślawym aniołkiem. Siusiak amorka skierowany był w stronę wejścia.

– Nie mam żalu, że nie przyjeżdżałaś.

– Przepraszam – powiedziała cicho Załuska. – Chciałam.

Zaczerpnęła powietrza, by rozpocząć tłumaczenia, ale Taras powstrzymał ją gestem.

– Jak mówiłem, dobrze zrobiłaś. Po co komu takie wizyty? Wpisałem cię na listę, jak prosiłaś, ale wtedy to nie miało sensu. Tylko zwróciłoby uwagę. Wiedziałem, że jakby była sprawa, znalazłabyś mnie. I nie myliłem się. W czym rzecz?

Ćwierkały ptaki.

– Dziecko mi porwali – Sasza odezwała się świszczącym szeptem.

Taras odwrócił się do niej. Wyczytała w jego oczach wściekłość.

– Córkę – kontynuowała. – Dziesięć lat. Kocham ją nad życie.

– Kto?

Sasza wzruszyła ramionami. Zdziwiła się, że może mówić o tym spokojnie. Choć w środku była cała rozdygotana, oczy piekły, ale nie pękała.

– To ma związek? – Wskazał jej obandażowaną dłoń.

Sasza niepewnie skinęła głową.

– Ela z nią jest. Dzwoniła do mnie. Nie wzięli okupu.

Taras już nie ukrywał irytacji.

– A ty nadal jej ufasz?

– Nie mam wyboru.

– Jeśli ta suka jest w to wplątana, to wiadomo kto. Jelcyn, rząd. Przesrane. – Ukrainiec ukrył twarz w dłoniach. Przeszedł na rosyjski. – Masz to, na czym jej zależy?

– Gdybym miała całość, Karolina byłaby już ze mną.

– To zdobądź to, czego ci brakuje.

– To nie takie proste.

– Co proste? A to – wskazał na jej okaleczoną rękę – jest, myślisz, dla nich trudne? Tobie to nic, ale dzieciakowi krzywdę zrobić? Betka.

– Dosyć!

Sasza wstała, zgasiła papierosa i położyła go obok krawężnika. Było jej zimno, skostniała. Nie potrzebowała poklepywania po plecach. Ani reprymendy. Potrzebowała danych. Informacji, które pozwolą realizować jej plan.

– Oni chcą czegoś jeszcze.

Taras nie dopytywał ani nie zwlekał z odpowiedzią. Zrozumiał od razu.

– Więc zrób to.

– Nie mogę.

– To nie jest wybór moralny, Margareta. To nie jest w ogóle żaden wybór.

Wstał. Podniósł głos. Znów zaczął mówić po polsku.

– Stanę na wokandzie. Porozmawiam jutro z dyrektorem. Wiem, że wyjdę. Ja to zrobię. Dla ciebie, dla twojego dziecka. Jestem ci to winien. Uratowałaś mnie wtedy. Powiesz mi tylko kogo.

– Nic mi nie jesteś winien.

Spojrzała w okna więzienia. Wiedziała, że są obserwowani, ale miała to w nosie. Siłą usadziła Ukraińca z powrotem na pniaku i szepnęła:

– Ciszej, Taras. Jestem tutaj, bo nie mam nikogo innego. Jak kiedyś. Jak zawsze. Pomożesz mi?

Zapadł się w sobie. Skinął głową.

– Kto wtedy wynajął Julka? Co wiesz, czego nigdy nie powiedziałeś?

– Nic nie wiem, Margareta. Miałem tylko pójść za nich siedzieć. Tyle wiem na pewno.

Sasza była zawiedziona.

– Nie wiesz, kto dawał ci zlecenie i kto cię wydymał? Po tylu latach nie poskładałeś tego w całość?

– A ty? Byłaś tam, tak samo jak ja. Też nie wiesz, kto koordynował tę akcję. Kto cię wkopał i kto zabił Sebastiana.

– To akurat wiem. I gdybym go spotkała, oddałabym mu z nawiązką.

– To niczego nie zmieni. Nie zwróci ci córki. Lepiej idź do Norina. Jego też załatwili. Zabrali mu śledztwo, kiedy trzymał już Pastucha za kołnierz i miał w ręku dokumenty na jego pułkownika. Sam Kiszczak go wzywał. Dzięki Bogu była zima stulecia i nie dojechał na miejsce. Może i Hospod nad nim wtedy czuwał. Norin odwiedzał mnie przez lata. Jak zrobiło się naprawdę gorąco, nawet raz w tygodniu bywał. Wszystko mu powiedziałem. On wie. Ale to prokurator. Nigdy się nie przypucuje. Nie zdobył dowodów, więc zaliczył porażkę. A nie miał szansy ich zdobyć. Wyczyścili pole i dobrze to rozplanowali. Norin walczył po swojemu. Ja go rozumiem. Nie miał wyboru. Bo może by go już nie było, jak wszystkich innych. Uniemożliwili mu ekstradycję Pastucha, a potem sprawę zaczęli skręcać na zwykłą kradzież auta. Jego samego zdegradowali. Najpierw poszedł do apelacyjnej kwity przekładać, potem do okręgowej na zastępcę, żeby w sprawach nie grzebał i – wiadomo – żeby pismaki miały używanie, że położył śledztwo, a został doceniony. Teraz liczy rowery w rejonie. Cieszy się, jak mu się pedofil trafi, bo samych żonobijców i alimenciarzy obsługuje. Kilku do mnie tutaj trafiło. Nadal jest szpenio. Ma szacun. Nie poddał się, chociaż oni tak myślą. Też go chcieli załatwić na dziecko. Ale ich rozegrał, sprytnie i z jajem, jak to Norin. Szukało jej siedmiuset policjantów. Nadymił tak, że bali się skandalu. Córka ma teraz około trzydziestki. Zdrowa samica, zdolna, zaradna. Dobrze ją wychował. Godna takiego gościa, jak jej stary. Za mąż niedawno wyszła. Z żoną Norin jest w zgodzie. Choć śmiał się, że mu kogoś podstawiali.

Sasza przytaknęła.

– Mnie.

Taras przyjrzał się bacznie Załuskiej.

– To wy się znacie?

Sasza wzruszyła ramionami.

– Kiedy jeździł z Bułką po Polsce, dali mnie do korpusu ochrony świadków. Miałam pilnować, co zeznaje Bułka, i przy okazji prokuratora wystawić na aferę obyczajową. Ekrany były już przygotowane. Czekali tylko na zdjęcia, nagrania, komprmateriały. Sam rozumiesz.

– I co?

Sasza pierwszy raz się zaśmiała.

– Flirtowaliśmy, owszem. Jest bardzo inteligentny i zabawny.

– To się nie zmieniło. Lubią go najtwardsze baniaki.

– Polubiłam go – ciągnęła Sasza. – A co gorsza, z wzajemnością. Zaufał mi. Naprawdę dużo mi mówił. A ja go sprzedałam. Każdą rozmowę raportowałam Dziadkowi. – Ukryła twarz w dłoniach. – Do stworzenia komprmateriałów ostatecznie nie doszło. On ma szósty zmysł. I kocha swoją żonę. Takich facetów już nie ma. Wycofał się w ostatniej chwili. Sprawa legła, mnie wycofali. Potem próbowałam go jeszcze ostrzec. Jakoś się wytłumaczyć. Nie chciał mnie słuchać. Wpadł w szał. Nigdy mi nie pomoże.

Taras nic nie odpowiedział. Sasza zapaliła kolcjnego papierosa. Widziała, że w ich kierunku idzie już strażnik. Kończył się im czas.

– To ciekawe – mruknął Taras. – Norin był u mnie wczoraj. Tydzień temu dostałem gryps od takiego gada z Wronek. Kurczak ma do mnie biznes. Chce, żebym wyszedł i zrobił coś dla jego żony. Teraz ty. Są też inne prześwity.

– Co masz dokładnie na myśli?

– Takie małe, pozornie nieistotne zdarzenia, które rzeczywistość nam podrzuca, by móc się przygotować. Bezcenna wiedza. Szkoda, że dopiero w drugiej połowie życia uczymy się je odczytywać. Ale coś dużego się szykuje, krasawica. Ktoś coś nakręca. Jakby skończył się cykl i nadszedł czas sprzątania, zamykania drzwi. Przez tyle lat nikogo, a w ostatnim czasie tyle nowości. Głowa się odkręca. A może to ty, Margareta, w coś grasz? Powiedz prawdę.

Sasza pozbierała niedopałki. Wsypała je Tarasowi na dłoń. Poprawiła okulary na nosie i zauważyła w oknie błysk. Miała nieodparte wrażenie, że robią im zdjęcia. Odruchowo odwróciła się plecami do budynku, by nie mogli czytać im z ruchu warg.

– Ja już jestem zmęczona. Nie mam siły dłużej udawać.

– To tym bardziej żadnego wyboru. Ujawnij się. Nie chcesz, żeby córka wróciła żywa? Życie za życie. Nawet Bóg tak ustawiał świat.

– W Starym Testamencie. Wtedy nie było służb. I Polski nie było.

– Szpiedzy byli zawsze. – Taras nie miał ochoty na filozoficzne dyskusje. – Zgromadź lepiej te materiały. Zrób, co masz do zrobienia. Chrzań etykę, zasady. Patrz na konsekwencje. Norin może odmówi, ale cię nie wystawi. Za dużo was łączy. Nie opłaca mu się ciebie wydawać. Zresztą raczej nie masz wyjścia. I już nie raz to robiłaś. Skąd te skrupuły?

Sasza nie odpowiedziała od razu. Taras bacznie się jej przyglądał.

– Ty masz jakiś plan. Coś knujesz. Znam cię.

Sasza natychmiast zaprzeczyła.

– Właśnie nie mam. Nie wiem, na czym stoję. Nie wiem, kto ma te dokumenty.

– Nie podejmuj walki, kiedy wiesz, że z pewnością przegrasz – przestrzegł ją.

Spojrzała na niego przerażona.

– Dlatego muszę wiedzieć, kto wtedy wynajął Julka. Domin? Jelcyn? Kurczak? Ta sama osoba zleciła teraz uprowadzenie Karoliny. I jeśli dostanie to, czego szuka, może uda mi się ją odzyskać.

– Ważne, że wiesz, czego szukają.

– Nie jestem pewna. Strzelam na oślep. A zresztą nawet gdybym je miała, co z nimi zrobię? Opublikuję je? Zaniosę na komendę? Jestem tylko nieistotnym pionkiem.

Łatwym do usunięcia. – Pokazała mu znów ranną rękę.
– Nie radzę sobie z emocjami. Przepełnia mnie nienawiść
w najczystszej postaci. Czuję się bezradna, słaba, bezuży-
teczna. Gdyby nie Karolina, piłabym dzień i noc. Na umór.
Aż do końca. I wiesz co, najchętniej pozabijałabym ich
wszystkich. Odwiedzałabym ich po kolei i darowała każdemu kulkę w łeb, ktokolwiek napatoczyłby się z przeszłości. Ale wiem, że to nic nie da. Nic, zupełnie. Mojej sytuacji nie zmieni, a może ją nawet pogorszyć. W tym czasie
oni zabiją mi dziecko!

– Gadasz jak małolata! – zdenerwował się Ukrainiec.
– Skoro wzięli ci dzieciaka, to znaczy, że chcą cię użyć. Jesteś potrzebna.

– Słyszę to cały czas. Potrzebna. Użyteczna. Do czego,
Taras? Dlaczego inni giną, a ja sobie tutaj siedzę i mówię
z tobą, jakby były święta? Przecież wiem, że mnie obserwują. Wiem, że za mną łażą. Co to oznacza?

– Nie wiem, Margareta. – Taras wzruszył ramionami.
– Od lat siedzę w puszcze. Dostałem świerzbu, mam gruź-
licę, pewnie HPV, a może inne zarazy. Zębów zostało mi
ledwie kilka sztuk. Nikt tutaj nie dba o zdrowie zwyrodnialców. Jestem poza obiegiem. Pytasz nie tę osobę, co
trzeba. Ale świat niewiele się zmienia. Zasady zawsze są
takie same. Za dużo rozmyślasz, za bardzo sobie folgujesz.
To walka. Kiedyś ci to mówiłem. Na wojnie nie ma czasu
na rozpacz. Nie wiesz wielu rzeczy. Po co? Dlaczego? Jak
długo pozwolą ci niuchać trop? A to i tak nieważne. Bo
twoją bronią jest to, co wiesz. Tylko to, co wiesz i co już
masz. Na tym się skup. Skoro musisz dotrzeć na samą górę
piramidy, znajdź wyłom i zacznij się wspinać. Nie patrz
w górę, zacznij od dołu. Od tych, którzy wykonują rozkazy,
ale są uwikłani. Idź jak po sznurku. Cierpliwie i czujnie.

313

Nie ma takiego kłębka wełny, którego nie da się rozplątać.

– Czasami bywają.

– To wtedy przetniesz nić i chwycisz następny kawałek.

– Nie mam tyle czasu.

– Oni też to wiedzą.

Sasza uważnie spojrzała na przyjaciela.

– Co masz na myśli?

– Przecież ty wiesz, kto, co i gdzie ma. To jak w łamigłówkach dla dzieci. Wiesz, w stylu „znajdź różnice". Im dłużej patrzysz na obrazki, tym bardziej zlewają się w jedno, ale odejdziesz, wrócisz, świeże oko zaczyna wychwytywać detale. Może to, czego szukasz, jest w zasięgu ręki, tylko ukryte. Nie odpuszczaj! Odpocznij – powiedział dobitnie. – I przestań się mazać. Dziadek ma mapę. Idź do niego. To, że pozbyli się jego, nie znaczy, że zdobyli jego „gremlinowo".

Sasza wyjęła chustkę, wydmuchała nos.

– Co ty chrzanisz? – wymruczała, ale Ukrainiec tylko się uśmiechnął.

– Byłaś ulubienicą Jelcyna, a potem i Dziadka. Nie bez powodu obaj powierzali ci własne sekrety. Znasz ich obydwóch. Ich słabe i mocne strony. Nie ma w tym kraju drugiego agenta, który ma taki oręż w ręku.

– Szkoda tylko, że nie umiem go używać.

Taras tylko się zaśmiał.

– O skrytce i twojej polisie spod podłogi słyszałem legendy. Przecież dobrze wiesz, o czym mówię.

– Nie wiem – wyszeptała. – Gadaj wprost.

– Wiesz dobrze. – Taras zniżył głos do szeptu. – A sejf Gutka? I to, co według Dziadka spłonęło w Krakowie, kiedy z Pająkiem zrobiliście Karolinę.

314

Zamilkł.

– Potrzebuję zbrojnego wsparcia. – Sasza zdecydowała się zmienić temat. – Jak jest na mieście?

Taras wzruszył ramionami.

– Ty powinnaś wiedzieć lepiej. Ale mówią, że odkąd Kurczak poszedł na poleżenie, rządzi teraz jego ślubna. Dyżurny jej doradza. On jeden przeżył ze starej gwardii. Prowadzi fabrykę konserw rybnych. Biznesmen, rozumiesz. Nie afiszuje się, podatkowo czyściutki. Zawsze go szanowałem. Nigdy nie zeznawał, chyba nawet przez Norina nie był oficjalnie słuchany. To już dziadzio, ale honorowy. Jola bardzo mu ufa, jak kiedyś Kurczak. I ma kosę z Bułką. Mówią, że to Jola Kurczakowa Splintera wyczyściła, bo sypał ludzi z Wybrzeża. Sama też przesiedziała kilka lat, ale nikogo nie przypucowała. Ci, którzy ustawiali sprawę Grubego Psa, nie są już dziś na świeczniku. Są wyżej. Zarządzają zza kulis. Ale i oni mają swoich wrogów. Władza jest chodliwa. Zawsze jest na nią popyt. A Jolanda te kulisy zna doskonale i wciąż jeszcze ma swoje dojścia. Jest ostro sfrustrowana, bo cały majątek im zabrali, a kasy potrzebuje jak ryba wody. Męża chce wyciągnąć z pudła. Pójdzie na każdy układ. Wszystko się pozmieniało, ale te rzeczy nie ulegają zmianom. Dasz jej paliwo, uruchomi lokomotywę. Sprzeda to, co zgromadzisz. I poznasz odpowiedzi na swoje pytania: kto zatrudnił Julka, mnie i Tamagocziego. A także ciebie. Bo Jelcyn był jedynie kurierem kogoś o wiele mocniejszego.

– Mam zaufać ludziom, którzy sami byli na usługach esbecji, UOP-u, grozi im więzienie? To jak wchodzenie do klatki wygłodniałego tygrysa. Jeśli dam im ten materiał, zabiją mnie choćby po to, żeby nie dzielić się zyskiem. Taras, trzeba wiedzieć, komu sprzedać złote jabłko. Kto jest teraz za kółkiem?

Sasza patrzyła na więźnia błagalnie. Oboje wiedzieli, że żadne nie zna odpowiedzi i możliwe, że nigdy jej nie poznają.

– Nie ma jednego kierownika. Jest pajęczyna.

– Wiem. Czerwona. Obecny rząd ostro forsuje tę tezę.

– Nie znam się na rządach. Ale u nas, na Wschodzie, jest taka anegdota. Chcesz wyzwać króla na pojedynek, stań u bram pałacu i pokaż mu dupę. Nie jest pewne, że przeżyjesz, ale przynajmniej zyskasz szacunek wszystkich, że nie tylko o tym gadasz.

Sasza się roześmiała.

– Zmieniłeś się.

– Ewangelia Judasza obowiązuje nie tylko tutaj.

– Urwał.

W ich kierunku zmierzał mężczyzna w płaszczu i czarnej fedorze. Załuska natychmiast spoważniała.

– Wilmor – syknęła przez zaciśnięte zęby. – Słyszałeś taką ksywę?

– A powinienem? – Taras przypatrzył się bacznie Załuskiej i wyszeptał po rosyjsku: – To żaden z naszych. – Następnie pochylił głowę i ledwie słyszalnie dodał: – Twoi muszą go znać. – A potem, już po polsku, zaskakująco lekkim tonem przedstawił Załuskiej dyrektora zakładu: – Major Barnaba Światowid Kiszka. Mój ulubiony dyrektor. Ma najlżejszą rękę do pomidorów malinowych. Jesteśmy zaszczyceni.

– Czy pozwoli pani do mojego biura? – Kiszka nie miał czasu ani ochoty na wersal. – To potrwa kilka minut.

Sasza przyjrzała się bacznie mężczyźnie. Postarzał się, przygarbił, ale oczy nadal były czujne i rozbiegane jak u lisa. Kiedy miała już pewność, że i on ją rozpoznał, bo zobaczyła w jego oczach panikę, odparła z szerokim uśmiechem:

– Ostatnim razem nie był pan tak uprzejmy.

Taras zmarkotniał. Spoglądał to na Saszę, to na dyrektora, a potem odsunął się i zaczął układać swoje narzędzia w szopie. Profilerka tymczasem odmaszerowała, nie zwracając uwagi na czające się postaci w mundurach. Wiedziała, że nie odważą się zatrzymać jej siłą, lecz jeśli zawaha się choćby na moment, wezmą ją na spytki i zostanie tutaj na długo. Może na zawsze.

Iga Śmiałowska trzymała w dłoniach zdjęcie ukochanego w porcelanowej ramce nagrobnej. Nie mogła uwierzyć, że nigdy go już więcej nie ujrzy. Nie przytuli się do niego, on jej nie rozśmieszy. Nie pójdą ani razu do filharmonii albo na musical. Dziadek nienawidził śpiewanych spektakli i skrzypiec, a mimo to przez całe lata bywał na koncertach i przedstawieniach muzycznych dla niej. Żadnych więcej spacerów w deszczu, kradzionych pieszczot w spiżarni. Czułych, porozumiewawczych spojrzeń przy stole, gdy Iga podaje parującą zupę w wazie, a młoda żona Dziadka udaje, że nie widzi ich bliskości, i jedynie karcąco milczy.

Dom wypełniony był wieńcami i koszami kwiatów. Nieustannie przychodziły kolejne, a Iga z każdą godziną wyglądała na coraz szczuplejszą, choć zdawało się to już niemożliwe, bo zawsze miała kibić nastolatki. Przyjmowała dowody pamięci w milczeniu i ustawiała je w holu, opłakując każdą szarfę z pompatycznym pożegnaniem.

Jej nikt nie składał kondolencji. Wszyscy skupiali się na Warwarze. Piękna żona generała perfekcyjnie odgrywała rolę zbolałej wdowy. Włosy, prosto od fryzjera, uczesane w nobliwy kok. Czarne perły na szyi, szafiry w najgłębszym odcieniu granatu w uszach i na palcach. Od stóp do głów ubrana w zgrzebną krepę kiwała jedynie głową i ostentacyjnie przykładała haftowaną chustkę do ust, by ukryć grymas satysfakcji. Iga dziwiła się, że jeszcze nie nosi swojego nowego kapelusika z woalką. Pewnie nie może się doczekać pogrzebu, aby go zaprezentować. Kilka godzin temu Warwara poczuła się tak zmęczona natarczywym dzwonkiem i witaniem kolejnych notabli, którzy przewijali się przez dom z kondolencyjnymi prezentami, że aż wyszła do kuśnierza po nowe futro. Idze natomiast zdawało się, że już wypłakała wszystkie łzy. Pocieszała się, że są przecież dobre strony tej sytuacji. Kajetan Wróblewski kochał ją do śmierci. Opuścił ją na zawsze, ale kiedy znalazła go konającego w garażu, jedyne, o czym chciał mówić, to była ich miłość. Oraz niespodzianka, bo zgodnie z jego wolą to ona – Iga Śmiałowska, a nie prawowita małżonka Warwara – spocznie z nim w jednym grobie. Prałat dostał solidną zapłatę i przypilnuje sprawy, choćby trzeba było jej ciało ściągać po śmierci z Kolorado. Wprawdzie nikt nigdy się nie dowie, jak ścisła więź łączyła ich dusze, bo oficjalnie jego prochy miały być rozsypane w Bieszczadach, ale kogo to obchodzi? Jej na opinii ludzi nie zależało od lat. Dziadek nie byłby sobą, gdyby nie zadbał również o sprawy ziemskie. W testamencie zapisał Idze wszystko, co posiadał, a czego nie wniosła do wspólnego majątku Warwara. Rozdzielność Wróblewscy mieli od lat. Wyjazd jego i Igi był przygotowany już dawno. Śmierć Kajetana niczego nie zmieniała. Iga miała tylko zamknąć za sobą drzwi i wsiąść do samolotu. Jej dobytek popłynął statkiem do Ameryki już miesiąc temu. Czekało tam na nią ich pierwsze wspólne mieszkanie, z widokiem na zatokę. Resztę w kilka chwil spakowałaby do maleńkiej walizki. Dzięki dyskrecji Dziadka Iga mogłaby wyjechać i zacząć życie na nowo. Nikt by jej nie zagroził. Nic o niej nie wiedzieli. Ukochany postarał się, by sądzono, że jest nieistotna. A nie było to łatwe. Tak naprawdę była jego najbardziej zaufaną wspólniczką. Latami szyfrowała najtajniejsze informacje. Był czas, że wiedziała o wielkiej polityce więcej niż prezydent i premier. Uparcie szukała w obecnej sytuacji zalet. Nigdy już nie będzie musiała słuchać kłótni Dziadka z tą jędzą. Milczeć przy śniadaniu czy leżąc za ścianą w pokoju dla gosposi, myśleć, czy położył się z Warwarą do łóżka, czy też poszedł do siebie i odwiedzi Igę dopiero nad ranem. Właściwie, postanowiła, nie będzie już myślała wcale. O niczym.

Oczy miała zapuchnięte, w gardle drapało ją od papierosów wypalonych potajemnie w kuchni. Kiedy kamieniarz przyniósł porcelanowe zdjęcia na nagrobek i złote litery, by wybrać czcionkę na napis, jeszcze zachowywała spokój. Ale po jego wyjściu, gdy odpakowała zdjęcie Kajetana na medalionie, znów się podłamała. Kazała zamówić dwa: jedno na grób, drugie dla siebie. Planowała zabrać je ze sobą, gdziekolwiek się uda. Wpatrywała się teraz w kanciastą szczękę swojej jedynej miłości, na pierwszy rzut oka sympatycznego staruszka, a kiedyś tak przystojnego oficera. W jego włoską bródkę i krzaczaste siwe brwi, spod których błyskały oczy – w rzeczywistości świetlistoniebieskie – i była pewna swojej decyzji. Ułatwi sprawę wszystkim. Tak, był stary, miał osiemdziesiąt lat, ale i ona nie była już młódką. W ubiegłym roku skończyła sześćdziesiątkę. Trzydzieści parę lat temu umieścili ją w domu dzisiejszego generała Kajetana Wróblewskiego jako gosposię. Miał już wtedy drugą żonę. Warwara była młodsza o dekadę, ale to zawsze Idze dawali mniej. Może przez jej szczupłość, wystające kości policzkowe i włosy krótko ostrzyżone na pazia. Iga nigdy, nawet przez chwilę, nie żałowała tej decyzji, choć mogła awansować, wyjechać na placówkę. Wyjechałaby, gdyby i on jechał. Ale wtedy zawsze byłaby z nimi Warwara. Iga myślała o tym po tysiąckroć. Poświęciła temu mężczyźnie swoje najlepsze lata, lecz gdyby czas się cofnął, uczyniłaby tak ponownie. Była z nim szczęśliwa. Może tylko nie zgodziłaby się kolejny raz na wspólne życie pod jednym dachem z dumną Rosjanką, którą Dziadek pojął za żonę z powodów strategicznych. Tak, wyjechaliby wcześniej. Wiedziała dziś, że mogła go przekonać. Od dawna chciał się uwolnić. Dlatego Iga czuła się tak bardzo winna jego śmierci. Ktoś wykrył ich plan. Ktoś doniósł. To nie był przypadek, że strzały padły tuż przed ich wyjazdem.

W jednej ręce trzymała wciąż medalion. Plaster z jej dłoni się odkleił, skaleczenie znów zaczęło krwawić. Na porcelanowej twarzy Dziadka pojawiła się kropla krwi. Iga odebrała to jako znak. Drugą ręką chwyciła staroświecki zakorkowany flakonik wypełniony fioletowymi kryształkami. Metka na spodzie była wytarta, brzegi podrapane. Kajetan trzymał go na czarną godzinę. Kiedy jednak nadeszła, nie miał odwagi odejść z honorem. Może ze względu na nią? Do końca wierzyła, że uda im się uciec. Nie zdążyli. To była jej wina. Tak bardzo go kochałam, rozpaczała.

Wiedziała, że to nie będzie spokojna śmierć. Arszenik wypali jej wnętrzności, będzie czuła potworny ból. Dlatego opróżniła też apteczkę z antydepresantów, środków przeciwbólowych i nasennych. Odkorkowała najlepsze wino z piwniczki Wróblewskich. Warwara nigdy nie przekraczała progu kuchni, piwnicy czy spiżarni. To było królestwo Igi. Mogłaby tam schować zwłoki, a nikt nie zorientowałby się przez całe lata. Czasami śniła koszmary, że wekuje ciało konkurentki niczym rybę w occie i ustawia słoje na półkach. Na pożegnanie ze światem miała tylko trzy godziny.

Warwara od kuśnierza pojedzie do notariusza i tam dowie się, że Dziadek przed śmiercią zdążył zmienić testament. Chciałaby widzieć minę rywalki. To dałoby jej satysfakcję za wszystkie lata. Kajetan oczywiście zabezpieczył swoje dzieci i wnuki. Dom zapisał najstarszemu synowi, z pierwszego małżeństwa, i to jemu pozostawił decyzję, czy pozwoli macosze dalej w nim mieszkać. Wiedział, że Krzysztof zrozumie jego intencje, ale się zgodzi. Nie byli skłóceni, po prostu od lat nie potrzebował pomocy ojca. Od jakiegoś czasu Kris bliżej był z teściem. Po ślubie z Katarzyną, córką Bronisława Zawiszy, pozbył się nawet rodowego nazwiska. Kajetan bardzo to przeżył, ale znał przyczynę. Była racjonalna. W tej branży dobrze jest czasem zatrzeć po sobie ślady. Teraz Krzysztof dostanie swój udział. Wszystkie zaś ruchomości, pieniądze i kosztowności miała otrzymać Iga. Tak, Dziadek wiedział, że jej na tym nie zależy. Kochała go pomimo jego wad, nie dla pieniędzy. I wbrew sytuacji, w którą ją wtłoczył. Chciał choć w jesieni życia zapewnić jej spokój i stabilność. By już nigdy nie musiała bać się gościa w drzwiach. Iga to doceniała. Dziadek taki był. Nie spodziewała się po nim niczego innego. Tyle że ona nie chciała zostać na tym padole sama. Otworzyła *Romea i Julię*, wysypała na talerzyk zawartość fiolki. Przysunęła do siebie blachę z karpatką i nalała wina do kieliszka. Upiła łyk. Było gęste, ciężkie. Osadzało się w ustach jak satynowa powłoka. Czuła aromat tytoniu, jagód, beczki i bardziej ze strachu niż pragnienia szybko wychyliła zawartość.

Znów zadzwonił dzwonek.

Nie ruszyła się z miejsca. Sprawdziła, czy jej list znajduje się na właściwym miejscu. Buty ustawiła pod łóżkiem. Pozbyła się starych pończoch, choć wcale nie były podarte. Bieliznę i odzież ułożyła w kominku, pod polanami. Kiedy przyjdzie pora, nikt nie zauważy, że razem z drewnem pali się kilka jej szmatek. Nie zamierzała sprawiać niepotrzebnych kłopotów. Wcześniej wysprzątała swój pokój, naczynia wstawiła do zmywarki. Ciasta były gotowe, więc je tylko przykryła folią aluminiową, by nie opadły. Wykąpała się, uczesała. Włożyła pudrową suknię, złote buty. Ze szkatuły wyjęła szmaragdowy naszyjnik. Swoją jedyną biżuterię poza obrączką matki i cienkim łańcuszkiem na przegubie. Kajetan kupił jej tę kolię podczas jednego ze wspólnych wyjazdów służbowych do Wiednia. Podarował w dniu czterdziestych piątych urodzin. Wtedy też zdradził jej swój plan. Chciał odzyskać swoje wierzytelności, spłacić długi i odejść z firmy. A kiedy pozamyka stare sprawy, obiecywał, zostawi Warwarę i wyjadą razem. Starość mieli spędzić tylko we dwoje, pod jej nazwiskiem, gdzieś bardzo daleko stąd. Najlepiej w miejscu, gdzie temperatura nigdy nie spada poniżej zera. Omal nie dotrzymał danego słowa. Tak mało brakowało – szyfrantka znów się rozpłakała. Dotknęła z czułością sześciokaratowego szmaragdu. Kiedy się spotkamy, Dziadek z pewnością ucieszy się, że mam go na sobie, pocieszała się.

Dzwonek w końcu zamilkł. Odetchnęła z ulgą. Wzięła kęs karpatki i połknęła pierwszą partię leków. Wylosowała garść kryształków na chybił trafił. To nic strasznego. Byle nie stracić determinacji. Nagle rozległ się trzask i pękła szyba. Do pokoju wpadł skulony mężczyzna. Kobieta krzyknęła, odsunęła się pod ścianę. Łukasz Polak otrzepał się z odłamków szkła, podnosił się powoli. Dopiero wtedy Iga go poznała.

– Zwariowałeś? – krzyknęła, ale zaraz pobiegła po szczotkę i zaczęła omiatać mężczyznę ze szklanego pyłu. Łukasz ciężko dyszał.

– Myślałem, że coś się stało. Nie odbierasz.

Iga pochyliła głowę. Spojrzała na swoją ostatnią wieczerzę.

– Bo się stało. Dziadek nie wróci. Nawet nie będzie miał porządnego grobu.

Usłyszeli trzaśnięcie drzwi, a potem kroki. Iga wychyliła się i zerknęła na korytarz.

– To ochroniarze. Widać Warwara czegoś zapomniała.

Pociągnęła Łukasza do spiżarni. Stali między dżemami a kiszonymi ogórkami. Każdy słoiczek był opisany i miał naklejkę z rokiem zawekowania. Polak był pewien, że to obsesyjna perfekcja Igi. W rogu uspokajająco mruczała wielka zamrażarka.

– Nie było jej – zwróciła się do Łukasza, kiedy kroki ucichły.

Sama nie wiedziała, jak to się stało, ale już nie czuła się rozklejona. Znów była sobą. Niby oschła, zachowawcza, okrutnie konkretna. Za to uwielbiali ją wszyscy agenci Dziadka. Każdy się do niej garnął jak do matki. Warwarę mieli za rozkapryszonego smoka, którego należy unikać, choć w żadnym razie nie lekceważyć. Igę Śmiałowską kochali absolutnie. Łukasz mógł jedynie sobie wyobrażać, jak szyfrantka czuła się w tej sytuacji. Znikąd wsparcia, pomocy. Martwił się o nią tak samo, jak o Saszę. Po prostu ją przytulił.

– Bardzo mi przykro – wyszeptał.

– Mnie nie mniej – mruknęła i dyskretnie schowała coś do kieszeni.

– Kto? – zapytał ledwie słyszalnie. – Kto to zrobił?

– Nie nasi. – Iga pokiwała głową i powiedziała dobitnie: – Ja go znalazłam.

– Nie Warwara?

– Ona w życiu nie poszłaby wtedy do garażu – zaprzeczyła stanowczo. – Nie miał tłumika.

– Widziałaś go?

– Plecy – potwierdziła. – Szczupły, niewysoki. Na sobie miał zieloną parkę. – Wskazała ubranie Łukasza. – Prawie identyczną kurtkę jak twoja. Ale nie rozpoznam. To mógł być każdy. Chyba nie wierzysz, że Kajtek sam do siebie trzykrotnie strzelił?

Łukasz wciąż patrzył na nią z niedowierzaniem.

– Wziąłby inhalator. Włożył mundur. Znam go. – Zawahała się. – Znałam.

– Wiem.

– To dopiero początek. Uciekaj.

– Gdzie może być Sasza?

Iga patrzyła na Łukasza jak na wariata. Potem pochyliła się i z jednego z woderów wyciągnęła gazetę.

– Widziałeś?

Na pierwszej stronie bulwarówki widać było zdjęcie wojskowych otaczających czarny worek leżący na gdyńskiej plaży. W tle majestatycznie błyszczały ruiny torpedowni.

– Czuję, że to ona. – Iga przełknęła ślinę. – Kilka dni temu przyszło dwóch młodych od Bronka Zawiszy. Tadek Otto i Jelcyn jej szukali. Awantura była taka, aż Warwara wyszła sprawdzić, co się dzieje. Dziadek do końca bronił Saszy.

– On nigdy nie był po naszej stronie – upierał się Łukasz. – Wystawił nas w Krakowie. Poświęcił dla TW Calineczki.

– To nieprawda – zaoponowała gwałtownie Iga. – Poręczył za nią. Nie pochwalał ich metod, ale zawsze was chronił. Ciebie i ją. Wiele razy wstawiał się za tobą, dużo ryzykował. Teraz też starał się, żeby oddali jej dziecko. Zresztą nie wiesz wszystkiego. Widzieli się z Saszą przed jego śmiercią. Nie tutaj, gdzieś w mieście. W małej dziupelce przy Skwerze Kościuszki. Podobno w spotkaniu brał udział jeden były gangster – Wojciech Kłyś. Ten z protezą.

– Pochłaniacz?

Potwierdziła skinieniem.

– Nigdy go nie lubiłam. – Nabrała powietrza, wypuściła ze świstem. – Może to jego sprawka?

– Niewykluczone – szepnął z przestrachem Łukasz.

– Wszystko to było podejrzane. Coś razem kombinowali. Pochłaniacz miał sprawę do Załuskiej, a kiedy się rozmówili, ona wsiadła do wozu bandyty. Dobrowolnie.

– Akurat – mruknął przestraszony Łukasz. – Nie miała wyboru.

– Mylisz się. Było, jak powiedziałam. Warwara ich przyłapała. W tej kwestii musimy jej wierzyć. Jej ludzie łazili za Załuską cały czas. Dziadek się tego nie spodziewał. Nieprawdopodobne mu się wydało, że własna żona będzie go szpiegowała.

– Jakby znał ją od wczoraj.

– To samo mu odpowiedziałam. – Śmiałowska uśmiechnęła się lekko. – Potem słyszałam, jak się kłócili. Warwara krzyczała, że Kajetan niepotrzebnie spiskuje i ich naraża. Że naraża ją, oczywiście – poprawiła się Iga. – Potem nie chciał rozmawiać, ale sądzę, że to może mieć związek.

Potrząsnęła gazetą. Wpatrywała się w Łukasza i czekała na jego reakcję, ale on jak zwykle był spokojny. Mówiła więc dalej:

– Mieliśmy wyjechać. Ktoś z CIA załatwił nam miejsce u siebie.

Wskazała na stojące pod ścianą kartony z kolorowymi naklejkami na frontach. Były rozgrzebane. Łukasz spostrzegł, że w większości to dokumenty: stare akta, wydruki protokołów. Czyżby Dziadek brał ze sobą archiwum? – zastanawiał się gorączkowo.

– Warwara też miała jechać? – dopytał.

Iga Śmiałowska pokręciła głową. Zarumieniła się.

– Tylko ja i Dziadek. Ona nie chciała się przeprowadzać. Próbowała pokrzyżować nam plany. Płakała, groziła, pajacowała. Zadzwoniła nawet do Krzyśka, żeby przekonał ojca. Dziadek tłumaczył jej, że powinna, przynajmniej na początku, bo jak to będzie wyglądało, co sobie ludzie pomyślą. Wiesz, jaki on jest. Był – poprawiła się. – Ale Warwara się uparła, że zostaje. Więc stanęło na tym, że jedziemy sami. Właściwie byliśmy spakowani. Moje rzeczy tam już są. Nie mam tutaj praktycznie nic. Bilety tracą ważność w przyszłym miesiącu. W razie czego mogę cię zabrać. Nie są imienne.

– To co ty tutaj jeszcze robisz? – Łukasz prawie na nią krzyknął.

Iga podniosła głowę.

– A pogrzeb, stypa? Kto tego wszystkiego dopilnuje? Przecież ta kobieta nawet grobu nie chciała. Kazała rozsypać jego prochy jak najdalej stąd. Do szpitala pojechała tylko ze względu na fotografów z gazet. Żeby to odpowiednio wyglądało. Ja oczywiście nie mogłam. Dopiero jutro przywiozą ciało. Ale zarządziła, że trumna ma być zamknięta. I będzie. Nie dała mi się nawet z nim pożegnać. Pracownik domu pogrzebowego obiecał, że choć chowają go późno, nie będzie śmierdzieć. Zamówiła specjalny wkład chłodzący o zapachu lawendy. Tylko to ją obchodzi. – Szyfrantka rozpłakała się.

Łukasz chwycił ją za rękę. Oddała uścisk. Powoli się uspokajała.

– Zapisał ci coś?

Iga zawahała się, zanim odparła.

– Nawet jeśli, to Warwara dopilnuje, żeby podważyć testament.

Łukasz zrozumiał.

– Musisz iść do jego prawnika pierwsza. Albo dzwoń do Antczaka. Arek cię zna i lubi. Zawalczy o ten spadek swoimi kanałami. Jest teraz przecież kandydatem na prokuratora generalnego. Może wszystko. A to stanowisko dostanie dzięki wam.

– Nie zależy mi – żachnęła się Iga. – Na tamten świat niczego przecież nie zabiorę.

– Wiesz, że nie chodzi o pieniądze. Wszyscy szukają jego archiwum.

Oboje odruchowo spojrzeli na wybebeszone kartony pod ścianą.

– Byli już?

Skinęła głową.

– Pod pretekstem oględzin miejsca zbrodni przetrząsnęli cały dom. Wszystko sprawdzili. Każdy kąt. Ledwie zdążyłam posprzątać, zanim zaczęły przychodzić kwiaty.

Wychyliła się.

– Chyba już poszli.

Wydostali się ze spiżarni. Dopiero wtedy Łukasz ocenił wielkość spowodowanych przez siebie zniszczeń. Iga starała się od razu zrobić porządek. Odciągnął ją, żeby się nie poraniła, i wtedy zobaczył tabletki na talerzyku, pustą fiolkę oraz otwarte wino. Arszenik wysypał się z talerzyka i wsiąkł różowymi kropeczkami w karpatkę. Łukasz chwycił pożegnalny list Śmiałowskiej i schował do kieszeni jej fartucha, wiszącego na oparciu krzesła.

– Proszę cię, wyjedź.

Nagle twarz kobiety stężała. Uchyliła firankę. Pod domem zaparkowano czarną limuzynę. Wysiadła z niej Warwara w toczku z woalką. Mimo piętnastu stopni ciepła miała na sobie krótkie futro z soboli. Towarzyszyło jej dwóch postawnych mężczyzn w garniturach, ale z daleka widać było, że nawykli do noszenia munduru.

– Wróć wieczorem – szepnęła Iga. – Może Warwara będzie chciała z tobą mówić.

– To nie Sasza. – Łukasz wskazał spiżarnię.

Iga wpatrywała się w mężczyznę urzeczona. Był tak ładny, ujmujący w gestach, prawie jak dziewczyna. Miał jej kolor włosów, nawet układały się na końcach w podobne fale. Poczuła tkliwość, a potem znów przyszła fala smutku. Może dlatego nie od razu zrozumiała, o co mu teraz chodzi. Spojrzała ponownie na gazetę z artykułem o odkryciu zwłok w torpedowni i odchrząknęła.

– Jeśli to ona, nic nie możemy już zrobić.

– Sasza tutaj wróci – upierał się. – Ja to wiem. Coś zostawiła.

– Oby nie – przeraziła się Iga.

Weszła do spiżarki i wyniosła wodery, płaszcz przeciwdeszczowy oraz zielony kapelusz, który zasłaniał Łukaszowi niemal całą twarz. Do ręki wcisnęła mu kilka wędek i usztywniany chlebak.

Kiedy się żegnali, Polak wskazał ciasto ozdobione trucizną jak lukrowaną posypką i uśmiechnął się łagodnie.

– Podaj to jutro, proszę. Jako prezent pożegnalny od Dziadka dla zwierzchników.

Leszek Grabowski stosował zasadę ograniczonego zaufania wobec każdego i wszędzie. Być może wynikało to ze specyfiki jego pracy, a może była to jego cecha wrodzona. Raczej powolny, stateczny, twarz miał łagodną, oczy dobrotliwe i pełne ciepła. Długo ważył w ustach słowa, zanim je wypowiedział. Nie znosił walki, konfliktów, kombinacji za plecami. Lubił dobrze zjeść i wypić, ale nie popadał w nałogi, traktując życie raczej jako zmysłową ucztę niż pole gry. Owszem, był hedonistą. Wierzył też w dobra materialne. Nie umiał czytać między wierszami i miał kłopot z abstrakcją. „Dużo" było jego religią. Ale nawet kiedy miał mało, wiedział, jak sprawić, by świat dostarczał mu podniet, i nigdy nie łamał raz ustalonych zasad. Prawda i szczerość były dla niego jak oczyszczające katharsis. Może dlatego wybrał właśnie ten zawód. Liczył, że będzie mógł wpływać na rzeczywistość, zmieniać ją na lepsze. Były czasy, kiedy to się udawało. Obrażał się na epitety: idealista, misjonarz, ale tak naprawdę pasowały do niego idealnie.

Ostatnio nie miał dobrej passy. Mówiono, że jest uparty jak osioł, nikogo nie słucha, nie potrafi być elastyczny i trwa przy poronionych pomysłach, interpretacje przedkładając nad fakty i dowody, co w mediach było obelgą najdotkliwszą z możliwych. Słowem, marnuje swój reporterski talent na przegrane sprawy. Nie zaprzeczał, gdyż wszystkie te cechy uważał za największe zalety. Jeśli w coś się wierzy, nie ma klęsk, jedynie proces dotarcia do celu wydłuża się w czasie. Sam miał się za osobę niezwykle łagodną i bezkonfliktową. Może nieco dominującą. Ale też nie musiał nikomu udowadniać własnej wartości. Czuł ją każdego ranka, ledwie otworzył oczy, więc wypadało jedynie zgodzić się z opiniami innych, skoro potrzebują etykietek. Zasadniczo olewał, co mówią i sądzą. Wiedział swoje. Biada jednak temu, kto wyprowadził go z równowagi. Drzemiący w nim wulkan eksplodował gwałtownie, znikała łagodność oraz ciepło bursztynowych tęczówek. Wróg winien błyskawicznie wziąć takowe ostrzeżenie do serca i brać nogi za pas, w przeciwnym razie przekona się na własnej skórze, czym jest wściekłość rozjuszonego blondwłosego cherubina, który dorobił się trzydziestu kilo nadwagi.

W towarzystwie swoich konkurentów Leszek stawał się arcypodejrzliwy. Nie było mowy o zaufaniu ograniczonym. Nieustannie kontrolował i sprawdzał. Był zdolny do najgorszego, a dowiódł tego już niejeden raz. Kiedy nakrył małżonkę in flagranti ze swoim własnym przyjacielem z dzieciństwa, wyrzucił rywala przez okno. Żona, kierując się zapewne kobiecym instynktem, ale też doświadczeniem dziesięciu lat wspólnego pożycia z Leszkiem, zeszła mu wtedy z oczu. Siedział potem w fotelu, zastanawiając się, kto zranił go bardziej. Znudzona małżonka, którą rozpieszczał i której pozwalał niemal na wszystko, ale też zaniedbał ją cieleśnie, przesiadując w pracy, czy też przyjaciel, którego wpuścił do swojej twierdzy, karmił, wysłuchiwał żalów i wspierał finansowo po bankructwie firmy, chcąc jak Samarytanin pomóc bliźniemu. A może po prostu widok gołej dupy przyjaciela między udami jego kobiety wyprowadził go z równowagi? Czy jakikolwiek facet zachowałby się inaczej? Tego wyczynu, jak i innych w swoim życiu, godnych brazylijskiej telenoweli, nie żałował. Ani wtedy, kiedy wzięli go w kajdankach na dołek, ani dwa dni potem, kiedy pakował do kartonów swoją bibliotekę i transportował ją do matki. Rozwód orzeczono na pierwszej rozprawie. Mieszkanie, w którym doszło do zdrady, zostawił byłej. Na szczęście Grabowscy mieszkali na pierwszym piętrze. Były przyjaciel miesiąc chodził w gipsie, potem wyjechał z miasta. Nie złożył doniesienia. Sprawę o napaść umorzono. Nigdy więcej się nie widzieli. Leszek całe lata był sam.

Nie znał tutaj ani jednej osoby, którą darzyłby sympatią i szacunkiem. A jego uczucia z pewnością były odwzajemniane. Grabowski nie miał z tym problemu. Ogólnie nie przepadał za ludźmi. Doskonale czuł się w swoim własnym towarzystwie i nigdy się nie nudził. Wiedział, że zarzucają mu ostentacyjne okazywanie swojej wyższości, tupet oraz arogancję, ale on po prostu lubił chodzić swoimi drogami i raczej karczować busz z maczetą w dłoni, niż przemieszczać się szlakami dawno wydeptanymi przez innych. Większość zgromadzonych dziś dziennikarzy mieniła się śledczymi, ale tylko on jeden gotów był zaryzykować posadę, pieniądze i własne bezpieczeństwo dla tematu, nad którym zwykle pracował miesiącami. Może dlatego też jako jedyny nie był obecnie nigdzie zatrudniony. Nie pamiętał już, jak przyjemna jest płynność finansowa, a gdy chciał jakiejś gazecie sprzedać swój materiał, najpierw pytano go, czy pokryje koszty procesu. Miał już ich siedemnaście na biegu. Cztery wkrótce zakończą się wyrokami i choć adwokaci pocieszali go, że wszystkie wygra, nie miał co liczyć na splendor czy poprawę sytuacji,

bo koszty prawne dawno pochłonęły żądane kwoty za-
dośćuczynień. Dlatego handryczył się o każdy grosz i każde opublikowane słowo, co zdecydowanie zmniejszało
zainteresowanie publikatorów. Bali się jego *modus operandi*
i cmentarnych tematów, bo wszystkie dotyczyły jakiejś
śmierci. Miał ksywkę Grabarz, nadaną mu jeszcze w pod-
stawówce, zanim zaczął podpalać lont pod tyłkami skorumpowanych polityków, biznesmenów i dostojników
kościelnych, lecz teraz, kiedy ogólnie rzecz biorąc, prze-
grywał życiowo na całej linii, nabrała ona szczególnego
znaczenia. Wiedział, że znów zyska splendor, jeśli będzie
ciężko pracował. Wystarczy mocny materiał. Jeden tekst
może wszystko odmienić. Kiedyś już go pogrążyli. Odbił
się. A jeśli raz się upadło i wstało, potrafi się tego dokonać
ponownie.

Kilka dni temu dopadł absolutnej bomby. Sprawy komanda śmierci sięgającej czasów zabójstwa księdza Popiełuszki, byłego premiera Andrzeja Jaroszewicza, ale i współ-
czesności – choćby byłego wicepremiera i ministra rolnictwa
Andrzeja Leppera czy słynnego zniknięcia szyfranta Zielon-
ki. Grabowski dotarł do dowodów na istnienie formalnej
szajki kasującej wrogów systemu i miał pewność, że zabójcy
służb działają po dzień dzisiejszy, szczelnie kryci przez
obecny, wrogi przecież formalnie, system polityczny, który
także potrzebuje warsztatu „seryjnego samobójcy", jak Grabarz roboczo nazywał mechanizm. Był w stanie dowieść, że
członkowie komanda są doskonale opłacani za nieoczeki-
wane zgony niewygodnych osób publicznych, które dostawały udaru, uderzały się w parapet, schodziły na sepsę lub
po prostu znikały. Zgromadził imponujący materiał, także
wizualny i dźwiękowy. Niestety w dobie wolnych – teoretycznie, jak lubił dodawać, kiedy zbierał informacje – mediów

nikt tego tematu nie chciał. A przynajmniej nie za tyle, za ile Leszek gotów był go sprzedać.

Stał teraz w niewielkim oddaleniu od skupiska reporterów zgromadzonych przed gdańską komendą i gryzł kokosowy batonik. To już trzeci dzisiejszego popołudnia. Jeszcze jeden, ostatni, został mu w kieszeni. Pozostali okupowali miejsca przy popielniczkach. Leszek nie znosił dymu papierosowego, ale nie z tej przyczyny odszedł na bok. Czekał na ważny telefon, a przyszedł dziś tutaj, bo nie miał z czego żyć i zgodził się obsłużyć „bieżący pewniak", jak nazywano tematy, które stuprocentowo wejdą do jutrzejszej gazety. Zdawać się mogło, że Leszek jest znudzony, i tak zapewne myślały wszystkie siusiumajtki z działów miejskich prasy regionalnej, które zerkały na niego z zaciekawieniem – miał przecież na koncie kilka Grand Pressów, Złotych Piór i ze dwie lub trzy okładki w branżowych pismach; nie był w swoim środowisku anonimowy, a opinia świra tylko mu schlebiała – ale jego uwagi nie uchodziła ani jedna plotka padająca z tłumu, ani jeden detal łączących tę grupę relacji.

– Dziś Duch to potwierdzi, zobaczycie. Nie ma bata. Nie mogą nabrać wody w usta. Nie po tym, co napisaliśmy – przekonywał Rafał Kwapisz z „Tygodnika Naprzód", ostatnio bardzo schlebiającego obecnie rządzącym i notującego największą sprzedaż w kraju, a to dawało redaktorowi Kwapiszowi najwyższą pozycję w rankingu zarobków, jeśli chodzi o pensje dziennikarzy śledczych, urzędujących obecnie na etatach.

Wyższe stawki do niedawna miała jedynie słynna redaktor Eliza Bach, która w latach dziewięćdziesiątych załatwiała dokumenty z UOP-u, WSI czy najtajniejsze protokoły komisji śledczych za pomocą jednego telefonu, ale w tym roku zmieniła branżę i została starszym analitykiem w jednym z najważniejszych organów kontrolujących administrację rządową. Kwapisz nie miał więc żadnej konkurencji. I nikt ze zgromadzonych nawet nie ośmielił się zająknąć, że Kwapisz pracuje zawsze z Michałem Brodą, a więc te słynne pensje, o których mówił dla Press, były dzielone na pół. Czasem tylko, przy piwie, żartowano, że w gruncie rzeczy w tym tandemie nie wiadomo, kto śledzi, a kto pisze. Na spotkania redaktorzy chodzili zawsze we dwóch. Knuli wspólnie w knajpach, sądach, urzędach i ministerstwach. Nigdy nie ujawniali swoich źródeł. Może wcale ich nie było, bo rzadko ktokolwiek widział ich z informatorami. Mieli natomiast teczki pełne papierów. Do redakcji na ich nazwiska przychodziły sterty makulatury w szarych kopertach z dopiskiem „Ściśle tajne – do rąk własnych". Większość trafiała do kosza. Czasami reporterzy działów społecznych robili z tego gorące tematy interwencyjne. Kwapisz i Broda nosili identyczne marynarki z zamszowej skóry, czarne T-shirty i jeden model converse'ów, choć tylko Kwapisz wyglądał w tej stylówce obłędnie. Broda, dużo niższy i bardziej korpulentny, zapewniał mu jednak doskonałe tło. Jeśli wziąć pod uwagę zainteresowanie płci przeciwnej słynnymi psami gończymi „Tygodnika Naprzód", całkiem nieźle na tym wychodził. Kwapisz nie byłby w stanie przerobić tego „kwiatu" do końca świata, więc robotę przejmował Broda. Zmieniali swoje groupies jak rękawiczki, a z biegiem lat wybierali coraz nowsze modele. Obaj rzadko bywali w firmie. Broda, partner Kwapisza, praktycznie się tam nie pojawiał. Chyba że zawiesił mu się system internetowego dostępu albo potrzebował dodatkowej kwoty na fundusz reprezentacyjny. To on bowiem zbierał faktury i pilnował budżetu. Wtedy omijał jednak redakcję i szedł prosto do działu finansowego.

Kwapisz stawiał się za to na cotygodniowych kolegiach. Zwykle był spóźniony, tajemniczy i ostro skacowany. Rzucał na stół dokumenty oraz w kilku zdaniach, świadomie przeciągając wypowiedź, robiąc pauzy, mętnie wyjaśniał zawiłości przetargów na opony, czołgi, autostrady czy fundacje, w które zamieszana jest opozycja, biskup albo dopiero co powołany minister.

Ich obecność tutaj, pod komendą, a stawili się jak zwykle obaj, była dla wszystkich dziennikarzy miejskich ogromnym wyróżnieniem. Tym bardziej że przed godziną „Tygodnik Naprzód" na swojej stronie opublikował sensacyjny materiał ujawniający personalia topielicy z torpedowni na Babich Dołach.

– My się wzbranialiśmy, ale szefowie nie chcieli czekać do następnego wydania z taką petardą – włączył się Broda, udając wrodzoną skromność.

Po czym wciągnął brzuch i mrugnął porozumiewawczo do jednej z ładniejszych dziewcząt, która od jakiegoś czasu przymilała się i tak do Kwapisza.

– Sasza Załuska? Ta profilerka? – upewniła się dziennikarka i wyciągnęła z torby telefon, by wyszukać tekst w sieci. – O! Jest już na Twitterze. „Profilerka nielegałem?" Niezły tytuł. Mocny! A dlaczego ze znakiem zapytania? Cholera, zablokowany dostęp. Dali tylko lead. Reszta dla zalogowanych.

– Dam ci swoje hasło. – Broda się uśmiechnął.

Natychmiast przysunęła się bliżej.

– To byłaby niesamowita historia – wtrąciła się Ryszarda, doświadczona dziennikarka z „Dziennika Bałtyckiego". I dodała z przekąsem: – Gdyby była prawdziwa. Chociaż zgodzę się, że niewiele wiadomo o tej kobiecie. Trzeba też przyznać, że w waszym tekście mnóstwo jest sprzeczności.

– To jest niesamowita historia – upierał się Broda.
– A jeśli chodzi o luki w temacie, to pracujemy nad tym.
Mamy jeszcze czas. „Naprzód" wychodzi dopiero w poniedziałek. Nie mogę ci nic więcej powiedzieć. Nasi informa-
torzy ucięliby nam łby. ·
     – No pewnie – skwapliwie zgodziła się młoda dzienni-
karka.
     Ryszarda spojrzała na młodziaków pobłażliwie i odsunę-
ła się od popielniczek. Jej miejsce zajęli inni. Wokół tande-
mu Kwapisz & Broda utworzył się spory wianuszek pochlebców.
     Grabarz nie mógł na to patrzeć. Odwrócił się bokiem
i udawał, że jest zaaferowany swoją skrzynką odbiorczą, do
której, poza newsletterami, jakoś nic od wczoraj nie wpadło.
Znał tych dupków i nie dałby za ich wiarygodność nawet
kopiejki, jak mawiał jego dziadek komunista. Zarówno
Kwapisza, jak i Brodę Leszek pamiętał jeszcze z czasów,
kiedy redagowali repertuary kin w jednym z pierwszych polskich tabloidów. Nic nie zapowiadało wtedy u żadnego
z nich żyłki dziennikarskiego detektywa. Potem czasy się
zmieniły. Wszyscy śledzili wszystkich, a za dziennikarskie
dochodzenia dawano nagrody oraz większe wierszówki.
Każdy się do tego brał. Leszek niektórych polskich śledczych cenił, na innych uważał, bo wiedział, że tak naprawdę biorą pensję z resortu. Wzorcowym tego przykładem
była redaktor Bach. Nie bez kozery resort ulokował ją
wreszcie na właściwym stanowisku. W dobie nowej władzy
potrzebna była bardziej do kontroli wypływających materiałów. Dziś każdy ambitniejszy młodziak chętnie dawał się
skusić na tajne dokumenty, które podsunięto mu na wycieraczce. Takich była zresztą długa lista. Większość nazwisk
Leszek znał, a pracownicy resortu doskonale wiedzieli, że

on wie. Czasami ta zabawa w małych szpiegów była nawet emocjonująca. Reszta młodzieży w mediach, podłączonej nieustannie do internetu i nieczującej potrzeby samodzielnej analizy dokumentów, miała tylko za zadanie zaciemniać przekaz.

Materiały Kwapisza i Brody również nie przedstawiały żadnej wartości. Były zwykłą propagandą podsuwaną naiwnym, spragnionym chwały pismakom przez cwaniaków tworzących zasłonę dymną dla realnych roszad w polskiej polityce i biznesie. Kwapisz & Broda absolutnie niczego nie śledzili. Otrzymywali jedynie zdezaktualizowane materiały nacisku od konkretnych osób na konkretne osoby, czyli chodzili na smyczy zainteresowanych ujawnieniem kolejnych afer, by zniszczyć czyjegoś wroga. Sami nie wiedzieli, że są tylko narzędziem – ekranem do wyświetlenia konkretnych danych, i zielonego pojęcia nie mieli, jak ważną pełnią funkcję dla wywiadu bądź kontrwywiadu. A co bardziej przerażające, ich szefowie jeszcze się z tych sensacji cieszyli. Wiele ze słynnych petard „made in Kwapisz & Broda" Leszek miał w ręku całe lata temu i już wtedy wyrzucił je do kosza, bo wiedział, że śmierdzą nagonką na kilometr. Nie cierpiał, kiedy ktoś próbował użyć go do własnych celów. Dziennikarskiej prostytucji się brzydził. A tym właśnie – jego zdaniem – zajmowali się ci panowie. Wmawiając rzecz jasna innym, że będąc w burdelu i robiąc laskę za pieniądze obleśnym typom, ćwiczą się akurat w sztuce uwodzenia. Niestety, Leszek nie znalazł jeszcze dowodów, że reporterzy są opłacani z resortu i przez kogo. Bo że są ekranami służb – był przekonany. Obawiał się, że są na tyle głupi, by nie zdawać sobie z tego sprawy. I to osłabiało go najbardziej. Żeby nie podejść i nie pierdolnąć ich obydwóch w łeb, zaczął w internecie szukać owego artykułu, na który się teraz buńczucznie powoływali. Nie był jakoś szczególnie zainteresowany jego treścią, bo proste kryminałki go nużyły, ale sam fakt, że „Tygodnik Naprzód", nie czekając na nowe wydanie, opublikował rzecz ekstra, świadczył o ciężarze politycznym tej historii. Leszek włożył słuchawki do uszu, włączył Rammstein. Słuchał chwilę, nasycając się energią niemieckiego buntu, po czym zmienił kanał na operowy. Trafił na Pucciniego. Czuł, jak łagodnieje, odpręża się i jak słabnie w nim złość.

Kwapisz i Broda przystąpili natomiast do drugiego etapu tokowania. Dostarczali najładniejszym dzierlatkom ekskluzywne, ich zdaniem, dane, czytając na głos swój własny tekst.

– Załuska to pseudonim tak zwanego wtórnika. Dane osobowe z dokumentów znalezionych przy zwłokach są tożsame z danymi aktu urodzenia jednej z ofiar pogromu wsi prawosławnych na Podlasiu. O tym, że nie jest to prawdziwe nazwisko domniemanej profilerki, świadczyć może także jej, delikatnie mówiąc, mętny i pełen zagadek życiorys. Nie wiadomo, gdzie się urodziła, gdzie mieszkała, kim są jej rodzice. Po prostu pojawiła się znikąd cztery lata temu w gdańskiej komendzie, pokazała glejt, że ma doktorat z profilowania ze specjalnością profilowania geograficznego podbity przez Davida Cantera. Bla, bla, bla. Gość istnieje. Tak wygląda. On jest jak najbardziej autentyczny.

Kwapisz przerwał. Zdecydowanym ruchem przygarnął do siebie młodą dziennikarkę pod pozorem, że musi jej ten fragment tekstu natychmiast pokazać. Dziewczyna przylgnęła do słynnego dziś pana redaktora i zaśmiała się figlarnie na widok zdjęcia guru profilowania ze skrzypcami w dłoni.

– Nawet przystojny ten Counter – przekręciła nazwisko psychologa, co bardzo rozbawiło Brodę.

Natychmiast stanął obok kolegi i łypał na pozostałe dziewczyny.

– Canter. Tak się wymawia. Nie od liczenia. – Kwapisz tłumaczył jak dziecku. – To jest, wiesz, taki tutor brytyjskich psychologów. Wiesz, kto to w ogóle jest profiler? No! Ma facet swój program w TiVi. Możesz zobaczyć na YouTubie, jak wymiata. I katedrę psychiatrii w Londynie.

– Ale czad! – pisnęła dziennikarka.

– W Huddersfield – skorygował partnera Broda. – I psychologii śledczej. Nie psychiatrii. To jednak różnica.

Puccini się skończył i skrawki tych rozmów docierały także i do Grabarza. Z trudem to znosił. Miał ochotę podejść do dzisiejszych gwiazdek i wytknąć im żenujący styl zapisu. Ale uznał, że ta korekta byłaby dla nich zbyt wielką nagrodą. Zresztą pewnie i tak by nie pojęli. Niech lepiej połowa mediów nabija się z ich „PESEL-u zawartego w dokumentach znalezionych przy zwłokach". To chyba dorównuje tylko „fragmentom łańcucha DNA znalezionego na miejscu zbrodni", z którego Kwapisz & Broda już słynęli.

– Jeden pies! No, w każdym razie gdzieś tam w „jukeju". Poważnie, pierwsza liga w tej branży – tłumaczył dalej dziennikarce Kwapisz, ale ku zgrozie Grabarza słuchali go w skupieniu absolutnie wszyscy.

Ucichły rozmowy i śmiechy. Mimo iż każdy z obecnych znał przecież mniej więcej treść artykułu, liczyli na gorące newsy, które pozwolą im samym umaić swój tekst. Był to klasyczny medialny kanibalizm. Teraz ten jeden temat będą wałkować wszyscy. Żywić się nim i nakręcać, byle tylko sprzedać nakłady. Grabarz gardził takim dziennikarstwem.

Kwapisz i Broda natomiast z pewnością nie mieli żadnych wątpliwości natury etycznej. Uznali, że najkrótsza droga do sławy i chwały to linia prosta, i właśnie ją wybrali. Skoro publiczność jest zachwycona, trzeba ją trzymać w napięciu. Kontynuowali więc coraz mniej oficjalnie, dodając smaczki, niesprawdzone poszlaki i garść plotek.

– No i przyjęli ją do policji. Bez testów, kursu podstawowego. Tych wszystkich pierdół, które reguluje ustawa. Chociaż nie mieli dla niej etatu, uważasz? Potem, to jest dobre, pracowała przy kolejnych śledztwach. Tutaj wymieniamy wszystkie sprawy. Trzydzieści trzy. Sporo jak na trzy lata, nie? Niektóre duże, jak zabójstwo Janka „Igły" Wiśniewskiego. Inne mniejsze. Jakiś podpalacz, czyny pedofilskie, rozboje. Długi czas była tajna. Nigdzie żadnego zdjęcia, zero danych w prasie o jej istnieniu. Dopiero po akcji w Łodzi w regionalnej gazecie poszedł jej obszerny życiorys. Ktoś chyba miał jej dość, bo ostro oberwała. Sprawdziliśmy wszystkie tropy. Szkoliła ludzi, była nawet na audiencji u głównej pani generał. No, to był jej człowiek. Tak mówią niektórzy, bo sama szefowa policji wymiksowała ją kilka razy z ostrego bagna. Normalnie kazała wyczyścić kwity. W papierach oficjalnie Załuska ma czysto. Ale jak wiadomo, pani generał odeszła, nie było komu jej osłaniać i Załuską zaraz kropnęli. Przypadek? I teraz dobre: Załuska pracowała w policji, ale miała też swoją firmę. Tutaj są wszystkie dane z CEIDG. Adres w Sopocie. To jej mieszkanie. Znaczy się podnajmowała ten lokal. Już tam byliśmy. Zaplombowane. Nie wykluczam, że o czymś nie wiemy, jeśli chodzi o działania śledcze. Ciężko było wydobyć jej teczkę. O kurwa, ale nas to kosztowało, co, Broda?

– Sporo. – Wezwany do odpowiedzi partner Kwapisza skinął z powagą głową.

Młoda dziennikarka pierwszy raz spojrzała na grubaska z uznaniem.

– To dopiero początek. Dowiedzieliśmy się z nieoficjalnych, ale wiarygodnych źródeł, że ta kobieta pozostawała w związku intymnym z naszym obecnym komendantem. Robert Duchnowski zaprzeczył tym doniesieniom, a na dalsze pytania odmówił udzielenia odpowiedzi. Tyle w kwestii meloerotycznej. Ale, jak sądzisz, po co wikłała się w taką relację? Żeby gościa inwigilować. Nie dziwię się, że się wyparł. To jest cios! Sypiając z wrogiem, normalnie. Kobieta, kurwa, szpieg. Natomiast wiemy stuprocentowo, że było prowadzone przeciwko niej postępowanie dyscyplinarne. Teraz kosa, słuchasz? Nieuzasadnione użycie broni wobec funkcjonariusza policji, nielegalne posiadanie broni, przekroczenie uprawnień i tak dalej. I co? Po tym wszystkim ona znów siedzi na etacie i bierze kasę od ojczyzny. Mało tego, prowadzi firmę. Wiesz, jakie rachunki wystawia?

– Niemałe – doprecyzował Broda.

– No raczej, skoro ma trzy miliony dochodu rocznego brutto.

Rozległy się gwizdy uznania.

– Mamy swoje wtyki w skarbówce. – Kwapisz wypiął dumnie pierś. I kontynuował: – A potem uprowadzają jej dziecko, które znika. Nikt nic nie wie, cicho sza. Generalnie, naszym zdaniem, była nielegałem. Z lewą przeszłością, fikcyjnym życiorysem. Wtórnikiem. Nie wiemy tylko czyim. Ruscy? Amerykańcy? Chuj wie. A teraz nie żyje. Stawiamy tezę, że została zamordowana, bo wiedziała coś, czego nie powinna była ujawniać. Bo komuś przestała być potrzebna. Bo zmienił się rząd i tym samym wierchuszka w policji. Nowa miotła wymiata stare śmieci. Skasowali ją. Służby, jak nic.

Zapadła cisza. W tym momencie do grupy podszedł Grabowski. Zauważyli go, dopiero kiedy się odezwał:

– Jeszcze nie wiadomo, czy to nie było samobójstwo, Kwapisz. – Wskazał na tekst, który dziewczyna trzymała w ręku. – A to jest gówno, nie robota śledcza. Same hipotezy, zero danych. Ogólniki, przypuszczenia.

– Czekamy na twoje rewelacje, Grabarz – odciął się natychmiast Broda. – Dawno nic nie wyplułeś. Lenisz się. Może coś o bombie w samolocie prezydenta? Homoterror? I lustracja wciąż jest chodliwa.

– Zawsze – przytaknął Kwapisz. Po czym zarechotał rubasznie. – Profesor Głowacki jest tajnym agentem o pseudonimie Strug. Szkoda, że twoje publikacje wzmocniły tylko autorytet przywódcy Solidarności. Proces, z tego, co wiem, ciągnie się do dziś. Jak ci przybulą bańkę na domy dziecka, to chyba pójdziesz siedzieć, bo skąd weźmiesz? Jakoś nikt się nie kwapi, żeby sfinansować to twoje komando. Może masz same ogólniki? A może takie stare kotlety nikogo już nie obchodzą? Wracaj do epoki lodowcowej. Do czasów papieru.

Rozległ się gremialny śmiech.

– Nie, co ty. To jest hicio. Tylko że boją się publikować. Za duża rzecz – drwili teraz jeden przez drugiego. – Albo ich nie stać na słynnego Grabarza i jego komando.

Leszek nic nie odpowiedział. Prychnął coś, ale zaraz został zagadany. W sumie ucieszył się, że przestali zwracać na niego uwagę. Z trudem znosił te upokorzenia. Wiedział, że akurat ten proces wygra. Bo profesor Głowacki, pseudonim Strug, był agentem bezpieki i sprzedał swoich trzech kumpli. Jeden przez niego zginął. Oczywiście z rąk niewidzialnego komanda. Ten wątek również pojawi się w jego nowym materiale.

– A do kogo strzelała Załuska i w jakich okolicznościach? – zainteresowała się młoda dziennikarka.

Kwapisz się zmieszał. Odchrząknął, zerknął na partnera.

– Dowiesz się z następnego numeru „Tygodnika Naprzód" – przyszedł mu z pomocą Broda.

Leszek zarejestrował słaby punkt historii profilerki nielegała. I pierwszy raz złapał się na tym, że jest zainteresowany tematem.

Otwarły się drzwi. Dyżurny zaprosił reporterów do środka. Dokumenty pozbierał już wcześniej, spisał ich dane. Teraz ustawili się w rzędzie, cierpliwie czekając. Wyszła Adela, sekretarka komendanta Duchnowskiego, i kolejno wyczytywała nazwiska dziennikarzy. Leszek jako jedyny obserwował to wszystko bez podniecenia. Wciąż miał słuchawki w uszach, przyciszył tylko arię Hrabiny z *Wesela Figara*. Kiedy padło jego nazwisko, skinął kobiecie lekko głową, ale nie stanął w szeregu jak pozostali, bo Anna Cymmerman gwałtownie umilkła i rozległ się dzwonek przychodzącego połączenia. Zerknął na wyświetlacz. Janek Mroziński, naczelny „Słowa", musiał zadzwonić akurat teraz, przeklął w myślach Grabarz i drobiąc kroki, ruszył do wyjścia. Jakbym nie sterczał tutaj bezmyślnie przez dwie godziny, utyskiwał, wciąż oddalając się od grupy.

– Panie Leszku, czy pan wchodzi? – usłyszał z oddali podenerwowany głos długonogiej Adeli. – Mam polecenie wprowadzić wszystkich, w zespole. Proszę o wyłączenie telefonów.

– Nie będziemy czekali – zdecydowali za Grabarza koledzy po piórze. A potem dobiegł go świszczący szept Brody: – Co za fagas. Specjalnie opóźnia.

Leszek wahał się tylko chwilę.

– Rezygnuję – pośpieszył z wyjaśnieniem, bo w głowę wwiercał mu się już tylko dźwięk jednostajnej melodyjki. Z ulgą przesunął zieloną słuchawkę. – I jak? – wydyszał, kiedy dotarł w to samo miejsce, gdzie stał wcześniej. – Bierzesz?

Odpowiedziała mu długa cisza, a potem westchnienie. Leszek zmarkotniał, gdyż spodziewał się już dalszego ciągu rozmowy. Patrzył teraz na drzwi komendy. Zastanawiał się, czy wracać. Musiałby prosić dyżurnego, by go wprowadził, płaszczyć się, prosić asystentkę Ducha, która nawet lubiła Grabarza i pewnie poszłaby na to ustępstwo, ale jak pomyślał, że znów będzie musiał obcować z tymi idiotami... W imię czego? Szybko dokonał rachunku sumienia. Za te trzysta złotych brutto, które zapłacą mu za publikację? A jeszcze będzie musiał siedzieć do nocy, by ten *shit* redagować. I tak zrobią z tego popłuczyny sensacji z profilerką nielegałem, a rynek okrzyknie, że uwiarygadnia pracę Kwapisza i Brody. Upadek kompletny. Weźmie przecież tym samym udział w medialnym kanibalizmie, czego udawało mu się unikać od lat. Wyciągnął z kieszeni ostatniego batona. Ugryzł. Czekolada ukoiła jego złość niemal natychmiast. Poczuł się na chwilę lepiej.

– Wiesz, Lesiu, próbowałem. – Naczelny „Słowa" wił się jak piskorz, by nie zrobić koledze przykrości. – Ale Eliza się zaparła. Wiesz, jaka ona jest.

– Myślałem, że ty jesteś naczelnym – odparował Grabarz. Darował sobie komentarz, że baba może rządzić w domu, nie w pracy. Ale patriarchalne poglądy Grabowskiego tylko pogorszyłyby sprawę, choć wiedział, że akurat Mroziński prywatnie je podziela. – Sorry, ale co redaktor Bach ma do tego? Przecież już nawet u was nie pracuje! I jakim prawem w ogóle dostała mój materiał do lektury?

345

– No wiesz, Lesiu, Eliza dużo wcześniej o tym pisała. I przyznam, że w nieco innym świetle to widzi. A zna się na komunistycznych niuansach, ma swoje dokumenty, własne archiwum. To nie są nowe sprawy. Nie jest tak, że ty pierwszy je wykopałeś.

– Akurat, własne archiwum – mruknął z przekąsem Leszek. – Chyba resortową kartę wejścia. Na czip. Z PESEL-em na karcie płac MSWiA.

– Nie rozumiem – napuszył się naczelny „Słowa".

– Chcesz obrazić Elizę? Redaktor Bach nie miała ani jednego procesu. W przeciwieństwie do ciebie.

– No i to cię powinno zastanowić – odparował Grabarz. – Skoro dziennikarz śledczy pisze to, co nie budzi kontrowersji, co jest dla wszystkich wygodne, to chyba logiczne, dlaczego nikt nie podaje jej do sądu.

– Oczywiście, że logiczne. – Janek Mroziński nie odpuszczał. – Bo Eliza lubi czyste sytuacje. Pewne. Zawsze pracowała na kwitach i gromadziła spójny materiał.

– Bo go dostała, Jasiu. Bo ktoś jej go dał w określonych celach. Ja nie działam na zlecenie resortu. Nie otrzymuję teczek i nie opracowuję ich pod kątem kompromitacji wrogów rządzących, tylko robię śledztwo. Sam szukam, badam, rozmawiam i wyciągam wnioski. Tym się różnimy z panią redaktor. Przykro mi, że sprawdzałeś mnie u Elizy. Mam więc przejebane.

W słuchawce zapadła grobowa cisza. Leszek aż odsunął aparat od ucha i sprawdził, czy połączenie jeszcze trwa.

– Halo? Jesteś tam?

– Owszem. – Ton głosu naczelnego „Słowa" momentalnie zmienił się w lodowaty, urzędowy. – Pragnę cię poinformować, że Elizie materiał ogólnie się podobał. Wierzy w niego. I jest za tym, by kiedy zbierzesz więcej danych, opublikować go u nas. Pozwolę sobie nie przekazywać jej twoich opinii na temat jej systemu pracy.

– Jak tam sobie chcesz. – Leszek miał już dosyć. – Czyli nie bierzesz?

– Merytorycznie twój materiał wymaga jeszcze korekt. Kilku danych brakuje. Na przykład ten odcisk palca majora Mirosława Biskupskiego, tego Szczerbatego, Eliza zna go pod pseudonimem Remontnik, ale okej.

– To jego druga ksywa, fakt – przyznał Grabarz.

– No więc jego materiał biologiczny, w sensie włos i te nagrania z analizą głosu… No wiesz, to trochę za mało, by stawiać tak odważne tezy. To się chwieje. Szykujesz nam proces poszlakowy, Leszku. No wiesz, nie jest zresztą weryfikowalne, czy ten sam esbek brał udział we wszystkich sprawach, które wymieniasz. Przyjdzie inny ekspert i dopatrzy się czegoś innego. Wcale nie jest gwarantowana zgodność z twoim agentem, no, kilerem esbeckim, w sensie… Wiesz sam doskonale, że do akt Popiełuszki, Jaroszewiczów można by to było jeszcze przyłożyć, sprawdzić, podciągnąć, podrasować. To by się obroniło z dobrym leadem i ramkami przypominającymi sprawy. Ale Lepper to ewidentne samobójstwo. Szyfrant Zielonka zniknął. Nie ma ciała. Sprawy są zamknięte. W innych przypadkach zapadły wyroki prawomocne… Wyprowadzasz tam tezę z tym telefonem i kurtką, ale chłopie, to jakieś sherlockowanie, to do kryminałów może dobre, ale nie do reporterki. Znów te twoje teorie spiskowe. W tej formie nam to nie leży. To mi pachnie sądem. No wiesz, nie stać nas teraz na proces.

Leszek z trudem trzymał nerwy na wodzy. Jeśli szef „Słowa" powie choć raz jeszcze „no wiesz", chyba wybuchnie. Czekolada, której resztkę miał w ustach, już tylko lekko studziła jego wściekłość. Bał się, że za chwilę powie o jedno słowo za dużo. A Janek Mroziński, szef „Słowa", był ostatnim przyjacielem Grabarza z dawnych czasów. Właściwie tylko Janek brał jeszcze teksty Grabowskiego. Teraz do Leszka zaczynała docierać smutna prawda, że „Słowo" publikowało jego teksty wyłącznie z litości.

– Zębaty – wycedził.

– Co?

– Zębaty – powtórzył Leszek jeszcze dobitniej. – Nie Szczerbaty. Taką ksywę ma ten gość. Esbek z komando. Do tego Remontnik, Krasnal, Skrzat albo jeszcze inne pseudonimy. Ale to ta sama osoba. Pułkownik Mirosław Biskupski. Teraz pracuje z jednym ze świadków koronnych. To nowy wątek. Powiązanie służb z mafią. O tym pani Bach z pewnością nie pisała. Nikt jeszcze, kurwa, o tym nie pisał.

– Ja wiem, Lesiu. Ja ci wierzę – zapewnił skwapliwie redaktor Mroziński. Zbyt skwapliwie, co jeszcze bardziej rozwścieczyło Leszka. – Ale pomyśl. Może to znak? Dopiero co stawałeś za Smoleńsk. Za bombę, no wiesz, zamach. „Newsweek" zjechał cię, ośmieszyli cię publicznie. To nie koniec. Te artykuły w internecie. No wiesz, twój odwieczny wróg i jego analizy. Cudem się udało, że nie zapłaciliśmy odszkodowania. Na szczęście tym razem twoja teza to dziś poprawna opcja. No i znalazł się ten ekspert, dzięki Bogu. Nie miałbym dziś roboty, chłopie. Nie mogę tak ryzykować. Ty jesteś sam, ja mam rodzinę. I choć z Elizą pokłóciliśmy się o ciebie, to wiesz, tym razem muszę przyznać jej rację. Ty po prostu odchodzisz od mediów. Może to dobrze. Kryminały teraz dobrze się sprzedają. Może do tego się weźmiesz? Albo piar. To bardzo przyszłościowa fucha. Wielu moich ludzi po zwolnieniach znalazło tam przystań. Są zadowoleni. Domy budują.

– Co ty pierdolisz? – wysyczał Grabowski. – Mam dowody. Zdjęcia operacyjne, fotokopie raportów, paluch esbeka mam cały i z analizami moich ekspertów. Siedem tysi mnie to kosztowało. Zainwestowałem. Nie interesuje mnie dewcloperka. Ja już jeden dom zbudowałem. Chuj mi z niego. Jak będę chciał się przebranżowić, sam o tym zdecyduję. Wybacz.

– To jest do obalenia, Leszek. Taki ekspert za pieniądze powie ci, co tylko chcesz. No wiesz...

– Jasiu, ja z nim gadałem.

– Z kim? Z Zębatym Remontnikiem, esbekiem z komanda?

– Nie! Z Piotrowskim, oficerem Służby Bezpieczeństwa. Zabójcą Popiełuszki. On mi się poniekąd przyznał.

– Co to jest poniekąd? Ja cię przepraszam, Grabarz! To chodzi na Wikipedii. Odsiedział wyrok. Ma biznes i kontakty. Korzysta z nich. Co ja ci poradzę. Taki lajf.

Leszek nie dał się zbić z tropu.

– Podał nazwiska pozostałych. Brali w tym udział również inni. Oni cały czas są w firmie. Pracują na etatach. Masz tam nazwiska, powiązania. Jeden z tych gości od Popiełuszki, podwładny Piotrowskiego, płotka, ale istotna, bo był wtedy kierowcą, on nawet nie odsiedział swojego wyroku, a jeszcze wziął emeryturę za odsiadkę. Kiszczak go wyciągnął. On mi to powiedział. Kto, gdzie i kiedy. To się teraz dzieje. Sekuła, sekretarz ambasadora, Olewnik. To wszystko są sprawy załatwione przez komando. To jest mega temat!

– Ciebie pojebało, Lechu!

– Mam nagrania w aucie. Wożę je w bagażniku, żeby mi ich nie zawinęli. Tam jest wszystko. Zobaczysz! To rozwali system polityczny. Prawica używa tych samych ludzi. W służbach nic się nie zmieniło. To fasada. Rozumiesz?

Potyczki o aborcję, sądy, skecze ministra wojny – to tylko opium dla mas. A ty, redaktor naczelny największego polskiego tygodnika, każesz mi z tym spierdalać? Boisz się procesu? Kto ci kazał? Mów. Dla kogo tak naprawdę pracujesz?

– Zajmij się lepiej sobą, Grabarz – padło po drugiej stronie słuchawki. – Rzuć to śledzenie, bo pada ci na mózg. Nie wiem, jak twoja dziewczyna to wytrzymuje. Rzuci cię, zobaczysz.

– Na razie to ja ją utrzymuję – wydukał Grabowski.

– No nie wiem, co ci odpowiedzieć – mruknął redaktor. – Słyszałem przedwczoraj, że dostała etat. Chyba nie będzie musiała już tego znosić. I powiem ci, że się za ciebie trochę wstydzi. Myślałem, że po aferze z esbekiem z opozycji i lustracją już nie przyjdzie ci nic więcej do głowy.

– To było dawno temu. I miałem rację.

– Może. Ale nie miałeś dowodów. A to jest dziennikarstwo, a nie knajacki libertyńsko-masoński film.

– Przecież wiesz, kim był agent Strug. Tak samo było z Bolkiem. Dopóki nie otworzyli szafy Kiszczaka, nikt nie wierzył Cenckiewiczowi i Gontarczykowi, że mamy spreparowanego prezydenta.

– Pisz więc książki. Na pewno się sprzedadzą.

– Napisałem jedenaście! – krzyknął Leszek.

W słuchawce zapadła długa cisza, którą przeciął świszczący szept:

– To masz materiał na dwunastą.

Redaktor Mroziński rzucił słuchawką, a w uszach Leszka nagle wybrzmiała aria Madame Butterfly. Wsłuchiwał się chwilę w sopran Marii Callas i wpatrywał bez celu w parking policyjny, zbierając siły, by odbyć z góry skazaną na porażkę pielgrzymkę telefoniczną po kolejnych tytułach, ale już wiedział, że nigdy nie sprzeda tego materiału. Spędził bezproduktywnie siedem miesięcy. Nie miał już zupełnie od kogo pożyczać pieniędzy. Trzeba będzie wymienić telefon, przeprowadzić się gdzieś na obrzeża i ukryć przed wierzycielami. „Słowo" było jedynym miejscem zdolnym opublikować tak niewygodny politycznie tekst. Mógł oczywiście umieścić całość w internecie, ale zrobił tak już kilkakrotnie z artykułami, które były dla niego znacznie mniej ważne. Był wtedy prawdziwą gwiazdą dziennikarstwa śledczego, a mimo to został zlekceważony. Siła rażenia sieci jest ogromna, pod warunkiem że za·tekstem stoi potężny tytuł. Społeczeństwo chyba faktycznie ma go za wariata. Nie uwierzą mu. Wpakuje się w proces. I tak nie ma już z czego płacić rachunków. Nie powiedział Jankowi, bo chciał sobie zostawić tę resztkę godności, ale Matylda odeszła od niego już dwa miesiące temu. Dokładnie wtedy, kiedy trafił na trop koronnego dowodu na istnienie siatki z esbecji zarządzającej dziś politykami. Zostawiła większość swoich ubrań, kosmetyków, książek i jeszcze się po nie nie zgłosiła. Myślał, że żartuje, że to przejściowe. Ale chyba już nie wróci. Zastanawiał się czasem, w czym chodzi, czym się maluje. To wszystko przecież było dla niej ważne. Wiele z tych ciuchów sam jej kupił. Tyle lat ją utrzymywał. Wierzył, że się pobiorą. Nie, nie zadzwoni, nie będzie jej prosił. Jakoś się wtedy pozbierał. Uciekł w pracę, zdobył ten materiał. Ale liczył, że kiedy się odbije, kiedy w końcu dotrze do sedna sprawy, Matylda też oprzytomnieje i znów będzie jak dawniej. Tamtego dnia wychodząc, ostrzegała go, żeby przestał, bo to, co robi, to walka z wiatrakami.

– Nikt nie potrzebuje tej wiedzy – krzyczała w otwartych na klatkę schodową drzwiach. – Nikt jej nie chce! Nikomu ona nie jest na rękę. Młodzi chcą iść naprzód. Żyć, bawić się, modnie ubierać, jeździć na wakacje. Po co rozgrzebywać stare historie? Po co im kombatanckie opowieści z mchu i paproci. To już zakończone. Żyjemy w innych czasach. Po co to psuć?

– Bo trzeba wszystko wyczyścić – tłumaczył jej. Najpierw spokojnie. Potem coraz bardziej się nakręcał. – Gruba kreska to blaga. To tak, jakbyś nie sprzątnęła kupy gówna ze środka pokoju, przykryła ją dywanem i postawiła na nim stół, a na tym stole kwiatki. Codziennie używała dezodorantu, paliła świeczki i czyściła wszystko dookoła, ale kupy gnoju nie dotykała. Będzie wciąż śmierdzieć, gnić, będą się tam roić robaki i powoli spod niego wyłazić. Będziesz od tego chorować. Można też wziąć trochę tego gówna, pobrudzić nim kogoś innego lub zniszczyć go, bo to trucizna, zło. Nie da się żyć z taką bombą, jaką są materiały nacisku pochowane w lodówkach. Uczciwi ludzie nie mają nic, a ci, którzy zabijali na zlecenie czerwonych, są dziś bogaci. Robią biznesy, mają swoje dile i to jest sitwa.

– Ty jesteś chory. – Matylda spojrzała na niego z politowaniem. – Byłeś kiedyś pistoletem. Podziwiałam cię. A teraz tobą gardzę. Ważniejszy jest dla ciebie świat niż ja.

– Kocham cię – wyszeptał wtedy, choć przecież wiedziała dobrze, że tak jest. Wszystko, co robił, robił dla niej.

– Nie. – Pokręciła głową. – Ty kochasz tylko swoje teksty, ojczyznę i bycie takim durnym donkiszotem. Tobie jest dobrze, jak cię poniżają. Dorośnij! Nikt nie weźmie twoich pseudomateriałów. Nie będziesz miał kasy. Zginiesz. A ja nie będę z tobą walczyła o tę kupę gnoju. I wiesz co, jeśli chodzi o gówno, to ono z czasem wysycha i zamienia się w opał. Trochę śmierdzi, jak się nim pali, ale daje dużo ciepła. Wiem, bo wychowałam się na wsi.

I wyszła.

Leszek wtedy nie wziął jej słów na poważnie. Dziś jednak słyszał ich echo w słowach Mrozińskiego. I bardzo go to zabolało. Wysupłał kluczyki do auta z kieszeni i ruszył do swojej obtłuczonej półciężarówki. Kiedyś był to ekscentryczny wóz. Niestety zdziadział, przerdzewiał, tak jak renoma Grabarza przez lata. Obejrzał się jeszcze raz na komendę. Między szczebelkami bramy dostrzegł komendanta. Robert Duchnowski szedł miarowym krokiem i zaśmiewał się z jakiegoś żartu. Obok niego maszerowała Mulatka w bieli. Piękna, choć z daleka było widać, że też pracujc w służbach mundurowych. Sposób trzymania teczki, krok, proste plecy. Brakowało jej tylko czapki od munduru. Leszek najpierw zainteresował się urodą kobiety, potem jednak spojrzał na zegarek i zastanowił się: jak Duch prowadzi konferencję, skoro jest tutaj teraz z tą kobietą? Podbiegł do drzewa rosnącego najbliżej bramy i zaczaił się, jak robią to na filmach. Był przekonany, że jego solidną sylwetkę widać będzie z każdej strony pnia, ale założył, że na tym terenie komendant czuje się bezpiecznie, więc nie będzie się rozglądał na boki. Nagle na parking wjechała srebrna limuzyna. Wysiadła z niej inna kobieta – w płaszczu i berecie, jakby grała w wojennym filmie – oraz dwóch facetów: jeden, grubo po czterdziestce, zarzucił sobie kamerę na ramię, drugi, raczej w podeszłym wieku, wyciągał z bagażnika tyczkę i montował na niej mikrofon uszczelniony futrem. Kiedy wysięgnik był już przygotowany, ruszył żwawo naprzód ze skrzynką, z której wystawały przewody. Filmowcy? Telewizory? Leszek przeszukiwał w myślach twarze, ale nie kojarzył typów. Ten ostatni – z wyglądu czerstwy skrzat – kogoś mu przypominał. Kiedy przybysze podeszli do Ducha i Mulatki, Leszek odczytał na plecach kurtki dźwiękowca napis „BBC".

A więc to taka konferencja, pomyślał z satysfakcją Grabowski. Sekretarka odczyta cwaniurom pismakom notatkę rzecznika i puści ich do domu, by stworzyli z tego gorący news. Za takiego loda będą zawsze mile widziani w komendzie – zaśmiał się w duchu. Dalej obserwował, jak świeżo upieczony komendant chodzi tam i z powrotem po parkingu, rozmawia przez telefon, a potem wjeżdża na motocyklu do hangaru. Kręcą przebitki, domyślił się. Potem ekipa BBC ponownie schowała się w srebrnym wozie, a Duch i Mulatka stali jeszcze długo na podjeździe, rozmawiając. Leszkowi nie trzeba było wyjaśniać, co poza pracą łączy tych dwoje. Z daleka widział, że między nimi iskrzy jak diabli. Kobieta chwyciła Ducha za rękę i poprowadziła do hangaru, gdzie przed chwilą komendant zaparkował swój nowiutki motocykl. Grabowski dałby sobie rękę uciąć, że się całują. Wylazł wreszcie zza drzewa, ruszył do swojego auta i wtedy minęli go dziennikarze z BBC. Za ich srebrną limuzyną jechał komendant z Mulatką. Przez szybę Leszek dostrzegł, że kobieta trzyma komendanta za rękę. I nagle go olśniło. Ten skrzat, ten stary z kabelkami i wysięgnikiem... Przecież to Remontnik, Zębaty, Szczerbaty! Tylko z nim jednym ze śmiertelnego komando PRL-u Leszek jeszcze nie rozmawiał. Drżącymi dłońmi otwierał drzwi swojego wozu. Zamek centralny oczywiście nie działał. Potem długo kręcił rozrusznikiem, modląc się, by silnik zaskoczył. A kiedy ruszył, z przerażeniem stwierdził, że jedzie na rezerwie.

– Kurwa, kurwa, kurwa, chuj, jebany w ryj, chuj! – wrzeszczał, mijając kolejne wozy i wciskając się na czwartego, aż wreszcie dopadł konwój komendanta i przebierańców z BBC. Był niemal pewien, kim są, skoro znał prawdziwą profesję jednego z nich – Remontnika. Starał się teraz za wszelką cenę siedzieć im na ogonie. Momentalnie się uspokoił, trzymał przepisową odległość, jakby zawsze pracował jako tajniak. Mimo to, gdy zadzwonił jego telefon, aż podskoczył z przestrachu. Chwilę mu zajęło, zanim zorientował się, że nadal ma w uszach słuchawki. Kliknął, by odebrać, nie patrząc na wyświetlacz.

– Przepraszam cię, Lesiu. – Mroziński głos miał znów łagodny, czuły wręcz. Grabarz spiął się w sobie, włączył ograniczone zaufanie, ale gdzieś w środku zatliła się nadzieja. Może jednak wezmą, może jeszcze nic straconego.

– Bo wiesz, rozmawiałem jeszcze raz z Elizą. Pewnie bym ją jakoś przekonał do tego twojego komanda. Może by się udało. Stare wprawdzie, chyba dalibyśmy radę ugryźć te twoje paluchy i nagrania, jak oczywiście je dostaniemy i skopiujemy, no wiesz... Trzeba dmuchać na zimne. Gwarancji ci nie daję, bo ona wciąż jest na nie. I jeszcze zostaje prezes... No wiesz... Może bym go jednak przekonał...

– Prezes? A co ma do tego Holender? Niech sobie surowe śledzie je na chacie w Amsterdamie i popija mlekiem. Od kiedy to ci się do dziennikarskich materiałów wtrąca biznesmen? Zasadniczo prezesi liczą tylko kapustę z nakładu. Słupki, z tego, co wiem, masz właściwe.

– No wiesz... – zaczął znów naczelny „Słowa", a Leszek wywrócił oczyma. Żałował, że piąty batonik leży na tylnym siedzeniu. Nie zdoła do niego teraz sięgnąć. Jeszcze jedno „no wiesz" i zniesie jajko. – Bo chciałbym najpierw u ciebie coś innego zamówić. Napiszesz nam o tej babce z policji, co się utopiła. „Tygodnik Naprzód" grzeje, że była nielegałem. To by nas interesowało.

Grabarz nie odpowiedział. Wpatrywał się w tył auta komendanta i myślał tylko o Remontniku. W wozie przed nim zamigotał prawy kierunkowskaz. Parkowali. Leszek przyhamował, wypadła mu z ucha słuchawka. Gwałtownie skręcił do zatoczki autobusowej, co wzbudziło protest jadących za nim. Otrąbili go wzorowo. Nie przejął się, włączył awaryjne. Przyglądał się, jak oba wozy parkują przed Zakładem Medycyny Sądowej. Domyślił się, że komendant zmierza do prosektorium. Kobieta w płaszczu już wysiadła. Malowała sobie teraz usta. Remontnik wyciągał tyczki i podłączał przewody. Leszek nie badał sprawy topielicy dogłębnie, ale nie słyszał, by podawano już wyniki sekcji zwłok. Włożył słuchawkę ponownie do ucha i znów słyszał Janka Mrozińskiego, który kontynuował:

– Jesteś tam jeszcze na komendzie? Podobno trwa nieoficjalna konferencja dla zaufanych reporterów. Zdobędziesz nam coś ekstra? Coś, czego Kwapisz i Broda jeszcze nie wyciągnęli. Dla ciebie to przecież pestka.

Leszek wysiadł już z samochodu. Przerzucał pudła i skrzynki na pace, ale mimo pośpiechu i determinacji za nic w świecie nie mógł znaleźć tego, czego szukał.

– Że niby mam grzać temat Kwapiszobrody? – wychrypiał.

– Wprawdzie byli pierwsi, ale możesz na tym znów wypłynąć – przekonywał go Janek. – To będzie świetny materiał, gruba sprawa. Czuję to! Zdystansujesz ich, pokażesz wszystkim. Masz moje słowo, że dobrze go wycenię. Eliza też jest za. Poważnie ci mówię.

– No wiesz... – zaczął Leszek uradowany, bo wreszcie wyciągnął z ostatniej skrzynki trochę przybrudzony i dawno już za ciasny biały kitel. Nie pamiętał, do jakiej prowokacji był mu potrzebny, ale wtedy dziennikarz musiał ważyć z dziesięć kilo mniej.

– To jak? – łasił się Mroziński.

– Pierdol się, Jasiu – odparł łagodnie Grabarz, po czym wcisnął telefon do schowka i szybko zarzucił na grzbiet fartuch lekarski.

Ruszył do prosektorium śladami komendanta oraz jego świty. Trudno, zdecydował, nie musi się zapinać. Zimny doktor ma prawo być abnegatem.

– Zdążyłaś na ślub? – Duch zwrócił się do prokurator Janiny Rudnickiej, która podniosła się na jego widok. Razem ruszyli na sekcję.

– Gdzie tam. – Kobieta machnęła ręką, widząc, że mimo okoliczności komendant jest w szampańskim nastroju. – Zasuwałam do nocy. Najpierw drobnica, potem palec Załuskiej, a wreszcie ona sama w czerwonym jedwabiu, z workiem na głowie. Czy kimkolwiek jest topielica, już ponoć otwarta i czekająca na nas na stole u Makaka. Potem mi powiesz, o co tu kaman, bo wiem tylko tyle, ile wyczytałam w gazetach, i, jakby to rzec, nieco zgłupiałam. Ty, jak słyszałam, też nie pospałeś.

Duchnowski potarł policzek skonfundowany. Bąknął coś nieokreślonego w odpowiedzi, ale oczy mu lśniły. Był nieogolony, oczy miał podkrążone. Białka nabiegły krwią, policzki jeszcze bardziej wklęsły. Włosy sterczały mu bojowo, tworząc nad czołem koguci czubek. Ale wszystkie te fizyczne mankamenty, które innemu mężczyźnie odebrałyby cały urok, Duchowi tylko przydawały męskości.

– Rozumiem – podsumowała. – Sprawy głęboko życiowe.

Jego kolejne mruknięcia tylko ją w tym utwierdziły. Janina zwróciła też uwagę, że wylał na siebie chyba z pół flaszki perfum. Woniał z daleka, a przy każdym ruchu szyprowy zapach uwalniał się ze zdwojoną mocą. Domyśliła się, że w ten sposób policjant próbował zniwelować nieprzyjemny zapach skóry po ostrym przepiciu.

– Nie jest łatwo odmawiać generałom brudzia – ciągnęła swój monolog prokuratorka. – A ci z Warszawy mają łby wprost betonowe.

– I pewnie nie łażą po prosektoriach, tylko śpią do wieczora, a potem na abarot to samo – odpowiedział jej Duch.

Wymienili oczyma przepisowe uśmiechy, kiedy minął ich otyły lekarz w bardzo brudnym i nieco przymałym kitlu. Doktor podszedł do pierwszych drzwi, nacisnął klamkę, a kiedy napotkał opór, pośpiesznie zawrócił i zaraz skręcił w poprzeczny korytarz. Do kieszeni miał przymocowaną blaszkę „Uczę się". Duch pomyślał, że blondyn wygląda na zagubionego. Kiedy jednak kątem oka zarejestrował, że stażysta zniknął w jednym z gabinetów, przestał się nim zajmować i wrócił do rozmowy.

– Dobrze leczony kac może trwać nawet i trzy tygodnie.

Janina zaśmiała się perliście. Dawno już wyleczyła się z seksualnych ciągot do Roberta, ale lubiła z nim pracować, czy choćby sobie przy nim postać. Bawił ją. Dzięki jego poczuciu humoru i dystansowi do świata te straszne sprawy, które obciążały ich na co dzień, stawały się bardziej abstrakcyjne. Łączyło ich niezwykłe porozumienie godne rodzeństwa, praca i jeszcze jeden wspólny mianownik: ich koty.

– Kiedy wczoraj wreszcie wróciłam, moja Ruda się dąsała. Najpierw siedziała nastroszona na stole, jakbym przyprowadziła do domu brytana. A potem zaczęła kłótnię. Prychała, odmówiła jedzenia.

– Nawet wątróbki?

– Wyobraź sobie.

– Mój żarcia nigdy nie odmawia.

Janina westchnęła.

– To gender. Przypomnę ci może, że Ruda jest kobietą. Najpierw musiałam zaspokoić jej potrzeby emocjonalne.

– Duch nie ma takich potrzeb.

– To byś się zdziwił.

Robert faktycznie wyglądał na zaskoczonego.

– Chyba że masz na myśli nienawiść, jaką mi okazał, kiedy kupiłem najcieńszy telewizor świata.

– Zaczął po nim spacerować?

– I zaraz się na nim rozkraczył. Myślałem, że urwie sobie klejnoty rodowe. Ale to nic. Wczoraj rudy gamoń, jak w bajce, upalił sobie ogon. Potem miał do mnie żal, że pozwoliłem mu łazić po kuchence gazowej.

– A podobno kotów się nie kąpie.

– Jestem znanym okrutnikiem. – Robert nadął się i zrobił poważną minę, by wybrzmieć falsetem: – Przecież pozwalasz mi chodzić po swoim laptopie i nic się nie dzieje.

– Bo masz w nim tylko strzelanki i pornosy.

– A ty niby co? Banan wszystko wykablował. I jeszcze skarżył się: Myślisz, że twoja kobieta kocha cię bardziej niż kota? Spróbuj nasikać jej do pantofli.

Zarechotali oboje.

– Znów przełożyliśmy ślub. Przyjdziesz? I może wreszcie jakąś kobietę przyprowadzisz? – Janina uśmiechnęła się chytrze i wskazała owalne zaczerwienienie na szyi Ducha w okolicy kołnierzyka.

– Liczyłem, że w końcu przestaniecie mnie zapraszać – odparł, siląc się na powagę, choć Janina skręcała się z ciekawości i gdyby nie byli w Zakładzie Medycyny Sądowej, zaczęłaby gwizdać. Ciągnął jednak niestrudzenie: – Nigdy nie dochodzi do ślubu, za to wesele jest zawsze. Jestem już zmęczony tą zabawą. Zwłaszcza następnego dnia odczuwam jej skutki dotkliwie.

Stanęli przed drzwiami sali, w której miała się odbyć sekcja.

– Może i racja – potwierdziła Janina. – W końcu Banan dopnie swego: pobierzemy się w dresach. A moja mama tego nie przeżyje.

– To będzie dwa w jednym: wesele i stypa.

– Gotów?

Duch skinął głową. Janina popchnęła metalowe drzwi.

Doktor Eustachy Krawiec, zwany nie wiadomo z jakiej przyczyny Makakiem, powitał ich w rozpiętym kitlu i z niedopałkiem camela w dłoni. Na stole sekcyjnym leżało ciało kobiety. Lekarz nigdy nie korzystał z pomocy techników. Sam wykonywał i przedstawiał dyżurnemu prokuratorowi wyniki sekcji. Tak było i tym razem. Makak poprawił rękawiczki, zerknął na zapiski na podkładce i włączył nagrywanie. Streścił komendantowi i prokuratorce swoje ustalenia, a potem rozłożył bezradnie ręce.

– Jak powiedziałem przez telefon, przyczyną zgonu jest utonięcie w wodzie morskiej. Charakterystyczna rozedma płuc. Są one za duże w stosunku do rozmiarów klatki piersiowej, ich brzegi przednie zachodzą na siebie. Na powierzchni zewnętrznej widoczne są dociski żeber, jak gdyby płuca nie mieściły się w jamie klatki piersiowej. Zawartość żołądka i przyległej części jelita cienkiego uległa rozwodnieniu oraz spienieniu na skutek dostającej się tam wody w trzecim okresie tonięcia. Mamy tutaj do czynienia z klasycznym objawem Wydlera. Co jeszcze? Plamy opadowe na kończynach. Wynika to najprawdopodobniej z zawieszenia ciała na rusztowaniu torpedowni. Brak śladów pobicia.

We krwi prawie dwa promile alkoholu. Zadrapania i ślady widoczne na kończynach wynikające z umiejscowienia zwłok pod wodą w rejonie ruin. Pływy wody zapewne miotały ciałem o konstrukcję torpedowni. Wisiała tam moim zdaniem dwie lub trzy doby. Ale nie dłużej niż cztery, jeśli wziąć pod uwagę niską temperaturę Bałtyku, rozwój glonów wodnych na zwłokach oraz florę bakteryjną. Gałki oczne i małżowiny całe. Morskie żyjątka nadgryzły jedynie miękką tkankę na kostkach nóg i zaczynały dobierać się do przegubów. Pierwsza hipoteza wskazywałaby, że ta kobieta popełniła dziwaczne samobójstwo. Linę z cegłą mogła zawiązać sobie sama. Pod paznokciami zabezpieczyłem fragmenty niebieskiego włókna. Poszły do analizy, ale z dużym prawdopodobieństwem można przypuszczać, że będzie zgodność. Worek również mogła zamocować samodzielnie. Trochę problem z tą taśmą, ale dla chcącego nic trudnego. Kiedyś miałem na stole faceta, który postrzelił się z dubeltówki na ambonie.

Duch odchrząknął.

– Czyli twoim zdaniem cegłę przymocowała do nogi wcześniej, potem upiła się do nieprzytomności, zawinęła łeb workiem i wskoczyła do wody. Czy tak?

– Biorąc pod uwagę dane, które tutaj posiadam, można tak założyć.

– A jak się niby dostała do torpedowni z cegłą, liną, workiem, flaszką i taśmą klejącą? – dociekała Janina. – Nie znaleźliśmy żadnego środka lokomocji, żadnych elementów, które byłyby potrzebne do tej operacji. Choćby nożyczek do cięcia tej cholernej taśmy.

– Wiem, że to brzmi dziwnie – przyznał doktor Makak. – Ale nie zdajecie sobie sprawy, jak zdesperowani bywają niektórzy ludzie w depresji. Może to tylko wygląda na trudne, a jest w tym jakaś logika. Mówię tylko, że nie widzę przesłanek, by sądzić, że do jej śmierci przyczyniły się osoby trzecie.

I zaczął powtarzać to, co wyłuszczał wcześniej: woda w płucach, brak obrażeń przyżyciowych, alkohol we krwi, włókna pod paznokciami.

– Czy da się pobrać wyskrobiny spod paznokci od osoby, która tyle czasu leżała w wodzie?

– Włókna się zachowały. Innych śladów biologicznych nie zauważyłem. Musiały się wypłukać.

– Może włókna zostały, bo próbowała tę linę rozsupłać?

Makak wzruszył ramionami.

– Opinię dostaniesz na piśmie. Interpretację zostawiam tobie. Jak zwykle.

Robert obszedł ciało leżące na stole. Patrzył na chude ręce, nogi, na otwarty brzuch, w którym znajdowały się pokrojone organy wewnętrzne. Potem spojrzał na niepociętą jeszcze twarz okoloną lokami w kolorze miedzi. Przy skórze widać było szary odrost, ale mimo to kobieta w jakiś sposób podobna była do Załuskiej. Przełknął ślinę, poczuł niepokój i zanim Makak zdołał zareagować, chwycił ciało kobiety za ramię i przewrócił twarzą w dół, by obejrzeć jej plecy. Były gładkie, kształtne. Za życia musiały pięknie wyglądać w sukni z głębokim dekoltem.

– Co ty wyprawiasz, Duchu?! – Doktor Makak rzucił się ciału na ratunek. Wskazał urządzenie zawieszone nad stołem. – To się nagrywa.

Duch rozciągnął usta w sztucznym uśmiechu i zwrócił się ku oku kamery:

– Niekonwencjonalne działania śledcze. Musiałem sprawdzić. To nie Sasza.

– W każdym razie nie osoba, która była zatrudniona w gdańskiej komendzie jako profilerka – dodała z przekąsem prokuratorka. – Jak wspaniale mieć pewność. Więc kim jest ta pani?

Wskazała leżące na stole ciało.

– Próbki DNA pojechały do laboratorium. Paluszki, włosy też. Jekyll się tym zajmuje – wyjaśnił doktor. – Myślę, że odpowiedź na to pytanie pojawi się w niedalekiej przyszłości.

Robert był jednak teraz bardziej zainteresowany dłońmi kobiety. W lewej ręce brakowało palca wskazującego.

– Odcięto go przed śmiercią – pośpieszył z wyjaśnieniem doktor. – Ale nie teraz. Na pewno nie w tym roku. To stara rana. Tkanka jest zabliźniona. Spójrzcie, tutaj są zgrubienia, odciski. Słowem, ślady protezy, którą musiała nosić.

Potem podszedł do jednej z lodówek i z szuflady wysunął tacę. Leżał na niej fragment palca wskazującego. Milczał długą chwilę, wreszcie zaczął mówić. Szybko nabierał powietrza, widać było, że jest zdenerwowany.

– Zbadałem również ten fragment. Odcięty niedawno. Obstawiam tydzień, dwa. Porządnie zmrożony. Pewnie trzymano go w lodówce, licząc, że uda się doszyć. Niestety urządzenie do cięcia było zanieczyszczone. Są ślady rdzy, opiłków metalu i chemikaliów. Palec zbyt długo pozostawał w wysokiej temperaturze. Tutaj rozpoczęły się procesy gnilne. Mam złe wieści. I chciałbym, aby to było jasne. Ta kobieta potrzebuje pomocy. Może wdać się sepsa. Jeśli rana nie została prawidłowo opatrzona, może nawet nastąpić zgon. – Zawahał się. – Wiesz, ja kilka razy spotkałem panią Załuską. Była dla mnie zawsze uprzejma i wyglądała na profesjonalistkę. Nie będę kłamał, że ją lubiłem. Sami wiecie, jaka potrafiła być oschła. Nie wiem, czy to, co piszą o niej w gazetach, to prawda. Nie mnie to oceniać. Ja mam swój krzyż i swoje demony. W każdym razie udało się pobrać odbitkę. Jest zgodna z próbkami w jej aktach. Do sprawy, wiesz, kiedy do ciebie strzelała. Bez wątpienia ten palec wskazujący należał do niej. Jakkolwiek naprawdę kobieta się nazywa czy też nazywała. Zresztą porozmawiaj z Jekyllem jak najszybciej.

Grabarz poczekał, aż komendant z prokuratorką wejdą do sali, i dopiero wtedy opuścił pusty gabinet doktora Eustachego Krawca, którego nazwisko odczytał z licznych dyplomów wiszących na ścianach. Instytut był opustoszały. Nic dziwnego, o tej godzinie wszyscy pracownicy mieli już wolne. Z przyzwyczajenia raczej niż z ciekawości przejrzał opinię leżącą na biurku doktora. Widać było, że ekspert dopiero zaczął uzupełniać puste pola w formularzu. Leszek nie bardzo znał się na medycynie sądowej. Terminy na określenie otarć i uszkodzeń słabo przemawiały do jego wyobraźni, choć brzmiało to wszystko raczej obrzydliwie. A kiedy jeszcze do rąk wpadły mu fotografie kolejnych fragmentów ciała denatki, zbliżył się niebezpiecznie do momentu puszczenia pawia, więc prewencyjnie sfotografował wszystkie strony telefonem, a następnie bezszelestnie wycofał się na korytarz. Czekał na wyjście Duchnowskiego i Rudnickiej dosyć długo. Zdążył w tym czasie odczytać kilka mejli, z których dowiedział się o nowych promocjach w księgarniach. Napisała też do niego pizzeria z Gdyni i apteka ze świetną ofertą genialnej maści na powiększenie penisa. Kasował uparcie reklamy i spam, by w końcu dotrzeć do listu od czytelnika. Początkowo wzruszył się, że jednak ktoś czyta jego książki, ale kiedy przeszedł do drugiego akapitu, zrozumiał, że ma do czynienia ze schizofrenikiem. Ze względu na miłe słowa na temat swojej twórczości zarchiwizował dokument i zamknął skrzynkę odbiorczą. To niewiarygodne, jak łatwo wypada się z obiegu. Kilka miesięcy i nikt cię nie potrzebuje. Pamięta o tobie tylko jeden człowiek, co gorsza niespełna rozumu.

Kiedy wchodził do Zakładu Medycyny Sądowej, był pewien, że natrafi na jakiś ślad, połączenie Remontnika ze swoim tematem, ale okazało się, że Duchnowski z prokuratorką przyszli po prostu na sekcję. Nie miał jak dostać się do sali. Okna nie wychodziły na korytarz, więc po namyśle zdecydował się wyjść i rozejrzeć. Musiał to jednak zrobić bardzo ostrożnie – ekipa BBC czekała na komendanta przed samym wejściem. Błądził więc ponad kwadrans po pustych korytarzach. Biały fartuch dawał mu dobre alibi. Nikt go o nic nie pytał ani nie zatrzymywał. Jakieś dwie rozchichotane studentki skinęły mu głową, kiedy je mijał. Wreszcie znalazł wyjście ewakuacyjne i zbiegł schodami.

Dziedziniec wyglądał tak, jakby już nadeszły święta. Wszystkie jodły, którymi obsadzono patio, obwieszono migoczącymi lampionami. Na samym środku pysznił się monstrualny kwiat przypominający gwiazdę betlejemską. Kiedy Grabarz podszedł bliżej, okazał się plastikowy. Była to jednak i tak miła odmiana po wizycie w gabinecie anatomopatologa. Leszek skwapliwie sprawdził wszystkie przejścia. Żadne nie pozwalało na opuszczenie budynku. Były zamknięte na kłódkę. Westchnął ciężko i zdecydował się na desperacki krok. Postawił stopę na najsolidniej wyglądającej bramie, a potem sapiąc i stękając, wspiął się na górę. Z trudem przełożył nogę, by wreszcie spaść jak kukła na drugą stronę, o mało nie wybijając sobie wszystkich zębów. Kiedy tak leżał wtulony w mokry asfalt, dotarła do niego w końcu skomplikowana logika jego działań. Właśnie obraził jedynego sojusznika w polskich mediach, u którego jeszcze do niedawna, przynajmniej potencjalnie, mógł coś opublikować. Śledził nie tych ludzi, co trzeba. Stanął na światłach awaryjnych w zatoczce dla autobusów, więc będzie miał szczęście, jeśli go jeszcze nie odholowali. Ale gdzieś w głębi serca, i nie rozumiał tego zupełnie, cieszył się jak diabli, bo czuł, że nieoczekiwanie złapał całkiem nowy trop do swojego tematu. Ta historia z esbekiem podszywającym się pod dźwiękowca musiała się rozwinąć. To go dokądś zaprowadzi. Nie był tylko pewien, czy wyjdzie mu to na zdrowie, ale w końcu stracił już właściwie wszystko. Podniósł się, otrzepał i spojrzał w górę. Z nieba sypał pierwszy śnieg. Wprawdzie rozpuszczał się w kałużach, topniał w kontakcie z ziemią, ale było w tym zjawisku coś optymistycznego.

Grabarz pełen nowych sił ruszył więc ulicą i dopiero w bramie, kiedy wychylał się zza winkla, przypomniał sobie o kitlu. Zdjął fartuch, zwinął go w kulę, schował pod sweter na brzuchu. Potem truchtem przebiegł jezdnię i szczerze się ucieszył, bo jego półciężarówka wciąż stała w tym samym miejscu, więc oszczędził na lawecie kilka stów, których przecież nie miał. Po drugiej zaś stronie jezdni, zaparkowany przepisowo, czekał srebrny wóz. Leszek widział rozwiane włosy kobiety w płaszczu. Jadła coś, srebrna folia odbijała się w szybie. Mężczyzna, który przed komendą nosił na ramieniu kamerę, palił oparty o zamknięte drzwi i perorował coś do kierowcy, na którego Grabowski wcześniej nie zwrócił uwagi. Remontnika nigdzie nie było. Leszek założył, że siedzi na tylnym siedzeniu, a ze względu na swój wzrost nie jest widoczny przez przednią szybę.

Usiadł więc za kierownicą swojego staruszka i rozpoczął walkę z rozrusznikiem. Toyota charczała, rzęziła, w końcu zaczęła pracować miarowo. Miał już odjeżdżać, kiedy przy oknie dostrzegł niebieski mundur, w bocznym lusterku zaś kogut radiowozu. Syreny nie było. Wszystko odbywało się w ciszy i Leszkowi wręcz zdawało się to nierealne. Bardzo powoli odkręcił szybę, zwrócił twarz do policjanta, który przedstawił się niczym automat, a następnie poprosił o dokumenty i wyłączenie silnika. Leszek wykonał polecenie. Krawężnik odszedł, wsiadł do radiowozu i długo nie wracał.

Grabarz marzł, ale nie zamykał szyby. Śnieg spadał na tapicerkę, rozpuszczał się i spływał strugami wprost na spodnie dziennikarza. Zdawało mu się, że oczekiwanie trwa całe wieki. We wstecznym lusterku spostrzegł, że policjantów jest dwóch. Sprawdzali jego dane, naradzali się, coś zapisywali w kajetach. Oparł głowę o zagłówek i niemal przysnął, wsłuchując się w odgłosy miasta. Kiedy otworzył oczy, ekipa z BBC wciąż stała po drugiej stronie jezdni. Leszkowi przeszły ciarki po plecach, kiedy zrozumiał, że od jakiegoś czasu go obserwują. Poczuł się jak idiota: skakał przez bramę, by nie ujawnić się przed esbekiem, a teraz stoi przed nimi jak przed plutonem egzekucyjnym. Miał ochotę odpalić silnik i uciec. Nie zrobił tego. Pomachał kobiecie, która teraz bez skrępowania przyglądała się, jak wlepiają mandat kierowcy starej półciężarówki. Odwróciła się do swoich kompanów, a potem wsiadła do wozu. To samo zrobili pozostali. Znów parking zdawał się anonimowy. Leszek czuł jednak, że mają go na oku. Aż go skręcało, by podejść i zapytać, kim są. Dowiedzieć się więcej. Może dlatego zadał to pytanie, które zamiast przyśpieszyć procedurę, spowodowało jeszcze większe problemy:

– Ile?

Policjant zawahał się i zamiast oddać mu dokumenty, które trzymał już w ręku, wyrecytował:

– Proszę wysiąść z wozu.

– Ale ja… – zająknął się Grabarz. – Chciałem tylko wiedzieć, jakiej wysokości dostanę mandat.

– Ręce na dach, nogi szeroko. Nie ruszaj się!

Leszek nie od razu wykonał polecenie. Policjant sięgnął do kabury. Dał znak koledze, który podchodził już z drugiej strony. Leszek otworzył drzwi auta i zaczął powoli wysiadać. Obrócili go szybkim chwytem. Znów leżał na ziemi. Tym razem czuł, że poluzowało mu się kilka zębów. I sam nie wiedział, z jakiej przyczyny grzmiały mu teraz w głowie słowa Matyldy: „Ty kochasz tylko swoje teksty, ojczyznę i bycie takim durnym donkiszotem. Tobie jest dobrze, jak cię poniżają. Dorośnij! Zginiesz!".

– Przeszukaj mu pakę – mundurowy zwrócił się do kolegi. A do Leszka rzucił: – Nie ruszaj się. Nic nie mów, Grabarz.

Leszek nagle zaczął rozumieć. Kiedy policjantowi odsunął się mankiet munduru, spostrzegł fragment granatowego tatuażu. Potem przyjrzał się butom tego drugiego. Nie dostawało się takich w drogówce. Ręcznie szyte obuwie musiało kosztować majątek, a na tym akurat Leszek się znał.

Reszta była łatwa do przewidzenia. W trakcie przeszukania znaleziono saszetkę marihuany.

– Jak rozumiem, to na własne potrzeby? – zaśmiał się ten, który wciąż trzymał go przy ziemi.

– To nie moje – wydusił Leszek. Narkotyków kilka razy próbował, ale tylko z ciekawości. Ktoś go poczęstował na jakiejś domówce. W sumie był grzecznym chłopcem. Czasami pił piwo, dobrą whisky. Nigdy nie zapalił nawet jednego papierosa. – Podrzuciliście mi – syknął.

Roześmieli się obaj.

– Wołaj kryminalnych – odezwał się ten z tatuażem, po czym zapiął mu na przegubach kajdanki.

– Puść mnie, skurwysynu!

Grabowski zaczął się szarpać, ale to nic nie dało. Był wściekły, gotów się bić. Nie sądził jednak, że może być jeszcze gorzej.

– Już jadą. Sam się będziesz tłumaczył.

Teraz obaj: człowiek z tatuażem i ten w drogich butach zaczęli szperać na jego pace. Chwilę później podeszli do Leszka z pudełkiem po lionach, w którym woził skopiowane z telefonu nagrania z esbekami, skany akt i analizy ich głosów. Wszystkie dowody, jakie udało mu się zdobyć przez ostatnie miesiące.

– To co, wymianka?

Znawca butów pomachał Leszkowi przed oczyma saszetką z trawą. A potem rzucił ją na przednie siedzenie razem z kluczykiem do kajdanek. Wytatuowany puścił dziennikarza. Odjechali.

Leszek powoli wstał, zajął miejsce za kierownicą. Spojrzał na parking, ale zgodnie z jego przewidywaniami srebrnego volvo już nie było. Słyszał syreny. Zbliżały się bardzo powoli. Jechało kilka radiowozów. Przymknął powoli oczy, było mu już wszystko jedno. Bardzo się zdziwił, kiedy konwój na sygnale minął go i pognał dalej. Zdawało mu się, że zamarzł, nic nie czuje. Jakby ktoś go znieczulił. Był, ale niczego nie doświadczał. Ponieważ jednak podjechał autobus i w lusterku wstecznym spostrzegł staruszkę, która przez niego nie była w stanie wsiąść do przegubowca, zdecydował się odjechać. Nie miał tylko pojęcia, po co i dokąd. Doskonale wiedział natomiast, komu zawdzięcza spotkanie z przebierańcami. Naczelnemu „Słowa", który dał jego tekst Elizie Bach. A ona od tej chwili miała go w garści.

Nie bez trudności otworzył metalowe bransolety. Marihuanę wrzucił do schowka. Przekręcił kluczyk. Silnik zaskoczył, jakby znów był nowy.

Sasza sprawdzała się w każdej witrynie, ale i tak nie miała pewności, czy jej nie śledzą. To liche przebranie było śmiechu warte. Kiedy więc udało jej się w końcu dotrzeć na swoją klatkę i zamknąć drzwi wejściowe, natychmiast ściągnęła perukę. Wiało niemiłosiernie, wilgoć wzmagała uczucie zimna. Mimo to czuła, że pot spływa jej od czubka głowy i chlupocze w butach. Kombinezonu ogrodniczego, który kupiła naprędce w markecie, jeszcze nie zdjęła. Postawiła na podłodze wielką skórzaną torbę, podobną do tych, jakie kiedyś targali listonosze, i chwilę odpoczywała. Na klatce panowała cisza. Wiedziała, że sąsiad zajmujący lokal pod jej mieszkaniem zawsze czuwa przy wizjerze, więc nie zarejestrowałby jej przybycia, tylko gdyby się teleportowała. Wyjęła klucz francuski i znów wcisnęła na głowę czapkę ze sterczących jasnych loków z Tigera, a na nią bejsbolówkę z napisem „FCUK", którą kiedyś przywiozła z Anglii dla brata. Na nos założyła przeciwsłoneczne okulary. Niech się schowają wszyscy cyrkowi klauni.

Pierwsze piętro, kolejne. Słyszała brzęk naczyń, odgłosy włączonych telewizorów, jakieś krzyki i rodzinne nawoływania. Pora obiadu, stwierdziła, bardzo dobrze. Wspinała się uparcie wyżej i wyżej. Już brakowało jej tchu, gdy dotarła do drzwi sąsiada Jałowca. Wtedy się zatrzymała, otworzyła skrzynkę gazową. Wpatrywała się w nią dłuższą chwilę, nie skupiając się na niej, jedynie nasłuchując, a kiedy policzyła do stu, zastukała do drzwi naprzeciwko. Odkąd mieszkała w tej kamienicy, nigdy nie widziała tych lokatorów. Liczyła, że i tym razem będą nieobecni. Odchrząknęła, jakby zbierała flegmę, bo tak robili jej ostatni hydraulicy. Uderzyła mocniej.

– Gazownia. Dziś ostatni termin – starała się mówić niższym głosem, ale nigdy nie miała zdolności aktorskich.

Znów nacisnęła dzwonek. Potem wyjęła z teczki karteluszek i nabazgrała na nim pierwszy numer, który przyszedł jej do głowy. Kiedy usłyszała szczęk zamków w drzwiach Jałowca, ślizgiem czmychnęła do siebie. Klucz do mieszkania przygotowała wcześniej. Nożykiem do cięcia tapet sprawnie pozbyła się policyjnych plomb i trzęsąc się jak galareta, schowała się we własnym mieszkaniu. Zdawało się jej, że jest gotowa na ten widok, bo efekt działań techników z argentoratem i specyfikami do zabezpieczania śladów prawie nikogo nie pozostawiał obojętnym. To jednak, co zobaczyła, wbiło ją na chwilę w ziemię i znieruchomiała. Wpatrywała się w potworny bałagan, którego z pewnością nie zrobili technicy. Z szafek powyrzucano ubrania. Papiery walały się gdzie popadnie. Książki wyjmowano z biblioteczki na chybił trafił. Niektóre musiały być wertowane, bo leżały pootwierane grzbietami do góry. Większość jej dobytku znajdowała się na podłodze. Reszta na stole i jej prowizorycznym biurku. Nawet nie zdawała sobie sprawy, że ma tyle przedmiotów. Nie musiała sprawdzać pułapek, które zawsze zostawiała, zanim wyszła: spalonych zapałek w zamkach, nitek pod drzwiami, małych karteczek na szlakach komunikacyjnych, by mieć pewność, że po wizycie policji nawiedzili ją także inni goście – dawni znajomi z resortu. Parapety zdjęto, tak jak obudowy rur i kaloryferów. W wielu miejscach podłoga była zdemontowana. Usiadła bez ruchu, oddychając głęboko, i starała się uspokoić.

Pierwsze, co zrobiła, kiedy już ochłonęła, to zablokowała zasuwę w drzwiach. Potem otworzyła zamrażalnik. Zgodnie z jej podejrzeniami był pusty. Rozebrała się do naga i wzięła prysznic. Następnie odwinęła bandaż, rozerwała plastry. Palec w miejscu odcięcia był niemal granatowy. Cała dłoń spuchła i zdrętwiała. Wiedziała, że powinna iść do szpitala, zbadać się, ale to byłoby zbyt niebezpieczne. Z torby wyciągnęła więc reklamówkę z medykamentami i zaciskając zęby, zrobiła sobie zastrzyk, założyła nowy opatrunek. Siedziała goła, ciężko dysząc, i czekała, aż ból ustąpi. Miała ochotę się napić. Marzyła o wódce. O goryczy w ustach, ogniu w przełyku i odgłosie gulgotania, kiedy płyn wlewa się do gardła wprost z flaszki. Potem spać. Było to kuszące, ale w domu nie miała ani promila. Zniszczyć ją? To przecież dziecinnie proste. Wystarczy pozwolić jej pić. Gdyby w tym momencie dostrzegła na tym gruzowisku butelkę, nie miałaby żadnych oporów. Zaraz uciekłaby w alkoholową mgiełkę i nic by jej nie interesowało. Wiedzieli o tym, a jednak nawet nie spróbowali.

Skupiła się na myśli o dziecku. To tylko chwilowa słabość, wmawiała sobie. Pragnienie zaraz minie. Tyle razy już je pokonywała. Wreszcie podeszła do zlewu, nalała sobie wody. Wypiła duszkiem pierwszą szklankę, potem wlała w siebie kolejną i kolejną. Piła dotąd, aż ciecz zaczęła spływać jej kącikami ust, rozlewać się na dekolt, kapać na podłogę. Nie przestawała. Mdliło ją już, ale wciąż odkręcała kurek, napełniała szklankę i piła, jakby była smokiem wypchanym siarką. Kiedy nie mogła już wdusić w siebie nawet grama płynu, zapaliła papierosa. Było już prawie dobrze. Jeszcze nie pokonała bestii, nigdy się z nią nie upora, ale przynajmniej jako tako nad nią panuje.

I wtedy pomyślała z żalem, że to jedyny prawdziwy element jej życiorysu. Alkoholizm. Cała reszta jest zmyślona. Właściwie wszystko jest fikcją. Jej emocje, rodzina, praca, doświadczenie, zachowania, wygląd. Wszystkiego uczyła się na nowo. Tak wiele razy zrzucała skórę, uciekała, tyle postaci odgrywała, że już nie pamiętała, kim jest naprawdę. Czy była kiedykolwiek kimś realnym? Wszystko jej się mieszało. Fakty, legendy, legalizacje i przykrywki. Kiedy dostawała rozkazy, zdawało się jej, że są spójne. Ktoś perfekcyjnie wymyślał jej postaci, a ona je odgrywała. Problem leżał w tym, że była w tym dobra. Stawała się kimś zupełnie innym, bo sobą być nie chciała. Dziś będziesz kurwą – okej. Jutro profilerką – też dobrze. Pojutrze córką, pokojówką, dziewczyną gangstera, za tydzień policjantką, matką. Nie, matką była naprawdę. To nie należy do tej gry.

– Ale gdzie jestem ja? – pytała na szkoleniach.

– Ciebie nie ma.

– Można więc powiedzieć, że nie żyję od dawna – żartowała wtedy.

– Lepiej myśleć o tym w kategoriach zapominania – pouczał jej mistrz, profesor Tom Abrams, najlepszy profiler w UK.

To on nauczył ją wszystkiego. Znalazł jej substytut prawdziwego życia: Saszę, profilerkę, i była w tym fachu naprawdę niezła. Jak bardzo żałowała, że nie chciała go wtedy słuchać. Dlaczego za niego nie wyszła? Obroniłby ją przed jej demonami. Dałby tarczę, za którą mogłaby się schronić.

Nawet kiedy już wynajęła to mieszkanie, wciąż dzwonił, pisał. Prosił, by wracała.

– Amnezja, najlepszy przyjaciel szpiega. Jak sobie siebie przypomnisz, wpadniesz. Lepiej anihiluj wspomnienia. Wracają, to się zdarza – tłumaczył, kiedy spacerowali w deszczu po parkach. – Czasami człowiek pamięta zbyt wiele, ale bardzo łatwo to wyrugować. Po pierwsze, gumka myszka. To, czego nie ma, nie infekuje. Po drugie, wiara. Nie udawanie, nie aktorzenie, nie naśladownictwo. Ma sens tylko szczera wiara w nową legendę. I w to, co się robi, do czego się zmierza. To trzeba wiedzieć, być siebie pewnym na tym gruncie. Praca bardzo pomaga. Zajmuje czas, angażuje emocjonalnie, daje pieniądze i splendor. Jeśli lubisz swoją robotę, osiągasz w niej wiele, a wtedy możesz się naturalnie przeistaczać, używać tego ciała, które jest ci dane, i zmieniać tylko zawartość głowy. Pamiętaj, że rozum eliminuje strach. Nie mów zbyt wiele. Unikaj ludzi, którzy zadają zbyt wiele pytań. Słuchaj, obserwuj, zapamiętuj. Okłamuj każdego oprócz mnie. Wracaj do mnie. Za pierwszym razem jest trudno. Każde kolejne wcielenia stają się coraz bardziej naturalne. Z czasem będzie to jak ze zmianą sukienek.

– Nie noszę sukienek – wtrącała zawsze.

– Zły akcent – pouczał ją, a ona się śmiała.

Wiedziała, że ma w nim nie tylko mistrza, ale i przyjaciela. Potem wyznał, że ją kocha. Ona odwzajemniała to uczucie, z tym że platonicznie. Nie potrafiła tego zmienić. Może nie była gotowa. I co chyba ważniejsze, nie wiedziała, kogo kochał. Które z jej wcieleń? Czy przypadkiem nie tę Saszę, którą stworzył i która była ucieleśnieniem jego wszystkich projekcji? A przecież to nie była ona. To była tylko jedna z jej legend. Musiała od niego uciekać, by chronić to jego marzenie, by nie zorientował się, że nie jest i nie może być prawdziwe. Nawet potem, kiedy było jej źle, słuchała go i chciała, by powtarzał:

– Tracisz pamięć, stajesz się nikim i nie musisz już wymyślać dla siebie nowego nazwiska. Skupiasz się wyłącznie na przypominaniu sobie starego.

– Małgorzata Werner – powiedziała teraz na głos, by znów się przyzwyczaić. – Gosia. Margareta. Werner.

Dziwnie to zabrzmiało, więc powtórzyła jeszcze kilka razy, modulując odpowiednio głos. Czuła obcość tych słów, więc spróbowała naśladować swoich jedynych przyjaciół z tego okresu, jedynych bliskich jej ludzi w życiu, którzy znali ją, a nie Pannę Nikt oraz jej legendy: Margareta. Gosia. Gosieńka. Małgosia. Córka Agnieszki Werner i Gustawa Moro. Małgorzata Werner. Dziewczyna z bidula. Kopciuch.

Pod powiekami natychmiast pojawił się piasek.

– Nigdy go nie zapomniałam, Tom – szepnęła znacznie ciszej. – Miałeś rację, wpisując do moich opinii kwartalnych, że jestem krnąbrna i niesubordynowana. We wszystkim miałeś rację. Jak zwykle.

Środek przeciwbólowy zaczął działać. Wstała i z werwą ruszyła do zadań. Przebranie rzuciła na stertę książek. Z kupy łachów wygrzebała garsonkę oraz kosmetyki do makijażu. Ale po namyśle włożyła czarne rurki, obszerną bluzę z kapturem, a z akcesoriów karnawałowych wyłuskała zestaw przyklejanych zarostów. Z trudem odnalazła nożyczki. Weszła do łazienki i posługując się małym lusterkiem z puderniczki, zaczęła obcinać włosy, ale ręka pulsowała, znów zaczęła szarpać. Nie była w stanie dokończyć dzieła. Zmieniła zdanie. Związała recepturką to, co zostało jej na głowie, i ukryła pod czapką. Dziś wieczorem kupi czarną farbę

– zadecydowała. Klej do brody nie był najświeższy, sprawna ręka zaś tylko jedna, więc szło opornie. Wybrała model zarostu „drwala". Mastiks był nieco zleżały i kruszył się pod palcami, lecz efekt był o niebo lepszy niż poprzedni strój ogrodnika. Spokojnie mogła robić za wychudzonego geja. W Pomponie miałaby pewnie niezłe branie.

Kiedy była już gotowa, ruszyła do pokoju Karoliny. Drzwi były wyważone. Przymknęła oczy, pomodliła się, próbując nabrać sił, i przekroczyła próg. Rzeczy dziecka również leżały w nieładzie, ale tutaj plądrowano znacznie pobieżniej. Odsunęła łóżko córki, podważyła trzecią klepkę i wysunęła zapadkę. Starając się zachować spokój, zaciskając zęby z bólu, cierpliwie rozbierała kolejne deseczki. Jej oczom ukazała się skrzynka sklecona z identycznych deszczułek parkietu jak podłoga. Otarła znalezisko z kurzu, wyciągnęła plik dokumentów legalizacyjnych. Paszporty, dowody osobiste i prawa jazdy na trzy różne nazwiska. Sięgnęła pod podłogę głębiej, wyczuła taśmę klejącą i folię. Chwyciła za brzeg, wysunęła resztę papierów. Niektóre były pożółkłe, inne bielutkie, jakby nowe. Wszystkie miały stosowne pieczęcie, były szyte sznurkami. Tylko jeden owinięto w szary papier. Z trudem go odpakowała. Wewnątrz była szara koperta z lakową pieczęcią, która nadal była cała, choć sznurek przez lata się przetarł, a koperta na brzegach zaplamiła i rozdarła, dokumenty wypadały dołem. Sasha nigdy ich nie przeczytała. Wiedziała tylko, że to był kilkunastostronicowy raport niemieckiej policji stworzony przez przykrywkowca Jerzego Pawłowskiego, przez lata uznawanego za wpływowego trójmiejskiego gangstera zwanego Jesiotrem. Raport dotyczył przestępstw dokonywanych na terenie Polski, Niemiec, Austrii i Stanów Zjednoczonych Ameryki przez polską mafię składającą się z gangsterów działających pod ochroną służb specjalnych i będących przy władzy polityków. Te powiązania były na tyle silne, że stwarzały zagrożenie dla bezpieczeństwa i gospodarki wyżej wspomnianych krajów. Z powodu tych kilkunastu stron zginął generał polskiej policji Maksymilian Leki i cały zastęp mafiosów, a wielu wpływowych polityków wypadło z obiegu.

Reszta zgromadzonego przez nią miniarchiwum miała mniejsze znaczenie. Sasza zabrała jednak wszystko: kompromitujące zdjęcia z tajnych pomieszczeń, które gromadził na różne osoby Gustaw Moro, jej biologiczny ojciec, akt urodzenia Małgorzaty Werner i starą teczkę jakiegoś TW. Otworzyła nie z ciekawości, lecz by sprawdzić, czy wszystkie kwity są wciąż na miejscu. Ze zdjęcia patrzyła na Saszę wciąż jeszcze młoda, lecz okrutnie brzydka kobieta z kartoflowatym nosem. Stefania Pieczonka miała w Służbie Bezpieczeństwa PRL-u pseudonim Calineczka. Sasza wpatrywała się chwilę w zdjęcie współpracującej z SB kobiety, przejrzała pobieżnie dokumenty, ale nie znalazła tam nic, co tłumaczyłoby, dlaczego dla tych kilku kartek musieli zginąć Dziadek, Ela, a może i ktoś jeszcze.

Uporządkowała wszystko, by zajmowało jak najmniej miejsca, i schowała całość do plecaka. Sprawdziła dokładnie, czy skrytka jest już pusta, lecz ku swojemu zdziwieniu znalazła wewnątrz jeszcze rulon dolarów owiniętych banderolą i paczkę białego proszku. Nie była pewna, czy narkotyk jeszcze się do czegoś nadaje, ale zabrała go ze sobą. W innej skrytce, pod zdjętym parapetem, miała jeszcze tetetkę ze spiłowanymi numerami seryjnymi, którą zabrała przed laty w lesie Julkowi, zabójcy komendanta, lecz nie było czasu na rozpiłowywanie framug okiennych. Zdecydowała się na razie nie ruszać broni, a jeśli nadarzy się sprzyjająca okoliczność, poprosić o pomoc w jej wydobyciu Karola. Na pistolecie były odciski palców boksera. Nabój zaś wystrzelony z tego pistoletu czekał na identyfikację z macierzą w sprawie zabójstwa generała. Sasza była przekonana, że przedwczesne ujawnienie tych dowodów wywoła lawinę nowych zdarzeń, ją samą zaś narazi na jeszcze większe niebezpieczeństwo. Jakby już teraz miała mało kłopotów. Może nie będzie musiała używać tego argumentu? Miała w każdym razie taką nadzieję.

Deseczki ułożyła sprawnie, jakby całe życie zajmowała się kładzeniem parkietu. Przesunęła łóżko dziecka i zarzucając na grzbiet nieduży plecaczek, wyszła, nie trudząc się zamykaniem drzwi do lokalu. Wiedziała, że ma najlepszego strażnika na świecie, który zresztą już czekał na nią piętro niżej z bezprzewodowym telefonem w ręku, drągiem przy boku i twarzą wykrzywioną złością.

– Ja ci dam, łachudro, bęcwale! Kradzieju, ty! Już dzwonię na sto dwanaście! – Zastąpił jej drogę.

Sasza nigdy nie ucieszyła się tak bardzo ze spotkania z sąsiadem jak dziś. Czyżby faktycznie jej nie rozpoznał?

Potem jednak nie było już wesoło. Staruszek chwycił bosak i zaczął ją okładać. Próbowała przeskoczyć, wydostać się z tej opresji, ale dopadł ją na samym dole i prawie ściągnął jej czapkę z głowy. Nagle drzwi klatki się otwarły. Wszedł mężczyzna wysoki niemal na dwa metry, ubrany w czerwony moherowy sweter i spodnie do jazdy konnej.

– Już wezwałem policję – zameldował czujny sąsiad.

– Ja jestem ponad policją! – padło w odpowiedzi, ale zanim Jałowiec zdołał dokończyć frazę, przybysz kantem dłoni uderzył dziadka w głowę.

Cios nie był silny, lecz celny. Staruszek padł jak długi, a Sasza wymknęła się z budynku.

– Od dziecka chciałem to zrobić, TW Jałowiec. Z pozdrowieniami od mojego ojca, którego sprzedałeś chyba siedemnaście razy. Nazywał się Kajetan Wróblewski, gdybyś miał jakieś zażalenia – mruknął Krzysztof Zawisza.

Za kierownicą poobijanego mercedesa siedział Łukasz Polak. Na sobie miał płaszcz wędkarski i wodery. Ruszył z piskiem opon i przez długi czas nikt nie odezwał się nawet słowem. Dawno zostawili za sobą Sopot i kierowali się do Gdyni, a zaskoczona Sasza nadal nie była w stanie wypowiedzieć nawet słowa. Przyglądała się Zawiszy, jakby widziała go pierwszy raz w życiu. To znów zerkała na Łukasza. W końcu wskazała na swoją brodę, czerwony moher Zawiszy i wodery Polaka.

– Dziś Halloween?

Nikt się nie roześmiał. Pierwszy odezwał się Zawisza.

– To nie było rozsądne, Sasza. Mało brakowało.

– Wiem – odparła.

Łukasz przyśpieszył. Gwałtownie skręcił, nawrócił i pod wiaduktem wjechał w Bernadowską na teren starego motocrossu na Kolibkach. Jechał, dopóki nawierzchnia na to pozwalała, a SUV nie zaczął buksować i topić się w błocie. Wycofał, kluczył jeszcze chwilę w okolicy Adventure Park Gdynia, by sprawdzić, czy mają ogon. Było czysto.

– Co teraz? – spytał i zatrzymał się.

– Nie wiem – odparła zgodnie z prawdą Sasza.

Przycisnęła do piersi plecak i poczuła, że ma déjà vu. Jelcyn, Sebastian, Taras i Gruby Pies. Strzały, piwnica, szkolenia, Kolumbia. Szybko odgoniła wspomnienia. Modliła się w myślach. Dziś nikt nie zginie, wmawiała sobie. Nie tym razem. Ale już czuła grozę. I wiedziała, że przy tych ludziach nie musi tego ukrywać.

– Obiecaj, że więcej tego nie zrobisz – naciskał dalej Krzysztof.

– Czego? – Sasza odwróciła się do niego i wypaliła: – A jak mam ją uratować? Siedząc na dupie? Płacząc? Czekając?

Łukasz znów ruszył. Jechał nerwowo, szarpał. Silnik rzęził.

– Zadzwonili następny raz? – spróbował zmienić temat.

Załuska pokręciła głową. Krzysztof odwrócił głowę do okna. Zaciął się w sobie. Sasza też milczała.

– I nie zadzwonią – odparł zamiast Saszy Zawisza, nie spuszczając wzroku z lusterek.

– Podobno zmieniły się rozkazy. Szkoda tylko, że nie wiem na jakie. Może ty wiesz? – rzuciła znów do Krzysztofa i urwała. – Ojciec ci nie powiedział? Nie wierzę.

– W ogóle nie rozmawialiśmy! Przecież dobrze wiesz, że zabronił mi przekraczać próg domu – wypalił w złości Zawisza, a potem nagle złagodniał. – Po ślubie z Kasią Warwara zbuntowała Dziadka przeciwko mnie. Zresztą nie zwierza się zdrajcy ze swoich planów, a za takiego mnie miał.

– To nieprawda – szybko zaprzeczyła Sasza, choć oboje wiedzieli, że Krzysztof ma rację. Ponieważ nie odpowiedział, dodała: – Nie będę się ukrywała. Przeciwnie, poczekam, aż sami mnie znajdą.

Zawisza odwrócił się do niej.

– Jeśli nie, zadbamy o to.

– Jestem gotowa – zapewniła. – Szkoda tylko, że mamy tak mało czasu na przygotowania.

– Wszystko jest przygotowane – oświadczył Polak i sprawnie zaparkował.

Dojechali w okolice bunkra dalmierza na Oksywiu. Zawisza odpiął pas. Sasza wiedziała, że zajmie miejsce kierowcy. Spojrzała pytająco, czy ma się przesiadać, ale Krzysztof tylko nieznacznie pokręcił głową. Pozostała więc na swoim miejscu. Milczała. Łukasz wysiadł, nasunął na głowę kaptur, a potem pochylił się do Saszy, której Zawisza uchylił okno.

– Nie idź sama do Warwary, proszę cię.

– Muszę.

– Dziadek już nic nie ma. Wszystko zabrali. – Umilkł. Ale zaraz dodał z troską: – Nie idź. Tam jest kocioł. Dom jest pod obserwacją. Czekają na ciebie.

– Właśnie dlatego muszę pójść.

– Żeby cię zgarnęli? – Skrzywił się.

– Żeby myśleli, że idą za mną jak po sznurku.

Łukasz szukał wsparcia u Zawiszy, ale ten tylko wzruszył ramionami. Nacisnął gaz na jałowym biegu.

– A jak się im nie zerwiesz? – mówił dalej Polak. – Co wtedy?

Sasza w odpowiedzi nachyliła się do Łukasza i go pocałowała. Delikatnie, ledwie muskając wargami. Zdrową ręką dotknęła czule jego twarzy. Pogłaskał ją po ręku i wcisnął jej zwitek papieru. Przejęła sekretny liścik i pośpiesznie schowała rękę do kieszeni. Nie wiedziała, co do niego czuje, czy jeszcze coś w ogóle czuje, ale mu ufała. I co najbardziej niesamowite, ujmowała ją jego niemal kobieca uroda, którą kropka w kropkę odziedziczyła Karolina. Dziewczynka robiła się coraz bardziej podobna do ojca. Wkrótce będą mówić: jakby skóra zdjęta. Na razie wszyscy się dziwili, że to córka Saszy. Kiedy dorośnie, będzie piękna. Dorośnie, Sasza zmuszała się do optymizmu, choć brzmiało to w tej chwili absurdalnie.

– Wtedy ty musisz ją odzyskać – powiedziała łamiącym się głosem. – Chodzi tylko i wyłącznie o nią.

Łukasz skinął głową. Odsunął się od okna i odszedł miarowym krokiem.

– Spotkacie się jeszcze. Jak przyjdzie czas, zadzwoni.

– Pozbyłam się telefonu.

Zawisza się uśmiechnął.

– A jak niby cię namierzyliśmy? To stara nokia Karola.

Sasza zdrową ręką wymacała w kieszeni komórkę i natychmiast ją wyłączyła. Krzysztof ruszył z piskiem opon. Zamrugał tylko Łukaszowi na pożegnanie światłami. Polak nie zatrzymał się, nie zwolnił kroku. Podniósł rękę, palce ułożył w znak litery „v", a po chwili zniknął w zaroślach. Sasza zawsze podziwiała jego kocie umiejętności kamuflażu.

– Poradzi sobie. Karolinie też nic nie zrobią. Nie opłaca im się.

– Mam wrażenie, że to się nie dzieje – westchnęła kobieta i dyskretnie potarła oczy. – Gdy zaczynam o tym myśleć, nie widzę nic pozytywnego. Chyba nie może być gorzej.

– Nie myśl. Działaj. Nie ujawniaj tajemnic, ale niech myślą, że im zaufałaś.

– Mam nadzieję, że zadzwoniłeś do żony – spróbowała zmienić temat, by znów się nie rozkleić. – Pewnie Kasia się martwi.

Zawisza natychmiast stracił rezon.

– Zrozumie. Ale teść będzie zły. Raczej straciłem tę robotę. A Bronek najbardziej zajebistego szpiega w biznesie.

– Grunt to skromność.

– No i oczywiście szkoda sprzętu, butli, auta. – Poklepał kierownicę wozu. – A jeszcze ponton trzeba będzie odkupić. Horacy mi tego nie daruje.

– Za to zyskałeś ładny sweter.

Zawisza szczerze się roześmiał.

– Zawsze chciałem być strażakiem. W stadninie.

Załuska odłożyła wreszcie plecak, rozsiadła się wygodniej. Pierwszy raz od dawna poczuła głód. Pomyślała, że to dobry objaw.

– Nie bójmy się tego słowa, jestem w kompletnej dupie – oświadczyła już raźniej.

– Hola, hola! Bez defetyzmu, proszę. Nadstawiamy dla ciebie karku. Ty wpadniesz, my z tobą. Nie damy się tak łatwo zatopić.

Skręcił w ulicę Heidricha. Zaparkował przy Riwierze Orłowskiej.

– Idziemy na molo? – udała zainteresowanie Sasza, choć obrazki z przeszłości znów zaczęły ją atakować. Przełknęła ślinę i dodała: – Czy jest impreza w Maximie?

Kiedy Zawisza grzebał w schowku i wyjmował jakieś urządzenia, które ukrywał w licznych kieszeniach spodni, Sasza rozwinęła karteczkę od Łukasza. Była to zmięta wizytówka letniska o nazwie Willa Plażowa w Rewie. Uśmiechnęła się lekko na ten widok, przycisnęła karteluszek do piersi. Potem go odwróciła. Dziecinnym pismem zanotowano adres: Stolarska 21/piętro 13.

Zawisza zamknął wóz. Sasza zdołała schować liścik od Łukasza, zanim Krzysztof się wyprostował.

– Co jest? – Najwyraźniej miał szósty zmysł. Od razu wyczuł, że kobieta coś przed nim ukrywa.

– To ja się pytam – odbiła piłeczkę. – Po cholerę mnie tutaj przywiozłeś?

– Coś ci pokażę.

Choć wyglądał jak przebieraniec, Sasza nieustannie widziała w nim wojskowego szpiega, jakim w istocie zawsze był, mimo iż od lat pracował pod biznesową przykrywką. Teraz musiała zadrzeć głowę, by dostrzec jego szeroki uśmiech, zarezerwowany wyłącznie dla wrogów. Słyszała jednak doskonale, jak mówi, wkładając w te słowa znacznie więcej czułości, niż należało:

– Stylowo jesteśmy ubrani, to nie będziemy się rzucali w oczy.

Obejrzała się i dopiero wtedy zauważyła bacznie przyglądającego się im staruszka z ratlerkiem na łańcuszkowej smyczy. Piesek skulił się na środku trawnika, próbując załatwić swoją potrzebę. Wyglądał bardzo niepoważnie w szydełkowym swetrze i obróżce wysadzanej cekinami. Właściciel zwierzaka natomiast w żadnym razie nie był skłonny do żartów. Nie spuszczał wzroku z malowniczo odzianej pary. Sasza mogła tylko podejrzewać, jakie myśli kłębią się pod jego kapeluszem.

– Byłeś kiedyś na orłowskim klifie, przystojniaku?

– Setki razy, wariacie – mruknęła, poprawiając wciąż odklejającą się brodę i zerkając z ukosa na czujnego przechodnia.

Zawisza kontynuował zaś, niezrażony tym towarzystwem, nienaturalnie podniesionym głosem:

– Więc, jak mówiłem, to bardzo klimatyczne miejsce. I mam tam doskonały zasięg.

Po czym objął Saszę ramieniem. Ruszyli na skarpę.

Słońce przenikało między drzewami, kiedy minęli dawny dom zdrojowy i wyszczerbionymi schodkami wspięli się na Kępę Redłowską. Klif porośnięty był rzadkimi gatunkami drzew, o których jak gdyby nigdy nic opowiadał jej teraz Zawisza. Oprócz dębów i sosen Sasza dojrzała jesion, graby, a nawet rokitnik zwyczajny. Dowiedziała się, że jest to jedno z niewielu miejsc w Polsce, gdzie w naturalnym środowisku można podziwiać jarząb szwedzki jako relikt epoki lodowcowej, ale ponieważ nigdy, a tym bardziej teraz, nie była miłośniczką dendrologii, więc kiedy Krzysztof zachwycał się bukami i z zapałem zaczął poszukiwać kolejnych osobliwości florystycznych rezerwatu, zbiesiła się i podparła pod boki jak wiejska baba.

– Zwariowałeś? Nie mam czasu na spacery!

Krzysztof zignorował jej wybuch. Przekroczył drewniane ogrodzenie. Szlak wyznaczały malowane na pomarańczowo płoty. Zatrzymywali się przy każdym z nich, by podziwiać widok, ale drzewa wciąż go zasłaniały.

– Jeszcze sto metrów.

Zawisza chwycił kobietę za ramię i pociągnął za sobą. Sasza niechętnie ruszyła za nim. Szli w milczeniu jeszcze jakiś czas, aż dotarli do niewielkiej polanki. Sasza bez pudła rozpoznała gładką korę buków.

– Tu będzie egzekucja? – zażartowała kwaśno, widząc, że Krzysztof stoi bez ruchu i przygląda się drzewom, jakby szukał na nich jakichś znaków.

– Musiałem mieć pewność, że jesteśmy sami. – Odwrócił się do niej gwałtownie, aż odskoczyła.

Patrzyli na siebie z uwagą. Sasza złapała się na tym, że zaufanie, jakie miała do starego przyjaciela sprzed lat, nagle gdzieś uleciało. Nie odezwała się jednak, za wszelką cenę starając się nie okazywać lęku.

– Nie ufasz mi. – Krzysztof przekrzywił głowę. Był oburzony.

Sasza długo zwlekała z odpowiedzią.

– To chyba żart – żachnął się Zawisza. – Jak zamierzasz odbić dziecko? Sama? Musisz mieć sojuszników. Jeśli mnie nie ufasz, to komu?

– Ufałam Eli – odparła po namyśle kobieta. Zwilżyła językiem spierzchnięte wargi.

Wiało okrutnie. Musiała zmrużyć oczy, szczelniej opatuliła się kapturem. Nie uszło to uwagi Zawiszy.

– Jakiś Kaszub się powiesił – skomentował z przekąsem.

– Piździ jak na dworcu w Kielcach.

Sasza jednak nie była skłonna do żartów.

– Elżunia zdradziła mnie trzy razy – kontynuowała.

– O Jelcynie już nie wspomnę. Dziadkowi ufałam więcej niż połowę swojego życia. To, że Karolina jest teraz w ich rękach, to wina twojego ojca. Łukaszowi, jako jedynemu pewnie, powinnam była ufać, ale się go bałam. – Machnęła ręką i zacisnęła usta, zgrywając twardzielkę. – Mów, co masz, i wracamy. Może tym razem się mylę. Wolałabym tę wersję, bo trochę jestem zmęczona brakiem lojalności swoich bliskich.

Krzysztof nie był zadowolony z jej szczerej odpowiedzi. Zbliżał się do niej bardzo powoli. Czuła górującą nad sobą sylwetkę i wyobrażała sobie najgorsze. Jaki to kłopot zrzucić ją teraz ze skarpy. Jeszcze prościej byłoby ukryć zwłoki w starym sanatorium. Choć nie wydawało się to roztropne. Nawet o tej porze roku wciąż kręcili się w zrujnowanym budynku poszukiwacze przygód i skarbów. Ponoć jest to także ulubione miejsce miłośników statków kosmicznych. Jedna z miejskich legend głosiła, że w latach siedemdziesiątych lądowało tutaj UFO. Ale może te pogłoski rozpuszczano, żeby nie doszło do renowacji sanatorium? Sasza zwykle kpiła z tych opowieści. Dziś zupełnie nie było jej do śmiechu. Zbyt wiele takich historii słyszała, w zbyt wielu najdziwniejszych dochodzeniach brała udział. Gdyńskie lasy w latach dziewięćdziesiątych regularnie zasilane były ponoć ludzkimi zwłokami. Załuska wiedziała, że w tych pogłoskach jest więcej niż jedno ziarno prawdy. Gdyby teraz spadła, śledztwo wykazałoby wypadek niefrasobliwej spacerowiczki. Zresztą ona i tak już nie istnieje. Tylko dział statystyk będzie miał kłopot. Pochowają ją w bezimiennym grobie.

Tymczasem Zawisza wyciągnął papierosa i usiadł po turecku na mokrej trawie.

– To ty się zastanów, bo nie jesteśmy tutaj przypadkowo – powiedział z wyrzutem. – Narażałem się dla ciebie.

– O nic cię nie prosiłam – odparła zimno. – Nie musiałeś.

– Chciałem – podkreślił. – Zresztą była okazja. Różniliśmy się z ojcem bardzo. Polityka nas podzieliła, strefy wpływów. Ale pogrzeb to jednak wyjątkowa sytuacja. Schowałem dumę do kieszeni i poszedłem do domu. Przy okazji załatwiłem rozejm z Warwarą. Przyjmie cię jak na ziemi niczyjej. Jeśli dobrze to rozegrasz, wyjdziesz w jednym kawałku.

Sasza nie odpowiedziała. Kucnęła naprzeciwko w stosownej odległości, tak by w razie czego móc szybko się poderwać. Myślała gorączkowo. Czego Zawisza chce? Kogo reprezentuje? Co na tym zyska? Nie wierzyła w jego altruizm. Dlatego nie podziękowała. Ile to już razy słyszała, że ktoś wyciąga do niej rękę, oferuje bezinteresowną pomoc, a potem okazywało się, że jest mu potrzebna. Tak jest i tym razem. Była o tym przekonana. Jeśli rozgrywka trwa, warto znać nie tylko karty przeciwnika, ale przede wszystkim jego cele. Intencje są najważniejsze, wtedy możesz przewidzieć, jakimi drogami pójdzie i do czego jest zdolny. Miała coś, czego Zawisza chciał. Poprawiła ramiączko plecaka. Ciążył jej teraz, było jej w tym ubraniu zimno, ale starała się nie okazywać słabości. Jeśli Krzysztof zorientuje się, że Sasza ma przy sobie dokumenty, wszystko może skończyć się na tej skarpie.

– To co, handlujemy? – Udała uśmiech.

Nie dał się nabrać. Wyciągnął rękę. Odchyliła się.

– Nie jesteś moim przyjacielem. Nigdy nie byłeś.

– Nie – przyznał. – Ale gramy do tej samej bramki. Więc wychodzi na to samo.

– Czyżby?

– Poza tym ja już zainwestowałem w pierwszą kolejkę. Teraz ty stawiasz.

Wyciągnął z kieszeni urządzenie, które wziął z samochodu. Włączył. Na ekranie profilerka dostrzegła czerwony punkcik. Wokół niego było tylko błękitne tło. Zdecydowała się popisowo udawać idiotkę.

– Co to za telewizorek?

– „Czerwony Pająk" – odparł triumfująco Zawisza.

Sasza natychmiast przysunęła się bliżej. Bez okularów nie odczytała współrzędnych, ale domyśliła się, że to Bałtyk. Z boku widziała dużą jednostkę i port Marynarki Wojennej.

– Karolina tam jest?

– Owszem.

– Płyną do Szwecji? – zgadywała dalej. – Tak jak idzie prom?

Zawisza skinął głową.

– Płyną, a potem wracają. Najciemniej pod latarnią. Żeby w każdej chwili można było się przesiąść, być mobilnym.

Sasza spojrzała na Krzysztofa przepraszająco. Uśmiechnął się, pokiwał głową wyrozumiale, jakby miał do czynienia z niegrzecznym dzieckiem.

– To prawda? – Sasza śmiała się, jednocześnie płacząc. – Jesteś geniuszem!

Zawisza zniósł objawy odzyskanego zaufania Załuskiej ze stoickim spokojem, aż wreszcie zaczął wyjaśniać:

– Bez przesady. To nie było takie trudne. Jeden z moich klientów był naszym ucholem. Po Okrągłym Stole ustawił w rzędzie pewnego polityka. Wprawdzie niby w opozycji, ale za Platformy był kimś. Ten polityk wypadł na dobre z rządu niedawno, jak tylko prawica doszła do władzy. Zaczęli nowe porządki, więc zostawił kilku figurantów o właściwych poglądach, a ponieważ żyć z czegoś trzeba i wszystkich jeszcze opłacić, zajął się biznesem. Tutaj wszedłem do korporacji ja, sprzątacz analityk. O tym ci kiedyś opowiem. Oczywiście on ma swoje słupy. Sam siedzi tylko w radach nadzorczych i, no, ten tego… nadzoruje. Ale jeszcze z dawnych czasów ma kontakty z mafią sołncewską. Dorabia sobie – może i nieświadomie, bo żeby było śmieszniej, jest rusofobem i frankofilem jednocześnie – robiąc dla francuskiej kampanii ustawy przychylne bankom i spółkom logistycznym wokół rurociągu, ale za tą kampanią stoi ruski oligarcha, podobno przyjaciel naszego ministra wojny, który kupił sobie te fabryki i już obraża się na epitet boss mafii, choć wciąż dla relaksu handluje bronią.

Przerwał, widząc minę Załuskiej. Broda drwala wprawdzie uniemożliwiała odczytanie mimiki jej twarzy, ale na jej czole między brwiami wykwitła lwia zmarszczka.

– Tak, już się streszczam. – Machnął ręką. – Ten mafioso biznesmen, dobroczyńca i przyjaciel naszego polityka, jest powiązany z GRU, a tamci, jasna rzecz, mają swojego człowieka na naszym rządowym „Czerwonym Pająku". – Wskazał punkcik na ekranie. Teraz Sasza dostrzegła miniaturowy symbol łódki. – Rozumiesz, w pięciu krokach do prezydenta Ameryki, jeśli znasz odpowiednie osoby. I… Nieważne zresztą. Ten człowiek z GRU, on jest zapalonym nurkiem.

Sasza natychmiast się rozpogodziła.

– A wszyscy nurkowie to jedna rodzina.

– Zwłaszcza jeśli robimy w tej samej firmie, choć po dwóch stronach barykady. Horacy mnie z nim poznał.

– Kto to jest? – przerwała mu. – Chyba coś kojarzę.

Gorączkowo szukała w myślach tego szczególnego imienia i starała się je połączyć z twarzą człowieka. Znała ten pseudonim, ale nie pamiętała, czy i kiedy się spotkali.

– To mój najlepszy przyjaciel. Współpracowaliśmy jeszcze za czasów WSI – pośpieszył z wyjaśnieniem Zawisza. – Nie mogę podać nazwiska. Taka jest umowa.

Sasza udała, że tego nie słyszy. Odsunęła się, zmarkotniała. Teraz przez głowę przemknęło jej, że to jednak podpucha. Żadnego statku nie ma. Widziała przecież tylko jakiś punkcik na niebieskim tle. Informacja, którą przedstawił jej Krzysztof, wciąż może być tanią bajeczką. Złapała się na to, czego chwyciłaby się każda matka, która walczy o dziecko. Czy ona zgłupiała? Zawisza nie zwrócił na jej rozterki najmniejszej uwagi. Ciągnął podekscytowany:

– Swoją drogą niezły jest ten Sierioża. Schodzi na sto czterdzieści metrów. Zaparł się, że pobije rekord świata. Tak więc się nie martw. On ma oko na twojego rebionka. Tylko nie szalej. Przygotujmy akcję na spokojnie. Horacy trzyma rękę na pulsie, a mój teść jest z nim w służbowej komitywie. Rozumiesz? Jesteś kryta.

Sasza jakby się zawiesiła w bezczasie. Porządkowała dane, planowała. Będzie kryta, pod warunkiem że dobije targu z wywiadem wojskowym, bo to w tej branży działał Bronisław Zawisza. Jaką ma pewność, że teść Krzysztofa dotrzyma danego słowa? Skąd wiadomo, że Krzysztof przekazuje jej właściwą informację? I co najgorsze, choćby

Krzysztof miał najszczersze intencje, to najwyższą instancją jest jego teść. Syn Dziadka jest tylko posłańcem. To jest bardziej skomplikowane, niż sądziła. Chciała zapytać o GRU i zastanawiała się, czy po wszystkim wyjdzie z tego żywa, czy może to nie ma znaczenia, skoro Krzysztof, ot tak, jej o tym powiedział. Blefował? A może ona zgłupiała?

– Tak jest, mój Richelieu – mruknęła bez animuszu.

Zawisza znów się jej przyjrzał.

– Nie bój się. – Dotknął jej ramienia. Wzdrygnęła się.

– Musisz mieć drużynę.

– Powtarzasz się.

– Wiesz, że to prawda. Wojna oznacza możliwości, ale wymaga starannych przygotowań. Sił. Lojalności. Hartu ducha. I strategii. Ona jest najważniejsza.

– Nie wiedziałam, że idę na wojnę.

– To po co zabrałaś z domu raport Jesiotra?

Zamarła.

– Tego potrzebujecie? – wydukała.

– Że nie wspomnę o innych kwitach. Przecież to amunicja.

– Nie odpowiedziałeś na moje pytanie – powtórzyła, patrząc mu wreszcie prosto w oczy. – Czego chcecie?

Chciała zapytać, od kiedy jest zdrajcą. Kto wie? Czy Dziadek wiedział? A Łukasz? Za dużo tych pytań bez odpowiedzi. Poza tym byli w lesie. Jednym ruchem mógł ją unieszkodliwić. Wyglądało na to, że dobrze wiedział, iż Sasza ma wszystko ze sobą. Była komuś potrzebna. Do czego tym razem? I pytanie, ilu jeszcze przyjdzie, by ją niby ratować, zaoferuje pomoc w odbiciu córki, a tak naprawdę jej kosztem załatwi własny interes. Który papier w jej plecaku faktycznie się liczy?

– Wystarczy, że materiały nacisku zostaną użyte – odezwał się w końcu Krzysztof. – Nam jest wszystko jedno, czy je sprzedasz, czy też w inny sposób stracą ważność.

– Jeszcze nie podjęłam decyzji – odparła, choć wiedziała, że nie wolno jej odmówić. To byłoby zbyt niebezpieczne. Musiała udać, że ufa Zawiszy, i dowiedzieć się, jak został wyceniony kluczowy kwit. Bo przecież Krzysztof nie wysypie się, co dla nich jest najważniejsze. Dla nich, czyli dla kogo? Z kim on gra? Czy chodzi o ten sam dokument, którego szukała Elżbieta? A może ten, którego tak pragnie Sandra? Będzie musiała go zdobyć czy ma go już w plecaku? I kim, do jasnej cholery, jest ten cały Horacy?

– Tak jak wspominałem, mamy wspólny cel: ujawnienie. Publiczna detonacja – podkreślił Zawisza. – Nikt ci niczego nie zabiera. Ale ty nie uciekasz, walczysz. To jest jasne? Działasz według własnego planu, a my korzystamy niezależnie od twojej decyzji, bo sprawa wychodzi na jaw.

Sasza wciąż była sceptyczna, ale nie miała wyboru.

– Wchodzę w to – odparła bez namysłu.

– *Mołodiec!* – Zawisza poklepał ją po plecach. Dokładnie w miejscu, gdzie trzymała swoje wszystkie karty przetargowe. I dokończył po rosyjsku z bardzo kiepskim akcentem: – *Nu tak dawaj. Poszli. Warwara żdiot uże na tiebia. Skażesz, gdzie iskać.*

Wstał, ruszył z powrotem.

– Ale co? – Załuska go dogoniła. Znów weszła w rolę idiotki. – Ty mów. Ja nic nie rozumiem.

– Po rosyjsku nie rozumiesz? Jak to co? – Wzruszył ramionami. – Kwitologia Dziadka. Cała amunicja na obecnie rządzących i armata na Amerykę. To są obecnie nasi najeźdźcy. Ruscy mają tego dosyć. Chcą wysadzić system.

– Łukasz ci nie mówił, że wszystko przetrzepali? – Sasza się zatrzymała. – U mnie też byli. A może byliście?

– Może.

– Więc jaki dokument konkretnie jest potrzebny? Nie traktuj mnie jak dziecka.

Krzysztof Zawisza zaśmiał się głośno.

– Kiedy zachowujesz się jak dzieciak. Idzie o teczkę tajnej współpracownicy SB, matki jednego z najważniejszych ludzi w tym państwie. Żony największego zdrajcy krainy nad Wisłą, której zeznanie stworzyło podwaliny dla dzisiejszego układu.

Sasza szybko zeskanowała w myślach dokument ze zdjęciem kobiety przypominającej gnoma. Stefania Pieczonka. Teraz żałowała, że nie rozpakowała zalaminowanych dokumentów i ich nie przeczytała.

– Chcecie go szantażować?

– Skompromitować. Zmusić do ustąpienia. Zmienić opcje polityczne i zaprowadzić porządek. Żeby w tym kraju znów było normalnie.

– Chcesz znów stanu wojennego?

– Jakiego stanu wojennego?

– A ruscy, GRU?

– Ty głupia. Normalni ludzie, intelektualiści, biznesmeni mają dosyć prawicy rządzącej twardą ręką. To ci obecni działają jak komuniści. Tylko że to pęknie. Nie uda się im. Ale nie zaszkodzi proces przyśpieszyć. Inaczej wyjałowią wszystko, zmienią ustrój i będzie po ptakach. Rosjanie zawsze u nas byli, nigdy stąd nie wyszli, pozwolili na ten teatr z Ameryką, ale już im się to przestało podobać.

Sasza wpatrywała się w Zawiszę zaskoczona.

– I ja mam w tym uczestniczyć? Mam gdzieś politykę. Chcę tylko odzyskać córkę.

Zawisza chwycił ją za ramiona.

– Wyjedziesz. Pomożemy ci.

– Akurat. – Zaparła się. – Zginę, jak tylko będziesz miał w rękach swój glejt.

– Tego ci nie zrobię.

Wyrwała się.

– Eli też to obiecywałeś?

– Ona była z nami. Prawie od początku.

Nieoczekiwanie Zawisza zaczął się tłumaczyć:

– Nie wiedziałem, że tak będzie. Mnie też chcieli odpalić. Wiedzieli, że jadę na nurkowanie. Siedem lat nie ma mnie w firmie. Oni nie zapominają.

– To co się stało?

– Sam chciałbym wiedzieć – przyznał. Zdawało się Saszy, że szczerze. – Ale tej rurki nie przeciąłem sobie sam. Tam poza nią ktoś był. I wiedział, że ja będę.

– Kto?

Zawisza odwrócił głowę. Sasza była teraz pewna, że Krzysztof zna nazwisko swojego niedoszłego zabójcy. Nie ujawni jej go jednak, zanim nie wyrówna rachunków.

– Trwa ostre dochodzenie – wykpił się. – Ale to musiał być nurek. Nic nie słyszałem. Uśpili moją czujność ciałem Eli, choć wtedy myślałem, że to ty. Może czekał na mnie w ruinach torpedowni? Jesteśmy w trakcie ustaleń.

Zapadła cisza. Drzewa szumiały, słychać było fale bijące o skały.

– Dziadek nie miał tej teczki – powiedziała wreszcie Sasza. – Ale wiedział, kto ma.

Mówiła prawdę. Własną, ale jednak prawdę. Mimo to Zawisza wybuchnął gromkim śmiechem.

– Wszyscy wiedzą, kto ma ten kwit.

Sasza podniosła brwi zdziwiona.

– Minister wojny – wypluł z siebie nurek i znów się roześmiał. – I wszyscy funkcyjni z naszej i waszej firmy. Swego czasu krążyło to jako wesoła anegdota. Nikt się nie spodziewał, że ekstremiści jednak dojdą do władzy. Tak w każdym razie piszą media. I po pijaku żartują z tego między sobą zainteresowani.

– To o co tyle zachodu?

– Ty jednak jesteś naiwna. To wszystko kopie, a my potrzebujemy oryginału. Tylko taki papier ma znaczenie. Każdy inny można podważyć, że to fałszywka bezpieki.

– Oryginały też tak podważano.

– Ale nie takie. Tam jest oryginalny podpis i fotografia. Jedyne zdjęcie, jakie jej zrobiono w tym okresie. Ponoć była okrutnie brzydka i nie chciała tego uwieczniać.

– Dlaczego sam nie pomówisz z Warwarą?

– Już rozmawiałem. Kazała mi przywieźć ciebie.

Sasza odwróciła się gwałtownie.

– Zabrzmiało groźnie.

– I takie miało być – podkreślił. – Ona chce handlować. Może masz coś, co gotowa jest wymienić na bezużyteczny z jej perspektywy kwit TW Calineczki? Moja macocha to wytrawny gracz. Ma swoje plany. Osobiste. Ojczyzna, tak jak i ciebie, jej nie interesuje. Nie zdziwiłbym się, gdyby to ona wystawiła mojego ojca. Może miała dość już tego ich trójkąta?

– Dziadek nie miał tej karty rejestracyjnej. Pół życia jej szukał. Dostałam nawet taką misję.

– Ale miał kwity Grubego Psa. To można z kimś wymienić.

Sasza zamrugała kilka razy. Przełknęła ślinę z przestrachem.

– Tych kopii jest kilka.

– Koperty są trzy – poprawił ją Zawisza. – Każda zawiera inny fragment, ale ważne są w całości. Zwłaszcza ostatnia, trzecia część. Tam jest udokumentowana działalność naszych ludzi. Ówczesnych służb, czyli dzisiejszego biznesu. Oligarchów, którzy mogliby wykupić tę ziemię i ją zatopić, a jeszcze by na tym zarobili. To proste. Ci, którzy są tam umoczeni, zadbają o to, by zdobyć właściwy dokument. Generał nie zginął na darmo. To wyższa polityka. Właściciel akt TW Calineczki sam się zgłosi. O to się nie martw. Ty masz dać tylko twarz.

– Której już nie mam.

Zawisza znów się zaśmiał. Widziała, że ulżyło mu, kiedy dobili targu.

– Może to lepiej dla ciebie. Nie można umrzeć dwa razy.

– Niektórzy umierali i dziewięć. Problem w tym, że ja chcę przeżyć.

– Więc się sprężaj. Możemy ich ugryźć przez powiązania z mafią.

– My? – przerwała mu zniecierpliwiona Sasza. – Od kiedy to jesteśmy drużyną?

– Od tej chwili. – Zamachał urządzeniem lokalizującym statek, na którym była ponoć córka profilerki.

Kobieta zamilkła, przełknęła ślinę.

– Nie narażę dziecka. Wiem, jak o nie czasami trudno... – Zawahał się. – Zadbamy o Karo. Ale musisz współpracować. Tam są sprawy do odpalenia. A każdy ma piętę achillesową.

– Chyba wiedzą o tym, skoro sami stworzyli tę naszą polską mafię – odparła z przekąsem Sasza. – Nie zaskoczymy ich.

– Dziś wielu z nich nie chce tego pamiętać. Horacy mógłby ci dużo o tym powiedzieć. Sam przez moment był w strukturach. Potem zrobili z niego biznesmena, a jeszcze potem zaczął pracować z nami. Od tej chwili jego biznes kręci się sam. Ale im większy masz majątek, tym czujniej go musisz pilnować.

– Rozumiem. Trzeba i należy delikatnie im o tym przypomnieć. – Sasza wyciągnęła rękę po telefon Zawiszy.

– Chcę porozmawiać z córką. Załatw to ze swoim Horacym.

Mężczyzna wyjął aparat, odszedł na bok. Słyszała, jak konwersuje po angielsku, potem po rosyjsku. Prawdziwi mocodawcy nurka musieli okrutnie cierpieć, kiedy Zawisza mówił do nich w ich języku. Łamał konstrukcję zdań, miał twardy akcent. Melodia przypominała rzępolenie wybitnie nieuzdolnionego, lecz upartego amatora skrzypiec. Trwało to tak długo, że wyszła z zagajnika i spomiędzy drzew przyjrzała się morzu. Na horyzoncie majaczył trzymasztowy żaglowiec. Każdy, kto pochodził z Gdyni, bez trudu rozpoznałby legendarną „Pogorię". Co słynna fregata robi tutaj o tej porze roku? Powinna być w Genui, myślała Sasza.

– O, Babcia idzie. – Krzysztof także zauważył statek.

– Oddzwonią o ósmej. Sierioża musi przygotować warunki. Horacy obiecał, że nad nim popracuje. Będzie dobrze.

Nie odpowiedziała.

– W tym czasie rozmówisz się z Warwarą. I wtedy zdecydujemy, co dalej.

– Wiadomo, co dalej. Będziesz musiał zrobić research. Z tego, co wiem, jedną z kopii, pewnie tę najważniejszą, ma Wilmor.

– Kto?

– Myślałam, że ty mi powiesz. – Choć raz w tej dyskusji Sasza poczuła satysfakcję. – Ela często go wspominała. W ostatniej rozmowie zleciła mi jego zabójstwo.

– Aha – mruknął.

– Tylko że za cholerę nie wiem, do kogo powinnam mierzyć, żeby odzyskać dziecko. Może to ty?

Spojrzał na nią z pobłażaniem.

– Mam kilka pseudonimów, ale o tym nic nie wiem. Podejrzliwość to wyniszczająca cecha. Przekleństwo wszystkich szpiegów.

Sasza westchnęła. Nie wiedziała już, w co ma wierzyć.

– Żartowałam – powiedziała w końcu. – Jesteś za młody. To zamierzchłe czasy. Ustalali wtedy Okrągły Stół. Pięć lat przed przewrotem agent CIA przyniósł Dziadkowi wytyczne, jak to będzie przebiegało. Dokładnie tak to wyreżyserowali. Teraz my, patrioci, musimy nadstawiać karku dla zachowania pozorów tego przedstawienia. Nie masz już dość?

– Powiem ci, że nawet się ożywiłem, jak mnie znów powołali. Strasznie się nudziłem w tym biznesie.

– A ja chciałabym zniknąć naprawdę. I ponudzić się.

– Łukaszowi ani słowa. – Zawisza przyjrzał się Saszy badawczo. – On nie zrozumie.

– Twojej zdrady? – uśmiechnęła się Załuska. I zaraz zmarkotniała. – Zdziwiłbyś się.

– Wolałbym nie sprawdzać. Musimy znaleźć te dokumenty.

Poczuła, że Zawisza ma swój własny interes, o którym nie mówi. I że jest nie mniej zdesperowany niż ona. Wiedziała, że wkrótce dowie się, o co chodzi. Miała tylko nadzieję, że nie będzie za późno.

– Na zachętę, żebyś już nie wątpiła, mam dla ciebie niespodziankę.

Usłyszała sygnał przychodzącej wiadomości. Krzysztof kliknął w wyświetlacz i pokazał jej zdjęcie *live* córki. Karolina z rumieńcami na twarzy, okutana w szalik w czerwone renifery, w sztormiaku nasuniętym na czoło, machała do niej z rufy statku i przesyłała całusa. Sasza zerknęła na datę. Zdjęcie wykonano kilka sekund wcześniej. Odetchnęła z ulgą i o dziwo, udało jej się powstrzymać łzy.

– Podrzucisz mnie do Warwary – zarządziła. – Niech mam wejście smoka.

Robert Duchnowski poczuł piknięcie w tylnej kieszeni dżinsów. Odczytał wiadomość:

„Uuu! Moja Mocy, przybywaj".

Odpisał natychmiast:

„Wskakuj do łóżka".

Nie zdążył schować telefonu, gdy przyszedł nowy esemes:

„Tak ogromnie i strasznie cię pragnę. Mrrr... Dotykam, pieszczę, zaczepiam niegrzecznie. Całuję...".

Gdyby miał dwadzieścia lat mniej, zarumieniłby się z zadowolenia. Teraz tylko wystukał odpowiedź i nacisnął „wyślij":

*——>***<3.

Przyszedł dziś do pracy w cywilu. Motocykl zostawił jak zwykle za śmietnikami. W garażu przebrał się ze skór i ochraniaczy. Dobrze wiedział, że połowa komendy zawisła w oknach, kiedy wjeżdżał na parking, więc szedł teraz korytarzem dumny jak paw. Nowiutkie bmw S1000XR, prosto z salonu, nie mogło pozostać niezauważone. To taki farbowany lis. Niby uchodzi za turystyczny, ale jest piekielnie szybki: 165 koni przy 225 kilogramach wagi. Od zawsze marzył o takim ścigaczu i gdyby go ktoś zapytał jeszcze rok temu, kiedy planuje zrealizować swoje chłopięce marzenie, odparłby, że jak tylko zamknie się furtka transferowa „pół biedy". Jeśli wziąć pod uwagę, że bieda jest wtedy, kiedy wydajesz na siebie złotówkę dziennie, bo z policyjnej pensji dotąd inwestowałeś jedynie pięćdziesiąt groszy, wkroczył niedawno w okres prawdziwego bogactwa. Przynajmniej na warunki firmy matki.

Sekretarka zaskoczona wstała na jego widok. Zauważył, że zmieniła buty na szpilki i spakowała torebkę. Dał jej znak, że może iść.

– Jest szef pewien?

Skinął głową i poczuł na pośladku kolejne pikanie.

– Wstaw mi tylko kawę, Adelo – rzucił. – Z przelewowego. Sam wyłączę.

Potem rozsiadł się za biurkiem i czytał kolejne wieści:

„I nie piszę tego przez gorączkę. Piszę, bo jestem najszczęśliwsza na świecie. Dzięki Tobie. <3<3<3".

„Moja wyśniona, wymarzona" – odpisał.

„Ty mój też <3 Przytul mnie. Całuj mnie i dotykaj".

„Najpiękniejsza. Najseksowniejsza. Najzgrabniejsza. Najkochańsza – rozwijał się. – Naj... wszystko, Czekoladko Mleczna".

Rozległo się pukanie do drzwi.

„Przede wszystkim Twoja" – zdążył przeczytać Robert i natychmiast schował komórkę do szuflady.

Najpierw zobaczył głowę sekretarki, a potem skrzydło uchyliło się szerzej. Weszło dwóch klonów z tajnej ekipy do spraw porwań w celu wymuszenia okupu. MauMau jak zwykle uśmiechnięty od ucha do ucha, Kryger skwaszony. Wszystko w normie. Tym razem jednak tylko Kryger miał pognieciony garnitur. MauMau wyglądał, jakby zszedł z wybiegu. Jasne włosy zaczesał do góry i namaścił brylantyną.

Ciągnął się za nim ogon drzewnego zapachu. Agenci rozejrzeli się po pomieszczeniu i synchronicznie przysunęli sobie krzesła do biurka Ducha. Adela wniosła kawę. Robert poczuł satysfakcję, widząc, że asystentka wciąż ma na stopach wyjściowe obuwie. Był pewien, że obaj przybysze nie mogą oderwać wzroku od jej zgrabnych nóg.

– Jesteś wolna – rzucił nonszalancko.

Asystentka spojrzała na niego zdziwiona.

– Zostaw mi tylko teczkę z dokumentami do podpisu i jutrzejsze kalendarium.

– Ech, co tu się dziwić: przystojny, u władzy i samotny – westchnął głośno MauMau i wyjął z wewnętrznej kieszeni marynarki swój najnowszy iPhone w designerskim etui.

Było czarne, wysadzane ćwiekami jak stare walizki. Duch głowę by dał, że stanowi komplet z kaburą.

– Oczywiście – bąknęła nieco skonsternowana sugestią Adela.

Ledwie zdążyła wyjść, telefon znów zawibrował. Szuflada zadziałała jak pudło rezonansowe.

– Człowiek na stanowisku – mruknął MauMau. – Żyć nie dają.

Duch pokiwał głową i zrobił poważną minę.

„Zaczepki rozkoszniaczki – odczytał. – Miziu, miziu, mój Duszku <3 Dotykaj mnie. Pocałuj w szyję..."

– Jak wspominałem, mamy już prawie skończone prezentacje w PowerPoincie dla twojej brygady. – Kryger odpakowywał już komputer. – Pokazałbym ci, jak pracujemy. Możesz zrobić swoim szkolenie na przykładzie serii uprowadzeń. Można by w to włączyć sprawę Załuskiej. Jest ciekawa.

Agenci wymienili spojrzenia. Duch siedział sztywno, kiwał potulnie głową i przytakiwał jak automat.

– Jasne, nie ma sprawy. Świetnie.

– Tak swoją drogą – włączył się nagle MauMau. Duch zdołał się wreszcie nieco skoncentrować. – Podobno Załuska miała zebraną całą sumę okupu. Jekyll, twój technik, nam powiedział.

– Kiedy?

– Bardzo ciekawy facet. Rzeczowy, pracowity. Widzieliśmy go na schodach – pośpieszył z wyjaśnieniem Kryger.

Widząc na twarzy Ducha wzbierającą złość, MauMau dodał błyskawicznie:

– I twój przejazd też nas nie ominął. O takim marzyłem, jak byłem mały. Wyglądasz na nim jak facet Toma of Finland.

Duch tylko wzruszył ramionami.

– Kiedyś żona mi nie pozwalała na fanaberie. Jak już tę sprawę załatwiłem, życie stało się proste. Polecam. W moim wieku mam już wszystko. Kot niewiele je, ja mniej piję. Uznałem, że nie ma na co czekać.

– Podaruj sobie odrobinę luksusu – skwitował MauMau. – Na szczęście nie jesteśmy ze skarbówki.

Wszyscy zaśmiali się sztucznie.

– Skąd miała pieniądze? – cisnął tymczasem Kryger. – To było pół miliona papieru.

Duch wzruszył ramionami.

– Ja jej nie pożyczyłem.

– No raczej – zaśmiał się MauMau. – Lepiej zainwestowałeś. Choć trochę szkoda, że to nie ducati. Jest różnica z vincentem black shadow. Przyznać trzeba, że to buńczuczny, bezwzględny i mroczny rumak, ale jednak rocznik robi swoje.

Duchem miotały sprzeczne uczucia. Z jednej strony oczy mu się zaświeciły na wspomnienie kolekcjonerskiego, kultowego już motocykla z 1959 roku, który samodzielnie naprawiał i mimo nowego nabytku wciąż nie był w stanie się go pozbyć. Z drugiej zaś przez głowę przemknęła mu niepokojąca myśl, skąd MauMau o tym wie.

– Zgadza się. – Kiwnął głową. – Swego czasu vincent to była lepsza inwestycja niż statek kosmiczny.

– W latach sześćdziesiątych to był statek kosmiczny – podkreślił MauMau i znów wykrzywił twarz w wymuszonym uśmiechu.

Przyszła kolejna wiadomość. A po chwili seria następnych. Duch je odczytał, po czym wyciszył dźwięk. Postanowił chwilowo skupić się jednak na agentach.

– Pozbierała po ludziach – oświadczył. – Matka jakąś działkę sprzedała, polisy czy coś. Brata ma i ciotki. Złożyli się.

– W dwa dni zgromadziła? – Kryger zdawał się nieugięty. – To raczej sporo.

– Zależy dla kogo – włączył się MauMau. – Co się przypieprzasz?

– Czekaj, czekaj. Prawda, że sporo. – Robert ukrył twarz w dłoniach. – Wcześniej się nad tym nie zastanawiałem. A jaka jest sprawa? Konkretnie.

– Bo może ten okup nie miał trafić do porywaczy. Nikt go nie odebrał. Może chodziło o zgromadzenie gotówki, a wcale nie szło o dziecko. Z tego, co wiem, krótko potem kobieta się ulotniła. Tak w każdym razie twierdzi twój Jekyll.

Duch zmełł w ustach przekleństwa na temat długiego języka przyjaciela i podniósł dłoń w geście protestu.

– Panowie, chyba włączyły mi się aktualizacje systemu. Nie ogarniam. – Uśmiechnął się. – Czasem tak się zdarza.

Jest porwanie, jest żądanie okupu. Trzeba zgromadzić kasę, przewieźć we wskazane miejsce. To wy specjalizujecie się w porwaniach, nie ja. Choć nie powiem, kilka takich spraw mieliśmy. Medialnych. – Przerwał, ponieważ agenci wpatrywali się w komendanta wyczekująco.

Na chwilę zapadła cisza.

– Co sugerujesz, Moritz? – zdenerwował się Duch. – Że Załuska zaplanowała własne zniknięcie? A ta sprawa ze szpiegostwem to nie kaczka dziennikarska?

– Jest taka koncepcja. – Kryger podniósł wreszcie klapkę laptopa.

Zamiast obiecanej prezentacji Duch zobaczył skan z kartoteki Aleksandry Załuskiej. Zdjęcie sygnalityczne, dane personalne i przebieg kariery w kolorowych ramkach. Niżej widniały faksymile linii papilarnych. Prezentacja wyglądała jak z amerykańskich filmów. Duch pierwszy raz w życiu coś takiego widział.

– Na mnie też takie macie?

– A czyim jesteś szpiegiem?

Duch odchylił się na krześle. Zmrużył oczy z niedowierzaniem, a potem gromko się zaśmiał.

– Warto było dziś przyjść do roboty. Będę to opowiadał wnukom.

Agenci nie zmienili wyrazów twarzy. Duch westchnął ciężko.

– No dobra, pożartowaliśmy. To dawaj tę nową koncepcję z Głównej.

– To porwanie to fejk.

Duch wciąż milczał, więc MauMau zaczął powoli recytować:

– Oszustwo, podpucha, sabotaż, ściema. Nie było żadnego uprowadzenia, a dziecko schowane jest w bezpiecznym miejscu. Kasa zaś potrzebna jest agentce do zaszycia się i prowadzenia dalszych działań dywersyjnych, mających na celu szkodę na rzecz interesu państwa.

– Ty tak poważnie? – Robert pokręcił głową. – Czy jakiś archiwista KC PZPR pomagał ci w ustaleniu tej wiekopomnej tezy?

MauMau przestał się uśmiechać.

– Do tezy jeszcze nie doszedłem, Duchu. Na razie postawiłem hipotezę.

– To może zawołam Adelę. Pomoże ci dojść.

– Jestem pedałem.

Duch na chwilę stracił rezon.

– Przykro mi – mruknął z przekąsem i siorbnął kawy. – Nic ci nie poradzę. Nie znam się, ale to mi nie przeszkadza. Dobrze, że mówisz. Będę uważał przy pisuarach.

A potem wskazał na Krygera i pokiwał palcem.

– Teraz już rozumiem. Wy dwaj, razem. Nic tak nie zbliża, jak wspólna praca. Jasne.

– Chyba coś o tym wiesz – mruknął MauMau i zerknął na szufladę, w której Robert schował swoją komórkę. – I powiem ci już teraz, że źle wybrałeś obiekt westchnień.

Duch zignorował przytyk. Sięgnął po dzbanek i dolał sobie kawy. Ulało mu się trochę na papiery, więc pochylił się, by poszukać w biurku serwetek.

– Motocykl się podoba? – odezwał się zimno Kryger. – Hipotetycznie tak. Tezę bowiem należy udowodnić. A kredyt na motor spłacić.

Duch podniósł głowę. Dzbanek zawisł w jego ręku. Oczy nabrały koloru stali.

– Kobieta postanowiła pożegnać się z życiem – ciągnął tymczasem Kryger. – Tragiczna postać. Załuska zawsze lubiła histeryzować. To się wpisuje w przebieg jej kariery. Jak żyła, tak skończyła. Na ostro. Dwa tygodnie i sprawę zamkniecie. To będzie samobójstwo. Brak udziału osób trzecich.

– Na razie tej wersji się trzymamy – zaczął Duch. – Ale jest kłopot. To nie Sasza.

MauMau postukał w monitor otwartego laptopa. Znów pojawiły się zdjęcia profilerki.

– A jakie ma znaczenie to, jak się nazywała? W jej papierach masz wiele nazwisk: Sasza Załuska, Milena Czarnecka, Małgorzata Werner. Które prawdziwe? Jeden pies.

– Nie sądzę – zaśmiał się Duch. – Jutro będę miał odpowiednie dokumenty. Dajcie mi te kwity, wyciągniemy akty urodzenia z Urzędu Stanu Cywilnego. Z tym problemem śledczym poradzi sobie nawet ponętna Adela.

– Ponętna? Chodziło ci oczywiście o Alexandra Skarsgårda? – zaśmiał się MauMau. – On mnie bardziej podnieca.

– Kogo? – Duch zmarszczył się i podniósł głos, aż się prawie zapluł. – I co to, kurwa, ma teraz za znaczenie?

MauMau wyprężył się w odpowiedzi i jak gdyby byli na spotkaniu towarzyskim, a nie w komendzie, pokazał policjantowi zdjęcia aktora w telefonie. Duch w jednej chwili zrozumiał, że agent stylizuje się na gwiazdora. Czy tak się czują molestowane kobiety? – myślał gorączkowo. Do Ducha w końcu zaczynało docierać, że MauMau go podrywa. Nie, to nie był zwykły podryw. To był mobbing. Robert bał się, że zaraz dostanie propozycję nie do odrzucenia. To się kwalifikuje do sądu albo na ostrą jatkę. Ale może właśnie tego chce ode mnie ten pedzio? – bił się z myślami Duch. Chce dostać wycisk, być zdominowanym. Robert miał ochotę wstać i strzelić wypindrzonego blondyna w twarz, ale zamiast tego rzucił cicho:

– Pierdol się.

– Chętnie – rozpromienił się MauMau i zdjął marynarkę. Miał na sobie szelki, ale co niewiarygodne, na koszuli nie było niemal żadnego zagniecenia. Powiesił marynarkę na oparciu, zaczął rozpinać mankiety, podwijać rękawy do łokci.

– Nie ze mną – wydusił Robert. Wskazał Krygera, próbując obrócić sprawę w żart. – Może on jest zainteresowany?

MauMau podjął grę. Widać dziś wystarczyło mu autentyczne przerażenie w oczach Roberta, bo tylko się zaśmiał i zmienił nagle temat.

– O kwity się nie martw. Będą jak trzeba. Nasz człowiek naradził się z Makakiem. Będzie cycuś.

Znów był nastawiony pojednawczo i sympatyczny, ale Duch już nie dał się zwieść. Siedział jak na szpilkach. Wściekły i gotów do ataku. Kryger zaś udawał, że nie słyszy tej słownej przepychanki. Jakby nagle ogłuchł i oślepł.

MauMau znowu się uśmiechnął. Tym razem chytrze.

– No nie mów! Wszyscy mówią, że jesteśmy ze Skarsgårdem podobni.

– Nawet nie wiem, kim jest ten cycek – mruknął Duch podłamany. – A wracając do tematu, tak się składa, że ja już z doktorem Krawcem mówiłem. I jeśli chodzi o moją hipotezę – Duch podkreślił dobitnie to słowo, nie spuszczając teraz oka z rozluźnionego MauMau – to samobójstwo jest zbyt podejrzane. Ściągniecie mi na kark komisję. To się nie utrzyma w apelacji.

– A kto się będzie odwoływał? – roześmieli się obaj agenci. – Martwi głosu nie mają. Poza jasnowidzami nikt ich nie słucha. A tym ostatnim nikt nie wierzy.

– Ta wasza hipoteza w ogóle kupy się nie trzyma. – Duch splótł ramiona rad, że nie jest już obiektem zainteresowania MauMau. – Cegła, worek i utonięcie. Może jeszcze z łuku powinna do siebie strzelić? Brakuje tylko, żeby przed śmiercią napchała sobie do kieszeni konfetti. Technicy mieliby radochę. Tak każde kółko zabezpieczyć. O kurwa, robilibyśmy do Bożego Narodzenia. Co ja gadam, do Wielkanocy. A, zapomniałem o lewych dokumentach, bo to pewnie też wasza zmyła, żeby pasowało do łuku, co? Jak mogłem zapomnieć!

– Legalizacyjnych. Są czyste.

Duch nie był łaskaw odnieść się do tej uwagi. Kontynuował:

– To, co do niej podobne, to jedynie pijaństwo. Z tym bym się ewentualnie zgodził. Niestety, nie wystarczy. Wiem, jestem pewien. Nie wkręcicie mnie. Widziałem ją przed pobytem na stole doktora Makaka i w trakcie. Idioci w gazetach mogą sobie pisać, co im ślina na język przyniesie. Papier wszystko wytrzyma. Ja nie zamierzam ulegać jakimś pomówieniom. To, co proponujecie, to science fiction.

– Nie proponujemy. To rozkaz, Duchu. Nic nas nie obchodzi, kogo widziałeś na golasa i kiedy. Babka nie żyje. Utopiła się. Odeszła do Krainy Wiecznych Łowów. Szlus.

– Nie dostałem polecenia służbowego. – Robert wychylił się przez stół i chuchnął MauMau nieświeżym oddechem. – I raczej nie przewiduję, by ktokolwiek naraził swój stołek, żeby coś takiego wystawić. Nikt nie podpisze się pod takim rozkazem. A mnie powołano do przestrzegania przepisów, a nie ich naginania na prośbę jakiejś tajnej i jeszcze nieistniejącej służby. Zresztą to prokurator nadzoruje sprawę. Ja tylko wykonuję czynności. Z nią gadajcie. Z Rudą.

– Prokurator Janina Rudnicka dostała już polecenie.

– I? – Robert uśmiechnął się szeroko. – Jak długo leciał ten wasz kurier? Janka ma piąchę jak drwal. A że pochodzi z rodu papug od średniowiecza, jej nie złamiecie. W Sądzie Najwyższym się nie skończy. Powodzenia na Ostatecznym.

– Sprawa jest załatwiona – uciął MauMau. – Radziłbym raczej zatroszczyć się o raty kredytu za ten motocykl, bo na razie jesteś p.o., Duchu. Na emeryturze dostaniesz akurat tyle, żeby wrócić do poziomu „pół biedy".

– Grozisz mi? – Duch zwrócił się do MauMau. – Może to nagrywam? – Podniósł komórkę.

– Może my to nagrywamy? – MauMau wskazał swój otwarty komputer. – Przedstawiam jedynie sytuację realnie. Jesteś najlepszym kandydatem na to stanowisko i mógłbyś ostać się tu przez lata. Mieć sukcesy, apanaże i dupy na schwał. A przynajmniej pożyć jak człowiek do czasu, aż spłacisz motor. Wkrótce zmienisz mieszkanie, wakacje będą dwa, może i trzy razy do roku. Nie musisz wylewać dziecka z kąpielą. Z czasem pójdziesz wyżej. Będziesz więcej rozumiał. W Głównej cały czas są przetasowania. Nieustannie potrzebni są odpowiedzialni ludzie. Ot, polityka.

Duch nic nie odpowiedział. Wpatrywał się w uśpiony teraz monitor, a potem z impetem trzasnął klapkę, aż zaświszczało.

– Najpierw ustalę, kim jest martwa kobieta. Wyczerpię wszystkie możliwości śledcze, wykluczę hipotezy. Jeśli potwierdzą się wasze wątpliwości, będę pierwszym, który zaszczeka. Będę pewien – umorzę. Ale nie ukręcę śledztwu łba. Komuna dawno się skończyła!

– Możesz robić, jak uważasz – zgodził się MauMau. – Ale to musi być samobójstwo. I to musi być Sasza. Wszystko, w tej wersji, ma pójść do mediów. Tak jak dostałeś. Kropka w kropkę.

– Już poszło – pośpieszył z wyjaśnieniem Kryger. – Redaktorzy Kwapisz i Broda z „Tygodnika Naprzód" dostali właściwą teczkę. Pociąg ruszył. Claudine się piekliła, ale ją ominąłem.

Duch podrapał się po nosie, kiedy padło imię szefowej agentów. Nie wysilił się na komentarz.

– To chyba mamy omówione. – MauMau skinął głową. Wyjął z teczki dokumenty. Duch miażdżył go wzrokiem. Nadal jednak milczał. Kiedy zorientował się, że to wydruk akt Załuskiej, których skany pokazywali mu przed chwilą, wziął je do rąk i przesunął na wysoką kupkę z dokumentami do podpisu.

– Zajmę się tym w wolnym czasie.

– Czyli najpóźniej zaraz po naszym wyjściu – oświadczył MauMau i wykrzywił usta w pogardliwym grymasie. – Tekst idzie w poniedziałek, w najbliższym numerze „Tygodnika Naprzód". Do tego czasu pani prokurator ma być zadowolona. Znaczy się dostać wszystkie podkładki. Chyba się rozumiemy, komendancie Duchnowski?

– To u was w Biłgoraju tak się sprawy załatwia? – Robert nie wytrzymał. – Nie dziwię się, Moritz, że wciąż trzymają cię na tajniaka. Co to za prowokację montujecie moim kosztem, chłopcy?

– Rozkaz jest z Warszawy, inspektorze.

– Teraz to nagle inspektorze – przedrzeźniał agenta Duch. – Z tego, co wiem, jeszcze nie awansowałem. A niby dlaczego Janka miałaby pozwolić na jakiekolwiek zaniedbania? W imię czego?

– Jakie zaniedbania? – szczerze zdziwił się MauMau. – To tylko kwestia interpretacji. Wszystkie dowody masz: topielicę z kompletem śladów, zresztą już prawidłowo zabezpieczonych, oraz dokumenty kompromitujące, które puścisz mediom. Sasza Załuska nie żyje. To sprawa niepodlegająca dyskusji. – Poszperał w papierach i dodał: – Miała

413

znaczne środki na wielu kontach. Nie mogły pochodzić z legalnych źródeł. Żaden szanujący się policjant tyle nie zarabia. – Wskazał estetyczną tabelę.

Duch zastanawiał się, ile czasu zajęło im przygotowanie tak perfekcyjnej „złej kobiety". Ile osób pracowało nad tą prezentacją i jaki jest nadrzędny cel tej akcji.

– Rozumiem twoje intencje – burknął w końcu. – Gdybyś mi przyniósł moją opinię z waszej bazy, sam siebie bym wyrzucił. Chociaż nie, w sumie jestem facetem. A brudny drań to gieroj. Jeszcze zaprosiłbym siebie na rozmowę o awans.

MauMau wzniósł oczy do sufitu. Nie miał już ochoty na podszczypywanki Roberta. Kontynuował:

– A jednocześnie posiadała zobowiązania, których nie spłacała. Tutaj jest wykaz. Kredyty, pożyczki, karty. Leasing na auto, dom matki, dług w ZUS-ie, Urzędzie Skarbowym. Komornik wszedł jej na konto firmowe. Prawie całą pensję zabierał, a nie starczało. Nieudokumentowane wpłaty na konto numer trzy. Spore kwoty. To z niego wyciągnęła jednorazowo pieniądze na okup. Nie było żadnych polis i sprzedawania działek. Nie musiała pożyczać po rodzinie. Poszła do banku i wybrała pół bańki. Tak było. Tutaj masz datę. Gdzie ta kasa?

– Mam lepszą zagadkę. – Duch podniósł głowę. – Gdzie jest prawdziwa Załuska?

MauMau się uśmiechnął. Wiedział, że od teraz Robert będzie współpracował. Nie zapytał, kim Sasza jest naprawdę. Co przeskrobała? Dlaczego uprowadzono jej dziecko i kto miał motyw? Załuska już go nie obchodziła. Tutaj od początku widzieli słaby punkt tego planu. Ale widać Claudine dobrze się spisywała. Robert myślał wyłącznie o własnej sytuacji. Ludzie zawsze myślą najpierw o sobie. Wcześniej czy później każdy się łamie, gdy grunt mu się pali pod nogami.

– Tym się nie martw – odparł pojednawczo. – Lepiej dobrze się przygotuj i odpowiednio przedstaw mediom jej niesubordynację. Do tego korupcja, alkoholizm, depresja, brak testów, nepotyzm. W jej aktach znajdziesz prawie same plamy. Nawet ta akcja w Hajnówce, kiedy do ciebie strzelała, może się przydać. Zostawiamy ci to pod rozwagę. Sam zdecyduj, na ile chcesz się ujawnić, ale myślimy, że byłoby dobrze. Spektakularne oraz głupie. Bardzo w jej stylu. Taki argument zawsze działa na ludzkie serca i umysły. A ciebie wyczyści, zbuduje autorytet dzielnego komendanta. Nam też łatwiej będzie potem przeforsować twoje nazwisko na górze. Awans zwykle nie zależy od zasług. Najczęściej to łaska albo łapówka. Wybieraj.

– To ma iść do mediów? – Robert zadał pytanie, ale nie wymagało odpowiedzi, więc dodał: – Zniszczycie ją. Na zawsze.

– Pośmiertnie się nie liczy – zaśmiał się MauMau. – Żeby ktoś miał stanowisko komendanta, awans i dodatki do pensji, ktoś inny musi za to zapłacić. A tak się składa, że jej akurat tu nie ma, więc nie może się bronić. Tylko żywi mają głos. Zawsze tak było. Oczywiście należy prowadzić równolegle dochodzenie w sprawie zaginięcia dziecka. Nie wolno odpuścić opinii publicznej. Ale nie liczyłbym na spektakularne rezultaty. Naszym zdaniem mała jest w dobrych rękach. Z mamusią albo jej znajomymi.

Robert wyciągnął ze sterty gazetę. Wskazał pierwszą stronę z artykułem o wyłowieniu ciała topielicy. Na zdjęciu widać było szpaler wojskowych otaczający czarny worek, z którego wystawały drobne kobiece stopy.

– Kto to jest?

Nikt mu nie odpowiedział.

– Gdzie jest Sasza?

– Tego niestety nie możemy ci powiedzieć.

– A jeśli ją znajdę?

– To dasz nam znać.

MauMau położył na biurku Ducha starą motorolę z klapką. Nie żaden smartfon, zwykły aparat z przyciskami numerycznymi. Był mocno wysłużony, oklejony nalepkami Barbie. W kolorze wściekłego różu.

– To mojego dziecka – wyjaśnił agent Kwiatkowski.

– Działa.

Robert spojrzał na MauMau z ukosa.

– Masz dzieci?

– A w czym to przeszkadza? – Agent wzruszył ramionami. – Zaprogramowano tutaj tylko jeden numer. Przyjeżdżamy w ciągu kwadransa. Taka linia *emergency*. Gdybyś trafił na trop tej pani.

– Przemyślę to – odparł Duch i jeszcze długo wpatrywał się w drzwi, w których zniknęli agenci.

Ocknął się dopiero, kiedy na jego biurku zadzwonił aparat stacjonarny.

– Mam personalia topielicy – usłyszał w słuchawce zdyszany głos Jekylla. – I zidentyfikowałem robaka. Dlaczego powyłączałeś wszystkie telefony? Wpadnę do ciebie za kwadrans. Jestem już w drodze.

– Nie – odparł Duch. – Sprawdź, jak miewają się świnki.

– Teraz? Mam dyżur.

– Czuję, że larwy zmieniły postać. Dobrze byłoby przy tym być. To ważny moment. Oględziny, rzecz niepowtarzalna.

Jekyll nie odpowiedział. Rozłączył się. Wtedy Duch nacisnął zieloną słuchawkę otrzymanego aparatu. Usłyszał głos MauMau i wyrzucił na jednym oddechu:

– Dlaczego zrobiłeś mi to w firmie? Dlaczego nie w lesie, hotelu, restauracji? Tak to się chyba robi. Co na mnie masz? Wszystko zarejestrowałeś. Każde moje słowo będzie montowane, interpretowane w dowolnej chwili, żeby mnie zniszczyć.

MauMau zaśmiał się do Krygera.

– Mówiłem, że zaczai. Wolno, ale jednak się uczy. Obsesyjna, zaborcza, makiaweliczna i kontrolująca osobowość. Cały Pluton. Wiesz, że masz Słońce w Plutonie? Jak ja wszystko wiem, zanim wy się zorientujecie. A wystarczy jedynie data i godzina urodzenia. Wpisałeś to w aktach. Cała wiedza o człowieku jest w jego kosmogramie.

Robert w pierwszej chwili sądził, że śni. Nie dosyć, że ten pedał załatwił go bez mydła, to jeszcze na dodatek jest miłośnikiem astrologii. To już było dla niego za wiele. Liczył na jakiś cud, zrządzenie losu, powódź, choć tak naprawdę chciał powiedzieć temu bubkowi tylko jedno, wybitnie wulgarne słowo. Nie zrobił tego. Liczył słoje na blacie biurka. A potem kropki po atramencie na podkładce klawiatury pozostawione jak krwawica kolejnych komendantów. Właśnie przechodzi chrzest bojowy. Był prawie pewien. To taka specyficzna szkoła dyplomacji. Komendant to polityk i kadrowy w jednym. Koniec z łapaniem złodziei, teraz będzie grał tylko w gry.

– Nic nie nagraliśmy – padło po drugiej stronie. – Jesteś bezpieczny.

Ale im bardziej MauMau o tym zapewniał, tym większą grozę odczuwał Duch.

– Bo to firmowa sprawa. Tajna. Rozumiem, że pracujemy razem? Ojczyzna wzywa, inspektorze. Już wkrótce awans i nowe gwiazdki. A wraz z nimi apanaże, więcej zer na koncie, premie, przywileje. Miło, nie?

– Co ona wam zrobiła? – Duch brutalnie przerwał agentowi.

Nie mógł już dłużej słuchać tej paplaniny. Kiedy wybuchnął, we własnym głosie wyczuł prawdziwą troskę. Sam nie wiedział, skąd się wzięła. Do dzisiejszego ranka był na Saszę tylko wściekły. Pragnął zemsty, marzył o jej upokorzeniu i był pewien, że sprawi mu ono wielką satysfakcję. Ale dlaczego właściwie miał do niej żal? Już nie pamiętał. Teraz tylko i wyłącznie się martwił. I dawno już nie bał się tak o nikogo. Z kim zadarła? Co jej grozi? Jaki to ma związek z nim?

Tym razem MauMau nie był jednak skłonny do żartów.

– Ciesz się, że już nie jesteś z nią połączony. Zajmij się swoim życiem. Nową dziewczyną albo kotem, jeśli tak ci wygodniej. O Saszy zapomnij. I ostrzeż każdego, kto chciałby jej pomóc. Jekyll jest na górze tej listy. Wiemy obaj, dlaczego. Jeśli złamiesz naszą umowę, będziecie obaj w ostrym odbycie. To równia pochyła. Spuścimy ją do kloaki, a każdy jej sojusznik pójdzie na dno razem z nią. Nie chodzi o awanse, chodzi o pracę w ogóle. Nie będzie jej. To gwarantowany aut.

Robert nie chciał tego słuchać. Może i nie był zbyt lotny w odczytywaniu niuansów, ale swój wór soli zjadł. Wiedział, co MauMau do niego mówi i że to tak naprawdę oznacza nie marchewkę, lecz kij. Był w potrzasku. Tym bardziej wpadł we wściekłość, kiedy usłyszał:

– Wszystko, co o niej dostałeś, to prawda. Możesz sprawdzić.

– Mała przeżyje?

– To już nie nasza działka.

WTÓRNIK
(2000)

Jazgot we wnętrzu kabiny uniemożliwiał jakiekolwiek rozmowy. Gosia Werner nie słyszała swoich myśli. Szczękała zębami z zimna i powtarzała jak mantrę nazwiska wrogów, by kiedy przyjdzie pora, mieć siłę poderżnąć im gardła. To bardzo podnosiło ją na duchu. Miała po co żyć. Kurczowo trzymała się więc rozkładanego zydelka, do którego była przypięta sparciałymi kawałkami płótna szumnie nazywanymi pasami bezpieczeństwa. Na plecach ciążył jej spadochron. Była przekonana, że w razie awarii czeka ją rychła śmierć, bo wężyk do uwolnienia tkaniny urwał się pewnie jeszcze przed pierwszą wojną światową. Pocieszała się, że i tak ma fartowny zestaw. Plecak oddzielał ją od metalowej ściany, więc nie odmroziła sobie pleców. A wszystkie tancerki leciały na bankiet niemal gołe. Chyba że ktoś uważa cekinowy stanik i spódniczkę z piórek zasłaniającą tylko nieznacznie łono za rodzaj garderoby. Pod ścianą ułożono ich pióropusze oraz złote sandałki, za które każda miała zapłacić, więc pilnowały swojej pary, jakby faktycznie były z 24-karatowego kruszcu. Nie pozwolono zabrać nawet swetra, tym bardziej większej torebki ani butów na zmianę. Wspomniano o dopuszczalnym obciążeniu, choć przecież wszystkie widziały, jak pakowano do helikoptera zdecydowanie niedozwolone wagowo kontenery. Zresztą do negocjacji nie doszło. Nie ma się zbyt wielu kart przetargowych, jeśli ktoś trzyma twój paszport w metalowej skrytce, a z kieszeni wystaje mu tłumik nakręcony na berettę. Ty zaś nie mówisz w tutejszym języku, nie bardzo wiesz, gdzie jesteś, gdzie byłaś wczoraj, bo ze sceny oglądasz jedynie wysadzane kryształami sale, a po występie sufity karmazynowych sypialń. Jedna z dziewczyn, siedząca, jak Gosia, w tylnej części pozbawionego drzwi helikoptera, w ogóle nie dostała spadochronu. Zydelek zaś złamał się, jeszcze zanim spróbowała go odchylić. Wzbudziło to jedynie salwę śmiechu gości w przedniej części śmigłowca, dla odmiany odzianych w smokingi, oraz garść komentarzy dam w syrenich sukniach na temat jej tuszy, choć dziewczyna była chuda jak patyk i zdaniem Gosi od tygodnia nie miała w ustach niczego poza brudnymi kutasami Kolumbijczyków, z którymi polscy mafiosi robili interesy.

Wszystkie dziewczyny, poza Gosią, były profesjonalistkami. Dwie Brazylijki, Rosjanka, dziewczyna z Gruzji, Ukrainka i dwie Polki, które jednak nawet ze sobą mówiły po rosyjsku – miały na koncie co najmniej dwa tego rodzaju występy. Wiedziały, że muszą trzymać się razem, ale i tak o wszystko walczyły. Potrafiły wyrwać sobie po garści włosów za bezprawne użycie szminki czy kradzież papierosa. Gosia poznała je wszystkie zaraz po zejściu z łodzi. Szczegółów podróży nie pamiętała wcale.

Po zabójstwie generała Jelcyn zawiózł ją na dworzec, posadził na tylnym siedzeniu w autokarze wypełnionym niemieckimi emerytami i tam znów zaczęła pić. Seniorzy częstowali ją koniakiem, słodkimi nalewkami, piwem korzennym. Nie jadła wcześniej prawie nic, więc szybko zasnęła. Obudziła się na granicy, już po kontroli. Potwornie bolała ją głowa, więc znów dostała piwo, a potem kanapkę od przemiłej Anne-Katrin, emerytowanej aktorki, która opowiedziała Gosi swoje barwne życie. Większość detali była tak wyidealizowana, że dziewczyna szybko pojęła, iż słucha bajki na dobranoc. Znów odpłynęła. Zanim zorientowała się, że jeden ze staruszków o wyglądzie skrzata zabiega o nią i troszczy się jakoś nazbyt przychylnie, jak na zupełnie obcą osobę, dotarli do portu.

Promem podróżowała tydzień. Odpoczywała, układała w głowie wszystko, co przeżyła. Każdego wieczoru schodziła do baru. Piła i płakała na zmianę, modląc się, by już się nie obudzić i dołączyć w końcu do Sebastiana. Żałowała, że w ogóle wyszła z tego wszystkiego cało. Ale rano przychodził skrzat i przynosił jej książki, słodycze. Uczył hiszpańskiego. Potem przesiedli się na zapuszczoną łajbę, kiedyś zapewne luksusową. Jeden z żagli miał czerwony emblemat pająka. Za sterem stała zadziorna kobieta o imieniu Eva, która – jak Gosia zaraz spostrzegła – miękła absolutnie na widok wąsatego żeglarza. Czasem kobieta siadywała na rufie i paląc papierosy, mrużyła oczy do słońca. On dosiadał się do niej, obejmował ramieniem. Potrafili tak spędzać w ciszy długie godziny. Nie mówili do siebie praktycznie nic. Gosia nie miała pojęcia, jakiej bosman jest narodowości, bo wszystkie komendy wydawał po angielsku, ale w tym języku porozumiewali się tutaj wszyscy. Zdziwiła się, że można uczyć się obcej mowy, wyłącznie słuchając. Z czasem zaczęła rozumieć konteksty, żarty i slang. Była przekonana, że pani kapitan jest z tym wilkiem morskim absolutnie szczęśliwa. To ją nawet wzruszało. Wiedziała, że ona sama nie doświadczy już niczego podobnego. Nigdy z nimi nie rozmawiała, ale też nie konwersowała praktycznie z nikim poza podporucznikiem Mirosławem Biskupskim, jak nazywał się naprawdę emeryt z autokaru – któregoś razu zajrzała do jego rzeczy i obejrzała paszport. Miał za zadanie ją przeszkolić i przygotować do narodowej misji. Kiedy o zadaniu opowiadał jej Jelcyn, spodziewała się scen z filmów o Jamesie Bondzie. Okazało się, że jej rola niewiele różni się od tej, jaką przypisywali jej Gutek, Słoń czy Pochłaniacz. Była ładna, miała służyć za wabik. Ważne dla nich było tylko to, że mogła kogoś uwieść. Kogo? Nie podali jeszcze nazwiska. Może i nigdy się tego nie dowie. Pokazali jej tylko zdjęcie mężczyzny w garniturze. Był stary i niezbyt atrakcyjny. Chyba dyplomata. Ktoś, kto ma władzę, ale wkrótce zapewne ją straci. Nie tak wyobrażała sobie werbunek Maty Hari, ale pocieszała się, że przecież zawsze pragnęła wyjechać z Polski.

– Już nie jesteś Gosią Werner. Jesteś nikim. Zapamiętaj: byłaś, jesteś i będziesz nikim – tłumaczył jej opiekun. – Dla nas nic nie znaczysz. Mały trybik. Łatwy do zastąpienia, tani, cichy. Żeby przeżyć, możesz robić wszystko. Misję jednak musisz wypełnić. Jeśli jest ryzyko, że zginiesz, materiał ma zostać zabezpieczony i przekazany dalej. Zdradzisz, to po tobie. I pamiętaj, są granice kurewstwa, których przekraczać nie wolno. Nie jest łatwo nas porzucić. Rozstanie z firmą nie wchodzi w grę. Zawdzięczasz nam życie, więc nie pozbędziesz się nas tak prędko. Niech ci się nie wydaje, że spuszczę cię z oka i pryśniesz. Zablokujemy cię. Pracy nie znajdziesz, co najwyżej zarobisz kulkę w łeb od kolegów gangsterów. Szepniemy im, co trzeba, i już nie żyjesz. Graj w naszą grę, zasady są proste. Ich już znasz. Decyzje podejmują szybko, a donosicieli, konfidentów nie lubią na równi z matkojebcami i pedofilami. Tak więc zastanów się dwa razy, zanim cokolwiek uczynisz pochopnie. Dla grzecznych dziewczynek mamy też marchewkę. Popracujesz parę lat na zewnątrz i wyjedziesz na rotację. Jesteś niegłupia. Masz nie tylko tyłek. Dorobisz się, zrealizujesz zawodowo, awansujesz. Myśl o przyszłości.

Pranie mózgu było na tyle skuteczne, że po tygodniu Gosia śniła wręcz sceny ze swojego nieistniejącego życia. Wymyśliła moc anegdot, wspomnień. Prawda zaczęła się zacierać na rzecz znacznie atrakcyjniejszych projekcji. W końcu mogę być, kim chcę, myślała czasami. Warto uważać, o co człowiek się modli. Marzenia zawsze się spełniają. Potem zapakowano ją do busa i przewieziono do hangaru, w którym ułożono w rzędach materace.

– Jestem Sasza – powiedziała drżącym głosem na powitanie i hardo podniosła głowę.

Nikogo jej imię nie obchodziło, ale jej samej sprawiło to perwersyjną satysfakcję. Miała tarczę, całkiem nową twarz. Odcięła się od przeszłości, zostawiła ją za sobą. Czuła się pod fałszywym imieniem bezpiecznie, jak w dniu wielkiej ulewy pod nieprzemakalnym płaszczem i wielkim parasolem jednocześnie. Gładko przywdziała nową skórę. Udawanie przychodziło jej coraz lepiej. Remontnik chwalił ją, że robi postępy.

Starsze kobiety na jej widok coś mruknęły, kilka z nich podniosło dłoń. Znała te mechanizmy z bidula. Doświadczenie zdobyte w dzieciństwie, w trakcie tułaczki po ośrodkach, okazywało się bezcenne. Ale teraz już się nie bała. Wiedziała, czego się spodziewać, jak zabezpieczyć przed atakiem, gdzie stoją konfitury. Mocna, twarda Sasza miała przewagę nad rozmemłaną, wrażliwą Gosią. Gniew z jednej strony otaczał ją murem milczenia i nie dopuszczał obcych, z drugiej – sprawiał, że czuła się dobrze sama ze sobą. Nie potrzebowała lepszego oręża, by pożegnać Gosię na zawsze. Dodatkowo uzbrojona w nowy życiorys dokładała do swojej tożsamości niewiele. Zasada skutecznego kłamstwa brzmiała: trzeba je powtarzać po tysiąckroć. Nigdy nie czuła się tak wolna od wszelkich kotwic i balastów. Żadna z tych kobiet nie miała w sobie takiej charyzmy. Były sobą, Sasza – nikim. Wszystko wydawało się jej wtedy łatwe. Nie czuła na sobie ciężaru odpowiedzialności. Jak bardzo się myliła...

Młodsze oceniły jej figurę i zakwalifikowały jako zagrożenie. Nigdy nie odwracała się do nich plecami. Po ich twarzach widać było, że są uzależnione. Ale Saszy nikt nie zmuszał, by ćpała. Dopóki wykonywała polecenia, nie zwracała niczyjej uwagi. Ich grupą zarządzała Meksykanka, niegdyś zapewne zjawiskowo piękna. Patrzyła niczym zranione zwierzę. Groźne, nieobliczalne, drapieżne. Ten niepokojący efekt wzmagał widok jej twarzy zeszpeconej symetrycznymi nacięciami. Do tego blizna na nadgarstku, jakby próbowano uciąć jej dłoń. Wciąż jednak zachwycała idealną figurą oraz doskonałym gustem. Miała też łeb na karku, skoro awansowała do managementu w tej branży. Na jej widok Sasza wzdrygnęła się, ale kiedy głębiej spojrzała w oczy tej ledwie czterdziestoletniej kobiety, zobaczyła w nich pokłady zrozumienia. Ona widziała już w życiu wszystko. Dlatego nie wolno było się jej bać.

Przeszkolenie Saszy na kurtyzanę trwało niecałe dziewięć minut. Tyle, ile gotowały się jaja na twardo, które Dolores (z całą pewnością imię było zmyślone) zabrała dla swojego synka mieszkającego na górze noclegowni. Z rozmów z innymi uwięzionymi kobietami wynikało, że nikt jeszcze go nie widział. Nie wiadomo było, w jakim jest wieku, na co choruje ani tym bardziej jak wygląda. Zresztą poza Saszą nikogo to nie interesowało. Dziewczęta chciały mieć tylko spokój, spłacić dług (tak, niektóre naprawdę wierzyły, że to możliwe) i w głębi duszy skrycie marzyły o księciu, który wyrwie je z tego piekła. Ale finał był zawsze taki sam. Grzęzły po szyję w bagnie i tam już zostawały. Nikt nie pamiętał ich fikcyjnych imion, a potem i twarzy.

– Jeszcze nie przeszłaś chrztu, a już zostałaś wybrana do helikoptera. To musiało wzbudzić moje zainteresowanie – powiedziała na odchodne Dolores i ruszyła z talerzykiem na górę. – Nie zawiedź mojego zaufania, Saszo.

Jelcyn bardzo się postarał, by wprowadzić ją do haremu ekipy, która załatwiała kanał narkotykowy kontrolowany przez polskie służby. Sasza pamiętała ze spotkań u Gutka tylko Andrzeja Gorczycę zwanego Kurczakiem. Tutaj poznała jego małżonkę, która urodą, a i temperamentem, dorównywała Elizabeth Taylor. Po kilku głębszych miała zwyczaj tańczyć na stole, choćby zastawiony był najcieńszą porcelaną i srebrami. Kiedy Sasza patrzyła na tych dwoje, z trudem łączyła ich ze światem przestępczym. Choć od ślubu minęło już osiem lat, a ich synek poszedł do przedszkola, wciąż zdawali się parą zakochanych. Niektórzy reagowali na ich wzajemne umizgi alergicznie. Zaiste nieustannie spotykali się wzrokiem, uśmiechali do siebie, nie mogli się nawzajem nachwalić. Mówiono, że nie mają oporów, by uprawiać seks przy ludziach, jakby nie byli w stanie się sobą nasycić i chcieli ogłosić światu, że nikt im nie dorówna. Jolanda wpatrywała się w męża z uwielbieniem i nie było drugiego gangstera, który tak bardzo liczyłby się ze zdaniem żony.

Byli idealnie dobrani lub tak dobrze udawali na potrzeby kontrahentów, ponieważ Jolanda i Kurczak pod pretekstem importu byczych skór i bananów pełnili funkcję zakładników. Kolumbijczycy zażądali w zastaw jednego z polskich bossów, aby sprawdzić, czy kanał przerzutu stworzony przez Polaków jest bezpieczny. Nie chcieli powtórki z 1993 roku, kiedy to „Jurata", statek po brzegi wypełniony kokainą, został zatrzymany w porcie pod Liverpoolem. Tym razem też miało dojść do kontrolowanego przypału, jak

Kurczak nazywał wystawienie „Goliata", by celnicy, policja i inne służby mogli wykazać się skutecznością przed mediami. Za plecami pechowego statku szykowano jednak cztery inne transporty, wszystkie pod banderą z emblematem czerwonego pająka, które trójmiejskiej mafii miały przynieść prawdziwy dochód oraz otworzyć linię przerzutu aż na Wschód. Gdyby zaś akcja spaliła na panewce, Kurczak i Jolanda zginą, a ich śmierć poprzedzą tortury, z czego oboje zdawali sobie sprawę. Liczyli oczywiście, że wrócą z tarczą, kolumbijska wycieczka zaś ustawi gangstera na samym szczycie piramidy żywienia. Bawili się więc na całego i nie żałowali sobie szampana. Ich ekipa była nieliczna i jednorodna. Same dobrze zbudowane karki obwieszone złotymi łańcuchami. Z tego grona wyróżniał się żylasty trzydziestopięciolatek z włosami zaczesanymi do góry, by przykryć przedwczesne zakola. Spojrzenie miał czujne, wnikliwe. Nos złamany. W wardze nosił diament. Lekko kulał na jedną nogę, ale świetnie posługiwał się pałką i zawsze miał ze sobą piersiówkę. Nazywano go Jesiotrem. Jako jedyny ze świty polskich gangsterów leciał teraz z nimi.

Silnik rzęził niemiłosiernie, kiedy helikopter siadał na płycie. Sasza i pozostałe dziewczyny nie miały dostępu do okien. Załuska przymknęła oczy i intensywnie przełykała ślinę, by zniwelować ból w uszach. Kiedy ponownie otworzyła oczy, wszyscy pasażerowie zgromadzili się w otwartych drzwiach. Jej koleżanki miały już na nogach sandałki, a na głowy pośpiesznie wkładały pióropusze. Załuska spokojnie ruszyła ich śladem. Zaczekała, aż wszystkie opuszczą śmigłowiec, i z zakamarka w składzie ze spadochronami wysupłała nieduże zawiniątko w folii. Wcisnęła je pod czepek, po czym zapięła pod szyją wysadzany plastikowymi ozdobami pasek.

– Ruchy, ruchy – ponaglano je do wyjścia.

Sasza ustawiła się w rzędzie ostatnia. Doskonale widziała gładkie plecy w wyciętej sukni Jolandy, kiedy ta majestatycznie kroczyła z mężem po płycie, a potem zniknęła w drzwiach niesamowitego pałacu, który majaczył w oddali. Jesiotr szedł kilka kroków za nimi, niczym bodyguard z hollywoodzkiego filmu. Nagle się odwrócił. Saszy zdawało się, że szukał jej wzrokiem. Pochyliła głowę. Przykucnęła, by dopiąć klamerkę buta. Niski, krępy Kolumbijczyk w kostiumie khaki, który do złudzenia przypominał mundur, obszedł rząd tancerek, by ocenić ich wartość, jakby kupował kozy na targu. Wreszcie dokonał wyboru. Ukrainka i Brazylijka natychmiast wyszły z szeregu i ruszyły za nim do pałacu, w którym zniknęli Kurczakowie. Następnie Kolumbijczyk dał znak kompanowi z przewieszonym przez ramię kałasznikowem, by pozostałe dziewczęta zaprowadził na zaplecze. Kiedy przechodziły kolejnymi brudnymi korytarzami, przez pomieszczenia kuchenne, gdzie żołnierze je ostatecznie zostawili, Sasza pomyślała z rozbawieniem, że widać jej przeznaczeniem jest wciąż tkwić w miejscu stosownym dla Kopciucha. Przejechała tyle mil, tak wiele się w jej życiu zmieniło, a znów jest tam, gdzie się zmywa, gdzie nie ma kryształów ani szampana. Usiadła na skrzynce z butelkami i ciężko westchnęła.

– Biedna Marija. – Dołączyła do niej dziewczyna z Gruzji. – Już jej nie zobaczymy.

Sasza spojrzała na koleżankę zaskoczona.

– Jak to?

– Potwór je wybrał.

– Potwór?

– Konsul. To zwyrodnialec. Zbok. To zresztą mało powiedziane – dodała Gruzinka i zza miniaturowego stanika wyciągnęła paczkę zgniecionych papierosów.

Sasza nie miała pojęcia, jakim cudem się tam zmieściły, ale chętnie się poczęstowała. Pierwsze zaciągnięcie było obrzydliwe. Drugie spowodowało atak kaszlu. Gruzinka klepała Saszę po plecach i się śmiała.

– Gdzieś ty się chowała?

Sasza podniosła głowę i odparła:

– W domach dziecka.

– Tako i ja. – Dziewczyna skinęła głową. – Ale palę, odkąd pamiętam. Dzięki temu nie tyję. – Poklepała się po pupie. I spoważniała. – Tak się zatrzymał na mnie i długo się wahał. Myślałam, że umrę.

Sasza milczała. Były pewnie w tym samym wieku. Z tym że Gruzinka była dorodniejsza, bardziej efektowna. Po prostu śliczna. Miała w sobie coś z ruskiej matrioszki. Rumiane policzki, wielkie migdałowe oczy, wydatne karminowe usta.

– Ty nie jesteś z Rosji?

Załuska pokręciła głową.

– Z Polski?

– Ale mówisz po rosyjsku?

– Rozumiem – odparła zgodnie z prawdą Sasza. – Ale chcę się nauczyć. Mam przyjaciela z Ukrainy. Nie wiem, czy go jeszcze kiedyś zobaczę. Ten język mi go przypomina. Miał na imię Taras.

Sama nie wiedziała, dlaczego to powiedziała. Spłoniła się, nagle umilkła. Gruzinka nie pytała o nic więcej. Sądziła pewnie, że to wspomnienie ukochanego. Uhonorowała je ciszą i kilkoma kółkami dymu z papierosa.

– Nie myśl o nim teraz – odezwała się nagle z wzorowym hiszpańskim akcentem. – Tęsknota nie pomaga w pracy. Lepiej pouczę cię tutejszego języka.

– Również jest piękny. – Sasza z trudem złożyła po hiszpańsku tych parę słów.

– Ty rozumiesz?

Roześmiały się obie.

– Twój pierwszy raz? – Dziewczyna łypnęła na drzwi, ale wszedł jedynie kucharz z ogromnym kotłem.

Minął je bez słowa. Obrzucił tylko łakomym spojrzeniem ich ciała.

Sasza skinęła twierdząco głową.

– Nie mów zbyt wiele, a jeszcze lepiej wcale się nie odzywaj – poradziła dziewczyna. – Ja będę ci tłumaczyć. Ty słuchaj. Śledź uważnie spocone dłonie, zagubione spojrzenia. Nie ma tutaj pokoi bezpiecznych. Wszystkie przejawy dobroci to tylko formy przekupstwa. Dziewczyny z Rosji bardzo źle traktują. A Polki? Nawet nie zapamiętałam ich imion, bo długo nie zagrzewają miejsca. Są zbyt harde. – I znów przyjrzała się Saszy. – Ale ty taka nie jesteś. Ty prawie jak nasza. Gdyby nie te włosy. – Dotknęła rudych loków. – Trzymaj ze mną. Nie ukrzywdzą cię z Minerwą. Nie waż się rzec do mnie „Olga".

– Obiecuję.

Znów przyszedł żołnierz i poprowadził je kolejnymi korytarzami. Szły w głąb labiryntu, kluczyły i zdawało się, że ta droga nie ma końca. Olga, zanim ruszyła za przewodnikiem, zdążyła wziąć jeszcze jednego macha, zgasić papierosa oraz ukryć za paskiem zgniecioną paczkę. Sasza podziwiała jej gibkość, uśmiech i pogodę ducha w tej sytuacji. Nie miała wtedy pojęcia, że więcej się nie spotkają. Każda z dziewczyn znikała kolejno w identycznych drzwiach. Olga pomachała jej ostatnia.

Jej dostał się gabinet z biblioteką. Zielone obicia, aksamitne story, cenne bibeloty. Sasza pierwszy raz była w domu urządzonym z takim przepychem. Obraz nad kominkiem przedstawiał pejzaż leśny, jakby wiosnę w rozkwicie. Nie był to jednak las tropikalny, jaki widziała z góry, kiedy tutaj lecieli. Więcej ozdób nie było. Tylko ściany pełne książek. Nie wiedziała, jak się zachować, co robić, by czekanie jej się nie dłużyło, więc podeszła do półki i dotknęła grzbietów. Ku jej rozczarowaniu, kiedy zdecydowała się wyjąć jeden z woluminów, okazało się, że to wszystko atrapy. Jak Encyklopedia Britannica u Gutka. Nikt tutaj nie czytał. Odstawiała akurat na miejsce złoconą wydmuszkę książki, kiedy drzwi się otworzyły, a ona sama wpadła w panikę. Wysypało się więcej pustych pudełek z laminatem na brzegach. Czuła, że drżą jej ręce, policzki nabierają koloru pomidora, a po plecach idą dreszcze. Czy tak powinien zachowywać się szpieg? Jak fajtłapa?

Do środka wszedł niemłody już mężczyzna w wizytowym stroju. Szpakowaty, gładko ogolony. Na nosie miał staromodne okulary w metalowej oprawie. Sasza od razu go rozpoznała ze zdjęcia. Zwrócił się do niej po hiszpańsku, a ponieważ tym razem nie pojęła ani słowa, ustawił kolejno wszystkie pudełka udające książki na swoich miejscach i zbliżył się na wyciągnięcie ręki. Dziewczyna zupełnie straciła pewność siebie. Czuła się zanadto naga. Mężczyzna rozbierał ją wzrokiem. Bała się, czy nie popełni błędu. Miała tylko jedną szansę. Jeśli się pomyli, powinna zabić fałszywego figuranta, oczywiście jeśli zdoła uprzedzić jego atak. Wszystko to, do czego ją przygotowywano, zdawało się jej teraz głupie. Odruchowo odsunęła się aż pod okno i uparcie milczała. Z sąsiedniego pokoju docierały już do nich odgłosy gwałtownego seksu.

– Dziewczyny wzięły się do pracy – powiedział po angielsku. Nie znać było po nim zniecierpliwienia, choć na pewno też się denerwował. – A ty?

Patrzył na nią teraz z niedowierzaniem i nutą pogardy.

– Wiedeń to wspaniałe miasto – zaczęła drżącym głosem, starając się jak najmniej kaleczyć wykute na pamięć hiszpańskie zdania, więc trwało to całe wieki. Nie była jednak w stanie przyśpieszyć, bo miała wrażenie, że język zamienił się jej w kawałek drewna. – Jedne knajpy zamykają, otwierają drugie. I tak na okrągło.

– Zawsze można gdzieś wejść i spokojnie posiedzieć – wyręczył ją. Wyciągnął dłoń. – Dawaj – dokończył już po polsku.

Sasza zdjęła czepek i wysupłała spod niego przesyłkę od Jelcyna. Schował ją niepostrzeżenie do kieszonki w marynarce.

– Kogo mi oni teraz przysyłają? – Mężczyzna pokręcił głową, jakby rozmawiał o niej z kimś trzecim. – Przecież to jakaś niedojda. Oni cię zniszczą. Ty tego nie przeżyjesz. Jezus, Maria!

Po czym wcisnął na jednej z półek ukryty przycisk udający kaganek. Drzwi obróciły się, a wewnątrz Sasza zobaczyła ciemny schowek. Zastanawiała się, czy powinna słuchać figuranta. Wcale nie była pewna, że oddała meldunek właściwej osobie. Niczego nie była pewna, ale wolała już zgnić w tych ciemnościach, niż być gwałcona przez potwora i innych żołnierzy. Bała się.

– No właź – popędził ją mężczyzna. – Przyjdę po ciebie po wszystkim. Pewnie jakoś rano. Ale mogę nie wyglądać już tak wyjściowo jak teraz. – Zaśmiał się, choć raczej gorzko.

Wyprostował się, poprawił kołnierzyk i przeglądając się w szkle od obrazu, zaczesał rzadkie włosy.

– Tylko nie napaskudź. Konsul tego nie lubi.

Dotrzymał słowa. Spała jeszcze, kiedy szafa drgnęła, zapiszczała zapadka. Przez chwilę nie pamiętała, gdzie jest, co tutaj robi, jak się znalazła w tej ciemni. A potem go zobaczyła. Miał zapuchniętą, pokrwawioną twarz, rozciętą wargę i zbite okulary. Garnitur wciąż zdawał się nieskazitelny, kruczoczarny. Tylko koszula, wcześniej biała, przybierała teraz brunatny odcień. Sasza nie miała złudzeń, że barwę zawdzięcza skrzepom gęstej krwi. Natychmiast się poderwała.

– Jest pan ranny?

– Ja nie, ale na podjeździe wciąż leży sporo trupów. Szybko, zaraz będą tu karabinierzy.

Kiedy biegli, zarzucił jej na plecy swój prochowiec i zerwał z głowy idiotyczny czepek. Truchtała za nim w złotych sandałkach, z trudem łapiąc oddech. Samochód zaparkowano pod samym wejściem. Za kierownicą zobaczyła Kurczaka, obok jego żonę. Z tyłu wciśnięty aż pod szybę, zawinięty w kraciasty koc, leżał nieprzytomny Jesiotr. Drzwi same się uchyliły. Mężczyzna najpierw wepchnął Saszę do środka, a potem zajął miejsce obok. Sasza poczuła, że na czymś usiadła. Podniosła zawiniątko i zaraz odrzuciła je z wrzaskiem. To była ludzka ręka. Jolanda, ubrana w czarny dres, wciąż jednak w diamentowych kolczykach, zaśmiała się perliście.

– Zapamiętaj, mała, ten widok, bo tak Andrzejek karze zdrajców.

Po czym majestatycznie podniosła trofeum i schowała je do kieszeni na drzwiach auta.

– A to co? Zdobycz wojenna? – zwrócił się do zakrwawionego mężczyzny w garniturze wściekły Kurczak. – Nie ma mowy. To nie pekaes.

Dyplomata przybrał miły wyraz twarzy i zagarniając przerażoną Saszę ramieniem, odparł:

– To moja córka. Przyniosła wiadomość o krecie. Dzięki niej nie było wpadki, tylko Pochłaniacz stracił dłoń. Jesteś do przodu cztery bańki papieru, uratowałem ci życie, więc nie pierdol. Jedź!

Ruszyli z piskiem opon. Wprost w busz.

– Sasza, pranie – krzyknęła z salonu Laura Załuska, rzucając na podłogę kilka zupełnie nieużywanych sukienek. Jedna z nich wyszywana była złotą nitką i zdobiona sztucznymi kamieniami. Wszystkie mieniły się, a kolory tkanin aż kłuły w oczy.

Dziewczyna wybiegła z kuchni z obieraczką w jednej ręce i awokado w drugiej. A potem znów zawróciła, by opłukać dłonie.

– Co za flegma – jęczała pod nosem wyniosła kobieta, sięgając po galaretkę w cukrze. – Gdyby nie Aleksander, nigdy byś nie dostała tej pracy. Ja w każdym razie nie zatrudniłabym cię, choćby mi dopłacali.

– Skarbie, to jest twoja córka – padło ze szczytu schodów.

Obie kobiety zaskoczone podniosły głowy. Powoli, z drinkiem w ręku, schodził w ich kierunku Aleksander Załuski. Wciąż miał jeszcze plaster na brodzie i lekko zapuchnięte oko, ale ogólnie nie wyglądał gorzej, niż kiedy Sasza go poznała. Dziś miał na sobie wzorzysty sweter i spodnie w kant. Na nogach skórzane bambosze. Sasza szybko pozbierała sukienki Laury i ruszyła do pralni, udając, że nie słyszy dalszego ciągu wymiany zdań małżonków:

– A dziś wieczór adoptujesz jeszcze syna. Zawsze chciałaś mieć parkę.

Podszedł i objął żonę. Udała, że wciąż jest obrażona.

– Już przestań. – Wyswobodziła się z jego ramion. – Żarty się ciebie trzymają na stare lata.

– Nie żartuję – podkreślił Załuski. – Ma na imię Karol. Sama je wybrałaś. Pasuje?

Laura podeszła do męża bliżej. Obejrzała się, czy dziewczyna nie słucha, i zaczęła szeptać. Na tyle jednak głośno, że każdy dźwięk docierał do opartej o pralkę Saszy, która zwlekała teraz z wyjściem, nie wiedząc, jak się zachować.

– Myślisz, że ludzie się nie zorientują? To jakiś absurd! To obca kobieta. Dorosła. Nie wiemy o niej zupełnie nic. A może to złodziejka, socjopatka, jakaś niedorozwinięta?

– Co to, to na pewno nie – zaoponował radośnie Załuski. – Po prostu jest nieśmiała. Dręczysz ją jak zła macocha, to się i ciebie boi. Ja sam czasem mam przed tobą stracha. Rozumiem jej wycofanie.

– A jeśli jest śmiertelnie chora? Przyniesie do domu jakąś zarazę?

– Odrobaczymy, wyplenimy wszy. – Aleksander bagatelizował dalsze utyskiwania żony. – Umyjemy i ładnie ubierzemy.

– W ogóle mnie nie słuchasz! Ledwie ją znoszę. A teraz jeszcze chcesz mi przyprowadzić następnego przybłędę?

– Nie przybłędę, tylko agenta. Chłopak na schwał. I też sierota. – Aleksander Załuski zaśmiał się wesoło. – Od lat tułamy się po ambasadach Trzeciego Świata. Myślisz, że ktoś pamięta, czy byłaś w ciąży?

– A moje siostry? Co im powiem?

– Nie wracamy jeszcze do kraju. Zdążysz je przygotować. Przecież wiem, że masz fantazję – zamruczał lubieżnie. Laura odsunęła się urażona. – Coś tam wymyślisz.

– Jeszcze rozumiem, gdyby była dzieckiem. Mój Boże, choćby i nastolatką. Miałabym wpływ na jej wychowanie. Zdążyłabym się z nią jakoś związać albo chociaż ją polubić – fuknęła. – To wszystko, co teraz robicie, Alek, jest jakieś dziwne.

– Dziwny jest ten świat. – Załuski dolał sobie whisky.

– W kółko narzekałaś, że nie awansuję. Właśnie nadarza się okazja. Nie będziesz już panią sekretarzową. Będziesz konsulową! Na razie wciąż jeszcze tutaj, ale za pół roku w Londynie. Muszą nam dom przygotować. Tyle lat płakałaś, że chciałabyś mieć dzieci. A jak ci je zorganizowałem, to kwękasz.

– Własne, Alek. Nie cudze.

– Po prostu masz stracha, że nie będziemy już sami. Może jesteś zazdrosna? Niepotrzebnie. To tylko praca.

Laura chciała coś jeszcze dodać, ale umilkła. Sasza była pewna, że rozmawiali o tym dziesiątki razy. Dzisiejsze przedstawienie Laury było przeznaczone dla niej. Kobiety nie znosiły się od pierwszego spotkania. Od tamtej chwili Laura za wszelką cenę starała się ją upokorzyć. Sasza postanowiła, że zgodzi się na wszystko. I tak nie miała dokąd wracać. A poza tym pierwszy raz w życiu dostała własny pokój pełen książek. Mogła się uczyć, czytać. Aleksander traktował ją z szacunkiem. Był zabawny i miły. Wcale jej nie podrywał. Nie czuła się zupełnie obiektem seksualnego zainteresowania. Oboje z Laurą byli eleganckimi ludźmi. Sasza chłonęła ich maniery, obserwowała najprostsze zachowania i nabierała ogłady. Praca w domu zaś, do której zmuszała ją nieustannie Laura, dawała jej tylko radość. Mogłaby całymi dniami szorować te egzotyczne podłogi, prać jedwabie żony sekretarza konsula lub ustawiać na półkach kryształy. W życiu nie dotykała tak wielu pięknych rzeczy. Teraz zdecydowała się wyjść wreszcie z łazienki.

– Podać kolację? – Dygnęła.

Aleksander spojrzał na nią i uśmiechnął się szeroko.

– A co będzie?

– Znów pewnie jakiś kapeć zamiast kotleta – prychnęła Laura.

– Wspaniale! – Aleksander klasnął w dłonie. – Pójdziemy do restauracji. Właściwie to mamy na dziś interesujące zaproszenie.

Laura spiorunowała męża wzrokiem. Gdyby nie była tak dobrze wychowana, udusiłaby go teraz własnymi rękoma. Sasza błyskawicznie schowała się w kuchni.

– Całą rodziną – ciągnął uradowany Załuski. I podniósł nieznacznie głos, by dziewczyna również słyszała jego słowa. – Musimy podziękować naszym dobroczyńcom. Przyleciał dziś z Kanady mój przyjaciel, Rysio Domin. Będzie ze swoją świtą. Znasz ich wszystkich, kochanie. Romek Jelcyn Maciulewicz, Andrzejek Kurczak Gorczyca i jego piękna małżonka Jolanda. Może wpadnie też Jesiotr, bo wyszedł ze szpitala. Ale nie będzie pił. No i oczywiście Tadek Otto. On to organizuje. Bronek Zawisza niestety musi już wracać do kraju. Zawiozę go na lotnisko i przyjadę po was. Założysz ten naszyjnik ode mnie, skarbie?

– Skoro tak, nie pij tyle. – Laura podeszła do męża i wyrwała mu szklankę z dłoni.

Na pozór dała się już udobruchać. Ale to była tylko wypracowana poza. Ruszyła bowiem zaraz do kuchni i cisnęła rzniętym kryształem do zlewu. Szklanka przeleciała tuż ponad ramieniem Saszy. Dziewczyna zdążyła się uchylić, nawet nie pisnęła. Szkło się rozprysło, wódka malowniczo rozpłynęła się po blacie i ścianie. Na dłuższą chwilę zapadła niepokojąca cisza. Aleksander nie ruszył się z miejsca. Wpatrywał się w żonę z karcącym pobłażaniem.

– Posprzątaj – poleciła Saszy Laura, a potem wzięła torebkę i wyszła, trzaskając drzwiami. Na odchodne krzyknęła: – Idę do fryzjera!

Dziewczyna natychmiast zajęła się sprzątaniem. Nie wiedziała, co myśleć. Załuski przywiózł ją do siebie po masakrze w domu dawnego konsula. Resztę starała się doczytać z gazet, ale jej hiszpański nadal pozostawiał wiele do życzenia. Słuchała jednak Polskiego Radia i oglądała wiadomości na TV Polonia. Wszystkie programy informacyjne podały, że w strzelaninie mafijnych bonzów zginął polski konsul, którego podejrzewano o korupcję i współpracę z kolumbijskimi kartelami. Lista przewinień starego konsula była długa i w większości dotyczyła handlu narkotykami. Jedyną osobą, która przeżyła i uwolniła się z rąk zamachowców oraz złożyła wyczerpujące zeznania, był wieloletni sekretarz konsula Aleksander Załuski. Sasza doskonale wiedziała, że ten nagły awans jej nowego „papierowego" ojca wynika stąd, iż pogrążył tych, których należało politycznie wyeliminować z gry. Ci zaś, którzy wciąż są przy stole, mają wobec niego dług wdzięczności. Sprawa jej ustawienia w tej rodzinie musiała być dopięta znacznie wcześniej. Przecież dobre pół roku temu dostała od Jelcyna dokumenty zaświadczające, iż jest córką Aleksandra i Laury, a to oznaczało tylko jedno – ma dla nich pracować. Jak ta praca miałaby wyglądać? O co tutaj chodzi? Nie wiedziała. Nie będzie przecież całe życie robiła prania. Jeszcze nie odbyli jednak żadnej odprawy. Właściwie poza konwersacją w bibliotece dawnego konsula niczego nie ustalali.

Teraz Aleksander podszedł do Saszy, wyjął jej z rąk ścierkę i wskazał krzesło przy stole w jadalni. Zajęła posłusznie miejsce, złożyła dłonie w małdrzyk. Po chwili Aleksander przyniósł imbryk z herbatą i dwie filiżanki.

– Nie mam pojęcia, jak trafiłaś do tej branży – zaczął. Bliżej siebie przysunął karafkę. Wlał sporą działkę płynu do kubeczka. Wypił duszkiem. – I wydawałoby się, że w ogóle tutaj nie pasujesz. Co się zmieni.

Przerwał. Powtórzył rytuał. Drugą filiżankę podał Saszy. Pochyliła głowę. Nie ruszyła trunku.

– Ja pana bardzo przepraszam. Rozumiem panią Laurę.

– Mów mi tato albo Alek.

Natychmiast pokręciła głową.

– Nie mogę. To za wcześnie.

– Wcale nie za wcześnie. To twoja praca. Jeśli spalisz akcję, wszyscy utoniemy. Mają myśleć, że jesteśmy rodziną. Dziś wieczorem poznasz swojego brata.

Sasza wychyliła alkohol, dokładnie naśladując jego ruchy. Skrzywiła się.

– Przyzwyczaisz się. – Aleksander poklepał ją po plecach. Następnie do tej samej filiżanki wlał herbaty i wrócił do urwanego wątku. – Wiesz, co było na tej karteczce, którą wiozłaś?

Sasza karnie pokręciła głową.

– Nie wolno mi było otworzyć.

– Prawie każdy żółtodziób by zajrzał. Może zrobiłaś to z naiwności. Może kłamiesz. Może tak naprawdę się nadajesz. Jelcyn ma nosa. Wierzę mu. Pracowaliśmy razem w Jedynce, wiesz? Byłem jego szefem.

Przyjrzał się młodej kobiecie.

– Masz pewne wady – westchnął ciężko. – Nie wciskasz nosa w nie swoje sprawy. W ogóle nie interesujesz się niczym, co nie dotyczy ciebie. To rzadka cecha. Z czasem zmienisz się, okrzepniesz. Kilka razy zaaplikują ci terapię wstrząsową i zaczniesz myśleć, jak należy. Największą cnotą szpiega jest cierpliwość. Tę posiadasz w nadmiarze. Wszystkiego innego mogę cię nauczyć.

Znów przerwał. Sasza wpatrywała się w konsula w całkowitym skupieniu.

– Jedynka to pierwszy departament Służby Bezpieczeństwa, czyli wywiad. Zajmowaliśmy się zdobywaniem tajnych dokumentów i informacji dotyczących politycznych, ekonomicznych, militarnych i wywiadowczych planów oraz zamierzeń skierowanych przeciwko Polskiej Rzeczypospolitej Ludowej i krajom obozu socjalistycznego – wyrecytował.

– Głównie walczyliśmy z opozycją. Ale paradoksalnie to dzięki nam w kraju nad Wisłą jest dziś kapitalizm. Kiedyś to zrozumiesz. Ryszard Domin, znany bardziej jako Pastuch, ale nigdy się tak do niego nie zwracaj, jest dziś biznesmenem. Dawniej to była wyłącznie przykrywka. Teraz nieźle sobie radzi. Musi. Jest grono ludzi do opłacenia. Ba, ciągle się powiększa. Nieustannie przybywają nowi do podziału tego tortu. To się nie zmieni. Domin pracował z nami całe lata, ale potem przeszedł do kontrwywiadu. Szukał w Ameryce szpiegów. Rozumiesz już?

Dziewczyna zaprzeczyła. Aleksander znów się roześmiał.

– Tak naprawdę nie musisz nic rozumieć, Sasza. Jesteś tylko narzędziem. To, co powinnaś, to efektywnie wykonywać rozkazy: odtąd – dotąd. Znać ludzi, ich życiorysy, łączyć fakty. Być sprytna. Na razie zostaniesz kurierką. Jak pokazały ostatnie zdarzenia, całkiem nieźle sobie z tym radzisz.

Wstał. Nalał do szklanki wody z kranu. Wypił duszkiem, a potem opłukał twarz i czekał, aż wyschnie. Dopiero teraz widać było, jak bardzo jest zmęczony.

– I moim człowiekiem. Dopóki żyję. Jedyne, z czego będę cię rozliczał, to lojalność.

– Tak jest – odparła bez wahania.

– Bo widzisz... – Załuski znów usiadł. Z kieszeni wyjął zegarek. Dziewczyna zamarła. Rozpoznała czasomierz. Była to stara certina z kryjówki Gutka. Konsul położył ją na stole, wygładził pasek. – Jelcyn zbudował ci legendę na bazie danych prawdziwej osoby, która kiedyś istniała. To jasne, że kluczem było wykorzystanie mojego imienia i nazwiska, ale gdzieś, na jakimś cmentarzu w podlaskich lasach, znajduje się grób dziecka o takich danych, które zostały jedynie podrasowane.

Sasza chciała zadać pytanie, ale powstrzymał ją gestem.

– Zapytasz teraz, dlaczego akurat ty?

Sasza kiwnęła głową. Ścisnęła filiżankę, aż zbielały jej palce.

– Prawdę powiedziawszy, nie wiem – przyznał szczerze konsul. – Znalazłaś się w odpowiednim czasie i miejscu lub... nieodpowiednim. Zależy od punktu widzenia. W gruncie rzeczy wszystko jest subiektywne. Po prostu tak się ułożyło. Zostałaś wybrana i masz swoją szansę. Lepsze pytania to: co masz zrobić? I jaka jest twoja rola? Nad tym ostatnim: po co nam jesteś? – nie powinnaś się wcale zastanawiać.

Rozległ się brzęk. Sasza poczuła, że gorąca ciecz spływa ze stołu wprost na jej spódnicę. Filiżanka miała jedną rysę prowadzącą od brzegu do denka. Pękła, ale się nie rozpadła.

Aleksander wstał, przyniósł tę samą szmatę, którą przed chwilą wycierał dłonie, i wyczyścił stół do sucha.

– Być może nigdy się tego nie dowiesz. Motywacje i myślenie zostaw nam. Może i rozwiązali Służbę Bezpieczeństwa. Może i nie ma już nas na tych stanowiskach w instytucji, która tylko zmieniła nazwę. Zastąpili moich kolegów, przyjaciół, a czasami wrogów, młodymi wilczkami o właściwych poglądach, ale systemu nie są w stanie zmienić. W każdym kraju działa to podobnie. Zapomnieli o jednym. To my mamy wiedzę i dokumenty. Znamy się, lubimy bądź nie, ale umiemy ze sobą efektywnie współpracować. Nic nie zostało zniszczone. Zapomnij o scenach z filmów, gdzie niby to Franz Maurer stoi nad stosem palonych akt. Zapomnij o wielkich niszczarkach, stertach makulatury czy teczkach na wysypiskach śmieci, które swego czasu pokazywano w mediach. To wszystko fikcja literacka. Osobiście znalazłem protokoły niszczenia, na których sfałszowano mój podpis. Owszem, zwykli pracownicy eliminowali tak zwane śmieci, jakieś kserówki czy gazety, ale sprawy ważne szły do nas, na górę, do szefów, w tym także do mnie, i już nigdy nie wracały do archiwum. Pieczołowicie skopiowałem wszystkie istotne dokumenty, a oryginały tych najbardziej cennych zabrałem. Nie pytaj, gdzie je trzymam. Są bezpieczne. Resztę mają Rosjanie. Byli u nas przez prawie pięćdziesiąt lat. Trzymali łapę na wszystkim. Teraz są naszymi przeciwnikami, bo oficjalnie mamy sojusz ze Stanami Zjednoczonymi, należymy przecież do zachodniej Europy. Ale to żarty, że ruskich nie ma już w naszym kraju. Dlaczego mieliby nas nie inwigilować, skoro gramy do przeciwnych bramek. Tym bardziej to robią. Tyle że dyskretniej. Zapamiętaj raz na zawsze: my się zupełnie nie liczymy. Poza Chinami, które kontrolują wszystko i wszystkich, nadal są tylko dwa mocarstwowe wywiady na świecie: rosyjski i amerykański. Reszta robi małą politykę. Dlatego też polska demokracja to ustrój w pełni oparty na hakach i podejrzeniach. To się na razie nie zmieni. Bo tak naprawdę to my – w tym moi przyjaciele, których dzisiaj poznasz – a nie nikt inny, budujemy ten kraj na nowo.

Zadzwonił telefon. Aleksander odebrał, wysłuchał bez słowa przekazywanego komunikatu i odłożył słuchawkę.

– Musimy kończyć – oświadczył i jak gdyby nigdy nic wrócił do przerwanego wątku: – By budować, potrzebne są pieniądze. A pieniądze to władza. Nie myśl sobie, że to jakaś postkomunistyczna zmowa. Po naszej stronie są osoby z najróżniejszych partii. Prawa, lewa, sam środek. Ludzie bez poglądów. Wierzący, ateiści. Wszyscy, którzy chcą zarobić. Teraz to po prostu życie. Czasami, by przeżyć, trzeba używać najróżniejszych metod. – Wskazał pękniętą filiżankę. – Na pewno jednak nie warto wlewać cennego płynu do dziurawego naczynia. Niestety, tak właśnie wygląda nasz kraj.

Przesunął zegarek w kierunku dziewczyny.

– To prezent. Na dobry początek naszej współpracy. Masz w nim wbudowany sprzęt do nagrywania – przyda się niejeden raz, jeśli będzie w zasięgu aparatura – oraz przycisk alarmowy. Rodzaj elektronicznej smyczy. Noś go zawsze. Kiedy będziesz potrzebowała pomocy, naciśnij, a nasi cię znajdą. Poza tym to bardzo ładny przedmiot. Niech ci dobrze służy, córko.

CALINECZKA
(2016)

Sasza patrzyła na pęknięte lustro nad komodą przy wejściu i zastanawiała się, jak się to stało. Odsunęła słuchawkę od ucha, odwróciła się do Warwary. Za jej plecami stał Krzysztof Zawisza. W ręku miał imbryk z herbatą.

– Sukces? – zapytał.

Sasza wzruszyła ramionami.

– Nie odezwali się. Nic nie było słychać.

Warwara Wróblewska poprawiła się na fotelu.

– Nie martw się. Czasem brak wiadomości to dobra wiadomość.

– Czy w sprawie Jelcyna też tak uważałaś? – prychnęła Sasza. – Kiedy chciał was pogrążyć i cofnął Dziadka do kryminalnego?

Kobieta nic nie odpowiedziała. Skinęła tylko dłonią na Zawiszę, jakby był jej lokajem.

– Idź do niej po konfitury, Krzysiu. Ma ich jeszcze pół spiżarni. Przecież sama tego nie pożre.

Sasza z trudem znosiła maniery Warwary, Niektórzy usprawiedliwiali je pochodzeniem Rosjanki. Mówiono, że zanim Warwara poznała Dziadka, prowadzała się z gangsterami, ale tak naprawdę pracowała dla KGB, do czego rzecz jasna się nie przyznawała. Inni dodawali, że nigdy się ze swojej firmy nie wypisała. Sasza była skłonna przychylić się do tej drugiej wersji i tylko dlatego tutaj przyszła. Warwara wciąż jeszcze mogła bardzo wiele. Problem w tym, żeby jej się chciało. Można to też ująć inaczej: to zależy, co będzie z tego miała.

Zawisza tymczasem pokornie udał się do drugiej części domu.

– I do żony zadzwoń – krzyknęła za nim generałowa, udając troskę. – Bronek się martwi. Telefonował przedwczoraj. Kasia odchodzi od zmysłów. Pozdrów ich ode mnie. Ci mężczyźni... – westchnęła, jakby chodziło o rzucanie skarpetek pod łóżko.

Sasza nadal wpatrywała się w wyświetlacz.

– To raczej niezbyt dobra wiadomość. Córkę mi porwano, pewnie słyszałaś. – Siliła się na lekki, ironiczny ton, ale wyszło grobowo. – Pomożesz?

– A co ja mogę? – zirytowała się Warwara. – Zwłaszcza teraz, kiedy mi to zrobił.

– Sam tego nie zrobił.

– Zachowujesz się jak zając, który wyobraża sobie, że przechytrzył lisa. – Warwara machnęła ręką i otarła kącik oka chusteczką.

W jej oczach Sasza nie dostrzegła śladu łez, co najwyżej spryt i autentyczną złość. Czyżby wstydziła się samobójstwa męża? Nie, to raczej żal, że razem z mężem zabrali jej apanaże i dokumenty, które po jego śmierci generałowa zamierzała sprzedać temu, kto zaoferuje najwięcej.

– A ty kogo podejrzewasz, pani profiler?

– Zlecasz mi śledztwo?

– Nie wiem, czy mnie stać – żachnęła się znów żona Dziadka. – Doszły mnie słuchy, że wszystko dziedziczy ta wywłoka.

Sasza tylko westchnęła.

– Mogłaś się rozwieść. Trzydzieści lat temu.

– A jak by to wyglądało?

– Racja. – Sasza pokiwała głową. – Rozwódka to nie to samo, co wdowa. Brzmi mniej dumnie. Ale może wszyscy byliby szczęśliwsi. Może on by dzisiaj żył?

– Nas w jego śmierć nie mieszaj – oburzyła się Warwara. I zaraz zmarkotniała. – Wiem, że nigdy mnie nie lubiłaś, ale ja tego nie odwzajemniałam.

Akurat, pomyślała Sasza.

– Zawsze okazywałam ci szacunek – powiedziała na głos i była to prawda.

Warwara długo trawiła tę wiadomość. W końcu powiedziała:

– To ci muszę przyznać.

– Więc mi pomóż – poprosiła znów Załuska. – Przecież przyszłam, jak chciałaś.

– To było takie dobre dziecko.

– Było?

Warwara nagle się wystraszyła. Natychmiast sięgnęła po filiżankę.

– Nie to miałam na myśli.

Zawisza wrócił z konfiturami.

– Malinowa – obwieścił, ale widząc smętne miny obu kobiet, postawił słoik na stole i taktycznie się wycofał. – Sprawdzę, co u chłopaków.

Pierwsza ponownie odezwała się Warwara.

– Wybebeszyli sejf, szafy pancerne, gabinet. Zabrali mnóstwo dokumentów. Nigdy nie umiałam się w tym połapać.

Sasza nie mogła słuchać kłamstw tej kobiety.

– Przecież masz fotograficzną pamięć. Lepszą niż niejeden współczesny komputer. Co miał? Co wzięli?

449

– Szczerze? – Rosjanka przekrzywiła głowę, jak kot wyczekujący na śledzika. – Wszystko.

Bardzo mi pomagasz, utyskiwała w myślach Sasza.

– Ponoć zlecił ujawnienie Grubego Psa. Którą część przechowywał?

Warwara się spięła. Zaniepokoiła ją wiedza Załuskiej. To była tylko chwila. Znów przyłożyła chusteczkę do oczu i udawała, że płacze.

Sasza miała tego dosyć.

– Rozumiem. Skoro nic ci nie zostawił, wolisz, żeby jego śmierć poszła na marne. Taki mały odwet. Niech zeżrą go robaki.

– Chciał, by ta kokota rozsypała jego prochy w Bieszczadach – wystękała ze złością wdowa. – Nawet wspólnego grobu mi żałował.

– Miał listę dziennikarzy. – Sasza nie zwracała już uwagi na te utyskiwania. Żona Dziadka była jednym z lepszych lawirantów, jakich Załuska kiedykolwiek spotkała. Takich, którzy sprzedając fałsz, z uśmiechem patrzą ci w oczy. A jeśli trzeba, prawdziwie cierpią. Jak teraz Warwara. – Z kim rozmawiał? Daj mi ten spis. Tyle chyba możesz zrobić dla mojej córki.

Wdowa sięgnęła do serwantki i wyjęła starannie spięty blok kartek. Sasza wertowała, zapamiętywała kolejne nazwiska. Niektóre były oznaczone ptaszkami, inne podkreślone flamastrem. Większość danych Załuska widziała pierwszy raz w życiu.

– Eliza Bach – znam. Nasz człowiek. Tandem Broda i Kwapisz – to ci, co mnie już pochowali. Kojarzę. Stuprocentowe Kontakty Informacyjne. Palanty. Nosalski – nie znam. Grabowskiego też nie. Sandra Jaskólska – znam z innego wydziału, ale widziałam ją na liście płac w Agencji

Bezpieczeństwa. Młoda, bardzo ładna. Dostała nawet jakąś nagrodę ostatnio. Książkę też napisała o zabójstwie generała. Podobno dokumentalną. – Sasza zaśmiała się ironicznie. – W świecie gangsterskim to się nazywa cyngiel. W mediach jak to będzie? Pismak na zlecenie? O, jest i Gaweł Lisek. Ten jest po prostu sprzedajnym lizodupem. Gdzie powieje wiatr, tam kieruje się jego chorągiewka. Chyba wystarcza mu, że może wylewać żółć do jakiegokolwiek komunikatora. Które to wasze ekrany? Poza Elizą, bo ona gra do przeciwnej bramki. Jej Dziadek by nie zaufał.

Warwara zignorowała wypowiedź Saszy i znów zaczęła narzekać:

– Wiedział od dawna, że Jelcyn się na niego czai i przeciągnął Tadka Otto na swoją stronę. Był z siebie taki dumny, gdy wreszcie dogadał się z Jesiotrem. Ale agent nie miał już własnego dokumentu. Ponoć sprzedał go za dobrą emeryturę i Kajtek mu wierzył. Mówiłam mu, żeby po prostu wyjechali. Niechby sobie tam żyli za tym oceanem. Co by mi szkodziło? Ja tylko nie chciałam skandalu. Majątek byśmy podzielili. Niepotrzebnie szukał dziennikarzy.

Już ci wierzę, myślała Sasza. Chyba że podział byłby sto dla ciebie, zero dla niego. A na głos zapytała:

– Odbyliście taką rozmowę? O pieniądzach, przyszłości? Musiał brać pod uwagę konsekwencje.

– Nie chciał słuchać. – Warwara pominęła pytanie. – Przecież wiedział wszystko. Jak to się robi, kiedy, komu i dlaczego. Sam w tym uczestniczył. Mój Boże, to dziś żadna tajemnica. Każdy, kto ma odbiornik telewizyjny, zna te mechanizmy. Wszystkich skasowali, kiedy już zwolnili stanowisko. Kajtek tym bardziej ociągał się z odejściem.

– Bał się. I to poważnie. Dlatego się zabezpieczał – zniecierpliwiła się Sasza.

Warwara miała okropną tendencję do tłumaczenia wszystkim rzeczy oczywistych. Co gorsza, wyraźnie zależało jej na nierozgrzebywaniu tej sprawy. Chciała być zbolałą wdową po generale, który zginął w tajemniczych okolicznościach. Przerażało ją, że śledztwo mogłoby wykazać coś innego. Znały się przecież nie od dziś. A mimo to Sasza dociskała:

– Z kim rozmawiał? Kto go wydał?

Warwara nachyliła się, założyła różowe okulary ze złotym napisem Prada i skrupulatnie przejrzała nazwiska dziennikarzy.

– Sandra Jaskólska miała już gotowy tekst. Nie autoryzował go. Były tam rzeczy niewygodne. Znaczy zamówione przez Jelcyna. To udało się jeszcze Kajtkowi zablokować. A może poszło w okrojonej wersji po jego śmierci? Nie miałam siły czytać.

– Sprawdzę.

– Autoryzacja była trudna. Tylko zajawkę puścili w internecie. Z jakimś sensacyjnym tytułem, wyjętym z kontekstu. Wiesz, jak to jest.

– Przecież nie miałaś siły czytać.

– No, tytuł zdołałam – oburzyła się Warwara. – Reszty nie dałam rady. To było dla mnie za wiele.

– Faktycznie przykre. – Sasza odchrząknęła.

– A trzy dni potem Kajtek zszedł do garażu i koniec embarga. Ci, co mieli pozwolenie, opublikowali wszystko, jak leci. Tylko taki jeden, ach, jak on się nazywał? Jakiś taki dość młody facet. No wiesz, blondyn, ze świrem w oczach. Znałam jego ojca. Straszny beton. Czerwieńszy niż Marks. Dlatego Kajtek mu nie ufał. Ale strasznie się podniecali. Pod koniec spędzali ze sobą całe noce, jak kochankowie. Nawet podejrzewałam, że wysiaduje z tą flamą, ale to był tylko Grabarz. Taką ma chłopak ksywkę. On dostał najwięcej materiału.

– Dziadek dał facetowi ze świrem w oczach materiał, chociaż mu nie ufał?

– Jego ojcu nie ufał. Mówiłam, że to był beton. Znałam go kiedyś.

– Czyli to ty nie ufałaś temu ze świrem? A Dziadek go polubił?

– Tak jakby.

Sasza nie wytrzymała. Wyciągnęła paczkę papierosów i położyła na stół. Warwara spojrzała potępiająco.

– Przecież ty palisz, Warwara. Nie rób scen.

Podsunęła żonie generała paczkę, a ta po długim namyśle sięgnęła po swoją fifkę. Zaciągnęła się z lubością, aż zmrużyła oczy.

– Grabowski Leszek. Już sobie przypominam.

– No raczej, skoro znałaś jego ojca. To chyba nie było takie trudne.

– Ależ owszem – zaprotestowała już bez flegmy Warwara. – Facet wziął sobie nazwisko dziadka ze strony matki, żołnierza Armii Krajowej. Jakby własnego się wstydził. I wydaje mu się, że zbawia świat tymi swoimi dziennikarskimi śledztwami.

– To musiał być odpowiedni człowiek do tej sprawy – skwitowała Sasza. – Którą część materiałów dostał?

– A to była jakaś seria? – Warwara bezbłędnie udawała idiotkę, którą niestety, ku rozpaczy wielu, nigdy nie była.

– Jakbyś nie wiedziała.

– Nie miałam pojęcia.

– To już wiesz.

Sasza nagle pożałowała, że wyszła przed szereg. Jak na razie to sprytna Warwara wyciągała informacje od niej.

– No więc tam było więcej materiałów niż w książce o Grubym Psie redaktor Jaskólskiej. Były tam też akta kluczowych TW. Ale i narkotykowych bonzów, którzy pilotowali główne kanały od nas, ze służb. Wracali, pamiętam do Jaroszewiczów, do Leppera i Dębskiego. Do wszystkich tych medialnych spraw.

– A Calineczka?

– Co Calineczka?

– Czy była mowa o tym TW?

– Nic nie słyszałam. To Kajtek miał te dokumenty? Wątpię. Raczej stare sprawy brali na warsztat. FOZZ, afera „Żelazo", rozumiesz? I powiązania z Pruszkowem, gangsterami z Wybrzeża oraz mafią z Podkarpacia. Nie wiem, jakim cudem, ale jakoś im się to składało.

– Bardzo duży przekrój.

Warwara zgasiła z gracją niedopałek. Machała teraz dłonią, choć wokół nie było już wcale dymu. Następnie ruszyła do kuchni, by z kremowego antycznego spodeczka usunąć pety. Odruch zacierania po sobie śladów, zarejestrowała Załuska. Dobry zwyczaj w tej branży.

– Na czym pisał? – krzyknęła za wdową profilerka.

Odpowiedziała jej cisza.

– Maszyna czy komputer?

– Wszystko pisał ręcznie. – Warwara wróciła z konfiturą przelaną do gustownego dzbanuszka w różyczki. – Ołówkiem. Rękopisu nie znaleźli. Niestety żadnych akt już nie mam. Niczego mi nie zostawił. Szkoda, może bym coś sprzedała, jak żona Kiszczaka. Tylko za normalne pieniądze. Myślisz, że to była prowokacja Jelcyna z tymi trzydziestoma tysiącami?

– Wiadomo. – Sasza patrzyła na żonę Dziadka, jakby widziała ją pierwszy raz w życiu. – Już nie udawaj.

Warwara jakby ogłuchła. Ciągnęła swoje:

– Ale komputer zabrali. Nowiutki sobie kupił. Nie podłączał go do sieci. Wiesz, żeby mu nie zeskanowali materiału. Niby że pod pretekstem śledztwa. Nie wiem, co tam było.

– Ty nigdy nic nie wiesz.

Warwara znów zrobiła zbolałą minę.

– Kobieta człowieka od lat związanego ze służbami wcześniej czy później uczy się roli strażniczki tajemnic. Tak jest dla niej zdrowiej i bezpieczniej.

– To samo mówią kochanki gangsterów.

Sasza zamknęła z łoskotem notes. Nie zwracała bynajmniej uwagi na potępiające spojrzenie Warwary, która ostatnią uwagą czuła się boleśnie urażona. Schowała papierosy i spojrzała Rosjance głęboko w oczy.

– Więc?

– Nie jest mi łatwo – zaczęła bardzo powoli Warwara i zaraz poprawiła ufryzowany kok. – A będzie jeszcze trudniej. W moim wieku, samej, bez środków do życia. Nie wygląda to różowo.

– Jest przecież Krzysztof.

– Który nie chce mnie znać.

Może warto się zastanowić nad przyczyną tej sytuacji, pomyślała Sasza, lecz tym razem oszczędziła generałową. Nie będzie jej teraz robić terapii. To była jej decyzja, by zerwać kontakt z pasierbem, ponieważ nie spodobała jej się synowa. A raczej rodzina, z której Katarzyna Zawisza się wywodziła. Dziadek nigdy nie miał do Krzysztofa pretensji, że przyjął nazwisko córki jego wroga Bronisława. Rozumiał, że syn czyścił sobie przedpole do nowych działań. Nie było w tym nic emocjonalnego.

– A jednak teraz jest z tobą. Przywiózł mnie. Rozmawiamy – mruknęła Załuska. – Czasem nie warto rozpamiętywać przeszłości.

– To teraźniejszość – parsknęła Warwara i na długą chwilę zacięła się w sobie. – Ale miło, że po śmierci ojca syn marnotrawny zawitał do domu. Może już wie, że został uwzględniony w ostatniej woli.

Sasza nie odpowiedziała. Czekała na propozycję, bo przecież po to została wezwana i tylko dlatego, że ma plecak pełen kart przetargowych, być może wyjdzie stąd ze wszystkimi kończynami i wciąż pracującą głową. Mimo to wzbierała w niej złość na dwulicowość tej baby.

– Chętnie się na coś wymienię, jeśli mi pomożesz – powtórzyła twardo.

– Jak? Powiedziałam ci już wszystko.

– Chcę mieć ochronę. Albo chociaż spokój, żeby odpierdoliło się ode mnie kilku twoich szpicli i pozwoliło szukać małej. Sama wiesz, jak jest. Jeden telefon, a jestem do twojej dyspozycji.

Warwara długo się zastanawiała. Sasza wiedziała, że teraz ważą się jej losy.

– Kiedyś, pamiętasz, to był jeden z pierwszych razów, kiedy się widziałyśmy. Pokazywałaś Kajtkowi kompromitujące zdjęcia. Wtedy się z nich śmieliśmy.

Sasza była pod wrażeniem przenikliwości, sprytu i doskonałej pamięci wdowy.

– Kto cię interesuje?

– Nie będę oryginalna. – Rosjanka uśmiechnęła się chytrze. Dotknęła brylantowej bransoletki. – Zawsze sięgam po to, co najdroższe i najwyższej jakości.

– Ale ja już nie pamiętam, kto tam był – skłamała Sasza. W jednej chwili zdecydowała się rozgrywać partię z Warwarą jej kartami. – Wiesz, że zrobili mi kipisz, zanim mnie pochowali.

Generałowa spojrzała na naciągnięty na bandaż rękaw i przenikający go żółty płyn. Sasza odczytała w jej oczach obrzydzenie. Tak właśnie wyglądała wrażliwość tej damy.

– Jestem pewna, że Kajtek dobrze cię wyszkolił. Pan Tygrysek by mnie interesował.

– Już dawno wymieniony. – Sasza wzruszyła ramionami.

– Ale mam jeszcze kilku ministrów. Jeden pilnuje w Polsce praworządności. Smakowity kąsek. Nie będzie się opłacało ani jemu, ani tym wyżej, używać tego do publikacji. Zapewnią ci emeryturę w Hiltonie. Dam ci komplet, jeśli załatwisz, że będę miała wolną rękę i mogła zdobywać to, na czym mi zależy. Oraz chcę jeden odcinek Grubego Psa. Ten, którego kopię dostał dziennikarz. I ty mi to załatwisz u Jesiotra.

– Nie zniżę się do pośrednictwa – fuknęła wdowa. – Z Jesiotrem sama sobie radź. Ale resztę ci gwarantuję. Kiedy?

Nieoczekiwanie Warwara wyciągnęła rękę po paczkę R1. Sasza podała jej ostatniego papierosa, którego z trudem wysupłała z opakowania.

– Dam ci dziś znać. Może w Marinie?

– Niech będzie Grand Hotel – zadecydowała Warwara. – Mam stamtąd same dobre wspomnienia. Lubię Sopot.

– Bądź sama. Nie przekażę negatywu żadnemu kurierowi. – Sasza wstała. Dolała sobie do herbaty sporą ilość konfitury, wypiła duszkiem i powiedziała: – Dziękuję za gościnę. Malina wprost genialna.

Warwara zacisnęła usta. Obie wiedziały, kto w tym domu królował w kuchni.

– Jest jeszcze jedno – zaczęła wdowa.

Sasza nie mogła się powstrzymać od złośliwości.

– Myślałam, że ty nic nie wiesz.

– Dwa miesiące temu, kiedy Kajtek zaczął te okropne spotkania z dziennikarzami, odniosłam wrażenie, że ktoś splądrował jego gabinet.

– Byłabym zawiedziona, gdyby tak nie było. Zaczął nosić broń. I te pe. I te de.

– Mnie też kupił. – Warwara podeszła do szuflady i wyjęła malutki rewolwer z pięknie inkrustowaną rękojeścią z masy perłowej. – Antyk – pochwaliła się.

– No, a jak wiadomo, ty nie wiesz, do czego on służy.

– Nigdy nie strzelałam, ale sądzę, że w sytuacji zagrożenia nie miałabym oporów, żeby nacisnąć spust tej pszczółki.

Sasza musiała się uśmiechnąć.

– Nie wątpię. Co jeszcze?

Warwara nie odpowiedziała. Otworzyła magazynek.

– Jednej kuli brakuje.

Załuska zmierzyła ją poważnym spojrzeniem.

– Od kiedy?

– A jak sądzisz?

– Przed śmiercią Kajetana czy po niej?

– Nie jestem pewna. – Na chwilę na twarzy Warwary zagościł lęk. – Ale w tym rozumowaniu jesteś na dobrej drodze.

– Myślisz, że ktoś chce cię zabić?

Generałowa energicznie potrząsnęła głową.

– Raczej w coś wrobić.

– Kajetan zginął od strzałów z własnej broni służbowej. Nie musisz się bać.

– Chciałam tylko, żebyś wiedziała.

Skinęła na Saszę i zaprowadziła ją do kuchni. Załuska była przekonana, że kryje się tam coś arcyciekawego. Warwara od lat nie przekraczała granic terytorium rywalki. Udawała, że Iga nie istnieje. Nawet nie wypowiadała jej imienia. Jakby żywność, którą spożywała, wraz z domowej roboty konfiturą, którą przed chwilą częstowała gości, spływała na różowych chmurkach.

Podeszły teraz do zamrażarki stojącej w rogu spiżarni. Warwara osobiście zdjęła z niej zgrzewkę z mlekiem w kartonach, a następnie podniosła wieko. Oczom Saszy ukazał się przepołowiony i zafoliowany próżniowo jeleń, pozbawiony jedynie poroża oraz sierści. Pod nim zaś, także zafoliowany, spoczywał okazały sum. Jakby czekały na jakieś wielkie święto, które w tym domu nigdy nie następowało. Warwara podniosła imponujące mrożonki, dalej wyładowała kilkanaście torebek groszku, chińszczyzny oraz szpinaku i dopiero teraz Sasza zrozumiała jej podniecenie.

– Nie wzięli – wysapała. – Nawet tego nie odgruzowali. Szukali wyłącznie w wyznaczonych miejscach. Tam, gdzie trzymał papiery. Tylko to ich interesowało.

Dół zamrażarki wypełniony był bronią: ręczną, maszynową, karabinkami snajperskimi. Na samym dnie zaś leżał karabin walizkowy. Ten sam, z którym Sasza, będąc na przykrywce w korpusie ochrony świadków, jeździła za gangsterem Bułką po kraju, kiedy ten kruszał pod czujnym okiem prokuratora Norina.

– Mój Boże, tyle lat – rozczuliła się Załuska. – Nawet nie wiadomo, czy to jeszcze działa.

– Jeśli przyda się do odbicia małej, zabieraj wszystko – oświadczyła Warwara i nagle zaczęła profilerkę wyganiać. – Krzysiek ci to podwiezie.

Sasza chciała pomóc, ale Rosjanka z animuszem pakowała już sprzęt z powrotem do zamrażarki. Załuska chwyciła więc walizkę pod pachę i skierowała się do drzwi kuchennych. Szarpała się z moskitierą w przedsionku, kiedy poczuła delikatny dotyk na swoim ramieniu. Podskoczyła jak oparzona. Zaczepiła chorą dłonią o kotarę i straciła na moment czucie w całym ramieniu. Może dlatego trzasnęła głośno drzwiami. Warwara mogła pomyśleć, że Sasza opuściła już jej dom. Profilerka odwróciła się i zobaczyła przed sobą wychudzoną szyfrantkę, która tej dziwnej parze: generałowi oraz jego żonie, poświęciła całe swoje życie. Sasza nie mogła się powstrzymać. Otworzyła ramiona i pozwoliła ukochanej Dziadka wypłakać się na swojej piersi.

– Myślałam, że już po tobie – wyszeptała Iga Śmiałowska.

– Jeszcze nie. – Sasza pogładziła kobietę po głowie. – Nie złamią mnie tak łatwo.

– Ona mnie tak nienawidzi, że nie pozwoliłaby nam się spotkać za żadne skarby. Dlatego się podkradłam.

– Dobrze zrobiłaś.

– Niech myśli sobie, co chce.

– Ona już nie myśli. Liczy zera na koncie.

Iga na chwilę przestała płakać i zdawało się, że zaraz zachichocze. Trwały jakiś czas w uścisku, aż Sasza poczuła, że z jej oczu też płyną już łzy. Poczuła nieoczekiwaną ulgę, przypływ optymizmu i moc. Iga wiele razy jej pomagała. Załuska uważała ją za najcudowniejszą i najlepszą osobę pod słońcem. To ona trzymała w karbach ten zmurszały oliwski dom. Pilnowała kalendarium generała, a kiedyś, pewnie jeszcze niedawno, wiedziała wszystko o jego planach. Sasza nie spodziewała się, że jeszcze się spotkają. Nie po tym, co zrobili generałowi. Śmiałowska była przecież tajnym Richelieu Dziadka. Kiedy Wróblewski siedział na stanowisku, de facto to ona zarządzała polskim wywiadem. Jasna rzecz, że Kajetan nigdy by się do tego nie przyznał, a i Iga nie zabiegała o taką etykietkę. Było im dobrze razem. To było widać. W tym, jak się do siebie odnosili, jak na siebie spoglądali. Najprawdopodobniej dlatego, że Śmiałowska była mu całkowicie oddana.

– Wiem, że to nie on – zaczęła teraz. – Gdyby chciał się zabić, zrobiłby to w lesie. Tak, żeby nie robić nam kłopotu.

– Zgadzam się. Zawsze był odpowiedzialny – potwierdziła Sasza.

Iga wskazała na walizkę, którą profilerka trzymała w ręku.

– Może być niesprawna. No i nie ma na nią dokumentów.

– Trudno – mruknęła Sasza. – Nie mam wyjścia.

– Chciałabym, żebyś namierzyła tego, kto to zrobił – poprosiła nagle Iga. – I odstrzeliła mu łeb.

Sasza zamarła. Zastanawiała się, czy to makabryczny żart, czy szyfrantka mówi poważnie. Nigdy nie miała jej za mściwą harpię.

– Najpierw musiałabym go znaleźć.

– Rano, w dniu, kiedy to się stało, pod dom podjechał srebrny mercedes na dyplomatycznych blachach. Jestem pewna, że były często zdejmowane. Miały przetarte zaczepy. Numer gdzieś mam, ale nie sądzę, by ci się przydał. – Iga przerwała, spoglądając lękliwie za siebie.

Przez długą chwilę wsłuchiwały się w ciszę.

– Mów dalej – zachęciła ją Sasza.

– Do domu wszedł jowialny facet w kraciastym garniturze. Zapytał o Dziadka, ale ponieważ go nie było, nie wpuściłam go nawet za próg.

Sasza się skupiła.

– Kto to był?

– Nie przedstawił się – pośpieszyła z wyjaśnieniem Iga. – Nie wyglądał na wojskowego. Raczej cudzoziemiec. Choć rozmawialiśmy po polsku.

Sasza zarejestrowała dane.

– Słuchaj. – Odchrząknęła. – Muszę kogoś znaleźć. Dziadek miał jednego przyjaciela. On ma coś, czego ja teraz bardzo potrzebuję, by uratować Karolinę. Może to ta sama osoba?

– Chodzi ci o Wilmora?

Iga znów czujnie obejrzała się za siebie, choć drzwi do terytorium kuchennego wciąż były zamknięte. Żadna z kobiet nie miała jednak pewności, czy Warwara nie podsłuchuje.

Załuska poczuła, że wreszcie trafiła na ślad. Jeśli ktokolwiek wie, kim jest Wilmor, to właśnie Iga.

– To on załatwił nam bezpieczny ląd w Kanadzie. – Szyfrantka zniżyła głos do szeptu. – Kajetan ufał mu bezgranicznie.

– Możesz mi podać jego nazwisko? – przerwała jej niecierpliwie Sasza.

Iga pokręciła głową.

– Nigdy go nie poznałam. Spotykali się zawsze za granicą. W Stanach, Wiedniu. Najczęściej w Wiedniu. Ale Wilmor tam nie mieszkał. To wiem na pewno. Czasami też występował pod drugim pseudonimem. Dantes, jak wtórnik Hrabiego Monte Christo. To była jego ulubiona powieść. Popytam. Idź już. – Dosłownie wypchnęła Saszę za drzwi. – Znajdę cię przez Krzysia albo naszego Pajączka. On wciąż cię kocha. Pamiętasz o tym?

Po czym wcisnęła Saszy do ręki torbę pełną słoików z malinową konfiturą.

– W sumie pismaki się nie pomyliły. Sasza Załuska naprawdę nie żyje – zakończył przemowę Jekyll i klapnął wreszcie na pobliskie krzesło, oczekując reakcji komendanta.

Dawny Duch kląłby, wściekał się, chodził wokół biurka albo przeciwnie, uradowałby się, że trafia im się interesująca zagadka, po czym wyciągnąłby przyjaciela do palarni, by rozważyć wszystkie hipotezy. Robert siedział jednak niewzruszony. Tępo wpatrywał się w dokumenty, które omówił przed chwilą technik.

– Słyszałeś? – upewnił się Jekyll. – Czy gadałem na pusto?

Przesunął bliżej Ducha dwie archiwalne fotografie. Dziewczyna ze zdjęcia po lewej stronie miała ciemnoblond proste włosy, lekko zadarty nos i nieprawdopodobnie błękitne oczy. Była uosobieniem łagodności. Tak mógł sobie wyobrażać tytułową Lolitę Nabokov.

– To zdjęcie zna cała Polska – powtórzył. – W dwutysięcznym roku ukazywało się niemal codziennie, we wszystkich wiadomościach.

– Pamiętam – mruknął Duchnowski. – Byłem już wtedy w firmie. Kto robił tę sprawę?

– Stary Maślak.

– Odszedł na emeryturę?

– Nie zdążył. Był na czynnościach w południowej Polsce, kiedy zderzył się z TIR-em. Ukrainiec zasnął ponoć za kierownicą. Maślak miał we krwi jakieś resztki promili. Wiesz, jak to na wyjazdowych działaniach. Chłopcy poprzedniej nocy sobie nie żałowali. Dlatego sprawca wypadku został skazany na trzy lata, w zawieszeniu na siedem. Jak tylko zapadł prawomocny wyrok, rusek wrócił do siebie. Do Donbasu czy jakiejś wsi za Kijowem. Sprawę uznano za precedensową. Ponieważ Maślak był na służbie, córka policjanta domagała się rekordowego zadośćuczynienia i chyba część dostała. Potem wszyscy zapomnieli. O nim i o dziewczynie. Co jakiś czas pojawiało się kolejne zaginięcie. Tylko przy okazji Zaduszek media przypominają sobie o „zniknietych" dziewczynach. Ale śladów nie było żadnych. Dochodzenie trafiło chyba do Archiwum X. Jeszcze nie pytałem chłopaków. Najpierw przyszedłem do ciebie. A jasnowidz mówił wtedy, że ona żyje i jest za granicą. Wszyscy się z niego nabijaliśmy.

– Jak tu nie wierzyć w baśnie? – mruknął Robert i znów zapadł się w sobie.

Wziął w dłonie pośmiertne zdjęcie tej samej kobiety, wykonane jeszcze przed sekcją. Położył oba wizerunki obok siebie. Jekyll się przysunął. Wziął długopis i rozpoczął wykład.

– Twarz ostrzejsza, ale jest też o dwadzieścia lat starsza. Wystające kości policzkowe osiągnięto metodą chirurgiczną. Usta również były sztucznie powiększane. Włosy farbowane na kolor miedzi i skręcone trwałą. Tak w każdym razie uważa Rudnicka. Baby znają się na takich rzeczach. Nosiła soczewki. W kolorze zielonym, jak tęczówki naszej Saszy. Ponieważ zakutano ją w ten worek, nie odpłynęły z prądem. Ale tylko jedną zabezpieczyliśmy na oku. Druga przykleiła się do folii. Również jest zielona. Uszu tej dzierlatki nie operowano. Zwróć uwagę na trójkątny kształt i nietypowe cechy małżowiny. Zgadza się także wzrost – ustaliłem z dokładnością do plus minus pięciu centymetrów. Dziewczyna miała sto sześćdziesiąt osiem centymetrów i tak też zostało wpisane w dokumentach doktora Makaka.

– Ciekawe. – Duch odchrząknął, jakby wreszcie ocknął się z letargu. – Pokaż jeszcze raz tę małżowinę.

Jekyll podał komendantowi skan dowodu osobistego ze zdjęciem kobiety oraz wynik ekspertyzy otoskopowej. Duch przyjrzał się powiększeniu ucha znalezionej w torpedowni topielicy oraz analizie porównawczej, w której bardzo rzeczowo wypunktowano cechy indywidualne. Zgadzały się z elementami wymienionymi w dokumentach na podstawie zdjęcia, które Elżbieta Stokłosa, lat piętnaście, złożyła do wyrobienia karty rowerowej. Nigdy jej nie odebrała. Później to samo zdjęcie posłużyło do wyrobienia dowodu osobistego na nazwisko Aleksandry Załuskiej. PESEL, dane personalne i wygląd były tożsame z dokumentami, które znaleziono przy ciele wyłowionej kilka dni temu kobiety w czerwonej sukience.

Duch wskazał na skany obydwu dokumentów.

– To nie fałszywki?

Jekyll pokręcił głową.

– Oba sprawdziłem – zapewnił. – Wydano je legalnie.

Przez chwilę milczeli.

– To może oznaczać, że w tym samym czasie, na przykład w dwóch różnych miejscach na świecie, dwie różne kobiety używały tych samych personaliów?

– Znaczy się były dwie Sasze Załuskie?

– Na to wychodzi – potwierdził Jekyll. – A co najgorsze, żadna nie jest prawdziwa.

Duch przyjrzał się dokumentom. Zdawał się wstrząśnięty.

– Dlaczego nikt wcześniej tego nie wykrył? Jak na to wpadłeś?

Jekyll wypiął pierś z dumy i zaczął szczegółowo objaśniać:

– Badania śladów małżowiny usznej prowadzi się w Polsce dopiero od 1992 roku. Wtedy nie mieliśmy tak dobrze opracowanego systemu identyfikacji. Co ja gadam, dopiero kilka lat temu wrzucono te dane do komputerów. Może kiedy śledztwo po zaginięciu Eli Stokłosy było na biegu, trzeba się było zwracać o nie ręcznie. Nie powiem ci, kto i co przeoczył. Nie robiłem tej sprawy. – Technik rozłożył ręce. – Zacząłem szukać naszej topielicy po uchu, bo jej linie papilarne nie zgadzały się z danymi Saszy Załuskiej, dostępnymi u nas. Sprawdziłem więc wszystkie dwadzieścia cztery pola, a kiedy zawęziłem krąg, wyskoczyła mi fotografia z karty rowerowej Stokłosy. Wtedy już byłem w domu. Ściągnąłem cały materiał z USC i wszystko, co dotyczyło zniknięcia córki komodora Stokłosy. Sprawa była znana, więc materiału jest sporo. Gdyby w czasach Kuby Rozpruwacza mieli tak zaawansowaną technologię, sprawca byłby wykryty.

– Skoro Stokłosę–Załuską mamy martwą – zaczął konfidencjonalnie Duch i spojrzał na Jekylla. Zastanowił się chwilę, a następnie otworzył szufladę. Z pliku dokumentów, które dostał od agentów tajnej ekipy do spraw porwań, wyjął zdjęcia sygnalityczne i rzucił je na stół. – To kim jest ta druga pani Załuska, która z nami pracowała?

Nie można było topielicy pomylić z kobietą, którą przez lata mieli za Saszę, ale najwyraźniej ktoś starał się je do siebie upodobnić. Jekyll podrapał się w głowę, wziął w dłonie zdjęcia i długo je analizował.

– Człowieku, my jedną z tych oszustek zatrudniliśmy tutaj – popędzał go Robert. – W Komendzie Wojewódzkiej Policji. Przecież to śmiech na sali. Wyjdziemy na błaznów.

– Nie rozpędzaj się – uspokoił Duchnowskiego przyjaciel.

– To, że teraz jesteś komendantem, nic znaczy, że będziesz brał na klatę grzechy poprzednich szefów. Twój tyłek jest kryty.

Po czym nabrał powietrza i rozpoczął podsumowanie.

– Ja to widzę tak: topielica z torpedowni to Elżunia Stokłosa, która wcale nie została zamordowana, zgwałcona i zakopana w gdyńskich lasach, lecz po prostu zmieniła tożsamość na Aleksandrę Załuską. Legalnie, zgodnie z literą prawa. To pierwsze primo.

– Wszystko jak na razie się zgadza. – Duch skinął głową.

– Nasza zaś Sasza Załuska, profilerka, policjantka oraz twoja eks, to jedynie pseudonim. Wtórnik, jak lubią nazywać takie historie dziennikarze. Nielegał w nomenklaturze szpiegowskiej.

– Drugie primo, niech ci będzie – zniecierpliwił się Duch. – No i?

– No i chuj – zdenerwował się Jekyll. – Nie wiem, jak naprawdę nazywa się nasza Sasza, bo jeszcze nie dopadłem jej karty rowerowej.

Obaj siedzieli teraz w milczeniu. Duch ukrył twarz w dłoniach, rozciągał skórę pod oczyma, jakby chciał zerwać uwierającą maskę. Pierwszy znów odezwał się Jekyll. Był zrezygnowany.

– Nie wiem, jakie jest powiązanie między tymi paniami, ale musi istnieć.

– Dzięki, Watsonie.

– Pytanie, kto się do kogo upodabniał – ciągnął niezrażony technik. – I po co? Szczerze, to liczyłem, że będziesz w stanie dodać coś więcej. Musiała ci opowiadać o rodzicach,

467

kuzynach, znajomych z przeszłości... Byliście przecież razem.

– Jak widać nie aż tak blisko, by przestała kłamać. Spałeś kiedyś z kobietą, która okazała się kimś zupełnie innym, niż sądziłeś? Która nie jest i nigdy nie była tą, za którą się podawała? Dziwne uczucie.

– Nie bierz tego tak do siebie – zaoponował Jekyll. – Ludzie w małżeństwach ukrywają przed sobą gorsze rzeczy niż nazwisko. Może to tylko praca. Wiesz, te służby, może to niegłupia koncepcja. Zasadniczo nie ufam dziennikarzom, ale tutaj akurat wychodzi, że dostali do gry całkiem mocne karty. Wezmę to, zbadam naszą Saszkę bliżej. – Wyciągnął dłoń i zaczął układać rozrzucone dokumenty na stos.

Robert był jednak szybszy. Włożył je do szarej teczki i ukrył w szufladzie. To Jekylla zaskoczyło. W jednej chwili zrozumiał, że rzecz jest poważniejsza, niż sądził, i komendant nie może pod żadnym pozorem wypuszczać z rąk tych papierów. Wziął ostatni herbatnik z talerzyka stojącego na stole prezydialnym i, raczej z nerwów niż głodu, połknął ciastko w kilku kęsach.

– To się kupy nie trzyma – westchnął Robert.

– A może jest wręcz przeciwnie – odparł spokojnie Jekyll, ocierając usta z okruchów. – Najlepsze rozwiązanie jest zwykle najprostsze. Koncepcja brzytwy Ockhama. Dziewczęta prawdopodobnie się znały. Dotrzemy do matki zaginionej, wyciągnę stare akta. Gdzieś w cieniu sprawy Stokłosy musi się czaić nasza Załuska. Choć najlepiej by było znaleźć samą Saszę i z nią pogadać. Jeśli jeszcze żyje. – Urwał.

– Z pewnością dowiemy się tylko i wyłącznie prawdy – burknął Duch, jakby nie dosłyszał ostatniego zdania. – Już nie mogę się doczekać.

Jekyll, widząc minę przyjaciela, odwrócił głowę.

– Przynajmniej zaginięcie Elżuni Stokłosy mamy rozwiązane – stwierdził.

– Problem w tym, że nie bardzo możemy to ujawnić.

– Dlaczego? – Jekyll nie krył zdziwienia. – Dla mediów to będzie prawdziwa sensacja.

– Właśnie tego chciałbym uniknąć.

– Chcesz to zataić? Zaginiona dziewczyna znajduje się po latach. Wprawdzie martwa, ale jednak się znajduje. To nie tylko jedno oczko w statystyce. To komunikat, że jesteśmy skuteczni. Myślę, że jesteś winien to choćby jej rodzinie. Matka będzie mogła wreszcie pójść na grób córki. Wiesz, jakie to ważne dla bliskich osób zaginionych? Niepewność, co się stało, jest najgorsza. Niektórzy nie mają szansy przeżyć żałoby.

– Najpierw musimy się uporać z tym. – Robert postukał w zamkniętą szufladę. – Potem będę pierwszy, który zwoła konferencję.

– Nie ukryjesz tego. – Jekyll pokręcił głową. – Nie uda ci się. Wystarczy, że wezwiemy rodzinę Stokłosy na przesłuchanie. Ktoś coś chlapnie. Jutro zwali się tutaj tłum dziennikarzy. Radziłbym ci uprasować koszulę od munduru. To będzie bomba.

– A może masz rację? – Robert zawahał się. – Może jak się namiesza w mediach, zrobi rumor w telewizorach, to coś nowego wypłynie.

– Oby nie ciało naszej Saszy.

– Przestań już tak jej żałować – zniecierpliwił się Duch i w jednej chwili podjął decyzję. Zerwał się zza biurka i wychylił do asystentki. – Adela, nie wpuszczaj nikogo. Nie łącz. Do odwołania.

Następnie przekręcił zamek w drzwiach, wyjął z szuflady całość materiałów, które dostarczył mu MauMau, i streścił

469

Jekyllowi spotkanie z agentami. Pominął jedynie ofertę wsparcia jego kariery. Jekyll słuchał z uwagą, a potem skrupulatnie obejrzał materiały.

– Pozwolisz, żeby to opublikowali? – Z każdą stroną był coraz bardziej czerwony na twarzy. – Chyba w to nie wierzysz?

– A ty wierzysz jej? – Duch przekrzywił głowę. Zniżył głos. – Zawsze miała sporo kasy. Dlaczego więc nie płaciła tych długów? Skąd brała pieniądze na nieruchomości, auta... Masz tam cały wykaz. Billingi, konta bankowe, akty notarialne. Z czego żyli jej brat i matka? Zawsze uważałem, że ich relacja jest zimna, luźna. Ta rodzina to fikcja, mówię ci. To tylko aktorzy. Dokąd jeździła? Dlaczego wróciła? Dlaczego, kurwa, zawsze spadała na cztery łapy? Zawsze.

– To ściema, człowieku! – Jekyll dla odmiany podniósł głos. – Wszystko to są spreparowane kwity, żeby ją skompromitować. Jeździła starym uno. Mieszkała w wynajmowanym mieszkaniu. Wróciła z Anglii, bo chciała, by jej córka miała kontakt z bliskimi. Bardzo kochała swojego brata. Martwiła się o niego, o matkę. Różnili się, racja. Ale ileż razy dziwimy się, że ten sam ojciec, ta sama matka, a dzieci w ogóle do siebie niepodobne. Czy to naprawdę ma znaczenie, czy słuchamy familijnie Tiny Turner, czy Ozzy'ego Osbourne'a? Widziałem, jak dziewczyna pracuje. Miała certyfikaty, wiedzę. Była zawodowcem, a nie żadnym szpiegiem. I była, jest, do cholery, bo mam nadzieję, że wciąż żyje, uczciwym człowiekiem! Takie rzeczy się czuje.

– Była niezłym psychologiem – wychrypiał w odwecie Duch. – Pewnie, że tak. Oni zawsze są sprytni i układni. Szkolą ich latami. Sam się na to nabrałem. – Ciężko sapał. – To wszystko, co o sobie mówiła, jest legendą, kłamstwem.

Stek bajek, bzdurnych opowieści. A tutaj masz dokumenty, raporty, wypisy z ksiąg i tajnych archiwów. Tu się patrz. Masz tutaj wszystko. Na papierze.

– Duchu, to są fałszywki – nie poddawał się Jekyll. – Oni ją wkręcają.

– W co? Pół bańki na okup wyjęła z konta. To była kasa, do której miała bezpośredni dostęp.

– Trzeba było się z nią żenić, chłopie – próbował żartować Jekyll.

Ale Duch tylko bardziej się wzburzył.

– Piła? Tak. Obaj wiemy, jak było z CBŚ. Spaliła akcję w Krakowie. Wiem od chłopaków, że ledwie ją uratowali z tego pożaru. Wtedy też używała fikcyjnego nazwiska. Innego: Milena Jakośtam.

Jekyll zajrzał do dokumentów.

– Czarnecka – przyznał. – Pseudo Calineczka.

– Widzisz. To akurat sami możemy zweryfikować. Ta informacja jest pewna, prawdziwa. To wtedy poznała tego pajaca, Łukasza Polaka. Kim on, do cholery, jest? Co o nim wiemy? Tyle samo, co o niej. Nic. Tylko tyle, że nie nazywa się Sasza. Ani nawet Załuska.

– Takie rzeczy wywiad preparuje w trzy dni. Z choinki się urwałeś? Czasy są inne, ale metody te same.

Jekyll miał dość. Wstał. Rzucił papiery na stół. Duch pozostał niewzruszony. Usta miał zaciśnięte. Twarz bladą jak papier.

– Wiesz co? – wysyczał przez zęby. – Nie obchodzi mnie już, kim ta kobieta jest ani co się stało z jej dzieckiem. Wiem tylko jedno. Trzeba zrobić, co jest do zrobienia, wykonać niezbędne czynności i trzymać się od tej sprawy z daleka. W przeciwnym razie cała ta Sasza, czy jakkolwiek naprawdę się nazywa, może nas zatopić.

– Zatopić? To nie żadna krwiożercza syrenka – zadrwił Jekyll. – Gdzie i kogo dokładnie?

– Nas. – Robert się zawahał. – Mnie. Zniszczyć. Pogrążyć.

Jekyll zaczął się głośno śmiać. Rechotał dłuższą chwilę, ale przyjaciel mu nie zawtórował. Nie zmienił pozycji. Wpatrywał się tylko w Jacka z wyższością. Jekyll spoważniał. Wypowiadał teraz każde słowo świszczącym szeptem, jakby miał na sobie togę i odczytywał akt oskarżenia.

– Zmieniłeś się, Duchu. Stałeś się urzędnikiem. Interesuje cię tylko twój nowy stołek, zabaweczka w garażu i ta czekoladowa kobieta, która pojawiła się w tym samym momencie, kiedy wyszła afera z Saszą. Nie poznaję cię. Wróć do rozumu i zamiast tak trząść się przed tą biedną dziewczyną, lepiej powiedz, co ci zaoferowali – zakończył dobitnie.

Ku jego zdziwieniu Robert nie wpadł w szał, nie obrzucił go stekiem wyzwisk. Nie próbował go nawet znokautować za obrazę honoru. Wstał i odwrócił się do okna, starając się za wszelką cenę ukryć przed Jekyllem drżące dłonie.

– A jeśli oni mają rację?

W głosie przyjaciela Jekyll wyczuł strach. Nie niepokój, wahanie, zniecierpliwienie, lecz autentyczną panikę, bezsilność i paraliżujący lęk. To dlatego był uległy wobec agentów z Warszawy, domyślił się Jekyll. Bał się. Czego? Co jeszcze ukrywał przed nim Duch?

W pokoju panowała cisza. Jekyll aż pienił się w środku ze złości, że Robert dał się tak zastraszyć i nie mówi mu całej prawdy, ale powstrzymał wybuch. Nie zamierzał Duchnowskiemu niczego ułatwiać.

– A jeśli to porwanie to faktycznie była polityczna prowokacja? – ciągnął Robert. – Teraz, jak sobie to wszystko składam, myślę, że ona była i jest konfidentem.

– Czyim? – westchnął Jekyll.

Nagle złagodniał, poddał się. Było mu teraz Ducha po prostu szkoda. Bał się, że jeśli z jego ust padnie jeszcze jedno takie konformistyczne zdanie, zacznie przyjacielem gardzić. Tego by nie zniósł. Zdecydował się ratować Roberta przed nim samym.

– Niektórym władza rzuca się na mózg. To są znane przypadki. W sumie rozumiem, że się obawiasz, jak to będzie odebrane publicznie. Wszyscy wiedzieli, że byliście kiedyś parą. No i co? To, co Sasza zrobiła, jeśli faktycznie zrobiła, nie jest twoim dziełem. Czyń lepiej swoją powinność. Nie daj się zmanipulować jakimś podejrzanym typom ze stolicy. A jeśli nawet stracisz stanowisko, to stanie się taka wielka szkoda? Źle ci było w kryminalnym? Puść ludzi, żeby ją znaleźć, zanim wypłynie gdzieś na Gotlandii. A może dziewczyna wisi już zaczepiona gdzieś, jak jej klon z torpedowni, tylko miała mniej szczęścia i najpierw zjedzą ją ryby.

Duch jakby nie słyszał.

– Nic o niej nie wiemy – powtórzył. – Może podstawili ją, żeby nas inwigilować. Dla kogo tak naprawdę pracowała? Komu dostarczała dane? Jaką miała misję?

Jekyll wpatrywał się w Ducha coraz bardziej zniesmaczony.

– Może jeszcze to Sasza zabiła tę kobietę? – Wskazał zdjęcia Elżbiety Stokłosy.

Ku jego zdziwieniu Duch się nie roześmiał, nie zaprotestował.

– Całkiem możliwe. – Skinął głową, choć wciąż się nie odwracał. – Jestem zdania, że i taką opcję należy wziąć pod uwagę. Jeśli ostatecznie pojawią się przesłanki, by sądzić, że w sprawie topielicy jest możliwy udział osób trzecich, nie zawaham się i przed taką hipotezą. Nie ma alibi.

Nikt nie widział jej od dwóch tygodni. Zapadła się pod ziemię.

– Jeśli w ogóle jeszcze żyje – wtrącił Jekyll i osunął się z łoskotem na krzesło. Przesunął w kierunku komendanta kupkę z materiałami. – Tutaj jest jeszcze jeden trop, ale rozumiem, że w obliczu nowych danych musisz to przemyśleć.

Pokazał Duchowi makrofotografię czerwonego owada ujawnionego w kieszeni kurtki Saszy, którą w chwili śmierci miała na sobie topielica.

– Co z tym pająkiem? – mruknął Duch, niezbyt zainteresowany rewelacją Jekylla.

– Sprawa jest ciekawa, bo to chrząszcz. Jeden z powszechnie występujących karmazynków. *Xylobanellus erythropterus*. Może kojarzysz, takie czerwone robaczki. Głównie łażą po drzewach. Moim zdaniem wcale nie przypominają pająków, choć faktycznie dla kogoś, kto nie interesuje się entomologią, może to być trudne do rozpoznania.

– I co nam to daje?

– Chrząszcze to indywidualiści. Poza wybranymi gatunkami, jak *Leiodidae cholevinae*, które swoją drogą mają ogromne kopulatory, zasadniczo nie przychodzą do zwłok. Występują wyłącznie w specyficznych grupach środowisk. Ten nie jest owadem nekrofilnym. Nie znalazł się więc tam przypadkowo. Musiał tam trafić razem z resztką kory, mchu i porostu. Dlaczego oraz kto go tam umieścił, jeszcze nie doszedłem. Ale był żywy, kiedy ujawniliśmy go w tej kieszeni. Niesamowite stworzenie. Stosunkowo nieskomplikowane, choć odporne na toksyny, wilgoć i warunki zewnętrzne.

Duch wykrzywił twarz w odruchu obrzydzenia.

– Zawsze wiedziałem, że zostaną po nas tylko armie karaluchów.

– To prawda – zgodził się skwapliwie Jekyll. – Owady trwają już dziewięć milionów lat. Przeżyły nawet dinozaury.

– Więc skoro ten czerwony owad przeżył w kieszeni kurtki pod wodą ledwie kilka dni, nie jest to chyba zbyt wielki wyczyn.

Jekyll nie zwrócił uwagi na ironię Duchnowskiego.

– Konsultowałem się wstępnie ze swoim przyjacielem, doktorem Szymonem Konwerskim z Uniwersytetu Adama Mickiewicza w Poznaniu. Bo wiesz, przykleiłem karmazynka do kartonika, żeby go sfotografować, opisać, a on nagle się budzi i zaczyna iść.

– Wstrząsające – mruknął Duch. Znów błądził myślami gdzieś indziej. – Czy poza sensacyjnymi wiadomościami z życia owadów masz jeszcze coś godnego uwagi, co przyda się w śledztwie?

Jekyll odchrząknął.

– Moim zdaniem skoro karmazynek był żywy po ujawnieniu, ofiara przebywała w wodzie maksymalnie jeden do dwóch dni.

– Medyk sądowy uważa zgoła inaczej – wszedł mu w słowo Duch. Był rozdrażniony. Wyraźnie chciał skończyć spotkanie.

– Makak pisze w opinii o tygodniu przebywania ciała w wodzie. To spora różnica. Może i ciało leżało tyle w wodzie, ale kurtkę założono zwłokom później? Maksymalnie tyle, ile zdoła przetrwać pod wodą karmazynek.

Duch błądził gdzieś myślami. Wcale nie skupiał się na słowach technika. Kiedy się odezwał, w jego głosie Jekyll wyczuł wrogość.

– I z powodu tej nieścisłości miałbym zlecać drogą analizę oznaczenia jakiegoś pająka?

– Chrząszcza – poprawił komendanta Jekyll. – Pająki mają osiem nóg. Ten ma sześć. Doktor Makak wyraźnie mówił o tygodniu. Przejrzyj sobie dokumentację. To prawie siedem dni rozbieżności.

Duch podniósł głowę.

– Sugerujesz, że ten robak mógłby nam podważyć tezę samobójstwa?

– Właśnie. – Jekyll kiwnął głową. – Nikt nie wytrzymałby tygodnia, pływając z cegłą i workiem na głowie. Chyba że byłby to rodzaj tortur.

Duch wpatrywał się w Jekylla w napięciu.

– Jaśniej, proszę.

– Nie jest sztuką spowodować czyjąś śmierć. Prawdziwa sztuka to spowodować śmierć naturalną. Paradoksalnie może to ma związek z tematami, na które rozmawialiśmy wcześniej. Idąc tropem, który dziś podrzuciłeś, służby mają swoje metody, by pozorować pewne działania, które po ujawnieniu na miejscu zdarzenia powinny wyglądać w określony sposób. Osobiście wierzę w siłę kryminalistyki bardziej niż w pliki dokumentów kompromitujących dostarczane w komplecie przez podejrzane indywidua. – Jekyll odchrząknął. – Ale oczywiście to twoja decyzja. Ty jesteś tutaj szefem.

– Zastanowię się. – Duch nie czuł się przekonany.

– Jest jeszcze jedna rzecz – ciągnął Jekyll. – Gdyby doktor Konwerski otrzymał nasz materiał w tej sprawie razem z dokumentacją medyczną oraz zdołał oznaczyć nam ten gatunek, być może udałoby się ustalić, skąd karmazynek pochodzi.

– Co nam to daje? – Duch wyjął z szuflady paczkę papierosów oraz zapalniczkę.

Jekyll wiedział, że za chwilę zakończy spotkanie. Przyśpieszył więc wywód.

– Dowiedzielibyśmy się tym sposobem, gdzie i kiedy przebywała kobieta, którą do tej chwili uważaliśmy za Załuską.

– A po co?

– To mogłoby na przykład potwierdzić lub wykluczyć jej winę w sprawie śmierci topielicy.

Duch podniósł głowę. Nagle wstał i podszedł do drzwi. Otworzył zamek. Skinął Adeli, że może już łączyć rozmowy. Jekyll wciąż stał na baczność z papierami w rękach.

– Co ty na to? – odezwał się podłamany.

Nie takiego obrotu sprawy się spodziewał w związku ze swoim odkryciem entomologicznym.

– Na co czekasz? – huknął na przyjaciela Duch, jakby dopiero teraz dostrzegł Jekylla w swoim gabinecie. Zdawało się, że już wrócił do formy. Znów był arogancki i buńczuczny, ale obaj wiedzieli, że to tylko fasada.

– Czyli robimy? – upewnił się Jekyll.

– Ślij tego robaka swojemu chrząszczarzowi. I puść operacyjnych. Niech szukają naszej Saszy. Daj ogon matce, bratu, wszystkim z jej otoczenia. Chcę dostać ją wcześniej niż ci, którzy tak bardzo pragną jej szybkiej śmierci. I koniecznie ustal, jak naprawdę się nazywa i kim jest. Wyciągnij z archiwum, co się da: karty rowerowe, legitymacje szkolne, wypisy dyplomów czy kartotekę od stomatologa. W dzisiejszych czasach nie tak łatwo się przeistaczać bez śladu. Zweryfikuj też to. – Wyciągnął dokumenty kompromitujące z szuflady. Podał przyjacielowi. – Kopiuj dyskretnie.

Jekyll się rozpromienił.

– Tak jest, szefie.

Duch pochylił głowę.

– Obyś się nie mylił.

Jekyll dobrze wiedział, że Roberta coś gryzie, ale to nie był moment na kontynuowanie drażliwego tematu. Widać, jak każdy facet, musi się udać z problemem do swojej jaskini i w samotności znaleźć rozwiązanie. To, że dostał zielone światło do swoich działań, Jekyll wziął za dobrą monetę i ruszył do wyjścia. Nie zamierzał Duchowi przeszkadzać w podjęciu właściwych decyzji.

– Też wolałbym, żeby to był stek bzdur – zatrzymał go przed samymi drzwiami cichy głos Duchnowskiego. – Postaram się odwlec działania medialne o kilka dni. Dłużej nie zdołam. Dlatego się sprężaj. Dla mnie, dla niej, jakiekolwiek motywacje ci przyświecają, Jekyll. Ale jeśli pojawi się ślad żywej albo martwej Saszy, daj mi znać. Bo nawet gdyby choć część z tego, co masz tam zapisane, była prawdą, ona się ujawni. Chyba że wieszczysz słusznie i fragment ciała Załuskiej jest zapowiedzią najgorszego. Wezwij mi też na dywanik ekipę, która poszukiwała Karoliny. Będą musieli wzmóc działania. Chcę mieć na biurku wszystkie akta. Komplet. Muszę się nad tym wszystkim zastanowić. Nie wyjdę dzisiaj stąd, aż tego nie poukładam.

– Takiego cię lubię, Duchu – powiedział tylko Jekyll i nacisnął klamkę.

Do pomieszczenia wpadł gwar z korytarza.

– Dżeki. – Duch podszedł do przyjaciela.

Jekyll zamknął ponownie drzwi. Potrząsnął kompromitującymi materiałami dotyczącymi Saszy.

– Coś jeszcze?

Ale Robert wciąż się wahał, uparcie milczał. Najwyraźniej się rozmyślił. W końcu podniósł rękę i poklepał przyjaciela niezdarnie po ramieniu. Jekyll nie pamiętał, by Robert kiedykolwiek okazywał mu w ten sposób emocje. To raczej on przez całe lata sprawował nad Duchem opiekę. Ojcował mu, doradzał, stawiał go do pionu. Zmarszczył się więc groźnie i już miał rzucić jakiś homofobiczny żart, by rozładować sytuację, lecz Robert się odsunął. Znów ruszył do okna, wyciągnął z kieszeni papierosy, zaczął się nimi bawić. Jekyll nie wątpił, że jak tylko opuści gabinet, komendant złamie przepisy i zapali. Zanim jednak zdołał coś powiedzieć o procedurach czy spryskiwaczu na suficie, Robert rzucił niby od niechcenia, lecz dobitnie:

– Uważaj na siebie. Patrz, kto jest wokół ciebie. Uprzedź żonę, córkę. Musisz być czujny. Jak kiedyś, w latach dziewięćdziesiątych. Żebyśmy nie popełnili żadnego błędu z powodu niepełnych danych. – A potem odwrócił się i wyrecytował formułkę: – Natomiast jeśli zrobisz coś wbrew rozkazom, nie będę cię krył.

I dopiero te słowa naprawdę zaniepokoiły przyjaciela.

Sasza stała w bramie i wpatrywała się w wejście do prokuratury. W drzwiach panował tłok. Urzędnicy wychodzili grupkami. Niektórzy palili przed wejściem pożegnalne papierosy lub z kluczykami do aut w ręku kończyli kurtuazyjne rozmowy. Z parkingu stopniowo znikały kolejne samochody. Zanim wybiła czternasta trzydzieści, przed budynkiem zostało tylko kilka wozów. Czerwona micra zaparkowana tuż przy szlabanie była jednym z ostatnich. Wreszcie kierowca wyszedł z budynku. Mimo że nie padało, Dariusz Norin miał na sobie granatową wiatrówkę zapiętą po samą szyję, trekkingowe buty i bojówki. Pod pachą trzymał plik dokumentów. W jednej ręce miał kawę, w drugiej papierosa, którego usiłował zapalić. Było to niewykonalne, ale jemu się udało. Sasza zwróciła uwagę, że w trakcie tej operacji nie uronił ani kropli napoju. Załuska nie widziała prokuratora całe lata, ale nie miała kłopotu z rozpoznaniem. Jedynie broda mu zbielała.

Kiedy zastąpiła drogę Norinowi, przez chwilę udawał, że szuka kluczy w aktówce. Wzrok miał jednak czujny. Ruchy gibkie, refleks znakomity. Zręcznie otworzył drzwi i bez słowa ukrył się w samochodzie. Zaskoczył ją. Nie spodziewała się fanfar, ale takie kompletne zignorowanie zbiło ją z pantałyku. Na pewno nie zmyliło go jej liche przebranie. Omal nie wybuchnęła śmiechem, kiedy wyjeżdżając tyłem, uchylił szybę i pouczył ją, potrząsając dopalającym się camelem:

– Zasadzka na mańkuta od prawej nigdy nie wychodzi.

Dokumenty leżały grzecznie na przednim siedzeniu, ale na kurtce widziała ślady popiołu. Kiedyś nie pozwalał sobie na palenie w aucie.

– Masz pięć minut?

– Zależy dla kogo.

– Dla mnie.

– Czyli dla kogo?

Sasza się zawahała. Poprawiła odklejającą się wciąż brodę.

– Milena. Korpus ochrony świadków – szepnęła i ściągnęła bejsbolówkę. Krótkie czarne włosy były oklapnięte. Nie wyglądała wystrzałowo, ale Norina ciężko było okpić. – Rozmawiałam z Tarasem.

Twarz prokuratora nie wyrażała teraz niczego, a jednak Sasza zbyt dobrze go znała, by nie dostrzec w jego oczach złości. Obrócił wóz. Docisnął gaz. Szyba zaczęła się przymykać. Obeszła auto z drugiej strony. Dopiero wtedy się obejrzała. W jej stronę szedł ochroniarz, który zapewne dokładnie widział na monitorach dowód jej desperacji i teraz zamierzał ją spacyfikować. Musiała biec, bo Norin już wykręcał i włączał się do ruchu. Pochyliła się, oparła chorą ręką o szybę i krzyknęła:

– Uprowadzili moje dziecko. Jedna kawa.

Drzwi kliknęły. Wskoczyła do wozu. Ze zdziwieniem spostrzegła, że siedzenie jest puste. Akta leżały już z tyłu. Jechali chwilę w milczeniu. Z głośników płynęły szanty.

– Pozmieniało się – odezwała się wreszcie, kiedy byli już na Monte Cassino.

Zaparkował i ruszyli dalej na piechotę. Zauważyła, że kieruje się do Błękitnego Pudla, niegdyś ulubionego baru prokuratorów. Dziś okupowali go geje i celebryci. Pomyślała z satysfakcją, że ładnie się wkomponuje w tłum gości w tym przebraniu.

– Jedyna stała w naszym życiu to zmiana – odparł niby rezolutnie prokurator. – Zmieniłaś płeć czy tylko się zastanawiasz?

Uśmiechnęła się niemrawo. Nie miała czasu na żarty.

– Słono zapłaciłeś za śledztwo w sprawie Lekiego – powiedziała.

– Nigdy nie miałem manii wielkości – zbagatelizował to, ale była pewna, że tymi słowami go dotknęła. Taki też miała zamiar. Jedyne, co mu zostało, to honor. Pewnie dlatego chwycił przynętę i zaczął się tłumaczyć: – Praca w apelacyjnej nie była taka zła. Przynajmniej miałem w końcu dużo wolnego czasu. Żadnego ryzyka, potyczek, konfliktów z szefami. Sam byłem sobie sterem i okrętem. Tak organizowałem robotę, że o czternastej byłem już po obiedzie.

– Masz naturę wojownika. Nie wierzę, że to ci pasowało.

– Obiady domowe lubię bardzo – odbił piłeczkę. – A tymczasem większość wojowników nie żyje. Łachudry awansowały. Ot życie. Wielki Piątek to nasze firmowe święto.

– Ty nigdy nie odpuszczasz.

– Nie mam czego odpuszczać. – Udał zdziwionego. – Zdrowie mnie zajmuje. Podróże. Czasem żona coś dobrego ugotuje.

Zatrzymali się przed wejściem. Dopiero teraz Sasza zauważyła, że Norin kuleje.

– Co się stało?

– Peseloza mnie dopadła – Zaśmiał się, ale zaraz spoważniał, wskazując na jej obandażowaną dłoń. – Ale ciebie to jeszcze nie powinno dotyczyć.

Schowała rękę do kieszeni. Skrzywiła się, bo zabolało.

– Wtedy wiedziałeś. Dlaczego nic nie zrobiłeś? Nigdy tego nie rozumiałam. – Spojrzała na niego czujnie. – Mogłeś mnie wydać.

Odwrócił głowę. Ruszył do wejścia i puścił ją przodem. Wybrali stolik w samym rogu kawiarni. Usiedli. Poczuła się jak kiedyś: pod nieustannym obstrzałem jego spojrzenia.

– Dwie czarne – zamówił Norin, kiedy pojawiła się kelnerka. – I wuzetkę dla kolegi.

Wskazał Saszę. Załuska oblała się rumieńcem. Pobłogosławiła sztuczną brodę, dzięki której Norin nie mógł dostrzec jej konfuzji. Kelnerka zanotowała zamówienie i odmaszerowała bez słowa.

– Pod warunkiem, że ty zjesz połowę – odparła wciąż onieśmielona Sasza.

– Nie znoszę słodkiego – mruknął.

– Więc? – Sasza przekrzywiła głowę. – Dlaczego?

Długo się zastanawiał.

– A co bym na tym zyskał? Wiedziałem, że i tak cię odwołają. Okazałaś się wszak nieskuteczna. I miałem rację.

– Jak zawsze. – Roześmiała się. On jednak pozostał poważny.

– Szukają cię wszyscy. Powinnaś być ostrożniejsza – udzielił jej reprymendy, a potem, nie czekając na jej odpowiedź, wstał, podszedł do baru i przyniósł dwie łyżeczki na spodku. – Nadal mógłbym to zrobić.

Wpatrywała się w niego ze spokojem.

– Wiem.

– To dobrze, że wiesz.

– Mógłbyś, ale nie zrobisz tego. Jestem pewna.

Nic nie odpowiedział.

– Moja Karolina ma dziesięć lat. – Sasza zdecydowała się przejść do rzeczy. – Twoja Ania miała trzynaście. Jak ją odzyskałeś?

– Zadzwoniłem do premiera i zażądałem czterystu policjantów. Dostałem siedemdziesięciu. Przeczesali całe Trójmiasto.

Sasza podniosła głowę.

– Znaleźli ją tej samej nocy – potwierdziła. – Ale dziś ten człowiek nie jest władny wydać takiego polecenia. Z tego, co wiem, liczy na potknięcie prawicy. Ostro się przygotowuje. Wybory za pasem.

– Dziś każde z nas ma odmienne zadania. Świat idzie naprzód i chwała mu za to.

– Mogę ją wymienić na dokument. Nie do końca wiem jaki. Raport Pawłowskiego miał trzy części. Chyba tego chcą. Jak myślisz?

– Zależy, kto to jest. – Norin wypił kawę jednym haustem. – Wybacz, ale nie jestem w temacie.

Znów zamknął się w sobie. Mimo to Załuska ciągnęła:

– Kto zabił generała? Komu najbardziej zależało na jego śmierci? Wiem, że nie miałeś dowodów. Nie mogłeś postawić przed sądem nawet cyngla. Pajęczyna była zbyt gęsta. Ale przecież znasz nazwisko głównego zleceniodawcy. To tę osobę szantażował Dziadek, mój oficer prowadzący. Czerwoni? Ówczesne służby? Ty wiesz, dlaczego Lekiego unieszkodliwili.

– Gdybym miał taką wiedzę, rozwiązałbym tę sprawę.

Sasza westchnęła głośno. Już kiedy zadawała pytanie, wiedziała, że nie uzyska odpowiedzi. To czysta donkiszoteria. On przecież nie może jej powiedzieć. Wydałby na siebie wyrok.

– To doprowadź mnie do niego. Zagrajmy w podchody. – Uśmiechnęła się nieśmiało. – Wystarczy, że podasz mi kilka tropów. Jak kiedyś. Sama go znajdę.

Wgapił się w pustą filiżankę, odłożył łyżeczkę na spodek. Wahał się.

– Nie zagrożę twojej rodzinie – zapewniła. – Obiecuję.

Zdjął okulary. Przetarł zmęczone oczy. Kiedy spojrzał na nią ponownie, była pewna, że chce jej pomóc, lecz nie może. Nie ze strachu. Nigdy nie był tchórzem. Coś go powstrzymywało. Ktoś stwarzał przeszkodę. Kto? Czyżby przeoczyła jakąś informację?

– Pająki przędą dwa rodzaje nici – odezwał się wreszcie. – Gładką, po której chodzą, i lepką, która jest pułapką. Skoro jesteś dobrym analitykiem kryminalnym, a wiemy, że jesteś najlepszym w kraju, sama do tego dojdziesz. Nie mam złudzeń. Wystarczą akta sprawy.

Sasza pochyliła głowę. Na jej twarzy błąkał się ironiczny uśmiech. Przywołała go tylko po to, by ukryć zaszklone oczy. Nie chciała płakać. Po prostu było jej ciężko. Czuła się zagoniona w kozi róg. Brakowało jej już sił do samotnej potyczki. Norin był jej ostatnią deską ratunku. Poza Tarasem tylko jemu jednemu mogła dzisiaj zaufać.

– Nie potrzebujesz mistrza. – Prokurator tymczasem wpatrywał się w nią czujnie. – Ani nawet nauczyciela. Jesteś doświadczoną agentką. Już nie wystawiają cię na wabia ze względu na urodę. Potrafisz.

– Przeciwnie. Im dłużej rozmyślam, tym bardziej zapętlam się w hipotezach. Nie pomaga, że znalazłam się wtedy w samym środku cyklonu. W tamtym czasie nic z tej gry nie rozumiałam. Byłam trybikiem. Młodą panienką z mnóstwem kłopotów na karku, bez pieniędzy, wsparcia. Za to pełną kompleksów i traum. Zresztą wyparłam prawie wszystko. Nie chciałam wiedzieć. To było dla mnie za trudne. Liczyła się wyłącznie ucieczka. Teraz, z perspektywy czasu, myślę, że właśnie dlatego znalazłam się w tym miejscu.

Bo nie da się uciec. Wiem, że takie myślenie jest głupie. Ale przyznaj, że byłam do tej roli idealna.

– Masz na myśli warunki fizyczne? – Pierwszy raz uśmiechnął się szelmowsko. – I owszem. Prawie się nabrałem.

Zarumieniła się ze wstydu.

– Na szczęście prawie – szepnęła.

– Czasami żałuję – wyznał i wiedziała, że mówił całkiem poważnie. – Miałbym teraz co wspominać.

– Żałowałbyś. I ja bym żałowała – odparła. – Ale jedno jest pewne: nie siedzielibyśmy dziś tutaj.

– Nie wiadomo, co by było. – Wyjął jej z ust następne zdanie. – Nie ma co nad tym debatować. Byłaś idealna. A jak piszą w prasie, nadal jesteś. – Nagle uciął, uśmiechnął się. – Może tylko najpierw wysłałbym cię do barbera.

– Byłam kimś, kto miał zginąć, ale z jakiejś przyczyny pozostał przy życiu. Nie rozumiem zupełnie, dlaczego mnie ocalili. Po co?

Zdecydowała się na pełną szczerość. Tylko tak dało się z tym człowiekiem współpracować. Norin wyczuwał fałsz, jakby miał w głowie specjalny skaner. A po tamtej sprawie z wystawką obiecała sobie, że jeśli się kiedykolwiek spotkają, nigdy go już nie oszuka.

– Złe pytanie – sprostował. – Nie „po co", lecz „dlaczego". Tylko to jest ważne, kiedy rozwiązujesz zagadkę. Często tak jest w sprawach, które mają w sobie element prawdziwej tajemnicy. Nikt nie wie, co się naprawdę zdarzyło, ale życie wszystkich zostaje zbadane pod mikroskopem, wywrócone do góry nogami, dotychczasowy ład – zniszczony. Kiedy zaczniesz to zgłębiać, na jaw wychodzą różne sekrety. Zasadniczo to nie jest przyjemny widok. Przeżyłaś, bo masz spryt życiowy. – Pokiwał głową. – I nie byłaś głupia.

A to się nie zmienia. Dziś masz jeszcze wiedzę. Sama wy-
darłaś ją z rzeczywistości. Gdybyś się nie nadawała, nie
byłoby żadnej przykrywki. – Wskazał palcem wiszące na
stojakach gazety. Na okładkach większości z nich znajdowało się zdjęcie topielicy z torpedowni. Zacisnął pięść
i powtórzył jak zniecierpliwiony, surowy tutor: – Wszystko
jest w aktach.

– Tylko że ja nie żyję – poskarżyła się Sasza. – Uśmier-
cili mnie nie bez powodu. Niczego oficjalnie nie mogę zrobić. Nawet wyciągnąć z bankomatu pięćdziesięciu złotych,
bo zaraz mnie chwycą.

– W ten pokrętny sposób próbujesz mnie naciągnąć na
kawę? – Mrugnął do Saszy.

Zdołała się uśmiechnąć.

– Już myślałam, że się nie zorientujesz.

Wpatrywali się teraz oboje w blat stołu. Ludzie wychodzili, wchodzili. Kawiarnia gęsto wypełniała się klientami.
Sasza dopiero teraz zauważyła, że zmieniono wystrój i bar
jest teraz modnym hipsterskim lokalem, w którym nie ma
już ani bandytów, ani prokuratorów. Goście wyglądali jak
z żurnala. Dostrzegała znane twarze, choć nie potrafiła połączyć ich z nazwiskami. Nie była czytelniczką kolorowych
magazynów. Norin zerknął na zegarek i zmienił pozycję na
wygodniejszą, by ulżyć sztywnej nodze. Kiedy się odezwał,
zdawało się, że mówi o pogodzie, choć Sasza doskonale rozumiała ciężar gatunkowy tego pytania.

– To co tutaj jeszcze robisz?

– Próbuję walczyć. – Wzruszyła ramionami. – Co innego
mi zostało?

– Każdy kij ma dwa końce. Skoro cię nie ma, możesz
robić rzeczy, do których żywi się nie posuną. Załatw ich
własnym mieczem.

– Mam użyć gróźb, szantażu? Może zabijać? Bo to jest ich oręż.

– Byłabyś w stanie? – Teraz się z nią droczył.

Nie zaprzeczyła. A jemu zdecydowanie nie spodobała się jej reakcja. Sasza nie zamierzała jednak udawać lepszej, niż była. Miała dosyć ukrywania swoich demonów, tajemnic i bólu. Chciała się podzielić z kimś tym bagażem. Tak się złożyło, że trafiło dziś na Norina. Podniosła głowę, wytrzymała jego spojrzenie. Skoro chciał prawdy, będzie ją miał. Czy jesteś na to gotów? – zakpiła w myślach i zdecydowała się posunąć krok dalej.

– Nawet mam referencje. Ale to ostateczność. Wolałabym uniknąć przesłuchiwania przez zmyślnego prokuratora. Kwestie etyczne nie są problemem. Jak wiesz doskonale, wierzę tylko w piekło. To terytorium znam jak własną kieszeń.

Norin nagle się podniósł.

– Idź do księdza, jeśli potrzebujesz spowiedzi.

Kiedy to mówił, widziała już tylko jego plecy. Chwycił z wieszaka ortalion. Włożył, jakby zrobiło mu się zimno.

– Wolałbym nie usłyszeć jednego słowa za dużo. Wciąż jestem czynnym urzędnikiem państwowym. Jak mówią niektórzy, ostatnim sprawiedliwym.

– Aresztujesz mnie? – Zaśmiała się chrapliwie profilerka, kiedy na chwilę odwrócił głowę w jej stronę.

Spojrzał na nią pobłażliwie.

– Jeszcze nie zasłużyłaś. Może i znasz przedsionek piekła, ale każde życie jest lepsze od śmierci. Tylko ona jest nieodwracalna. Twoja córka znajduje się teraz na granicy tych światów. Na twoim miejscu zabrałbym się lepiej do analizy dokumentów oraz zaczął używać tej drugiej półkuli mózgu, zamiast zalewać się emocjami i ostrzyć noże.

Na wybaczenie grzechów przyjdzie jeszcze czas. A ucieczka do przodu to czasami najlepszy odwet.

Teraz Sasza również wstała. Ich twarze znajdowały się bardzo blisko siebie. Oczy naprzeciwko oczu, usta przy ustach. Czuła zapach kawy, papierosów i czegoś delikatnego, jakby konwalii. Zadziwiła ją ta kombinacja. Norin pierwszy odsunął się na bezpieczną odległość. Wiedziała, że zostawia jej czas na kilka ostatnich strzałów. Nic ponadto nie wskóra. A on więcej się z nią nie zobaczy. Na ile go znała, uważał, że dla jej dobra.

– Gdzie jest Wilmor?

– To jakiś złodziejaszek? – zakpił prokurator, ale dostrzegła w jego oku błysk. – Bo tylko takich mam teraz na warsztacie.

– Jeśli już, to na usługach porządnej organizacji.

– Z tym nie do mnie – mruknął, udając, że to bagatelka. Oboje wiedzieli, że temat jest gruby. To dlatego Norin chciał ją zagadać. – Z organizacji to mam oszustów z Providenta. Ewentualnie bombiarza spod bankomatów, ale już zapuszkowany. Bardzo porządny chłop. Stracił robotę w Gerdzie, bo umiał tylko montować drzwi, a teraz robią to za niego maszyny. Jak się jednak okazało, rozmontowywanie też szło mu nie najgorzej. Tylko żona go nie rozumiała. Faceci zawsze chcą być bohaterami. To beznadziejnie naiwny powód, żeby zostać rabusiem. Nie sądzisz?

Sasza wysłuchała wywodu cierpliwie, po czym wyłuszczyła precyzyjnie swoje dane.

– Wilmor. Tak brzmi jego pseudonim z teczki Służby Bezpieczeństwa. Zaufany przyjaciel Dziadka. Agent CIA, który miał nie istnieć. To znaczy przez lata wszyscy nabijali się z Wróblewskiego, że go wymyślił, by rozbić opozycję i przeprowadzić bezpiecznie Okrągły Stół. Była nawet taka hipoteza, że Dziadek sam jest Wilmorem. Została definitywnie wykluczona. A Wilmor okazał się personą posiadającą dar znikania. Cieniem. Teraz wychodzi, że to był podwójny gąszcz luster. Wilmor nie tylko istnieje, ale od obecnej władzy ma wyrok śmierci. Mogłabym jego nazwisko wymienić na życie swojego dziecka. To mi się opłaca.

– Nie moje pokolenie – zbył ją Norin. – I nie moja liga. Sasza nie dawała za wygraną. Atakowała:

– Więc Jerzy Pawłowski, twój kum. Chrzestny Ani. Najlepszy przyjaciel twojej żony, oczywiście zanim za ciebie wyszła. Renata wybrała ciebie, a agent Jesiotr do dziś jest sam. Nie licząc nieistotnych miłostek. I tego gwałtu, w który go wrabiali. Nie ma do ciebie żalu, że odbiłeś mu kobietę? Nigdy o tym nie rozmawialiście? Powiedz chociaż, gdzie go znajdę. Skoro ty nie masz odwagi za mną stanąć, może on to zrobi?

Norin był wściekły. Zawahał się, czy jej nie odpowiedzieć wulgarnie, ale górę wzięło dobre wychowanie. Ten typ nie atakuje kobiet, nawet werbalnie. Zwłaszcza w miejscach publicznych. Dlatego zagrała nieczysto. Zamiast agresji przyjął pozę uprzejmej pogardy. Znów jej zaimponował. Patrzyła, jak skłania głowę, witając przybyłych do lokalu nielicznych adwokatów. Przyglądali się zaciekawieni i szeptali coś między sobą. Wyjęła papierosy. Odmówił wyjścia na zewnątrz. Wiedziała, że od tej chwili nie będzie już przyjemnie. Norin palił jak smok. Ale nie z ludźmi, których nie szanuje.

– Zaszył się gdzieś na końcu świata – oświadczył. – Słyszałem, że kupił piętro apartamentowca ze słodkowodnym basenem, w którym pływa razem ze swoimi rybami. Może to legendy. Dawno go nie widziałem. Zestarzałem się. Piję już mniej.

– Ja wcale – fuknęła.

Chciała krzyczeć, że przecież on wszystko wie, zna wszystkich i rozumie te mechanizmy, ale miała świadomość, że nigdy go nie pokona. Potrafił prowadzić takie zabawy słowne całymi godzinami. Słyszała o tym od gangsterów, których przesłuchiwał, i sama była świadkiem jego licznych działań operacyjnych. Mimo to wciąż mówiła. Liczyła, że zmięknie, wkurzy się, da się wziąć pod włos. Chciała wzbudzić w nim emocje, doprowadzić do furii. Tylko w ten sposób mogła nakłonić go do przerwania milczenia i zmusić do powrotu do gry. Czuła, że on też tego pragnie. Gdyby było inaczej, po co w ogóle by się z nią dzisiaj spotykał?

Niestety. Pozostał niewzruszony.

– Mogę zdobyć dwie części raportu. Mam też kilka innych dokumentów na wymianę. Ale muszę wiedzieć, kto rozdaje karty. Tylko tej osobie zależy, by to kupić za cenę uwolnienia mojej Karoliny.

– Ja nie wiem, co było w tym raporcie – odezwał się Norin jakby na usprawiedliwienie.

Poczuła się nieco dziwnie. Żadnej szybkiej riposty, żadnego złośliwego żartu? Pewnie obawia się podsłuchu, domyśliła się. Sprawdza ją. Albo boi się, że znów wystawili ją na wabia. Że i tym razem Sasza go zdradzi. Nie, zganiła się w duchu za czarnowidztwo, wciąż jednak z nią rozmawia. Pomoże mi, łudziła się. Jestem blisko.

– A króla znajdziesz bardzo łatwo. Wystarczy otworzyć pierwszą lepszą gazetę – zbył ją. – Polska to teraz mały folwark. Kwity to sznurki do pociągania marionetek. Kto ich używa, tego nie wiem.

– To nie jest śmieszne. – Skrzywiła się. – A w mediach są same ekrany.

– Wręcz przeciwnie – zaprzeczył Norin i wybuchnął kontrolowanym śmiechem. – Na naszych oczach tworzy się prawdziwa opozycja. Można powiedzieć, polityczne podziemie. Czerwone pająki są dziś w defensywie. Mamy czas narodowców. Patrioci są modni. I ich flagi.

Nie mogła słuchać tych ogólników.

– Dlaczego pozwoliłeś, żeby odebrali ci sprawę? – wybuchnęła. – Przecież miałeś już Pastucha w ręku. Mogłeś mieć ich wszystkich. Cyngiel to jest drobiazg. Nikt nie wierzy w ten motyw rabunkowy. Wiem, że UOP trzymał nad tym nadzór. To miało pozostać niewykryte. Ustawili cię jako kozła ofiarnego, wykorzystali i publicznie ośmieszyli. Nie chciałbyś odzyskać twarzy? Nie chcesz im pokazać? Zamierzasz siedzieć cicho do emerytury? Z Providentem, przemocą domową i frustratem od bankomatów? Czym się od nich różnisz?

– Nigdy nie byłem wystarczająco ambitny. – Udał, że przyznaje jej rację. – Lubię walczyć tylko otwarcie. Strategie i rozgrywki zakulisowe to nie moja działka. Zresztą nie zależy mi. Już niedużo mi zostało.

– Tym bardziej! Jeśli mi pomożesz, możemy to jeszcze ujawnić. Ja wiem, że Ryszard Domin to był figurant. Dawał tylko twarz. Zleceniodawca nie jest dziś w rządzie, ale działa w nim zza kulis. Ta sprawa ustawiła nowy ład polityczny. Tu nie chodziło o mafię, choć tak komunikowano to w mediach. Zresztą gangusów też wybito ich własnymi rękoma.

– Mnie gęby nikt nie przyprawił i nadal nie może tego zrobić.

Zanim Sasza zdążyła zareagować, Norin rzucił na stół banknot, po czym ruszył do wyjścia. Pobiegła za nim, ale spojrzał na nią chłodno. W jego oczach odczytała właściwy komunikat.

– Moja córka była wtedy parę lat starsza. Ale tym bardziej ci współczuję.

Załuska usiadła, ukryła twarz w dłoniach. Nie tak miało to wyglądać. Usłyszała gong. W knajpie zaczynała się jakaś uroczystość.

Kelner postawił przed nią kieliszek prosecco.

– Od tamtego pana – powiedział. – Zaprasza.

Sasza się odwróciła. Poczochrała brodę, nasunęła znów czapkę na głowę i włożyła przeciwsłoneczne aviatory. W kącie sali siedział Marko Sitek, najprzystojniejszy mężczyzna IV RP, o czym informował baner portalu polki.pl zawieszony tuż za nim. Faktycznie, zdjęcie nie było zbyt mocno retuszowane. Może nawet żywy aktor, który grał niemal wszystkie najważniejsze role twardych glin w polskich serialach, urodą przewyższał swój wizerunek na fotografii. Trzy miliony Polek, które brały udział w wyborach, powinny od dziś płakać po nocach. Marko był gejem. Załuska uniosła dłoń w geście podziękowania i skierowała się do wyjścia. A potem, sama nie wiedziała dlaczego, może z rozpaczy albo wściekłości, jednak zawróciła. Wychyliła trunek duszkiem. Choć zimny płyn przepływał jej przez gardło, nie czuła smaku alkoholu. Tylko mrowienie na karku z przerażenia, co ona właściwie robi. Odstawiła kieliszek na stół i wiedziała, że właśnie znalazła się po drugiej stronie lustra.

Żółć wymiocin spryskała jej obcisłe spodnie oraz czubki bikerów, ale Sasza nie poczuła ulgi. Otarła usta rękawem i przez głowę przemknęła jej myśl, że z tych drobinek, a zwłaszcza z treści pokarmowej, którą zostawiła za rogiem, ktoś bez problemu pobrałby jej DNA oraz ujawnił prawdziwe personalia. Tyle lat oszukiwania, lawirowania, kłamstw, a jedna kupka rzygowin mogłaby zniweczyć wszystko. Odeszła kilka metrów, obejrzała się. Z grupy turystów wyłonił się nagle żeński patrol straży miejskiej. Dwie śliczne dziewczyny w czapkach, z zaplecionymi warkoczami, rozprawiały o czymś z przejęciem. Nawet fluorescencyjne kamizelki oraz spodnie niedopasowane do damskich sylwetek nie odbierały im uroku. Sasza słyszała piskliwe głosy, które tak bardzo kontrastowały z rangą ich profesji. Zdawały się nie zwracać uwagi na drobnego geja. Może to ich pierwszy rok pracy? Z pewnością żadna nie przekroczyła jeszcze trzydziestki. Załuska z trudem się hamowała, by nie ruszyć biegiem. Pochyliła głowę, wtopiła się w ludzką tłuszczę i zdecydowanie przyśpieszyła. Dwie przecznice dalej tłum się rozrzedzał. Kobieta ruszyła na przełaj. Sto metrów dalej, na osiedlowym parkingu, zostawiła samochód narzeczonej brata. Zamierzała przejść pod dworcem. Nie zdziwiła się, kiedy wyszły zza winkla tuż przed schodami. Ich obecność tutaj to nie był przypadek. Jak każdy przestępca, w głębi duszy chciała zostać złapana. Nie wahała się więc ani minuty. Ruszyła biegiem.

Dopadły ją w sąsiedniej bramie. Sprawnie oparły o mur, rozsunęły nogi i pałką unieruchomiły ręce. Okazały się bardziej doświadczone, niż sądziła. Sasza milczała. Gorączkowo rozważała różne scenariusze. Właściwie nawet jej ulżyło. I tak nie wiedziała, co robić dalej. Załamała się, kiedy Norin odmówił współpracy. Może dlatego uległa pokusie i wypiła drinka od aktora. Nie tak wyobrażała sobie spotkanie z prokuratorem po latach. Fakt, nie spodziewała się od razu wyciągniętej dłoni, ale liczyła przynajmniej na jeden trop. Niedużą podpowiedź, byle dającą nadzieję, że bitwa jest do wygrania. Tymczasem dostała po łbie za stare winy.

Miała do siebie żal, że marnuje czas. Snuje się od Annasza do Kajfasza, płacze bez powodu. Wyglądało na to, że bez oficera prowadzącego, który dotąd myślał za nią, była absolutnie nieskuteczna. Do tego bała się, traciła wiarę. A strach o dziecko ją paraliżował. Na razie żadne z jej działań nie przyniosło spodziewanego wyniku. Miała materiały. Nie wiedziała, co z nimi począć. Zawisza obiecywał pomoc, lecz po wizycie u Warwary jakby zapadł się pod ziemię. Nie była pewna, czy nie przygotowuje przejęcia kwitów i eliminacji dziecka. Może ten pokaz na klifie był jedynie fortelem? Nikomu nie mogła ufać i to było najgorsze. Czuła się jak w matni.

Może powinna się poddać? Wyspowiadać publicznie, dokumenty przekazać policji i w końcu powiedzieć całą prawdę. Nie mogła. Ujawnienie tajemnic państwowych nie uratowałoby Karoliny. A Sasza podzieliłaby los Eli. Musiała walczyć, próbować. Do końca być czujna. W przeciwnym razie jej dziecko wyrzucą za burtę. Nie mogła dać się złapać. Bo osiągnie tylko tyle, że dokumenty zmienią właściciela i chwilowo znikną. Ona sama zaś pewnej nocy w celi zobaczy blik. Zorientuje się, że było to ostrze w szczoteczce do zębów, kiedy zacznie tracić przytomność od upływu krwi. Albo i nie zdąży niczego pomyśleć, bo zawiśnie na sznurówce. Rdzeń kręgowy pęka błyskawicznie. Umieją to zrobić tak, żeby wyglądało na samobójstwo.

To wszystko stanie się później, w najbliższych dniach. A co teraz? Myślała szybko. Wylegitymują ją. Powstanie wątpliwość co do jej płci. Sprawdzą dane w bazie i wezmą na komisariat. Potem dadzą ją na dołek, przyjdzie prokurator, rozpęta się afera. To wersja optymistyczna. Najgorsze, że materiały ma teraz ze sobą, w niedużym plecaku. Jak amatorka schowała wszystko w jednym miejscu, nie przygotowała żadnej skrytki. Niczego nie zostawiła zaufanym ludziom, by w razie jej śmierci mieli czas pójść z tym do mediów. Idiotka, utyskiwała na siebie w myślach. Ale czy Dziadek się nie zabezpieczał? Zrobił z pewnością wszystko, jak należy. Nie dostał nawet cienia szansy. Za to będzie miał pogrzeb z honorami. Ona nawet godności nie uratuje, bo to, że pozbawią ją czci, obciążą wszystkimi możliwymi przewinami, jest pewne. Kiedy zaś wraz z kompromitującymi materiałami ujawnią narkotyki, będzie absolutnie pozamiatana. Uczynią z niej nie tylko alkoholiczkę, ale i narkomankę. Nawet ci, którzy kiedykolwiek mieli wątpliwości co do jej intencji, nabiorą wody w usta, by nie mieć z nią nic wspólnego.

– Mandacik za rzyganie pod płotem? – usłyszała żartobliwy komentarz i poczuła w kroczu dłonie jednej z atrakcyjnych strażniczek.

Zdziwiła się. Nie takiego ciągu dalszego oczekiwała.

– Tutaj jest pusto – kpiła dalej mundurowa. – Czyżby złoty strzał?

Odwróciły ją plecami do muru. Czuła wyraźnie truskawkową gumę do żucia. Druga strażniczka pomachała jej przed nosem kajdankami.

– Będziesz pajacowała?

Załuska karnie pokręciła głową, choć odruchowo ustawiła zdrową rękę tak, by w razie potrzeby wyciągnąć broń z kabury kobiety stojącej bliżej.

– Więc załatwimy to po koleżeńsku. – Poczuła, że luzują chwyt. – Jak mamusia kazali.

Czyżby to były tylko kurierki? Przyjechały po nią, jak listonosz po przesyłkę? Uznała, że nie ma sensu się przeciwstawiać. Nie odezwała się nawet słowem. Kiedy prowadziły ją do auta, które zjawiło się w maleńkiej uliczce nie wiadomo skąd, znów zaczęły plotkować o jakiejś substancji odmładzającej. Wtedy przyjrzała im się bliżej i już wiedziała, że dała się nabrać jak pierwsza lepsza. Sztuczne rzęsy, świeża opalenizna, błyskotki na przegubach. Rząd pierścionków na palcach. Na to z pewnością nie pozwala regulamin straży miejskiej. Na dodatek nie była to tania biżuteria. W której drużynie grają te laleczki? – myślała gorączkowo Sasza. I skupiła się teraz tylko na tym, by jak najszybciej dociec, kto ją zgarnia. Bo po co – wiedziała. Powód znajdował się w jej plecaku. To było oczywiste.

Rozległo się kliknięcie. Jedna z dziewczyn wyjęła z kieszeni najnowszy iPhone. Był złoty, w obudowie z króliczymi uszami wysadzanej kamieniami Swarovskiego. Odebrała esemes, a potem uśmiechnęła się do Załuskiej.

– Pozdrowienia. Pani Jola liczy, że masz towar ze sobą. Bo jak nie, musimy po niego jechać. Podajesz adres? Zabezpieczymy.

Sasza nie odpowiedziała, ale przycisnęła mocniej plecak do piersi.

– Kto szuka, ten znajdzie – mruknęła zadziornie do wyższej i mniej wypacykowanej Barbie. – Choć nie zawsze to, czego mu potrzeba.

Wyglądało na to, że klienci na jej gorący towar zaczynają się pchać drzwiami i oknami. Komu zawdzięczała tę reklamę? Czyżby Zawisza już ją sprzedał gangusom? Tak czy owak, Jolanda Gorczyca, zwana po mężu Kurczakową, to najlepszy adres na upłynnienie zdjęć gołych polityków w lateksach. Byle tylko Sasza zdołała ją przekonać, że warto stanąć do przetargu z Warwarą. Kto czeka, ten się doczeka. Tylko czas nie czeka na nikogo. Sasza nie miała go wcale. Odprężyła się. Ostatecznie była z tego obrotu sprawy wielce zadowolona.

Siedziały przy rustykalnym stole, gruchając i pusząc się przed sobą jak stado egzotycznych papug. Pierwsza z brzegu brunetka o skośnych oczach, dwadzieścia lat temu znana pod pseudonimem Sabrina, na cześć popularnej w latach dziewięćdziesiątych piosenkarki pop ze względu na potężne gabaryty damskich zderzaków. By złamać gangsterskie serce, wystarczały jej postrzępione szorty i góra od bikini. Nie musiała nawet wchodzić na stół i się prężyć, jak czyniły inne panny z miasta. Gargamel od pierwszego spojrzenia na te dary natury zakochał się ponoć na zabój. Dziś Sabrina biust miała nadal imponujący. Reszta ciała niestety się do niego dopasowała. Ponieważ raczej nie wyglądałaby już olśniewająco w kusych spodenkach, zastąpiła je obszernym designerskim dresem oraz kolosalnym naszyjnikiem ze smoczego szkła o podejrzanie fallicznym kształcie.

Obok niej siedziała krótko ostrzyżona miłośniczka czerwieni. Krwawa Eleonora miała na sobie bodaj wszystkie odcienie karminu: na okularach, paznokciach, odzieży i torebce. A do tego obowiązkowy szydełkowy kołnierzyk, dla odmiany śnieżnobiały, który był jej znakiem rozpoznawczym od głośnego procesu jej chłopaka Bobasa, którego gangster nie przeżył. Podobno ukochana uwolniła go od cierpień słoiczkiem dżemu z zanieczyszczoną kokainą. Mówiono, że mikstura była w jedynym słusznym kolorze strażackiego wozu.

Dalej w rzędzie ulokowała się wciąż zachwycająco zgrabna Nastia, zdobywczyni wszystkich tytułów Miss Fitness Trójmiasta 1997–2005. Mimo pory roku miała na sobie przykrótki podkoszulek uwydatniający kaloryfer na brzuchu, z ponętnie opuszczonym ramiączkiem różowego stanika. W jej przypadku wiek zupełnie nie stał na przeszkodzie do utrzymania tytułu. W latach prosperity polskiej mafii słynęła z mięty do młodych kochanków i, sądząc po tapecie w jej telefonie, raczej się to nie zmieniło. Chyba że młodzian prężący muskuły na wyświetlaczu był synem Nastii z którymś z jej licznych amantów, którzy wprost pchali się do żeniaczki z wysportowaną blondynką. Liczba identycznych obrączek na dłoniach sugerowałaby, że siedem razy zostawała wdową. Sasza nie zdziwiłaby się, gdyby to była prawda. W tamtych czasach prości żołnierze ginęli w strzelaninach jak kaczki.

Wszystkie kobiety były odziane na sportowo, jednak w wieku pięćdziesiąt plus, nawet z najlepszym trenerem osobistym u boku, choćby i sześć razy w tygodniu, zawsze lepiej wygląda się w garsonce. W tym właśnie stroju powitała Załuską Jolanda Kurczakowa. Ona jedyna z tej ekipy miała jeszcze męża żywego.

Przytuliła teraz profilerkę jak córkę i szepnęła jej do ucha rozradowana, jakby całymi latami za nią tęskniła:

– Co dla mnie masz?

– To, czego potrzebujesz.

Sasza odpowiedziała widać prawidłowo, bo Jola delikatnie potarła powieki, bacząc, by nie uszkodzić dzieł sztuki, które nosiła zamiast rzęs, po czym zapytała z wyrzutem:

– Dlaczego dopiero teraz?

Niedbałym gestem odprawiła dwie strażniczki pomagierki, które zmieniły już mundury na wdzięczne różowe kitle kosmetyczek i wzięły się do przyrządzania trunków. A potem chwyciła Załuską pod rękę i poprowadziła do koleżanek. Wtedy w kącie, za tiulową firanką, profilerka dostrzegła czwartą cesarzową mafii – Ponurą Wierę. Z nią jedną Sasza nie zetknęła się w dawnych czasach, choć wiele o niej słyszała. Była to żona Staszka Ejcherta, znanego bardziej pod ksywą Dyżurny, *consigliere* Kurczaka i jego najbardziej zaufanego przyjaciela. Wiera, w szarym chałacie od Kupisza, siedziała cicho i zachowując czujność ważki, przerzucała w ręku szylkretowy różaniec.

Na widok Załuskiej wszystkie kobiety przestały rozmawiać. Sasza miała wtedy chwilę, by przyjrzeć się, jak czas obszedł się z piękną Jolandą. Zmiana koloru włosów ewidentnie jej służyła. Wcześniej nosiła kruczą czerń i fryzurę stylizowaną na Jackie Kennedy. Nigdy nie rozstawała się z podwójnym sznurem pereł Akoya i efektownym złotym chopardem wysadzanym brylantami. Dziś oprócz starych diamentów w uszach nie miała na sobie biżuterii.

– Wszystko sprzedałam, żeby wydostać Kurczaczka z więzienia – wyjaśniła między uprzejmościami.

Karmelowy blond łagodził jej rysy. Brak makijażu zaś, poza sztucznymi rzęsami, długimi jak firany, odejmował jej lat. Szary kostium od Calvina Kleina, beżowe szpilki. Mimo chłodu najcieńsze jedwabne pończochy. Gust miała zawsze. Teraz, z biegiem lat, nabrała jedynie klasy.

Kurczak siedział w zamknięciu od lat, więc Jola zmuszona była przejąć jego interesy. I choć wyroki na jej męża dawno się uprawomocniły, kobieta niestrudzenie starała się wyciągnąć go zza krat. Sprzedała domy, biżuterię, akcje. Przeniosła się nad morze i założyła sieć salonów piękności. Każdą zarobioną złotówkę wydawała na adwokatów. Ponoć zbratała się nawet w tym celu z największym wrogiem Kurczaka – Eugeniuszem Jeremusem, pseudonim Bułka, jego byłym kapitanem, a dziś świadkiem koronnym, którego zeznania definitywnie pogrążyły mafijnego bossa. Mówiono, że Jola była gotowa zrobić dla małżonka wszystko. Niestety Bułka wolał dużo młodsze od siebie kobiety i zeznań nie wycofał. Kurczakowej zostały więc inwestycje w prawników i finansowanie zbudowanej przez męża struktury, co pochłaniało majątek. Taki był finał największej miłości w półświatku. Jolanda nigdy nie przestała wierzyć w uwolnienie męża i nie szczędziła swoich babskich wysiłków. A Sasza właśnie na tę motywację bardzo dziś liczyła.

Przywitała się chłodno ze zgromadzonymi. Choć kobiety mafiosów wyglądały dobrotliwie, żadnej nie ufała. Były najlepszymi strażniczkami tajemnic swych mężów. Wiedziały kiedyś wszystko. Bardzo wiele rozumiały. Nigdy niczego nie ujawniły organom ścigania i poza Jolandą nie siedziały za kratami. Oficjalnie wychowywały dzieci, gotowały, prowadziły legalne biznesy. Nie mieszały się do męskich gier. Ktoś niewtajemniczony mógłby pomyśleć, że nie było już dziś czego strzec. Zostały przecież same. Ich obecność dziś tutaj przeczyła tej tezie definitywnie. Sasza to rozumiała, a one wiedziały, że ona wie: teraz to one, a nie ich mężczyźni, dzierżą w rękach władzę polskiej mafii.

Sasza nie wahała się dłużej. Otworzyła plecak i wysypała na stół zdjęcia z podartej koperty. Kobiety pochyliły się, zaczęły je rozkładać, jakby wybierały guziki do nowej sukienki. Zawartość chyba ich nie zadowoliła, bo zapadła męcząca cisza.

– Stare – mruknęła zawiedziona Wiera i sięgnęła po papierosa.

Jak widać modlitwa przestała jej wystarczać.

– Całkiem niezła dupka – zachichotała Nastia. – Ostra bibka. Z tym że nikogo nie rozpoznaję. Ale z polityką jestem raczej na bakier. Trzeba by kogoś, kto się na tym zna. Jola, co ty na to? Może twoja papuga?

– Jelcyn znał się na robocie – weszła jej w słowo Sasza. – To jest mocny materiał.

Jolanda przysunęła się bliżej. Eleonora wstała od stołu, skierowała się do toalety. Za nią potruchtała Nastia. Zaniepokojona Sasza nie spuszczała z nich wzroku. Było jasne, że poszły się naradzić. Myślała gorączkowo, co zrobi, jeśli z tych drzwi ozdobionych lawendowym wieńcem wypadną uzbrojeni agresorzy. Kiedy jednak obie kobiety wróciły, gwałtownie pociągając nosami, uspokoiła się, że tylko rozładowywały stres. Zdecydowała się odkryć karty.

Ułożyła kolejno fotografie, które kwalifikowały się do przetargu. Było ich sześć. Wszystkie przedstawiały jednego mężczyznę w damskiej podomce, w konfiguracjach z innymi, dużo młodszymi półnagusami. Nie były to nazbyt wulgarne kadry. Raczej śmieszne przebrania, kolejne etapy przerysowanej orgii: lateks, kajdanki, pejcze, huśtawki. Resztę zdjęć przesunęła na brzeg stołu.

– To drobnica – wyjaśniła. – Oddaję ją gratis. – Wskazała głównego bohatera historyjki obrazkowej dla dorosłych. – Jarosław Dybowski, był wtedy mało istotnym lewicowym radnym. – Sasza podniosła kadr i obróciła, by zaprezentować datę. Widniał na niej napis „Maxim, 1998". – Dziś jest wiceszefem kancelarii premiera. Wystarczyły dwie dekady, żeby zmienił poglądy na ostro prawicowe. Jak to się stało?

Przesunęła teraz bliżej dwa kadry z młodziakiem, którego pośladki tak bardzo podobały się Nastii. Wyglądało na to, że był stałym uczestnikiem zabaw polityka, bo pojawiał się niemal na każdej fotografii. W dniu wykonywania zdjęcia chłopiec z pewnością nie był pełnoletni.

– Za sprawą tego pana.

Sasza znalazła w odrzuconych zbiorach zbliżenie twarzy młodego mężczyzny. A potem poprosiła o telefon Nastii i w internecie wyszukała jego współczesne zdjęcie na tle polskiego godła. Rozległ się pomruk zadowolenia.

– Teraz poznajecie? Franciszek Helbig. Do niedawna sekretarz polskiego ambasadora w Londynie. Objął to stanowisko po głośnej aferze z szefem gabinetu ministra zdrowia. Dziś katolik, mąż trójki dzieci. Żona prowadzi hurtownię leków. Na trzydzieści siedem dni objęła stanowisko szefa Wydziału Kultury w Urzędzie Miejskim. W oświadczeniu napisała: bezpartyjna. W tym czasie zakontraktowano listę szczepionek na pneumokoki. Nie zgłosiła, że prowadzi działalność gospodarczą, a podejmowała wszelkie wiążące decyzje ze skutkiem finansowym. Jak tylko dokument się uprawomocnił, złożyła wymówienie. Wróciła do pracy. On zaś w tym czasie awansował. Pracuje obecnie z Dybowskim. W dziale prasowym. Jest także przewodniczącym ruchu narodowców. Za jego sprawą ONR dostaje dotacje z ministerstwa na publikacje i konferencje. Teraz on sam fotografuje się z młodymi chłopcami w szelkach i z polską flagą.

Na potwierdzenie swoich słów wyszukała odpowiednie zdjęcia w grafice Google.

– Wszystko się zgadza, tylko że tutaj jest ubrany. – Sabrina zmarkotniała.

Znów zapadła cisza. Sasza nie rozumiała, dlaczego nie osiągnęła spodziewanego efektu. Sprawą natychmiast zainteresowałby się dziennikarz śledczy, pracownik agencji wywiadu lub członek jakiejś komisji. Tymczasem kobiety siedzące przy stole trawiły nowe informacje i milczały. Spodziewały się widać zdecydowanie większej petardy. Czegoś oczywistego. Może liczyły na zdjęcia premiera, prezydenta, szefa wiodącej partii. Ale gdyby Sasza takie im przyniosła, czy wyszłaby z tego pokoju żywa?

Odczekała więc chwilę, po czym wyjęła ze sterty kolejną fotografię. Była trochę nieostra. Zdjęcie wykonano w innym miejscu, najprawdopodobniej w domu. Z trudem dało się rozpoznać rysy twarzy mężczyzny w objęciach Jarosława Dybowskiego. Obaj byli bez ubrania. W odbiciu lustra znów pojawiał się Franciszek Helbig.

– To jest Arkadiusz Antczak, trzeci zastępca prokuratora generalnego. Wcześniej był szefem Norina.

Tym razem Jolanda szybko wyszukała w sieci jego dossier. Zaczęła czytać:

– Pięciokrotnie uhonorowany przez ówczesnych ministrów sprawiedliwości nagrodami za szczególne osiągnięcia w pracy śledczej. Odznaczony Srebrnym Krzyżem Zasługi. Dziesięć lat temu był podsekretarzem stanu w Kancelarii Prezesa Rady Ministrów. Prowadził największe śledztwa w sprawach dotyczących przestępczości zorganizowanej.

– To on wywalczył ustawę o świadkach koronnych – syknęła. Odłożyła telefon na stół. – Ale to nadal mało.

– Mało? – Sasza uniosła brwi.

Zebrała zdjęcia i jedną ręką starała się wcisnąć je z powrotem do podartej koperty, w której leżakowały pod podłogą całe lata. Bezskutecznie. Była zbyt zdenerwowana. Ból promieniował aż do ramienia. Lewa dłoń była już całkiem niesprawna. Fotografie rozsypały się po stole.

– Daję ci bombę z opóźnionym zapłonem. Przez Helbiga dotrzesz do Dybowskiego, a ten zadba o to, żeby Antczak wypuścił Kurczaka. Wszyscy są dzisiaj w grze. Mają swoje powiązania i wpływy. To przedstawiciele prawicy. W mediach z dumą głoszą homofobiczne poglądy, przeciwstawiają się ustawie o związkach partnerskich, popisowo chodzą do kościoła i jedzą z ręki Rydzykowi. Ci ludzie gotowi są zabić, by ich prawdziwa orientacja seksualna nie wyszła na jaw. Znają się nawzajem, wspierają i opcja polityczna nie ma tutaj żadnego znaczenia, bo łączy ich jedno.

– To samo co nas – zaśmiała się Nastia. – Miłość do kutasów.

Sasza nabrała powietrza.

– Radykalne poglądy, popisowa religijność i szumnie głoszony patriotyzm to widowisko – ciągnęła. – Zaczniesz od najmniejszych, a dojdziesz wysoko. To wierzchołek góry lodowej.

– Wolałabym jedno porządne zdjęcie – narzekała Kurczakowa. – Trzeba będzie udowadniać, że to nie fotomontaż.

Sasza wzruszyła ramionami.

– Nie mam nic innego.

– To właściwie nie masz nic. – Jolanda była zawiedziona.

– Tu są jeszcze negatywy i stykówki. – Wysupłała z plecaka kolejny pakunek. Położyła na stole. Z jednej z kopert wysunęło się zgniecione zdjęcie. Na jego widok wszystkie zawyły zgodnym chórem. Wydzierały sobie fotografię z rąk do rąk i piszczały uradowane:

– Lider partii, nasz król, trójpodział władzy.

Sasza zachowała spokój. Przełknęła ślinę i siedziała sztywno, zastanawiając się, czy ujawnić, że to spreparowany fotomontaż, żartobliwa kopia, czy też lepiej blefować.

– Od tego trzeba było zacząć – cieszyła się tymczasem Kurczakowa. – Co za to chcesz?

– Łódkę – odparła bez wahania, kiedy Jola wypuściła ją z objęć. – Jakiś stary jacht, żeby nie zwracał uwagi, ale sprawny. Dwóch ludzi pod bronią, dwadzieścia cztery godziny na dobę, z własnym autem. I bezpieczną skrytkę na gotówkę. To na początek. Potem, kiedy trzeba będzie odbić z „Czerwonego Pająka" moje dziecko, chcę całą ekipę. Dobrze wyszkoloną. Mam na to pół miliona papieru.

Rozległ się symultaniczny gwizd, więc dodała pośpiesznie:

– Miało być na okup.

Jolanda chciała coś powiedzieć, ale Sasza uciszyła ją gestem. Zniżyła głos do szeptu.

– Mogą posłużyć jako zastaw. Nie ma problemu. Jestem gotowa ponieść wszystkie koszty. Stracić na tym nie stracisz. Mój brat przywiezie ci całość.

– Nie boisz się, że nie odzyskasz kapusty? – Jolanda uśmiechnęła się i zerknęła na koleżanki.

Wpatrywały się w Kurczakową w napięciu. Sasza wiedziała, że jej dalsze losy są teraz w tych kobiecych rękach. Jeśli zawrą umowę, a mąż Joli nie opuści murów więzienia, Sasza nie wyjdzie z tego układu żywa.

– Wiem, że będą u ciebie bezpieczne – ucięła i kontynuowała negocjacje. – Może nie wyraziłam się jasno. Nie płacę za odbicie dziecka. Oferuję ci narzędzia do uwolnienia i oczyszczenia męża z zarzutów. Jak wykorzystasz te materiały nacisku i ile jeszcze na tym zarobisz, nie moja sprawa. W zamian jednak pomożesz nam uciec. A przynajmniej nie pozwolisz mnie zabić, dopóki nie ukryję małej. Jak, gdzie? Wszystko jedno. Chcemy zniknąć. Nie jestem zbytnio sentymentalna, ale wierzę, że istnieją ludzie, dla których warto poświęcić wszystko. Dla mnie to jest dziecko, dla ciebie mąż. Zrozumiem, jeśli odmówisz. Nie znam twojej sytuacji życiowej. Ty moją już tak.

Jolanda wystukała komunikat w telefonie. Odpowiedź długo nie nadchodziła, ale kiedy w końcu Kurczakowa ją odczytała, rozpromieniła się szeroko.

– Andrzejek się zgadza. Wadim i Tamagoczi. Pasuje?

Sasza przełknęła ślinę, skinęła głową.

– Więc załatwione – podsumowała Jolanda. Podała Załuskiej klucz do skrytki bankowej. – Tutaj umieścisz gotówkę.

Na stół wjechała wódka, a kobiety rozpoczęły imprezę.

– Jest jeszcze jedna sprawa – zaczęła Sasza i odsunęła od siebie kryształowy kieliszek, który jej podsunęły. – Nie wypiję z wami.

Jolanda ściągnęła perfekcyjne brwi. Z trudem hamowała wybuch. Załuska patrzyła na alkohol, potem znów na kobiety zaróżowione od pierwszych łyków.

– Dajże spokój, dziewczyno – włączyła się Eleonora i ponownie przesunęła działkę w kierunku Załuskiej.

Pozostałe też zaczęły ją przekonywać, nakłaniać, wreszcie przymuszać. Stawały się natrętne.

– Jeden kielonek jeszcze nikomu nie zaszkodził...

– Jestem alkoholiczką – rzuciła lekko Sasza i znów przerwała, zaskoczona, że poszło tak łatwo. – O coś innego mi chodzi.

– Niech mówi. – Wiera, żona Dyżurnego przegoniła koleżanki. Odłożyła różaniec i zabrała kieliszek od Saszy. Wypiła jednym haustem. – Gadaj, matka! Nie ma na co czekać. Wpierdalamy się dla ciebie w sam środek wojny.

– Którą same rozpętamy – zaśmiały się pozostałe kobiety gangsterów.

– Pamiętasz Jesiotra? – Załuska zwróciła się do Jolandy.

– Tę kurwę sprzedawczyka? – Jolanda wykrzywiła twarz i zaraz nalała sobie do pełna, wychyliła. Otarła usta brzegiem dłoni. – Życie mu uratowaliśmy z Andrzejkiem w Kolumbii, a on nas wycyckał i sprzedał psom w tym swoim raporciku. Potem Bułka dobił trumnę. Jak miałabym zapomnieć?

– Potrzebuję trzecią część tego raportu. Tę z listą z resortu.

– A ja chciałabym dopaść jego samego – żachnęła się Kurczakowa i zmarkotniała. – Wszystkich ukarałam, ale Jesiotr jest nie do ruszenia. Nikt nie wie, co tam było. Gdybym wiedziała, już dawno klęczałby tutaj i błagał o litość.

Sasza sięgnęła znów do plecaka i podała Joli plik kartek.

– To jest część, która was dotyczy.

Jolanda była zaskoczona. Wpatrywała się w Saszę z niepokojem. Nie dowierzała jej intencjom.

– To kopia – przyznała Sasza. – Potrzebuję oryginału. Nie możesz go dostać. Na razie.

Jola wzięła dokument i przytuliła do piersi. Zdawało się, że w oczach ma łzy.

– Dzięki – wyszeptała tylko. – To nam bardzo pomoże. Andrzejek będzie o tym pamiętał.

– Ściągniesz tutaj Jesiotra? Nie mam czasu jeździć na drugi koniec kraju. Sama wiesz. Masz dziecko.

Kurczakowa się nie odezwała. Sasza wiedziała, że się waha. Musiała dołożyć coś do oferty.

– Jeśli uda mi się odzyskać córkę, jeśli wszystko pójdzie, jak należy, pieniądze są twoje. Nie są znaczone ani rejestrowane. Nie ma tutaj żadnej ściemy. To wszystko, co mam. Jeśli zginę, to prezentu pożegnalnego nie będzie.

Twarz Jolandy nieco się rozpogodziła, ale wciąż nie spuszczała z oka Saszy, która znów sięgnęła do plecaka i wyjęła narkotyki.

– Poza tym nie wiem, co zrobić z tym.

– Zaopiekujemy się – mruknęła Jolanda na odczepnego.

Przesunęła paczkę. Kobiety fachowo rozcięły taśmę, którą oklejono pakiet z narkotykami, i zaczęły degustować zawartość srebrnymi łyżeczkami do herbaty. Rozległy się pomruki aprobaty. Jolanda potrząsnęła plikiem zdjęć. Na wierzchu znajdowało się ich zdaniem najcenniejsze trofeum dzisiejszego dnia – przedstawiające kluczowego obecnie polityka partii rządzącej.

– To jest pewne?

– Nie mam pojęcia – odparła Załuska nie do końca zgodnie z prawdą, więc zaraz dodała, by nie nabrały podejrzeń:
– Ale czy to ma jakieś znaczenie? Nie musisz tego publikować. Wystarczy, że porozmawiasz z każdym z nich, a z pocałowaniem rączki wyciągną z konta całą zawartość, a potem przywiozą ci do domu. Masz ich na smyczy do końca ich dni. Wszystkich. Wiem dobrze, że ten materiał trafia w dobre ręce.

– Ale to wymaga pracy.

– Jesteś w tych sprawach wirtuozem. Nie mam złudzeń. – Sasza zdecydowała, że może już sobie pozwolić na żart. Widząc uśmiech błąkający się na twarzy Jolandy, dodała skromnie: – Gdyby moja sytuacja była inna, nie sprzedawałabym ich hurtem za taką cenę, ale nie mam czasu się w to bawić. Chętnie też obejrzę rozpierduchę, jaką zrobicie.

– Oj, będzie dym! – Jola rozpromieniła się i dała znak wspólniczkom. – A jeszcze na tym zarobimy.

– Więc zgoda? – upewniła się Sasza.

Jolanda uniosła kieliszek jak do toastu. Pozostałe kobiety zrobiły to samo. Wypiły. Sasza poczuła drapanie w gardle. Szybko przełknęła ślinę, pochyliła głowę. Podniosła ją dopiero, kiedy usłyszała ściszony głos żony Kurczaka:

– Ale jeśli chodzi o tę część, która cię interesuje, zrobię sobie kopię. Masz świadomość?

– Nie wątpię.

– Gdzie są pozostałe części?

Jola była już lekko wstawiona. Trudniej przychodziło jej teraz udawanie, że raport jej nie interesuje. Sasza cieszyła się z takiego obrotu sprawy. Samymi zdjęciami nic by nie ugrała.

– Tutaj jest jedna. – Potrząsnęła swoim plecakiem. Wierną kopię masz teraz ty. Drugą ma ten, kto zlecił zabójstwo Grubego Psa. A trzecia, jak podejrzewam, jest u amerykańskiego szpiega zwanego Wilmorem.

Zapadła cisza.

– Albo Dantesem – dodała Sasza.

– A kto to, kurwa, jest? – Wiera nie wytrzymała.

Załuska odwróciła się do niej.

– Sama chciałabym wiedzieć.

Do salonu weszło dwóch mężczyzn. Tworzyli malowniczą parę. Jeden wielki, masywny Azjata, z kruczoczarną szczeciną na głowie. Nie odezwał się, ale Sasza bez pudła oceniła go jako człowieka Wschodu. Skórzana kurtka nie zapinała się na jego wydatnym brzuchu. Nosił ją więc nonszalancko rozchełstaną, mimo zimna. Drugi był mały i zwinny. Na sobie miał tylko lekką bluzę z kapturem, w którym chował twarz. Na znak Jolandy opuścił kapuzę. Sasza w mig rozpoznała zabójcę Sebastiana. Tamagoczi posiwiał, przytył. Na twarzy przybyło mu zmarszczek. Jak na żołnierza mafii był już leciwy, ale wciąż gibki, niczym podstarzały chart.

Z pewnością nie popełnia już błędów nowicjusza. Przetrwał, choć inni zginęli. Pomyślała, że Tamagoczi musi mieć nie tylko spryt życiowy, ale i dobre zaplecze, skoro nie podzielił losu Julka, Gargamela, Bobasa ani nawet Kurczaka. Mało tego, były boss wciąż trzyma go blisko siebie. Jak kiedyś Sasza Elżunię. Czy Kurczak i jego żona zdają sobie sprawę, dla kogo Tamagoczi naprawdę pracuje? A może Jola wcale nie konsultowała się z mężem w sprawie zdjęć i dokumentów. Może dyspozycje wydał jej ktoś zupełnie inny? Jelcyn? Otto? Pochłaniacz? Wszystko to wydało się Saszy możliwe. Hardo wytrzymała wzrok Tamagoczego, choć wspomnienia zalewały ją niczym tsunami. Zmusiła się jednak do zagrania obojętności. Nic nie powiedziała, nie ruszyła się na krok. Zastygła w oczekiwaniu. To zaiste ironia losu. Kiedyś tyle razy rozmyślała o zemście na tym człowieku, a dziś przyjdzie jej iść z nim ramię w ramię w całkiem nowej walce o jej niepodległość. Los lubi z nas drwić. Choć wciąż miała na sobie męskie przebranie, była absolutnie przekonana, że Tamagoczi ją skojarzył. Zapewne nie wiedział jeszcze tylko, gdzie i kiedy się spotkali. Nie zamierzała mu w tym pomagać.

– Znamy się? – zwrócił się do Saszy zaskakująco łagodnym tonem.

– Wolałbyś nie, Waldek. – Z opresji uratowała ją Kurczakowa. Po czym zaśmiała się wielce z siebie zadowolona i szybko schowała zakupione właśnie materiały do podartej koperty. – Ta pani jest policjantką.

– Byłam – sprostowała Sasza.

– Całe lata zajmowała się łapaniem takich jak ty. Będziesz jej psem. Nie odstępuj jej na krok. Poznajcie się. – Dokonała prezentacji: – Calineczka – Tamagoczi. Tamagoczi – Calineczka. A to jest Wadim.

Następnie wręczyła swoim chłopcom plik banknotów, które wyjęła z kasy salonu, i wydała dyspozycje. Kiedy skończyli tę krótką odprawę, Sasza bez słowa wstała i ruszyła za ludźmi Jolandy. Żadna z kobiet nic nie powiedziała na pożegnanie, ale w ich oczach Załuska dostrzegła cień współczucia. Też miały dzieci. Nie trzeba im było niczego tłumaczyć.

– Hej! – Kurczakowa zatrzymała Saszę przy samochodzie, kiedy już się zbierali do odjazdu. Przytuliła ją mocno, ucałowała po matczynemu w oba policzki i powiedziała ze śmiechem: – Jeśli mnie wystawisz, zabiję cię.

Sasza przeniosła wzrok na Tamagociego i odparła zupełnie poważnie:

– I wzajemnie.

– A buraczki można też zakwaszać octem jabłkowym. Nagle do Jekylla i jego chrześniaka Bartka, który po liceum planował wstąpić do policji, więc zasięgał porad wuja w sprawach technik kryminalistycznych, dosiadła się ciotka Dora. Absolutna królowa kulinarna dzisiejszego przyjęcia. Nie bacząc na zdumione miny mężczyzn, perorowała na ulubiony temat jeszcze długą chwilę.

– Wspaniałe te buraczki. Gęś też palce lizać. – Chrześniak zachował się nadzwyczaj elegancko.

Jekyll nawet rozumiał młodego. Miał chłopak swój interes. Ciotka sprezentowała mu dziś, z okazji urodzin, kupon na wymarzony iPhone X. W jego wieku był to dar porównywalny do motorynki MZ. Jekyll z tego wykładu nie wynosił nic poza ćmieniem kory przedczołowej. Trwał jednak na posterunku, by nie robić przykrości Anielce. Siostra żony to jednak rodzina. A po akcji „świnki" nie zdobył jeszcze u ślubnej żadnych punktów dodatnich.

Kiedy Jekyll wiedział już wszystko o krojeniu, gotowaniu, podgotowywaniu i przegotowywaniu buraków oraz trzymaniu ich w lodówce po zmieszaniu składników lub też i nie, bo szkoły są różne, zdecydował się interweniować.

– Przepraszam cię, Doro, ale ja mam tutaj stereo. – Odchrząknął nadzwyczaj delikatnie. – A wolałbym pozostać przy mono. Z młodzieżą, jeśli pozwolisz.

Nagrodzono go zgłuszonym aplauzem. Jekyll rozejrzał się po pokoju i zrozumiał, że z tematem buraków ciotka Dora była już wszędzie.

– Nienawidzę warzyw. Stop. Nie gotuję. Brzydzę się jedzeniem. Stop – powtórzył dobitniej. – Ciała. Obrażenia. Detergenty. Pędzelki. Pęscty. Tak, owszem, lubię. Awionetki, awiatory, silniki i podmuch powietrza wprost ubóstwiam. Kocham zapach ropy. Konsystencja smoły – ambrozja! Nie chochla, warząchew. To nie ten target, Doro, idź do bab! W garnkach trzymam co najwyżej głowy znienawidzonych interlokutorów. *Poniała?* Rozmawiamy teraz z Bartkiem o ujawnianiu śladów larw muchówek na zwłokach.

– To fascynujące, ciociu – poparł go chrześniak.

Ale szwagierka nie zamierzała odpuszczać. Podpijana w kuchni sherry uderzyła jej dziś do głowy akurat w część mózgu odpowiadającą za miłość do warzyw.

– A po buraczkach będzie czerwone sikanie – odparła rezolutnie, z trudem powstrzymując czkawkę. – Mnie nie obrzydzisz, Dżekusiu. Dziadka sama myłam i układałam w trumnie.

– W buraczkach? – Jekyll nie zdołał się powstrzymać.

Jak na zawołanie wszyscy odwrócili głowy. Chichotali w kułak, wskazując sobie palcami pojedynek ciotki i Jekylla. Kiedy na odsiecz przybiegła małżonka Jacka, Dora szybko zmieniła temat na *Złe mamuśki*, które obejrzała siedem razy. Tak genialny był to film w jej opinii.

Dla Jekylla to było już nadto. Zgiął się wpół. Wykrzywił twarz w udawanej boleści i wydał z siebie odgłos zarzynanego prosięcia.

514

– Co ci jest? – Ciotka zerwała się natychmiast.

Chrześniak i Aniela z trudem powstrzymywali się przed gromkim wybuchem radości.

– Brzuszek mnie boli – wystękał Jekyll. Wskazał na lewy bok. – O, tutaj najbardziej.

– Chyba nie od mojej gąski – zaniepokoiła się szwagierka i, o dziwo, na chwilę umilkła. Nie trwało to zbyt długo.

– Pewnie za dużo bez Anielki się objadłeś. Sama widziałam, jak podkradałeś w kuchni. Wiesz przecież, że w twoim wieku na wątrobę trzeba uważać. Albo ci poszkodził al-ko-hol!

Ostatnie słowa wypowiedziała głośniej, z miną oburzonej świętoszki, sylabizując wyniośle, by durny szwagier mógł czytać jej z warg, jakby używała któregoś z dialektów chińskiego. Tym sposobem Jekyll z każdą wypowiadaną sylabą coraz wyraźniej czuł zapach wypitej potajemnie przez Dorę wiśniówki.

– Najpewniej to bezy – przytaknął i szybko oddalił się z pola widzenia buraczanej ciotki. Nie zapomniał przy tym poklepać chrześniaka po plecach i szepnąć niezbyt dyskretnie: – Ćwicz się w cierpliwości, chłopie. Takie przypadki na przesłuchaniach też będziesz musiał brać na klatę. Dobrze, że jeszcze nie płacze. Ale zacznie, jak po godzinie przestaniesz chwalić buraki. Opowiesz mi potem, czy doszła do przepisów na bigos, czy przy śledziach padła.

Następnie ukrył się w kuchni i zainspirowany przestrogą szwagierki natychmiast nalał sobie do szklanki piwa, które trzymał w lodówce za majonezem, korniszonami i domowym pesto. Było ono bowiem zakazane na dzisiejszej imprezie, głównie ze względu na popijającą Dorę. Łyknął teraz trunek duszkiem, jakby zażywał lekarstwo.

Rozległ się dzwonek. Przez moment mignął mu zgrabny tyłeczek Anieli, kiedy szła korytarzem, by otworzyć, więc przymknął drzwi, a potem dopił resztkę piwa wprost z butelki i błyskawicznie skorzystał z okazji, by podkraść z blachy kolejną bezę. Ponieważ nadal nic się nie działo, Jekyll zdecydował się dyskretnie pochwycić jeszcze jedno ciastko. I w takiej właśnie pozycji – z piwem w jednym ręku, bezą w drugim oraz obowiązkowym kremem na wąsach – zastała go żona. Zamiast jednak skarcić go za obrażanie siostry i wyżeranie ciastek, zamknęła się z nim w kuchni i upiła spory łyk z jego butelki. Potem zaś uchyliła piekarnik, by ułatwić mężowi wyjęcie kolejnego przysmaku.

– Też mnie to wykańcza. – Uśmiechnęła się do niego czule. – Teraz rozumiesz, jakie miałam dzieciństwo?

– To, że z tego wyszłaś zdrowa na umyśle, jest absolutnym mistrzostwem – przytaknął Jekyll. I spojrzał z niepokojem na żonę. – Już nie masz żalu o moje świnki?

Anielka machnęła ręką.

– Ta historia z Saszą Załuską. Jej dzieckiem. Tym palcem – zaczęła. – Potworne. W takich sytuacjach myślę tylko o tym, jacy jesteśmy szczęśliwi.

– Jesteś ze mną szczęśliwa? – zdziwił się Jekyll. – Po tylu latach?

Aniela wybuchnęła śmiechem, trąciła męża biodrem i pocałowała namiętnie. Wprost marzył, aby do kuchni weszła teraz jej siostra i zobaczyła ten popis hedonizmu: alkohol, namiętność i cukry proste w dużych ilościach.

– Jak cholera – odparła, zlizując krem z jego wąsów i gładząc go po ramieniu. Po czym sięgnęła do kryjówki w lodówce, by podać mu następne piwo. – A o świnkach pogadamy innym razem. Widziałam piękne czółenka w galerii. – Puściła do niego oko.

Czuł wzruszenie. Jeszcze jedno słowo żony, a chyba się rozpłacze. Byli ze sobą już dwadzieścia trzy lata, a on nadal bał się jej tak samo, jak pragnął i wielbił. Miłość? Nie bardzo wiedział, czym jest. Na pewno w ich przypadku to mieszanka piorunująca. W to, że łączy ich coś wyjątkowego, nie wątpił od pierwszego spotkania.

Aniela pochyliła się do piekarnika, zaczęła wyjmować blachy z ciastami. Jekyll chciał jej pomóc, ale go przegoniła.

– Zostaw, bo narozwalasz.

Pogładził ją więc tylko po pośladku i zajął się degustacją pilznera.

– Kto to był? – spytał. – Słyszałem dzwonek.

– A nie wiem. – Aniela wzruszyła ramionami. – Jakiś student. Mówił, że nie ma wpisu do indeksu. Odesłałam go do diabła.

– Student? – Jekyll zmarszczył czoło. – Skąd zna nasz adres?

– To ja się ciebie pytam, mój panie wykładowco. – Aniela podparła się pod boki i zażartowała: – O tym także pomówimy później.

Jekyll myślał gorączkowo. Żaden ze studentów Szkoły Policyjnej w Pile, gdzie wykładał od lat, nie znał jego numeru. Reglamentował również adres mejlowy. Był bowiem znanym tyranem, nieobliczalnym wariatem, który udziela audiencji uczniom wyłącznie dwa razy w tygodniu, i tą opinią niezwykle się szczycił. Jest więc zrozumiałe, że adresu domowego z kodem pocztowym bronił jak najtajniejszych akt.

– Jak wyglądał?

– Chudy, brodaty. Miękki w ruchach. Chyba gej.

Aniela syknęła i natychmiast włożyła rękę pod bieżącą wodę.

– Oparzyłaś się? – zaniepokoił się technik.

– Nie, tak sobie krzyczę. Z rozkoszy.

Znów była sobą. Kostyczna, groźna i zorganizowana pani doktor.

– Zostaw mnie.

Jekyll rozmyślał jeszcze chwilę, a potem pocałował żonę w czubek głowy i ruszył do drzwi. Wyjrzał na ganek. Potwornie lało. W oddali dostrzegł sylwetkę drobnego mężczyzny w czarnych rurkach i obszernej bluzie. Lewą rękę nosił na temblaku. Zanim Jekyll zszedł na schodki do ogródka, przybysz wsiadał już do białego SUV-a. Za kierownicą wozu siedział wielki Azjata, a obok niego Tamagoczi, bandyta z Wejherowa. Od aresztowania Kurczaka przebywający na gościnnych występach w Trójmieście. Raz czy dwa minęli się na korytarzach sądowych, kiedy Jekyll przybywał do świątyni Temidy zeznawać jako biegły. Tamagoczi zawsze miał na dłoniach policyjne obrączki. Wyroku skazującego nie dostał jednak nigdy. Coś Jacka tknęło.

– Ej! – zawołał. – Jaką panowie mają do mnie sprawę?

W tym momencie z auta wyskoczył chudzielec. Ruszył w kierunku technika zgrabnym truchtem. Mimo przyklejonej brody i spłowiałej bejsbolówki Jekyll od razu odgadł jego tożsamość. Nogi się pod nim ugięły. Natychmiast zapomniał o gangsterze i szczerze się ucieszył. Otworzył szerzej drzwi, a potem poprowadził Saszę do sypialni – jedynego pomieszczenia w domu, do którego ciotka Dora ani teściowie nie wparują bez zapowiedzi.

– Żyjesz?

Szczęknęła zasuwka.

– Chwilowo.

Sasza ściągnęła czapkę i zdjęła z grzbietu mokrą bluzę. Powiesiła na krześle, by przeschła. Pod spodem miała jedynie równie mokry bawełniany T-shirt. Jekyll poszedł do łazienki, rzucił jej ręcznik. Wycierała się w milczeniu. Zarejestrował, że nieźle sobie radzi z niesprawną lewą dłonią. Obejrzał się na drzwi, bo odgłosy imprezy przycichły. Wskazał leżący na podłodze temblak.

– Może jakieś sprawozdanie?

– Masz gości. Nie chciałam przeszkadzać.

– Przeszkadzać? – zdziwił się Jekyll. I naraz poczuł, że wzbiera w nim złość. Wybuchnął: – Mów, co się dzieje! To jakaś pieprzona gra? Używasz mnie jak gipsowego krasnala. Raz postawisz tutaj, raz w drugim końcu ogrodu. Znaleźliśmy palec w zamrażarce. – Odchrząknął. – Wskazujący. Ten sam, którego nie miała topielica z torpedowni. Ale ten z lodówki jest twój. Mam wyniki. Nawet ja dałem się nabrać. Byłem pewien, że cię dopadli.

– Jeszcze nie. – Oddała mu ręcznik. Schowała za siebie zabandażowaną dłoń. – Pożyczysz mi jakąś suchą bluzkę?

Jekyll podszedł do garderoby Anieli i zaczął ściągać z wieszaków jedwabne koszule. Sasza pokręciła głową. Podeszła do drugiej części szafy. Była w większości pusta. Dominowała tam zgniła zieleń i szarości.

– Coś twojego.

Wybrała najbardziej obszarpaną koszulkę. Aniela jej nienawidziła. Już kilka razy potajemnie wyrzucała ciuch do śmietnika, ale Jekyll zawsze na czas go odzyskiwał.

– Mogę?

– Cierpię, ale bierz. To moja ulubiona.

– Będzie więc moim amuletem – próbowała żartować Sasza.

Ponieważ Jekyll nadal minę miał grobową, odwróciła się plecami i bez ceregieli ściągnęła przy nim przemoczony T-shirt. Jekyll nie mógł oderwać wzroku od jej poparzonych pleców. Duch miał rację. Każdy, kto kiedykolwiek zobaczył te blizny, już nigdy nie pomyli tej kobiety z inną. W tym momencie ktoś szarpnął za klamkę, więc przekręcił klucz. Do pokoju zajrzała Anielka.

– Przepraszam, Jacuś – zaczęła grzecznie, ale zaraz zakryła usta dłońmi.

Sasza odwróciła się odruchowo. Zamarła z biustem na wierzchu, wpatrując się w żonę Jekylla.

– To Załuska – wydukał Jekyll. – Ten gej. To była ona.

– Teraz panią poznaję. – Wzrok żony Jekylla miał zabójczą siłę. – Ta broda mnie zmyliła. Dzień dobry.

Technik jednak nie bawił się już w konwenanse.

– To nie tak, jak myślisz, najdroższa. Sprawa jest pilna. Wszystko ci wytłumaczę. Potem.

Małżonkowie porozumieli się spojrzeniem. Sasza pomyślała, że tak właśnie jest w dobrych związkach. Nie wszystko trzeba wyjaśniać natychmiast.

– Załatwcie to szybko, Dżeki. – Kobieta skinęła głową. – Zaraz podaję tort.

Zawahała się i obejrzała na salon pełen gości.

– I ciszej. Dora was widziała.

Po czym trzasnęła drzwiami i przekręciła klucz od zewnątrz.

– Jesteśmy bezpieczni – odetchnął Jekyll. – Mój anioł o to zadba.

Sasza wciągnęła już koszulkę. Usiadła na łóżku.

– Nie chciałam nikogo w to wciągać – zaczęła. – A potem było już za późno na wyjaśnienia. Zbyt wiele się zdarzyło.

– To teraz mi ułatwiłaś! Wielkie dzięki! – Jekyll podniósł głos i zaczął krążyć po pokoju.

Podnosił porcelanowe bibeloty zdobiące toaletkę żony. Odkładał je z hukiem. W końcu zatrzymał się w drzwiach łazienki i uderzył pięścią w drzwi. Rozległ się trzask. W sklejce była potężna dziura. Z dłoni Jekylla spływała krew. Kapała na biały włochaty chodniczek łazienkowy. Sasza wiedziała, że Jacek osiągnął etap krytyczny swojej złości. Jej troskę poczytał za kokieterię. W normalnych okolicznościach zeszłaby mu z drogi. Zamilkła więc, skuliła się, wpatrywała w niego, nie kryjąc przerażenia. Już nie liczyła, że się wygada i uspokoi. Z odsieczą przyszła jej znów żona policjanta. Zajrzała do pokoju, rzuciła okiem na krew płynącą z dłoni Jacka i znów się schowała. Tym razem jednak nie zamknęła zasuwy. Jekyll na widok małżonki tylko bardziej się wściekł. Sasza wstała, z pochyloną głową zaczęła zbierać swoje rzeczy. W oczach miała łzy. Nie chciała, by technik je zobaczył.

– Z babami to tak zawsze. Za dużo myślą, za mało robią. A jak robią, to pod wpływem emocji i wszystko rozpieprzają. Teraz to nas nie narażasz? Dzieci mam pełną chatę. Mafiosi pod domem. Agenci w robocie. Kto wie, co będzie dalej! Narobiło się trupów i roboty mam w chuj! Boże, wybacz mi, bom słaby, ale ciebie chyba, Sasza, pojebało, żeby samodzielnie z tym walczyć. Co to ja mały jestem?

– Dżeki, ciszej – usłyszeli głos Anielki. – Słychać cię na drugim końcu ulicy.

Oboje – Sasza i Jekyll – byli zaskoczeni jej obecnością.

Jekyll spojrzał na żonę. Podała mu gazę, a potem spirytus w aerozolu i bandaż.

– Poradzisz sobie – rzuciła, po czym bezszelestnie zamknęła drzwi.

Jekyll usiadł na łóżku. Sasza pomogła mu odkazić dłoń. Nawet nie mrugnął powieką, kiedy spryskiwała spirytusem ranę. Opatrunek założył sobie sam.

– To teraz jest jeden : jeden. – Wskazała na ich niepełnosprawne ręce. Ona miała bandaż na lewej, on na prawej. Tyle że jej opatrunek był już koloru ziemi. – Boli? – spytała.

– Wcale – odburknął zrezygnowany. Kontynuował już jednak łagodniej: – Nurek z torpedowni to człowiek Wojskowych Służb Informacyjnych. Nawiał z komory dekompresyjnej. Armia go szuka. Komisję jakąś powołują. Powieszą go chyba, jeśli znajdą. W każdym razie będzie miał w raportach na czerwono. Nie chciałbym być w jego skórze. Aha, i teścia ma z afery paliwowej. Banan go prześwietlił. No proszę cię, czy mnie trzeba takie rzeczy wyjaśniać? Byłem też u Łukasza. Widziałem majora Biskupskiego i babę w płaszczu.

– Sandrę? – Załuska podniosła głowę zaniepokojona.

– Bułka też z nimi pracuje. Miał ze sobą bejsbol i walizkę samostrzelną. Ten słynny świadek koronny, kojarzysz?

Zamilkł nagle. Zapadła cisza. Jekyll nie spuszczał kobiety z oka. Sasza odważyła się wyszeptać:

– Co zrobili Łukaszowi?

– Podbili oko, przesłuchiwali. – Wzruszył ramionami. – Wysłali go z misją, żeby cię znalazł, ale ich przegoniłem harcerzami i Sindbadem w siatkowym podkoszulku, a potem chciałem wsadzić twojego przystojniaka do bagażnika, ale się nie zmieścił.

Sasza nagle wybuchnęła śmiechem. Jekyll też zaczął chichotać.

– Co nam zostało? – Wzruszył ramionami.

Streścił jej przebieg ostatnich wydarzeń, włącznie z tym, co aktualnie dzieje się na komendzie. O stanowisku Ducha w jej sprawie starał się mówić oględnie. Kiedy skończył, Sasza spojrzała na niego spode łba.

– Naprawdę chcesz wszystko wiedzieć?

Długo milczał. Oboje mieli świadomość, że jeśli Sasza podzieli się z nim swoim ciężarem, Jekyll weźmie na siebie część jej odpowiedzialności. Nie wyda jej na sto procent. To zaś było groźne nie dla niego, lecz dla jego rodziny. Cokolwiek ona zrobiła, on odpowie za współudział.

– Sam nie wiem – odezwał się w końcu. – Ale chyba raczej nie mam wyjścia. Już jestem zaangażowany. Czasem nie można odmówić człowiekowi pomocy. Może to dla mnie test.

– Nie musisz.

Sasza się odsunęła. Ssało ją w żołądku. Miała ochotę zapalić, ale nie mogła tego zrobić Anieli. Co dziwne, Sasza nie pomyślała o alkoholu. Powiedziała Jekyllowi o lampce prosecco, wymiotowaniu pod płotem i słynnym aktorze, który okazał się homoseksualistą. Znów się zaśmiali. Potem zaczął mówić Jekyll. Tym razem spokojnie, z namysłem. Wiedziała, że takie wyznanie wiele go kosztuje.

– Kiedy jechałem do torpedowni, byłem pewien, że to ty. Wtedy postanowiłem sobie, że choćby skały srały, nie dopuszczę, by stało się coś twojej małej. U Ducha też byli. Zrobili mu wodę z mózgu.

Nagle przerwał.

– Ducha na razie w to nie mieszajmy – poprosiła.

– Pasuje mi. Choć nie obiecuję, że będę kłamał, jeśli zapyta, czy mieliśmy kontakt.

– Jeśli zapyta – weszła mu w słowo. – Najpierw bolało mnie, że tak to wymyślili. Mogli mnie przecież odwołać, odstrzelić. Ale nie, chcą popisowej zemsty. Przykładu dla innych. W razie gdyby komuś jeszcze coś głupiego przyszło do głowy. Publicznie mnie pochowali. Czytałam w prasie.

– Jest gorzej. – Jekyll spojrzał na nią bacznie. – Zbadałem małżowinę. Wiem, kim była ta kobieta. Będziemy w to iść. Duch jest, jaki jest, ale to porządny chłop. Trochę go postraszyli, ale dojdzie do rozumu. Kazał przy tym rzeźbić. Wkrótce ujawnimy, że to nie ty. Zacznie się dym. Rudnicka nie pozwoli, żeby w papierach była siara.

– Wiem, jak będzie. Jeśli samobójstwo nie wyjdzie, zrobią ze mnie morderczynię, podczepią to pod seryjnego, jeśli będzie im pasowało, albo i nigdy tego nie wykryjecie.

– To nie było samobójstwo – przerwał jej Jekyll z wyrzutem, ale czuła, że ma go już po swojej stronie. – Mówi ci to najlepszy technik na Wybrzeżu. Udowodnię to. Zresztą, potem do tego wrócimy. Dlaczego przyszłaś? Dlaczego miałbym ci pomagać? Czy pomyślałaś o tym, że mogę cię wystawić? Odmówić. Jeden telefon i jesteś zatrzymana. Pół kraju cię szuka. Duch posłał w teren najlepszych ludzi.

Sasza zerwała odklejający się zarost, poczochrała włosy. Chwyciła spirytus i zaczęła nim zmywać resztkę kleju z twarzy. Wyglądała okropnie. Była zmęczona, wychudzona i zdawało się, że postarzała się o dekadę.

– Jeśli już pytasz, to tak, tysiąc razy zastanawiałam się, czy byłbyś w stanie mnie wydać. Ale uznałam, że zaryzykuję. Zresztą nie mam nikogo innego, komu bym ufała w policji. A tym bardziej w swojej firmie. To znaczy jest ktoś, ale nie mogę się z nim kontaktować. Zdemaskowałabym go.

– Profesor Abrams? Twój profilerski guru z Huddersfield?

Skinęła głową.

– Dlatego cię potrzebuję. Przyszłam po to, żeby cię poprosić o tę jedną rzecz. Musisz zawiadomić Toma. On da schronienie Karo w Sheffield. Nawet gdyby mnie chwycili. Zna każdy detal mojego życia. Wszystkie tajemnice. Dlatego się nie zawaha. Niczego nie będziesz mu musiał wyjaśniać. Obiecał mi to kiedyś. Ale nie chcę do niego dzwonić sama. I nie chodzi o mnie. To jego nie mogę narażać. Nie wolno mu tutaj przyjechać.

– Dlaczego?

– Nie mogę ci powiedzieć. Zastawili na niego pułapkę. Moja śmierć jest wabikiem.

– A musisz uciekać?

Sasza podniosła głowę.

– Nie zamierzam. Będę walczyć.

Jekyll chwycił się za resztkę włosów. Usiadł obok Saszy. Spojrzał jej głęboko w oczy i wyszeptał:

– Po prostu się poddaj. Czasem to najlepsze wyjście.

– Żartujesz?

– Przynajmniej przeżyjesz.

– To nie tylko zbrodnia w torpedowni – odparła wzburzona. – Nie tylko Dziadek. I nie tylko moja historia.

– Przesadzasz z tym mesjanizmem. – Jekyll machnął ręką. – A internet, czaty, kafejki, lewe karty SIM? Chyba możesz do Toma napisać na jakimś komunikatorze? Posłużysz się kodem. Łukasz mówił coś o Egonie Schielem w Wiedniu. I o operze. To było w waszym stylu. Mogłabyś coś takiego puścić w obieg. Może ogłoszenie w prasie?

Sasza zbladła. Wpatrywała się w Jekylla, ale technik nie dostrzegł zmiany w wyrazie jej twarzy. Nie pociągnął wątku. Dokończył:

– Skoro Tom wszystko wie, zrozumie.

– Teraz nie mogą go ze mną połączyć. – Kobieta stanowczo pokręciła głową. – Dopiero jak odbiję Karolinę. Obiecaj.

– Fajowo – westchnął Jekyll. Był znów poirytowany. – Więc pojedziesz do nich z brodą oraz czterema palcami na temblaku. I będziesz im przemawiać do rozumu jakąś metodą Wernera czy innego Junga.

Sasza spojrzała na technika urażona.

– Odbiję dziecko siłą – zapewniła dobitnie. – Wynajęłam ekipę.

– Tamagoczi i reszta?

– Ludzie Kurczaka – potwierdziła. – Próbowałam legalnie, ale nie wyszło. Straciłam tylko palec.

Jekyll liczył na wyjaśnienia, ale Sasza zacisnęła usta. Mówił więc dalej:

– To fachowcy od porwań, nie ekipa ratunkowa. Poleje się krew. Parę osób już nie żyje. Mało ci?

– Szczerze? Wszystko mi jedno, kto to zrobi i ilu zginie. Sama jestem gotowa na wszystko. Muszę ją odzyskać.

Jekyll ukrył twarz w dłoniach.

– Wiem, co robię – zapewniła go pośpiesznie.

– Chcesz przekroczyć cienką czerwoną linię.

– Już dawno ją przekroczyłam. – Sasza zniżyła głos do szeptu. – Duch ma rację. Nic o mnie nie wiecie. Byłam głupia, sądząc, że człowiek może uciec od swojej przeszłości. Słusznie duchowni nauczają, żeby być porządnym człowiekiem. Dla własnego dobra należy tak żyć. Niestety nie było mi to dane. Sama wybrałam. Nie skarżę się. Po prostu mam już dość. Ukrywania się, kłamstw i tego ciężaru, który muszę dźwigać każdego dnia. To mnie przerasta.

– Tym bardziej powinnaś przestać.

– Udaję od zawsze. Kim jestem? Nie wiem. Jestem dobra czy zła? Czy zasługuję na karę, czy może jednak na szacunek, bo wszystko robiłam dla dobra ojczyzny. Na rozkaz. Gdybyś mnie zapytał o nazwisko, nie wiedziałabym, które podać. Jestem teraz Saszą, ale kiedyś byłam kimś zupełnie innym. Nawet za bardzo tych czasów nie pamiętam. Wyparłam przeszłość.

– To niemożliwe.

– Sam nie wiesz, co mówisz. Nigdy nie musiałeś kłamać. Alkohol wtedy bardzo mi pomagał. Nie zniosłabym tych przeistoczeń bez znieczulenia. To prawda, robiłam rzeczy, których się wstydzę. I takie, których żałuję. Ale one też były w imię dobra sprawy, dla wyższej idei.

– Bo tak ci kazano.

– Pewnie. Ale to ja je robiłam. Ja biorę za nie odpowiedzialność. Czego ja sama chciałam? Uciec, zniknąć. Przestać istnieć. Moje życie to takie przedłużone samobójstwo. Dlatego jest takie popieprzone.

– Przesadzasz. To tylko praca.

– Masz rację, przesadzam. Ale problem w tym, że wiem już dokładnie, jak chcę żyć. Chcę sama decydować o swoim losie, dokonywać wyborów. Być wolna. Ty tego nie zrozumiesz. Twoja służba jest inna. Szlachetna, prawa.

– Oho, czuję się jak na akademii policyjnej. Czy masz dla mnie medal? – zakpił Jekyll. – Też mam swoich nadzorców. I bądź pewna, że mnie ostro wkurwiają. To nie wu-je-denaście.

– Przynajmniej macie zasady. A ja jestem tylko narzędziem.

– Jakoś godziłaś się z tym przez lata.

– Ale teraz okazuje się, że próbują mnie użyć do czegoś, co jest niegodziwe. Nie zniosę tego dłużej.

– Do czego?

– Do utrzymania układu, który jest złem.

– To tylko polityka. Gra.

– Wiem. Z tym że ja chcę już odejść od stołu. Mam dość. Powiedziałam im to dziesięć lat temu. I co? Okazuje się, że to niemożliwe. – Rozpłakała się.

Jekyll chwilę walczył z odruchem przytulenia jej, ale się powstrzymał.

– Przed laty, jak cię werbowali, wiedziałaś dobrze, w co wchodzisz.

– Wtedy nic nie wiedziałam. – Otarła łzy, potrząsnęła głową. – I nadal wiem bardzo mało. Wystarczająco jednak, by rozumieć, że Sasza Załuska to już nie tylko przykrywka, lecz część mnie. Udawanie zawsze pozostawia ślady, zmienia cię. Każdy szpieg ci to powie. Jesteś przeszkolony, potrafisz zadbać o swoją higienę psychiczną, by nie zwariować. Owszem, pod warunkiem, że wiesz, kim jesteś. Masz bazę. I wiesz, do czego wracasz.

– Ty nie wiesz?

Odwróciła głowę. Milczała. Kiedy się odezwała, oczy miała zimne, twarz zaciętą.

– Całe życie walczyłam tylko o to, żeby nie być sobą. Dlatego byłam tak dobra i tak użyteczna. Dopiero teraz to rozumiem. Nie zdecydowałam o mojej profesji. Ktoś zrobił to za mnie, a ja pozwoliłam się wykorzystywać. Ale więcej na to nie pozwolę.

– Wszystko pięknie. Wspieram cię. Dołożę się do terapii. Ale nie sądzisz, że należą mi się wyjaśnienia? Może jakiś konkret?

Sasza zacisnęła usta.

– To skomplikowane. Musiałabym mówić całą noc.

– Mam całą noc. Nie muszę iść na tort. Nażarłem się bez. – Uśmiechnął się szeroko. – I buraków. Wiem o nich wszystko.

Sasza uniosła brwi. Nic nie rozumiała, ale uśmiech Jekylla nieco ją uspokoił. Ziewnęła. Organizm domagał się odpoczynku. Tak długo żyła na czujce. Prawie nie spała. Czuła teraz potworne zmęczenie. I ulgę.

– Dobry z ciebie przyjaciel. – Rozpogodziła się.

– Podobno jedyny.

– Jedyny – powtórzyła. – A jeśli chodzi o prawdę. O mnie, Elżbietę i Dziadka. – Przerwała, widząc zniecierpliwienie na twarzy Jekylla. – Najpierw rzeczy pilne. Potem pytania. Tak?

– Racjonalnie i po kolei. Jestem tylko prostym technikiem.

– Z doktoratem z entomologii. – Uśmiechnęła się.

– I nie martw się. Już nie będę ryczała. W każdym razie się postaram.

Wyciągnęła z plecaka stos papierów i podała Jekyllowi.

– To moje ubezpieczenie na życie. Ukryjesz gdzieś?

Policjant wziął dokumenty.

– A nie skasują mnie za to?

– Mogą – przyznała Sasza. Nabrała powietrza. – Ale nie będzie im się opłacało. Znajdziesz dziennikarza, który część materiałów do tej sprawy już ma. Nazywa się Leszek Grabowski. Pseudonim artystyczny Grabarz. Prawdopodobnie to z nim Dziadek rozmawiał przed śmiercią. Pisali książkę. Na inny temat, ale ma więcej danych, niż jest w stanie przerobić. U Dziadka nic nie znaleźli, a sczyścili wszystko. Zakładam, że Grabowski to dostał, ale jeszcze nie wie, jaki wybuch może za pomocą tego ładunku spowodować.

– Potrzebuje interpretacji? – upewnił się Jekyll.

Sasza wolno pokiwała głową.

– Dostanie mnie i połączy fakty. Zresztą wszystko zeskanowałam oraz umieściłam w sieci. Codziennie muszę się logować i potwierdzać wstrzymanie ujawnienia. Jeśli nie będzie mnie dłużej niż dwadzieścia cztery godziny, materiał opublikuje się sam. Link roześle się do wszystkich mediów. Włącznie z materiałami źródłowymi, zdjęciami i tym, co najważniejsze: raportem Pawłowskiego. Czyli glejtem Jesiotra.

Jekyll zmarszczył czoło.

– To ten, co niby zaginął?

– Ten sam.

– Jurek zapiera się, że nigdy go nie było.

– A co ma mówić? Wie dobrze, co zawiera i jakie mogą być konsekwencje jego ujawnienia. Generała Maksymiliana Lekiego zamordowano pod jego własnym domem, bo raport miał zniknąć. Potem w dziwnych wypadkach, strzelaninach lub też naturalnie wykruszyli się wszyscy, którzy brali udział w zabójstwie komendanta. Każdy, kto został dopuszczony do tej tajemnicy, albo jest martwy, albo czerpie z tej wiedzy korzyści. Przez lata trzymaliśmy się wersji Jesiotra, ale ja cię zapewniam, że raport istnieje i jest potężną bronią. Chociaż to właściwie tylko rozbudowana tabelka z listą nazwisk, numerami kart w tajnych aktach i rzędem pieczęci kilku państw. Co ciekawe, nie ma na nich polskiego godła.

– Skąd wiesz?

Sasza zamilkła, wahała się chwilę, po czym odparła:

– Bo tam byłam. Ulica Żeglarzy pięćdziesiąt cztery. W dniu, kiedy zastrzelono generała. Rano w Gdyni było pochmurno, mżyło. Ale jak dojechaliśmy do Warszawy, na chwilę rozbłysło słońce. To diabeł je wtedy odpalił. Przez lata święcie w to wierzyłam. Nie jestem, jak wiesz, zbytnio religijna, ale tej refleksji nie zapomnę do dziś. Tylko dlatego, że zdobyłam te dokumenty, udało mi się bezpiecznie odejść z miejsca zdarzenia. Nie każdemu było to dane. Zginęli na miejscu albo później. Wiem, kto strzelał.

– To wiesz więcej niż sztab prokuratorów powołanych do rozwiązania tej zagadki. Niektórzy pracują nad tą sprawą osiemnasty rok – mruknął z przekąsem Jekyll.

Sasza spojrzała na niego wyzywająco.

– Widziałam, kto naciskał spust – powtórzyła twardo.

– Kto?

– Julek Górski, trójmiejski bokser.

– Znaleźliśmy go martwego w lesie na Witominie. Zadzierzgnięcie. Faktycznie było to tydzień po zabójstwie generała – powiedział Jekyll, jakby myślał na głos. Sasza wiedziała, że składa fakty w całość. – Sprawa do dziś nie jest rozwiązana.

– Wiem też, kto zabił Julka, choć Taras do tej sprawy nigdy nie był słuchany. Siedzi za dwie inne zbrodnie. Jedna ofiara przeżyła, ale i tak dostał dożywocie. Mój jedyny przyjaciel z tamtych czasów.

Jekyll z trudem łapał powietrze. Nie spodziewał się takich wyznań. Wstał, oparł się o framugę okna i odwrócony do kobiety plecami czekał na dalszy ciąg.

– Niecały miesiąc później podpisałam kontrakt z resortem – ciągnęła Załuska. – To była moja pierwsza akcja zakończona sukcesem. W tej zbrodni nie chodziło o generała, ale o kontrolę. Ją właśnie dawał zleceniodawcom ten raport. Jest kluczem do całej postkomunistycznej historii Polski, także w tej radykalnej odsłonie, która rozgrywa się aktualnie na naszych oczach. Masz odpowiedni dokument, masz władzę. To nadal funkcjonuje.

Jekyll był wstrząśnięty, ale wciąż nie dowierzał. Spojrzał na Saszę jak na wariatkę.

– Przesłuchiwali cię?

– A jak sądzisz? – Ponieważ Jekyll nie zareagował, mówiła dalej: – W aktach znajdziesz wątek pary całującej się na podjeździe. Dziewczyny nie zidentyfikowano. Chłopak zginął w pobliskim lasku. Dostał w nogę i ramię, a Tamagoczi strzelił mu w głowę. – Zatrzymała się na chwilę. Spojrzała na technika. – Sebastian H. zwany Lalusiem. Bułka pisze o nim w swoich książkach jako o bezwzględnym brutalu wyzutym z uczuć, który brał udział w licznych egzekucjach.

To nieprawda. Był zwykłym kierowcą. Prawdą jest, że szpiegował dla Słonia pewnego nieuczciwego dewelopera, który zapragnął być mafiosem, i że był faktycznie bardzo ładny, czego się wstydził. Stąd ksywa.

Znów przerwała. Potarła oko. Uniosła głowę.

– Ta dziewczyna to byłam ja. Małgorzata Werner, córka Agnieszki Werner i Gustawa Moro, wspomnianego dewelopera. Po śmierci jego brata Anatola Moro odziedziczyłam fortunę. Do dziś programy komputerowe mojego wuja, którego nigdy nie dane mi było poznać, przynoszą krociowe zyski na aktywnych lokatach. Ponieważ zmienili mi tożsamość, trzymam forsę na kontach w Szwajcarii. Nie potrzeba nazwiska ani dokumentów, aby je wydostać. Wystarczy kod podany telefonicznie osobistemu asystentowi.

– Stąd pochodziła gotówka na okup? – domyślił się Jekyll. – Dlatego tak szybko zgromadziłaś całą kwotę?

Sasza potwierdziła.

– Do czasu uprowadzenia Karoliny praktycznie nie ruszałam tych pieniędzy. I jeszcze trochę mi zostało. Nawet nie wiem dokładnie ile. Teoretycznie nie powinnam mieć problemów finansowych, ale i tak grzęzłam w długach. Jakoś nie przyjęłam do wiadomości, że są naprawdę moje. A ponieważ jest na nich krew Gutka, Anatola, Sebastiana i wielu innych, nie afiszowałam się.

Jekyll chwycił się za głowę, a potem zaczął się nerwowo śmiać. Trwało to chwilę. Kiedy wreszcie zdołał się uspokoić, mruknął:

– Wybacz, ale brzmi to wszystko zbyt fantastycznie. Nie mogłem się powstrzymać.

– Wiem – przyznała Sasza z powagą. – Zapewniam cię, że dla mnie ten spadek też był sporą niespodzianką. Taki nagły obrót sytuacji o sto osiemdziesiąt stopni może człowieka zniszczyć. Mnie prawie to spotkało. Właściwie wtedy zaczęłam pić. Potem, jak już wróciłam do kraju, starałam się utrzymywać wyłącznie z tego, co zarobiłam własną pracą. Dlatego często traciłam płynność. – Nagle zamilkła. – Dziś okazuje się, że to była najgorsza decyzja z możliwych. Czasami nadgorliwość gorsza jest od faszyzmu. Bo choć do końca życia nie musiałabym pracować, wtedy, w dziewięćdziesiątym ósmym, podpisałam już cyrograf. I po prostu bałam się wychylać.

– Kto okazał się wysłannikiem diabła? Generał Wróblewski?

– Jelcyn – odparła bez namysłu Sasza. – Wierzyłam mu jak ojcu. Zresztą nie miałam nikogo innego, kto znałby mnie przed nielegalnym życiem. Czasami to wystarcza. Syndrom sztokholmski, choroba sieroca, głupota. Jelcyn zapewniał, że ojczyzna mnie potrzebuje. – Prychnęła. – W sumie to nie jest jakaś wielka tajemnica. W Polsce masz tylko trzydzieści cztery osoby, które mienią się nielegałami. A tylko sześć z nich jest nimi naprawdę. W określonych kręgach każdy zna te nazwiska. Na przykład Dariusz Norin, prokurator prowadzący dochodzenie w sprawie zabójstwa generała Lekiego, dotarł do tej wiedzy, kiedy jeździliśmy z Bułką po kraju. Mnie też prześwietlił.

– I zatrzymał to dla siebie? – zdziwił się Jekyll. – Nie wykorzystał tego do rozegrania swojej partii? Swego czasu był numerem jeden polskiej prokuratury. Jako podatnik czuję się zawiedziony.

Sasza milczała jeszcze długą chwilę.

– Są jeszcze ludzie honoru – skomentowała wreszcie. – Choć wiele razy się nad tym zastanawiałam, dlaczego tak postąpił. Co na tym zyskał? W każdym razie nigdy nie podzielił się tymi informacjami z nikim. Nie pociągnął też tego wątku dowodowo, ale to chyba z czystej ludzkiej przekory, bo zaraz jak mnie odwołali, odebrali mu dochodzenie w sprawie Lekiego. A kilka lat później zdegradowali go i uciszyli. Raport Jesiotra to była wtedy tylko poszlaka. Ledwie jedno ogniwo łańcucha. Procesowo bezużyteczne.

– Dziś to się zmieniło?

– Mam nadzieję – pośpieszyła Sasza z odpowiedzią. – W końcu to jeden z dokumentów, z którego powodu zabito generała Wróblewskiego.

– Dziadka? – upewnił się Jekyll. – Myślałem, że popełnił samobójstwo.

Tym razem to Sasza podniosła głowę i się zaśmiała.

– Mogę ci zagwarantować, że mój oficer prowadzący, który obiecywał mi odzyskanie Karoliny, ale słowa nie dotrzymał, nie zabił się sam.

Milczeli oboje. W końcu ciszę przerwał technik.

– Więc idź do Norina i zaproponuj mu powrót. Skoro ma niespożytkowaną wiedzę, będzie chciał ją wykorzystać. Tym bardziej że teraz miałby szanse na awans.

Załuska natychmiast pokręciła głową.

– Też tak myślałam – zapewniła. – Liczyłam, że jest wściekły za potraktowanie go w tak niegodny sposób. Łudziłam się, że zainteresuje go zemsta. Ale on jest ponad to. Wybrał wtedy spokój rodziny i zupełnie mu się nie dziwię. Dzieci, bliscy, poczucie bezpieczeństwa są najważniejsze. Jeśli tego nie masz, wcześniej czy później pojawi się judasz i przegrasz wszystko. Widziałam się z nim wczoraj. Odmówił współpracy.

– Więc samobójstwo Wróblewskiego jest związane z Jesiotrem, mafią i generałem Lekim, tak? – Jekyll zaczął zbierać odłamki dykty z połamanych drzwi. – W waszej firmie zasady są proste: rubel za wejście, dwa za wyjście.

A większość i tak opuszcza firmę kominem. Więc po cholerę najsprytniejszy agent polskiego wywiadu wyciągał z szafy tego trupa?

Sasza się zawahała.

– Ależ Dziadek wcale nie chciał odchodzić, jak mówią jego kobiety. Opowiadał o emeryturze tylko po to, by uśpić czujność wrogów. Wiem na pewno, że nie zamierzał wyjeżdżać z kochanką do Kanady. Chciał rządzić dalej. A Jelcyn zawsze deptał mu po piętach. Rywalizowali ze sobą. Na początku lat dziewięćdziesiątych Roman Jelcyn Maciulewicz był jego najwierniejszym uczniem. Podlegał Wróblewskiemu i był mu wierny jak pies. Ja nawet nie wiedziałam o istnieniu Dziadka. Był w strukturze za wysoko. Dopiero po latach przydzielili mnie do niego. W nagrodę. Potem przerzucali mnie pomiędzy sobą. W zależności od potrzeb, choć mówili, że idzie o zasługi. To bzdura. Miałam po prostu dokumenty i wiedzę, na których im zależało.

– Kto ostatecznie był mocniejszy w tym układzie? – zainteresował się Jekyll.

Sasza zastanawiała się dosyć długo.

– Najpierw zdecydowanie Dziadek. Przez ponad dwie dekady był nie do ruszenia.

– To jasne, skoro jego kontakty sięgały jeszcze czasów komuny – wszedł jej w słowo Jekyll. – Ale uczeń był ambitny i pragnął kiedyś zastąpić mistrza.

Sasza potwierdziła z niechęcią.

– Nikt się nie spodziewał takiej wolty. Jelcyn umocnił się dopiero niedawno, kiedy definitywnie zmieniła się opcja polityczna. Wykorzystał młodych wilczków z prawicy, dokonał zamachu i przejął stery w agencji. Kiedy wróciłam, pracowałam już dla niego, ale Dziadek i tak starał się przeciągnąć mnie na swoją stronę. Pamiętam te rozpaczliwe telefony. Oferty przekupstwa, prośby i groźby. Wciąż liczył, że odzyska stołek. Kiedy wreszcie zrozumiał, że grunt pali mu się pod nogami, zdecydował się zagrać ostrzej. Zgromadził kwity na Jelcyna i kilku sojuszników z czasów komuny, ale zażądał za wysokiej ceny.

– A więc to on rozpętał tę burzę?

– Wciąż nie mam pewności – głośno myślała Sasza.

– Ale to przez jego rozgrywki Karolinę uprowadzono, a kapitan Elżbieta Stokłosa utopiła się w mojej kurtce, z workiem na głowie. Może są jeszcze inne ofiary, nie wiem. Wiem natomiast, że ja zostałam sprzedana w pakiecie razem z Wróblewskim. I muszę teraz przebierać się za faceta, bo jestem niewygodna dla firmy.

– Niezbyt ci to wychodzi.

– I tak wyglądam lepiej, niż ty prezentowałbyś się w damskiej sukience – odcięła się.

– Mam zgrabne pęciny – zaprotestował żarliwie Jekyll, ale żadne się nie roześmiało.

– Wiesz, gdzie są te kwity, które pogrążyły Dziadka?

– Całość?

Jekyll skinął głową i wrzucił do kubła na śmieci drzazgi z rozbitych drzwi.

– Jeszcze nie – odparła Sasza. – Ale u kogo, owszem. Są w trzech częściach u różnych ludzi. To taki symboliczny trójpodział władzy. Jak bomba w kawałkach. Dopóki nie połączysz elementów, nie jest groźna. Przez dwadzieścia lat skutkowało to ciszą.

– Chcesz ją złożyć i nastawić timer?

– Właśnie.

– Więc po co ci ten dziennikarz?

– Nie mam kompletu. Zakładam, że Grabarz ma część numer dwa. Tę, za którą zginął Dziadek. A więc listę na-

zwisk zamieszanych w mafijne historie w dziale „politycy".
Wielu z nich jest u władzy lub zbroi się do wyborów. Liczą,
że pokonają prawicę. Ale tym materiałem zainteresowani są
wszyscy, chcą go zniszczyć, bo tak naprawdę nikt nie wie,
kto jest na tej liście i jakie ma przewiny. Przez to, że raport
oficjalnie nie istniał, mało kto ma pojęcie, co zawiera. Skutecznie wmówiono niektórym, że to legenda.

– To coś jak lista Wildsteina czy nie daj Bóg – Macierewicza?

– Lepiej. U Pawłowskiego nie ma pustych strzałów.

– Skąd ta pewność?

– Raport Jesiotra nie dotyczy wyłącznie polityki. To siatka powiązań polityki, służb i mafii. Poglądy nie mają tutaj
znaczenia. Idzie o biznes.

– Uau! – zagwizdał kpiąco Jekyll. – To ci cholibka. Jakby
kiedykolwiek szło o coś innego.

Sasza zmierzyła go karcącym spojrzeniem.

– Śmiejesz się? Materiał ma potwierdzenie w aktach
operacyjnych austriackich służb specjalnych. Jesiotr zgromadził podkładki z realnie istniejących dokumentów. BEA
aż się gotuje, by to ruszyć, bo mają swoje powody, by wyczyścić tak zwany układ wiedeński. Wiedeń to wciąż naj-
bezpieczniejsze miejsce do działania dla każdego szpiega.
Ale Austriacy nie mogą tego odpalić bez nas. A polska policja oficjalnie nigdy tego dokumentu nie dostała. I kółko
się zamyka.

– A generał Leki? – zapunktował Jekyll.

– Też nie miał całości. Na tym polegał jego kłopot.

– Chciał sprzedać dokument nie temu, co trzeba?

Sasza wzruszyła ramionami.

– Motywu tej zbrodni nie znam, ale ci, których nazwiska znalazły się w raporcie, szantażują się nawzajem, płacą

za milczenie i na tej podstawie robią roszady na stanowiskach. Pierwsza część zawiera listę mafiosów, głównie byłych ucholi esbecji, którzy w latach dziewięćdziesiątych wyrośli na bossów. O swojej gangsterskiej przeszłości nie chcą pamiętać. Służby załatwiały ich rękoma sprzątanie oraz windykację.

– Dziś są już martwi albo trzęsą drobnym biznesem. Znamy się z nimi – przytaknął Jekyll.

– Najcenniejsza jest trzecia część – kontynuowała Załuska. – To lista ludzi resortu, którzy zarządzają dziś polityką. Najwyżsi rangą oficerowie służb. Esbecy, WSI, UOP i tak dalej. Też są przedsiębiorcami, ale z pierwszej ligi. Absolutna wierchuszka.

– I mają zawsze czysto za kołnierzykiem – dokończył za Saszę Jekyll.

– Zgadza się – przyznała kobieta. – Siedzą w zarządach międzynarodowych korporacji, które sami wprowadzili do kraju. Kontrolują rady nadzorcze banków, rafinerii, kluczowych dla interesu państwowego fabryk oraz mediów. Swego czasu sprywatyzowali Polskę Ludową i podzielili między siebie strategiczne terytoria. Gra idzie wyłącznie o pieniądze. Za to ogromne.

– Oni, my – przerwał jej Jekyll. – To wszystko ogólniki. Brzmi jak spiskowa teoria miłościwie nam rządzących.

– Zawsze byłam zwolenniczką lustracji – zaoponowała Załuska. – Lubię porządek. I właśnie dlatego, że nie chodzi tu o jednego króla, lecz o misternie utkaną pajęczynę, tak trudno z tym walczyć i to udowodnić. Zresztą to jest znacznie bardziej skomplikowane, bo przecież sprawa nie zaczyna się w latach dziewięćdziesiątych, od zabójstwa generała Lekiego, ale sięga jeszcze czasów przed transformacją. To wtedy tworzył się system tych powiązań.

– Wiem, wiem. Esbecja inwigilowała opozycję, a kiedy nastąpił przewrót, interesy nie zawsze były sprzeczne.

– Na tym polega kłopot – potwierdziła kobieta. – Nie jest tak, że ci, którzy grzmieli zza barykad i wachlowali się flagami Solidarności, byli tacy kryształowi, na jakich zostali wykreowani.

– A niby kto tak twierdzi? – żachnął się Jekyll. – Jest wręcz przeciwnie. Niektórzy byli szeregowi esbecy są dziś uczciwsi niż dawni opozycjoniści, że o prezesach ówczesnych firm polonijnych nie wspomnę. To był kompromis. Przetrwali ci, którzy umieli się dostosować.

Sasza spojrzała na Jacka z wdzięcznością.

– Dobrze, że ty to powiedziałeś, nie ja. Bo prawdziwy początek tej pajęczyny utkany został w osiemdziesiątym piątym roku, kiedy to Dziadek oraz pewien agent CIA wymienili listy dla ministrów regulujące szczegóły obrad Okrągłego Stołu.

– Teraz się nie dziwię, dlaczego Wróblewski ostał się tyle lat na stanowisku – mruknął Jekyll. – Wiedział, co się zdarzy, już pięć lat wcześniej.

– Cztery – sprostowała Sasza.

– To i tak miał chłopina sporo czasu, żeby przygotować się do wojny. A przy okazji zgromadzić ludzi do swojego biznesu. Sprytne.

– I tak też uczynił – potwierdziła Sasza. – Na spotkaniu z kretem z CIA Dziadek dostał więc wytyczne: polityczne, społeczne, ale co najważniejsze gospodarcze. Amerykanom zależało, aby proces tworzenia gospodarki rynkowej przebiegł sprawnie i by Polska jak najszybciej uniezależniła się od Rosji.

– A Rosjanie odpuścili, bo wiedzieli, że ustawią swoich ludzi na kluczowych stanowiskach politycznych oraz oczywiście biznesowych – dopowiedział Jekyll. I kontynuował swój wywód: – A więc tym sposobem Waszyngton doszedł do porozumienia z Kremlem, co zrobić z tą Polską. Jak w demoludzie, gdzie komuna ewidentnie już padała, ustawić demokrację, żeby nie doszło do trzeciej wojny. Żeby to, kto będzie rządził, kto znajdzie się w opozycji, a kto na czarnej liście, było od początku jasne.

– Nie wszystko potem poszło dokładnie według tego planu – próbowała sprostować wywód Jekylla Sasza, ale ten nie dał sobie odebrać głosu.

Ciągnął:

– Prezydenta też mieliśmy jak z Hollywoodu. Idealny kandydat do Nagrody Nobla. Szkoda tylko, że to był figurant. Choć po ulicach jeździły czołgi, zomowcy strzelali do robotników, a Polacy zasmakowali w strajkach, na samej górze nie było żadnych przypadków.

– Jak w dobrym teatrze. – Sasza wzruszyła ramionami.

– Trudno się nie zgodzić. Jest improwizacja, ale wyłącznie pod okiem czujnego reżysera. Odtąd – dotąd. Tym reżyserem byli Amerykanie, pod kuratelą Rosjan, rzecz jasna. Właściwie od początku było wiadomo, kto zarobi, a kto zejdzie ze sceny. Prywatyzacja kluczowych sektorów gospodarki była dokładnie zaplanowana i kontrolowana przez służby. Pierwsze fortuny po osiemdziesiątym dziewiątym robili wyłącznie TW lub figuranci. Zawsze były to jednak małpy na drucie byłych bossów komunistycznego resortu. Żeby zaś zasłona dymna dla ich prawdziwych działań była wystarczająco gęsta, a pierwsze wolne media miały czym zająć łamy, wymyślili popisówkę organów ścigania, czyli rozbicie mafii.

– Tu cię mam! – Jekyll klasnął w dłonie. – Nic wszak nie sprzedaje lepiej gazety niż sensacja.

– Oczywiście wcześniej ci sami ludzie pomogli gangsterom się uzbroić – dodała Sasza.

– Ej, mała! – Jekyll udał oburzenie. – Z choinki spadłaś? Ktoś musiał bronić tego systemu! Oni się idealnie nadawali. Byli bezwzględni, okrutni. Nie cofali się przed niczym. Jeśli przy okazji kilku łebskich zbójów na tym skorzystało finansowo, nikomu to przecież nie przeszkadzało.

Sasza zaczęła się śmiać.

– Właśnie dlatego powstała pierwsza część raportu, dotycząca środowisk przestępczych.

– Skracając – upewnił się Jekyll – sprzedajesz mi więc tezę, że mafię w Polsce stworzyła grupa wysoko postawionych esbeków z PRL-u.

– Zgadza się. A potem ich rękoma wykasowali niepokornych.

– Już to gdzieś słyszałem. – Jekyll wciąż jednak był sceptyczny. – Ale jakoś nikt tego nie udowodnił.

– Postarało się o to tych kilka osób, które umówiły się na polityczny show, a na zapleczu podzieliły polski tort – tłumaczyła Załuska. – Ten, który próbował ujawnić nikłą część nazwisk, zginął od kulki w czoło pod swoim blokiem. Sam dokument po śmierci generała Lekiego zniknął bez śladu. Więcej już nie było odważnych, by wyciągać na jaw listy Jesiotra.

– Zabójstwo komendanta głównego policji. Sprawa Grubego Psa – szepnął Jekyll. – Najsłynniejsze niewyjaśnione dochodzenie Trzeciej RP.

– Zgadza się. Raport Jesiotra to właściwy klucz do rozwiązania tej zagadki. – Sasza ucieszyła się, że Jekyll wreszcie jej wierzy. – I nie chodzi o cyngla, bo już ci powiedziałam, że ten facet był nieistotny i dawno nie żyje. Inny, który również brał w tym udział jako mały trybik, siedzi sobie spokojnie w aucie, które mnie dzisiaj do ciebie przywiozło. Swoją drogą, tego dnia, kiedy strzelił do Sebastiana, zabił kogoś jeszcze. – Przerwała. – Mnie. To tego dnia zniknęła Małgorzata Werner i narodziła się Sasza Załuska. To on wepchnął mnie w sidła Jelcyna. Co za banalna historia. A teraz jest moim ochroniarzem.

– Co ty kombinujesz? – rzucił nerwowo Jekyll, jakby zbudził się z nieprzyjemnego snu, ale Sasza zupełnie go zignorowała.

– I nawet nie o zleceniodawcę tej egzekucji chodzi. Tu idzie o Polskę.

– O kurwa. Patriotka się z ciebie zrobiła?

– Celna uwaga – potwierdziła Sasza. – Wychodzi na to, że zawsze nią byłam.

– Jakoś nie zauważyłem cię na marszach. W defiladzie policyjnej też nigdy nie chciałaś brać udziału.

Musiał dotknąć ją do żywego, bo zaraz zareagowała:

– Zamiast biegać z flagą, podchodzę do tego pragmatycznie. Czy cechą prawdziwego patrioty musi być chęć oddania życia na rzecz ojczyzny? A gdzie stosowanie się do nakazów i zakazów obowiązującego prawa? Brak krętactw, kombinatorstwa, wsparcie i ułatwianie życia innym tylko z tej przyczyny, że jesteśmy Polakami, oraz wspólny front, który pozwoli zjednoczyć się i pokonać wszelkie przeciwności. To przecież podobnie jak z miłością – nie trzeba w kółko o niej mówić, żeby wiedzieć, że się kocha. Czasami zdrada i kłamstwo wcale uczucia nie wykluczają, a po wybaczeniu win jest ono silniejsze. Polityka, moim zdaniem, nie ma tutaj nic do rzeczy. Poczucie wspólnoty lub też szumnie nazywany patriotyzm nie upoważnia nas do tego, by zakłamywać rzeczywistość, zamykać oczy na ciemne sprawki z przeszłości.

Jekyll wpatrywał się w Załuską oniemiały.

– Nie znałem cię z tej strony.

– Tyle lat biorę pensję z resortu, a jeszcze do niedawna tego nie rozumiałam. Ojczyzna to było dla mnie puste słowo, które należy pisać z wielkiej litery. Dzień Niepodległości był wolnym od pracy, więc w jego wigilię można było się porządnie skuć dżinem.

Mówiła absolutnie poważnie. Jekyll nie chciał, by nakręciła się znów patriotycznie, więc zmienił temat.

– Kto ma pierwszą i trzecią część?

Sasza wskazała na dokumenty w rękach Jekylla.

– Mafię mam ja. To znaczy teraz ty.

Jekyll aż usiadł. Wpatrywał się w niepozorny plik papierów. Obejrzał koperty. Jedna z nich była rozdarta ze starości, ale pieczęć lakowa nie została naruszona. Papier jednak dało się swobodnie wysunąć dołem. Blok nie był gruby.

– Miłej lektury! – Sasza skinęła głową. – Poza wstępem, podsumowaniem i wykazem numerów kart tylko jedna strona jest kluczowa. Lista nazwisk. – Przerwała. – Drugą, polityczną część ma ten dziennikarz. Była cały czas u Dziadka i sądzę, że dał mu kopię. Chociaż chłopina uważa pewnie, że to robocza lista zrobiona przez Kajetana Wróblewskiego na potrzeby ich wspólnej książki. Kto ma teraz oryginał, nie wiem.

– To dlaczego jeszcze nie trafili na tego Grabowskiego?

– Kto tak powiedział? – Sasza uśmiechnęła się tajemniczo. – Na pewno przenicowali go już do trzeciego pokolenia i obserwują. Najpierw będą próbowali go nastraszyć. Potem postarają się przeciągnąć go na swoją stronę. Jeśli odmówi, źle skończy. Chyba że jest sprytniejszy, niż się wydaje, i rozegra to jak rasowy reporter. Ale zawsze najpierw próbujemy na miękko. Założę się, że facet jeszcze nie zdaje sobie sprawy z tego, co posiada. Nie ma najlepszej opinii w mediach. Pisał kiedyś o lustracji, ale załatwili go wtedy na cacy, zdeprecjonowali jego wiarygodność, upokorzyli. Wyjechał na trochę do Przemyśla, zaszył się w głuszy. Potem składał jakąś regionalną gazetę i walczył z komuną na obrzeżach kraju. Niedawno wypłynął znów na bombie w Smoleńsku. Wszyscy go wtedy wyśmiali. W tej sprawie jeszcze nic nie opublikował.

– Ufasz mu? A może to po prostu prawicowa marionetka?

– Nawet jeśli, będzie miał interes, żeby się temu przyjrzeć. Na prawicę też coś mam. A raczej miałam. Sprzedałam żonom gangsterów za dwóch karków i łódkę do odbicia córki. Może to dobrze wykorzystają. Liczę na to, bo potrzebuję dużego huku na zapleczu dla odwrócenia uwagi.

Jekyll milczał. Odłożył akta na toaletkę żony. Usiadł na zdobionym taborecku, pochylił głowę. Kiedy ją podniósł, Sasza dostrzegła na jego twarzy zniechęcenie.

– Gdzie Łukasz? – zapytała cicho.

Jekyll nie był łaskaw odpowiedzieć. Wskazał na jej chorą dłoń.

– To się stało po spotkaniu w Barcelonie?

Sasza nie zdołała ukryć szoku. Pokręciła głową. A potem potwierdziła.

– Znalazłeś fakturę?

– Specjalnie zostawiłaś – oświadczył z wyrzutem.

– Przeciwnie. Wtedy jeszcze myślałam, że poradzę sobie sama. Dziadek obiecywał, że Karolina zostanie uwolniona dwa dni po ujawnieniu przez niego supertajnych dokumentów.

Zawahała się, czy mówić dalej.

– Ale coś poszło nie tak. Wydruk zostawili mi pewnie jako ostrzeżenie. Razem z palcem.

– Kto ci to zrobił?

– Ludzie Pochłaniacza. Właściwie on sam. Ale jestem pewna, że działał na zlecenie. To było straszne. – Przerwała. Dotknęła opatrunku. – Upewniło mnie jednak, że mam rację. Że chodzi o Jesiotra i ten raport TW, który przed laty kazał mi zdobyć i przechować Dziadek. Miałam go w Anglii i jak wracałam, zabrałam ze sobą. Sama nie wiem dlaczego, bo mogłam przecież powierzyć go Tomowi, zdeponować w banku. Zamiast tego ukryłam go u siebie, w skrytce pod podłogą. Wtedy jeszcze nie wiedziałam, że to tak groźny materiał nacisku. Na spotkaniu w Tapas Barcelona była mowa tylko o tym. Kiedy spytali, gdzie jest, skłamałam, że w Anglii. Wydawało mi się, że w ten sposób wynegocjuję Karolinę. Pochłaniacz wyjął mały sekator i już nie miałam palca. Dostałam krótki termin na dostarczenie kwitów, ale nie miałam komu – Dziadek nie żył, a Pochłaniacz zniknął. Wtedy zaczęłam się ukrywać. Byłam pewna, że kiedy wejdą do mojego lokalu, wezmą całość. Miałam rację. Stali pod domem, nie spuszczali z niego oka. Przetrząsnęli wszystko. Ale tego nie znaleźli. A może nie chcieli wcale znaleźć.

– Urwała, a potem zachęciła technika gestem.

Z pliku materiałów Jekyll wyjął pożółkłą teczkę zadrukowaną maszynowym pismem.

– TW CALINECZKA – odczytał ze strony tytułowej.

Otworzył, zerknął na zdjęcie i zamarł. Ręka mu zadrżała.

– Teraz rozumiesz? – Sasza uśmiechnęła się smutno. – Jeszcze do niedawna ta karta nie była tak cenna. Dziś to może zmienić bieg naszej historii.

Technik bardzo delikatnie odłożył papiery. Jakby za chwilę miały się rozpaść, rozpłynąć.

– Masz papierosy?

Skinęła głową. Wskazała plecak. Zapalili.

– Potem sobie przeczytasz – odezwała się ponownie. – Nie wiem nic więcej ponad to, co ci powiedziałam i co jest w tych materiałach.

– Wychodzi na to, że wiesz wystarczająco. – Jekyll się zamyślił. – Teraz to mi zadałaś bobu. Gdzie ja to schowam?

– Bylebyś nie zgubił – odparła lekkim tonem. – To wszystko, co mam. Tylko to może uratować Karo. Zrobiłam oczywiście kopie, wszystko umieściłam w sieci.

– Wiem, musisz się logować i tak dalej. Oni zdają sobie sprawę z tego, że to masz?

Wzruszyła ramionami.

– Ona jeszcze żyje. TW Calineczka. To jest prawdziwy problem.

– Wiem o tym. To jest jak... Kurwa. To jest bomba.

– Przecież mówiłam.

– Co tam raport Jesiotra! To jest... Bomba neutronowa. O Jezu!

Siedzieli długo w ciszy. Palili. Pierwszy odezwał się Jekyll.

– Coś wymyślę. Jakieś nieoczywiste miejsce.

– Ale nie skrytka bankowa. Muszę mieć do tego dostęp. Jak zakończę negocjacje z każdym z czerwonych pająków, trzeba będzie te kwity dostarczyć. I powinieneś je rozdzielić.

– Przecież wiem. Jesteś głodna?

Roześmiała się.

– Jak wilk.

Jekyll wstał.

– Może zostało trochę buraków.

Sasza powstrzymała go.

– Najpierw skończmy. Masz jeszcze jakieś pytania?

Jekyll nabrał powietrza, wypuścił.

– Jakby ci tutaj rzec... Milion? Bimbalion?

– Chyba nie zdołam na wszystkie odpowiedzieć. Racjonalnie i po kolei, proszę. Jestem tylko prostą agentką.

Mężczyzna ściągnął brwi. Długo ważył słowa, zanim zaczął:

– Calineczka to był jeden z twoich pseudonimów.

– Zgadza się. Poniekąd. – Załuska uśmiechnęła się smutno i oboje pomyśleli teraz o Duchu. – Z czasów mojej przykrywki dla CBŚ w Krakowie. Miałam wtedy dokumenty legalizacyjne na nazwisko Milena Czarnecka. Chodziłam roznegliżowana i udawałam artystkę. Akcja Calineczka miała doprowadzić do uzyskania raportu zwerbowania na współpracownika Służby Bezpieczeństwa matki jednego z ważnych liderów prawicy. Tyle wtedy wiedziałam. Oficjalnie była to akcja policyjna skierowana przeciwko mafii narkotykowej i serii zabójstw z tym związanych. Materiał zdobyłam. To jest ta bomba, którą ci powierzyłam. – Urwała. – Wykradłam go dzięki pomocy Łukasza Polaka z domu pewnego pułkownika. To znaczy tak mi powiedziano, że to dom ojca Łukasza, Witolda Kałużyńskiego. Nie było to prawdą. Oszustwo zrozumiałam po latach. Dom formalnie należał do wuja Łukasza, ale mieszkał w nim ktoś inny. Ktoś, kto był dla ówczesnych służb bardzo niewygodny. Nazywał się Lucjan Staniak i był czarną owcą w rodzinie. A jednocześnie najbliższym człowiekiem Łukasza. Wtedy jednak tego nie wiedziałam. Cieszyłam się z sukcesu. Bo przecież nam się udało. Myślałam, że to już koniec. Będę wolna. Jakże się myliłam! Byłam nieostrożna. Piłam wtedy ostro. A oni zastawili na mnie pułapkę. Nie chcieli, żeby pozostał świadek tej operacji. Tajemnica miała zostać w rodzinie. Dlatego omal nie spłonęłam. – Przerwała. Jekyll przypomniał sobie jej plecy.

– To Łukasz mnie uratował. – Zawahała się. – W każdym razie Dziadek przejął ten kwit, który widziałeś, a potem ukrył mnie razem z papierami TW Calineczki w Anglii. Czasem sobie myślę, że tylko dlatego mi pomógł. Żebym była cerberem jego skarbu. Zleceniodawcom wmówił, że papiery się spaliły.

– Uwierzyli? – zdziwił się Jekyll.

– Nie myślałam o tym wtedy. Miałam spokój na kilka lat. Wychowywałam Karolinę, leczyłam się, studiowałam. To był dla mnie dobry czas.

– Ale jak wiadomo, dokumenty nie płoną. Czyli zatoczyliśmy koło i znów znajdujemy się w samym środku tej samej pajęczyny – podsumował Jekyll. – Dziadek chciał odzyskać stołek, wezwał cię z Anglii, ustawił u nas w komendzie. Kiedy tylko przyjechałaś, zażądał oddania swojej własności. A ty odmówiłaś?

Sasza nie odpowiedziała. Pochyliła głowę.

– Powiedziałaś mu, że ma je Tom – zgadywał dalej Jekyll, a ona nie zaprzeczała, więc ciągnął dalej: – Wszyscy tak myślą. To dlatego nie możesz zadzwonić do Abramsa. Wydałaś go hienom na pożarcie. I wiesz, że jeśli się tutaj pojawi, rozszarpią go na strzępy.

– Coś koło tego – przyznała Sasza niechętnie. – To wszystko jest skomplikowane...

– Wręcz przeciwnie. Jestem od ciebie starszy. Rozumiem aż nadto.

– Ja nie – szybko odpowiedziała Sasza. – Ale wiem jedno. Teraz mogę tylko atakować. Inaczej pogrzebią mnie i moje dziecko.

– Czego ode mnie oczekujesz?

Sasza się zawahała.

– Wierzysz mi?

– Absolutnie.

– Nie zabiłam Elżbiety i nie wiem, kto to zrobił, ale wiem, kto wydał polecenie. To ta sama osoba, która kazała uprowadzić Karolinę. Pociąga za sznurki od sprawy Grubego Psa, a może i jeszcze wcześniej. Nie mam pojęcia, czy nad nią jest jeszcze ktoś. Tutaj mój trop się urywa. Pomóż mi znaleźć dowody winy tego skurwysyna i obiecaj, że ujawnisz to wszystko choćby po mojej śmierci. Całość tego raportu. Wszystko, co tutaj jest.

– Skoro przez lata nie udało się to najlepszym, jakim cudem my mamy zgromadzić te dowody?

– Jeszcze nie wiem. Ale jeśli poznamy nazwisko, to choćbyśmy nie zdobyli dowodów, pozwolisz mi nacisnąć spust. I zapomnisz o Saszy Załuskiej, bo nigdy nie istniała. Tak jakby to była tylko postać literacka. Wymyślona osoba.

Jekyll namyślał się długo. Ważył w dłoniach plik. Wreszcie się odezwał:

– Chyba będziesz musiała zostać na noc i wyjaśnić mi to wszystko jeszcze raz, po kolei. Narysujemy pajęczynę na bristolu. Z nazwiskami i pełnioną obecnie funkcją. Jak w powieści szpiegowskiej.

– Stoi – ucieszyła się Sasza. Ale zaraz zmarkotniała. – A twoja żona? Nie powinieneś najpierw z nią pomówić?

– Anielka? – Jekyll machnął lekceważąco ręką. – O nią się nie martw. Obejrzy cię, opatrzy. Jak trzeba, wykona zabieg. Nie możesz dalej łazić z tą zgniłą ręką. Trudniej będzie nakłonić Dorę, moją szwagierkę, żeby nie zostawała u nas na najbliższy tydzień. Tak w sumie to się cieszę. Nie sądziłem, że uda mi się jej tak szybko pozbyć.

Wstał. Wziął worek ze śmieciami, z którego wystawały drewienka i kawałek dykty.

– Teraz idź się wykąpać. Zastanów się nad analizą swojego zeznania. Chcę mieć to na piśmie. Jak kolega Jesiotr. Może i ja kiedyś będę sławny. Raport Jekylla. Jak to brzmi! Duch do końca życia będzie mi zazdrościł.

Wypiął pierś, zamarkował krok defiladowy, a potem nagle spoważniał.

– Do roboty! Hipotezy, poszlaki, świadkowie, drogi dojścia. I przede wszystkim nazwiska. Chcesz wojny, przygotuj strategię. Musimy mieć tę czerwoną pajęczynę rozpracowaną w najdrobniejszych szczegółach.

Nagle coś sobie przypomniał. Z kieszeni kamizelki wysupłał karteczkę, podał Saszy. Ważyła ją w dłoni, zwlekając z odczytaniem treści.

– Co to jest?

– Andżelina, ta sprzątaczka, zanotowała numer wozu, z którego obserwowali twój lokal. Byłem pewien, że to jakaś resortowa fura na dyplomatycznych numerach, ale mimo to sprawdziłem, tak na wszelki wypadek. Masz tam adres i nazwisko gościa. Może dołączy do naszych pajęczaków na bristolu.

Sasza pośpiesznie rozwinęła papierek. Odczytała nazwisko i zbladła.

Bronisław Zawisza
Ryszard Domin
Paweł Cichy
Witold Kałużyński
Eugeniusz Jeremus & Stanisław Ejchert
   & Franciszek Helbig
Kajetan Wróblewski
Warwara Wróblewska
Jerzy Popławski
Wojciech Kłyś
Piotr Rupnik
Horacy
Stefania Pieczonka
Arkadiusz Antczak
Maksymilian Leki
Claudine Morawska
Piotr Maria Stokłosa
TW Jałowiec & Barnaba Światowid Kiszka
Jarosław Dybowski
Tadeusz Otto
Wilmor/Dantes/CIA
Eva Piekuta Rodriguez Sanchez
Eliza Bach

Jelcyn wrzucił listę na rozżarzone węgle i zerknął na mężczyznę w pogniecionej marynarce. Agent musiał gotować się w tych ciuchach, bo aż dostał wypieków na twarzy. Pot ściekał mu strumieniami po potylicy. Nie był atrakcyjną Mulatką ani też Jelcyn nigdy nie miał ciągot do chłopców, a na pobyt na golasa w saunie z szefem trzeba było sobie zasłużyć. Obaj znali zasady. I nawet na chwilę żaden nie wyszedł ze swojej roli. Tak było w biurze i poza nim. Zresztą Jelcyn od lat prowadził interesy ze swojej rezydencji na gdyńskiej Kamiennej Górze. Tylko jego dom podsypano żwirem, kiedy obsuwał się klif. Czasem, dla niepoznaki, wybierał się do Sea Towers. Monumentalne brzydactwo w samym centrum Gdyni miało wspaniałą lokalizację, a zapierający dech w piersiach widok oszałamiał każdego z gości, czy był to polityk, gangster, czy biznesmen rangi świętej pamięci Spławika.

Swoją drogą, porządny chłop był z tego Mietka. Wiele spraw razem posunęli do przodu. O użyteczności jego polonijnej firmy dla polskiego wywiadu w latach osiemdziesiątych aż wstyd byłoby nie pamiętać. Z jego pomocą inwigilowano środowisko brytyjskiej Polonii, wrogo nastawione w tamtym czasie wobec komunistycznych władz. Już po transformacji, kiedy Jelcyn dał Mieciowi cynk, że w dziewięćdziesiątym pierwszym szpitale będą kupować nowoczesne karetki, Spławik sam zaproponował zwierzchnikom połowę stawki od każdej transakcji. Jelcyn bez trudu skontaktował Mietka z dilerem i wspólnymi siłami załatwili mu monopol na niemieckie auta. Potem Spławik radził sobie z wozami już sam, ale o haraczu nie zapominał. To dlatego zwrócili się właśnie do niego, kiedy przyszła pora na prywatyzację największej państwowej firmy telekomunikacyjnej. Spławik był pewny, sumienny i nie kombinował z przelewami. Czysta gotóweczka pod drzwi przesłana kurierem. Żadnych pytań, negocjacji. Transakcja bez śladów. Fifty-fifty, kasa na stół. Uprasowana, popakowana w banderole, jak w dobrym gangsterskim filmie.

Może i schlebiało mu wtedy jeszcze, gdy dziennikarze pisali o jego błyskotliwości, inteligencji i wyjątkowym zmyśle do interesów, które sprowadzały się do tajnych informacji na czas, bo przy prywatyzacji dwóch rafinerii i głównego kolosa ubezpieczeniowego chciał już tylko czterdziestu procent, a pomyj za przyjaźń z prezydentem i spotkania z agentami KGB wylano na niego hektolitry. Cały szlam oskarżeń wziął na siebie bez gadania. I wciąż płacił. Inni z listy najbogatszych, którym wydawało się, że wolna gospodarka pozwoli im zachować autonomię, i odmawiali dzielenia się zyskami, nagle spadali w rankingach, przegrywali świetnie przygotowane merytorycznie przetargi albo doświadczali znienacka śmiertelnych dolegliwości. Spławik wyciągał słuszne wnioski. Pewnie bał się zerwać współpracę, ale robił to i dla sławy. Był próżny. A Dziadek wiedział, jak mu schlebić. Pozwalał wygrywać, by miał złudne poczucie, że jego passa nieustannie trwa. Do czasu.

Jelcyn żałował bardzo, kiedy dostał od Wróblewskiego rozkaz wyeliminowania Spławika. Niestety, apetyt rośnie w miarę jedzenia. Miecio niepotrzebnie wziął sobie do serca rady podstawionej kochanki. Tak się składało, że kobieta od lat pracowała dla Jelcyna. Znała mechanizmy, wiedziała, gdzie i kiedy Spławika kroją. Licząc na zmianę stanu cywilnego i święty spokój na emeryturze u boku milionera, ujawniła mu ze szczegółami strategię Wielkiej Piątki. To wzburzyło starego tygrysa, za jakiego Jelcyn się uważał. Rozwścieczyło też Spławika. Dziś nikt już nie dojdzie, czym się kierował. Czy chciał się popisać przed młodą Elżunią, czy uratować godność albo po prostu więcej zarabiać.

Przeliczył się. Postawił na otwarty atak. Babcia powtarzała zawsze Romkowi, że nie warto wiązać się z kobietami, które są młodsze od twojej córki. I miała rację. To wcześniej czy później kończy się śmiercią leciwego amanta. Doktorzy tłumaczą to stresem, nadmiarem cholesterolu i brakiem witamin. Jelcyn miał własną teorię: chodzi o nadmierne zużywanie kutasa, który w tym wieku potrzebuje nie tylko głaskania, ale i odpoczynku.

Wielki Spławik na stare lata zaczął się kłócić o te głupie dziesięć procent, jakby nie korzystał na układzie więcej niż ktokolwiek w kraju. Kara musiała być spektakularna. Inni figuranci mogliby wziąć z niego przykład. A on był wzorem ładu panującego od lat systemu, który wszystkim pasował: ruskim i amerykańcom. Wyszło, jak wyszło. Jelcyn dziewczynę skutecznie wycofał, karnie przerzucił na placówkę do Moskwy. Kiedy zgłosiła odrobinę roszczeń i nieostrożnie pochwaliła się tajną wiedzą Dziadkowi – który dzięki jej informacjom poczuł się zbyt pewnie – Jelcyn uznał to za wystarczający pretekst do przerzucenia jej na etat niańki dziecka Załuskiej, a potem malowniczego samobójstwa urodziwej dzierlatki. Trochę nie wyszło z topielicą w torpedowni, bo sprawę, którą zamierzał wyciszyć, do dziś grzeją media, ale jest, jak jest. Nikt tego nigdy nie połączy z polityką, bo reszta zamilknie, jak tylko wznowi się krojenie tortu. Czasem spektakularne akcje przynoszą nadzwyczajne efekty dyscyplinujące.

Przy okazji na tym ogniu udało się jeszcze upiec drobniejszą pieczeń. Inna protegowana Jelcyna, niegdyś jego ulubienica – Sasza Załuska – znów wyszła przed szereg. Dziadek wyjął ją z lamusa jako straszak na Wielką Piątkę. Niestety, na jej i swoją zgubę. Gdyby Calineczka nie brykała i została w Anglii, miałaby dziś dziecko w szkole. Ale Jelcyn nie uważał się bynajmniej za okrutnika. Wszystkie czynności konsultował z Piątką. Wspólnie podjęli tę decyzję, zanim posłał do Szwajcarii komando śmierci. I to jego zasługą było, że uciszono biznesmena w szpitalu, po prostym zabiegu kardiologicznym, do którego Mietek Spławik nie przywiązywał większej wagi.

Dziadka za to odpalono popisowo. Jak wielu przed nim i zapewne jeszcze wielu po nim, jeśli będą paszczyć. Generał zginął honorowo, z broni palnej, w garażu. Śmierć niemal godna bohatera. Przed naciśnięciem spustu udało się zdobyć odpowiedzi na nurtujące wszystkich pytania. Wreszcie Jelcyn miał w rękach oryginał drugiej części raportu Jesiotra, tej politycznej, a zdobycie pozostałych odcinków to już tylko kwestia czasu. Wkrótce Sasza Załuska przyniesie mu je w zębach. Mafijną jedynkę najprawdopodobniej ma już ze sobą, a trójkę, tę, w której oczywiście znajduje się nazwisko jego samego, wydobędzie od Wilmora. Tylko ona wie przecież, kim jest najlepszy przyjaciel Dziadka. Jeśli dobrze pójdzie, dołoży i TW Calineczkę. Każda matka kocha swoje dzieci. Tylko spokojnie, bez gwałtownych ruchów. Niech sobie dziewczyna na razie myśli, że ma jeszcze szanse w tej grze. Usypianie czujności przeciwnika to była specjalność Jelcyna.

Sprawę Spławika na przykład rozegrano prawidłowo. Jelcyn wiedział, że czasami dla rodziny najważniejszy jest honor. A dla żony Spławika też tak wyszło lepiej. Do końca będzie milczała. Przynajmniej nie musi się wstydzić przed ludźmi, że mąż zmarł w ramionach młodszej o kilka dekad kochanki. Pieniędzy i tak mają jak lodu. Syn musiałby się mocno postarać, żeby zmarnować taką fortunę. Do tego zresztą nie dojdzie, bo od razu otworzyli nad nim parasol ochronny. Lojalność obowiązuje. To zresztą proste: są korzyści, jest obowiązek. Dopóki wszyscy zarabiają, nie ma sprawy. Syn Spławika, Mieczysław junior, wprawdzie władzy nie ma, ale i jej nie potrzebuje. Może się bawić, brać śluby w Wenecji i produkować filmy. Ostatnio wziął się do reżyserii. Ponoć jest w tym znakomity. I tak być powinno. Podwładny musi być szczęśliwy.

Po kartce nie było już śladu. Jelcyn polał węgle wodą, poprawił wełniany kapelusik we wściekłym morskim kolorze, zapobiegający przegrzaniu głowy i pozwalający na dłuższe przebywanie w saunie, a następnie z gracją leciwego goryla sprawnie wgramolił się na wyższą kondygnację. Temperatura w saunie osiągała prawidłową wysokość. Zanim rozsiadł się jak Jabba na tronie, rozwinął ręcznik w misie Yogi, odsłaniając wielki bebech, który skutecznie zasłaniał jego klejnoty rodowe. Jeśli tam w ogóle jakieś były, pomyślał z przekąsem MauMau, ale oczywiście nic nie powiedział. Wciąż liczył na awans i zastąpienie na stanowisku Claudine. Była zdolna do wielkich poświęceń, ale odkąd zadurzyła się w tym wysokim gliniarzu, popełniała coraz więcej błędów. Zamiast skupić się na pracy, wciąż potajemnie stukała w telefon. I stroiła się na potęgę w te swoje pastelowe kombinezony. MauMau podejrzewał, że tym razem poważnie zabujała się w Kontakcie Informacyjnym, co wcale go nie dziwiło, bo sam by Ducha z łóżka nie wykopał, ale nie wróżyło dobrze dalszym zadaniom. Biorąc pod uwagę, że to akurat ważny figurant, a ryzyko spalenia ogromne, wolałby nie musieć znów sprzątać po szefowej. Tym bardziej że Jelcyn od lat miał do niej słabość. Znosił jej wybryki seksualne, faworyzował ją i z jakiejś przyczyny to zawsze MauMau dostawał zadanie uciszenia niewygodnego kochanka Klaudii. A z Duchem to nie będzie takie proste. Likwidacja komendanta, choćby tylko i wojewódzkiego, wzbudzi zbyt wiele kontrowersji. Po Lekim ledwie się pozbierali.

– To wszystko? – odezwał się wreszcie Jelcyn.

Pułkownik Maurycy Kwiatkowski wyciągnął z kieszeni landrynkę. Włożył ją do ust. Mandarynkowa – najbardziej je lubił.

– Tyle udało nam się zeskanować z komputera Grabarza.

– To się chłop nie napracował – zaśmiał się Jelcyn. – Trzy miesiące z Dziadkiem i tylko takie plony? Albo wy zawaliliście sprawę, albo go przeceniłem. Nie połączył jeszcze faktów?

– Może nic więcej nie dostał?

– To kto ma tę kopię? Warwara jest pusta. Iga?

– Przecież ona nie ma nawet zimowych butów. Wszystko wysłali do Kanady.

Jelcyn machnął ręką.

– Śmiałowska choruje na raka. Pół roku to maks. Poza tym w Kanadzie Pastuch już wszystko sprawdził. A Warwara jest na miejscu. Ma wobec nas dług. I motywację. Bo jak nie znajdziemy kwitów, czeka ją wyprzedaż biżuterii. Niepotrzebnie wciąż inwestuje. Ale nie wyprowadzaj jej z błędu. Jest w żałobie.

Zapadło milczenie. Para ograniczała widoczność. I bez niej jednak trudno byłoby wyczytać cokolwiek z twarzy Jelcyna. Kiedy szef znów się odezwał, pułkownik wsłuchiwał się w tembr jego głosu i na tej podstawie ustalał przyszłe priorytety. Zwykle się nie mylił.

– Boi się już czy nadal trwa w błogiej nieświadomości?

– Odnoszę wrażenie, że po spotkaniu z Saszą raczej nabrała pewności siebie. – MauMau ściągnął brew. – Chyba Załuska przehandlowała jej w Grandzie kilka fotek.

– Świat schodzi na psy. – Jelcyn machnął ręką. A potem uderzył w ton egzystencjalny. – Była agentka KGB będzie się bawiła w drobne szantaże.

– Mam podbić cenę?

– Nie – zadecydował Jelcyn.

– Ostrzec zainteresowanych?

– W żadnym razie. Ale nie spuszczaj Rosjanki z oka. I pilnuj, żeby nie było żadnych ofert. To nie rynek moskiewski. Za bardzo przyzwyczaiła się do komfortu. Przyjdzie jeszcze koza do woza.

Zapadła cisza.

– Grabarz – znów odezwał się grubas. – On mnie teraz interesuje. Da się go przeciągnąć na naszą stronę? Ponoć wpadł na trop Remontnika. Mirek sra po gaciach. Codziennie do mnie przylatuje. To ogród mi ostrzyże, to paczki wyniesie. Nigdy nie chciałem mieć psa, to teraz mam kota.

– Przecież skonfiskowaliśmy te taśmy Grabarza. – MauMau wzruszył ramionami. – Szybkostrzelna redaktor Bach jak zwykle pierwsza dostała informacje. Remontnik nie ma się czego bać. Dać je do utylizacji?

– Broń Boże! – zaoponował Jelcyn. – Chcę mieć je na biurku u siebie.

– Jutro zadysponuję.

– Podeślij kogoś zaufanego do południa – padło polecenie. – Albo nie, sam przywieź. Nie potrzeba więcej wtajemniczonych. Bo nam major Biskupski narobi koło pióra.

– Remontnik zawsze był lojalny.

– Nie ufam mu. Weź go jakoś trochę uspokój. Może tym Grabarzem potrząsnąć?

– Przydałoby się. – Kwiatkowski przyznał rację Jelcynowi. – Jeśli pyta pan o stan emocjonalny dziennikarza, to na razie tylko się obżera i użala nad sobą.

– Z dwojga złego to lepsze niż otwarty bój. Może będą z niego jeszcze ludzie. Propozycję dostał?

– Rzucił słuchawką.

– Co za debil. A ta jego panna? Jak tam jej było? Malwina? Marysia?

– Matylda. Z domu Wróżka.

– Też ładnie. Możemy ją jeszcze wykorzystać? Dobrze się sprawiała.

– Dałaby radę. Grabarz wciąż ma jej rzeczy i zdjęcie na wszystkich pulpitach urządzeń elektronicznych.

– Romantyk. To mi się podoba. Zaaranżuj jakieś sentymentalne spotkanie. Coś wystrzałowego, co nawiąże do ich najlepszych wspomnień. Wyjazd, knajpka, może z rekwizytami. Macie na to budżet. Wiesz, żeby znów była *love* – rozmarzył się Jelcyn.

Lubił być demiurgiem. Nie chodziło tylko o pieniądze, lecz o pociąganie za sznurki. Sterowanie mikroświatem sprawiało mu mnóstwo frajdy.

– No nie wiem – mruknął MauMau. Nie znosił takich zadań.

– Dobra, przydzielę to Klaudii. – Jelcyn machnął ręką i też otarł pot z czoła.

Nawet on miał już dość sauny. Kwiatkowski w kompletnie mokrych ciuchach ledwie siedział. Ucieszył się więc, kiedy padła komenda:

– Zmniejsz temperaturę, bo się tu usmażymy. Jeszcze siedem minut.

Pułkownik posłusznie wstał i podszedł do urządzeń nad drzwiami. Zauważył wajchę, którą bez problemu zatrzasnąłby szefa w saunie, gdyby go na poważnie zawiódł. I prawdę mówiąc, dzisiaj z trudem się przed tym powstrzymał.

– A Calineczka? – Jelcyn zaczął nowy wątek. – Znalazła się w końcu moja Saszka?

– Jest pod kontrolą. Po spotkaniu z siostrą w Puszczy Białowieskiej na chwilę nam zniknęła, ale już zaczęła pielgrzymkę do przeszłości. W męskim stroju. Z brodą.

Jelcyn zaśmiał się głośno i klepnął po udach.

– Zabawna dziewczyna. To trzeba mieć fantazję. I co, pewnie myśli, że jest niewidzialna.

MauMau pochylił głowę. Powinien trzymać gardę, ale odkąd Klaudia sprzątnęła mu sprzed nosa pięknego komendanta, nie był w stanie jej znieść. Teraz więc nie mógł się powstrzymać, by jej nie dokopać u zwierzchnika.

– Nie było to takie całkiem głupie. Mieliśmy jeden ciężki moment. Zgubiliśmy ją.

Trafiony zatopiony. MauMau z trudem się hamował, by nie okazać radości. Jelcyn się skupił i przestał wycierać.

– Sasza była u siebie? – zaniepokoił się. – Kiedy?

– To właśnie nam umknęło. Jałowiec dał znać dopiero po wszystkim. Miała jakieś wsparcie. Poturbowali staruszka, leżał kilka dni w szpitalu. Dopiero po trzech dniach doczołgał się do telefonu.

– Złego diabli nie biorą – mruknął Jelcyn z przekąsem.

Nie bardzo przejął się losem donosiciela. Osobiście nie znosił byłych ormowców. W przeciwieństwie do niego działali dla idei. Wsadzali nos w nie swoje sprawy i sprzedawali ludzi za darmo. Tego Jelcyn nigdy nie rozumiał.

– Podejrzewamy, że ma wszystko – oświadczył MauMau grobowym tonem.

Nie był przekonany, czy to dobra, czy zła wiadomość.

– Wszystko? – upewnił się Jelcyn.

– Raczej tak. Było u dzieciaka. Pod podłogą. Podwójna klepka. Klasyk.

– No nie! – Szef roześmiał się w głos. – Zawsze mówiłem, że sprytny z niej Kopciuch. Właśnie takie panny wychodzą za księcia.

A potem nagle zdławił śmiech i wychrypiał groźnie:

– Kto brał udział w przeszukaniach i kto spierdolił tę sprawę? Nazwiska!

MauMau tylko na to czekał.

– Jak to kto, szefie? – Zrobił minę niewiniątka. – Sandra z Remontnikiem. No i Bułka, jasna rzecz. Klaudia miała nadzór.

Jelcyn nie okazał wściekłości. MauMau zauważył jednak, że sięga po węgiel i ściska go gołą ręką. Kwiatkowski udał, że nic nie widzi, ale kontynuował już swobodniej:

– Potem mówiła z Norinem. Miałem swojego człowieka na obserwacji w budce prokuratury. Przewidziałem, że do niego pójdzie – podkreślił. – U Afgana też była. Dyrektor zakładu zrobił im rozwodowe zdjęcie. Barnaba Światowid chyba nie może przeżyć, że jednak odchodzi na emeryturę.

– Znajdź mu coś w nagrodę. Na otarcie łez. Nie będzie przecież sadził pomidorów. Może w CZSW? Coś małego.

– Tak jest.

– Norin się spisał? Odesłał ją z kwitkiem?

MauMau się zawahał.

– Nic się nie zmienił. Dalej gra w swoje gry.

– Dariusz Norin. Niezniszczalny, nieprzemakalny, niewidzialny. Witek-sprytek, szpenio-kapsel – zaczął szydzić Jelcyn. – Wciąż mu się wydaje, że nie widzimy jego partyzantki?

– Czuwamy nad tym – zapewnił zaraz pułkownik Kwiatkowski. – Ale raczej jesteśmy bezpieczni. Nie wyglądało to na słodką współpracę.

Jelcyn nie czuł się widać usatysfakcjonowany odpowiedzią, bo podniósł głos, co zdarzało mu się rzadko.

– No i? Konkrety!

– Najpierw ją spuścił po brzytwie. Ale potem się złamał. W Błękitnym Pudlu nikogo nie mieliśmy. Była jakaś premiera, pełno aktorów. Dziennikarze lifestyle'owi.

– To warunki idealne, żeby ją chwycić.

– Tak przy ludziach? Szef nie kazał.

– Cholera, czasem trzeba myśleć, Moritz! – zbiesił się Jelcyn. – A co wiesz poza tym, że aktor był przystojny? Pewnie pedał, co?

– Owszem – potwierdził MauMau. – Gadałem za to z kelnerką. Wzięła kasę, więc jeszcze może być pożyteczna. Norin nie był ponoć zadowolony. Pokrzykiwał, żartował. Nic nie ugrała. Ale jest i dobra wiadomość. Stąd mniemam, że wyjęła wszystko do obrotu. Cały zestaw. Chyba zamierza ostro namieszać. Bo zdjęcia Rupnika, Dybowskiego i Franka Helbiga są już na rynku.

Jelcyn zarechotał gromko. Wyraźnie się odprężył.

– Zuch dziewczyna! Jak to się ładnie składa z naszym interesem. To Francuzi niech się pierdolą z tym bankiem. Chuja tam wejdą. Nasz ruski Francuz wygrywa przetarg. Ale trzeba to przeprowadzić szybko, bo ci prawicowi ekstremiści znów przeforsują ustawę, że ma być trzydzieści procent kapitału polskiego. Wtedy tego nie dźwigniemy. Dzwoń do Bronka Zawiszy. Niech rusza z koksem. I koniecznie Michajłow niech przygotuje francuskiego słupa. Tylko żeby miał pewną legendę.

– A co z Załuską? – MauMau trzymał najlepsze na koniec. – Wiem, gdzie teraz jest. U kogo i z kim.

Zamilkł na chwilę. Stopniował napięcie, ale wzrokiem nie wyzywał szefa na pojedynek. Jelcyn cały się skupił.

562

– No? – Nie wytrzymał. – Dawaj te armaty.

– Z Tamagoczim.

Ku zdziwieniu MauMau Jelcyn rozradował się setnie i cały zachwycony aż wstał.

– To się jednak uroczo układa. Wyborna nowina.

– I z Wadimem – dodał znacznie ciszej pułkownik Kwiatkowski. – Tym ruskiem od Kurczaka. Coś z nimi kombinuje.

– Bardzo dobrze! – Jelcyn odetchnął z ulgą. – Niech wykona czarną robotę za nas.

– To nie zgarniać jej? Tamagoczi jest gotów.

– A po co? – Krzaczaste białe brwi połączyły się w zygzak. – Betki niech raportują od razu do mnie. I żadnych krzywych ruchów. Niech sądzi, że ma szanse.

MauMau chciał zapytać złośliwie, czy faktycznie ma, ale się powstrzymał. Tylko skwapliwie skinął głową.

– Jest jeszcze jedna sprawa – zaczął. – Dotyczy Klaudii.

– Nie będę słuchał twoich donosów. Ona wie, co robi – uciął Jelcyn. – A jeśli chodzi o Saszę, to zadbaj, żeby jej lekko nie było, bo nabierze podejrzeń. Jest dobra. Nie daj się zwieść. Widziałem ją w wielu akcjach. Umie zachować zimną krew. Długo leży i myśli. Doskonale planuje. Ma tę przewagę nad wieloma z was, że od dziecka używała wielu strategii. Niczego nie musiałem jej uczyć. Ma szpiegostwo we krwi. Po tym bezruchu, dołach, błędach nagle zrywa się i bierze do pracy. Dlatego uważajcie. Bądź czujny. Czasem, dla kurażu, jakaś większa przeszkoda. I orient na dokumenty. To podstawa. Jak będzie miała całość raportu Jesiotra, nie wahaj się. Zabieraj ją. Ale żywą. Powiedz ludziom. Chcę, żeby doprowadziła mnie do TW Calineczki. Już raz to zdobyła, więc i drugi raz da radę. A przy okazji, przejmujesz sprawę Wilmora. Twój drętwy kumpel sobie nie radzi. Skreśl mi tego Krygera z listy premiowej. Szkoda kasy na to beztalencie.

MauMau przemilczał odpowiedź, ale w duchu się ucieszył. Z Wilmorem sprawa była beznadziejna. Po śmierci generała Wróblewskiego nikt nie dojdzie, kto był kretem w CIA. Ale ambicjonalnie MauMau czuł się mile połechtany.

– Idź już.

Jelcyn zlazł z pierwszego piętra na parter.

– Idę się wykąpać. A potem druga tura. Chcę teraz pobyć sam.

Pułkownik Kwiatkowski natychmiast się ulotnił. Na zewnątrz poczuł, że uginają się pod nim kolana. Nie rozumiał, jak ten grubas wytrzymuje dwa sety tej tortury.

Miliony igieł wbijały się w rozgrzane ciało Jelcyna, ale on tylko zwiększył strumień wody w słuchawce prysznica i przesunął wskaźnik temperatury maksymalnie na „cold". Wreszcie czuł się jak młody bóg. No, może nie młody, ale jak bóg i owszem. Woda płynęła mu po twarzy, a on rozmyślał. Wszystko przebiegało nawet lepiej, niż zaplanował. Wprawdzie Załuską zamierzał zlikwidować zaraz po Dziadku, ale teraz okazywała się znów potrzebna. Decyzję podjął spontanicznie, po wyjściu MauMau jeszcze raz ją przetrawił i uznał, że pozwoli dziewczynie jeszcze trochę pożyć. Wiedział, co zrobi, bo znał jej oręż. Nawet obudzony w środku nocy był gotów wymienić dokumenty, jakie posiadała: zdjęcia z Komory Sinobrodego w Maximie; pierwsza, najmniej istotna część listy Jesiotra; kilka teczek współpracy i raportów służbowych, w tym jego własna, ale dziś te materiały nie miały już większego znaczenia, oraz jakaś drobnica Gutka. Może też coś zostawił jej konsul Załuski – legalizacyjny ojczulek Saszy. Jelcyn zamierzał walczyć wyłącznie o TW Calineczkę, bo tego raportu potrzebował teraz najbardziej. Jeśli przyniesie ten glejt, zostanie prawdziwym szefem. Wyeliminował Dziadka, a teraz przelicytuje generała Otto. O tej chwili marzył całe lata.

Niestety, czuł również niepokój. Tak samo jak on był w stanie przejrzeć Załuską na wylot, tak samo dobrze Sasza znała również jego. Nigdy nie pozwolił jej na tyle się do siebie zbliżyć, by mu zagroziła, ale wiedział, że jest sprytna. Niewiele mówiła, czasem grała idiotkę, umiała jednak wyciągać słuszne wnioski, składać puzzle i dlatego zawsze spadała na cztery łapy. Do pełni władzy brakowało im tylko sektora bankowego, a nadarzała się nie lada okazja, by sprawę dopiąć szybciej, niż sądzili, zależało mu więc, aby dokumenty TW Calineczki trafiły w jego ręce właśnie teraz. Było to bardziej niż realne.

Jelcyn dawno już nie czuł się tak wypoczęty i odprężony. Myjąc się, przypadkowo musnął twardniejące przyrodzenie i szczerze się zadziwił. Dawno nie nawiązywał kontaktu z tym fragmentem swojego ciała. Przymknął oczy, skupił się na pośladkach Claudine i poczuł, że prawie ma wzwód. Trwało to chwilę, zaledwie kilka sekund. Kiedy przesunął dłoń pod brzuchem kolejny raz, powitał go znów tylko wiotki kawałek zwiniętej skóry. Zakręcił wodę, ruszył na drugą turę do sauny. Tym razem nie bawił się już w owijanie ręcznikiem. Więcej gości się nie spodziewał.

Rozsiadł się wygodnie, przymknął oczy. Nagle usłyszał cichutkie trzaśnięcie. Podniósł powieki. Czyżby MauMau, zanim opuścił apartament, myszkował w jego gabinecie? – przemknęło mu przez głowę. Właściwie nie chciało mu się już tutaj dłużej siedzieć. Trzeba wydać dyspozycje, sprawdzić raporty. Napisać do Tadka Otto i Zawiszy, bo nowiny wymagały pilnego posiedzenia. Wstał, ale zaraz usiadł ponownie, bo zakręciło mu się w głowie. Zerknął na czujniki. Chyba za pierwszym razem przesadził z temperaturą. Przed oczyma miał mroczki. Po omacku dotarł do klamki, nacisnął. Napotkał opór.

– MauMau – burknął. – To nie jest śmieszne.

Odpowiedziała mu cisza.

Myślał szybko. Czy to możliwe, by pułkownik Kwiatkowski okazał się takim szują? Nie, skarcił się w myślach. Moritz liczy na awans i go dostanie. Jak tylko Klaudia skończy z tym policjantem. Zdało mu się, że słyszy kroki, może też chrząknięcie lub ciężki oddech. Ktoś był na zewnątrz.

– Pani Lubo! Igor, do mnie! – krzyknął, wołając gosposię i ochroniarza.

Wreszcie przycisnął brzęczyk alarmowy. Wciskał go raz za razem, rozpaczliwie. Brakowało mu już tlenu. Był bliski paniki. Czuł, że się dusi.

– Kto tam jest? – wychrypiał i opadł na rozgrzane deski, ale zaraz poderwał się jak gumowa piłka odbita o ścianę.

Nie był już w stanie ustać. Podeszwy stóp w zetknięciu z podłogą paliły go żywym ogniem. Rozejrzał się i pożałował, że nie wziął ręcznika. A tym bardziej broni. Nie miał nawet noża. Ogarnęły go bardzo złe przeczucia, bo widział wyraźnie, że wskaźnik temperatury idzie systematycznie w górę.

Teraz już Jelcyn nie dbał o godność. Rozpaczliwie walił w drzwi. Krzyczał:

– Otwieraj, skurwysynu!

W zaparowanym bulaju dostrzegł zarys twarzy. W jednej chwili rozpoznał te zmrużone oczy. Odsunął się odruchowo. Była to ostatnia osoba, której spodziewał się dziś w swojej twierdzy. Drzwi otworzyły się z łoskotem. Stała w nich Sa-sza Załuska. Nie miała przebrania. Włosy ufarbowała na czarno i ściągnęła gumką. W dłoni trzymała pistolet, mierzyła wprost w jego głowę. Za nią stał Azjata. Wielki jak szafa. Jelcyn gdzieś już go widział. Nie mógł jednak przypomnieć sobie jego nazwiska. Nie zwykł zaśmiecać umysłu mało istotnymi informacjami.

– Ubieraj się. – Załuska podała Jelcynowi szlafrok.
– Musimy pogadać.

Kiedy się odziewał, mrucząc pod nosem łagodne pytajniki mające uśpić jej czujność, dostrzegł trzeciego intruza. Tamagoczi stał nieco z boku, ale lufa jego broni również była skierowana w stronę byłego szefa. To ostatecznie przekonało Romana, by zaprzestać jałowych dyskusji.

– Kurczak tęskni za żoną – wyjaśniła Załuska.

Chciała coś jeszcze dodać, ale rozległ się świst. Jelcyn zgiął się wpół i padł na deski. Nogą zaczepił rynienkę z węgielkami. Rozsypały się na jego stopy, ale z pewnością już nic nie poczuł.

Sasza odwróciła się do kompanów. Zmierzyła obu zimnym spojrzeniem. Wadim rozłożył ręce, Tamagoczi oglądał swój pistolet, jakby widział go pierwszy raz w życiu. Wreszcie spojrzał na kobietę oniemiały.

– Najpierw myśl, potem rób. Nie odwrotnie – warknęła Sasza. Była wściekła. – Teraz sam będziesz niósł tę górę sadła. Zbierajcie się. Jedziemy do pierwszego asa z Wielkiej Piątki. Minister zapewne jeszcze nie śpi.

JUDASZ
(2003)

– Przeżyje?

– Złego diabli nie biorą.

Norin podał Saszy papierosa. Wstał, by nie musiała się schylać do zapalniczki. Udawać mieli wszak zakochaną parę. Chyba jednak robili to nieskutecznie, bo o ich przybyciu wiedzieli już bodaj wszyscy mieszkańcy domostw od pobliskiego lasu aż do Wyszkowa. Supertajny służbowy volkswagen z nierzucającymi się w oczy czterema antenami na dachu, który ich tutaj przywiózł, miał urwany tłumik i silnik wył niemiłosiernie, jakby był bliski eksplozji, zawiadamiając tym samym tutejszych, że oto nadjeżdża delegacja korpusu ochrony świadków.

Sala konsumpcyjna góralskiej chaty gdzieś na mazowieckiej wsi o imperialistycznych ambicjach, której centrum wyznaczał kościół z ośmiopiętrową dzwonnicą, miała rozmiary pokładu startowego średniej wielkości lotniskowca. Kolorowy napis na szybach głosił: „U nas niezapomniane wesela i obiady stypowe".

Sasza zaciągnęła się papierosem i na chwilę odwróciła głowę od chudego dryblasa w dresie, który, obstawiony półmiskami, wycierał właśnie chlebem pustą patelnię. Jeszcze kwadrans temu był na niej boczek smażony na gęsim

571

tłuszczu. A dokładniej cztery porcje, których kucharz, po kolejnej dokładce, nie widział sensu przekładać na talerze. Zresztą Bułka bardzo lubił smalczyk. Zwłaszcza ze świeżym chlebkiem na zakwasie, wypiekanym w wiejskim piecu. Zjadł go dzisiejszego wieczoru chyba ze dwa bochenki.

– Obstawiam, że tym razem pęknie – zwróciła się do prokuratora Załuska.

Norin uśmiechnął się do niej oczyma znad swoich drucianych okularów, ale twarz miał niewzruszoną.

– Zje jeszcze drugie tyle. I miętowy opłatek. Zakład?

Wahała się chwilę, ale wyciągnęła rękę. Spojrzał na obrączkę z niewielkim rubinem, którą nosiła na najmniejszym palcu.

– O dwie wuzetki. – Uścisnął jej dłoń.

– Gdzie on to wszystko mieści? – mruknęła Sasza. – To przecież skóra i kości.

Norin uśmiechnął się tylko.

– Jak twój mąż znosi naszą włóczęgę?

Sasza natychmiast zabrała rękę.

– Nie mam męża. I raczej nie zapowiada się na zmianę stanu cywilnego.

Zdjęła ozdobę z palca. Pokazała prokuratorowi. Wewnątrz wygrawerowany był drobny szlaczek.

– Wszystko jest po coś – w wolnym tłumaczeniu podała treść hinduskiej maksymy. – Zamówiłam ją po śmierci ojca, żeby zawsze pamiętać, jakim był skurwysynem.

Norin nic nie odpowiedział.

– Zrobiłabym sobie tatuaż, ale panicznie boję się bólu.

Przyjrzał się piegowatej blondynce. Chodzący wdzięk i bezpretensjonalność.

– To dziwne wyznanie, zważywszy na profesję.

– Bić się potrafię, ale dopóki nie muszę, wolę nie wystawiać się na ciosy. Zawsze lepszy jest nos cały niż złamany.

– Z nim dałabyś sobie radę? I nie chodzi mi o sprawy gastronomiczne. W tej kwestii Bułka nie ma sobie równych. Mówię o ewentualnej sytuacji zagrożenia. Czy ono faktycznie istnieje?

– Dobre pytanie. – Sasza uśmiechnęła się i znów spojrzała na skruszonego bandytę, z którym podróżowali po kraju już drugi tydzień. – W kółko je sobie zadaję, odkąd mnie do ciebie przydzielili.

– Retoryczne – odparł prokurator. I zaraz dodał: – Bez urazy.

Bułka tymczasem wziął do ręki menu. Wezwał znów młodzieńca w pseudoludowym kaftanie.

– Jest kaczka?

– Jest jeszcze kaczka? – krzyknął do kuchni kelner.

– Nie ma – padło zza metalowych drzwi z napisem „Staff only".

– A tatar?

– Tatar jest?

– Nie ma.

Bułka był już lekko zniecierpliwiony.

– Golonka? Żeberka?

Kelner już się nawet nie upewniał. Kręcił tylko nieprzerwanie głową.

– Więc śledzie. Mogą być śledzie. Są?

– Z cebulką czy w śmietanie?

– Oba rodzaje. Sześć porcji.

Kelner zanotował.

– Może jeszcze pstrąg. Ze trzy sztuki. Do tego pół bochenka chleba.

Odłożył kartę dań.

– I woda. Niegazowana, bo się odchudzam.

Kelner odmaszerował. Po drodze oderwał z bloczku kartkę z zamówieniem i położył w okienku dla kucharza.

Sasza upiła ostatni łyk herbaty. Odstawiła kubek.

– O której zaczynacie?

– Jak się chłopak posili.

– Czyli za jakieś dwie godziny?

– Jeśli będzie trzeba.

W tym momencie do sali wpadł człowiek w białym kitlu i przekrzywionej czapce szefa kuchni na głowie.

– Kto zamawiał śledzie?

– Ja. – Bułka, jak dobry uczeń, natychmiast zgłosił się do odpowiedzi.

– Nie ma – burknął kucharz. – A pstrągi?

Bułka znów podniósł rękę.

– Też nie ma. – Kucharz zmierzył go nienawistnym spojrzeniem i rozłożył ręce. – Nie ma golonki, boczku, łososia, kiełbasek śląskich, śledzi ani tym bardziej pstrąga. Chleb również się skończył.

– To co jest? – Bułka chciwie oblizał wargi.

– Nic już nie ma. Zjadłeś pan wszystko, co było. Co kiedykolwiek było u nas w karcie – rzucił kucharz z wyrzutem i zniknął za metalowymi drzwiami.

Norin wstał. Dał znak kelnerowi.

– Płacimy.

Kelner podbiegł truchtem. Poprawił haftowaną kamizelę. Dzięki Bogu zgubił gdzieś tę straszną niebieską rogatywkę. Teraz zmierzył prokuratora pełnym niepokoju spojrzeniem i szepnął:

– Ależ proszę pana, szef polecił przekazać, że to na koszt firmy.

Norin i Sasza wymienili spojrzenia. Niczym się nie zdradzili, że są z policji. Żadnego mundurowego, koguta. Chyba że te anteny na dachu volkswagena, ale przecież dawno już odjechał. Teraz na podjeździe stała nowiutka czarna limuzyna audi.

– A nasze herbatki? Siedem dokładnie – upewniła się kobieta. – Ciastka domowe? Lemoniady? Że o wyporności żołądka kolegi – wskazała Bułkę – nie wspomnę.

– Wszystko już uregulowane. Dobrej nocy. – Mężczyzna skłonił się i pośpiesznie ruszył za bar, by wycierać suche szklanki. Nie mieli złudzeń, że przed nimi uciekał.

– Skoro tak. – Sasza również wstała. Poprawiła sukienkę. – To jadę do hotelu. W którym numerze będziecie mówić?

– W moim.

– Zamieńmy się pokojami.

Spojrzał na nią zdziwiony.

– U mnie prysznic nie działa. – Zrobiła proszącą minę i przekrzywiła głowę. Dostrzegł miedziane odrosty na jej jasnych włosach. – To jak?

– Przekonałaś mnie. Zabawię się w dżentelmena.

– Na to liczyłam.

Po czym, stukając obcasami, podeszła do Bułki, by go uprzedzić o holowaniu do pokoju przesłuchań. Dopiero wtedy Norin dostrzegł, że z małej różowej torebeczki, którą Sasza przewiesiła sobie przez ramię, wystaje bardzo długa lufa colta magnum 44, zwanego anacondą.

Alfabet Bułki, czyli refleksje Norina
po wspominkach świadka koronnego na szlaku
® Wszystkie prawa zastrzeżone.
*Nie brać tak całkiem serio, prokuratorze Antczak

Anioł – kobieta, przeważnie płci żeńskiej, generalnie zajmująca się udeptywaniem pobocza trasy szybkiego ruchu. W przerwach, za niewygórowaną opłatą, świadcząca nieskomplikowane usługi seksualne. Wyróżniająca się urodą na tle innych tirówek (patrz – tirówka), miejsce występowania anioła łatwo poznać po gwałtownie hamujących tirach (patrz – tir) i furach (patrz – fura).

Apelacja – odwołanie od wyroku, sytuacji człowieka (patrz – człowiek) nie polepsza, ale wzbogaca jego obrońcę.

Atanda – grupa gadów (patrz – gad) niespodziewanie wpadająca pod celę dla zrobienia krzywdy człowiekowi (patrz – człowiek).

Baranina – Jeremiasz B. Człowiek renesansu. Honorowy konsul Liberii w Bratysławie. Tajny współpracownik wywiadu polskiego, policji niemieckiej i austriackiej. Podejrzany o kierowanie zabójstwem ministra sportu Jacka Dębskiego. Popełnił samobójstwo w wiedeńskim areszcie. Podobno chciał się powiesić dzień wcześniej, ale nie zastano go w celi.

Czarny – doskonale uzbrojony i wyszkolony pies (patrz – pies), którego tożsamość otoczona jest pilnie strzeżoną tajemnicą państwową. Ważnym ludziom znany z zatrudnienia w ich klubach i dyskotekach w charakterze ochroniarza.

Człowiek – obywatel RP posiadający pełne prawa obywatelskie, niesłusznie tępiony przez psy (patrz – pies) i gady (patrz – gad), lecz zachowaniem swym i rozległą działalnością zapewniający dostatni byt kolejnemu pokoleniu adwokatów.

Durszlak – właściwie Piotr D., pseudonim Garnek. Po trafieniu siedemnastoma pociskami z pistoletu maszynowego przeżył.

Dziad – ksywa nadana przez dziennikarzy Henrykowi N., pseudonim Heniek. Był znanym wołomińskim hodowcą gołębi. Na pytanie każdego sądu o wykonywany zawód z dumą odpowiadał: „gangster". Aż do ostatniego dnia pobytu w więzieniu cieszył się znakomitym zdrowiem. Umarł w celi.

Fura – drogi, markowy pojazd samochodowy użytkowany przez karka (patrz – kark).

Fura na Europę – fura, której przebite oznaczenia identyfikacyjne i przerobione dokumenty nie powodują natychmiastowego aresztowania posiadacza podczas rutynowej kontroli drogowej na obszarze Unii Europejskiej.

Fura do Świecka – fura, która dzięki wyglądowi jej posiadacza nie podlega rutynowej kontroli drogowej na obszarze RP.

Gad – marnie opłacany umundurowany funkcjonariusz Służby Więziennej. Po pracy rolnik.

Kajdan – ciężki złoty łańcuch zdobiący szyję karka (patrz – kark). W chwilach desperacji wręczany psu (patrz – pies) jako korzyść majątkowa w zamian za odstąpienie od wykonywania czynności służbowych.

Kark – duży, mocno umięśniony człowiek (patrz – człowiek). Generalnie sportowa wersja prostokąta poruszająca się furą (patrz – fura), w której dumnie prezentuje swoją świnkę (patrz – świnka).

Kręciłapka – pseudonim artystyczny Artura G. cenionego w środowisku chirurgów warszawskich za dostarczanie ciekawych przypadków mechanicznych uszkodzeń kończyn, w szczególności górnych. Twierdził, że ilość spożytych anabolików wygładziła mu korę mózgową – po urwaniu mu głowy przez zdalnie odpalany kierunkowy ładunek wybuchowy i wykonaniu sekcji zwłok zostało to potwierdzone naukowo.

Kiełbasa – czyli Wojciech K. – człowiek niezwykle konsekwentny. Wierny do końca swojemu pseudonimowi. Dał się zastrzelić przy drzwiach sklepu mięsnego.

Ksiądz – Włodzimierz K., najważniejszy człowiek na warszawskim Żoliborzu. Zastrzelony 17 stycznia 2000 roku, dla uczczenia 55. rocznicy wyzwolenia Warszawy. W latach późniejszych tradycji tej nie kontynuowano, wybierając zupełnie przypadkowe daty egzekucji innych bandytów. Wprowadziło to dużą nerwowość w środowisku prokuratorów odpowiedzialnych za dokonywanie oględzin miejsc dokonania przestępstwa.

Orlik – Zbigniew O. Podziwiany w branży meblowej eksporter nieheblowanych taboretów do Kalabrii. Znany w lokalnym środowisku antysemita, fundator pomnika otworkich Żydów, ofiar Holokaustu. Ortodoksyjny katolik. Zawsze sypiał z żoną, kochanką i psem. Kolekcjoner działek gruntowych leżących na trasie planowanej autostrady A2. Tuż po kupieniu ostatniego kilometra przyszłej trasy coś mu strzeliło do głowy. Biegli balistycy stwierdzili, że był to pocisk kalibru 7,62 mm wz. 32 produkcji radzieckiej. Nie pozostawił testamentu. Postępowanie spadkowe toczy się do tej pory. Pies zdechł.

Pies – marnie opłacany, umundurowany lub nie (w miarę możliwości budżetu państwa) funkcjonariusz policji państwowej bezlitośnie ścigający człowieka (patrz – człowiek) do chwili otrzymania kajdana (patrz – kajdan).

Świnka – obywatelka RP, wiek do 30 lat, wzrost 170–175 cm, wymiary 90–60–90, zwykle studentka aerobiku lub menedżerstwa w Wyższej Szkole im. Kogoś tam. Cechuje się niezadawaniem żadnych pytań karkowi (patrz – kark), jest niezmiernie zdumiona jego kolejnym aresztowaniem oraz kolejnym, oczywiście niesprawiedliwym, wyrokiem skazującym. Bezbrzeżnie oddana karkowi do jego ostatniej złotówki.

Tir – ciężarówka, przez człowieka bywałego w świecie zwana częściej trakiem. Obiekt do szybkiego wzbogacenia się, pod warunkiem znalezienia nabywcy ładunku.

Tirówka – kobieta, przeważnie płci żeńskiej, zajmująca się udeptywaniem pobocza trasy szybkiego ruchu. W przerwach świadcząca nieskomplikowane usługi seksualne. Na tle pobocza wyróżniająca się wszystkim z wyjątkiem urody (patrz – anioł).

Wariat – ksywa nadana przez dziennikarzy Wiesławowi N. Jako młodszy brat Heńka był znacznie bardziej kreatywny. Stworzył największe i najnowocześniejsze w Europie laboratorium produkujące amfetaminę. Nawiązał owocną współpracę ze Służbą Bezpieczeństwa, której funkcjonariusze eksportowali jego wyroby do Skandynawii. Do chwili zastrzelenia przy byle jakim supermarkecie marzył o przekształceniu swej trzepakowej mafii w prawdziwą organizację przestępczą.

Wieża – Adam S. oczywiście niesłusznie oskarżony o gwałtowne przerwanie, przy użyciu broni palnej, marzeń Dziada.

Aresztowany stracił życiową szansę zagrania jednej z trzech tureckich głów ściętych przez Longinusa Podbipiętę w filmie Jerzego Hoffmana *Ogniem i mieczem*. Los wynagrodził mu to już rok później. Został ścięty serią z pistoletu maszynowego na placu Defilad w Warszawie, tuż po opuszczeniu Aresztu Śledczego na Mokotowie. Sprawców nie wykryto...

– Chcesz to wydać? – Sasza odłożyła zapiski Norina na brzeg stołu.

– A gdzie tam – żachnął się prokurator. – Tak sobie zapisuję, żeby nie zapomnieć, jakie miałem przygodowe życie.

– Idę. – Zerwała się, ale chwycił ją za rękę.

– Odpuść. Pewnie zasnął, jak tylko usiadł na kiblu. Przez całe życie tyle nie zjadłem, ile on dziś.

Sasza westchnęła, a potem wyciągnęła z torby niemieckie czasowniki nieregularne. Nic jej tak nie uspokajało, jak nauka języków obcych. Spojrzała na zamyślonego prokuratora. Przed nim stała maszyna do pisania, leżał plik kartek i nieduży dyktafon. Sądząc po liczbie zapisanych stron w teczce i niedopałków w popielnicy, niewiele dziś udało mu się zrobić.

Załuska znów spojrzała na drzwi toalety, w której przed dobrym kwadransem ukrył się skruszony gangster. Na początku dobiegały ich niezbyt apetyczne odgłosy wypróżniania, a potem zagłuszył je szum lanej wody. Wreszcie zapadła męcząca cisza.

Sasza wyjęła krótkofalówkę i sprawdziła czujki na zewnątrz.

– Nikt nie wychodził – zapewniła. – Wszystkie wyjścia obstawione.

– Nie ucieknie. – Norin machnął ręką lekceważąco. – Nie chodzi o ryzyko. To mu się nie opłaci. Żona i syn czekają na następnej stacji.

Sasza jednak wstała. Z palca zdjęła obrączkę z rubinem i uderzyła pięścią w drzwi. Rozległ się głuchy odgłos. Dykta wygięła się w łuk. Z drugiej strony żadnego odzewu. Teraz już nie ukrywała zaniepokojenia.

– Może zgłodniał? – Prokurator się uśmiechnął.

Dłużej już Załuska nie zwlekała. Wyjęła z włosów szpilkę, włożyła do zamka. Zapadka odskoczyła. Podważyła klamkę i po chwili była już w środku. Bułka siedział oparty plecami o wannę i spokojnie grał w gierkę. Pochyliła się i jednym sprawnym ruchem przewróciła go na plecy, zacisnęła mu łokieć na szyi. Charczał. Ledwie mógł oddychać.

– Żarty się ciebie trzymają? – syknęła, a potem powaliła go na podłogę jak kawał chabaniny.

Norin chwilę patrzył na to zaszokowany. Nie odezwał się jednak nawet słowem. Kiedy uznał jednak, że sytuacja jest opanowana, wrócił do uzupełniania swoich zapisków.

– Poznałem cię – wysyczał Bułka, kiedy zostali sami.

– To dobrze – mruknęła Sasza. – Bo Jelcyn chciałby wiedzieć, kogo i za ile sprzedajesz. A Otto jest niezadowolony z twoich wczorajszych zeznań. Nazwisko Domina nie powinno było paść w tym protokole. Dlatego pomyślałam, że cię dziś odwiedzę. – Pokiwała na niego palcem.

Bułka był wściekły, kipiał złością. Nie był to człowiek, który łatwo się zgadza na wykonywanie poleceń. Tym bardziej zaś, jeśli wydaje je kobieta w różowej sukience. Niestety, wiedział, że ona reprezentuje kogoś, przed kim nieraz klękał i do końca życia będzie to robił. Dlatego poderwał się bez gadania. Ruszył do stołu, stękając głośno, jakby był potężnie obity. Sasza patrzyła na ten spektakl z niesmakiem, lecz czuła niemałą satysfakcję. Widziała w jego oczach lęk. Postanowiła, że tak zacznie swój dzisiejszy raport.

Bułka opadł na krzesło, a Norin miał już dla niego zadanie. Rozłożył na stole mapę Polski i wręczył mu pisak.

– Dziś znów zabawimy się w określanie stref wpływów. Kto, gdzie i kiedy rządził. Martwi też się liczą. Anegdoty przydadzą się do mojego archiwum – roześmiał się.

Sasza podziwiała prokuratora. Wyglądał tak, jakby cała ta sytuacja nie zrobiła na nim żadnego wrażenia. Ona sama aż dygotała. Pod byle pretekstem wyszła z pokoju, by łyknąć z piersiówki. Kiedy wróciła, Norin już urobił Bułkę na tyle, że jego gromki śmiech słychać było aż na korytarzu.

– No dobrze, Geniu. – Prokurator nie pierwszy raz zwrócił się do świadka jego prawdziwym imieniem, ale Bułka już się nauczył, że wtedy nie ma z Norinem żartów. – Kto kierował zabójstwem komendanta Maksymiliana Lekiego? Kto koordynował działania, naciskał spust? Wczoraj padło interesujące mnie nazwisko. Rysio Domin, resortowy człowiek. Kto go prowadził?

Bułka natychmiast odchylił się na krześle.

– To nie była nasza sprawa – zaczął. – Kurczak odbył wprawdzie to spotkanie w Marinie, ale nie jestem pewien, czy to był Pastuch, czy może ktoś do niego podobny.

– Podobny? – Norin zdjął okulary, wyjął z paczki papierosa. – Domina nie rozpoznasz? To tak, jakbym ja ciebie pomylił z kimś innym. Nie byłoby ci przykro?

Bułka tylko wzruszył ramionami. Nieudolnie zgrywał niewiniątko.

– Kurczak zawiadywał tym tematem. Ale zaraz go wyeliminowali. Może i było takie spotkanie, a może i go nie było. Mówiłem, że wszyscy dostali to zlecenie. Pewnie żeby zaciemnić w razie przypału. Moim zdaniem zrobił to ktoś z Wybrzeża.

– Kto?

– A ja wiem? Może Pochłaniacz? Może ludzie Słonia? Miał takiego nowego cyngla, chochoła z Afganistanu. Łaził za nimi jak pies i gołymi rękoma dusił dłużników. Mówiło się na mieście, że to on dostał zlecenie. Kurczak zabrał go do Warszawy. Czy odpalił Lekiego, nie wiem. Byłem już odsunięty. Dyżurny doniósł Kurczakowi, że robię na dwa fronty.

– Co okazało się prawdą – podsumował Norin.

Bułka nie odpowiedział. Widział, że oskarżyciel nie jest zadowolony z odwołania wczorajszych zeznań.

– Zostawmy wykonawców. – Prokurator znów sięgnął do teczki. Wyjął plik zdjęć spiętych recepturką. – Mam tutaj kilku twoich przyjaciół. – Puścił do świadka oko. – Lub wrogów. Zależy, jak na to spojrzeć.

Sasza wyciągała szyję, by przyjrzeć się fotografiom. Niestety, nie wolno jej było ruszyć się z miejsca, wtrącać ani zaburzać przebiegu przesłuchania, dopóki świadek nie sprawiał kłopotów. Jak się domyślała, teraz Bułka będzie cichy jak trusia. Potulny koteczek, który znalazł się w tej sytuacji zupełnie przypadkowo.

– Obstawiamy? – zachęcił go Norin. – Tylko nie kłam, że ich nie znasz i nigdy nie widziałeś, bo ci zrobię głodówkę.

– Znam bardzo dobrze – zaprotestował Bułka grobowym tonem. – Choć nie wszystkich osobiście.

– To chyba nie szkoda.

– Znam tych zacnych panów głównie z mediów. – Bułka znów zrobił minę aniołka. – Jak większość prawdziwych Polaków.

Norin podniósł jedno ze zdjęć. Sasza natychmiast wyjrzała znad swoich niemieckich czasowników. Była jednak za daleko, by rozpoznać twarze omawianych postaci.

– Pułkownik Otto nigdy nie pojawiał się w prasie. Podobnie jak Bronisław Zawisza. Choć odkąd objął stanowisko szefa WSI, to się wkrótce zmieni. Jaki ci jegomoście mają wkład w wasze narkotykowe sprawy? Który kanał wam udostępnili? Turecki czy kolumbijski? Gdzie macie magazyny? Kto z Trójmiasta zapewnia przeładunek?

– To nie moja liga, prokuratorze – odpowiedział bardzo spokojnie Bułka. – Szczerze. Nie znam się na tym. Wyższa polityka, poważny biznes. Wiadomo, że kanał przerzutowy ma być załatwiony i bez służb żaden statek z prochem nie przejedzie. Ale to Kurczak i bossowie z Wybrzeża dogadywali te sprawy. Dyskretnie, na eleganckich rautach, gdzie karków w dresach nie zapraszano. Byłem tylko kapitanem. Rozdzielałem obowiązki żołnierzom. Komuś wóz odpalić, palce uciąć, trochę świnek dostarczyć albo i sprawić, żeby zniknęły. To nie są ludzie z mojej parafii.

Norin złożył zdjęcia w harmonijkę. Mimo braku danych wydawał się zadowolony.

– Miałem kiedyś takiego kolegę – zaczął, jakby zamierzał świadkowi opowiedzieć bajkę. – Był taki jak ty, ale działał po naszej stronie. Przeżył, bo zrozumiał, że jego wiedza to oręż. Spisał wszystko na kilku kartkach, a potem dał komu trzeba.

– Wiem, o kim mowa. Kilka razy spotkałem Jesiotra.

Norin skinął głową.

– Przeglądałem te stronice pięć lat temu. Kilka dni później zginął generał Leki. Byłem na oględzinach. Nie pamiętam wszystkiego. Nazwisk było zbyt wiele, ale te osoby znajdowały się na samym szczycie piramidy. Ciebie nie zapamiętałem, a jestem wzrokowcem. Wiem, że nie jesteś decyzyjny. Możemy to tak przedstawić prokuratorowi generalnemu i ministrowi sprawiedliwości. Istnieją narzędzia, by chronić twoją rodzinę. Więc jak? Zeznajesz czy się obijasz?

Bułka wyciągnął dłoń i wysunął jedno ze zdjęć. Leżało na samym dole.

– Z tym facetem miałem przyjemność. Kiedyś uczestniczył w moim przesłuchaniu i potem widziałem go kilka razy z Pastuchem. Raz też – nie wiem, czy to istotne – przyjechał z mundurowym do Kurczaka po kasę. Wydałem mu siedem sportowych toreb. Akurat mieliśmy dobre zbiory w Kolumbii. – Uśmiechnął się. – Kiedy ładowałem kesz do bagażnika, na tylnym siedzeniu zobaczyłem ówczesnego premiera. Miesiąc lub dwa później zmienił mi się prowadzący, a ten facet – Kajetan Wróblewski się nazywał, pseudonim Dziadek – trafił do policji. Z tego, co wiem, z Głównej nadzorował przestępczość zorganizowaną. Byłem przerażony. Wtedy myślałem, że to degradacja. I że moje dni są policzone. Nic się nie zdarzyło.

Norin myślał chwilę. Wreszcie postukał w twarz otyłego białowłosego mężczyzny z wąsami.

– Roman Jelcyn Maciulewicz – zaczął, jakby przedstawiał przyjacielowi znajomego.

Bułka rzucił przelotne spojrzenie na Saszę i mruknął:

– W życiu tego gościa nie spotkałem. Ale wygląda mi na niezłą szuję.

Norin dopijał trzeciego drinka, kiedy do drzwi pokoju zapukała Sasza. Spojrzał na zasunięte story, wypełnioną po brzegi popielniczkę przy łóżku i poszedł otworzyć, choć wiedział, jak to się może skończyć o tej porze. Pracowali ze świadkiem do rana. Prokurator nawet nie zauważył, kiedy nastał świt. Bułka tak się rozgadał, że Norin obiecał mu obiad na śniadanie i dodatkową porcję pstrągów w nowej lokalizacji. Zapewnił, że nie zabraknie chleba. Z całą pewnością mężczyzna zajadał potworny stres. Trudno się dziwić. Był pierwszym świadkiem, który walczył o koronę. Ustawa gwarantowała mu bezpieczeństwo, nową tożsamość dla niego i rodziny, a także pensję do końca życia. Pod warunkiem że wyda wszystkich dawnych mocodawców i ujawni mechanizmy działania gangu, w którym funkcjonował całe życie. Czyhali na niego teraz wszyscy. Gdyby ktokolwiek wpadł na jego ślad, gdyby jakiś kelner w haftowanym surducie dał cynk komu trzeba, gdzie jest pierwszy judasz polskiej mafii, cały proces by padł. A Norin mógłby się pożegnać ze splendorem za rozbicie tej struktury. Tyle że Dariusz po dzisiejszym spotkaniu wiedział już, że ich obu wykorzystują znacznie poważniejsi gracze. Nie chodziło o Kurczaka, Słonia czy Pochłaniacza. Nie chodziło tylko o przestępstwa przeciwko życiu i zdrowiu. Mafia nie działa bez wsparcia polityków i ludzi z resortu. A także bez zaplecza ze strony organów ścigania. Ale oni wciąż krążyli wokół strzelanin, drobnych przekrętów, zawodów konnych, nielegalnych walk czy pralni pieniędzy, jaką były wybory Miss Polonia. Norin czuł jednak, że pod spodem jest coś jeszcze. Miał niemal pewność, że to, czym się zajmuje, to tylko wierzchołek góry lodowej.

Do pokojów rozeszli się po jedenastej. Ale prokurator nie mógł zasnąć. Zaaplikował sobie najskuteczniejszy jego zdaniem środek nasenny. Jacka danielsa w czystej postaci. Teraz żałował. Kręciło mu się w głowie i lekko się chwiał. Co zrobi, jeśli śliczna Milena przekroczy próg jego pokoju? Tak naprawdę czekał na nią od tygodnia. Każdego ranka, każdego wieczoru obstawiał, że dziś wreszcie zapuka. W głębi duszy był pewien, że ona nie złamie zasad, ale obawiał się sam siebie. Kiedy poznały się z Renatą, a o dziwo, żona Norina polubiła policjantkę, powiedziała mu na odchodne:

– Jeśli mnie kiedykolwiek zdradzisz, to z nią. Ewentualnie z kimś takim jak ona.

Wtedy prokurator kategorycznie zaprzeczył.

– Mogę?

Sasza stała w drzwiach kompletnie ubrana. W rękach miała tacę, na której zobaczył dwie parujące kawy, jajecznicę i twarożek ze szczypiorkiem. Trzy kromki pieczywa, pojemniczek z miodem oraz butelkę wina musującego. Przełknął ślinę i postarał się być jak najbardziej antypatyczny.

– Nie jestem głodny.

Drzwi jednak nie zamknął. Sasza odczytała zaproszenie właściwie. Nabrała powietrza, hardo uniosła głowę i przekroczyła próg.

– To ja zjem – oświadczyła. Postawiła tacę na miniaturowym stoliku ze sklejki, który za komuny był pewnie szczytem luksusu.

Omiotła spojrzeniem pokój: nienaruszoną pościel, wybebeszoną walizkę, stos papierów na podłodze, gumę do ćwiczeń i spodenki bokserskie, w których zwykle sypiał, a które teraz leżały grzecznie na krześle obok komputera.

– Nie zmrużyłeś oka.

Potarł zaczerwienione oczy. Sięgnął po kawę.

– Wyśpię się na emeryturze.

– Chyba jeszcze nie czas o tym myśleć.

– W twoim wieku też tak uważałem. – Uśmiechnął się.

Podała mu sztućce. W drugą rękę włożyła kromkę bagietki. Zauważył, że pieczywo jakimś cudem samo posmarowało się masłem. Usiadł więc na pufie, zaczął jeść. Sasza zzuła buty. Wskoczyła na jego łóżko. Podwinęła nogi i usiadła po turecku. Zaczęła otwierać wino.

– Dziś jedziemy pod słowacką granicę – zaszczebiotała. – Może chcesz się przespać? Przestawię wszystko na popołudnie. Jeśli zadzwonię teraz, kierowca nie będzie się pieklił.

Pokręcił głową.

– Zdrzemnę się w podróży – odparł z pełnymi ustami.

Uśmiechnęła się do niego i poczuł, jak robi mu się ciepło w okolicy mostka. Renata miała rację. Znała go jak zły szeląg. Czuł, że trzeźwieje, serce zabiło mu szybciej. Adrenalina robiła swoje. Wziął od niej kieliszek, upił łyk. Od razu rozpoznał prawdziwego szampana.

– To nam dobrze zrobi – zaśmiała się i wzniosła toast. – Za twoje śledztwo.

Za twój urok, urodę, siłę, mądrość, poczucie humoru i to, że jesteś – chciał odpowiedzieć. Ale zamiast tego dopił trunek do dna, dyskretnie łypiąc na jej drobne stopy.

– Co cię sprowadza, kapitan Mileno Czarnecka? – Zmusił się do oficjalnego tonu. – Bo chyba Bułka nie dostał tak wspaniałego śniadania do łóżka?

– Chwilowo nie mam przy sobie arszeniku.

Odsunął bagietkę od ust.

– O tym nie pomyślałem.

Zaśmiała się. Patrzył na nią rozmarzony.

– Musimy pogadać.

Sentymenty przeszły mu jak ręką odjął. Odłożył widelec. Sięgnął po gorącą kawę.

– Masz rację z tymi oficerami – zaczęła. – Ale proszę cię, nie drąż tego.

Norin nie był pewien, czy dobrze słyszy.

– To brzmi jak groźba.

– Tak uważasz? – Spojrzała mu przeciągle w oczy, aż poczuł, że robi mu się gorąco. – To raczej ostrzeżenie.

Wyjęła legitymację i mu podała. Potem dostał paszport oraz dowód osobisty na nazwisko Aleksandra Załuska. Nawet bez czytania zrozumiał, z kim ma do czynienia. Jak zwykle zachował stoicki spokój.

– Miałam cię uwieść. I oczywiście pilnować Genka Jeremusa, by nie chlapnął czegoś, czego by wszyscy żałowali.

– A czego mogliby żałować? I kto?

– Premier, prezydent. Kilku ministrów zawdzięczających moim szefom stanowiska. Panowie prezesi z telewizji, cały zarząd rafinerii, budowlanka. Wszyscy żyją dzięki temu układowi. Na samym dole są Bułka i jego bossowie. Oni są tylko do sprzątania.

Norin zaśmiał się szczerze.

– Chyba nie tylko ja jestem tutaj pijany.

– Masz rację. Polej, bo nie będę miała alibi.

Sięgnął po jacka danielsa.

– Mówisz poważnie?

– Dotykasz spraw zagrażających bezpieczeństwu narodowemu. To status quo musi być zachowane. Dlatego tu jestem.

– To mi się trafiło, że nie przysłali jakiegoś Makowieckiego albo innego Siewierskiego. W sumie to miło z ich strony.

– Mamy w raporcie, że lubisz blondynki o eterycznej urodzie. – Wychyliła drinka i zaraz sobie dolała. – Ale inteligentne i z biglem. Mogą być piegowate.

– Cała ty. – Norin zaśmiał się gorzko. Cieszył się, że jest jeszcze pod wpływem alkoholu, bo dzięki temu bardzo powoli docierało do niego, że Milena, Aleksandra, czy jakkolwiek nazywa się ta dziewczyna, była dla niego miła wyłącznie służbowo. Spoważniał. – To dlatego Bułka jest taki grzeczny?

– Ze względu na Jelcyna. Jednego z Wielkiej Piątki, której zdjęcia dziś mu pokazywałeś. Całą sprawą trzęsie kilku starszych panów. Nie jest to takie skomplikowane. Jedynie niełatwe do udowodnienia. Zbyt szeroka siatka powiązań. Kiedy zaczniesz o tym mówić, zaraz cię wsadzą do czubków, że kolportujesz teorie spiskowe zamiast wybaczać.

– Jakoś ciebie nie wsadzili.

– Bo lubię sobie wypić, zabawić się i zasadniczo nic nie rozumiem. – Wywróciła oczyma, udając idiotkę. – A poza tym idealnie się nadaję na wabia.

Norin zakrztusił się kawą.

– Może to raczej ciebie powinienem przesłuchać – mruknął, a potem spojrzał na toaletę. – Tak swoją drogą, prysznic działa bez zarzutu.

– Mój również, dziękuję – odpowiedziała z półuśmiechem. – Ale twój numer jest naszpikowany elektroniką. A bardzo chciałam odwiedzić cię dzisiejszej nocy. Niestety straszny z ciebie pracoholik. Do rana praca, potem jakieś intelektualne dyskusje. Do tego masz fantastyczną żonę. Skutecznie uniemożliwiasz mi wykonanie zadania.

Norin zignorował ostatni fragment jej wypowiedzi. Lekko się jednak spłonił. Wiedziała dobrze dlaczego. Też bardzo go polubiła. W innych okolicznościach mogłoby dojść między nimi do czegoś więcej. Ale nie chciała mu tego robić. I tak, była pewna, urządzą mu w życiu kipisz. Bo on nie odpuści. Będzie drążył.

– Ktoś miał więc niezły widok – nawiązał niby żartobliwie. – Zazdroszczę waszym operatorom techniki.

– Nie takie rzeczy oglądali. Chodziłam na golasa przez cały poranek. Pewnie są w konfuzji. W każdym razie taką mam nadzieję. – Zamilkła.

Chwyciła kawałek chleba i umoczyła go w twarożku. Norin jeszcze raz obejrzał jej legitymację. Zeskanował wzrokiem wszystkie dane, zanim zwrócił dokument. Schowała plakietkę do tylnej kieszeni dżinsów. W drugiej, jak już wcześniej zauważył, wciąż miała colta anacondę.

– Śpisz z tym?

– Czasami. – Zaśmiała się. A potem gwałtownie umilkła i dodała już całkiem poważnie: – Tylko kiedy jestem trzeźwa. Czyli bardzo rzadko.

– Więc naprawdę masz na imię Aleksandra?

– Można tak powiedzieć. Wolę Sasza.

– A na serio?

– Czy to naprawdę istotne?

– W sumie nie. Pytam z ciekawości. Nigdy jeszcze nie piłem szampana z kobietą szpiegiem.

– To byś się zdziwił.

Oboje się uśmiechnęli. Sasza podciągnęła kolana pod brodę i splotła na nich ramiona. Zdała mu się teraz drobna i bezbronna niczym dziewczynka.

– Rozumiem, że naszą przygodę uważasz za zakończoną?

Sasza skuliła się jeszcze bardziej. Przyciągnęła koc i cała się nim przykryła, jakby się chowała. Poczuł znów mrowienie w okolicy mostka, a z każdą chwilą prąd niebezpiecznie przesuwał się niżej. Podał jej kieliszek. Wlał do niego resztkę szampana. Przez moment dotknęli się palcami.

Sasza wiedziała, że to nie był przypadkowy kontakt. Zabrała rękę. I w tym samym momencie poczuła smutek, jakby coś straciła. Bardzo chciałaby mieć takiego przyjaciela. Norin był solidny, zabawny. Nigdy nie wypadał z roli. Dlaczego w jej życiu nie trafiają się podobni faceci? Dlaczego spotkali się akurat w takiej sytuacji? Zdecydowała się grać dalej. Musi go ostrzec, uratować. Nie zrobi mu tego, co jej rozkazali. Nabrała więc powietrza i przybrała lekki ton.

– Obecnie, jak wiesz, mam dokumenty legalizacyjne z CBŚ na Milenę Czarnecką. Niech tak zostanie. Dla nas byłam i zostanę Mileną. Choć Jelcyn nieustannie nazywa mnie Kopciuchem. Zwłaszcza kiedy nie słyszę. Dziadek, kiedy chce mnie docenić, zwraca się do mnie: Calineczko. To kryptonim jednej z akcji, nad którą pracujemy.

– Jest powiązana z naszymi sprawami?

– Nie mam pojęcia. Przewożę, dostarczam dokumenty, uwodzę prokuratorów, czasami sobie postrzelam. Nie wiem, co mnie czeka, i prawdę mówiąc, nie chcę wiedzieć. Osobiście uważam, że Calineczka brzmi jednak lepiej niż Kopciuch.

– To jacyś wyznawcy braci Grimm czy dorośli faceci z agencji?

Sasza się roześmiała. Ale po chwili spoważniała.

– Aha, to chyba istotne. Bułka wie. Wczoraj się ujawnił.

Norin przyjął informację do wiadomości, podziękował spojrzeniem, ale był zawiedziony. Czuł narastającą irytację. Wiedział, że nie wikłając się w romans, postępują słusznie, ale wolałby inny przebieg wydarzeń. Sam chciałby o tym zdecydować. Nie podobało mu się, że dziewczyna próbuje nim manipulować.

– Dlaczego tutaj jesteś? – zapytał.

– Przecież wiesz.

– Chodzi o seks? – zażartował.

– Oczywiście – potwierdziła, siląc się na wesołość.

– A naprawdę chodzi o komendanta Lekiego. O śledztwo twojego życia, jak podsumowali to dziennikarze. Przydzielili je tobie, bo byłeś idealną osobą. Żadnych czerwonych plam w przeszłości. Działalność opozycyjna, wsparcie dla PC. Właściwe poglądy. Ale nie rozwiążesz tego nigdy. Dlatego minister dał ci wolną rękę w pezetach. Masz ścigać Bułkę i pozostałych zbójów, którzy i tak już są niewygodni. Wiedzą, że będziesz ich cisnął, walczył o każdą informację, ale nawet do figuranta w sprawie generała nie dojdziesz. Sprawa ekstradycji Ryszarda Domina jest już ukręcona. A przecież nie złożyłeś nawet jeszcze wniosku.

– Skąd wiesz?

– Znam rozkazy. Z Ministerstwa Sprawiedliwości idą do nas. Załatwią to proceduralnie. Nie znam szczegółów, bo niewiele rozumiem z legislacji, formalizmów i tych wszystkich waszych prawnych założeń. Owszem, pozwolą ci zabłysnąć w mediach. Będzie jeden moment chwały. Wszystkie ekrany zrobią z ciebie bohaterskiego szeryfa, bo takie jest zamówienie polityczne. Ale potem, kiedy przyjdzie do konkretów, nagle nastąpi zwrot o sto osiemdziesiąt stopni i wszystko się rypnie.

Norin był wściekły. Twarz mu stężała, choć wciąż jeszcze powstrzymywał się od wybuchu.

– Przecież wiesz dobrze, że mam rację – przekonywała dalej Załuska. – Dlaczego włączyli w to śledztwo nadzór UOP-u? Żeby znać każdy twój krok. Uniemożliwić ci dotarcie do zleceniodawców.

– Ilu ich jest?

– Skąd mam wiedzieć?

– To co wiesz?

– Że skręcą sprawę na jakimś błahym błędzie. A jeśli będziesz zbyt dobry, po prostu ci ją zabiorą. Do ekstradycji nie dojdzie. Pastuch to nasz człowiek, z mojej firmy. To walka z wiatrakami. Jego zwierzchnik jest jednym z nich. To Otto. Już chyba się domyśliłeś.

– A pozostali?

– Sama chciałabym wiedzieć. Odeszłabym z firmy i wyjechała. Daleko, gdzie mnie nie znajdą. Nie mogę. Mnie też mają w garści.

Norin się zmarszczył. Nic nie rozumiał. Sasza machnęła ręką.

– Intuicja mówi mi, że to dawni ludzie z resortu. Ci, którzy za komuny ustawiali ucholi, czyli twoich gangsterów. Zarządzali wszystkimi tymi Baraninami, Dziadami, Słoniami i Kurczakami. Ale konkretnie ci nie powiem. Jestem na samym dole. Dostaję rozkazy, wykonuję i zapominam.

– Od kogo dostajesz?

Sasza chwilę milczała.

– Jelcyn i Dziadek. Pod nich podlegam na zmianę od lat. Walczą ze sobą, choć udają najlepszych przyjaciół. Jelcyn liże tyłek Dziadkowi, a za jego plecami zbiera na niego kwity. Dziadek o tym wie, więc też się zbroi. Reszty nie znam. Mogę się tylko domyślać. To byłoby wróżenie z fusów.

Norin zastanawiał się, co odpowiedzieć. Sasza obsunęła się na poduszki i ułożyła na boku. Cierpiał, patrząc, jak pręży się w jego łóżku. Miał wielką ochotę ją przytulić, ale wiedział, że tego nie zrobi. Dobrze to rozegrała.

– A jak ty byś postąpiła na moim miejscu?

– Ja? – Zawahała się. Zdawała się zaskoczona, że o to pyta.

– Dzięki Bogu nie jestem. I nigdy nie będę dźwigała na sobie takiej odpowiedzialności. Bo możesz iść z nimi na wojnę, rozbić ten układ albo w niego wejść. Są tylko dwa wyjścia. No, jest jeszcze trzecie – poddać się losowi, ale to tak, jakby wybrać drugie, tyle że z pozycji przegranego. Zresztą ja ci nie będę niczego radzić. Nadaję się tylko do wystawienia na wabia.

– Bez krygowania się! – zdyscyplinował ją.

– Opcja pierwsza – odpowiedziała bez namysłu. – Ta ryzykowna: oszukałabym ich. Pisała w raportach z przebiegu dochodzenia co innego, niż robię. W tym czasie gromadziła sojuszników. Musisz mieć za sobą ludzi, którym się opłaca rozbić ten system.

– Czyli ekstremalną prawicę. Tylko oni są obecnie poza korytem. Ale mierzi mnie na samą myśl o współpracy z nimi.

– Opcja druga – konformistyczna: zgromadziłabym materiał i zażądała stanowiska, zabezpieczyła rodzinę. Z tym że nie wiadomo, jak długo dasz radę trzymać ich w szachu. Bo przecież w polityce wszystko zmienia się jak w kalejdoskopie. Nie ma żadnych zasad. Liczy się tylko gra.

– To dwa bieguny.

– Jak w życiu. – Sasza wzruszyła ramionami. – Mogliśmy dziś pójść do łóżka, ale tego nie zrobiliśmy.

– Ja jednak widzę to inaczej – odparł. – Jesteśmy w stanie „pomiędzy".

– Pomiędzy? – Zmarszczyła czoło.

– Jeszcze nie wiesz, co się zdarzy w tym pokoju. – Mrugnął do niej szelmowsko.

– Fakt.

Usiadła. Odrzuciła koc. Bluzka jej się rozpięła. Norin dostrzegł zarys dekoltu. Przełknął ślinę i powiedział:

– Wszystkie te opcje zakładają uczestnictwo w grze. A ja tylko chciałem pobawić się z Bułką w mafię.

– Aha, zapomniałam, jest jeszcze opcja Piłata. Umywam ręce, walczcie sobie sami. Ale to raczej nie przejdzie. Zawsze cię wykorzystają.

– W sprawie Lekiego zaraz będę miał zgodę na ekstradycję Domina. Biznesmen się nie wywinie. A dostanę jego, puści farbę, kto jest wyżej.

– Nigdy nie dojdziesz, jaki był motyw.

Norin spojrzał na nią pobłażliwie. Uniosła ręce w geście poddania się.

– Wiem, wiem, raport Jesiotra. Wszyscy operacyjni o tym gadają. O tym pliku kartek krążą piękne legendy. Nawet jeśli jest tak mocny, nadal nie jest i nigdy nie będzie dokumentem procesowym. Dobrze o tym wiesz. Nikt nie pozwoli, by znalazł się w aktach!

– A teczki Macierewicza?

– Dobre porównanie. Narobili szumu i lustracja poszła z dymem. Genialny ruch. Sam raport Pawłowskiego też nie pozwoli ci na udowodnienie istnienia tej pajęczyny. Musisz mieć zeznania, cały łańcuch poszlak. Właściwie trzeba by było powołać komisję śledczą. A to by zarżnęło sprawę definitywnie.

Wykrzywił wargi w pogardliwym grymasie.

– Przeszedłbym do historii. O matko jedyna!

– Czy ja coś takiego powiedziałam?

– Przed chwilą.

– Jak sądzisz, dlaczego akurat Jeremus ratuje życie? Dlaczego on pierwszy dostał koronę?

– Jeszcze nieprzesądzone.

– Jak to nie? Kwity są gotowe. Wykonujesz ich plan. Spędzasz trzysta pięćdziesiąt dni w roku, włócząc się po kraju z jakimś drobnym bandziorkiem, zaniedbujesz rodzinę, śpisz w zawszonych hotelach, a kolesie wydający polecenia załatwiają w tym czasie wielkie dile. Przecież sam wiesz, że prawie wszyscy ważni ze starej gwardii zginęli. Dlaczego? Bo mieli szeroką wiedzę, której nikt nie chciał ujawniać. Bo wykonali swoje zadanie i nikt nie chciał spełniać ich warunków. Posprzątali po starych czasach, żeby w kapitalizmie było czysto, i już ich nie ma. Funkcyjni zadbali o to, żeby nikt się nie panoszył, nie szantażował ich, nie straszył. Bułka jest z nich wszystkich najmądrzejszy. Trzeba to chudzielcowi przyznać. Zawsze umiał wyczuć, skąd wieje wiatr.

– Wszyscy polscy bandyci to dawni donosiciele. – Norin wzruszył ramionami. – Już cinkciarze spod kantorów pracowali z tymi, którzy dziś tobą zarządzają. Opowiem ci jedną historię. Było sobie trzech kumpli z podwórka. Tłukli się tomahawkami zza fortec w składzie drewna. Razem chodzili do dyskoteki, podrywali dziewczyny, pili jabole w bramach. Nazwijmy ich Boka, Feri Acz i Nemeczek. Boka i Feri Acz zawsze ze sobą walczyli, ale chodzili do jednej zawodówki. A choć rywalizowali, przebywali ze sobą nieustannie i naśmiewali się z naiwnego Nemeczka, który zrobił technikum. Po szkole Boka wyjechał do Niemiec, ożenił się z bogatą wdową, przyjął jej nazwisko. Wrócił już jako właściciel pierwszej prywatnej telewizji w Polsce. Feri Acz nigdy nie ukrywał, że korzystał z kontaktów ojca, i poszedł na współpracę z esbecją, aby tropić tych, którzy po liceach kolportowali bibułę. Zapomniał o tym, kiedy dostał stanowisko w radzie nadzorczej jednej z większych firm ubezpieczeniowych. Nemeczek nigdy nie donosił, ale żeby skończyć studia, musiał kopać rowy, rozładowywać kontenery w porcie i zamiatać przystanki. Nie narzekał, bo na Monciaku któregoś dnia poznał śliczną żeglarkę. Ożenił się, spłodził dziecko, został prokuratorem. To byłem ja. Już w pierwszej pracy zdawałem sobie sprawę, kto jest w układzie i awansuje, a kto jest nieprzemakalny. Dobrze wiem, jak rozległa jest siatka powiązań moich bliskich kumpli. Więc wbrew temu, co mówi Bułka, jak bardzo zaprzecza, on się doskonale orientuje, kto z kim i dlaczego. A przy tym zna się na kablowaniu. Do tego trzeba mieć talent. Będzie się teraz spowiadał przede mną.

– Podchodzisz ideowo – fuknęła Sasza. – Nie mówię, że mi się to nie podoba. Ale starych nie zmienisz. Postaw raczej na młodych. Ich układ nie dotyczy. A jeśli chodzi o Bułkę, nie przeceniałabym jego szczerości. To jest człowiek Jelcyna, generała Otto i Zawiszy. Najniższa gwardia, ale użyteczna. Jego rękoma zamkniesz tych, którzy mogą cokolwiek chlapnąć, ale jego samego nie dotkniesz. Pogadamy za dziesięć lat.

– A kto ma w tym swój interes?

– Mówisz o gangach? Andrzej Gorczyca, pseudonim Kurczak. Bułka go sprzedał, jeszcze zanim padł strzał do generała Lekiego. Dlatego szukał oparcia, dlatego skruszał. Inaczej ludzie Kurczaka by go dojechali.

Zapadła cisza. Oboje mieli wrażenie, że kręcą się w kółko w tej rozmowie.

– Co miałaś zrobić? – Norin nagle zmienił temat. – W kontekście mojej osoby. Jakie dokładnie dostałaś wytyczne.

– Praktycznie to, co robię teraz. – Wzruszyła ramionami. – Uwodzić cię. Zwodzić. Mącić w głowie. A potem do-

starczyć komprmateriały żonie lub zwierzchnikom. Zdepre-
cjonować twój autorytet. Sama nie wiem, jak by to
wykorzystano. Na ile udałoby się ciebie zniszczyć, zdegradować. Kogo musiałbyś opłacić, żeby uratować honor. Czy
to w ogóle byłoby możliwe.

Sasza bardzo powoli pochyliła się i zbliżyła ustami do
ust prokuratora, ale w ostatniej chwili tylko dotknęła jego
ramienia. Przygarnął ją gwałtownie i przytulił. Trwali tak
chwilę w milczeniu i oboje wiedzieli, że gdyby nie obecna
sytuacja, ta scena rozegrałaby się zapewne zgoła inaczej.
Wciąż jeszcze ufali sobie nawzajem, choć nigdy już nie do-
świadczą tej czystej bliskości, jaka łączyła ich jeszcze po-
przedniego wieczoru. Pierwszy odezwał się Dariusz.

– Nie zmienię niczego w swoich działaniach i nie zmie-
niłbym, nawet gdyby coś się między nami wydarzyło, a Renata by się o tym dowiedziała – szeptał jej wprost do ucha.
– Powiedz swoim mocodawcom, że nie chwytam przynęty.
Powiedz, żeby uważali, bo ja nie odpuszczę nigdy. A jak
będziesz gotowa, wróć. Będziemy walczyć ramię w ramię.

– A potem krzyknął: – Wynoś się! Wypierdalaj!

– Pozdrów Renatę – szepnęła cicho, choć nie miała pewności, czy usłyszał. – I dbaj o nią. Jest tego warta.

Zdążyła zamknąć drzwi, kiedy usłyszała brzęk tłuczonych
kubków i talerzy. Czuła się podle. Zraniła go, a on po prze-
myśleniu dziś, jutro, za tydzień dojdzie do tego, że go jednak wykorzystała. Nie będzie pewien, gdzie leży prawda.
Ale też nie potrafiła postąpić inaczej. Nie miała pojęcia, ile
w jego zachowaniu było udawania, by ułatwić jej napisanie raportu, a ile urażonej męskiej dumy. Żałowała jedynie,
że tak mało zdążyła mu opowiedzieć. Po dzisiejszym raporcie zadbają o to, by długo się nie spotkali.

GRABARZ
(2016)

„Mam coś dla ciebie, Lesiu. To miły, ciepły, sztukowany buziak. Nikt inny nie może go otrzymać. Jeżeli uważasz, że po tym wszystkim, co między nami zaszło, nadal mogę ci go dać, chętnie to zrobię... Kiedy wypijemy jakąś kawę? Twoja Mimi. PS Nie pojawiasz się w redakcjach. Nikt nie wie, co się z tobą dzieje. Wyślij choć kropkę. Martwię się o ciebie". Numer nieznany. Godzina 1:19 AM.

Leszek od wczorajszej nocy oglądał tę wiadomość kilkanaście razy i wciąż nie mógł uwierzyć, jak motywująco na niego zadziałała. W jednej chwili, jak ręką odjął, przestał się martwić o byt, karierę i znów nabrał werwy, tak że chciało mu się wyjść z domu choćby po chleb. Wziął zimny prysznic, posprzątał chałupę, uprasował koszulę, a nawet zaczął pracować.

Odkopał stertę papierów, które dał mu generał Wróblewski. Musiało w nich być coś ważnego, skoro Dziadka uciszono, zanim zdążyli znaleźć wydawcę. Leszek był ostatnim, który uwierzyłby w samobójstwo. Pomyślał, że dobrze zrobił, nie ryzykując własnych pieniędzy na publikację. Poza tym najzwyczajniej w świecie ich po prostu nie miał. Stare książki, wydane własnym sumptem, zawalały mu już całą piwnicę. Leżały w paczkach, opakowane w szary papier, z banderolami dla każdego z tytułów. Kiedyś uważał, że wydawcy to złodzieje i jeśli wyda książkę sam, będzie z niej czerpał całkowity zysk. Ominie haracz należny wszystkim kolejnym pośrednikom: dystrybutorom, księgarzom, handlowcom. Owszem, cały dochód ze sprzedaży książek wędrował do jego kieszeni, ale sprzedawało się tego niewiele. Bez wsparcia wielkiej machiny, jaką zapewniali wspomniani pośrednicy, nie był w stanie dotrzeć do głównych sieci. A więc na rynku wydawniczym jakby go nie było. Z bólem obserwował topki bestsellerów, w jego opinii pełne bezwartościowych gniotów, na których jednak jego publikacje nigdy nie znajdowały miejsca.

Z każdym rokiem książki Leszka coraz mniej pachniały drukiem, za to intensywniej nasiąkały stęchlizną. Było w tym coś metaforycznego. Leszek bał się, że jeszcze rok, dwa, a przyjdzie mu wyrzucić cały dorobek swoich dziennikarskich śledztw do zsypu. Zanim pół roku temu zajął się sprawą komanda śmierci, jakoś jeszcze to szło. Sprzedawał trochę na spotkaniach autorskich, kiedy jeszcze zapraszały go biblioteki i domy kultury. Część woluminów wstawił w komis do antykwariatów. Ogłosił też trochę aukcji w internecie. Nie stać go było na zapłacenie za półki wielkim księgarniom, więc większość tytułów figurowała jako niedostępna. Owszem, zdarzali się psychofani, którzy rozpływali się nad wnikliwością jego wniosków, odwagą dotykania spraw niebezpiecznych, a nawet wyjątkową frazą. Od nich jednak nie miał serca brać pieniędzy i rozdawał książki za garść tanich pochlebstw, które motywowały go do dalszej walki. Ogólnie rachunek zysków nie był imponujący. Wliczając koszt prawników potrzebnych do reprezentowania go w licznych procesach, które ostatecznie wygrał, nie odrobił nawet jednej dziesiątej tego, co zainwestował.

Może dlatego tak bardzo zależało mu, by napisać tę książkę z Dziadkiem. Nazwisko słynnego analityka policyjnego, a tak naprawdę szpiega, dawało nadzieję na zainteresowanie porządnego wydawcy, a co za tym idzie, dobrą zaliczkę i solidny nakład. Nie zdążyli. Potem wszystko potoczyło się lawinowo. Matylda odeszła. Leszek uciekł w pracę, ale zaraz skłócił się z redaktorami najważniejszych domów mediowych, więc pogrążył się w marazmie. Dziś, pierwszy raz od ostatniego spotkania z Dziadkiem, przejrzał stertę pożółkłych papierów. Były tam wrzucone luzem różnego typu raporty, certyfikaty i fragmenty zeznań. Trochę barachła na publiczne postaci ze świata mediów i gospodarki oraz ludzi z peerelowskiego resortu. Coś o przetargach z branży zbrojeniowej, a nawet przekręt na guzikach do mundurów. Trudno było z tego cokolwiek zrozumieć. Kilka odręcznych, dziwnych list z nazwiskami i przyporządkowanymi do nich numerami, w których Leszek bez Dziadka nijak nie mógł się połapać.

Bronisław Zawisza
Ryszard Domin
Paweł Cichy
Witold Kałużyński
Eugeniusz Jeremus & Stanisław Ejchert
   & Franciszek Helbig
Kajetan Wróblewski
Warwara Wróblewska
Jerzy Popławski
Wojciech Kłyś
Piotr Rupnik

Horacy
Stefania Pieczonka
Arkadiusz Antczak
Maksymilian Leki
Claudine Morawska
Piotr Maria Stokłosa
TW Jałowiec & Barnaba Światowid Kiszka
Jarosław Dybowski
Tadeusz Otto
Wilmor/Dantes/CIA
Eva Piekuta Rodriguez Sanchez
Eliza Bach

Nazwiska, owszem, pojawiały się te same i nie były mu obce, bo też były to personalia najważniejszych dziś ludzi w państwie, ale nic konkretnego, z czego można by szybko upleść dobrą historię spiskową i sprzedać ją choćby do tego szmatławca „Na czasie". Po ostatniej rozmowie z Mrozińskim Leszek odpuścił już sobie „Słowo". Poza tym w zdecydowanej większości wszystko to były jakieś stare dzieje. Niektóre materiały pochodziły z lat osiemdziesiątych, siedemdziesiątych lub nawet sześćdziesiątych zeszłego wieku. Już widział miny redaktorów, kiedy przychodzi do nich z tym plikiem i mówi, że ma kombatancką opowieść o PRL-u. Leciałby do wyjścia szybciej, niżby się w ich gabinetach pojawił.

Mimo to dobra energia od Matyldy sprawiła, że Leszek uparcie czytał, analizował i zapamiętywał. Obejrzał każdą kartkę z obu stron i pod światło. Szukał kodów, kluczy i drugiego dna. Paradoksalnie im bardziej umęczony był zawartością, przywalony ogromem detali i liczb, tym mocniej utwierdzał się w przekonaniu, że dostał tylko część całości. Tę, która normalnie poszłaby na przemiał. Musiała być więc ta druga, cenniejsza połowa. Pytanie tylko, gdzie.

Nigdy nie wierzył, że po transformacji dokumenty Służby Bezpieczeństwa zostały zniszczone. Mówiło się o paleniu teczek, niszczarkach na korytarzach. Wszystko po to, by uśpić czujność spragnionych suwerenności obywateli. Włodarze chcieli, by po latach komunistycznej biedy, inwigilacji i ciemiężenia naród uwierzył w odrodzenie kraju. Po latach nadzoru Rosji, trzymania za gardło polityków Polska znów miała być dziewicza. To dlatego wygrali zwolennicy grubej kreski. Lustracja została skompromitowana. Udało się wzbudzić wstręt do niej wśród elit intelektualnych. Ci, którzy umieli wykorzystać szanse, jakie dawała wolna gospodarka rynkowa, wzięli się do pracy. Utyskiwali tylko najmniej zaradni, najgorzej wykształceni. I ich szybko w interesach pominięto.

Chyba że tkwili w samym środku półświatka. To zupełnie inna bajka. Takim ludziom wolna Polska też oferowała mnóstwo perspektyw. Otwarcie granic, luki prawne, zaplecze skorumpowanych polityków i dziurawe sito organów ścigania. Nikt z nowo rządzących nie kwapił się do wyciągania brudów sprzed Okrągłego Stołu. Oficjalnie radzono: zapomnieć, odciąć się, wybaczyć i iść dalej. A sprawa była prosta – zbyt wielu było umoczonych, by układ ujawnić. Zdaniem Grabarza po przemianie Służby Bezpieczeństwa w UOP wszystko skrupulatnie skatalogowano i ukryto w tak zwanych lodówkach, czyli prywatnych sejfach. To samo działo się po kolejnym przeistoczeniu służb w Agencję Bezpieczeństwa Wewnętrznego i Agencję Wywiadu.

Dokonano kosmetycznych zmian, ludzi przetasowano, ale kariera tych, którzy dysponowali wiedzą bezpieki, dopiero wtedy się zaczęła. Wolna Polska dawała wreszcie szansę na zarabianie pieniędzy. Dużych, potężnych kwot, które wcześniej, za komuny, były jak z bajki o żelaznym wilku. To tutaj bierze swój początek polski biznes. W służbach. A pieniądze to władza. Władza to polityka. Polityka to gra. Wystarczy wiedzieć, jak układać karty, a wszystko da się usprawiedliwić, wyjaśnić, przeforsować. Koło się zamyka. Zdaniem Grabowskiego to, co dzieje się dziś w kraju, ma swoją genezę w tym, czego już nie widać. Bo gdyby spojrzeć na to realnie, większość pracowników komunistycznej SB wcale źle na tej przemianie nie wyszła. Posiadacze „makulatury", która oficjalnie spłonęła lub została zniszczona, mieli w rękach najlepsze karty, by przeistoczyć się w wielkich biznesmenów. Byli też specjaliści do szukania kwitów na określone osoby. To kosztowało. A jeśli nawet nie wykorzystywali tej szansy, dokumenty służyły często jako zwyczajny dupochron. Co jednak znaczyły materiały Dziadka? Dlaczego mu je wręczył? Do tego Grabarz jeszcze nie doszedł. Potrzebował tłumacza, a raczej interpretatora. Kogoś, kto pomoże mu zrozumieć układ. Naświetli niuanse, wyjaśni idiomy i wskaże, za które nitki należy ciągnąć, by rozplątać pajęczynę. Resztę dochodzenia Leszek przeprowadzi już sam. Nie pierwszy raz to robił. I miał nadzieję, że nie ostatni.

Pracował do obiadu. Potem wyszedł do sklepu i kupił sobie łopatkę, którą zamarynował. Na dziś – zupełnic niezależnie od potencjalnej wizyty Matyldy – zaplanował doradę, pieczone ziemniaczki i sałatkę grecką z dużą ilością oliwek, bo Mimi zawsze je lubiła. Zrobił jeszcze zupę cebulową z zapiekanym serem oraz zagniótł kopytka z wczorajszych ziemniaków. Nie znosił marnowania jedzenia. I naprawdę lubił stać przy kuchni. To go relaksowało. Kolejno wykonywane czynności, próbowanie, dopieszczanie różnorodnych dań sprawiało mu frajdę i poprawiało nastrój. A dziś wyraźnie takiego wsparcia potrzebował. Wreszcie wyjął z piekarnika ciasto z jagodami, do lodówki wstawił prosecco. Dopiero wtedy zasiadł w fotelu z kieliszkiem białego wina i zadecydował, że ponownie wpisze do telefonu numer ukochanej. Wstukał więc: Matylda Wróżka. A potem skasował nazwisko i wpisał po prostu: Mimi. Kliknął w wiadomości i potwierdził dzisiejszą randkę. Odpisała mu, wysyłając swoje nie do końca ubrane zdjęcie. Z urządzenia uśmiechała się do niego apetyczna brunetka. Dorodny biust tylko nieznacznie przysłaniała peleryna jej czarnych jak heban włosów. A potem dotarła druga wiadomość: „Stęskniłam się za Tobą, Tygrysie**".

Tego właśnie potrzebował. Znów czuł się jak byk na arenie. Spojrzał na zegarek. Miał jeszcze trzy godziny do umówionego spotkania. Odpalił komputer, by odebrać pocztę. Czołówka jednego z ważniejszych portali internetowych krzyczała: „Kurczak wychodzi na wolność! Porażka prokuratury". Natychmiast gdzieś na tył głowy odsunął dorodne sutki Mimi i małą myszkę na jej lewym udzie. Zatonął w artykułach. Przejrzał wszystkie aktualnie dostępne w sieci newsy o sprawie gangstera. Włączył nawet radio i wysłuchał bieżących wiadomości. Decyzja prezydenta o ułaskawieniu słynnego gangstera, który od lat dziewięćdziesiątych odsiadywał szereg wyroków, w tym za udział w zabójstwie generała Maksymiliana Lekiego, była hitem dnia. W mediach brylowali prawniczy eksperci. Politycy przerzucali się zarzutami korupcji w prokuraturze, nieudolności najwyższych urzędników państwowych. Dziennikarze podliczali koszty zatrzymania, osadzenia i wyjścia Kurczaka, który już teraz zapowiedział, że będzie się domagał wielomilionowego zadośćuczynienia od państwa, choć wiadomo było, że jego roszczenia są bezpodstawne i mają powodować jedynie medialny ferment.

Ale hiobowa wieść otwierała puszkę Pandory, jak słusznie oceniali jednym głosem publicyści, bo wypuszczenie na wolność Andrzeja Kurczaka Gorczycy po tylu latach odsiadki oznaczało dla innych przestępców, że ich sprawy także mogą być zweryfikowane. Leszek był pewien, że ich adwokaci zacierają już ręce i kombinują, jak wykorzystać ten precedens. Kurczak poszedł siedzieć za drobiazgi. Początkowo zresztą odpowiadał wyłącznie z wolnej stopy. Kiedy jednak powstała ustawa o świadkach koronnych, wszystko się zmieniło. Kurczaka pogrążył Eugeniusz Jeremus, pseudonim Bułka, a to jego informacje zostały dziś podważone. Prezydent powoływał się na dokument, który wpłynął na biurko dzisiejszego ranka i który wskazywał wyraźnie, że to Bułka, a nie Kurczak, był prawdziwym bossem półświatka. Co gorsza, w szeroko rozumianą sprawę tak zwanej polskiej mafii zamieszani są wysoko postawieni urzędnicy państwowi. Koniec cytatu. Swoją pieczęć przystawił na nim minister sprawiedliwości i choć nikt z dziennikarzy jeszcze nie dowiedział się, o jaki operacyjny glejt chodzi, sprawa była przesądzona: Kurczak dziś po południu wyjdzie na wolność.

Reporterzy przesłuchiwali teraz wszystkich świętych, co to dokładnie za papier, który rzuca nowe światło na sprawę egzekucji generała Lekiego, ale też rozbicie całej struktury mafijnej w kraju. A ponieważ na włosku wisiała korona Jeremusa i bezpieczeństwo jego rodziny, wróżono najgorsze. „Czeka nas wojna gangów?", „Wraca sprawa Lekiego?", „Co ty na to, prokuratorze Norin?" – krzyczały nagłówki. To, co Leszka zaciekawiło jednak najbardziej, to fakt, że ten nieoczekiwany zwrot akcji oraz wyjście na wolność słynnego przestępcy zaskakująco zbiegły się ze śmiercią Dziadka. Nikt dziś nie zająknie się o pogrzebie generała Wróblewskiego. Informacja zaś o wyniku śledztwa, czy było to samobójstwo, czy też może egzekucja, spadnie do szpalty z kryminałkami, gdzieś na ostatnie strony miejskich gazet. Przypadek?

Zanim się obejrzał, musiał już wychodzić. Po drodze kupił kwiaty i ruszył na gdyńską promenadę. Matylda zawsze się spóźniała, ale Leszek wolał być przy drewnianych schodkach na czas. Lubił patrzeć, jak dziewczyna porusza biodrami, idąc na niebotycznie wysokich obcasach, jakby do stóp miała przytwierdzone sprężynki.

Woda miała kolor rozbielonego lapis lazuli. Niebo, o ton ciemniejsze, odbijało ten błękit niczym lustro. Leszek wpatrywał się w tę zadziwiającą pastelową widokówkę, jakby była odwrócona do góry nogami, i myślał, że życie jest jednak zaskakujące. To, co się zdarzyło dziś w Belwederze, musi mieć przyczynę w papierach, które trzymał teraz u siebie. Czuł, że wraca dobra passa. Nos podpowiadał mu, że to jest jego temat. Pogodzi się z Mimi, znów weźmie do pracy. Schudnie, zacznie chodzić na basen, utrze nosa nienawistnikom. Za jakiś tydzień, dwa będzie się śmiał z tego chwilowego kryzysu. A za rok o tej samej porze, kto wie, może będzie już żonkosiem? Zrozumiał właśnie, i chyba nigdy wcześniej nie był tego tak bardzo pewien, że kocha Mimi całym sercem. Chce z nią być zawsze.

– Czy to naprawdę pan?

Z tłumu turystów wędrujących deptakiem wysunęła się wysoka kobieta w kwiecistym płaszczu i okularach przeciwsłonecznych zasłaniających jej pół twarzy. Drugie pół ukrywało się pod wielkim kapeluszem. Na nogach miała lakierowane kozaki, a lewą dłoń nosiła na temblaku.

– Pan Grabowski, prawda? Ten słynny pisarz?

Leszek poczuł, że swędzi go lewa dziurka od nosa. Nikt nigdy nie rozpoznawał w nim pisarza. A już tym bardziej sławnego. Pozwolił jednak, by kobieta zbliżyła się na wyciągnięcie ręki i podała mu jedną z jego starych książek do podpisu. Zauważył, że wolumin jest mocno zaczytany, a w połowie znajduje się metalowa zakładka. Z daleka wyglądało to tak, jakby między kartkami tkwił nóż.

Grabarz wykonał nieokreślony ruch głową, jakby wciąż się wahał, czy przyznać się do własnych personaliów, więc kobieta uchyliła skrzydełko okładki, by mógł zweryfikować swoje zdjęcie sprzed kilku lat. Wtedy jeszcze ważył o dwadzieścia kilo mniej i mógł uchodzić za niezłe ciacho.

– Co za zbieg okoliczności! – ucieszyła się jak dziecko i dodała nazbyt szczebiotliwie: – Nie ma sensu się krygować.

Zarejestrował zgrzyt poznawczy, ale wyjął jej z dłoni długopis, otworzył książkę, by na jednej ze stron tytułowych złożyć autograf. Kiedy zdejmował skuwkę, ze środka książki wysunęła się złożona na czworo kartka. Podniósł ją, przytrzymał, a następnie podpisał się zamaszyście i uśmiechnął w podziękowaniu.

– Proszę dopisać: dla Saszy – poprosiła. – Jeśli można, drukowanymi.

Podniósł głowę.

– Załuskiej – dodała już mniej entuzjastycznie. Teraz głos jej brzmiał nisko, chłodno, jakby dobywał się z przepony. Taką ją wolał. – I proszę dopisać datę, bo nikt mi nie uwierzy. Zostawię na pamiątkę wnukom. – Zaśmiała się sztucznie.

Zanim zdążył o cokolwiek spytać, zdjęła okulary. Potem uchyliła nieco ronda kapelusza. Dostrzegł piegi, jasne oczy i wściekle rude włosy splątane pod nakryciem głowy. W niektórych miejscach widział placki czarnej farby, jakby nie do końca je umyła.

– To pani?

– Tak samo jak pan – odparła niezbyt uprzejmie i wskazała na złożoną kartkę, którą trzymał w dłoni. – Prezent ode mnie na dobry początek współpracy. Może nie najmilszy, ale każda prawda wydaje się lepsza od złudzeń. Poza tym jestem to panu winna. Dziadek nie do końca był z panem szczery.

– Współpracy? – Wykrzywił twarz.

Rozejrzał się. Tłum niestrudzenie płynął promenadą. Trudno było stwierdzić, gdzie są tajniacy. Ale Leszek nie bał się zatrzymania. Nie bał się dziś niczego. Złapał się na tym, że martwi się wyłącznie o swoją dziewczynę. I o to, jak się jej wytłumaczy ze spotkania z tą podejrzaną kobietą. Na szczęście Matylda wybitnie się dziś spóźniała.

Zwrócił Załuskiej książkę i powoli rozłożył przekazany mu wydruk. Przeleciał wzrokiem. Nie było zbyt wiele tekstu do czytania, ale efekt został osiągnięty. Grabarz na chwilę dosłownie zbielał na twarzy.

Była to kserokopia karty rejestracyjnej współpracownika Agencji Wywiadu Matyldy Wróżki, pseudonim Mimi. Z jej zdjęciem, danymi osobowymi i odręcznym podpisem. Leszek sam nie wiedział, co bardziej go zirytowało. To, że jako swój pseudonim podała zdrobnienie, którego używali tylko między sobą, głównie w łóżku, czy też data rozpoczęcia współpracy. Zarejestrowano ją dwa dni po tym, jak się poznali.

– Przykro mi. – Sasza zaciągnęła się papierosem aż do filtra. Wypuściła dym, a potem patrzyła, jak niedopałek ląduje na ziemi. Przydeptała go energicznie. – Ale to nie fałszywka. I pan to wie. Podejrzewał ją pan od dawna. Dlatego zerwaliście. To co robimy? Bo Mimi zaraz tu będzie. Razem z kolegami na słuchawkach. Jak zawsze, kiedy ma pan spotkanie z informatorem. Myśli pan, że skąd Remontnik wiedział, gdzie trzyma pan taśmy z wywiadami do sprawy Popiełuszki? Redaktor Eliza Bach nie miała z tym nic wspólnego.

Leszek przyjrzał się profilerce. Miał do niej mnóstwo pytań. Czy to naprawdę ona, kogo wyłowiono w torpedowni, jak go znalazła, skąd wiedziała, że ma dziś spotkanie z Mimi, jak wydobyła kartę rejestracyjną jego dziewczyny i co za współpracę mu oferuje? Dlaczego akurat jego wybrała? Wyciągnął z kieszeni karmelowy baton, zjadł go w dwóch kęsach i spojrzał na schodki.

– Tędy będzie szybciej. Znam skrót.

Sasza natychmiast ruszyła we wskazanym kierunku. Grabowski jak rasowy rycerz obejrzał się za siebie i poszedł za nią. Bez słowa zabrał jej ciężką torbę i przerzucił sobie przez ramię, choć chuda profilerka, w przeciwieństwie do niego, miała całkiem niezłą kondycję. Wdrapała się na szczyt jak kozica i wcale się nie zasapała.

– Teraz podjedziemy po dokumenty – zarządził, opierając dłonie na kolanach i z trudem łapiąc oddech, ale gdy zobaczył jej minę, próbował żartować. – Bo skoro mam skaner na sprzęcie, to za chwilę „mi je znikną". Jak te nieszczęsne taśmy. A jeden generał drogo za te kwity zapłacił.

Sasza zdawała się go jednak nie słuchać. Wachlowała się chwilę kapeluszem, znów zapaliła. Bacznie rozglądała się, ustalając lokalizację, a potem wcisnęła numer w swojej komórce i puściła esemesem kilka cyfr.

– Chyba już za późno – stwierdziła wreszcie.

Zanim Leszek zdążył odpowiedzieć, na parking podjechał biały SUV. Okno kierowcy się uchyliło. Azjata spojrzał na nich ponuro.

– Będę miał kłopoty? – spytał Grabowski.

– Żadnych. – Załuska jakby dopiero teraz go zauważyła. Ruszyła do auta. Leszek poszedł za nią.

– Macie? – upewniła się.

Kark siedzący obok kierowcy skinął głową. Leszek otworzył jej drzwi. Wsiadła i podziękowała mu spojrzeniem. Na jego miejscu leżała reklamówka z logotypem taniego supermarketu, do którego Grabarz chodził po spożywkę.

– Sprawdź, czy wszystko jest – poleciła Załuska. Wyciągnęła sprawną dłoń. – Chyba będzie łatwiej, jeśli przejdziemy na ty. Sasza.

– Grabarz – odpowiedział, wertując plik wydruków.

– Lepiej będzie, jeśli na kilka dni zostaniesz u nas – oświadczyła.

Azjata sprawnie wymijał auta. Po chwili byli na obwodnicy. Leszek domyślił się, że jadą do portu.

– U was? Czyli gdzie?

– Mamy łajbę – odezwał się pasażer obok kierowcy. Podał Grabarzowi rękę. – Tamagoczi. A to jest Wadim.

– Resztę poznasz wieczorem. I mam dla ciebie niespodziankę. Jeśli brakuje ci jakichś elementów do tej układanki – wskazała plik materiałów w foliowej torbie – to ktoś nie może się doczekać, by udzielić ci wywiadu.

– Już się cieszę – mruknął Leszek. – Mam tylko nadzieję, że to wszystko przeżyję.

– Chciałabym, żebyś przeżył – zapewniła go Sasza. – Masz być naszym Savianem. Znajdziemy ci wydawcę. Będziesz bogaty.

– Ale... – Leszek był nie w ciemię bity.

Zawsze jest cena. Nikt jeszcze nigdy nie dał mu nic za darmo. Liczył, że będzie go stać na podjęcie tego wyzwania.

– Nie ma żadnego ale. – Załuska wzruszyła ramionami. – Dostaniesz dostęp do wszystkich materiałów, tajemnic i sekretów. Jest tylko jedna sprawa, którą musisz rozważyć.

– Jaka?

– Musisz zapomnieć o sobie, o swojej rodzinie, o krewnych. Musisz usilnie pragnąć zwycięstwa. Wydaje się to całkiem łatwe.

– Pewnie. Wystarczy ustawić swoje myśli na zwycięstwo, nie widzieć nic prócz wroga.

– Problem pojawia się wtedy, gdy wrogiem okazuje się ktoś bliski.

– Matylda? – Leszek ściągnął brwi. – To sprawa zamknięta.

– Czyżby?

– W miłości najważniejsza jest lojalność.

Sasza zaśmiała się, ale kiedy się odezwała, w jej głosie wyczuł podziw.

– I mówi to pierwszy romantyk RP.

– Widzę, że dużo o mnie wiesz.

– Niedużo – zaprzeczyła natychmiast. – Ale wiem, że jeśli chcesz pokazać panujący układ, przyjdzie ci sprzeniewierzyć się zasadom.

– Nie za wiele tych zagadek? – zirytował się Grabarz. – Jakim zasadom?

– Ludzkim. Bo z moich informacji wynika, że Grabowski to nazwisko po matce. Twoje rodowe brzmi inaczej. Otto. A systemem, w który masz uderzyć, trzęsie dziś generał Otto. Twój ojciec.

Leszek spojrzał na kobietę oburzony.

– To nie jest żadna tajemnica. Nigdy tego nie ukrywałem. To, że urodziłem się w tej, a nie innej rodzinie, nie znaczy, że muszę korzystać ze spuścizny przodków. Nie chciałem i nie będę resortowym dzieckiem. Do wszystkiego doszedłem sam i jestem z tego dumny.

Sasza odwróciła głowę do okna. Milczała. Nie chciała mu pokazywać dokumentów, z których wynikało, w ilu radach nadzorczych zasiadał, zanim skończył studia. Dopiero po ukończeniu politologii i rozpoczęciu pracy w mediach stał się nagle nieprzemakalny. Dużo musiało go kosztować, by odwrócić się od bliskich. Sama dobrze wiedziała, jak wysoka jest cena takiej decyzji. Jak trudno jest żyć całkiem samemu.

– Jest jeszcze coś, co powinienem wiedzieć?

– Tak. Nasza drużyna jest na przegranej pozycji. Każdy z nas ma inne motywy, by walczyć. Jak tutaj siedzimy, nigdy wcześniej nie byłoby płaszczyzny do porozumienia. Dwóch drobnych gangsterów, zdeklasowana, martwa agentka i, pożal się Boże, dziennikarzyna. Ale po naszej stronie jest prawda.

– Czyżby? – Grabarz się wykrzywił. – Nie ma prawdy obiektywnej. Wszystko zależy od punktu widzenia.

– Dlatego rozmawiamy. Albo grasz z nami do jednej bramki, albo jesteś przeciwko nam.

– Na razie nie wiem, gdzie jest boisko. Zawinęłaś mnie z randki, splądrowałaś mój dom, zinwigilowałaś mi dziewczynę i robisz kogel-mogel z mózgu.

– Jeśli nie pasują ci moje metody, możesz wysiąść już teraz.

Dała znak Wadimowi, by zatrzymał auto. Leszek aż pochylił się do przodu, tak gwałtownie przyhamowało.

– Spokojnie! – Grabarz podniósł ręce. – Jestem pacyfistą.
– No i na tym polega problem. To nie dziennikarskie
śledztwo. Nie kawki w knajpach z informatorami. To
wszystko dzieje się naprawdę. I możesz w tym uczestniczyć,
a potem to opisać. Ja muszę odbić swoje dziecko, Kurczak
dokonać odwetu na niewiernych, a ci dwaj... – Wskazała
mężczyzn na przednim siedzeniu. Nie odezwali się, nawet
nie mrugnęli okiem. Sasza nabrała powietrza. – Oni to robią
dla kasy.
– I *gulanki* – odezwał się nagle Wadim.
– Co on powiedział?
– Fanu – huknął z siedzenia pasażera Tamagoczi. I zaśmiał się radośnie. – Ty kpisz czy o drogę pytasz? Dobrze
się bawimy, naciskając cyngiel. Nie ma to jak trochę mózgu
na bejsbolu.
– *I choroszo skazał! Mołodiec*.
– Tak to mniej więcej wygląda. – Sasza pokiwała głową.
– Kodeks kodeksem, prawo prawem, ale jednak dobrze,
jeśli stoi za tobą jakaś konkretna struktura i gdy zajdzie
potrzeba, będzie umiała przemówić twoim wrogom do roz-
sądku. Wczoraj uprowadziliśmy przyjaciela twojego ojca,
żebyś mógł go przesłuchać do swojej książki. Dzięki temu
Kurczak spędzi dziś pierwszą od dwudziestu lat noc w ramionach żony. Pewnie już słyszałeś, jak dymi się w prokuraturze. Na wolność wyjdzie więcej tak zwanych członków
mafii. Może być różnie. Czy zaczną się strzelaniny i będzie
gorąco? Szczerze wątpię. Wtedy grupa dopiero krzepła. To
był niespokojny czas przełomu, rodził się polski kapitalizm.
Ludzie pożyczali pieniądze, nie zwracali ich, a choćby ścią-
ganie długów było osobną branżą. Dziś układ sił jest usta-
lony. Ci, którzy mają kapuchy jak lodu, będą wiedzieli, jak
sprawę załatwić po cichu. Dlatego obstawiam, że po wy-

dmuszkach, jak dziś z Kurczakiem, orężem jest teraz prawdziwa wiedza. Nie przemoc.

Z przodu rozległ się żartobliwy jęk niezadowolenia.

– Jeszcze się ponapierdalasz, Tamagoczi – uspokoiła bandytę Sasza. I znów zwróciła się do Grabarza: – Dlatego wolimy wziąć do spółki jeszcze ciebie, a nie likwidować członków Wielkiej Piątki po kolei kulką w łeb. Choć oczywiście tego nie wykluczam.

– Wielkiej Piątki?

– Tyle osób zarządza tym krajem. To nie gangsterzy ani tym bardziej nie politycy. Ci ostatni to tylko małpy na drucie. Mówię o twardych wojownikach funkcjonujących na styku wielkiego biznesu i dawnych służb. Ale procesowo niewiele można im udowodnić. Co innego o tym napisać. To chyba twój temat, nieprawdaż?

Wyjęła ze słomkowego koszyka colta anacondę. Pogładziła po lufie.

– Więc gdybyś zobaczył coś niepokojącego, co może być istotne, mów wcześniej chłopcom albo mnie. Albo od razu wysiadaj i sprawę uznajemy za niebyłą. Papiery zatrzymaj, choć bez objaśnienia i tak niewiele z nich wyciśniesz.

– Chyba mnie nie doceniasz. – Leszek uśmiechnął się kpiąco. – Od dziecka chowałem się między wujkami szpiegami. Muszę przyznać, że ich metody nie różnią się zbytnio od waszych.

– Dziękujemy za komplement. – Sasza odparła zupełnie serio. – Rzecz w tym, że my nie chcemy likwidować ludzi, lecz kazać im z tym żyć. A tego nie opublikują ci dzisiaj w żadnych mediach. – Wskazała znów na reklamówkę z żabką. – Dobrze o tym wiesz. Bo niby dlaczego masz tyle kłopotów z o wiele prostszym materiałem? Choć nikt ci tego oczywiście w oczy nie powie. Twoi redaktorzy nie mają złej woli. Boją się o posady. Rynek nie jest łatwy. Wolą grać zachowawczo. Co innego książka. Wtedy sami zaczną cię cytować. Można to wrzucić na rynek wyłącznie niezależnie. A normalni ludzie, prawdziwi czytelnicy, chcą wiedzieć, myślą samodzielnie. To już nie czasy komuny. Nie da się im wcisnąć kitu. Kupią, przeczytają. Wyciągną wnioski.

– Ty masz jakąś misję? – zdziwił się Leszek.

Sasza spojrzała na niego zaskoczona.

– Chcę ujawnić tę sitwę.

Grabarz był pod wrażeniem. Nie spodziewał się, że spotka większego misjonarza od siebie. Czyżby grała?

– To jakiś podstęp?

– Na tym polega kłopot, że to jest dobrze zakamuflowane. Dlatego nie bawimy się w sąd, dowody, stawianie zarzutów i rozliczanie. Po prostu o wszystkim opowiemy ludziom.

– Wiem już, o co ci chodzi – przerwał jej Leszek. – O odwet. Oko za oko.

– Nie! – Sasza zaprzeczyła gwałtownie. – Chodzi tylko o to, żeby podważyć wieczko. Pokazać brzydką twarz naszej ojczyzny. Ale prawdziwą. Otworzyć skrytkę, wypuścić pająki i węże na ląd. Pozwolić im wyjść z ukrycia, by każdy mógł dostrzec ich paskudne oblicza. Lekko naderwać pajęczynę, zburzyć ich ład. Pozjadają się sami. Zobaczysz. A ludzie zrozumieją. Mądrzy ludzie wyciągną wnioski.

– To utopia.

– Niewykluczone.

– Z całą pewnością.

– Jak powiedziałam, to może odmienić twoje życie. I nasze. Ja jestem już po drugiej stronie. I powiem ci, że mi z tym dobrze. Ty jednak, po wszystkim, o pewnych sprawach będziesz musiał zapomnieć. Sam się domyślisz, o jakich.

Leszek milczał długą chwilę. Wsłuchiwali się w miarową pracę silnika. Wadim obniżył jeszcze o dwa stopnie klimatyzację i włączył radio. Kończyły się reklamy, rozległ się dżingiel wiadomości. Tamagoczi wypluł gumę za okno. Zaraz rozwinął następną.

– To jak się nazywa ten kum mojego starego? – odezwał się po namyśle Grabarz. – Lubię być przygotowany do wywiadu.

Sasza się zaśmiała. Wyjęła z torby papierosy. Podsunęła paczkę Leszkowi, ale odmówił.

– I jest ich pięciu?

– Siedmiu – sprostowała Załuska. – Jak siedem grzechów głównych. Uosobienie Boga.

– Powiało metafizyką.

– Ale mówimy o Piątce, bo szósty nie żyje, a na siódmego wyrok już zapadł. Na szczęście od dawna jest po naszej stronie. Myślę o Wilmorze. Może słyszałeś.

– Pewnie. – Leszek pokiwał głową. – Jego pseudonim przewijał się w trakcie nocnych partii pokera, kiedy damy poszły już spać, a dym papierosowy w gabinecie ojca był tak gęsty, że można było wieszać siekiery. Legendarny kret z CIA, który przyniósł złe wieści od Amerykanów.

– Zgadza się. Choć niektórzy uważają, że nowina była dobra. Mówisz o liście do ministra spraw wewnętrznych z osiemdziesiątego piątego, zwanego czwartym rozbiorem Polski. Wilmor to jednak nie jest jedna osoba. To grupa podwójnych agentów, powołana w latach dziewięćdziesiątych i aktywna do dziś. W ramach równowagi sił mają za zadanie pilnować, aby pajęczyna rozpostarta przez Pięciu nie zagroziła bezpieczeństwu narodowemu naszego kraju. To dlatego pozwolono wygrać prawicy, wsparto ten rząd, tego prezydenta i obstawiono strategiczne punkty na mapie Polski określonymi jednostkami.

– Wiedziałem, że w Smoleńsku to był zamach! – zapalił się Leszek.

Sasza nie potwierdziła, ale też i nie zaprotestowała. Spokojnie ciągnęła swój wątek:

– Teraz plują sobie w brodę. Radykalizm zawsze jest niebezpieczny. Nie wiem, co gorsze: korupcja, despotyzm czy ekstremizm. A teraz mamy trzy w jednym.

– Spotkam się także z nimi? Z tymi pozostałymi z Piątki? – Leszek złapał już przynętę i nie odpuszczał. – To mogłaby być ciekawa rozmowa.

Sasza się zaniepokoiła. Musiała go trochę ostudzić. Nie powinien tak łatwo dostać wszystkiego.

– To zależy od ciebie. Na ile umiesz słuchać, analizować i wyciągać wnioski. Wybrałam cię, bo mam cię za niezależnego. Nie widzę problemu, byś przesłuchał i wszystkich pięciu. Tylko nie wiem, czy starczy ci odwagi.

– O to się nie bój – obruszył się Grabarz. Zdawał się szczerze urażony. – Nie jestem i nigdy nie byłem niczyim ekranem.

– No cóż. – Załuska uniosła nieznacznie kącik ust, zdjęła przeciwsłoneczne okulary. – Może właśnie rozmawiasz z jednym z nich? – skłamała.

Leszek z trudem zbierał swoją szczękę z podłogi. Na szczęście w tym momencie zadzwonił telefon kobiety. Odebrała dopiero po trzech dzwonkach, starając się, by Grabarz nie dostrzegł jej trzęsących się rąk. Nie mógł wiedzieć, że kontakt do siebie ograniczyła do trzech osób: swojego brata, Jekylla i Krzysztofa Zawiszy, który przez lata zajmował się techniką, więc znajdzie ją choćby na końcu świata, na skraju bezludnej wyspy. Żadna z tych osób nie miała jednak interesu, żeby ukrywać swój numer. Tylko porywacze dzwonili zawsze z zastrzeżonego.

– Calineczka?

Mruknęła coś nieokreślonego w odpowiedzi, a na jej twarz wypłynął niezdrowy rumieniec. W aucie panowała śmiertelna cisza. Sasza była przekonana, że każdy z obecnych słyszy głos rozmówcy po drugiej stronie słuchawki.

– Słuchałaś wiadomości?

– Byłam zajęta – odparła. – Ale cieszę się, że dzwonisz.

Rozmówca zastanawiał się chwilę, a potem z cieniem szyderstwa w głosie powiedział:

– W każdym razie gratulacje. Ktoś podjął twoją rękawicę. Imponujące.

Sasza się zaniepokoiła. Kazała Wadimowi podgłośnić radio. W tle słyszała fragmenty relacji z ostatniej chwili sprzed Ministerstwa Sprawiedliwości. Padały słowa klucze: „Kurczak", „Bułka", „prokurator Norin", „kompromitacja", „kara śmierci", „mafia".

– Wykopałem coś z ogródka.

Sasza nie zastanawiała się nad odpowiedzią.

– Kiedy i gdzie? Chętnie się rozerwę.

– Znasz opuszczoną przystań w Osadzie Rybackiej na Oksywiu? Porządne damy nie zapuszczają się w te rejony.

– Pewnie. Zacumowałam tam łajbę.

– Żeglujesz?

– Trzymam tam zakładników i gdzieś muszę mieć skład amunicji.

Nie odpowiedział. Ale też i się nie roześmiał. Sasza uznała to za komplement.

– Za godzinę?

– O dziewiętnastej.

– Świetnie. Zdążę posprzątać.

– Bałagan mi niestraszny. Zamknę oczy.

– Wolałabym, żebyś trzymał je szeroko otwarte, bo nie mamy innego sternika, a poza tym nie uwierzysz, jaką mam dla ciebie niespodziankę. Ktoś aż się pali, by cię przeprosić. Ten sam, któremu zawdzięczasz swoją błyskotliwą karierę.

– Wobec tego włożę sztormiak – odparł i wiedziała, że się uśmiechnął.

– Co to ma być?

Duch rzucił na biurko Jekylla plik gruboziarnistych wydruków. Mimo że każde zbliżenie rozmywało twarze dwójki przytulających się ludzi, Jekyll, nie bez trudu, rozpoznał swoją wybitnej urody facjatę po wąsach. Musiał też przyznać, że z daleka jego brzuszek nie rzucał się tak w oczy, na co wciąż utyskiwała Anielka. Dzięki ci Boże, że wymyśliłeś polary XXL! – pomyślał. Przynajmniej żem godność męską uratował przed kolegami. I ta hacjenda. No, no! Nie spodziewałem się, że nasz domek tak ładnie wychodzi na zdjęciach. Malowanie się opłacało. Trzeba zachować te fotki i pokazać, kiedy potrzebny będzie agent nieruchomości. Ta refleksja tylko trochę poprawiła mu humor, gdyż, jak się spodziewał, czekał go za chwilę porządny opierdol.

Twarz kobiety w czerni została ustrzelona przez fotografa tylko raz. Niestety Sasza nie miała już na sobie plastikowej brody. Jekyll spojrzał na kumpla wzrokiem zbitego spaniela. Duch nie dał się zwieść. Co gorsza, był bardziej przybity niż wściekły. Jekyll nabrał powietrza, wypuścił je ze świstem. Uparcie milczał. Nie było dobrze. Jeśli poniedziałek zaczyna się perfekcyjnie, to można się spodziewać, że od wtorku zacznie się wszystko walić. I właśnie miał tego potwierdzenie.

– Kiedy zamierzałeś mi powiedzieć?

Cholera, było nawet całkiem źle.

– A pytałeś?

– Nie pytałem, bo skąd miałem wiedzieć, że robisz mi koło dupy. I to jeszcze za plecami.

– Tobie? – Jekyll odchylił się na krześle. – Jeśli mam być szczery, nie interesuje mnie twoja dupa, a już tym bardziej na plecach. Poza tym chyba zapomniałeś, że Sasza nie jest twoją własnością. Nigdy nie była – poprawił się. – Więc prosty z tego wniosek: to nie twoja sprawa, z kim się spotykam po robocie i po co. Jasne?

Duch klapnął na fotel naprzeciwko. Wyjął papierosa i zapalniczkę.

– Czujki. – Jekyll wskazał na sufit.

– Niech się walą – wychrypiał cicho Robert.

– Skoro tak… – Jekyll przechylił się do kieszeni kraciastej koszuli kolegi i wyjął sobie jednego z paczki Ducha.

– Ty palisz? – zdziwił się przyjaciel.

– W życiu – zapewnił Jekyll z petem w kąciku ust. – Rzuciłem dziesięć lat temu. Wiesz przecież. – Pokiwał na Roberta palcem. – A tylko donieś na mnie Anieli.

Podszedł do drzwi. Wyjrzał. Tak jak się spodziewał, MauMau stał oparty o balustradę i czekał na Duchnowskiego z jakimiś papierami. Nie było już dnia, żeby ten goguś nie koczował w tutejszej komendzie. Strasznie to Jekylla irytowało. Skinął teraz Kwiatkowskiemu grzecznie głową, wykrzywił się pod wąsem, co miało być zapewne czymś w rodzaju uprzejmego uśmiechu, a następnie z impetem zatrzasnął drzwi.

– O przepraszam, taki przeciąg – krzyknął, by słyszano go na drugim końcu Gdańska, i zajął swoje miejsce.

– A tak poza tym, skoro już zacząłeś, Duchu, to proszę, zdradź, jeśli łaska, skąd masz to badziewie. Śledzisz mnie?
– Udał oburzonego.

Duch jeszcze bardziej zmarkotniał.

– Ja nie.

Spojrzał na drzwi. Więc jest gorzej, niż myślałem, przemknęło Jekyllowi przez głowę. Co robić, jak żyć? Jezusie miłościwy, ześlij jakąś plagę. Najlepiej egipską. Z pająków i chrząszczy. Niech oblepią tego gada na korytarzu razem z jego czekoladową kierowniczką w żałobnej bieli. Jak w *Indianie Jonesie* albo chociaż *Miłości, szmaragdzie i krokodylu*. A na głos powiedział, siląc się na wesołkowatość:

– A ty co tak po cywilnemu? Nie jedziesz dzisiaj do swojej pani boss? Tej francuskiej, z tajnej brygady.

– Od dziś sam sobie jestem bossem. Dostałem nominację – pochwalił się Duch i poczochrał nerwowo po głowie. Jekyll zarejestrował, że przyjaciel bardzo korzystnie schudł, wylaszczył się i chyba był nawet trochę opalony. – To zarządziłem dziś komendantom dzień bez munduru. Na przesłuchanie jadę.

– Gratuluję. I masz już nawet zastępców! Skuteczność tego wyjazdu do stolicy szacuję na sto dziesięć procent. Jestem pod wrażeniem – zauważył uprzejmie Jekyll, ale druga informacja zainteresowała go znacznie bardziej. – A kogo jedziesz słuchać? Może i ja się nadam?

– No zgadnij, Watsonie.

– Nurek się znalazł?

– Jeszcze nie, ale podobno ekipa Moritza jest już na tropie.

– Na węch go biorą?

– Chyba na lep na muchy – żachnął się Duch. – Przecież jest w domu teścia, starego Zawiszy. My nie mamy podstaw do nakazu, a oni wcale nie chcą go chwycić.

– Jak nie wyłazi, to co mu zrobisz. – Jekyll pokiwał głową.

– Postawiłem tam nasz patrol. Czekamy.

Znów zamilkł.

– Ta rozmowa przypomina stosunek przerywany. Osobiście nie przepadam. Tylko mnie ten rodzaj pieszczot drażni, a nie podnieca – odważył się skomentować Jekyll. – Mów, co ci leży na żołądku, Duchu. Razem zawsze raźniej.

Robert podniósł głowę.

– Ostrzegałem cię. Prosiłem.

Jekyll udał, że nie rozumie. Duch machnął ręką. Wstał. Zaczął chodzić. Nagle się zatrzymał.

– Nie będę przecież uczył ojca, jak się dzieci robi!

Jekyll wzniósł oczy do sufitu.

– Pojąłem. Zrozumiałem.

Robert usiadł. Był wyraźnie zdenerwowany. Pokręcił głową, jakby przemawiał do niegrzecznego dziecka, a nie starszego od siebie przyjaciela.

– Nie jestem tego taki pewien. Poprawy jakoś nie obiecujesz – poskarżył się.

– Powiedz lepiej, kto godzien jest zaszczytu, aby komendant osobiście się do niego fatygował – zagaił tymczasem Jekyll. – Prezydent? Wojewoda? Jakiś bogaty bonzo?

– Agnieszka Stokłosa, żona tego Stokłosy. Matka ofiary.

– Ofiary? To wersja samobójstwa już padła? Zmienia się jak w kalejdoskopie.

Duch zgasił niedopałek w kubeczku z napisem: „Kartkowanie rąk nie brudzi. #wspierajkulturę".

– Oficjalnie nigdy jej nie było. To dziennikarze wysnuli taki wniosek. Bezpodstawny, rzecz jasna. Nigdy go nie potwierdziłem.

– Doprawdy?

– Sam przecież wykluczałeś możliwość utonięcia z kulą u nogi. A udział osób trzecich Makak wyłuszczył dziś rano w ekspertyzie. Poczytaj sobie wyniki sekcji. Jest wpięta w akta. Gdybyś był bardziej zaangażowany w śledztwo, a mniej czasu poświęcał swojemu nielegalnemu życiu prywatnemu, może byłbyś na bieżąco.

Jekyll aż otworzył usta ze zdziwienia. Chciał coś odburknąć, ale Duch nie dał mu dojść do słowa.

– Jutro wezwiesz nowego profilera. Adela da ci namiary. Marcin Górski się nazywa. Przyjedzie z Warszawy. Uniwersytet, wykłady, media. Taki szpenio od ustawień geograficznych. Może wykryje, gdzie mogą leżeć inne ciała. Będziemy te tereny sprawdzać.

– Marchewka też jest dobra na potencję – odburknął zniesmaczony Jekyll. – Tylko trudno ją przymocować.

Duch jakby nie usłyszał kąśliwej uwagi. Kontynuował.

– Będzie chciał mieć wszystkie zaginięcia i niewyjaśnione zbrodnie sprzed siedmiu, może dziesięciu lat. Przygotuj.

– Że co?

– Pojawiły się przesłanki, by zbadać, czy na naszym terenie od lat nie grasuje seryjny.

– Pewnie, że grasuje. Ze dwustu! – Jekyll zerwał się z krzesła. – Na twoim miejscu nie wypuszczałbym córek z domu. Jeszcze do mediów to daj. Zasiej panikę. No kurwa, Duchu, przecież nie ma podstaw. Jak ja mam to ściągnąć do jutra na jedenastą? Nawet archiwiści są już o tej porze w domu.

– Na siódmą. Musi zrobić analizę do piętnastej, bo tego samego dnia wraca do siebie. Więcej czasu dla nas nie ma. Oddelegowali go z Głównej.

– To pomysł tych twoich nowych znajomych?

– Zadbaj o to. Czynię cię odpowiedzialnym. Na odprawie być nie musisz. Ogarnij tylko rzeczy dla profilera.

– Czyli robisz mnie teraz swoim notariuszem – jęknął Jekyll. – A karmazynek?

– Co? – Duch na chwilę się zapowietrzył.

Jekyll chciał już wyjaśnić, że tuż przed przyjściem Roberta otrzymał od doktora Konwerskiego niesamowicie ciekawą opinię dotyczącą owada znalezionego w kieszeni kurtki Saszy i wszystko wskazuje na to, że rzuca to nowe światło na sprawę, ale widząc minę Roberta, jakoś stracił entuzjazm dla tej nowiny.

– Przyszła opinia entomologa. Nawet tak drogo nie policzył. – Jekyll machnął ręką i zaczął czytać: – Zredagowałem wstępnie pytania: Czy zabezpieczony owad, jako ślad numer trzy, podczas oględzin miejsca znalezienia zwłok, wskazuje, że miejsce znalezienia zwłok jest miejscem zgonu? Jeżeli nie, to jakie jest miejsce naturalnego występowania przedmiotowego owada? Czy na podstawie owada i innych zabezpieczonych śladów entomologicznych można określić czas zgonu? – Odłożył dokumenty. – Czy chcemy coś jeszcze wiedzieć?

– Świetnie. – Komendant pokiwał głową, choć Jekyll był pewien, że Duch w ogóle nie słuchał, bo już podszedł do drzwi i naciskał klamkę. – Wrzuć mi to na biurko. Zapoznam się jutro. Tak między nami, to nie wiem, czy będziemy kontynuować wątek owada. Za drogo wychodzi. A jeszcze na profilera muszę wyskrobać. Tani skurwysyn nie jest. Ale mus to mus.

– Stary, to bezsensowne! – zaczął Jekyll. – Po co zamawiać ekspertyzę, skoro nie przystaje do zgromadzonego materiału? Doktor Konwerski ma prawdziwą rewelację z karmazynkiem. Udało się go prawidłowo oznaczyć. To bardzo rzadki okaz. Żyje tylko w Puszczy Białowieskiej. Na jednym gatunku drzewa. Sasza z Elżbietą musiały się tam spotkać. To by wyjaśniało, dlaczego…

Robert uciszył przyjaciela gestem.

– Muszę lecieć. Zawieś prace z owadem i zajmij się profilerem z Warszawy – polecił chłodno. – Dziś już nie wrócę. Rudnicka jest na miejscu. Banan ją podrzucił. Wpadłem tylko, żeby cię ustawić do pionu. – Wskazał wydruki sprzed domu technika. – I zabrać premię. W razie kontroli jakąś dupokrytkę muszę mieć, rozumiesz? Twoje szczęście, że na ten moment nie mam podstaw do niczego więcej. Osoba, o której mówimy, nie jest oficjalnie poszukiwana ani też dochodzenie główne wcale już jej nie dotyczy. Śledztwo w sprawie jej dziecka pozostaje otwarte. Jeśli pojawią się nowe dane, działamy zgodnie z procedurą. Ofiarę zidentyfikowaliśmy dzięki twojemu pomysłowi z uchem. I tak, masz rację. W wolnym czasie możesz się widywać, z kim chcesz. Choćby i z Tamagoczim.

Nacisnął klamkę, ale drzwi nie otworzył. Mierzyli się teraz wzrokiem. Jekyll odpuścił pierwszy. Od jakiegoś czasu przyglądał się Duchowi, jakby widział go pierwszy raz w życiu i był tym zjawiskiem absolutnie zadziwiony. W końcu rzucił cicho, ale agresywnie:

– Nie zapytasz o nią?

– Nie kuś.

Robert pierwszy raz się wzburzył. Jekyll był pewien, że zżera go ciekawość. Jako zwierzchnik wolał jednak wiedzieć jak najmniej. Dokładnie tak postępował każdy z bossów przed nim. Kiedyś razem utyskiwali na takich tchórzy. Dziś Duch stał się ich kopią. Chciałby wiedzieć, ale nie chciał ponosić odpowiedzialności. Musiałby podjąć działania, zmienić front. Wybrał stołek, nową kobietę i komfort. Słabo.

– Ucięli jej palec.

– Wiem. Leży u Makaka w lodówce. Linie papilarne zgodne z tymi w aktach. Szkoda, że nie nazwisko.

– Widziałem tę ranę. – Jekyll nie zamierzał przyjacielowi niczego ułatwiać. – To był sekator. Zardzewiały.

Duch zmierzył technika nienawistnym spojrzeniem. Milczał.

– Teraz mi powiesz, że nie dostałeś zgłoszenia? – zaatakował Jekyll.

– Bo tak było w istocie. – Duchnowski przestąpił z nogi na nogę, jakby się wahał: przyłożyć przyjacielowi czy nawiać z podkulonym ogonem. Wreszcie zaczął mówić jak automat. Nazbyt oficjalnie, by Jekyll się tym przejął. – W sprawie Elżbiety Stokłosy stawiamy teraz na hipotezę sto czterdzieści osiem. Ogarnij machera od profilowania. I ciesz się, że jeszcze nie wciągnąłem jej na listę podejrzanych.

– Nawet nie masz odwagi wymówić jej imienia.

– A istnieje taka opcja – ciągnął niestrudzenie Robert. – Z billingów wynika, że kobiety miały kontakt. Czerwony pająk z kieszeni nie jest już nam potrzebny.

– To chrząszcz – wysyczał Jekyll.

– Wszystko jedno – zbagatelizował sprawę Duch. – W każdym razie spotkały się, a twoja ulubienica miała motyw. Nie wiemy tylko, gdzie do tego doszło. Może i w Białowieży. Obie pracowały w tej samej agencji. Kiedy Załuska wypadła z obiegu, Elżbieta zajęła jej miejsce, przejęła też nazwisko, sprawy, legendę. Załuska chciała podobno wrócić, ale karnie przydzielono ją do nas. Podobno ubzdurała sobie, że to Stokłosa zabrała jej stanowisko, a potem uprowadziła jej dziecko. Groziła jej. Są nagrania. Ekspert od fonoskopii potwierdził już, że to była nasza Załuska.

– Spierdalaj – syknął Jekyll.

Duch otworzył szeroko drzwi i odmaszerował równym krokiem w głąb korytarza. Za nim jak cień ruszył tajny agent MauMau.

Zakładowe osiedle przedsiębiorstw żeglugowych powstało w latach pięćdziesiątych, a domki „Zegarkowa" na gdyńskim Orłowie zbudowano z prefabrykatów. Dziś zmieniły się nie do poznania. Niemal wszystkie przebudowano w imponujące, choć bezpretensjonalne rezydencje. I nikt, kto tamtędy przejeżdżał, nie miał złudzeń, że w okolicy mieszkają ludzie zamożni. Niska zabudowa w malowniczej dolinie rzeki Kaczej uchodziła za jedną z lepszych lokalizacji Gdyni. Pieszczotliwą nazwę osiedle zawdzięczało zaradności jej pierwszych zasiedleńców. Wszyscy pływający w tamtym czasie na statkach marynarki handlowej lub rybołówstwa dalekomorskiego szmuglowali do Polski towary uznawane w kraju za deficytowe. Zegarki marynarze kupowali na kilogramy. Wieźli je w workach i wstawiali do specjalnych punktów zajmujących się dystrybucją detaliczną. Poza pensją w dewizach był to więc ich dodatkowy dochód. Nic dziwnego, że jako jedni z pierwszych posiadali w swoich domach wszystko, co oferował Zachód.

Zapewne decydenci oddający w latach pięćdziesiątych pracownikom Polskich Linii Oceanicznych ten teren pod zabudowę do dziś plują sobie w brodę, dlaczego zamiast stu pięćdziesięciu domków nie postawiono tutaj wielokondygnacyjnych bloków. Teraz było już na to za późno.

Biały dom przy ulicy Armatorów nie wyróżniał się niczym szczególnym. Uroczy ogródek przed wejściem, nieznacznie przebudowana marynistyczna weranda z mnóstwem relingów. To było wszystko, co zrobili jego mieszkańcy, by zmienić wygląd starego klocka PLO. Nad drzwiami wisiała porcelanowa tabliczka z motywem łodzi, na której widniał napis „STOKŁOSA". Znacznie to ułatwiało dziennikarzom znalezienie rodziny zmarłej kobiety w tym gąszczu domeczków. Kiedy tylko Duch podjechał swoim nowym rumakiem BMW, osaczyli go jak ćmy. Przybyła cała reporterska brać z regionu i bodajże połowa mediów krajowych. Wszyscy od kilku godzin koczowali przed wejściem. Robert zapozował więc do fotografii i powiedział kilka słów do mikrofonów, a potem dumnie wkroczył na podjazd. Jeśli sądzić po obecności Banana przy murku, prokurator Rudnicka była już w środku.

Agnieszka Stokłosa była pulchną rudawą blondynką w kocich okularach wysadzanych cyrkoniami. Na sobie miała bezkształtny sweter do kostek w kolorze biegunki, z rozcięciem z boku aż do uda. Duch zwrócił uwagę, że pod spodem nosiła zielone legginsy. Na nogach zaś kapcie w kształcie jednorożców ze świecącymi się przy każdym kroku rogami. Musiała być dobrą gospodynią i lubić swoją rolę, bo z kuchni dochodziły smakowite zapachy. Wystrój salonu nosił niewątpliwie znamiona jej gustu. Wszędzie były świeczki, obrazki i bibeloty. Kakofonia barw i pstrokatych wzorów spowodować mogła u większości ludzi poważną migrenę. Na szczęście Duch nie rozróżniał kolorów, kształty i ozdoby zaś zupełnie mu nie przeszkadzały. Jakby ich nie dostrzegał. Wiedział, że jasne to czyste, a ciemne – praktyczne. To wystarczało mu do oswojenia przestrzeni. A nawet jeśli już zdarzyło się jakieś pandemonium i na przykład raz na rok zdecydował posprzątać swój dom, obok jego łóżka wciąż można było znaleźć oponę lub inne części motoru, bo co one komu przeszkadzają?

– Ślicznie tu u pani – powiedział więc teraz całkowicie szczerze, a oczy pani Stokłosy zmieniły się w szparki, tak szeroko uśmiechnęła się do przystojnego komendanta.

– Może herbatki? – zaszczebiotała. I już biegła z tacą.

– Chętnie.

Rudnicka siedziała między stertą poduszek a wielkim kaczorem udającym Donalda Trumpa i wywracała oczy do góry.

Duch wytarł porządnie buty, zamaszystym krokiem dołączył do prokuratorki.

– Dobrze, że jesteś. Zaraz pęknę od tych ciastek.

Duch natychmiast włożył sobie garść do ust.

– Domowej roboty. Dzisiejszy wypiek – zaświergotała mu zza pleców gospodyni.

– Bahdzo dobhe – wydukał Robert spłoszony nieco tym, że złapano go na gorącym uczynku.

Na szczęście długo nad nim nie stała. Ponieważ patera była prawie pusta, pani Agnieszka znów popędziła do kuchni. Sprawdziła piekarnik i pstryknęła czajnik.

– Czy mi się wydaje? – Duch pochylił się do Rudnickiej i wysyczał przez zęby, starając się, by nie było widać ruchu jego warg, bo jednocześnie wciąż głupawo uśmiechał się do gospodyni. – Ona raczej nie jest za bardzo cierpiąca. Jesteśmy pod dobrym adresem? Sprawdziłaś?

– Tego się właśnie boję – odparła w tym samym stylu Janka.

Duch wyjął notes, poślinił ołówek, ale tylko ukruszył wkład. Z bocznej kieszeni wysupłał więc przyschnięty cienkopis. Nie zdążył go nawet sprawdzić, bo Agnieszka Stokłosa już leciała z nowiutkim parkerem.

– Mąż ma całą kolekcję. Proszę się nie krępować. – Wcisnęła mu w dłoń pióro, którego Robert bał się nawet dotknąć, a co dopiero używać.

– Zapewne pani się domyśla, jaki jest powód naszej wizyty. – Odchrząknął po długiej pauzie. – Ujawniliśmy kilka dni temu ciało kobiety w torpedowni na Babich Dołach. Podejrzewamy, że to może być pani pasierbica. Zaginiona Elżbieta Stokłosa.

– Tak, wiem oczywiście – potwierdziła skwapliwie Agnieszka i poprawiła okulary, bo zsunęły się na sam czubek nosa. Duch zarejestrował, że jest uroczo piegowata. – Mąż dokonał oględzin. Ja nie byłam w stanie. Ale proszę, państwo się częstują. Świeżo zaparzyłam. I ciastka też świeżutkie. Proszę, proszę.

Duch z Rudnicką wymienili spojrzenia.

– Ja już nie mogę. Jestem pełna. – Janka wykrzywiła usta w uprzejmym grymasie. – Wiemy, że to dla pani trudne. Poszukiwania nic nie dały. Tyle lat ciszy. A teraz taki cios.

– To prawda.

Stokłosa przesunęła teraz ciastka do Ducha. Złapał się na tym, że ta przesadna gościnność zaczyna go jednak drażnić.

– Kiedy ostatni raz widziała pani pasierbicę?

– Chodzi o Elżunię?

Rudnicka już nie wytrzymywała. Albo ta kobieta jest nie do końca normalna, albo coś tu śmierdzi, myślała gorączkowo. W całym swoim życiu nie doświadczyła takiej beztroski w domu rodziny ofiary.

– A ma pani jeszcze inne zaginione dzieci? – fuknęła.

Agnieszka się zawahała.

– No, raczej nie – odparła niezbyt pewnie.

– Więc?

– Mogę być z państwem szczera?

– Jesteśmy z policji – włączył się Duch. – I prokuratury. – Odłożył pióro na stolik, jakby z ulgą pozbywał się ciężaru, a następnie zamknął notes. – Liczymy na pani szczerość. Chcielibyśmy znaleźć sprawcę tej zbrodni.

– Zbrodni? – Agnieszka gwałtownie zasłoniła usta ręką, jakby grała w operetce. Zdawało się, że zaraz zacznie śpiewać. – Sądziłam, że to ona sama targnęła się na swoje życie. Tak mówił Piotruś, mój mąż – dodała z dumą.

– Owszem – potwierdził Duchnowski. – Do wczoraj jeszcze braliśmy taką opcję pod uwagę. Dziś mamy do czynienia ze sprawą o zabójstwo, więc sama pani rozumie, liczymy na współpracę.

Odetchnął ciężko. Zdawało mu się, że mówi do dziecka.

– Elżunia zawsze sprawiała kłopoty. Była pod wpływem Gosi, mojej najstarszej córki. W kółko knuły coś razem przeciwko mnie. A ja byłam taka młoda, naiwna i niedoświadczona. Nie radziłam sobie z nimi.

Nagle zaczęła płakać.

– Kiedy Elunia zniknęła, bardzo to przeżyłam. Piotruś bał się, czy sobie czegoś nie zrobię. Pozwolił mi wyposażyć jeden pokoik i zrobiłam tam izbę pamięci córci. Miałam tam jej zdjęcia, listy, ubranka. Pierwsze laurki.

Rudnicka wierciła się na sofie. Wiedziała, że nie zniesie już więcej tych zdrobnień. Kopnęła Roberta boleśnie w kostkę, ale nie zareagował, więc bezceremonialnie przerwała komodorowej.

– Czy przez te lata córka kontaktowała się z wami? Dała jakiś znak życia?

Stokłosa jakby jej nie słyszała. Dalej prowadziła swój monolog i nawet się nie wysilała, by nawiązywać do pytań zadawanych przez śledczych.

– Ludzie nas wspierali. Dziennikarze w kółko chcieli robić te wywiady. Opowiadałam wciąż to samo. W każdą rocznicę. Na szczęście Bóg dał nam kolejne dzieci. Dziś mam pięcioro wnucząt – podkreśliła. – Skupiłam się na tych żyjących, ale Elżuni nigdy nie zapomniałam.

Nagle wstała, wskazała jeden z pokoi na piętrze.

– Tam, gdzie jest biały wieniec. Te drzwi z aniołkiem. Tam jest mój ołtarz dla Elusi.

– Zaraz to obejrzymy – zapewnił rzeczowo Duch i spojrzał na woskową twarz Janki.

Ledwie siedziała. Zacisnęła usta i nie odzywała się już nawet słówkiem. Wiedział, co usłyszy, kiedy opuszczą ten lokal. Że się nie dziwi, że młoda nawiała. Przed tą nawiedzoną matką nawet święta Teresa spieprzałaby na drugi koniec świata. I ćpałaby, piła i prostytuowała się na potęgę. Byle nie wpaść znów w łapy infantylnego monstrum, które jest w stanie zagłaskać człowieka na śmierć.

– Możemy najpierw pomówić?

– Oczywiście, oczywiście. Jestem do pana dyspozycji.

– Czyli żadnych telefonów, listów, mejli? Słowem, żadnych śladów, że pasierbica żyje.

– Żadnych. – Znów chlipanie. – Żadnej nadziei. Tylko rozpacz. Bezkresna.

Janka wydała z siebie nieartykułowany dźwięk. Robert szybko zadał pytanie:

– Szukali państwo przez detektywów? Czytałem gdzieś w prasie.

– A jakże. Piotruś zatrudnił najlepsze biuro. Detektyw Andała słono policzył, ale nie żałowaliśmy pieniędzy. Byliśmy też u jasnowidza. Pomylił się biedak. Bardzo to przeżyłam.

– Pani mąż jest kapitanem?

– Komodorem porucznikiem, czyli dowódcą flotylli. Pływa na największych statkach niemieckich. Obecnie podlegają mu cztery jednostki pływające. Dzięki Bogu, jest teraz w Polsce. Sama nie wiem, jak poradziłabym sobie z dziennikarzami bez jego wsparcia. Taka historia to dla nich wielki hit. Ja to rozumiem, ale dla mnie – załkała – po prostu sypanie soli na rany.

Rudnicka opadła na poduszki i chwyciła się za głowę.

– Może wody? – natychmiast zareagowała Stokłosa.

Duch się obejrzał. Ruda wykrzywiła się i wzruszyła ramionami. Przybrała swój pogardliwy wyraz twarzy zarezerwowany dla największych zwyrodnialców i zapewniła bolejącą macochę:

– Jest okej. Pani sobie nie przeszkadza. Rozmawiajcie.

– Czy po zaginięciu pasierbicy pojawiły się przesłanki, że zamieszany jest w to ktoś z waszego otoczenia? – Duch starał się ratować sytuację. – Rodzina, znajomi, zazdrosny chłopak. Wie pani, o co chodzi.

– A kogo miałam podejrzewać? Ela wyszła potajemnie na imprezę. Spotkała się z grupą przyjaciół w Maximie. Pomagali mi potem w poszukiwaniach. Uruchomili gorącą linię. Wtedy to nie było takie proste. Bardzo doceniałam ich wsparcie. Niezwykle mili ludzie. Dziś są pewnie już dorośli.

– Już wtedy to nie byli nastolatkowie. – Janka nie wytrzymała. – Wie pani, że ci przyjaciele to byli ludzie z półświatka?

– Naprawdę?

– Nie przyszłam tu żartować. – Teraz Rudnicka była nastawiona konfrontacyjnie. Kryzys minął. – Dziś to nie tajemnica. Większość zrobiła dużą, ale krótką karierę w świecie przestępczym. Na przykład taki Julek Górski albo Gargamel. Sebastian Hamelusz, pseudonim Laluś, Wojciech Kłyś, słynny brutal zwany Pochłaniaczem. Nie czytała pani gazet? To gangusy z Wybrzeża. Podobno też pani pasierbica była widziana z Gustawem Moro. Tym biznesmenem, który popełnił samobójstwo w więzieniu.

– On wcale nie był jej chłopakiem – gwałtownie zaprzeczyła kobieta i zaczęła kompulsywnie sprzątać ze stołu. – Ale co to teraz zmienia? Skoro moja mała Elżunia i tak nie żyje.

– Tak samo jak jej kumple. Z wymienionych tylko Wojtek Kłyś, z tego, co wiem, ostał się przy życiu – oświadczyła prokuratorka i wstała gwałtownie, zrzucając ze stołu serwetki w kształcie pękniętych serc. Ruszyła schodami do świątyni Elżuni.

– Obejrzę pokój, jeśli wolno.

Agnieszka się poderwała. Zdjęła z szyi złoty kluczyk.

– Muszę pani otworzyć.

– Poradzę sobie.

Wyrwała klucz z ręki kobiety i zniknęła.

– Czyli żadnych kontaktów, poszlak. Niczego, co mogłoby świadczyć wcześniej, że pasierbica żyje.

Agnieszka wciąż przyglądała się drzwiom na górze, w których zniknęła prokuratorka.

– Absolutna cisza, czy tak? – powtórzył Duch.

– Słucham?

– Pytałem, czy w ostatnim czasie zdarzyło się coś niepokojącego, coś, co odbiegało od codziennej rutyny.

Agnieszka wbiła w Ducha nieobecne spojrzenie. Myślała chwilę, a potem pokręciła głową.

– Nic takiego sobie nie przypominam.

I znów wpatrywała się w białe drzwi z aniołkiem.

– No dobrze. – Duch poklepał się po udach. – Gdyby zdarzyło się coś godnego uwagi, proszę nas zawiadomić.

– Tak jest, panie komendancie. Bardzo jestem zaszczycona, że pana poznałam.

– Cała przyjemność po mojej stronie.

Agnieszka wstała, wyciągnęła miękką dłoń jak do pocałowania. Duch dotknął jej i zaraz puścił. Ruszył do drzwi, a Stokłosa czujnie holowała go do wyjścia. Nagle z jednego z bocznych pokoi wyskoczył chłopiec w pióropuszu. Twarz miał pomalowaną w kolorowe pasy. W ręku dzierżył zdobioną ciupagę. Duch oszacował dziecko na sześć lat. Chłopiec zerknął na babcię, a potem na Roberta. Popisowo zawył i wydał kilka indiańskich okrzyków.

– Przerażające – skomentował Robert. – Jak masz na imię?

– Bolek – wymruczał chłopiec. – A ty?

Duch wyciągnął swoją wielką dłoń do powitania.

– Jestem Robert. Dla przyjaciół Duch.

Wymienili żółwiki.

– Kapitalne. – Agnieszka znów przyłożyła dłoń do ust i zaczęła chichotać. – To mój największy skarbuś, najmłodszy wnusio.

Duch pochylił się i znienacka pstryknął przed nosem chłopca, ale ten uchylił się w ostatniej chwili.

– Dobry refleks – pochwalił go Robert i w nagrodę poczochrał po pióropuszu. – Jak będziesz chciał się pobawić w policjanta, nauczę cię kilku sztuczek. Na przykład jak założyć kajdanki jedną ręką. To się przydaje, gdy jesteś ranny, a musisz aresztować zbira.

Puścił do sześciolatka oko.

– Jeszcze tylko zerknę na świątynię cioci Elżbiety, okej?

– Okej – krzyknął chłopiec i zaraz zawrócił. – To ja też. Bo babcia mi nie pozwala tam wchodzić.

Ruszyli obaj. Duch miarowym krokiem, chłopiec, jakby był pneumatyczny.

– Zostanę w kuchni – oświadczyła Agnieszka i do kieszeni namiotu, w który była ubrana, dyskretnie schowała komórkę. – Strucla mi się przypali.

– Pewnie – odparł Duch.

Wbrew szumnym zapewnieniom o świątyni i ołtarzu na cześć zmarłej pokój Elżuni wyglądał całkiem zwyczajnie. O dziwo, cały w bieli, niemal bez ozdób, był wyposażony w nowoczesne meble. W oknach zawieszono gładki tiul, a na toaletce stały kosmetyki dorosłej kobiety.

– Coś mi tu nie gra – mruknęła Rudnicka, kiedy tylko Duch przekroczył próg. Stała właśnie przed szafą z ubraniami.

Wyglądało na to, że liczyła sukienki. – Nosiła rozmiar trzydzieści sześć. I lubiła kolor czerwony.

– W takiej sukni ją znaleziono.

– Miała je dwadzieścia lat temu? – Prokuratorka zmarszczyła czoło. Wyjęła jedną z powłóczystych, jedwabnych. Odwróciła metkę. – Przystanek Haft – odczytała. – To świetna marka. Szyją tylko pojedyncze modele. Istnieje na rynku zaledwie kilka lat, a już mieli pokaz w Mediolanie.

– Może ktoś tu mieszkał? – Duch wzruszył ramionami.

– W świątyni?

Podeszli do biblioteczki. Książek było niewiele.

– *Szkoła uwodzenia. Dlaczego mężczyźni kochają zołzy? Sztuka wojny. Czterdzieści osiem praw władzy. Toksyczny wstyd. Machiavelli – biografia nieautoryzowana. Nie bój się życia. Atomowy szpieg. Detektyw w krainie cudów* – odczytała pierwsze z brzegu tytuły. – Same poradniki. I biografie.

Nad miniaturowym biurkiem wisiała korkowa tablica. Była przysłonięta firanką, jak w wiejskich kościółkach traktowano święte obrazy, aby się nie kurzyły. Janka podniosła białą płachtę. I zrozumiała, że pewnie ją właśnie miała na myśli Stokłosa, kiedy mówiła o ołtarzu. Przymocowano do niej chyba wszystkie zdjęcia, jakie kiedykolwiek wykonano tej rodzinie. Była na niej młoda Agnieszka, jej mąż – wtedy pierwszy oficer, dwójka jej synów z żonami oraz pięcioro wnucząt. Duch zauważył nawet Bolka w pióropuszu. Oraz oczywiście mała Elżunia w różnych pozach i konfiguracjach. Fotografie tworzyły warstwy. Najgłębiej umieszczone były zdjęcia noworodków. Tableau szkolne, pozowanki z Mikołajami, na łódkach, przy „Darze Młodzieży", podczas wakacji na plaży. Te na wierzchu były najnowsze. Kończyły się na ostatnich zdjęciach Elżbiety, które cała Polska znała z mediów sprzed dwudziestu prawie lat. Rudnicka pochyliła się i wyjęła starą fotografię na tle choinki. Było to drzewko biedne, ustawione najwyraźniej w szkole lub jakimś ośrodku publicznym. W kadr, z prawej strony, wchodziła zażywna pielęgniarka w butach ortopedycznych. Niosła reklamówkę z prezentami, identycznymi dla wszystkich. Na stole stał talerz z pierogami, obok waza z wyraźnym napisem „Społem".

– Nie ruszaj – ostrzegł Jankę Duch, ale go nie posłuchała.

Chwilę potem, po naruszeniu struktury, sterta zdjęć wysypała się na biurko, na podłogę. Wiele spadło za szafkę. Niektóre pofrunęły aż pod balkon. Przyglądali się temu pobojowisku w skupieniu. Pierwszy odezwał się Robert.

– Czuję, że musimy tu wezwać Jekylla. Niech pobierze paluchy.

– Myślę, że to dobra myśl – mruknęła Janina i założyła lateksowe rękawiczki. A potem podała Duchowi zdjęcie wykonane w tym samym biednym ośrodku. – Poznajesz?

Fotografia przedstawiała dwie dziewczynki. Jedną z nich była z pewnością Elżunia. Cały kraj znał jej twarz, fryzurę i anielski wyraz twarzy, który przyjęła również i na tej fotografii. Druga, sporo starsza, siedziała naburmuszona jak chmura gradowa. Rysy miała bardziej regularne, ostrzejsze, i kręcone włosy. Zdjęcie było czarno-białe, więc trudno było określić ich kolor. Duch dałby sobie jednak w tej chwili głowę uciąć, że miały barwę miedzi. Dziewczyna do złudzenia przypominała młodziutką Saszę.

– To dom dziecka. – Rudnicka wygrzebała więcej fotografii. Na jednej z nich widniał szyld ośrodka z numerem placówki. – Były tam razem i stąd się znały.

Usłyszeli skrzypienie drzwi. Oboje odwrócili się z przestrachem. W drzwiach stał Bolek. Duch zachęcił go, by wszedł.

– Nie bój się. Będę cię krył przed babcią.

Pokazał zdjęcie chłopcu.

– Znasz te panie?

– Tej nigdy nie widziałem. – Wskazał na ponurą, która była podobna do Załuskiej.

– A ta?

Chłopiec się zastanawiał. Rudnicka szybko wygrzebała ze swojej teczki inne zdjęcie. To, które zeskanowali z dowodu Elżbiety Stokłosy do akt.

– Jest podobna do cioci Eli – potwierdził bez wahania chłopiec.

Duch z Janką wymienili spojrzenia.

– Niedawno odwiedziła babcię z córką – kontynuował tymczasem Bolek. – Nawet fajna ta Karolina, chociaż cały czas kłóciła się z mamą, a potem ryczała. Ale to przecież normalne. To tylko dziewczyna. To co, pokażesz mi teraz ten numer z kajdankami?

PAJĄK
(2006)

– Kim ty naprawdę jesteś?

– Jestem twój.

– Mój? – Uśmiechnęła się i objęła mocniej kochanka. W tle słychać było ostatnie takty *Roads* Portishead. – I to ma mi wystarczyć?

– Jeszcze ci mało? Nigdy nie chciałem do nikogo przynależeć. – Udał oburzenie. Pocałował ją w czoło. – Ale teraz jestem pewien. Ty jesteś moja, a ja twój. To wszystko. Reszta mnie nie obchodzi.

– Przecież mnie nie znasz.

– Czuję cię. Sprawiasz... – Zawahał się. – Przywracasz mi wiarę w dobro. Nie spodziewałem się, że kiedykolwiek to powiem, a co dopiero w to uwierzę.

– Nie jestem dobra.

– A czy ja jestem zły?

Sasza wtuliła twarz w dołek między ramieniem a klatką piersiową Łukasza. Wdychała jego zapach, ich wspólny zapach, od którego kręciło jej się w głowie. Byli oboje nadzy i zgrzani. Beth Gibbons zaczynała śpiewać *Humming*. Wysłuchali całego utworu w milczeniu. *And it's been so wrong, right now, so wrong* były ostatnimi słowami, które Sasza zapamiętała przed zaśnięciem.

Drzemali może godzinę, może dwie. Kiedy otworzyła oczy, nie pamiętała, co wydarzyło się podczas włamania ani potem, w jego łóżku. Chociaż jej ciało przekonywało ją, że bardzo wiele. Wypiła wczoraj tyle dżinu, żeby to wszystko przetrwać, że miała luki w pamięci. Nie wiedziała, jak dotarli do tego mieszkania, jak długo była w domu pułkownika i kto ich widział. Zdawało jej się, że nie ma to już znaczenia. Teraz w pomieszczeniu panowała cisza. Jej wzrok padł na teczkę leżącą obok telewizora. Nie mieściło jej się w głowie, że plik starych kartek wart jest dla kogoś tyle ludzkich istnień. Ale zdobyła go. Tak jak jej rozkazano. Cieszyła się, bo teraz będzie mogła już odejść. Zakończyła swoją misję. Calineczka odleci wreszcie do krainy elfów. Dziadek jej to obiecał.

Znów przymknęła oczy i uciekła w świat fantazji. Miała serdecznie dosyć tego klaustrofobicznego Krakowa, gdzie wszyscy się znali, nienawidzili i zazdrościli sobie nawzajem, ale nieodmiennie uśmiechali się na swój widok na ulicy. Wzniosłe relacje w ciasnym grajdołku artystycznym, z którego tak słynęła cyganeria dawnej stolicy Polski, były tylko fasadą. Mało kto myślał w tym środowisku o sztuce, choć lubili o tym rozprawiać nocami. Turpizm, mrok i defetyzm oraz morze alkoholu, w którym krakowscy wieszcze topili swoje frustracje, pozostawały czczą paplaniną. Jeśli komuś udało się wyrwać do Nowego Jorku, Wiednia czy choćby Warszawy, zarzucali mu konformizm, skok na kasę, zaprzedanie ideałów złotemu cielcowi. Tak naprawdę sami pragnęli być na jego miejscu.

Ale Łukasz był inny, prawdziwy. Chociaż swoją twórczością przerażał ją od samego początku. Nie rozumiała, jak to się stało, że nie dostał się na ASP. Kiedy pytała innych, mówiono oględnie, że jest dziwny. Co to znaczy? Zobaczysz, padało w odpowiedzi. Trudno było jej w to uwierzyć. Twarz miał jasną, gładką. Oczy świetliste, uduchowione. Usta pełne, karminowe, jak u dziewczyny. Delikatne rysy twarzy i pająkowate ciało przywodziły jej na myśl postać Wertera. Tak go sobie w każdym razie wyobrażała, kiedy czytała lekturę w szkole. Ten dysonans piękna, delikatności fizycznej z jego mrocznymi zainteresowaniami budził ciekawość. Łukasz nie miał w sobie nic z wojownika, a jednak potrafił być stanowczy. Fascynowały go agresja i przemoc. Już na pierwszym spotkaniu wyznał jej, że jest wariatem. Miał zdiagnozowane rozmaite zaburzenia psychiczne, w tym chorobę dwubiegunową. Całe dzieciństwo spędził w prywatnych ośrodkach, gdzie leczono go eksperymentalnie sztuką, i u wuja Lucjana, który, tak jak i on, był uznawany w rodzinie za czarną owcę. Jak to bywa z wykluczonymi, stworzyli wkrótce wspólny front.

Łukasz żartował, że to jego ojciec – pułkownik Witold Kałużyński, były szef tutejszej Służby Bezpieczeństwa, a teraz jedna z szych UOP-u w centrali – pchnął go do malarstwa i rzeźby, kiedy załatwił mu podkładkę na żółte papiery, by nie trafił do wojska. W tamtych czasach nie wiedziano, że okresy manii i depresji można wyregulować lekami oraz wesprzeć terapią. Przypisali mu więc, co się dało. Byle tylko nie trafił do armii. Pułkownik Kałużyński dobrze wiedział, że Łukasz się do tego nie nadaje, i bał się, że chłopak narobi mu wstydu, a jego ominie tym samym upragniony awans. Całe szczęście miał jeszcze dwóch starszych synów, którzy z ochotą poszli w kamasze. W ich oczach Łukasz zawsze pozostał maminsynkiem.

Z biegiem lat wydawało się, że chłopak polubił swoją inność. Pomogły mu rozmowy z ekscentrycznym wujem, który akceptował go takim, jakim Łukasz był. Zarówno w jego obrazach, jak i instalacjach przewijały się interesujące go motywy. Używał gęstej farby, do złudzenia przypominającej krew oraz ludzkie wydzieliny, i szarej masy, przywodzącej na myśl okaleczone ciało. Zamiast podpisu umieszczał w dolnym rogu emblemat robaka z wyraźnymi odnóżami. Używał do tego celu czerwonej farby zmieszanej z terpentyną. Szybko zyskał przydomek Pająk. Potem zaczął eksperymentować ze zwierzętami. Wytrzewiał jagnięta, które przybijał do monstrualnych desek lub umieszczał w skrzyniach wypełnionych czarną ziemią niczym w cichym grobie. Kiedy jednak z grupą swoich wielbicieli zdarł skórę z konia i porzucił na polu, trafił do więzienia. Nawet wysoko postawiony ojciec nie był w stanie uratować go od odsiadki.

Zresztą, jak potem matka tłumaczyła Łukaszowi na widzeniu, Kałużyński miał już dosyć. Uznał, że syn musi wziąć odpowiedzialność za swoje czyny i ponieść karę. Może wtedy skończy z tą głupią zabawą. Bo według jego rodziców ten rodzaj ekspresji był chory, zły. Jeśli chodzi o malarstwo, tolerowali Kossaka, ewentualnie Matejkę, oraz wszystkie rodzaje realistycznych pejzaży bitewnych. Matka podziwiała też martwą naturę i klasyczny portret. Ale terpentyna, cement, łój zwierzęcy i brunatne oleje przypominające krew – to było w ich odczuciu coś nienormalnego. Łukasz karnie więc odsiedział swoje pół roku, a po wyjściu z zakładu pierwsze kroki skierował do Urzędu Stanu Cywilnego, by zmienić nazwisko. Myślał, by przybrać też inne, bardziej wyszukane imię, ale uznał, że to przesada. Nie musi się przed nikim kryć. Przyjął więc pierwsze nazwisko, które przyszło mu do głowy: Polak. W kraju nad Wisłą brzmiało jak Pan Nikt. Zgodnie z oczekiwaniami ojca w więzieniu faktycznie dojrzał. Doświadczenie autentycznej przemocy i agresji ugruntowało w nim przekonanie, że musi coś zrobić ze swoim życiem. Zdecydował się na nauki politetyczne i skończył je z niezłą średnią. Kiedy matka pytała go, dlaczego akurat taki wybór, odpowiadał, że polityka to największe utrapienie tego świata.

– A politycy to banda głupkowatych, sfrustrowanych ludzi, którzy próbują dysponować władzą. Wszystko, co się z nimi wiąże, to wielka ściema – dodawał.

Jednocześnie zaś intensywnie badał dzieła wielkich mistrzów: Michała Anioła, Leonarda, Rembrandta czy Rubensa. Fascynowały go obrazy holenderskie i Schopenhauer. Paradoksalnie to jednak Nietzsche skierował go w stronę ludzi. Szybko zdobył grupkę wiernych wyznawców. Rekrutowali się głównie z grona wściekłych i młodych, którym brakowało na chleb i coś do chleba. Chętnie uczestniczyli w jego Rytualistycznych i Egzystencjalnych Misteriach, w skrócie REM, jak nazywano potajemne spektakle – ich uczestnicy ochoczo krzywdzili się nawzajem i obscenicznie ze sobą kopulowali. Na nic zdały się interwencje ojca. Działania artystyczne Łukasza nieustannie doprowadzały do konfrontacji z lokalną władzą. Ponieważ jednak nikt nie zgłaszał uszczerbków na zdrowiu, a zgwałcone kobiety odmawiały składania doniesień, nie można go było pociągnąć do odpowiedzialności. Wreszcie REM-y stały się tak popularne, że Łukasz nie był w stanie zapanować nad liczbą zgłaszających się rekrutów i zaprzestał ich organizowania. To, co miało być dla niego intymnym przeżyciem, kameralnym spektaklem, nieoczekiwanie zmieniło się w organizowane cyklicznie trywialne orgie, a ci, którzy brali w nich udział, poszukiwali tylko mocnych wrażeń.

Zajął się fotografią. Czasem tak bywa, że wielkie rzeczy przychodzą do nas, choć wcale ich nie zamawialiśmy. Ponieważ Łukasz zawiesił działalność REM-ów, nagle stał się w mieście sławny. O Pająku krążyły legendy, a modelki tabunami pchały mu się do łóżka. Był zawsze milkliwy, wycofany, zwłaszcza w fazie depresji, więc przypisywano mu mroczne instynkty, a nawet psychopatię. W takim momencie życia, podczas jednej z wystaw, poznała go Sasza. Wypatrzył ją, kiedy bez ruchu przez prawie kwadrans wpatrywała się w jego ulubione zdjęcie martwego orła. Powiesił je w rogu sali, więc poza nią nikt więcej się nim nie zainteresował.

– Jestem Łukasz – powiedział. – Chciałbym, żebyś spędziła ze mną dzisiejszy wieczór. A jeśli będzie wystarczająco dobrze – całe życie.

Sasza wyciągnęła w jego kierunku szklankę z dżinem. Stuknęli się.

– Milena – przedstawiła się, nie podając mu ręki.

Dopiero wtedy wyjęła z uszu słuchawki. Bezbłędnie rozpoznał, że ma na głośnikach Nirvanę.

– Nikt tego już nie słucha.

– Ja jestem nikt – odparła bez wahania.

– Umówisz się ze mną? – Po raz drugi nie odważył się powtórzyć wcześniej wypowiedzianej kwestii.

W gruncie rzeczy był bardzo nieśmiały. Sam nie wiedział, jak to się stało, że w ogóle do niej podszedł. Ruda dziewczyna w odpowiedzi pokręciła głową.

– Niestety, jestem w pracy.

A potem wyjęła z torebki colta anacondę i pokazała mu, kogo śledzi. Rozbawiło go to, że jest policjantką. Obiecał jej pełną pomoc. Słowa dotrzymał.

Myślała, że będą tylko przyjaciółmi, ale on się w niej zakochał, co komunikował niemal od pierwszego spotkania. Ona początkowo kochała się tylko w jego zdjęciach. Tak bliskie było jej jego patrzenie na świat, pełne lęków i podejrzliwości, które zawierał w ciasnych, zawsze jednak barwnych obrazach. Ale jednocześnie to zło, które pokazywał, wydawało jej się hipnotycznie piękne. Nikt jej w tej materii nie kształcił, więc wejście w jego świat było dla niej jak przebywanie w baśni. Za każdym razem, kiedy czuła, że staje się jej zanadto bliski, uciekała. Aż do wczorajszej nocy.

Na zewnątrz panowała listopadowa ciemność, choć dopiero co minęło południe. O szyby bębnił deszcz, ale ona już dawno nie czuła się tak dobrze, spokojnie. Dawno już jej ciało nie przyjmowało nikogo tak bezgranicznie. Może nigdy. Ten jeden jedyny raz z Sebastianem był jak przekroczenie furtki transferowej. Nic jeszcze wtedy o sobie nie wiedziała. Zresztą już chyba nawet nie pamiętała jego twarzy. I choć dzisiejszej nocy z Łukaszem poczuła coś na kształt miłości, to wcale mu nie ufała. Znała jego obrazy, zdjęcia, widziała nagrania z misteriów. Bała się, że pod płaszczem tego nieskończonego piękna kryje się diablę. Ale choć nigdy o tym nie rozmawiali, to właśnie strach ich połączył. To, co przeżyli, co mieli na plecach. Nieustanne poczucie zagrożenia, niewiara w dobro i pociąg do zgłębiania tajemnic Hadesu. Czuła, że znów łapie doła.

Chwyciła szklankę stojącą na nocnym stoliku, wychyliła jednym haustem. Dżin był już ciepły, brakowało w nim cytryny, ale po prostu chciała poczuć znajome drapanie w gardle. Zdawało jej się, że tylko przymknęła oczy, i momentalnie odpłynęła w sen. Jak przez mgłę słyszała telefon, dzwonek do drzwi. A potem Łukasz wstał i rozmawiał z kimś przyciszonym głosem w korytarzu. Nie ruszyła się spod kołdry, trwała w błogim marazmie. Wyznał jej w nocy, że ojciec zaręczył go z córką swojego przyjaciela z Anglii

– Sandrą Jaskólską, którą znał od dziecka – ale zapewnił, że to tylko umowa byłych esbeków, by zacieśnić sojusz.

– Nie kocham jej, tylko ciebie – powtarzał. Sasza dobrze znała tę dziewczynę. Sandra była biuściasta, pewna siebie i w opinii Załuskiej oszałamiająco piękna ze swoimi wielkimi czarnymi oczami i twarzą madonny. Była przy tym świetna w swoim fachu, bo tak się składało, że pracowały już razem od wiosny. Każdy raport, który Sasza napisała po akcjach, windował jej uczennicę coraz wyżej w hierarchii. Załuska była pewna, że Sandra będzie stopniowo awansowała. Sasza żadnej z tych danych nie ujawniła Polakowi. On zaś, w dobrej wierze, obiecał jej, że nie pozwoli się zmusić do tego małżeństwa. Wtedy, kiedy skrzypnęły drzwi, Załuska myślała, że może rozmawiał z zazdrosną narzeczoną. Albo z wujem, właścicielem mieszkania, w którym się ukryli. Dlatego wolała się nie ujawniać.

Gdy się ponownie obudziła, za oknem było już granatowo. Deszcz przestał padać, panowała cisza. Przy telewizorze paliła się mała lampka z obitym kloszem. Sasza nie pamiętała, czy była tam także wcześniej. Dokumenty, które z takim trudem zdobyła, zniknęły. Ona zaś przymocowana była do krzesła za dłonie i nogi. W ustach miała knebel. Pierwsze, o czym pomyślała, to nie to, że Łukasz ją zdradził, lecz że jest jej zimno.

Chwilę później podszedł do niej z nożem w jednym ręku, zapałkami w drugim oraz z kamerą umieszczoną na czole. Patrzyła, jak czubkiem noża dotyka wewnętrznej strony jej uda, jakby to była pieszczota, i zdawało jej się, że to nie dzieje się naprawdę. Że to się jej wciąż śni. Nie była w stanie się poruszyć, wydać dźwięku. Nie była w stanie walczyć. Ogarnął ją marazm. Jakby w głębi serca spodziewała się tej sytuacji. Bawił się jej emocjami bardzo długo, zanim zrobił pierwsze nacięcie. Najpierw przebiegł ją prąd, a potem pojawiło się pulsowanie i ciepło, jakby stała na skraju żywego wulkanu. Bez wahania zanurzyła się w tej gorącej lawie. Odpływała, pozbywała się trosk. Znikał strach i ograniczenia. Poczuła ulgę, a nawet wdzięczność, że ktoś wreszcie wyzwoli ją od demonów, które wciąż trzymały ją w uścisku.

Łukasz zaraz jednak odrzucił narzędzie i ukrył twarz w dłoniach. Złapała się na tym, że pragnie go pocieszyć. Ściągnął z głowy kamerę, rzucił nią o ścianę, a potem tym samym nożem, którym ją krzywdził, porozcinał więzy. Dopiero kiedy ją oswobodził i zaczął ubierać, bo wciąż stała nieruchomo jak lalka, zaczęła odczuwać piekący ból. Spojrzała w lustro. Była cała podrapana, obita. Musieli ją katować, kiedy była nieprzytomna. Zrozumiała, że w drinku, który wypiła, był flunitrazepam albo ketamina.

– Oni zaraz znów tu będą. – Wcisnął jej w dłoń ortalionową torbę. – Nie oddałem im tych papierów. Mój ojciec ci pomoże. Przekaż mu to nagranie i pożegnaj ode mnie matkę.

Sasza nie rozumiała. Wpatrywała się w niego zaskoczona.

– Miałaś nie wyjść z tego żywa. To i tak byłby mój ostatni pokaz. Ale nie umiem. Nie chcę cię krzywdzić.

Wtedy dobiegł ją zapach spalenizny i zobaczyła, że z korytarza niczym zbliżający się smok napiera na nich ściana ognia. Poczuła falę gorąca, brakowało jej powietrza. Dym stopniowo wypełniał pokój. Po chwili nie widziała już, gdzie jest wyjście, gdzie okna. Przed sobą miała tylko zbolałą twarz Łukasza.

– Wybacz. – Przytulił ją, pocałował.

Oddała uścisk. Poliestrowa zasłona spadła i przykleiła się do jej ciała. Wrzasnęła z bólu. Łukasz szarpnął ją gwałtownie i wypchnął na balkon. Nie zdążyła zareagować, bo zamknął za nią drzwi. Nie było sensu się szarpać. Na zewnątrz były metalowe kraty. Stała na niewielkiej przestrzeni niczym na bocianim gnieździe i patrzyła, jak ognisty potwór zbliża się, by pochłonąć jej Pająka. Nie mogła dłużej na to patrzeć. Podeszła do barierki, oparła się o nią plecami i myślała, że jeśli tylko lekko się wychyli, zakończy to na zawsze. Ale jak zwykle zabrakło jej odwagi. Poczuła krople deszczu na twarzy, więc w ich towarzystwie pozwoliła spłynąć łzom. Wtedy Łukasz ostatni raz zbliżył się do szyby. Uśmiechali się do siebie, jakby wiedzieli, że następnym razem spotkają się już po tej dobrej stronie lustra. Ogień pożarł storę za nim. Zdawało jej się, że wokół głowy Łukasza jarzy się aureola. Jakby anioł trafił do piekła za wszystkie jej grzechy. Sasza rzuciła się do drzwi, waliła pięściami w szybę. Wołała, by otworzył i wyszedł na ten balkon za nią. By się ratował. Krzyczała, że mu wybacza, że go kocha, ale on już zasunął firankę.

NORIN
(2016)

Sasza zasłoniła firankę, zdjęła buty i położyła się na koi, uważając, by jak najmniej trącać niesprawną rękę. Opatrunek zmieniła niecałą godzinę temu, ale rana bolała ją dziś bardziej niż kiedykolwiek. Żona Jekylla zrobiła w domowych warunkach wszystko, co było w jej mocy, lecz ostrzegła Załuską przed zakażeniem. Sasza musiała obiecać, że będzie regularnie ranę przemywać. Brała zapisane medykamenty, starała się nie obciążać chorej ręki, lecz systematyczność oczyszczania odciętego palca pozostawiała wiele do życzenia w warunkach polowych. Dziś czuła nieokreślony niepokój, że to nie tylko ból, że dzieje się coś znacznie poważniejszego. Jeśli do jutra ćmienie i szarpanie nie przejdzie, pojedzie na badania, zadecydowała.

Zerknęła na zegarek. Miała jeszcze godzinę do umówionego spotkania, ale Norin zawsze przybywał przed czasem. Zapewne i tym razem krąży już po okolicy, choć nie podała mu nazwy łódki ani też nie chciała wychodzić mu naprzeciw. Tym bardziej że na pokładzie byli jeszcze Tamagoczi z Wadimem. Zameldowali, że odwieźli dziennikarza z Jelcynem w bezpieczne miejsce, do którego zresztą sama zamierzała dotrzeć później, i zbierali swoje rzeczy na imprezę powitalną u Kurczaka. Po wysłuchaniu wiadomości radiowych Sasza wiedziała, że uruchomiła machinę, i bała się jedynie, że sprawy nabiorą tempa zbyt szybko. Była udręczona, lecz o dziwo – spokojna. Musiała się do tej rozgrywki przygotować. Na wojnie najgorsze jest zamieszanie. Nikt nie jest wtedy w stanie przewidzieć, co się zdarzy, a – co za tym idzie – kto wygra. A przecież tylko taki cel jej przyświecał. Zrobić bałagan, skorzystać z okazji i uciec kuchennymi drzwiami. Niech tygrysy walczą o trofeum wrzucone przez nią na arenę. Który z nich pożre pozostałe, nic jej nie obchodziło. Problemem z jej punktu widzenia było tylko to, że ona sama wciąż jeszcze tkwiła w oku tego cyklonu.

Przykryła twarz kocem, spróbowała się wyciszyć. Natychmiast pod powiekami pojawiła się uśmiechnięta Karolina. Gdzie teraz jest? Czy ktoś o nią dba? Czy pilnuje, by miała szalik, suche stopy i solidnie zapiętą kurtkę? Czy nie jest głodna? A może płacze nocami? Cierpi, jest krzywdzona... Nie, Sasza nie chciała dopuścić do siebie nawet jednej podobnej myśli. Chciała wierzyć Zawiszy, że każdego dnia obok Karoliny jest ktoś, kto pełni funkcję jej anioła stróża. Nawet jeśli ten anioł to wyrachowany agent, którego motywacją są wyłącznie pieniądze i władza. Filmik, który dostała dziś rano na potwierdzenie słów Krzysztofa, oglądała kilkadziesiąt razy. Dziewczynka leżała na posłaniu z biszkoptowym labradorem i zaśmiewała się do łez z jego pasiastego kubraczka w kotki. Obok stał talerzyk z niedojedzoną wuzetką i sterta rysunków, które mogło wykonać tylko dziesięcioletnie dziecko. Dlatego Sasza odsuwała od siebie pesymistyczne myśli. Choć raz w życiu starała się nie skupiać na negatywach, a wierzyć, że zasługuje na dobro. Kiedy tylko Karolina znów będzie bezpieczna, zaczną od nowa. Sasza zamknie niechlubny rozdział, zmieni się, naprawdę przeistoczy. Zamiast burego polskiego nieba i ciemnej toni przed oczyma miała już błękitną lagunę, samotną palmę, a pod stopami czuła drobniutki piasek. Był tak jasny, że aż kłuł w oczy. Weszła więc na skraj wody i szła naprzód, zostawiając za sobą hałas, chłód i problemy.

Myślała o tym, jak wyglądałoby jej życie, gdyby wtedy, po egzekucji komendanta, po śmierci Sebastiana, zamiast zaufać Jelcynowi, po prostu poszła na pobliski komisariat. Czyby jej uwierzyli? Czy wciąż by żyła? A może potrzebowała tego wszystkiego? Może takie było jej przeznaczenie? Może czasem trzeba przeżyć coś tak potwornego, doświadczyć piekła, by docenić zwykłe życie, które układa się tak, jak się układa. Może czasem nie ma wyboru i trzeba myśleć tylko o sobie? Nie każdemu przecież starcza siły, by żyć, jak chce; być, kim chce. Ale każdy może zacząć jeszcze raz. Trzeba tylko zakasać rękawy i porządnie to zabałaganione życie posprzątać. Może do tego sprowadza się szczęście? Do decyzji o pozbyciu się tego, co zbędne. Zanim rozpocznie się na nowo, trzeba opróżnić przestrzeń ze śmieci, wykarczować krzaki i wypielić ogród. By to, co piękne, dobre i zdrowe, mogło bez przeszkód rozwijać się na nowym polu. Wtedy walki stają się zbędne. Osiąga się spokój i pewność. A z tego bierze się prawdziwa siła. I pozostaje tylko codzienna dbałość o to, co jest naprawdę nam bliskie. Jeśli więc odwrócimy się na pięcie od tych, którzy nas krzywdzą, okazuje się, że szczęście jest w zasięgu ręki.

Jedno piknięcie poinformowało o nadejściu nowej wiadomości. Zaraz potem przyszedł kolejny esemes. Komunikat był lakoniczny: „nie pobrano MMS". Sasza przyjrzała się dziwnemu numerowi nadawcy, który był ciągiem jedenastu cyfr i liter pisanych wersalikami. Z trudem zachowując spokój, przekierowała dane do Krzysztofa Zawiszy. Odpowiedział niemal natychmiast: „Odzyskam. Dam znać".

Sasza zerwała się, wciągnęła buty i ruszyła do wyjścia. Chwilę wpatrywała się w morze. Szarawa woda odcinała się od nieba tylko nieznacznie. Zdawało się, że chmury za chwilę spadną ludziom na głowy i przysłonią świat brudną pierzyną. Już wczoraj znacznie się ochłodziło. Można było się spodziewać, że nad ranem przyjdzie przymrozek. Nie minęło kilka chwil, kiedy zobaczyła przed sobą czerwoną micrę.

Norin zdawał się żwawszy niż kiedykolwiek. Z bagażnika wyjął torbę z Carrefoura, wędki oraz wybierak na długim drągu.

– Macie przynętę? – zapytał jak gdyby nigdy nic zdziwionych ochroniarzy Załuskiej.

Spojrzeli na nią pytająco, nie zmieniając nawet na chwilę wyrazu twarzy. Sasza sięgnęła do wewnętrznej kieszeni kurtki. Wyjęła kilka banknotów. Po namyśle dołożyła jeszcze kilka i zwinęła w rulon.

– To załatwcie. Dla mnie może być dżin.

Norin obrzucił Saszę czujnym spojrzeniem. Udała, że tego nie widzi, i kontynuowała:

– W prezencie dla Joli. Sobie też zabezpieczcie, wedle zasług. Dziś już, Wadimic, nie będę cię potrzebowała.

Zrobiła nieznaczny gest. Azjata bez słowa oddał jej kluczyki do wozu. Tamagoczi zarzucił worek na plecy. Usłyszeli brzęknięcie szkła.

– I wyśpijcie się trochę. Jutro ciężki dzień – pożegnała ich jak matka.

Kiedy mężczyźni się oddalili, Norin wskazał na jej chorą dłoń.

– Jak zamierzasz prowadzić?

– Nie takie rzeczy się robiło. – Wzruszyła ramionami.

Uśmiechnął się.

– Pamiętam.

Sasza zaśmiała się nieoczekiwanie. Kiedy prokurator był obok, czuła się spokojniejsza.

– Zwłaszcza jak pod słowacką granicą zatrzymał nas ten samotny aspirant z drogówki. Nie miał radiowozu ani partnera. Stał w lesie z lizakiem i zatrzymywał jadące auta na chybił trafił. Byłam pewna, że to przebieraniec. Wiesz, psikus z wydziału kontroli. Im zdarzały się takie pomysły. Miałam wtedy chyba z sześć dowodów rejestracyjnych i paszporty na połowę pułku.

– Które pokazałaś aspirantowi jak wachlarz kart – dodał Dariusz Norin, przesadnie naśladując jej wibrujący tembr głosu. – Które pan włada wybiera? To flop, a to straszna karta. Nie radzę.

– Oj, byłam wtedy ostro nastukana.

Norin przyjrzał się jej.

– Najgorsze, że nikt nigdy nie zauważył.

– Też żałuję. – Załuska pokiwała głową. – Bo na początku tego mojego alkoholizowania się bywało wesoło. Może do czasu, aż samotny wojownik rzucił nas na glebę. Leżę ja, Bułka, ty, Jesiotr i tych trzech chłopaków. Mieli takie śmieszne ksywy.

– Są teraz w AT. Ten najmniejszy został szefem.

– Poważnie? – zdziwiła się Załuska. – Pierwszy raz się wtedy przestraszyłam. Pytam cię: „co robimy?". A ty mi na to: „nie mam pojęcia". Bo oboje wiedzieliśmy, że pod zgrzewkami słowackiego piwa leży arsenał broni i jak nas ten durny aspirant zadenuncjuje, to zaraz na ogonie będziemy mieli nieprzyjaciół Bułki.

– Wtedy zaczęłaś tak strasznie chichotać, aż chyba się domyślił, że coś tu nie gra.

– A Jesiotr po prostu wstał i pokazał mu austriacką blachę – przypomniała Sasza. – I zanim otrzepałam sobie sukienkę z tego błocka, aspiranta już nie było. Zniknął. Do dziś nie wiem, jakim cudem.

– Ja też – potwierdził Norin. Odstawił wędki i czerpak w kąt. Podniósł torbę wypełnioną papierami. Potrząsnął. – Przywiozłem deser. Otworzymy po kolacji.

– Kolacji? – Sasza podniosła brew. – Jakiej kolacji?

Ale Norin rozwiązał już cumę, stanął przy sterze.

– Ty gotujesz, ja prowadzę. Odwieczny podział obowiązków na łajbie.

Sasza podparła się pod boki.

– Sam chciałeś.

I zanurkowała do mesy, by wyciągnąć kuchenkę. Po chwili w dużej misce mieszała już ciasto na naleśniki. Norin patrzył na to przerażony.

– Ja żartowałem.

Obrócił się wokół własnej osi.

– A ja nie – odparła kobieta. – I wiesz co, przypomniałam sobie, że jestem głodna jak wilk. Chyba z tydzień nic nie jadłam.

– Tak właśnie wyglądasz – mruknął Norin, kiedy uruchomił silnik i odbili wreszcie od brzegu. – Mam nadzieję, że masz kotwicę.

– Coś tam jest? – Sasza puściła oko do prokuratora. – Nie idziemy na żaglach?

– Tak daleko nie jedziemy.

Kilkaset metrów dalej wpłynął do niewielkiej zatoczki ocienionej z każdej strony skałami. Wyłączył motor.

– Jak z *Piratów z Karaibów* – zdołała powiedzieć, z trudem tłumiąc zachwyt. – Tylko szkoda, że tak piździ.

– Święte słowa sentymentalnej damy – zaśmiał się, ciaśniej owijając twarz szalikiem. – Zaiste, dobrze powiedziane. A mnie polska pogoda pasuje. Gdybym miał łódź, mógłbym tu żyć.

Sasza uśmiechnęła się do prokuratora.

– Jeśli uda mi się z tego wydostać, zapiszę ci ją w spadku.

– Ta propozycja korupcyjna znacznie wzmacnia moją motywację – odparł prokurator bez uśmiechu, a następnie sprawnie rzucił kotwicę. Rozejrzał się. – Choć przyznać trzeba, że tej łajbie daleko do doskonałości. Nie jestem pewien, czy mi się opłaca.

Sasza wylewała właśnie pierwszy placek na patelnię, kiedy usłyszeli sygnał przychodzącej wiadomości. Norin spojrzał na nią szczerze oburzony.

– Jadłaś kiedyś naleśniki? One są cienkie! – Ostatnie słowo dokładnie przeliterował, jakby tłumaczył z języka obcego.

Sasza tylko machnęła ręką i ruszyła po swój telefon.

– Przynieś lepiej konfitury. Dostałam w prezencie pośmiertnym od Dziadka. To znaczy od Igi, jego tajnej konkubiny. Zawsze była dobrą kucharką. W przeciwieństwie do Warwary. Że o sobie nie wspomnę.

Urwała, bo załadował się właśnie JPG, który odzyskał Krzysztof Zawisza. Był to skan z czołówki internetowego wydania „Dziennika Bałtyckiego". Zdjęcie przedstawiało grupę nurków wynoszących na brzeg zwłoki Elżbiety Stokłosy. Na samym przodzie, w pierwszej linii Sasza dostrzegła znajomą postać. Miała wrażenie, że traci dech w piersiach. Czyżby to był przypadek?

– O niej też pogadamy. – Norin taszczył już torbę Śmiałowskiej. – Cholernie ciężki podarek. Coś się stało? – Zamarł, widząc minę profilerki.

Kobieta nie odpowiedziała. Pośpiesznie zamknęła wiadomość i zajęła się znów naleśnikami. Kolejne placki były już cienkie jak papier. Wreszcie wyłączyła palniki i odeszła od kuchenki.

– Muszę zadzwonić – rzuciła do prokuratora.

– Okej.

Norin przestał na chwilę żartować i zajął się konfiturami. Oglądał weki ze wszystkich stron, wreszcie otworzył
jeden, a następnie zanurzył w nim połowę dłoni. Po jego
minie Załuska wywnioskowała, że trafił na doskonały rocznik. Z drugim i trzecim słoikiem zrobił to samo.

– Człowieku, gdzie ty się chowałeś? – krzyknęła wciąż
z telefonem przy uchu i podała mu sztućce. – Trochę kultury!

– I kto to mówi – odciął się Norin bez uśmiechu.

Wytarł dłoń w papierowy ręcznik i zanurzył w dżemie
łyżkę, zamieszał. Sasza nie mogła się widać połączyć, bo
odsunęła aparat od ucha i dokończyła smażenie. Pogrążona
w myślach prawie nie zwracała na prokuratora uwagi. Kiedy
się odwróciła, niosąc na talerzu stertę świeżo upieczonych
naleśników, zaniemówiła z wrażenia. Dariusz pootwierał
już połowę słoików darowanych jej przez Igę.

– Zwariowałeś? Tyle naleśników nie zjemy – powiedziała, a potem przyjrzała się rzędowi niewielkich pudełek ustawionych na burcie. Niemal wszystkie miały na sobie pozostałości dżemów, z których zostały wyłowione. Norin zaś
uśmiechał się promiennie.

– Co to jest? – wyszeptała Sasza.

W tym momencie zadzwonił jej telefon. Załuska szybko
nacisnęła zieloną słuchawkę.

– Dostała pani wiadomość? To jest właśnie ten człowiek,
o którym mówiłem – usłyszała głos jasnowidza Krzysztofa
Jackowskiego. – Może pani wierzyć lub nie, ale to on jest na
łódce z pani córką i ma za zadanie jej pilnować. To jego
widziałem w wizji topielicy, o którą pani kilka dni temu pytała. Nie jestem już jednak pewien dobrych intencji owego
jegomościa. Bo to przez niego pani znajoma nie może odejść
do świata umarłych. To ona mi go wskazała.

666

– Jest pan pewien? – wyjąkała Sasza. – Chodzi o tego nurka na pierwszym planie?

– Absolutnie – zapewnił. – Kiedy zobaczyłem to zdjęcie, sam się przeraziłem. Niestety, wciąż nie jestem w stanie ustalić nic konkretnego w sprawie łodzi, na której znajduje się pani dziecko. Mogę tylko potwierdzić, że to jednostka pływająca.

– I tak bardzo mi pan pomógł. Dziękuję.

Sasza rozłączyła się bez pożegnania. A potem, całkiem skołowana, usiadła i zapaliła papierosa.

– Wierzysz w duchy?

– Chodzi ci o białe stwory w prześcieradłach czy o komendantów? – próbował żartować Norin.

Sasza kliknęła w telefon i pokazała prokuratorowi zdjęcie nurków na plaży przed torpedownią. Wskazała postać na pierwszym planie.

– Kto to jest twoim zdaniem?

Norin poprawił okulary, długo przyglądał się fotografii.

– Ten z przodu? – upewnił się. I zamilkł. – A, przepraszam, o co chodzi?

– Powiedz to, bo inaczej pomyślę, że faktycznie brak mi piątej klepki.

– Wydaje mi się, że to Wojtek Kłyś, stary druh Słonia. Brutalny przystojniak zwany dawniej Pochłaniaczem. Muszę przyznać, że wciąż nieźle się trzyma.

– Wydaje ci się czy jesteś pewien?

– A ty? – odpowiedział pytaniem na pytanie. – Co myślisz?

– Ja? – Sasza zawahała się i podniosła zranioną dłoń. Odwinęła bandaż. Ręka była spuchnięta, zsiniała. Kikut palca ropiał. Rana wyglądała na zanieczyszczoną. – Ja tego gnoja rozpoznam nawet w piekle. To jego dzieło. Odciął mi palec bez znieczulenia. Słaba sprawa – podkreśliła, widząc skrzywienie na twarzy Norina.

– Właśnie rozmawiałam z medium – kontynuowała.
– Twierdzi, że to Pochłaniacz więzi moje dziecko. A przedwczoraj Jekyll ustalił właściciela auta, które obserwowało mój dom, kiedy im uciekłam. Zostało wyleasingowane przez koncern farmaceutyczny RayDerm.

– To kapitał zagraniczny. Chyba Francuzi.

– I Rosjanie. Kłyś siedzi tam w zarządzie. Razem z Dominem, Jelcynem i teściem Krzyśka Zawiszy. A twój przyjaciel Jesiotr do dwa tysiące trzeciego roku był szefem fundacji zbierającej pieniądze na pomoc onkorodzinom. RayDerm finansował ją w całości.

– Nawet pamiętam ich reklamy w telewizji – odparł Dariusz Norin. – I wiesz co, zaczyna mi się to wszystko składać.

– Kto to jest?

Agnieszka Stokłosa wpatrywała się we współczesne zdjęcie Saszy i nie odzywała się nawet słowem. Duch krążył wokół stolika, przy którym posadzono kobietę. Na wprost nich swoje wszędobylskie oko wybałuszała kamera rejestrująca przesłuchanie. Komendant wiedział, że z racji zgłoszonego zaginięcia oraz podejrzenia uprowadzenia Romana Maciulewicza zwanego Jelcynem, znanego dziś lobbysty i biznesmena, za lustrem weneckim stoi tłum ludzi, w tym MauMau, inspektor Claudine Morawska i pułkownik Otto. Kamery monitoringu w domu Maciulewicza nagrały dwóch gangsterów wynoszących bezwładnego Jelcyna. Za nimi kroczyła kobieta znana do niedawna w Trójmieście jako Sasza Załuska. Do tej pory nieznane było miejsce pobytu mężczyzny. Niesiono go nieprzytomnego, owiniętego w szlafrok i zakrwawionego. Prokurator Rudnicka wahała się, czy nie nadać tej sprawie poważniejszego statusu, a więc podejrzenia zabójstwa, gdyż przestępcy należeli do tak zwanej grupy Kurczaka, który dopiero kilka dni temu wyszedł na wolność, i uprowadzenie biznesmena zbiegało się niebezpiecznie z jego uwolnieniem, ale na razie jej zwierzchnicy kategorycznie przeciwko temu zaprotestowali. Zdecydowano również o milczeniu w mediach, choć przed komendą i tak nieustannie przesiadywali dziennikarze. Doszło do tego, że Duchnowski nawet przed swoim domem widywał paparazzich. Kilka razy musieli z Claudine przemykać się ogródkami sąsiadów, by ich wspólnie nie sfotografowano.

Duch wykonał sześć pełnych kółek, po czym wyjął z teczki kolejne zdjęcie. Ułożył obok. Była to fotografia upozowanej na Saszę Elżbiety Stokłosy, którą znaleziono martwą w torpedowni ponad tydzień temu.

– To jest moja pasierbica. Elżunia – padło w odpowiedzi. Agnieszka odwróciła się do Duchnowskiego. – Już panu komendantowi mówiłam kilka razy.

Skinął głową. Dołożył kolejne zdjęcie. Przedstawiało ujmującego mężczyznę z lwią grzywą o sentymentalnym spojrzeniu i pełnych ustach Belmonda. Miał na sobie biały T-shirt umazany farbą, a w ręku trzymał pędzel, jakby to był nóż. Zdjęcie pochodziło z katalogu jego starej wystawy, w którym każdy obraz sygnował krwistą pieczęcią pająka. Był młodszy o jakieś dwadzieścia lat. Niestety innego nie mieli. Ośrodki zdrowia psychicznego bardzo dbały o to, by żadna dokumentacja nie była dostępna dla osób postronnych, a byli jeszcze w trakcie pokonywania procedur.

– Zna pani tego mężczyznę?

Agnieszka pokręciła głową.

– Podpowiedź: pseudonim artystyczny Pająk – ryknął zniecierpliwiony Duchnowski, ale Stokłosa tylko się skuliła i wyszeptała:

– Czy długo jeszcze?

– Nie wiem – odparł zgodnie z prawdą Duch i zaczął od początku: – Czy widziała go pani w ostatnim czasie? Odwiedzał was? Kiedy? W jakich okolicznościach? A może, tak jak Elżbiety, nigdy go pani nie widywała? Proszę się zastanowić.

Kobieta znów zacięła się w sobie. Milczała.

– Ja mam czas – odezwał się łagodniej Duch. – Czy pani też ma go w nadmiarze? Niestety nie dysponuję ciastkami, ale za to na naszym dołku są rano wspaniałe specjały, jeśli zdecyduje się pani u nas zostać do jutra. Chleb i czarna kawa. Na obiad pasztetowa z krowich wymion zmielonych z żołędziami i tekturą. A dla wegetarian mamy ofertę z głodówka.pl. Daje doskonałe efekty zdrowotne, że o zrzuceniu paru kilo nie wspomnę – szydził.

Spojrzała na niego z wyrzutem.

– Myślałam, że jest pan równie miły jak przystojny – rzuciła zadziornie. – Ale to nieprawda.

– Mam podstawy przypuszczać, że spotkała się pani z tym człowiekiem.

– Ja? – Nieudolnie udała zdziwienie.

– Czy widzi pani tu kogoś jeszcze?

Kobieta wskazała na lustro, w którym odbijali się teraz oboje.

– Tam jest pełno ludzi. Ja to wiem – powiedziała zimno.

– Mój mąż też tam jest?

Duch się uśmiechnął.

– Jest teraz w identycznym pokoju jak pani – skłamał. – Z tym że przesłuchuje go mniej elegancka osoba. I z pewnością mniej przystojna.

– To faktycznie mam szczęście.

– Komodora tam nie ma. – Usiadł na chwilę. – Może pani mówić swobodnie.

– I tak przeczyta moje zeznanie – fuknęła.

– A powinien?

– Nie wiem.

Kobieta rozparła się na krześle. Chałat, w który była ubrana, rozchylił się, odsłaniając potężne udo. Górna część zielonych legginsów była wykonana z czarnej prześwitującej koronki. Duch natychmiast powstrzymał swoją fantazję, by nie wybuchnąć śmiechem. Agnieszka zaś ciągnęła w tym samym stylu:

– I nie będę narażać swojego małżeństwa na szwank. To, co nasze, pozostanie między nami. Na zawsze. Nic pan nie wskóra.

Duch nie bardzo przejął się deklaracją. Postukał w leżące przed Stokłosą zdjęcie.

– Łukasz Polak to pseudonim artystyczny. Znany także jako Pająk lub Czerwony Pająk, jak wynika z opinii psychiatrycznych do różnych spraw karnych. Syn pani znajomego pułkownika Witolda Kałużyńskiego, przyjaciela domu i współpracownika pani męża Piotrusia. Pająk bywał u was jako nastolatek. Znał Elżunię doskonale. Ale, o dziwo, chyba nigdy nie spotkał się z Saszą. Ciekawe, prawda? Mimo to udało im się zacieśnić więzi w Krakowie. Po latach, kiedy Załuska pracowała już dla Jelcyna, również przyjaciela waszego domu, z etykietą „Calineczka". Przypadek? Wtedy Łukasz się w niej ponoć zakochał, pomagał jej zdobyć pewne dokumenty. I tylko nie wiem, kto na kogo zapolował. On na nią, czy też może odwrotnie. Czy to nie on wystawił Saszę, żebyście mogli przejąć te cenne kwity?

– Saszę?

– Sasza Załuska. Takie nazwisko nosiła pani córka w pracy. Choć nie jestem pewien, bo może takie nosiła jednak pani pasierbica. Cholera, zgubiłem się. Liczyłem, że pani nam to wyjaśni.

Odpowiedziało mu milczenie.

– Przypominam, że świadek ma obowiązek mówienia prawdy. Za składanie fałszywych zeznań grozi kara więzienia do lat trzech.

– To ja jestem świadkiem? – droczyła się Agnieszka.
– A czego?
– A co pani wie w tej sprawie?
Znów wyjął z teczki zdjęcie.
– Może coś na temat tej dziewczynki?
Agnieszka przełknęła ślinę. Odwróciła głowę od wize-
runku uśmiechniętej Karoliny. Była to słynna fotografia,
którą oklejone było w lecie całe miasto.
– Jej też pani nie poznaje?
– Niestety. – Odpowiedź była ledwie słyszalna.
– Fakt – ciągnął Duch. – Nigdy pani nie przepadała za
dziećmi. W każdym razie nie za własnymi. Kiedy Sasza,
o przepraszam, Gosia, była w jej wieku, od dawna mieszkała w sierocińcu, bo pani zajęta była szukaniem odpowiedniego męża. Nie przeszkadzało to pani później stać się
troskliwą matką dla innych potomków. – Wysunął zdjęcie
szczęśliwej rodziny.
– Jak pan śmie!
– Było inaczej? No tak, potem, kiedy miała już pani
dzieci z prawego łoża z komodorem, nie można było wam
niczego zarzucić. Nawet ksiądz za panią ręczy. Wspaniała
królowa matka. Żadnych plam na honorze. To, czego się nie
mówi głośno, tego nie ma, prawda? Pozory przede wszystkim. Nie mówcie mi tylko rzeczy przykrych, bo zaraz się
rozpłaczę albo wezwę Piotrusia, żeby sprawę załatwił.
Stokłosa naburmuszyła się i nic nie odpowiedziała.
Duch gadał więc jak najęty. Nie przerywał nawet na chwilę,
jakby postanowił zbombardować kobietę nowymi informacjami, które zdołali w tak krótkim czasie zebrać.
– Czy zdaje pani sobie sprawę, że pani wnuczka – bo to
jest pani wnuczka, pani krew; ma na imię Karolina i pani miała ją okazję poznać; słodki dzieciak swoją drogą, naprawdę

przeurocza; jest dzieckiem Gosi, czyli Saszy, oraz Łukasza Polaka, czyli Kałużyńskiego, sam już się w tym gubię – do tej pory się nie odnalazła? Czy widzi pani pewną zbieżność zdarzeń związanych z zaginięciem pani pasierbicy Elżbiety – bo to też jest arcydziwne i arcypodejrzane, że Elżunia wcale nie zaginęła, lecz została ukryta i przez całe lata miała z wami doskonały kontakt – z dzisiejszą sytuacją? Nie, nic pani nie widzi, oczywiście. Ślepota to straszna przypadłość. Ale jest na to lekarstwo. Okulista. Ja niestety wzrok mam dobry, słuch też i co najgorsze, to już chyba skrzywienie zawodowe, łączę błyskawicznie fakty. Więc pewnie panią ciekawi, co widzę.

– Niespecjalnie.

– Co tym bardziej mnie martwi. Bo może teraz znów mamy do czynienia z mataczeniem wobec organów ścigania? Że już nie wspomnę o tym, że zarówno Elżbieta, pani zaginiona pasierbica, którą tak pani ponoć kochała, jak i być może Łukasz, pani niedoszły zięć oraz syn państwa bliskich przyjaciół, a także pani wnuczka Karolina, no i oczywiście Gosia Werner, pani najstarsza wyklęta córka, już nie żyją, a pani nie chce z nami współpracować i myśli tylko o tym, czy jak mąż wróci do domu, będzie miał podany suflet. Czy widzi pani powagę tej sytuacji? Czy pani może ma jakiś kłopot z procesem myślowym? Bo jakbym ja miał taką matkę, to chyba faktycznie wolałbym siedzieć w sierocińcu. A na tacę to pani daje regularnie, prawda? Sumienie czyste jak łza.

– Dość.

Do pokoju wszedł mężczyzna w garniturze. Jeszcze zanim się przedstawił, komendant rozpoznał w nim prawnika. I to takiego, który bierze sto w walucie za jedną sekundę swojej obecności. Za każde słowo liczy pewnie z pięć stów, pomyślał Robert. Może dlatego nie za wiele gada. Budżet Stokłosów w dzisiejszych czasach nie jest już tak imponujący jak kiedyś.

A potem, oczywiście bez słowa wyjaśnienia, prawnik umieścił na stole dokument, precyzyjnie przykrywając nim ułożone przed chwilą przez Roberta zdjęcia. Na widok tej strony maszynopisu Agnieszka Stokłosa wstała i skinąwszy Duchnowskiemu głową, majestatycznie wyszła z pokoju, jakby opuszczała salę tronową. Robert nie mógł uwierzyć, jak bardzo różniła się teraz od nadskakującej mu wcześniej ciotuni, która próbowała go wypchać ciasteczkami.

– Jeszcze się spotkamy, pani Werner – zdołał jej rzucić na odchodne, a potem, kiedy lampka w oku kamery zgasła, uderzył pięścią w stół, aż fotografie rozsypały się po podłodze. – Kłamliwa sucz!

I dopiero wtedy opuścił pokój przesłuchań. W pomieszczeniu za lustrem weneckim czekała na niego piękna Mulatka ze swoją świtą. Dziś wyjątkowo była w czerwonym kombinezonie zabudowanym aż po szyję, który rano podobał się Robertowi nawet bardziej niż te wydekoltowane białe lub pastelowe. Objął Claudine ramieniem, ale natychmiast zdjęła jego rękę ze swojego biustu. Była spięta, niezadowolona.

– Ktoś może wejść.

Duch przykrył zdziwienie szerokim uśmiechem. Jeszcze się nie zdarzyło, by go odtrąciła.

– Może jesteś głodna? – upewnił się.

Potwierdziła i nerwowo chwyciła torebkę.

– Jak poszło? – zagaił, kiedy szli korytarzem do jego auta. – Jednym słowem, skarbie.

Claudine uparcie milczała. Jakby czuła za sobą Kwiatkowskiego, który wyrósł im nieoczekiwanie zza pleców.

– Dobrze – rzekł cały zadowolony agent MauMau. – Co, szefowo?

– A w dwóch? – przekomarzał się z nim Duch, kombinując, by jak najszybciej pozbyć się intruza.

– Niedobrze – huknęła Claudine i ruszyła przodem, mrucząc pod nosem jakieś francuskie przekleństwa, co tylko rozznieciło w Robercie jeszcze większe pożądanie.

Arkusz papieru miał trzy metry na trzy. Składał się ze stu czterdziestu kartek formatu A4 sklejonych pieczołowicie taśmą klejącą. Nie było go gdzie rozłożyć. Musieli zdemontować posłania Tamagocziego i Wadima, wynieść na pokład skrzynie z amunicją oraz kapoki, by wreszcie podziwiać w pełnej krasie analizę kryminalistyczną sprawy zabójstwa generała Maksymiliana Lekiego. W samym środku tej kryminalnej mapy, stworzonej przez Norina odręcznie, niemal równorzędnie, choć w wyraźnej opozycji, znajdowały się zdjęcia sygnalityczne zleceniodawców egzekucji. Z prawej strony honorowe miejsce zajmował Roman Maciulewicz, pseudonim Jelcyn, ale służbowo używał też innych ksywek, jak choćby Maciek, Maciula, Dambo lub Gruby. Z lewej, nieco wyżej, co miało go plasować na wyższej pozycji w hierarchii władzy, znajdował się Kajetan Wróblewski, zwany potocznie i służbowo po prostu Dziadkiem. Od ich główek odchodziły linie łączące je z kolejnymi osobami. Były tam nazwiska znanych gangsterów, jak Pershing, Julek Górski, zwany Górą, Kurczak, Dyżurny, Słoń, ale też i biznesmenów, jak Ryszard Domin zwany Pastuchem, Wojciech Pochłaniacz Kłyś lub Gustaw Moro, oraz polityków piastujących na różnych etapach najwyższe funkcje w państwie, a także tych, którzy zajmowali stanowiska w PRL-u, i ludzi służb, jak Bronisław Zawisza czy jego przyjaciel pułkownik Tadeusz Otto, ojciec Grabarza. Do każdej z osób przypisane były strony protokołów przesłuchań świadków, w których pojawiały się wyżej wymienione persony. Czasem pojawiała się adnotacja, iż materiał pochodzi z danych operacyjnych raportu Jesiotra. Bardzo rzadko Norin podawał jako źródło termin: informacje własne/T. W narysowanych od linijki ramkach prokurator umieścił skrót najważniejszych danych o każdej z postaci, które znajdowały się w aktach, oraz ich powiązanie z resztą materiału dowodowego. Tym sposobem osoba, która nigdy nie słyszała o sprawie zabójstwa komendanta sprzed dwóch dekad, mogła w kilka godzin zapoznać się z systemem połączeń funkcjonującej ówcześnie pajęczyny. Schemat – widać to było wyraźnie, ponieważ przez te lata Norin używał różnych odcieni czerwonego tuszu – był nieustannie aktualizowany.

Sasza pochyliła się nad czerwoną siatką i zaczęła czytać najpierw na wyrywki. Aż zbielała na twarzy, kiedy dotarła do notki o sobie. Była wprawdzie blisko brzegu i bez zdjęcia, najwidoczniej Norin nie przypisywał jej zbyt wielkiej roli w całej sprawie, ale wiedział o niej niemal wszystko, włącznie z relacją z Sebastianem H. i konsulem Aleksandrem Załuskim, których uwzględnił w ramce. Podał prawidłowo wszystkie jej wtórniki oraz nazwiska legalizacyjne, począwszy od prawdziwego – Małgorzaty Werner, z którym przyszła na świat, poprzez Milenę Czarnecką, a na Saszy Załuskiej kończąc. Największą czcionką oznaczył ją jednak jako Calineczkę. Tuż obok niej znajdowali się Łukasz Polak, pseudonim Pająk, oraz profesor Tom Abrams. Żaden z nich nie miał swojej ramki ani zdjęcia. Sasza zastanawiała się, z czego to wynika. Czy nie udało się prokuratorowi dotrzeć do ich danych, czy też uznał te postaci za mało istotne dla sprawy. Jej dossier połączone było grubą linią z obydwoma przywódcami siatki. Zwróciła uwagę, że niewiele było takich osób, które miały podobne ustawienie na tej mapie. Wyglądało na to, że poza nią tylko Ryszard Domin, Pochłaniacz i Warwara Wróblewska – żona Dziadka, działali na oba fronty. Bo że układ był odzwierciedleniem terytorium walki o władzę tych dwóch wiodących agentów, było jasne już na pierwszy rzut oka.

Norin dał Saszy czas na lekturę. Milczał. Pozwolił jej najpierw zapoznać się z materiałem, zanim zaczną rozmowę. Z lubością przeżuwał prawdopodobnie najgrubsze, najtłustsze i biorąc pod uwagę okoliczności, najpyszniejsze naleśniki na świecie oraz pękał z dumy, czego oczywiście starał się nie okazywać.

– Jak długo nad tym pracowałeś? – odezwała się wreszcie, kiedy Norin odstawił talerz i wycierał palce w nogawki dżinsów.

– Mój arkusz jest już pełnoletni.

– Imponujące. Renata wie?

Skinął głową.

– Sama mi pomagała. Poza nią nikt.

Sasza wskazała analizę.

– To jedyna kopia?

Tym razem zaprzeczył z ociąganiem. Potem uśmiechnął się smutno, wzruszył ramionami i sięgnął po metalowy kubek z kawą.

– Nie jest to cenne. – Upił niewielki łyk, bo płyn był bardzo gorący. – Nikogo to już nie obchodzi.

– Wiesz, że to nieprawda.

– Czasem, kiedy zamykałem się u siebie, by przy tym robić, myślałem, że wariuję. Że to starcza frustracja. Bywa, że zapominam kodów do kart kredytowych, za to stare dzieje pamiętam ze szczegółami. To ponoć pierwsze objawy demencji. Ale miałaś rację. Nigdy nie pogodziłem się z odsunięciem. I nie chciałem odpuścić. Chyba tylko iluzja, że wciąż jeszcze trzymam rękę na pulsie, pozwalała mi przetrwać. – Wskazał czerwoną siatkę połączeń. – Iść znów do pracy, znosić spojrzenia młodych wilczków, które nie mają żadnych skrupułów, a ideały mają gdzieś, bo liczy się kariera, i rechotać podczas oglądania wiadomości. A potem pić, bo na trzeźwo nie idzie się z tym pogodzić.

– To – Sasza wskazała zwój papieru – jest absolutnie niesamowite.

– To się nazywa obsesja – mruknął prokurator. – Jest taka choroba. Może słyszałaś.

– To jest choroba, fakt – przyznała Załuska. – Nowotwór, który toczy ten kraj. To jest właśnie dowód.

– Jeśli naprawdę tak myślisz, jesteś jeszcze bardziej walnięta niż ja – podsumował Norin.

Sasza wzięła swój kubek. Skrzywiła się, jak tylko umoczyła usta.

– Obrzydlistwo, ale nie mam cukru. Mleko też całe wyszło do naleśników.

– Były wspaniałe.

Oboje wybuchnęli śmiechem. Sasza po namyśle odstawiła kawę. Wskazała mapę układu sił.

– Więc jeśli chodzi o sprawę Grubego Psa. W skrócie wyglądało to tak, że zlecenie poszło od Dziadka. Ryszard Domin, tak jak wszyscy słusznie podejrzewali, był jedynie posłańcem złej nowiny. Kurczak, Pochłaniacz i Słoń – wykonawcami. Julek cynglem, jego pomagierem zaś Tamagoczi. Nadzorcą Jelcyn, wtedy prawa ręka Wróblewskiego. A wszystko po to, żeby premierem nadal był ten facet. By zachować status quo rządów w tym kraju. – Postukała w odpowiednią ramkę. – Czy tak?

Norin spojrzał na kobietę pobłażliwie. Liczył, że sama dojdzie do prawidłowego wniosku, ale ponieważ się przeliczył, zaczął mówić.

– Zupełnie nie.

– Więc jak?

– Od początku chodziło tylko i wyłącznie o pieniądze.

– Nie o politykę?

– Nie – zaprzeczył dobitnie. – Ani nie o szantaż. Nie o stołki. Tylko i wyłącznie o przepływ gotówki. Biznes.

Wyciągnął listę najbogatszych Polaków opublikowaną w 1998 roku w „Tygodniku Naprzód".

– To smutne. – Sasza się skrzywiła. – I okropnie trywialne.

– Po latach stwierdzam, że tylko o to chodzi pajęczakom. Żeby zainwestować w legalny biznes, przejąć na przykład rafinerię i firmę telekomunikacyjną, musisz mieć kapitał. W tamtym czasie nie było w Polsce kapitału. Było zaledwie dziewięć lat po transformacji, jeszcze wszystko było płynne. Skąd bierze się w czasie zawieruchy szybki pieniądz?

– Kradnie?

– Powoli dochodzisz wreszcie do rozumu – ucieszył się Norin. – Ale nie chodzi o prostą dziesionę czy jakieś drobne piramidy. Nie chodzi nawet o walizki pieniędzy z Moskwy za sprzedane informacje ani przekręt jak z FOZZ-em. Potrzebujesz naprawdę dużo kapuchy, a wpływy muszą być stałe i co więcej, powinny systematycznie rosnąć, bo koszty będą coraz większe. Zwłaszcza że czasu jest mało, a do przejęcia tylko kilka sektorów. Za chwilę system się ugruntuje i gospodarka będzie normalnieć, rewolucje nigdy nie trwają długo. I znormalniała. Dziś pajęczyny nie widać. Przykryły ją legalne biznesy.

– Potrzebna była taka afera „Żelazo" jak w latach siedemdziesiątych. Sto kilogramów złota z napadu na niemieckich jubilerów?

– Coś dużo poważniejszego. Coś, co uwikła wszystkich na lata, a ty będziesz tylko odcinać kupony. Nikt nie piśnie, pod warunkiem oczywiście, że będzie miał z tego zysk. Jak masz pieniądze, to możesz sobie też kupić polityka, który potem zadba o twoje interesy ustawą, doprowadzi do zmian prawnych, namówi lud, by myślał, jak ty chcesz.

– Narkotyki.

– Bingo.

– Z jednej strony nowinka z Zachodu. Z drugiej – mamy doskonałą lokalizację na transfer na Wschód – zapaliła się Sasza. – Kiedyś po nas przechodzili, dziś my wykorzystujemy swoją pozycję, by tunel szedł za naszą zgodą.

– No i tak powstał wielki koncern – podsumował Norin. – Wiadomo było, że ten, kto wykarczuje busz na tej niwie, nigdy nie wypadnie z gry. A ludzie się uzależniają. Branża jest rozwojowa. To źródło, które nigdy nie wysycha. Ale jak świat światem, najpotężniejsze partie towaru zawsze były transferowane pod kontrolą służb. Nie mówimy o mrówkach, drobnych przemytnikach, paniach wracających z wakacji, które zupełnie przypadkowo coś tam przewożą, czy ćpunach z dworców. To odbiorcy, odpryski tego, co naprawdę istotne. Mówimy o hurcie i wielkich cwaniakach. Oni stworzyli kanał biznesu, którego nie było, bo musieli jakoś w tym kraju żyć, a w służbach nie mogli już dalej pracować, bo zamieniono ich na młodych, niedoświadczonych, lecz o właściwej orientacji politycznej. A do Rosji, naszego politycznego przyjaciela od czasów drugiej wojny, trzeba było jakoś ten proch i kryształy przerzucać. Kto zaś znał najlepiej tych, którzy są w tym najlepsi od Moskwy po Syberię i wciąż mają tam niepodzielną władzę? Teraz co, mieliby zaprzestać współpracy, jak tu się otwierają takie możliwości?

– Ludzie z mojej firmy. – Sasza weszła mu w słowo. – Z pokolenia Dziadka. Jelcyna potem też. To przecież jego najlepszy uczeń, najbardziej zaufany człowiek. Słowem, stara gwardia. Ci, którzy walczyli z opozycją, inwigilowali Kościół i szukali szpiegów w Ameryce.

– To się na nich nie skończyło – podkreślił dobitnie Norin. – Oni jednak wyznaczyli tor i wskazali następców.

– Czyli ucholi, którzy kiedyś prowadzili firmy polonijne, współpracowali z bezpieką, by przeżyć?

Norin się zmarszczył.

– Wręcz przeciwnie. Pod koniec lat dziewięćdziesiątych ich role się zamieniły.

– Rozumiem – przytaknęła Sasza. – Esbecy wprawdzie zostali odsunięci z gry politycznej, ale mieli teczki na tych, którzy nie chcieli być ujawnieni. W nowej krainie zaś biznesmeni mogli już kupować, sprzedawać, stawiać warunki. Słowem zarabiać.

– Pamiętasz Miecia Spławika?

– Nie wyszedł żywy z gabinetu zabiegowego – przytaknęła Załuska. I zamyśliła się. – To wzorcowy przykład. Zwłaszcza sprawa z karetkami i rafinerią. Świetnie to ilustruje.

– A Mariana Śliwkę, pseudonim Habal?

– Zupełnie nie kojarzę.

– Ot prosty rolnik z wioski pod Jasłem gdzieś na Podkarpaciu, a zdobył kontrakt z Norwegami na import łososia. Przecież tam, skąd pochodzi, nie ma nawet zbiornika wodnego, ani jednej porządnej chłodni. Kobieto, Habal nigdy nie mówił po norwesku! A dziś FishWorld ma monopol na pół Europy Wschodniej oraz magazyny w każdym województwie. Wszystkie wędzone ryby supermarkety biorą od nich. Nie odmawiam FishWorld zmysłu handlowego. Na stanowisku menedżera do spraw sprzedaży i reklamy Habal szybko zatrudnił młodzież po szkołach. Jednym z nich był jego kuzyn, dwudziestotrzylatek, który ostatecznie skończył ekonomię. Ale na początku liczył się tylko dobry kontakt i sojusz z byłymi esbekami. Zarówno Spławik, jak Habal mieli i nadal mają swoje tajemnice ukryte w szafach Dziadka i Jelcyna oraz u kumpli ich pokroju. Dlatego to tak sprawnie działa. Wszyscy osiągają zysk.

– Czyli w tych firmach esbecy zawsze umieszczali jakiegoś człowieka z byłego resortu?

– W funkcji audytora, inaczej cerbera, żeby biznes chodził bez zarzutu, a haracz był spłacany na czas.

– Rozumiem. To gwarantowało im ochronę, informacje o zagrożeniach docierały kuchennymi drzwiami.

Norin zmienił pozycję. Usztywniona noga widać bardzo mu doskwierała.

– Tak działają najstarsze syndykaty: camorra, kubańska mafia, jakuza… – kontynuował. – Spławik i Habal nie protestowali całe lata. Korzystali aż nadto na takim układzie. Dostawali jako pierwsi informacje, eliminowali konkurentów w przedbiegach. No i mieli kapitał, który legalnie prali dla swoich mocodawców. Kto raz podpisał glejt z bezpieką, ten nigdy nie pozbywa się swojego prowadzącego. Sama wiesz. Z tego się nie wychodzi. Bo i po co, jak dziś na takim kontakcie można tylko zarobić.

– Okej. Więc zbudowany został sprawny system naczyń połączonych – podsumowała kobieta. – A jak w każdym sprawnie działającym ekosystemie potrzebne są owady, żeby nie zalała nas fala śmieci, żeby ściółka prawidłowo gniła, zwierzęta rozkładały się w lesie, żeby wreszcie powstawał miód, kwitły kwiaty. Po to była esbekom mafia.

Gangusy dostawały od esbeków wsparcie, żeby czyścić tych, którzy zagrażają pajęczynie.

– I wszystko grało, jak należy – skwitował Norin. – Za komuny nie istniał bandyta, który nie byłby konfidentem bezpieki. Potem wszyscy ci drobni przestępcy, jak Kurczak, Słoń, Pochłaniacz, zostali podniesieni w hierarchii do rangi żołnierzy i awansowali na szumnie zwanych mafiosów, by sprzątać i przede wszystkim budować kanał, którym będą płynęły pieniądze. I płynęły. Wszyscy zarabiali. Gangsterzy też. Wprawdzie żyli szybko, ginęli młodo. Jak to na wojnie. Bo to była bitwa o Polskę. O nową krainę mlekiem i miodem płynącą.

Norin podniósł jeden z rogów arkusza.

– To nie tylko pajęczyna sięgająca czasów komuny. To sprawnie odradzający się organizm. Jeśli utniesz palec, nie odrośnie, ale można zawsze zastosować protezę. Proste rany zabliźniają się same. Wystarczy czas. Tak samo jak w wojsku, musisz mieć pułk szeregowców, generałów wystarczy kilku.

– Najlepiej, jeśli jest jeden.

Norin zdjął okulary.

– No i dochodzimy do sedna. Bo niestety było dwóch.

– I dlatego zginął Leki?

Norin spojrzał na Saszę badawczo.

– Mówiłem ci już wcześniej, że nie wiem, dlaczego zginął. To nie ma dla mnie znaczenia. Nie jest też istotne dla mnie dzisiaj, kto pociągnął za spust. Jestem na innym etapie rozumienia. I ciebie też nie powinno to obchodzić. Jestem tutaj z tobą, jem twoje wątpliwe arcydzieła kulinarne, bo uprowadzono twoje dziecko i chcę ci pomóc je odzyskać.

Sasza zamrugała kilka razy, by powstrzymać potok łez. Norin to zauważył i litościwie odwrócił wzrok.

– Możliwe, że nigdy się nie dowiemy, dlaczego zginął Leki. Może oni sami nie wiedzą. Natomiast to był przełom, bo wtedy nastąpiło przetasowanie na szczycie. Generał zawsze jest jeden, zapamiętaj na przyszłość. Tak jak król. Nie ma żadnej grupy trzymającej władzę. Jest jedna osoba, która decyduje. Kilku zastępców, którzy wiedzą, co, jak i gdzie. I to czasami wystarczy.

Pochylili się znów nad wyrysowaną siatką.

– Dziadek w tamtym czasie był już na wylocie z kontrwywiadu. Służbami niepodzielnie rządził jeszcze Otto. Ale wiedzieli, że to nie potrwa długo. Kanał Kolumbia–Moskwa był już niemal gotów. Niektórzy z moich rozmówców twierdzili, że hulał jak się patrzy. Co zresztą było widoczne, bo w kraju nagle pojawili się wielcy oligarchowie, którzy skupowali kolejne sektory gospodarki. O tym, kto nimi zarządza, już nie musimy rozmawiać. To są osoby niewidoczne w mediach. Ci z list najbogatszych to figuranci, tak jak w sprawie Lekiego figurantem był Domin. Zaczęły więc przychodzić pierwsze transporty. Kasa była. Politycy się prężyli. Wszystko szło gładko. Jelcyn jednak okazał się sprytniejszy. Ostał się w służbach i z tego, co wiem, pociąga za sznurki do dziś. Facet jest praktycznie nie do ruszenia.

Sasza nabrała powietrza i chciała coś powiedzieć, ale zdusiła gwałtowny wybuch, na co Norin zareagował zniecierpliwieniem.

– Tymczasem Dziadek się zestarzał – ciągnął prokurator. Wskazał kolejne ramki. – Zobacz na te zeznania. Powoli, sukcesywnie oddawał coraz więcej zadań swojemu najbardziej zaufanemu człowiekowi, za jakiego miał oczywiście Jelcyna, który zresztą utwierdzał w tym swojego mistrza, bo taka relacja łączyła chłopców zawsze, choć pod koniec jedynie Dziadek w nią wierzył. Wszystko było widoczne od początku. Wystarczyło śledzić wiadomości, które ukazywały się w mediach. Niestety, wbrew temu, co krzyczą z gazet, praktycznie

nie ma już w Polsce prawdziwych dziennikarzy śledczych. Zajmują się wycinkami zdarzeń, konkretnymi sprawami, a nie patrzą na kraj całościowo. Jak zły lekarz, który najpierw leczy cię na migrenę, biegunkę, rwę kulszową, wypadające włosy, a potem się okazuje, że od lat toczy cię nowotwór i można było to zdiagnozować dużo wcześniej. Wystarczyłoby analizować wszystkie objawy jednocześnie. Jelcyn przejął więc kontrolę nad Spławikiem, anihilując go w szpitalu, i wieloma innymi słupami z listy najbogatszych, pozbył się Kurczaka, którego teraz ty wypuściłaś z paki, dogadał się z Zawiszą i Ottem. Na tym poziomie Dziadek nie angażował się już w drobnicę. W myśl zasady, że skoro wszystko sprawnie działa, nie trzeba nic zmieniać. Lepsze jest wrogiem dobrego. I wszystko przez całe lata zdawało się iść świetnie. Do czasu, aż Dziadek zorientował się, że jego ludzie się wykruszyli, on nie zawarł nowych sojuszy, fundusze topnieją, a młoda brać trzyma już z Jelcynem. Kiedy zlecono ci zdobycie dokumentów TW Calineczki, Dziadek nie miał pojęcia, że Jelcyn potrzebuje ich do przewrotu, a nie do szantażu. Już wtedy nie był subordynowany. Wykorzystali cię obaj. I tobą zagrali. To dlatego miałaś zginąć. Wydał cię ten, który cię zwerbował, bo byłaś jedyną osobą, która mogła intrygę pojąć i wyjaśnić Dziadkowi. To dlatego Jelcyn przekonał Dziadka, by cię uśpić w Anglii. Tymczasem nadszedł czas zmian politycznych. Kiedy wróciłaś, Dziadek już był nikim. Ściągnął cię, żebyś odzyskała jego materiał. Nie wiedział, że Jelcyn ma go od lat.

– Ja go mam – odezwała się Sasza.

– Co? – Norin był autentycznie zdziwiony.

– Mam materiał i Jelcyna.

– Zwariowałaś?

– Uwięziłam go. Zamierzam go wymienić na dziecko.

Norin zaczął się śmiać.

– Uprowadziłaś króla?

– Oraz smażę sobie naleśniki na łajbie – odparła i zaniemówiła. Sama była wstrząśnięta. Norin też siedział długo bez ruchu.

– To co jest w tych opakowaniach? – Wskazał pojemniki po starych błonach fotograficznych. – Co trzymał na czarną godzinę Dziadek?

– Nie mam zielonego pojęcia.

– Mam nadzieję, że to nie są stare zdjęcia z wakacji z Igą.

Oboje spojrzeli teraz na rząd umytych już pojemników na negatywy. Sasza zastanawiała się chwilę, a potem zgarnęła je wszystkie do siatki, w której Norin przyniósł swoją mapę, i wyszła z nią na pokład. Kiedy wróciła zdyszana, na jej twarzy dostrzegł cień niepokoju.

– Skoro Iga mi to dała, nie chciała tego mieć. Nie chciała, by Warwara to znalazła. Dlaczego?

– Bo to jest trefne? – Prokurator przekrzywił głowę. – A co gorsza, oni już wiedzą, że ty to masz.

– Myślisz, że to podpucha?

– Nie wiem, ale coś mi tu śmierdzi. Czy Iga wie, że masz TW Calineczkę? Warwara? Kto wie?

Sasza nie odpowiedziała. Wzruszyła tylko ramionami.

– To zwykła karta rejestracyjna. Zdjęcie, odręczny podpis. Nie wiem, jak mogłabym to wykorzystać.

– Czyja?

Sasza się zawahała. Norin podrapał się po brodzie.

– Nie ufasz mi?

– Nie wiem.

– Jak chcesz.

Sasza pochyliła się i szepnęła mu coś do ucha.

Norin natychmiast przeleciał wzrokiem swój arkusz. Zamarł. Zdjął okulary.

– Co ty mówisz?!

Sasza nie rozumiała, dlaczego milczy.

– To znaczy, że nad Jelcynem jest ktoś jeszcze. Trzeba go wprowadzić. Może opłaci mu się ci pomóc.

– Nie sądzę. Nie po tym, co zaszło.

– Nie rozumiesz. Nigdy nie udowodnisz tych połączeń. – Wskazał swoją mapę. – Jeśli to komuś pokażesz, wyśmieje cię lub zaśnie z nudów. Młodych to nie obchodzi.

– Mnie bardzo – zaoponowała Sasza. – Jeśli się tego nie wyczyści, w takim świecie będą żyły nasze dzieci.

– Nie demonizujmy – żachnął się Norin. – Z czasem legalny biznes przykryje ten układ bezpowrotnie. Cała Italia siedzi na mafijnych pieniądzach. Nas interesuje coś innego. Z tego, co mówisz, Jelcyn nie jest już królem, jak wcześniej myślałem.

– Więc kto?

– Kogo kazali ci zabić, kiedy jeszcze żyła agentka Stokłosa?

– Wilmora – wyszeptała Sasza. – On?

Wyciągnęła papierosa, choć oboje wiedzieli, że w tej niewielkiej przestrzeni palenie to niezbyt dobry pomysł. Norin poszedł jej śladem. Wstał, przyniósł starą puszkę, by zrobić z niej popielniczkę. Strzepywali do niej popiół, każde pogrążone w swoich myślach.

– Już mnie o niego pytałaś.

Skinęła głową.

– Ty wiesz, kim on jest? – zapytał po namyśle.

– Mam kilka tropów.

– Jaki jest pierwszy?

Sasza milczała.

– Właściwie jest tylko jeden – szepnęła w końcu. – Znali się z Dziadkiem. Nienawidził Jelcyna. Ale to zbyt szalone. Nie chciałabym, żeby to był on. Choć wiele na to wskazuje.

– Bo miałaś go za największego przyjaciela? – dopytywał Norin. – Jedynego? Bo mu wierzyłaś? Brzmi dobrze. Wilmor musi być świetny w swoim fachu. Inaczej nie przetrwałby tego wszystkiego. To powinna być osoba o nieskalanej opinii. I jego tutaj nie ma? – Wskazał arkusz papieru.

Sasza zacisnęła usta. Wahała się, zanim zaczęła mówić.

– To on pomógł mi, kiedy wyszłam jakoś z tego pożaru. Szkolił mnie przez lata, chronił dokumenty, odradzał powrót. Kiedy zadzwonił Dziadek, jeszcze przed przyjazdem do Sopotu, namawiał, żebym wróciła, że się mną zaopiekuje. To byłoby straszne. Bo dopiero co poprosiłam Jekylla, mojego przyjaciela, technika kryminalistyki, żeby go zawiadomił o wszystkim. Ufałam mu bezgranicznie. Liczyłam, że nas ochroni.

– A tymczasem to on cię wystawił Jelcynowi i zlecił uprowadzenie twojego dziecka – dokończył prokurator.

– Nie Dziadek.

– Skoro tak, dlaczego nie zabrał tych dokumentów, kiedy leżały w jego sejfie? Przecież nie były mi potrzebne. Mogłam żyć bez nich. Nawet nie zauważyłabym ich braku.

– Może wcale nie chodzi o TW Calineczkę ani raport Jesiotra? Może to chodzi o konfitury? – Norin wskazał ich trofeum na pokładzie, gdzie Sasza ukryła pojemniki z filmami Dziadka.

– Powinniśmy to wywołać? Obejrzeć? – myślała teraz głośno. – Nie mam na to czasu. Jutro jadę po Karolinę. Wszystko jest przygotowane.

Norin złożył arkusz ze swoją analizą i wręczył Saszy.

– Jeszcze to przemyśl. Zastanów się. Coś pominęliśmy.

– Dlaczego zginął Dziadek? Dlaczego zabili Elżbietę? Dlaczego tak bardzo starali się, by uwikłać w to mnie?

– A nie myślałaś, że to może być coś osobistego?

– Moje życie osobiste nie istnieje.

– Dziecko jest twoim życiem osobistym. Ten, kto rozpętał tę aferę, w centrum stawia ciebie, a jednak pozwala ci działać, rozmawiać ze mną, przebierać się, szukać.

– Chcą, żebym szukała.

– Chcą, żebyś znalazła.

– Tę konkretną osobę?

– Po co?

– A po co wystawia się kogoś na wabia?

– Żeby sprowokować napastnika i złapać go na gorącym uczynku.

Sasza była skołowana.

– To mnie przerasta. Czuję się tak, jakbym poruszała się we mgle.

– Idą za tobą krok w krok. Tak samo, jak deptali mi po piętach, kiedy pracowałem nad śledztwem w sprawie Lekiego. Miałaś rację, ta sprawa nie miała prawa zostać rozwiązana. Straciłem dwadzieścia lat, żeby to zrozumieć. Ty wyciągnij wniosek i zajmij się swoim życiem.

W tym momencie zadzwonił telefon prokuratora. Obejrzał wyświetlacz, ale nie odebrał.

– Nieujawniony numer – zakomunikował.

Potem zaczęła dzwonić komórka Saszy. Wymienili się spojrzeniami. Załuska odczekała, aż wybrzmią trzy dzwonki, a potem wykręciła numer Jekylla.

– Dzwoniłeś do mnie?

– Nie – padło w słuchawce. – Ale dobrze, że cię słyszę.

Norin dyskretnie oddalił się na pokład. Sasza pochyliła się, czując, że w gardle rośnie jej potężna kula, i wyszeptała:

– Co się stało?

– Mam dwie wiadomości. Dobrą i złą.

– Bardzo złą?

– Tak. Ale też i bardzo dobrą. Przykro mi, Sasza.

– Najpierw zła.

Jekyll długo milczał. Czuła, że zbiera się w sobie, by przekazać jej tę nowinę. Cisza w słuchawce cięła ją na kawałki. Nastawiła się na najgorsze.

– Łukasz popełnił samobójstwo. Znaleźli go w aucie. Utopił się. Wjechał do morza z molo na Orłowie. Był bardzo pijany.

Sasza nie mogła wydusić z siebie słowa.

– Zjechał samochodem? Pijany? Łukasz prawie nie pił.

Łzy płynęły jej po twarzy.

– Miał na sobie strój nurka i sprzęt w bagażniku.

– Zaraz będę.

– Nie jedź – natychmiast zaprotestował Jekyll. – Pełno tutaj wszystkich. Zajmę się nim, jak należy. Nie pozwolę, by ukręcili temu łeb. Jego rodzice jadą tu już z Krakowa. Bardzo porządni ludzie, sądząc z rozmowy telefonicznej.

Sasza nie skomentowała. Nie był to dobry moment na krytykę.

– On się nie zabił – powiedziała tylko i poczuła, że brzmi jak Iga Śmiałowska.

A potem przymknęła oczy. Przypomniała sobie jego zakapturzoną sylwetkę, kiedy znikał przy bunkrze dalmierza niczym dziki kot. Była wtedy pełna bardzo złych przeczuć. Ich ostatnia rozmowa była jak pożegnanie. Chociaż oboje sądzili, że jeszcze się zobaczą, że jeśli cokolwiek miałoby pójść nie tak, to raczej ona będzie następna. Nie mogła uwierzyć, że posunęli się i do tego.

– A druga wiadomość?

– Profesor jest w Polsce. Szuka cię.

Sasza natychmiast otworzyła oczy.

– Abrams? Kiedy przyjechał?

– Wczoraj? Dzisiaj? Cholera wie. Mówił, że i tak zamierzał przyjechać na pogrzeb, bo widział twój nekrolog w gazecie. Jakiś dowcipniś podał nawet datę.

– Kiedy będę chowana?

– Jutro.

– Gdzie?

– Na cmentarzu na Kolibkach. Tom był pewien, że sama go zamieściłaś.

– Nie – odparła Sasza. – Ale to stary dobry koncept.

Myślała szybko, kto mógł to zrobić. Łukasz? Iga? Warwara? A może Tom blefuje?

– W jakiej gazecie?

– W „Dzienniku Bałtyckim".

– To jak on to odczytał w Anglii? Nekrologów nie publikuje się w sieci.

– Sprawdzę. Ale mówił, że rusza z lotniska, a potem dał mi esemesem informację, że zamieszka w hotelu Blick w Gdyni. Zostawi ci wiadomość w recepcji.

Sasza nie mogła przegonić myśli, że te dwie sprawy się ze sobą łączą. Z ekipy Dziadka z dawnych czasów zostali już tylko ona i Jelcyn. No i Tom.

– Nie podawaj mu mojego nowego numeru – powiedziała szybko.

Jekyll nie odpowiedział od razu.

– Już to zrobiłem. Przepraszam, ale mówiłaś, że mu ufasz. Coś się zmieniło?

Sasza odsunęła słuchawkę od ucha. Nabrała powietrza, gwałtownie je wypuściła. Otarła łzy.

– I nikomu nie dawaj tych dokumentów. Nikomu, proszę cię. Wyrzuć, spal, jeśli będzie gorąco, ale nie oddawaj ich.

– A Tom? Co mam mu powiedzieć?

– Muszę kończyć, zadzwonię. – Rozłączyła się.

Kiedy wyszła na pokład, była już noc. Niebo, o dziwo, zdawało się być jasne, świetliście kobaltowe. Powietrze ostre, rześkie. O ile w dzień chmury wisiały tak nisko, że niemal dałoby się ich dotknąć, o tyle teraz wiało niemiłosiernie i można było liczyć gwiazdy. Prokurator Norin wpatrywał się w nią chwilę, a potem objął ramieniem jak ojciec.

– Wszystko słyszałem – rzekł. – Tak to jest na łódkach.

– W co ja się wpierdoliłam? O co tutaj chodzi? – mruczała wściekle, starając się powstrzymać łzy.

– Potrzebujesz sternika na jutro?

Pokręciła głową.

– Nie będę cię w to mieszać. Masz rodzinę. Ale weź te filmy. Jeśli oczywiście mogę cię o to prosić.

– Nie martw się. Będą u mnie bezpieczne. Zbadam je i nie dam się zabić.

– Łukasz też tak mówił. I Ela. I ten cholerny Dziadek, który wszystko rozpętał. Choć sama już nie wiem, kogo winić. Może siebie?

Norin nie odpowiedział. Z kieszeni wysupłał niewielką saszetkę. Podał Saszy z powagą. Kiedy potrząsnęła welurowym woreczkiem, na dłoń wysunęła się jej obrączka z rubinem. Podniosła głowę z niemym zapytaniem.

– Zostawiłaś w pokoju przesłuchań, zanim potrząsnęłaś Bułką, kiedy pielgrzymowaliśmy z nim po kraju – przypomniał. – Miałem ci oddać od razu, rano, kiedy do mnie przyszłaś, ale byłem zbyt wściekły. Potem już nie było okazji...

Skinęła głową w podziękowaniu i założyła kółko na palec. A następnie wyswobodziła się z objęć Dariusza, oparła o burtę i długo wpatrywała w czarną toń, myśląc o Łukaszu. O tym, że może wreszcie jest spokojny. A także o tym, że już drugi raz poświęcił się dla niej. Wtedy, przed laty, w Krakowie, znał przecież całą prawdę. Nie powiedział jej wszystkiego, by ją chronić. Ratując ją, wiedział, ile ryzykuje. Pozwolił wsadzić się do zakładu psychiatrycznego, zrobić z siebie domniemanego zabójcę, copycata „Czerwonego Pająka", latami trzymał się od niej z dala, świadomy, że naopowiadali jej o nim bzdur, by się go bała. Dźwigał etykietkę monstrum i nie pragnął się wybielać, nawet kiedy się po latach spotkali. Jakim hartem ducha się wykazał, ile było w tym prawdziwego uczucia, godności.

Pod powiekami czuła łzy, spływały jej po twarzy. Nie wycierała ich. Jakby znajdowała się poza ciałem, gdzieś na środku oceanu, gdzie może teraz był on. I nie chciała wracać na ziemię. Zanurzała się w tej toni, chowała w tym bezmiernym smutku, jakby czekała na jakiś znak od niego, na ostatnie pożegnanie, które nie przychodziło. A jednak czuła jego obecność, przez głowę przelatywały jej migawki z ich spotkań, rozmów, wspomnienia wspólnych chwil. Tak się żegnali. Choć więcej czasu spędzili osobno niż razem, było tego sporo.

Norin odchrząknął, zarzucił jej koc na ramiona. Nie poruszyła się, nie podziękowała. Pozwolił jej pozostać w tej ciszy. Tak samo jak Łukasz rozumiała teraz, że wiedza może zabijać. Nie ujawniała więc wszystkiego Norinowi, by chronić prokuratora. Robiła to samo, co Łukasz przed laty – brała ciężar odpowiedzialności na siebie. W końcu sięgnęła do kieszeni i wyjęła mały kartonik, który Polak dał jej przy ostatnim spotkaniu. Była to wizytówka małej willi na plaży w Rewie. Tam pojechała z nim w tajemnicy tej nocy, kiedy uprowadzono Karolinę. Siedzieli na piasku, milczeli, a potem wyjawił jej wszystko. Chciał, by zrozumiała. Ale wtedy nie była gotowa na prawdę, wściekała się, nie potrafiła mu wybaczyć, że brał w tym udział. Pamiętała ostatnie słowa, które Łukasz powiedział jej w Rewie, gdzie wody Zatoki mieszają się z Bałtykiem.

– Kiedyś tu zamieszkamy. Jak wszystko się uspokoi.

Obiecała, że spróbują. Jeśli uda im się uratować Karo, zaczną jeszcze raz. Na swoich warunkach. Ale widać nie było im to dane. Dziś Łukasz nie żyje. Ile zdołali z niego wyciągnąć przed śmiercią? Czy wiedzą o łódce, ludziach Kurczaka i dokumentach TW Calineczki? I czy to on, w dobrej wierze, ściągnął tutaj Toma? Czy zdawał sobie sprawę, że zginie, jeśli dalej będzie jej pomagał? Nie wątpiła, że tak. To była jego świadoma decyzja. Choć wszyscy mają go za tchórza, osobę psychicznie chorą z długą listą zaburzeń, dla niej na zawsze pozostanie człowiekiem honoru – bohaterem. Była dumna, że takiego mężczyznę wybrała na ojca swojego dziecka.

– Ty wciąż jeszcze żyjesz – przerwał jej rozmyślania prokurator.

– To fakt. – Odwróciła się gwałtownie. Była znów spokojna, oschła. – Cholera wie dlaczego. A kto do ciebie dzwonił?

Norin zmarszczył czoło, ale w kąciku ust błąkał mu się uśmiech.

– Nie uwierzysz – zaczął. – Mój dawny szef. Ten sam, który mnie pogrążył. Arkadiusz Antczak.

– Człowiek prokuratora generalnego? Z propozycją awansu? Teraz? Jak bardzo jestem zaskoczona! – Zaśmiała się kąśliwie.

Dariusz niechętnie pokiwał głową.

– A więc proponują rozejm – skwitowała. – Spuścili z tonu, żeby utrzymać status quo.

– Odmówię – zapewnił pośpiesznie prokurator.

– Nie! – Sasza chwyciła go za ramię. – Weź to stanowisko. Zasłużyłeś. Obiecaj mi, że słono każesz sobie płacić i nie zaprzestaniesz partyzantki. To będzie nasz cichy odwet.

WILMOR
(1985)

– Chyba mnie zauważył.

Iga spuściła głowę. Udała, że układa swoje bukieciki fiołków na tacy. Poprawiła chustkę na głowie.

– Przebrałam się, jak kazałeś. Ale nie zdążyłam zmienić butów. Musiał je zauważyć rano przed mięsnym i potem w alei Róż, kiedy siedziałam z Warwarą na ławeczce. Nie była zadowolona, że musi pożyczyć mi jedno ze swoich futer.

Dziadek spojrzał na czubki czerwonych trzewików kobiety.

– Bardzo ładne – oświadczył. – To te z Rumunii?

Skinęła głową. Obejrzała się płochliwie.

– Jesteś zły?

Kajetan uśmiechnął się, wysunął dłoń z kieszeni. Przyłożył ją do policzka kobiety, a potem nachylił się, by ją pocałować. W pierwszej chwili była zaskoczona, lecz nie zaprotestowała, a nawet się przysunęła. Trwali tak usta przy ustach, aż z głośnym trąbieniem podjechała kremowa łada 2107. Kierowca wychylił się i pomachał.

– Podwieźć młodą parę?

Kajetan nawet nie spojrzał w tamtym kierunku. Wpatrywał się w oczy Igi. Machnął tylko ręką na szofera, jakby odganiał natrętną muchę. Potem zaś rzucił na tacę banknot i zebrał wszystkie fiołki. Wręczył Idze.

– Postaw je u siebie w pokoju. Będzie nam milej, jak przyjdę w nocy z koniakiem. Porozmawiamy. I tak miałem się już ujawnić.

Szybkim krokiem ruszył do antykwariatu na końcu ulicy. Iga jeszcze długo za nim patrzyła, choć sylwetka Kajetana dawno zniknęła w drzwiach sklepu z książkami. W głowie czuła mętlik. Co dokładnie miał na myśli? Czy ujawnienie się dotyczyło śledzonego figuranta, czy chodzi o małżonkę? Warwara nie znosiła szyfrantki od pierwszego spotkania. Gdyby dowiedziała się, że Kajetan zdradza ją z Igą, zadbałaby o przeniesienie rywalki na placówkę do Irkucka albo i Ułan Bator. Szyfrantka nie wątpiła, że tak właśnie by było. Zdecydowała, że nie wpuści dziś Dziadka do swojej komnaty. Będzie udawała, że śpi. Do niczego nie dojdzie. A następnie, poczyniwszy to srogie postanowienie, drżącymi dłońmi złożyła swój prowizoryczny kramik, ściągnęła z głowy chustkę, by jasne włosy rozsypały się jej na plecach, i zawróciła do autobusu.

Kajetan krążył chwilę między półkami, by wreszcie zatrzymać się w rogu niewielkiego pomieszczenia, z którego miał doskonały widok na blat kasy i wyjście ze sklepiku. Ponieważ cudzoziemiec wciąż nie wychodził i zdawał się całkowicie pochłonięty wyborem książek, które układał sobie na ramieniu, Dziadek również zdjął jeden z zakurzonych woluminów i otworzył go na chybił trafił, starając się wiarygodnie odgrywać rolę pasjonata budowy trzynastowiecznych okrętów.

Anglik był niski, korpulentny. Widać, że lubił zjeść i nie garnął się do sportu. Twarz miał łagodną, okrągłą. Oczy jak pomalowane arabską kredką, zadziwiająco jasne. Reszta fizjonomii była praśna i ciapkowata. Włosy już lekko przerzedzone, z boku widoczne zakola, choć dobił ledwie trzydziestki. Trudno byłoby go określić przystojnym, ale też nie był odrażający. Właściwie – gdyby nie jego kraciasty płaszcz z prawdziwej wełny, tweedowe spodnie i doskonałej jakości wyglancowane na błysk buty, które zdradzały wysoki status finansowy – po odpowiednim przebraniu spokojnie mógłby się wtopić w tłum robotników w stoczni. Na pewno nie wyglądał na podwójnego agenta Jej Królewskiej Mości i Wujka Sama, którym, jak Dziadek doskonale wiedział, był w istocie.

– Kogo pan poleca z żyjących obecnie polskich autorów? – Cudzoziemiec zwrócił się teraz po angielsku do antykwariusza. Trzymał w dłoni książkę Romana Bratnego. Nie była w najlepszym stanie, praktycznie się rozsypywała. – To jest dobre? Warto?

Mężczyzna za ladą skinął głową, a Wróblewski uśmiechnął się pod wąsem. Był absolutnie pewien, że księgarz nie pojął ani słowa z pytania klienta. Odpowiedź chyba jednak usatysfakcjonowała Anglika, bo dołożył *Sześć osób pierwszych* do swojego stosiku, po czym drobnymi krokami, lekko kołysząc się na boki, zmienił dział prozy na polską poezję.

Dziadek chwycił pierwsze z brzegu dzieło Konwickiego i rozejrzał się wokół. Sklepik świecił pustkami. Może nie będzie lepszego momentu. Od antykwariusza oddzielał ich rząd kilku regałów. Do *Małej apokalipsy* dołożył *Dolinę Issy* Miłosza i sprytnie obszedł regał, by zajść Anglika od tyłu.

– To będzie znacznie lepszym wyborem, jeśli planuje pan szykowny prezent – rzucił, podając mężczyźnie wybrane książki.

– Wolałbym *Hrabiego Monte Christo* – odparł z flegmą cudzoziemiec. – Gdybym miał zacząć naukę polskiego, chętnie

701

edukowałbym się w trudnym języku z tej lektury. To moja ulubiona.

Dziadek zawrócił, znalazł najlepsze wydanie przygód Edmunda Dantesa dostępne w tym sklepie i podał Anglikowi.

– Co za zbieg okoliczności – rzekł. – To także moja ulubiona powieść.

W tym momencie na twarz obcokrajowca wypłynął uśmiech i poczucie ulgi.

– Nareszcie – powiedział, starając się wypowiadać po polsku. Ale zabrzmiało jak trzeszczenie zgniatanych świerszczy, więc wrócił do mowy ojczystej. – Pójdźmy więc na wódkę. Tak w Polsce się chyba mówi, kiedy spotyka się starego przyjaciela.

– Na kielonka. Ja zapraszam.

Kajetan wskazał rząd książek wybranych przez Anglika i ruszył do kasy, by wytargować dobrą cenę. Mimo iż handryczył się z antykwariuszem o każdy wolumin, Anglik wyjął zielony banknot i nie chciał reszty.

– Niech panu Bóg błogosławi – żegnał ich w ukłonach sklepikarz.

– Co on powiedział? – zainteresował się Anglik.

– Zwrócił uwagę, że od tej chwili mamy Boga po swojej stronie.

– To miło – mruknął Anglik i spojrzał na wybrane książki.

Poza Konwickim, Dumasem i Miłoszem byli tam Herbert, Sienkiewicz, Słowacki, Leśmian i Nałkowska. Zaplątał się także mały tomik wierszy bezimiennego poety. Bezimiennego, gdyż książeczka nie miała okładki. Antykwariusz musiał ją dołożyć od siebie, w prezencie. Kajetan otworzył pierwszą stronicę i odczytał:

– To Różewicz. Doskonały wybór. Myślę, że polską podstawówkę mamy już zaliczoną.

– Kiedy ja to wszystko przeczytam? – zmartwił się Anglik.

Kajetan klepnął go zamaszyście po plecach.

– Jeśli sobie życzysz, znajdę ci na dzisiejszą noc jakąś zmysłową polonistkę, coby ci w nocy poczytała na głos.

Anglik najwyraźniej nie od razu zrozumiał.

– Polonistkę. – Kajetan pokazał na migi odpowiedniej wagi biust i zaczął intensywnie cmokać. Ponieważ Anglik wciąż nie łapał żartu, dodał: – No, chyba że wolisz chłopców.

– Nie, nie – zaprotestował cudzoziemiec. – Zdecydowanie jestem za rodzajem żeńskim.

Ten wieczór spędzili wspólnie, w pokoju Igi. Dziadek dotrzymał słowa i przyniósł koniak, który razem z Tomem wypili w pierwszej godzinie znajomości. Potem przyszła pora na barek Kajetana. Wyczyścili go do cna z polskiej żubrówki. Bardzo Tomowi posmakowała. Warwara nie zaszczyciła dobrotliwego Anglika nawet jednym spojrzeniem. Oświadczyła, że udaje się do opery i wróci późno.

– Nie czekajcie. Pułkownik Otto mnie odwiezie. Od razu pójdę do siebie.

Bardzo ich ucieszyła ta informacja. Iga podała kolację, a potem paląc papierosy w fifce, czytała im na głos Różewicza na zmianę z Leśmianem. Tom śmiał się, że Dziadek obiecywał mu znacznie większy biust, ale wzruszył się przy *Lamencie*. *Uczeń czarnoksiężnika* wprawił go w zachwyt, a przy *Obliczu ojczyzny* faktycznie się popłakał. Kajetan przepraszał, że może tłumaczenie nie było zbyt literackie, bo znacznie lepiej mówił po rosyjsku.

– Było pięknie. Jest pięknie – zapewniał całkowicie już ululany Tom i zaraz opowiedział im swoją idylliczną historię rodzinną, w którą na początku Dziadek nie chciał uwierzyć.

Dziadkowie Toma, baronowie Abramczyki herbu Abrahimowicz odzwierciedlonego w trzech strusich piórach, pochodzili z okolic Poznania, ale mieli korzenie tatarskie. Stąd u niego taka oprawa oczu i nikczemny wzrost. Jasne oczy zawdzięczał rodowi matki. Po kądzieli byli sami blondyni o jasnej karnacji i te geny widać były silniejsze od tatarskich, przekonywał Tom. Marzył, by pojechać i dotknąć ziemi dziadów, powłóczyć się po ich lesie i znaleźć siedlisko, jeśli jeszcze istnieje, ale paradoksalnie do ukończenia studiów nic o kraju przodków nie wiedział. Ojciec wstydził się swojego pochodzenia. Chciał, by Tom był stuprocentowym Anglikiem, by żył w innych warunkach niż jego rodacy. Ale im bardziej izolował syna od tej wiedzy, tym bardziej Tom się do niej garnął. Żałował najbardziej, że nie nauczył się polskiego.

– Dzisiaj już pewnie na to za późno. Ale pragnę oddać hołd bliskim inaczej. Martwi mnie to, co się tutaj dzieje. Chcę pomóc – zakończył opowieść. – To mój obowiązek wobec ojczyzny przodków. Nie mogę wprost patrzeć na to, jak jednostka ludzka jest ciemiężona. BBC pokazuje nieustannie, jaką gehennę przechodzą Polacy. To jest straszne.

Zamilkł.

– Czyli jesteś w swoim kraju nieszczęśliwy? – zagaił niby niewinnie Dziadek.

Tom chwilę się zastanawiał.

– Nawet nie. Prywatnie może nie jestem spełniony, ale już taki ze mnie typ. Nieśmiałek. – Uśmiechnął się smętnie i dodał po namyśle: – Ale wierzę w siłę nabywczą. Tatarzy zawsze byli ambitni. A za tę misję CIA zaoferowało mi godne wynagrodzenie i katedrę na własnym uniwersytecie.

To akurat raczej była prawda.

– Frustracja jest znacznie lepszą motywacją niż pieniądze – mruknął Dziadek, dając tym samym do zrozumienia, że Tom nie zyskał jego stuprocentowego zaufania. – Wiesz, poprzednią stawkę zawsze można przebić.

– A szczęścia nie da się kupić za pieniądze? – Tom przekrzywił głowę. – Ja tam jestem szczęśliwszy, mając solidne zaplecze na koncie. Frustracja zawodowa mnie nie dotyczy. Jestem w pełni przekupnym ideowcem. Może trudno w to uwierzyć, ale tacy ludzie istnieją.

– A jak ty się tak naprawdę nazywasz, Tom? – wtrąciła się Iga.

Też była lekko zawiana, więc nie zauważyła piorunującego wzroku przełożonego. Delikatne podszczypywania Dziadka, by jak najszybciej zamknęła usta, interpretowała zaś jako zachętę do dalszych pieszczot.

– Ja? – Tom nagle otrzeźwiał. – Niestety nie mogę ci powiedzieć, choć przyznam, że bardzo cię polubiłem, moja droga.

– Musisz sobie wybrać jakiś pseudonim – kontynuowała niezrażona Iga, wciąż przemawiając do niego jak do dziecka. – Jakoś musimy cię bezpiecznie nazywać.

Tom wziął do ręki *Hrabiego Monte Christo*. Otworzył na pierwszej stronie i rzekł nadzwyczaj przytomnie:

– Niech będzie Wilmor. Na znak naszego spotkania.

A potem wszyscy troje zasnęli pokotem na łóżku Igi. Wilmor udawał, że nie słyszy, kiedy Dziadek i Iga pierwszy raz się kochali.

To było przeszło dwa lata temu. W tym czasie wiedza Wilmora na temat polskiej literatury bardzo się poprawiła.

Odwdzięczał się w swoim stylu, zapraszając Dziadka i Igę na wystawy do Wiednia. Byli też stałymi bywalcami tamtejszej opery. Dziadek nienawidził śpiewanych spektakli, ale poświęcał się dla ojczyzny, a zresztą Iga wprost je uwielbiała. No i praktycznie tylko wtedy nie musieli się kryć ze swoim związkiem. Warwara udawała, że nie widzi, a może faktycznie bagatelizowała tę przyjaźń. Miała wtedy zresztą szereg miłostek z rosyjskimi oligarchami, z których wychodziła bogatsza o nowe doświadczenia seksualne i kolejne pudła z biżuterią. W kraju następowały zmiany. Było jasne, że komunizm się wali.

Wilmor nigdy więcej nie przyjechał nad Wisłę. Zawsze spotykał się z Dziadkiem gdzieś na kawie w mieście Straussa i szpiegów. Kiedy siedzieli na kolejnych służbowych spotkaniach – wszyscy agenci umawiali się w tym samym miejscu, pod Stephansdom – widać było tych kolejnych „znajomych", którzy podchodzili, rozglądali się czujnie naokoło i odchodzili, uśmiechając się do innych par porozumiewawczo.

Dzisiejsze spotkanie było wyjątkowe. Abrams przybył bez swojej tweedowej marynarki z łatami na łokciach i pierdzielskiego kaszkietu. W niebieskich mustangach, białym swetrze z golfem oraz okularach lustrzankach wyglądał nawet atrakcyjnie i młodziej o dekadę. Chyba schudł z dziesięć kilo. Może w końcu znalazł sobie dziewczynę, co zakrawałoby jednak na cud. Zawsze był sam. Wykonywał dziwaczny zawód, nieistniejący w Polsce, zwany profilowaniem przestępców. Robił doktorat z motywów zbrodni, a kolejny stopień naukowy zamierzał uzyskać, zajmując się ekspertyzami geograficznymi. Miało się to przydawać FBI i innym służbom do skuteczniejszego tropienia przestępców. Był w tym fachu naprawdę dobry. Dziadek dopiero po latach zrozumiał, że ta bliska zażyłość służbowa Wilmora z Amerykanami powinna go była od razu zaniepokoić. Wtedy jednak miał go za poczciwinę, który robi wszystko dla idei i pieniędzy, rzecz jasna. Bo powodziło mu się znakomicie. Cieszył się sławą pogromcy dewiantów i zbójów wszelkiej maści. Bywał nawet w telewizji.

– O gruszka – zaśmiał się Tom, kiedy na stół wjechała deska serów i fondue.

Całość przybrana była orzechami włoskimi, oliwkami, winogronami i pomarańczami. Towar absolutnie deficytowy w tym czasie w Polsce. Dziadek żałował, że nie ma dziś z nimi Igi. Byłaby zachwycona.

– Nie mam dla ciebie nic konkretnego – oświadczył radośnie Wilmor, kiedy tylko zamówili wino. – Demokracja u was hula, jak należy. Jesteśmy bardzo zadowoleni.

Następnie wyjął dwie koperty. O dziwo, były zabezpieczone, co nigdy dotąd się nie zdarzało. Taśma i pieczątki na zgięciach. Symbole wykonane tuszem, rząd numerów.

– Przekaż je swoim.

Dziadek był w absolutnym szoku. Wszystkie informacje, które Wilmor mu przekazywał, były ustne lub w białych kopertach, które można było odkleić nad parą z czajnika. Zawsze miał więc orient, w jakim kierunku zmierza kraj i co się zmieni. Teraz Abrams nie zamierzał się silić na wyjaśnienia.

– To dwie listy. Biała i czarna. – Wskazał pierwszą. – Tutaj są nazwiska, które chętnie byśmy widzieli w waszej przyszłej administracji. Gwarantują pozytywne przemiany i nie .doprowadzą do wykorzystania ich do konfliktów społecznych ani międzynarodowych. To Amerykanom niepotrzebne. Dogadali się z Kremlem.

– Co to ma znaczyć? – Dziadek zmarszczył czoło.

707

– Wybraliśmy wam rządzących. Takich, którzy nie będą zagrażać Rosji. Po tym, co działo się przez lata w Polsce, boimy się, że dojdzie do czystek, rozliczeń. Nie ma na to czasu. Trzeba szybko zbudować demokrację i oddzielić stare grubą kreską, pójść naprzód.

– I uważacie, że jak się pojawią inne partie, to nikt nie krzyknie, że trzeba rozliczyć Katyń, lata pięćdziesiąte, UB i czystki pod pozorem walk z bandami? My chcemy w końcu prawdziwej demokracji. Chyba na tym ona polega, że można publikować prawdę w gazetach, a nie pisać na murach i kolportować bibułę, za którą usuwają dzieciaki z liceum.

– Będziecie mogli sobie pisać, co chcecie. Gadać, co chcecie, w telewizorach. Wolność będzie, po amerykańsku. Ale w określonych ramach.

– To jest zdrada.

– Raczej podejście praktyczne. Mniejsze zło. Powstania nie są konieczne, by zbudować nowy ład. Można budować w spokoju. Nawet lepiej, bo mniej patriotów wtedy ginie. Trzeba się z ruskimi dogadać, zapomnieć i iść dalej – powtórzył.

– Chyba sobie nie wyobrażasz, że ludzie Solidarności ochoczo się zgodzą, żeby dogadać się z tymi, którzy rozbierali przez lata nasz kraj, odzierali go z godności.

– Dlatego masz listę tych, którzy są skłonni do rozmów, do wybaczenia.

– A reszta?

– To zwykli ekstremiści, faszyści i radykałowie. Oni są na tej drugiej liście.

– Czarnej?

– Nie wolno ich dopuścić do głosu. Trzeba ich uciszyć. Takie mam rozkazy.

– To się nie godzi, Wilmor. To jest kolejny rozbiór Polski. To jest, powtórzę raz jeszcze, zdrada, chłopie.

Abrams tylko się głośno zaśmiał.

– Jakie to polskie.

– Co niby? – Dziadek znów zmarszczył czoło. Poczochrał wąsa. Z impetem odstawił szklankę.

– Przepracowałeś tyle lat w bezpiecce, a teraz będziesz mi mówił, jak wygląda demokracja? Prawo Kalego, co?

– Widzę, że Sienkiewicz cały odrobiony.

– Co do ostatniej literki – zapewnił Dziadka Wilmor.

– Daj już spokój z tą demagogią. Nawet nie zdajesz sobie sprawy, jak wszyscy się palą do tego rozwiązania. Ani się obejrzysz, jak twoi komuniści, ci, którzy jeszcze wczoraj byli za nacjonalizacją, dziś wieczorem przejdą na kapitalizm. I oni, i ci z Solidarności ręka w rękę obronią prywatną własność, żeby zarabiać wreszcie porządne pieniądze. Przecież pieniądze to wolność. To jest prawdziwa niepodległość. A jeśli ty tego nie rozumiesz, toś bęcwał.

Ostatnie słowo wypowiedział całkiem poprawnie po polsku.

– Napijmy się, boś taki jakiś zestresowany.

– Bo to jest Orwell.

– Może i tak. – Wilmor wzruszył ramionami. – Ale sam się zdziwisz, jak za kilka lat ideowcy zaczną realizować swoje idee tylko w przemowach politycznych emitowanych w wiadomościach, bo prawdziwe idee zawierają się w sferze nowych samochodów, nieruchomości i funduszy emerytalnych.

– To jest po prostu Marks.

– To jest koszmar rozmawiać z tobą, bo taki jesteś oczytany. Nikt nie broni patriotom wierzyć w swoje idee. W naszym, czyli Amerykanów, interesie jest szybko zakończyć tę cholerną zimną wojnę. Myślisz, że jesteście w centrum uwagi świata? Gówno prawda. Dla Waszyngtonu liczy się wyłącznie Kreml. Rewolucja tak, rewolucjoniści nie. My nie będziemy się wtrącać, ale ci ideowcy, najbardziej krzykliwi, którzy chcą rozliczeń, niech działają na marginesie. Nie mogą teraz dojść do władzy. Żebyśmy się dobrze zrozumieli: nie chodzi o to, żeby ich neutralizować. Niech krzyczą, niech gadają, publikują, ale należy im wszystko utrudnić.

– A co będzie, jeśli się mylicie?

– Nie mylimy się.

– A jeśli nie doceniacie polskiego hartu ducha? Jeśli skrajna prawica, tak ich nazwijmy, katolicy, patrioci, czy też, jak mówisz, ekstremiści, którzy nie godzą się zapominać krzywd, dojdą jednak do władzy? Co wtedy?

– Wtedy mamy listę rezerwową. Ale lepiej by było, żebyśmy jej nie wyjmowali. Bo to by oznaczało dużą ingerencję w waszą demokrację.

– Nazywasz to demokracją? To przecież zwykłe przedstawienie. Ludzie będą myśleli, że przewrót odbył się naprawdę, a to wszystko jest wyreżyserowane.

– To jest polityka. I idzie o spokój nie tylko tak małego kraju, jakim jest Polska. Idzie o ład ogólnonarodowy. Trzeba się teraz bać Bliskiego Wschodu, Chin, Afryki, a nie zajmować śmiesznym już konfliktem zwanym zimną wojną.

– Zawsze mówiłem, że nie masz poczucia humoru.

– Dlatego dostałem taką legendę – odparł bez uśmiechu. – Ale mogłeś trafić na błazna, który niczego by ci nie wyjaśnił. Robię to ze względu na naszą przyjaźń. Martwię się o ciebie i Igę. Masz jeszcze czas się zabezpieczyć, to potrwa kilka lat. W tym czasie musisz przygotować sobie ląd, uprzedzić kolegów, zbudować sojusze. To ważne, jeśli zamierzasz zostać w kraju i przetrwać. Jeśli chcesz, przyjeżdżajcie do mnie. Znajdę wam pracę i dach nad głową.

– To moja ojczyzna. Nie chcę wyjeżdżać – Dziadek jęknął jak rozkapryszona panna. – Nie potrzebuję nowej żony, kiedy ta stara jest okej.

Tym razem Wilmor się zaśmiał.

– Wujek Freud byłby z ciebie dumny. Właśnie streściłeś w dwóch słowach swoje największe strachy.

– Dajmy spokój moim prywatnym lękom. Wróćmy do kraju. To ważniejsze.

– Musi być spełniony warunek ekonomiczny, by do transformacji w ogóle doszło. Absolutnie pilna prywatyzacja części gospodarki lub choćby stworzenie protezy wolnego rynku. Chodzi o całe sektory. Rozumiemy, że to dla was w tej chwili trudne, ale jeśli zabrać się do tego skutecznie i z głową, bardzo wiele osób na tym skorzysta. Ty też. Między innymi dlatego ci to mówię. Bo jak nie ty, to inni się przygotują. To nieuniknione. Nie zatrzymasz tej machiny.

– Sugerujesz, że mam sprzedawać tę informację?

– A dlaczego nie? – obruszył się Tom. I zaraz się zaśmiał:
– Byle drogo. I jeszcze się ze mną podzielisz. Te dane są bezcenne. Jeśli ci, którzy mają pieniądze, nastawią swój radar na stworzenie nowej struktury biznesu wzorowanej na krajach zachodnich, Ameryka ich wspomoże.

– W Polsce nikt nie ma pieniędzy. Trzeba by je było ukraść.

– Cóż, to kwintesencja opowieści o Rockefellerze. Nieważne. – Wilmor machnął ręką. – Druga kwestia to przemiany społeczne, które doprowadzą do rozszerzenia środowisk władzy. A więc muszą się odbyć wolne wybory, z prawdziwą kampanią wyborczą, muszą powstać inne ugrupowania partyjne, by zlikwidować dominację jednej partii. Przewrót ma być ewolucją, nie rewolucją. Rozumiesz?

– Przecież ludzie będą sami wybierać, decydować. Marzą o tym. Każdy chce wolności.

– Akurat! – zbiesił się Anglik. – Przez lata byliście przyzwyczajeni, że ktoś decyduje za was, a wy się tylko po cichutku buntujecie. Nie możemy wam pozwolić na pełną wolność. Pozwolisz społeczeństwu decydować, to zaraz zniszczy i przepije dobytek.

– Czyli wszystko będzie skutecznie pilotowane i dyskretnie kontrolowane?

– Nie wszystko. Tylko zasady. No i nazwiska. Prezydent. Ludzie w administracji. Decydenci. Reszta pozostanie w waszych rękach.

– A jak się nie zgodzimy?

– Nie ma takiej opcji. Niemcy już gadają z Moskwą o zjednoczeniu. Nie możemy na to pozwolić. Była już druga wojna. Nie potrzeba wam pod bokiem silnych Niemiec, bo po was przejdą. Wszyscy politycy, jak jeden, to rozumieją. Jeśli zrobicie tak, jak jest w tych kopertach, wyjdziecie z tego bagna i odsadzicie rusków za horyzont.

– A jeśli Rosjanie was przejrzeli? Jeśli to oni pierwsi dali moim takie dwie listy?

– To będzie trzeba powstrzymać tę lawinę i zneutralizować niektórych radykałów. Rosjanie zgodzili się odejść pokojowo z Polski, ale tylko jeśli zachowają wpływy. Solidarność, ta miękka frakcja, dostanie władzę. Będziecie mieli swojego amerykańskiego prezydenta z ludu. Wszystko to jednak wciąż po dobroci z Rosjanami. Oni muszą mieć poczucie, że nadal pociągają za sznurki zza kulis. Inaczej dojdzie do zbrojnego konfliktu.

– I tak was przechytrzą.

– Na to nie mamy już wpływu, Kajtek. Zresztą to przecież wy będziecie żyć w tym kraju. Porządek zaprowadza się powoli. Tylko zamachu dokonuje się z zaskoczenia. A tego nie chcemy. Dlatego radykałowie będą mieć trudności, muszą odejść na aut.

– Zobaczysz, za dziesięć lat oni wrócą i będzie istna rozpierducha.

– Wtedy pojawią się nowe koperty, nowe listy. Może nas już nie będzie. Przyjdą młodzi, z większą głową i odważniejsi. Ty lepiej dobrze wykorzystaj te informacje dla siebie i rodziny.

Wyciągnął portfel. Położył banknot na stole. Wstał.

– I pamiętaj, jak będziesz musiał uciekać, pisz, dzwoń. Pomogę. Frustracja jest zawsze lepsza niż pieniądze, ale nie należy dopuszczać, by się rozwijała, bo wtedy sprzedajesz się za grosze. A pieniądze w Polsce wkrótce będą, i to duże. Tak jak w Brazylii. Pytanie tylko, kto je zarobi. Reszta będzie ciułać na chleb, niczego im nie zabraknie, ale nowa szansa na wzbogacenie się nie nastąpi tak prędko. W totolotka wygrywa się tylko raz. Ja ci radzę, kup los. Teraz każdy będzie wygrany. Bo gospodarka musi zacząć działać szybko, żebyście nadal mieli nasze wsparcie. Nie musisz czytać dziejów Edmunda Dantesa, by to rozumieć. Każdy bandyta to wie. Od małego.

Po czym wyszedł bez pożegnania.

SZYFRANTKA
(2016)

Wadim wypił ostatnie piwo za zdrowie Kurczaka i wyszedł z lokalu kilka minut przed północą. Jutro czekał go ciężki dzień. Tamagoczi i reszta chłopaków nie zamierzali kończyć pijaństwa przed świtem. Dziś na Wybrzeżu w półświatku panowała radosna atmosfera. Kurczak, który po parunastu latach odsiadki wyszedł na wolność, zapowiadał co najmniej miesięczną balangę. Szczęśliwa Jolanda donosiła żywność i flaszki. Z dumą podkreślała, że na takiego chłopaka warto czekać i sto lat. Zapewniła też wszystkim uczestnikom biesiady bezpłatne towarzystwo swoich dziewczyn z agencji. Odmówiły wzięcia honorarium. Zabawa to zabawa.

Kurczak w więzieniu postarzał się i zmizerniał. Wciąż miał rozłożyste mięśnie pod podkoszulkiem, ale czujne spojrzenie zagonionej łani wymykało mu się w najmniej oczekiwanych sytuacjach. Wadim siedział tylko raz, przez niecałe pół roku, za drobny przekręt. Wyszedł, bo sprzedał kumpli, więc się tym nie chwalił w towarzystwie. Zapamiętał jednak to upokorzenie na całe życie. Nikt, kto nie był nigdy zapędzony w kąt klatki pełnej głodnych bestii czyhających na ciebie w każdej minucie doby, nie zrozumie tego rodzaju upodlenia, bo nie o ograniczenie przestrzeni chodzi, lecz o nieustanny strach, który staje się twoją jedyną emocją. Nic nie zależy od ciebie. Nikt nie jest w stanie cię ochronić. Na nic nie masz wpływu. Za to wszystko może się wydarzyć. To złamie nawet największego zakapiora. Dlatego Wadim starał się potem z całych sił, by nigdy nie znaleźć się w podobnej sytuacji.

Noc była gwiaździsta, jasna. Wiało. To bardzo ucieszyło Wadima, bo mieli jutro żeglować po tę małą. Słabo widział tę akcję, skoro dzisiejsza impreza Kurczaka tak zdziesiątkuje ekipę. Kobieta ze służb dostanie pewnie trzecioligowców lub rezerwowych z łapanki, a to nie wróżyło sukcesu. Jeśli prawdą jest to, co podsłuchał Tamagoczi, toczyła się rozgrywka z ludźmi z jej firmy, a to tym bardziej zniechęcało Wadima do podjęcia ryzyka. Podszedł do nocnej budki i kupił sobie colę. Wypił ją za jednym przyłożeniem do ust. Kiedy zgniatał puszkę, zobaczył cień, a potem okute metalem buty. Wiedział, że się nie wywinie, jeszcze zanim gliniarz się odezwał. Pamiętał go z dawnych czasów. Duch posiwiał, schudł, ale starzał się bardzo dobrze, czego nie można było powiedzieć o wielu psach, których znał. A tym bardziej o Kurczaku czy też o nim samym. Wadim słyszał ostatnio, że Duchnowski awansował. Na samego Dużego Psa tutejszej komendy. Myślał więc teraz gorączkowo, kogo będzie musiał sprzedać, żeby Robert usunął mu się z drogi.

– Zajęty? – odezwał się komendant i wyciągnął wielką dłoń do powitania.

Ruszyli bulwarem. Po lewej stronie mieli granatową taflę morza. Aż trudno było uwierzyć, że tuż-tuż kończy się ląd.

– Nie możesz spać?

Duch się uśmiechnął.

– Trudno cię znaleźć.

– Zależy, kto szuka. Dziś wszyscy są u Kurczaka.

– Słyszałem, że całe miasto cieszy się z powrotu Janosika. Nie ma nawet jednej wolnej kurwy. Wszystkie agenturki zamknięte.

– Jolanda dała dziewczynom wolne. Proch sypie się na stołach i pod stołami, chłopcy mają gest. Niech się dziewczęta zabawią. I tak mają przejebane życie.

– Pewnie dlatego mi się udało. – Duch wrócił płynnie do tematu i wyciągnął w kierunku Wadima papierosy, ale gangster odmówił, więc Robert od razu przeszedł do rzeczy. – Pracujesz teraz ponoć dla dziewczyny.

Wadim mruknął coś w odpowiedzi.

– Wiesz, taka ruda. Z niekompletną dłonią.

– Pracodawcy nie mam. A zlecenie wziąłem od Jolandy. Trzeba dziecko odzyskać jednej kobiety. Fakt, że nie ma palca. A czy ruda? Nie powiedziałbym. Zresztą w kółko nosi czapkę.

– To jestem na tropie – potwierdził Duch. – Chcę się z nią zobaczyć. Teraz.

– A nie wiem, gdzie ona jest. Łajbę mamy zaparkowaną na Oksywiu, ale widziałem, że odbili od brzegu.

– Oni?

– Taki stary prokurator z nią gadał. Ten, co robił kiedyś sprawę Lekiego. Widziałem go w gazetach.

– Norin?

– Może i Norin. Przywiózł jej coś. Pewnie knują.

Duch się zamyślił.

– Co u ciebie słychać, Wadim?

– Normalnie.

– Czyli po rosyjsku w porządku?

– Jak najbardziej.

– Wracasz do kraju?

– A po co?

– Tak się tylko pytam, bo jakbyś chciał mi coś powiedzieć, to zawsze lepiej wcześniej niż później.

– Tamte sprawy mamy już zamknięte. Dług oddałem.

– Zamknięte, pewnie, że tak. – Robert zawiesił głos. – Ale Kurczak wyszedł, a chyba jeszcze nie wie, że swoje zatrzymanie zawdzięcza nie tylko Bułce. I raczej nie sądzę, żeby Buła spał dzisiaj spokojnie. Cała armia się na niego szykuje.

– Nic o tym nie wiem.

– No i nie byłby to dobry pomysł, bo Buła ma wzmocnioną ochronę. To ci mówię w zaufaniu. Ty zaś spacerujesz tutaj sobie ze mną całkiem sam. Nawet Tamagoczi został na przyjęciu. Ale chyba nie chcesz, żeby cała złość Kurczaka obróciła się przeciwko tobie. Nawet jeśli nie do końca zasłużyłeś.

– O co ci chodzi? – burknął Wadim. Choć zachowywał jak zwykle kamienną twarz, czuł wzbierającą w nim wściekłość i modlił się, by nie pozwolić jej się rozwinąć. – Mówię ci przecież, gdzie ta kobieta jest.

– Chcę z wami jechać.

Wadim zmrużył oczy.

– To nie przejdzie. Łódź jest naprawdę mała.

– Schowam się w kokpicie.

– Nie zmieścisz się. Nawet dziecko by tam nie weszło.

– Wymyśl coś. – Duch poklepał go po ramieniu, co poskutkowało tylko tym, że Wadim jeszcze się odsunął.

– *Niet*.

– *Da*. – Robert pokiwał głową. – Mądry jesteś, sprytny. Coś wymyślisz. Chcę tam jutro być. Nie zdradzę cię. Nie bój się.

– Oni cię zastrzelą.

– Coś ty. Będę w kamizelce, pod bronią i z trzema oddziałami AT. Jeśli mi tego nie umożliwisz, Kurczak się o wszystkim dowie. Nie przeżyjesz jutra. Wiesz o tym.

Wadim milczał.

– Dlaczego ja? Dlaczego mnie wybrałeś na kapusia?

Duchnowski się roześmiał. Poklepał wielkoluda po ramieniu.

– Bo Tamagoczi by mnie zastrzelił.

– A ja nie?

Duch spojrzał Wadimowi w oczy.

– Nie. Bo ty w przeciwieństwie do niego myślisz. I jeszcze nigdy nikogo nie zabiłeś. A jeśli nam się uda, nadal tak pozostanie. Nie wydam cię. I powiem ci więcej. Nie dopuszczę do tego, by ta wyprawa doszła do skutku. To się nazywają działania prewencyjne.

– A dzieciak?

– Moim zadaniem jest zapobiec rozlewowi krwi. Ta pani działa teraz w waszej strukturze i za to odpowie.

– Ona? – Wadim parsknął śmiechem. – Tylko chodzi i gada z ludźmi. Nic złego nikomu nie robi.

– Lepiej na nią uważaj – ostrzegł go Duchnowski.

– To wszystko? – burknął Wadim w odpowiedzi.

Duch skinął głową. Rzucił peta pod nogi i syknął:

– Dziś o siódmej w tym samym miejscu. Jakby coś zaszło, dzwoń. Numeru nie zmieniałem od lat.

Sasza włożyła kamizelkę kuloodporną i starała się ją zapiąć jedną ręką, ale nijak jej się nie udawało. Klęła, wściekała się. Była już bliska płaczu. Zrezygnowana naciągnęła na niedopiętą kamizelkę sztormiak, wdziała wełnianą czapkę i przyjrzała się zawalonej sprzętem mesie. Jolanda dotrzymała słowa. Mimo iż wczorajszego wieczoru odbyło się powitalne przyjęcie jej męża, dostarczyła trzynaście karabinków, broń krótką, granatniki i nawet kilka strzelb myśliwskich. Amunicja była w skrzynce po bananach. Nowa, posegregowana w pudełkach. Obok rzędu kanistrów z paliwem leżały nie do końca napompowany ponton, liny z karabinkami oraz kilka kapoków ratunkowych. Załuska wiedziała, że nawet z arsenałem z zamrażarki Dziadka, który sprezentowała jej Warwara, broni nie wystarczy dla wszystkich, więc zawczasu ukryła swoją w schowku ze szmatami, za wiadrem i mopem. Kotwicę ułożyła obok steru, by zawsze była pod ręką.

Pod ścianą dostrzegła wędki Norina. Upchnęła je głębiej i wyszła na pokład, szczękając z zimna zębami. Za chwilę będzie świtać. Po wyjątkowo pięknej nocy szykował się magiczny poranek, bo bezkres spowijała mgła. Przypomniała sobie ostatnią rozmowę z Elżbietą. Spotkały się w Teremiskach, małej miejscowości położonej malowniczo w Puszczy Białowieskiej. Siostra poznała ją wtedy z Waldemarem, przykrywkowcem CBŚ. Sasza usłyszała o nim pierwszy raz podczas śledztwa w sprawie zabójstwa słynnego piosenkarza Janka Wiśniewskiego, które prowadziła, jak tylko wróciła do Polski. Waldemar przyjaźnił się kiedyś z Jesiotrem, czyli Jerzym Pawłowskim, na którego raporcie tak bardzo zależało Dziadkowi i Jelcynowi. Agent CBŚ nie znał oczywiście treści dokumentu, ale zapewniał, że jest kilka jego wersji i nawet sam autor nie pamięta już, która jest prawdziwa. Sasza rozumiała Jesiotra – czasem lepiej zapomnieć.

To wtedy upewniła się, że musi zdobyć trzecią część akt. I choć podejrzewała, gdzie ona jest, to nie miała odwagi o nią poprosić. Nie mogła, bo w ten sposób skazałaby córkę na śmierć. Ujawniłaby poza tym, że zna tajemnicę Toma, a nie miała pojęcia, jakie zrodziłoby to konsekwencje. Skąd mogła wiedzieć, kto jest nad nim. Ale dziś było jej już wszystko jedno. Myślała nad tym całą noc. Po wczorajszej wizycie Norina spotkała się z Jelcynem. Miał jej oczywiście za złe tak nieeleganckie zachowanie, jak strzał nabojem usypiającym w zad, ale był pragmatykiem i wiedział, że grają teraz do jednej bramki. Sasza zapewniła go, że wynagrodzi mu to upokorzenie, a on jej uwierzył.

Wcześniej nie zapowiadała się żadna współpraca. Odstawili Jelcyna pod opiekę Krzysztofa Zawiszy, który sam był uwięziony w areszcie domowym u swojego teścia. Ponoć odkąd Jelcyn się obudził, nie powiedział nawet słowa. Prawie nie jadł. Pił jedynie wodę i grał w pokera z Kolumbijczykami w internecie. Grabarz na bieżąco ją o wszystkim informował. Ten z kolei spędzał czas na studiowaniu dokumentów i pisaniu swojej książki. Bronisław Zawisza dostarczał mu cennych materiałów, licząc, że wykorzysta syna

Otta przeciwko ojcu i załatwi w ten sposób swój interes. Sasza wciąż jednak wierzyła w inteligencję Grabarza. Chciała, by to wszystko opublikował. Kiedy przygotowywała się do pierwszego spotkania z nim, przeczytała jego książkę. Niby nie krytykował nikogo, używał oszczędnie słów, ale w taki sposób, że miażdżył adwersarzy. Nie dziwiła się, że ma tyle procesów i nie wpuszczają go do mediów. Był kronikarzem rzeczywistości, nie zaś szeregowym reporterem. Na świecie byłby znany i uznany. Tutaj nikt go nie doceniał. Pewnie obraziłby się, gdyby mu to powiedziała. Miał kompleks swojego ojca, bardzo chciał mu coś udowodnić. To była jego słabość. I była jeszcze Matylda. W opinii Grabarza jedyny promień światła w jaskini. Wyidealizowana i postawiona na piedestał atrakcyjna młódka. Sasza była pewna, że dziewczyna sprzedała go od razu, jak tylko trafiła na przesłuchanie. Nikt nie musiał jej nawet grozić. Czytała raport jej werbunku:

Przeprowadziłem rozmowę z Mimi. Spotkanie miało miejsce w kawiarni. Jeszcze żaden KI nie wywarł na mnie tak złego wrażenia. Nie chodzi o wygląd zewnętrzny (to krótkonoga, cycata farbowana brunetka, w której nie ma nic naturalnego, bo wszystko wypełnia silikon), lecz o jej zachowanie i charakter. Cały czas mlaskała i oblizywała wargi, próbując mnie uwodzić. Zapewniała, że brzydzi się związku z Grabarzem i zdarzył się jej przez pomyłkę. Twierdziła, że nie ma nic wspólnego z działaniami Leszka G. Błagała, by jej nie aresztować. Zaczęła płakać. Chwaliła się prawicowym rodowodem: ojcem aparatczykiem i wujkami pomagającymi na plebanii w jej wsi. Nie zdążyłem zapytać, a już zeznawała przeciwko dziennikarzowi i radziła, aby posadzić go za kratki! Niewiarygodne.

Jaką szują musi być ktoś, kto zasłania się narzeczonym, by uchronić własne cztery litery (całkiem kształtne, przyznaję) oraz upiec przy tym jeszcze swoją pieczeń? Pod koniec rozmowy poprosiła, abym zapłacił za wypitą kawę, bo wciąż jest w „Tygodniku Naprzód" na wierszówce. Zapytała, czy nie da się nic na to poradzić, i zrobiła oczy kota ze *Shreka*. Wnioskuje się – zostawić Mimi w agencji i załatwić jej etat. Jej praca polegająca na inwigilacji środowisk mediowych przysłuży się bardzo obecnej władzy.

Sasza wiedziała dobrze, co zdarzyło się dalej. Mimi dostała parę złotych, upragnioną posadę i podpisała lojalkę. Szefowie byli zadowoleni z jej informacji. Załuska starała się nie oceniać postępków dziewczyny. Pamiętała, co sama zrobiła ze swoim życiem. Dopiero kiedy już zgromadziła cały bagaż doświadczeń, zrozumiała, co taka decyzja naprawdę oznacza.

Jak się okazało, Jelcyn z nikim nie rozmawiał, bo chciał, żeby Sasza wróciła do niego z kartą przetargową. Poza tym bawiło go, że bezskutecznie szukają go jego najlepsi agenci. Pewnie wyobrażał sobie, że jest co najmniej Agathą Christie, która ukryła się przed wiarołomnym mężem. W czasach Facebooka i Instagrama zniknięcie ludziom z oczu jest o wiele trudniejsze. Tej nocy rozmawiali krótko. Kiedy wręczyła mu oryginał TW Calineczki, obiecał, że udzieli wywiadu Leszkowi, a jej pozwoli odejść. W każdym razie takie warunki mu postawiła. Zgodził się na odegranie tej małej farsy, bo miała dla niego jeszcze trzecią część raportu Jesiotra. Już wiedziała, kto jest w jej posiadaniu, a Jelcyn ją w tym upewnił. Zależało mu tylko, by rozpętała piekło, by kiedy ona będzie wyjeżdżać, cała Polska żyła aferą czerwonej pajęczyny. Prosiła o wyjaśnienia w sprawie Łukasza, Eli i Dziadka, ale Jelcyn nabrał wody w usta, znów zaczął nazywać ją Kopciuchem. Pozwolił jej jednak działać. To było więcej niż zgoda.

Sasza wróciła więc na łódkę i dotąd studiowała analizę kryminalistyczną prokuratora, aż rozbolała ją głowa. Była już absolutnie pewna, że nigdy nie dowie się, kto pociąga w tym wszystkim za sznurki, tak jak nie rozwikła wszelkich niewykrytych spraw kryminalnych, w które zamieszane są służby. Pojęła to, dopiero kiedy wczoraj zadzwonił Jekyll, by poinformować ją, że Tom jest w Polsce i chce się z nią zobaczyć. Sprawdziła. Nikt o nazwisku Abrams nie przyleciał ostatnio do Polski ani nie odleciał z kraju. Liczyła wprawdzie, że uda się jej odbić dziecko bez uciekania się do metod siłowych, ale była już tak zdeterminowana, że jeśli musiałaby zabić, pewnie by to zrobiła. Nie wiedziała, czy w sytuacji krytycznej zdobędzie się na naciśnięcie spustu. A gdyby ofiarą miała być bliska jej osoba, jak choćby Tom? Uznała jednak, że skoro tego od niej oczekują, powinna rozkaz wykonać. Niepokoje i rozterki moralne minęły. Czasem tak jest, że człowiek przez długie lata obawia się czegoś, a potem znienacka zdaje sobie sprawę, że strach gdzieś uleciał. I że nigdy nie było się czego bać. Właściwie nie miała nawet do Toma żalu. Robił to, co zawsze.

– Każdy powinien myśleć najpierw o sobie. – Zawsze jej to powtarzał. – To gwarantuje spokój ducha. Nic i nikt cię wtedy nie dotknie.

Jakże się mylił. Tylko wtedy, kiedy potrafisz cierpieć, martwić się, troszczyć lub bać o kogoś bliskiego, możesz powiedzieć, że naprawdę żyjesz. Myślenie o innych w pierwszej kolejności nadaje twojej egzystencji sens. Życie tylko dla siebie, spełnianie swoich zachcianek to pustka, schodzenie w głąb, bezkresny mrok. Śmierć emocjonalna. Nicość. Nikt, kto nie doświadczył prawdziwej miłości, uczucia nie za coś, lecz wbrew czemuś, tego nie zrozumie. Tom nigdy nikogo nie kochał. Tyle lat wierzyła, że było inaczej. Spojrzała na zegarek. Do zbiórki zostały jej jeszcze dwie godziny. Nie zmrużyła tej nocy oka, ale teraz tym bardziej nie wolno jej było zasnąć. Postanowiła zejść na ląd i przespacerować się, by rozprostować kości. Zamknęła łódkę.

Sama nie wiedziała, jak trafiła na małą uliczkę Jana z Kolna pod hotelem z neonem Blick. Zastanawiała się tylko chwilę, a potem ruszyła do recepcji, by odebrać wiadomość, którą zostawił jej Tom.

– Pani nazwisko? – spytała dziewczyna w uniformie.

– Werner – odparła Sasza bez wahania. – Małgorzata.

Na ladzie pojawiła się nieduża koperta. Załuska wzięła ją do ręki. Wewnątrz, zamiast listu, znajdował się klucz.

– Winda jest tam – usłyszała. – Piętro drugie. Ostatnie drzwi. Z widokiem na komendę policji.

– Wspaniale – mruknęła. – Nareszcie będę bezpieczna.

Bakelitowy telefon zatrząsł się, zanim rozległ się dzwonek. Mężczyźni zgromadzeni w gabinecie ministra odwrócili głowy. Sekretarz podszedł do biurka, odebrał. Słuchał chwilę, a potem wrócił i szepnął coś szefowi na ucho.

– Panowie, proszę o pięć minut przerwy.

Odłożyli swoje dokumenty i potulnie wyszli. Dopiero wtedy minister podniósł słuchawkę. Odchrząknął, ale wciąż milczał.

– Ma prawie komplet – padł meldunek.

– Czego brakuje?

– Listy polityków. Trzeciej części.

– To najważniejsze. Spotkała się już z Wilmorem?

– Jest w trakcie.

– Szykuj obławę.

– Z przytupem?

– Średni poziom do małego. Dopiero kiedy odbierze wszystko i wróci do Bronka. Jelcyn dobrze zagrał?

– Bardzo. Chociaż jest na nią cięty, bo dostał kartacza ze śpiochem w dupę.

– Będą się z niego nabijać przez lata. Trudno, mógł wyjść po dobroci i nie chojraczyć. Czyli wszystko pod kontrolą?

– Tak mi się wydaje. Wypuszczamy dziecko?

– Jeszcze nie – zaprotestował minister. – Niech sama się postara.

– Pomagamy?

– W żadnym razie. Nawet wręcz przeciwnie. Jeśli zginie w trakcie, jeszcze lepiej.

– Ale utylizacja aktualna?

– Gdy poczuje się bezpieczna. Nie ma niczego w zanadrzu?

– Zdjęcia wypłynęły, ale poza Rupnikiem panujemy nad sytuacją. Niektórzy będą bulić.

– To ich sprawa – uciął rozbawiony minister. – Czekam na wieści.

– Tak jest.

– Panie MauMau?

– Tak, szefie.

– Dobrze się pan spisał. Doceniam. Ale jest jeszcze jedna kwestia. Nie najgorzej by było, gdyby szanowny pan Kurczak zginął. Najlepiej w porachunkach mafijnych. Media miałyby o czym trąbić. Nikt nie zauważy wtedy cichej śmierci jakiegoś angielskiego psychologa.

– Tak będzie, szefie.

– Albo jeszcze lepiej – minister wyraźnie popuścił wodze fantazji – żeby ona to zrobiła.

– Kurczaka czy Wilmora?

– Niech zabije swojego mistrza, a jej przybijemy łatkę szpiega CIA. Wrzucisz to potem śledczym. Niech szukają połączeń. Jeśli nawet wyjedzie, łatwiej będzie ją skasować. Nikt po niej nie zapłacze.

– Będzie ciężko. Odmówiła już kilka razy.

– Przecież nie mówię, że ona ma to zrobić. Wyślij swoje komando. I nastaw prawidłowo do tego śledztwa naszego przyjaciela w komendzie.

– On już jest na tropie.

– Świetnie. Potrzebujemy takich ludzi jak wy, pułkowniku Kwiatkowski. Gotowych na wszystko, ambitnych i konsekwentnych. Nie zapomnimy tego, kiedy będziemy przyznawać stanowiska w nowym rozdaniu. Romek już się zestarzał. Tak dać się podejść jakiejś jednorękiej babie.

– To nie do końca tak. Trochę wymknęło się to spod kontroli.

– Właśnie o tym mówię. Jakoś panu nic się nie wymyka.

– Dziękuję, panie ministrze.

– Następnym razem dzwoń pan na mój prywatny numer. Sekretarz zaraz go poda.

– Dziękuję za zaufanie.

– I dyskrecja. To absolutna konieczność.

– Jesteś sam? – upewnił się Wadim, zamykając kokpit i rozglądając się wokoło, czy nikt ich nie widział.

– Nie, mam nową dziewczynę – odburknął Duch i pochylił głowę, by zmieścić swoje metr dziewięćdziesiąt pod pokładem zawalonej bronią łupiny.

Na samą myśl o tym, że spędzi w tej pułapce jeszcze godzinę, dostawał gęsiej skórki.

– A obława?

– Masz dyspensę. Pod warunkiem, że nie będzie przypału.

Zapadła ciemność. Duch oświetlił wnętrze telefonem i znalazł sobie wolny kawałek miejsca, by zwinąć się w kłębek i czekać.

Od wczoraj ustalenia się zmieniły. Wadim zadzwonił siedem minut po dziewiętnastej, a o dwudziestej pierwszej spotkali się w porcie. Łódź stała już na lawecie, zamknięta i gotowa do transportu. Okazało się, że „Czerwony Pająk" nie znajduje się wcale na morzu, lecz w hangarze zakładu przetwórstwa rybnego FishWorld. I to właśnie tam, do magazynu w Kamieniu Pomorskim wypełnionego po brzegi konserwami rybnymi oraz wędzonym łososiem, pojedzie dziś połowa trójmiejskiego półświatka, by odbić córkę Saszy. Ona sama nie zamierzała uczestniczyć w akcji. Tego Robert dowiedział się przed chwilą. Był oczywiście wściekły, ale nie dał po sobie niczego poznać. Liczył nie tyle, że ją zatrzyma, ile że będzie miał w końcu okazję się z nią rozmówić. Poza tym tak naprawdę się niepokoił. Tylko męska duma nie pozwalała mu się do tego przyznać. Nic więc nie powiedział i niczego nie zmienił w ustaleniach. W myślach słyszał już utyskiwania Jekylla, za którego drętwym dowcipem zaczynał tęsknić. Zachowali status „oficjalno-służbowy", ale starali się nie mijać na korytarzach, wszelkie sprawy załatwiając przez asystentkę Ducha lub innych pracowników komendy.

– Wszystko jest płynne z tymi ustaleniami. Usta lenia, usta pracusia – rzekłby teraz zapewne wkurzony Jekyll i nakazałby Robertowi nie bawić się w Jacka Reachera. – A może jeszcze coś nowego? Bo na stare lata widzę, że wciąż mało ci przygód. Może jeszcze bul wary?

– Chodźmy za palmy – odrzekłby Duch.

A Jekyll machnąłby ręką i dodał:

– A może jeszcze na pijmy.

Pierwszą i jedyną osobą, do której Duch zadzwonił po telefonie od Wadima, był właśnie Jekyll. Kwękał przez pół godziny, mendził i narzekał, ale pomocy nie odmówił. Komendant miał nawet wrażenie, że cieszy się z rozejmu. Uzgodnili nowy plan i zdecydowali, że trzeba zrobić wszystko, by wprowadzić w błąd nowego przyjaciela Ducha. Agent Kwiatkowski wściubiał nos we wszystkie ważniejsze sprawy komendy, a to śmierdziało na odległość. Robert wiedział, że cokolwiek zdarzy się dzisiejszej nocy, rano będzie miał swój pierwszy zasłużony sukces komendanta. Byleby tylko nie dać się zastrzelić, bo sądząc po arsenale, w którym obecnie przebywał, szykowała się ostra jatka. Jedynie Claudine mogła zniweczyć jego plany. Byli dziś umówieni na kolację, na którą on nalegał, więc kiedy pod pretekstem spotkania z dziećmi odwołał randkę, nie kryła zawodu i natychmiast zaczęła coś podejrzewać. Zbył ją klasycznym fochem i karczemną sceną zazdrości, a potem obiecał poprawę. Liczył, że zakochana kobieta złapie się na ten najstarszy podstęp świata. Zawsze działał, kiedy szedł z kolegami na wódkę. Potem zamierzał jej wszystko wyjaśnić. Jeśli dowie się w końcu, o co idzie ta gra. I czy Klaudia warta jest jego zaufania.

Od dawna nie czuł się tak wspaniale. Jakby urwał się ze smyczy. Nie dźwigał ciężaru odpowiedzialności. Znów buzowała mu w żyłach adrenalina i wreszcie robił, co chciał, bez opowiadania się wszystkim naokoło, dlaczego podjął taką decyzję oraz gdzie będzie za siedem minut. Minut? Mój Boże, pewnie i za siedem godzin nikt nie będzie wiedział, gdzie jest szef. Jekyll jednak ogarnie wszystkie pożary, zatka usta niedowiarkom. Formalnie, a jeśli trzeba, i całkiem niezgodnie z procedurą, skieruje uwagę Wielkiego Brata na zupełnie inne sprawy, by Duch miał czas przeprowadzić ich osobistą akcję „Czerwony Pająk".

Siedział teraz w ciemnościach, czuł, jak cierpną mu kolana, i martwił się tylko, czy szef antyterrorystów wykona zadanie, kiedy otrzyma od niego znak, czy może ktoś z góry znów okaże się szybszy i odwoła jego rozkazy.

Powinien był dokonać tego sabotażu już dawno temu. Na początku sprawy z Saszą, jeszcze wiosną, kiedy uprowadzono Karolinę, wszystko to wydawało się nadzwyczaj dziwne. Fakt, zaślepiała go złość na kobietę, że go tak nagle odtrąciła dla tego chłystka Polaka. Dziś wcale nie był o niego zazdrosny. Wychodzi na to, że Łukasz również służył jedynie jako narzędzie w rękach służb. Owszem, Robert był też gotów przyznać, że popełnił kilka błędów. Kilku rzeczy żałował. Ale nie wszystko by zmienił, gdyby dano mu szansę przeżycia tego czasu kolejny raz. Potem znienacka w jego życiu zjawiła się Klaudia. Ten związek jeszcze bardziej zaciemnił mu obraz sytuacji. To dlatego nie słuchał Jekylla. Trudno mu było uwierzyć, że przyjaciel ma rację. Godziło to przecież w jego męski honor, poczucie własnej wartości i zwykłą ludzką godność. Ale kiedy padały nowe trupy, śledztwo skręcało zawsze w kierunku braku udziału osób trzecich, a w historii Załuskiej na jaw wychodziły coraz to nowe okoliczności, zrozumiał wreszcie, że ktoś nim manipuluje. Wściekło go to maksymalnie. Miał dosyć tego wodzenia za nos.

Łódką szarpnęło. Rozległy się ściszone głosy. Z miejsca, w którym przebywał, trudno mu było rozpoznać krzątających się ludzi. Odpuścił. Nawet nie próbował ich identyfikować. Miał ochotę zapalić, ale biorąc pod uwagę ilość amunicji, między którą przebywał, byłoby to zbyt ryzykowne. Zresztą o wiele bardziej chciało mu się sikać.

Jechali chyba ze trzy godziny. Duch w tym czasie prawie przysnął i zżółkł od zaciskania kolan. Nie mógł się doczekać, kiedy wreszcie dojadą i będzie mógł się odlać. To było jego największe marzenie. Lawetą znów szarpnęło i w końcu się zatrzymali. Usłyszał szwargotaninę, odgłos ściągania łodzi z podnośnika, a potem zasunęły się metalowe drzwi i zapadła cisza. Wyjął komórkę, zlokalizował miejsce swojego pobytu i zaniemówił. Nic się nie zgadzało. Zamiast Kamienia Pomorskiego, ulicy Rybaków, siedziby fabryki konserw, gdzie wysłał cały szwadron „czarnych", znajdował się znów w Gdyni, na ulicy Kontenerowej. Bardzo oryginalnie, pomyślał, po czym zawiadomił o tym Jekylla. Zaraz też otrzymał odpowiedź: „A to skurwysyny". To go uspokoiło, wiedział, że Jekyll ściągnie antyterrorystów z powrotem.

Musi jedynie nie dać się zabić przez godzinę lub dwie. Duch wychylił się z kokpitu i wydostał na zewnątrz. Z lubością rozprostował kości.

Hangar zastawiony był kontenerami sygnowanymi logotypem FishWorld. Na niektórych z nich czerwonym tuszem przybito pieczątki z emblematem pająka. Część była już otwarta i opróżniona. Robert pochylił się i zebrał na czubek noża kilka drobinek białego proszku. Roztarł je palcem, dotknął językiem. Natychmiast wyjął komórkę i napisał Jekyllowi następną krótką wiadomość: „Jest proch. Pośpieszcie się". Pod ścianą stały metalowe stoły z ustawionymi w rzędzie precyzyjnymi wagami. Robert przełknął ślinę z podniecenia i schował się między ogromne metalowe pudła, by sobie w końcu ulżyć. Włożył do ucha słuchawkę i włączył podsłuch. Wadim strasznie się trząsł, kiedy się dowiedział, że ma dziś chodzić z mikrofonem. Duchnowski obiecał mu, że włączą sprzęt dopiero w Kamieniu. Nacisnął teraz „on", poprawił, ale tak jak się spodziewał, odpowiedziała mu idealna cisza. Rozłączył, ponowił próbę. To samo.

Załatwię cię, pomyślał Robert i pomacał swojego glocka za paskiem. Rozejrzał się. Przeszedł po hali. Nie było tu nikogo. Zapalił więc i wydał rozkaz szefowi AT, by atakowali, jak tylko dojadą. Nie zdołał odczytać odpowiedzi, bo kiedy gasił peta o ubitą ziemię i chował go do kieszeni, drzwi zaczęły się rozsuwać. Wcisnął się między kontenery i nasłuchiwał.

– Pewnie piesek już wyszedł z budy – usłyszał znajomy głos.

Podniósł komórkę, wysunął ją delikatnie w kierunku wejścia. Miał w niej wklejone niewielkie lusterko. Wtedy zrozumiał: to była wystawka. Ku niemu szedł pułkownik Kwiatkowski w obstawie kilkunastu karków, między innymi

Wadima i Tamagociego. W jednym z bandziorów, o wychudzonej fizjonomii i zakrzywionym haczykowatym nosie, Robert rozpoznał skruszonego gangstera Eugeniusza Jeremusa, pseudonim Bułka. Gangster prowadził pod pachę staruszka o dobrotliwej twarzy. Stanisław Ejchert, pseudonim Dyżurny, najbardziej zaufany człowiek Kurczaka, miał na sobie polar z emblematem FishWorld. Nie wyglądał na jeńca. Raczej na dobrego znajomego MauMau oraz jego kompanów. Widać było, że traktują go z respektem, jak ojca chrzestnego w opowieści Maria Puzo.

– Jeszcze nie – rzekł staruszek.

Brygada się rozstąpiła. Czekali na dalsze komendy, ale z ust Dyżurnego więcej żadne słowo nie padło. Teraz Robert wreszcie zrozumiał, dlaczego Bułka oszczędził Ejcherta w swoich zeznaniach na równi z Jelcynem, jak to się stało, że Kurczak poszedł siedzieć na całe lata, ale jednak przeżył, a Dyżurny jest dziś potentatem łososia. Podeszli wprost do Ducha.

– Nie było sensu się ukrywać – rzucił MauMau. – Cierpieć niewygody. Jeśli chciałeś jechać z nami, trzeba było powiedzieć. Prezes zawsze miał do ciebie szacunek.

– Ty gnido – zdołał wydusić Duch. I splunął pod nogi. – Dla kogo ty właściwie pracujesz? Dla mafii?

MauMau nie wydawał się urażony. Podszedł do Roberta i dotknął go czule. Duchnowski natychmiast odskoczył, jakby ktoś go poraził prądem.

– Ty durniu. – Kwiatkowski się zaśmiał. – Minister dziś wieczorem otrzyma stosowny raport. Możesz pożegnać się ze stanowiskiem i z dziewczyną też, bo zapewniam cię, że o ile z prostym gliniarzem, z miłości, może by i została, o tyle na pewno skorumpowanego gliniarza nie zechce, uwierz. Szef nie pozwoli jej na takie kontakty – dodał nie bez satysfakcji. – Ale miło, że wpadłeś, bo mamy dla ciebie zadanie.

Robert go nie słuchał.

– Gdzie jest dziecko?

– Jakie dziecko? – MauMau odwrócił się skonfundowany. Chciał coś jeszcze dodać, ale dobrotliwy staruszek już skinął ręką, jakby udzielał głosu następnej osobie. Wtedy z drugiego rzędu wystąpiła kobieta. Krępa, wygimnastykowana. Miała na głowie czapkę z daszkiem. Koński ogon sięgał jej do pasa. Ubrana była w żeglarski strój z plakietkami wygranych regat, jakby dopiero co zeszła z pokładu statku.

– Był rozkaz ją uwolnić. Tak zrobiliśmy. Teraz jest pod opieką Pochłaniacza. On ją holuje do kraju. To już nie jest sprawa wagi państwowej, ale zwykła hucpa. Okup weźmie sam od Załuskiej. Jeśli się dogadają.

Duch myślał gorączkowo.

– Kim pani jest? – odezwał się, by zyskać na czasie.

Wśród mężczyzn rozległ się szmer niezadowolenia. Ktoś zarechotał grubiańsko. Ale MauMau ich uciszył.

– To nasza królowa północy. Eva Piekuta Rodriguez Sanchez. Nie wiem, czy pamiętasz słynne zniknięcie kapitana ze szkoleniowego rejsu „Daru Młodzieży".

– To byłam ja – oświadczyła z dumą kobieta. – Zmieniłam wtedy branżę na lepiej płatną.

– Sandra Jaskólska pomogła jej zniknąć – kontynuował tymczasem MauMau. – Już się poznaliście. Jak widać, lepiej radzi sobie z przesłuchaniami niż ty z komodorową Stokłosą. Choć trzeba przyznać, że wyszedłeś na zdjęciach do filmu pięknie. Koledzy mi zazdrościli.

Teraz przed szereg wystąpiła piękna dziewczyna w płaszczu i berecie. Za nią stał nieduży mężczyzna w pepegach, o wyglądzie skrzata. Na czubku nosa miał okulary połówki.

– Z pułkownikiem Biskupskim. Remontnikiem. Naszym dźwiękowcem.

Błysnęło ostrze.

– To nasze małe komando – zaśmiał się MauMau. – Państwowe.

Kobieta kapitan spojrzała na Dyżurnego. Skinął jej głową, więc wydała rozkaz swoim ludziom:

– Zdejmijcie go. Za chwilę przeładowujemy transport. Nie mam czasu na bzdety.

Duch położył broń na ziemi, podniósł ręce do góry i zwrócił się do niej, ignorując zupełnie pozostałych:

– Nie ma takiej potrzeby. Poddaję się. Możesz mnie zabić, ale najpierw chcę pogadać. Zawsze chciałem być piratem.

Patrzyła na niego z politowaniem.

– Związać go.

W tym momencie usłyszeli ryk syren. Z megafonu padły polecenia odłożenia broni.

– Jesteście otoczeni – usłyszeli niski głos, który wydobywał się gdzieś z rogu hangaru.

Groźba nie zabrzmiała wiarygodnie, bo wygłoszona została bardzo słabą polszczyzną i bez agresji. A potem na środek wyszedł pulchny jegomość w kraciastym kaszkiecie i wełnianej parce à la Sherlock Holmes. Mężczyzna miał w ręku plik dokumentów, które trzymał wysoko nad sobą.

– MauMau, jeśli coś mi się stanie, to będzie opublikowane. – Przeszedł na angielski. – Zadzwoń, proszę, do swojego przyjaciela ministra. Premier będzie z ciebie kiedyś dumny. Dzień dobry, Staszku. Kopę lat.

Ale jeden z karków – Duch rozpoznał Tamagocziego, który słynął z naciskania spustu bez pomyślunku – musiał spanikować, a może po prostu nie znał angielskiego, bo wycelował i strzelił Anglikowi w ramię. Tom krzyknął, pochylił

738

się do przodu. Duch schwycił mężczyznę, zanim ten runął na ziemię. Kątem oka dostrzegł ciemnoskórą kobietę w czarnym kombinezonie AT, która trzymając przepisowo mały karabinek, prowadziła niewielki oddział. W pierwszym rzędzie Duch bez trudu rozpoznał Jekylla. Zanim Tamagoczi znów strzelił, na grzbiet wskoczył mu Kurczak. Po chwili w magazynie zaroiło się od umięśnionych mężczyzn uzbrojonych po zęby. Duch odciągnął Abramsa za metalową barierę z kontenerów z rybami. Nagle poczuł ukłucie i gorąco w okolicy podbrzusza. Wiedział, że został trafiony, zanim pojawił się ból. Nie krzyknął, nie wydał nawet głośnego stęknięcia. Obraz powoli zachodził mgłą, głos się zwielokrotniał, zlewał w jednostajny szum. Robert patrzył na biegających ludzi, na padające ciała i w końcu zaczął wszystko rozumieć, jakby doznawał przedśmiertnej iluminacji. Zanim stracił przytomność, wyjął z kieszeni różowy telefon i nacisnął zieloną słuchawkę. Pomyślał, że to będzie wielki wstyd, kiedy znajdą jego trupa w gronie mafiosów oraz skorumpowanych przedstawicieli służb, i właściwie ciekawiło go tylko, jak będzie wyglądało jego kompromitujące dossier w komputerze Krygera.

Lista nazwisk leżała na stole, jakby to było hotelowe menu. Tom nie trudził się, by zapakować ją w kopertę, pieczętować ani jakoś specjalnie oznaczać. Nie wiadomo, jak długo tutaj leżała, każda sprzątaczka, która wchodziła do pokoju pod nieobecność psychologa, mogła sobie przeczytać najcenniejszą część raportu Jesiotra, której poszukiwały wszystkie polskie służby. Ale też trzeba przyznać, że słynny materiał nacisku nie wyglądał poważnie. Był przybrudzony, pofałdowany, jakby ktoś go kiedyś zalał i wysuszył. Wiedziała od Norina, że choćby w trakcie jego spotkania z Jesiotrem dokument wchłonął sporą ilość stolicznej.

Obok stał czarny wodoodporny mac Abramsa i talerz z niedojedzonym śniadaniem, a pod biurkiem upchnięto walizkę z ubraniami. Była otwarta i panował w niej jak zwykle pedantyczny porządek. Rzeczy ułożono w kostkę według znanego tylko Abramsowi systemu. Sasza dostrzegła znajomą tweedową marynarkę ze skórzanymi łatami, w której przyjął ją pierwszego dnia, kiedy przyszła do Instytutu Psychologii Śledczej w Huddersfield, by zapisać się na jego zajęcia. A także piżamę w pingwiny i okropny fioletowy sweter w romby, który Tom odkupił kiedyś z sentymentu od polskiego hydraulika. Samego Abramsa jednak nie było. Sasza rozpięła sztormiak, ściągnęła kamizelkę i zaczęła przeglądać zapiski Toma w notesie. Było tam kilka analiz nieznanych sprawców, nad którymi aktualnie psycholog pracował, jego złote myśli i nieudolne wiersze, których nigdy nikomu, poza nią, nie pokazywał. Uśmiechnęła się i odłożyła notes na stolik. Nawet nie starała się ukryć, że go otwierała. Z zeszytu wysunął się karteluszek złożony na czworo i zapisany ciągiem cyfr. Była to wydarta z gazety strona z nekrologami. Sasza spojrzała na stopkę: „Dziennik Bałtycki". Rozprostowała papier. Domyśliła się, że to zaproszenie na jej własny pogrzeb:

Lecz ona trzyma w dłoni
tylko jeden okruch
uchroniła go uniosła
biegnąc
przez ogień i wodę.

T. Różewicz, z tomu *Niepokój*

Z głębokim żalem zawiadamiamy,
że 17 listopada 2016 r.
odeszła nasza kochana Żona, Mama i Babcia
ś.p. Aleksandra Załuska.
Pogrzeb odbędzie się 27 listopada o godzinie 8.00
w Gdyni, na cmentarzu na Kolibkach
Pogrążona w smutku Rodzina

Tuż obok jej nekrologu znajdowała się ramka z napisem: „Są lepsze sposoby, by Twoje nazwisko znalazło się w gazecie. Przekraczanie prędkości nie jest jedną z nich – Komenda Główna Policji, Biuro Ruchu Drogowego".

Wyjrzała przez okno i uśmiechnęła się ze smutkiem. A więc to Łukasz wezwał Toma. Kolejny raz próbował ją ratować. To dlatego przekazał Jekyllowi kod z Egonem Schielem. Od lat używali między sobą tej frazy, by ustalać spotkania na stronie z nekrologami. Nie znalazła odpowiedzi Toma, który z pewnością w następnym numerze gazety zamieścił inny nekrolog o podobnej treści. Dowie się tego dopiero od niego samego. Na razie miała tylko wiele niewiadomych. Czy doszło do ich spotkania na Kolibkach? Kto rozpracował Łukasza? Dla kogo kluczem jest adres na Stolarskiej 21? Co z willą w Rewie? Czy wreszcie ma z tym związek właściciel auta, które stało pod jej oknami, a którego numery Jekyll dał jej i Łukaszowi? Oboje wiedzieli, kim naprawdę jest Wojciech Kłyś, dawniej Pochłaniacz. Może dlatego Polak zapłacił najwyższą cenę za tę wiedzę. Zaryzykował, choć wiedział, że drugi raz mu nie darują, gdy pozwoli się jej wymknąć. Poczuła pieczenie pod powiekami i pozwoliła sobie na milczący płacz. Nie mogła zrobić nic więcej poza ciepłym wspomnieniem i słowami podziękowania. Bezgłośnie szeptała, by chronił je, gdziekolwiek teraz przebywa – na górze czy też na dole.

– Wybacz mi. – Skłoniła głowę. A potem, ku swojemu zdziwieniu, przeżegnała się. Pierwszy raz od lat. Odkąd była dzieckiem, nigdy nie zwracała się o pomoc do Boga. – Przebacz mi moje winy. I pozwól mu odejść w spokoju.

Komenda faktycznie znajdowała się naprzeciwko, co wcale nie budowało u Saszy większego poczucia bezpieczeństwa. Przeciwnie. Wpatrywała się tępo w spowity mgłą budynek po drugiej stronie ulicy i aż podskoczyła, kiedy rozległo się pukanie do drzwi.

Nie wzięła ze sobą broni, a podejrzewała, że Tom też jej nie ma, więc siedziała cicho, udając nieobecną. Zachrobotało w zamku, do pokoju zajrzała sprzątaczka. Sasza pokręciła głową. Drzwi się zamknęły. Sasza natychmiast zasunęła zasuwkę. Wtedy zadzwonił telefon.

– Sasza? – usłyszała w słuchawce głos profesora. Ciężko sapał.

– Tom!

Kobieta aż usiadła z wrażenia. Nie zdawała sobie sprawy, jak bardzo ucieszy się, słysząc jego głos w słuchawce. Chciała powiedzieć coś miłego, ale Abrams nie dał jej dojść do słowa.

– Karoliny nie ma na „Czerwonym Pająku". To podpucha. Chcą cię zgarnąć razem z bandytami i oskarżyć, o co się da. Musisz uważać. Ten hotel jest bezpieczny. Prowadzi go mój znajomy. Całe lata siedział w Anglii. Wrócił, rozkręcił biznes. Zawsze dostaję ten pokój. Zrobią z nami to, co z Dziadkiem, Łukaszem i twoją siostrą, jeśli im pozwolimy.

Sasza słuchała uważnie każdego słowa Toma. Starała się odczytać w jego głosie nastrój, doszukiwała się fałszu, ukrytej strategii. Nie dostrzegała niczego. I znów łapała się na tym, że jak zwykle mu ufa. Jak kiedyś. Ale to było niebezpieczne. Musiała go przetestować. Nawet jeśli profesor zorientuje się w jej intencjach.

– Gdzie jesteś? – przerwała mu brutalnie.

– W ministerstwie – odparł bez namysłu. Usłyszała pogłos. – Załatwiam nam helikopter.

– Z kim?

– Z najważniejszym. Liczę, że go przekonam. Masz wszystko?

– Tylko kopie. Oryginały umieściłam w kilku miejscach. I wrzuciłam do sieci.

– Bardzo dobrze. To zaufane miejsca?

– Tak myślę.

– Podobno masz komplet. Z moją listą, rzecz jasna. Leży na stole. Czytałaś?

Sasza podniosła plik kartek.

– Dlaczego tak to zostawiłeś?

Odpowiedziało jej milczenie.

– Wszystko ci wytłumaczę. Teraz słuchaj. Kupiłem bilety na prom. No wiesz, słynna pływająca dyskoteka do Sztokholmu. Karolina tam będzie. Załatw jakieś ciuchy niezwracające uwagi. Żadnych sportowych bluz, skórzanych kurtek, bo będziesz się za bardzo wyróżniać. Najlepiej złota suknia z trenem albo czerwone mini. Masz ładne nogi. Przydadzą się, bo musimy zdobyć jakoś kartę do pokoju Karo. Facet, który jej pilnuje, ponoć nie odpuszcza żadnej. Mamy zielone światło, ale musisz to zrobić sama. Zwie się Wojciech Kłyś. Pseudo Pochłaniacz. Obecnie Horacy.

– Znam go – wyszeptała Sasza. Spojrzała na swoją dłoń. – Niedawno nawet miałam z nim nieprzyjemność.

– Świetnie – ucieszył się Abrams. – To połowa sukcesu. Rozpoznasz go?

– Nawet w piekle. Choć przyznaję, że od dawnych czasów bardzo się zmienił.

– Sprzątaczka miała przynieść ci bilety.

– Właśnie ją odesłałam.

– To wezwij ją jeszcze raz. I weź mój smoking. Reszta niech zostanie. Właściciel hotelu mi to przechowa. Odpływamy wieczorem. Nie wychodź.

– To jak mam znaleźć ubranie? I co z papierami?

– Tym się nie martw. Wszystko załatwimy zdalnie. Ja tutaj trochę posprzątałem. Sukienkę zorganizuj. To ważne, Sasza. A teraz zdrzemnij się, zjedz coś. Mają tam niezłe de volaille i sałatkę grecką oraz żurek.

Uśmiechnęła się.

– Dobrze, że jesteś – powiedziała.

Zamilkł na chwilę, a potem się roześmiał.

– Nic się nie martw. Przeżyjemy i to. Leszek cię odbierze. Mamy jeszcze jedną sprawę do załatwienia przed odbiciem Karo.

Odłożył słuchawkę.

Kolejka do kontroli bezpieczeństwa sięgała szczytu schodów. Sasza z Grabarzem ustawili się grzecznie na końcu. Leszek unikał spojrzeń kolegów z branży, zasłaniając się przedpotopową kamerą. W aucie doszło między nimi do karczemnej awantury, podczas której on milczał, a Sasza pokrzykiwała, że to najdurniejszy pomysł pod słońcem. Kamera była niesprawna. Podobnie jak zestaw przypadkowych kabelków i wielki mikrofon z gąbką przytwierdzone do starego radia, które Leszek zawiesił jej na ramieniu jak wizytową torebkę. Załuska z trudem zachowywała spokój. Nieustannie poprawiała włosy, by zasłaniały tandetną plakietkę z wielkim napisem: „Małgorzata Werner PRASA", ale gdy tylko napotkała łakomy wzrok ochroniarza, który pilnował porządku przy wejściu, wysunęła swój fałszywy identyfikator i uśmiechnęła się promiennie, jakby całe życie marzyła o spotkaniu książęcej pary. Jeszcze rano była przekonana, że fortel się nie uda i wylecą z kolejki szybciej, niż dotarli z Gdyni do Teatru Wielkiego w Gdańsku. Ich nazwiska nie widniały na liście akredytowanych dziennikarzy, a okazja była wyjątkowa. Księżna Kate i książę William pierwszy raz odwiedzili Polskę. Wczoraj byli w Warszawie, spacerowali po Łazienkach, dziś mieli obejrzeć spektakl inspirowany twórczością Szekspira i jeszcze tego samego wieczoru ruszyć do Anglii.

– On na ciebie leci – szepnął Saszy do ucha Leszek.

Kobieta w odpowiedzi pacnęła dziennikarza pod ramię, aż kamera zachybotała się niebezpiecznie.

– I wcale mu się nie dziwię. Wypindrzyłaś się nie do poznania.

– To wysiłek całego sztabu profesjonalistek – mruknęła.

– W zamian mam przynieść im zdjęcie z księciem, uwierzysz?

– To może się nie udać.

– Wiem. – Pokiwała głową. – Nie takie rzeczy już obiecywałam.

– I weź tu uwierz kobiecie – wymruczał znów Grabarz.

– Powiedz lepiej, jaki masz plan. Bo umieram ze strachu.

– Będzie dobrze. Wchodzimy na bezczela.

– Już rozumiem, dlaczego nie masz roboty.

Przed nimi zostały już tylko trzy wyelegantowane pary. Mimo zakazu wkładania kapeluszy i wyraźnych instrukcji, że odzież gości ma spełniać wymogi *day dress*, większość trójmiejskich oficjeli wystrojona była jak na wieczorną galę. Sasza w swojej zielonej sukience i pożyczonej etoli ze strzyżonych norek wyglądała przy nich jak Kopciuszek, ale za to w najlepszym tego słowa znaczeniu, jak przeistoczona przez wróżkę dziewczyna, która wbiegła spóźniona do sali balowej, robiąc piorunujące wrażenie na księciu. Dwie osoby. Za chwilę szafot, pomyślała profilerka i rozejrzała się wokoło. Złapała kilka męskich spojrzeń i, co gorsza, sprawiło jej to przyjemność. Wypięła pierś, ustawiła równo nogi. Na szczęście te obcasy nie były zbyt wysokie. Musiała się tylko pilnować, by nie zaczepiać o dywany.

– Małgorzata Werner. Nie podała pani numeru ID – usłyszała za plecami głos Jekylla.

Odwróciła się strachliwie i cofnęła odruchowo. Gdyby Leszek jej nie asekurował, runęłaby jak długa. Kable obsunęły się i ujawniły pordzewiałe zakończenia gniazdek. Grabarz złapał je i chwycił Załuską pod ramię. Jekyll tymczasem podał jej kolorową teczkę w pingwiny.

– To chyba pani – rzekł z arcypoważną miną.

Poprawił uniform.

– Ci państwo pójdą ze mną – zwrócił się do ochroniarzy zasapany grubas w przyciasnym garniturze koloru brudnego błękitu, który mógłby pamiętać chyba jeszcze czasy Sherlocka Holmesa, gdyby nie krótkofalówka przytwierdzona do wypchanych kieszeni. Z daleka widać było, że to cudzoziemiec. Żaden Polak z własnej, nieprzymuszonej woli nie przywdziałby takiego stroju. A już z pewnością nie taszczyłby na galę wielkiego parasola w grochy. Jekyll wziął do rąk rozbudowany identyfikator ze stosownymi pieczęciami i długo go oglądał, jakby dokument z każdą chwilą nabierał większej mocy, aż wreszcie przyzwalająco skinął głową.

– Mają ekskluzywny wywiad – oświadczył w końcu.

– Pan Abrams i pani Werner. Mam ich doprowadzić do pokoju dyrektora. Pośpieszcie się panowie. Panika jest w sali. Za chwilę będzie para książęca.

Potem szło już jak po maśle. Prześliczna dziewczyna w mundurze zbadała ich wykrywaczem metalu, obmacała na okoliczność posiadania przedmiotów ukrytych pod ubraniem, co Leszkowi sprawiło niekłamaną przyjemność. Sasza z Grabarzem bez problemu przekroczyli furtkę transferową. Abrams dreptał niczym ich obstawa.

Budynek był czarny, oszałamiająco piękny w swej prostocie. I mimo że zaczynał padać śnieg, dach opierający się na potężnych dźwigniach był całkiem otwarty. Wnętrze stylizowano na przybytki sztuki z epoki patrona. Scena znajdowała się w dole, przed nią ustawiono tylko krótki rząd krzeseł, wokół zaś ciągnęły się loże i balkony z sosnowego drewna. Łatwo było sobie wyobrazić, jak w dawnych czasach oglądano pierwsze przedstawienia *Hamleta*.

Tłum ruszył do szatni, ale Abrams pociągnął gości w bok, do przejść dla pracowników. Leszka zostawili w sali dla dziennikarzy.

– Wzięłaś? – Abrams zwrócił się do Saszy, kiedy byli już sami.

Skinęła głową i zatrzymała się na chwilę, by złapać trochę powietrza oraz wyciągnąć papiery, o które pytał. Tom powstrzymał ją gestem i wydłużył krok jeszcze bardziej.

– Nie zamierzam cię sprawdzać.

Była zaskoczona, że zwykle flegmatyczny Tom jest w stanie poruszać się z taką prędkością.

– Musimy tak pędzić?

– Kate jest w ciąży. Nie będzie spektaklu. Zrobią tylko powitanie i zaraz odjadą.

Sasza natychmiast przyśpieszyła.

– Mów, co powinnam wiedzieć.

– Rozmawiałem z kim trzeba. Udało się ominąć pośredników.

– Dziękuję.

– Nie dziękuj. Załatw to. I żadnych numerów.

– Nie mam broni. Prześwietlili mi nawet plomby w zębach. Gdzie miałabym ukryć anacondę?

– Różnie bywa – odparł od niechcenia i z wysuniętym czubkiem języka skrupulatnie liczył drzwi. – Znam cię przecież.

Sasza miała déjà vu. Korytarz był biały, mocno oświetlony. Żadne z drzwi nie miało oznaczeń, numerów. Wszystkie były do siebie podobne. Jak te w Kolumbii, kiedy poznała sekretarza konsula, który wkrótce dał jej nową tożsamość. Gdyby miała sprawdzać je kolejno, zajęłoby jej to kilka godzin.

– Przyjdę, jak skończy się czas. Musimy się ulotnić, zanim książęta odbędą spotkania z artystami w sali bankietowej. Potem mogą być trudności z odejściem. A wiesz, co musimy zrobić w dalszej kolejności.

– Statek – odparła.

Nagle skręcił w bok, nacisnął klamkę i wepchnął ją do jednego z mijanych pokoi. Sasza znalazła się w niemal pustej przestrzeni. Było tu wyłącznie biurko z mnóstwem monitorów, które zasłaniały osobę siedzącą przodem do drzwi. Załuska widziała tylko kościste, odziane w czarne pończochy nogi kobiety i rąbek spódnicy. Duży palec u lewej stopy wystawał z dziury. Był pomalowany na różowo. Obok stały zniszczone czółenka na kwadratowym słupku, jakie nosiły kobiety w czasach PRL-u.

– Tak? – padło zza monitorów.

Kobieta odłożyła okulary i wychyliła się zza ściany urządzeń. Na głowie miała słuchawki. Zdjęła je i dopiero wtedy odezwała się ponownie. W jej głosie znać było szczere zdumienie.

– Sasza?

Załuska postąpiła krok do przodu.

– Co ty tutaj robisz? – Kobieta w żałobie znów się odezwała. Teraz w jej głosie pobrzmiewała wrogość.

– O to samo mogłabym ciebie zapytać, Igo.

Kobieta wstała. Była przeraźliwie chuda, wręcz wyniszczona. Włosy, całkiem siwe, miała zaczesane w przepisowy kok. Czarna bluzka z kołnierzykiem. Ołówkowa spódnica w ciemnym kolorze. Żadnych ozdób poza czerwoną tasiemką otaczającą przegub, jakie Włosi zwykle wiążą niemowlakom, by chroniły je przed demonami. Ruszyła żwawo do Załuskiej, najwyraźniej by ją czule powitać, ale Sasza odsunęła się ze wstrętem. Nie chciała dopuścić do kontaktu fizycznego, co najwyraźniej zabolało szyfrantkę, bo ściągnęła brwi i wykrzywiła usta w nieprzyjemnym grymasie, jakiego dawniej Sasza u niej nie widywała. Ukochana Dziadka wydawała się zaniepokojona, zmartwiona, ale Załuska już w to nie wierzyła. Iga była doskonałą aktorką. Gdyby profilerka nie wiedziała tego, co wie, gdyby nie przyszła tutaj, by przehandlować stare dokumenty za życie córki, znów dałaby się nabrać na ciepło i empatię byłej protektorki. Iga szybko wzięła się w garść. Znów zdawała się przepełniona troską.

– Co się stało, kochana?

– Ty mi powiedz – fuknęła Sasza i pośpiesznie wyszperała z opakowania po starym radiu papiery zapakowane do foliowych koszulek.

Ręce jej drżały. Nie rozumiała, dlaczego Tom jej nie uprzedził. Liczyła na spotkanie z kimś z najwyższej ligi. Z Jelcynem, Zawiszą, Ottem, a choćby i prezydentem. Wszystko to inaczej sobie wyobrażała. Planowała być profesjonalna, zimna i twarda w negocjacjach, ale zamiast tego była rozdygotana i kipiała złością.

– Nie chcesz? – Sasza podniosła głos. Rozejrzała się. Pokój z pewnością naszpikowany był elektroniką. W myślach pozdrowiła administrację. Niech słuchają. Dobrego odbioru, pożyczyła im w myślach. – To ja cię wyręczę.

Położyła na stole kserokopię zdjęcia z akt szpitalnych. Była to podobizna łysiejącego mężczyzny.

– Poznajesz?

Śmiałowska założyła ramiona do pozycji zamkniętej. Skaleczona dłoń nie wymagała już plastra. Załuska widziała jednak na ręku spore nacięcie. Rana była niewygojona,

751

babrała się. Iga złapała spojrzenie profilerki i złożyła dłonie w koszyczek. Wsunęła buty w stopy. Sasza odruchowo oparła się o drzwi, by zablokować byłej szyfrantce jedyną drogę ucieczki.

– To Lucjan Staniak. Wyszedł ze szpitala trzy lata temu i zaginął bez śladu. Jak szyfrant Zielonka, twój kolega. Tyle że szyfrant nikogo nie zabił, a Lucek wprost nurzał się we krwi młodych dziewcząt. Oficjalnie cierpiał na chorobę dwubiegunową, bo lepiej brzmi, gdyby ktoś zapytał. Tak naprawdę to była zaawansowana schizofrenia, psychopatia i szereg innych zaburzeń. Obie wiemy, co zrobił i dlaczego tak długo działał.

– Saszo, proszę cię. – Iga podniosła dłoń, by powstrzymać ten potok słów. Zdawała się bliska płaczu.

– To on zabił te wszystkie kobiety w latach dwa tysiące pięć – dwa tysiące siedem. – Załuska jednak nie zamierzała odpuścić. – To on wytrzewiał je i gwałcił po śmierci. Wszystkie były rude, młode i miały przed sobą całe życie. To on uwięził mnie wtedy w Krakowie i nagrał ten film. Zaprzeczysz?

Iga milczała.

– Skąd wiem? – Sasza nabrała powietrza. – Od Łukasza. Powiedział mi tej nocy, kiedy poczęliśmy Karolinę. Byłam wprawdzie tak pijana, że nie bardzo wiedziałam, co się dzieje. Łukasz nie przyznał się do zbrodni, ale mi o nich opowiadał. Bardzo detalicznie. To budziło mój lęk, ale i fascynację. Bo i faktycznie brzmiało jak straszne bajki. Kiedy jest się alkoholikiem, różne rzeczy człowieka nakręcają. Jawa miesza się ze snem. Sama przez lata nie wiedziałam, co jest rzeczywistością, a co zmyśliłam w delirce. Te morderstwa dla Łukasza Pająka były tylko inspiracją do pracy. Był zwichrowany i schlebiała mu ta ksywa, zwłaszcza że wiedział, że nigdy nie złapią sprawcy. Zbrodnia doskonała. *Urban legend*. Obracał się tylko w gronie ludzi służb. To rzuca się na psychikę. Być złą legendą. „Czerwonym Pająkiem", mój Boże, jakie to beznadziejne. Ale tak naprawdę on był słaby, nadwrażliwy, przestraszony i pod wpływem prawdziwych złych. Twoim, Lucka i reszty twojej porąbanej rodziny, dla której ojczyzna była ważniejsza niż dobro tych biednych kobiet. Może nie ojczyzna, ale władza. O to chodziło i nadal chodzi. Tak, mam luki w pamięci. Nie byłabym wiarygodnym świadkiem. Ale też nigdy nie byłam przesłuchiwana. Natomiast potem, po latach – kiedy Tom mnie szkolił, kiedy uczyłam się profilowania, a jestem całkiem niezła, słyszałaś pewnie, okazało się, że wszystko, co przeżyłam, bardzo przydaje się do rozumienia ludzkiej natury, zwłaszcza sfer cienia, które ma każdy z nas – zrozumiałam, że to nie Łukasz był sprawcą. Po pierwsze nie zabił mnie, choć taki był plan i sprzyjające okoliczności. Może i chciał się sprawdzić. Może ktoś kazał mu to zrobić. Na przykład ty, Dziadek albo Sandra. Bo to ją upatrzyłaś sobie na synową. Ale Łukasz nigdy nie był mordercą. Nie potrafił zrobić mi krzywdy, wolałby już sam zginąć. Może nawet naprawdę mnie kochał. Po swojemu, rzecz jasna. Był idealistą.

Sasza nagle przerwała, bo Iga chwyciła się poręczy krzesła. Zdawało się, że zaraz zemdleje. To zaskoczyło Załuską.

– Nie wiedziałaś? – Zmrużyła oczy i uśmiechnęła się smutno. – Ty wierzyłaś w jego winę?

Iga podniosła głowę. Pogardliwie zacisnęła usta.

– Był słaby – odparła hardo. – I wiedziałam, że nie jest w stanie tego dokonać. Po wszystkim do mnie pierwszej przybiegł się wyspowiadać. Bo to ja wydałam mu taki rozkaz.

Sasza z trudem przełknęła tę informację. Nie wiedziała, czy Iga kłamie, czy chce ją sprowokować, więc kontynuowała:

– To już nieważne. Ale faktem jest, że od dziecka, przez całe lata, był pod silnym wpływem wuja. Fascynował się nim, jak skrycie podziwiamy potwory za ich umiejętność przekraczania granic. To Staniak, a nie przyszywany ojciec pułkownik Witold Kałużyński ani nawet nie ty czy Dziadek, był dla niego najbliższym człowiekiem na świecie. To on się nim opiekował. Łukasz od dziecka go krył. Lucjan Staniak. Łukasz Polak. Brzmi podobnie. Nie bez powodu wybrał sobie taki pseudonim artystyczny i emblemat z pająkiem. To twój nieślubny syn, prawda?

Iga patrzyła na Saszę szeroko otwartymi oczyma. Nie zaprzeczyła, nie potwierdziła, a jej milczenie mówiło więcej niż jakiekolwiek słowa. Żaden szkolony szpieg nie zignoruje tej sekundy zamyślenia, woalu obojętności, kiedy wystarczyłaby szczera odpowiedź.

– Wiem, że to prawda – kontynuowała Sasza. – Sprawdziłam w Urzędzie Stanu Cywilnego. Oddałaś go na wychowanie Kałużyńskim, bo byłaś młoda, a w resorcie płacili więcej niż w szkole. Miałaś ambicje. Chciałaś od życia więcej. Takie czasy. Bywa. Zresztą nigdy nie zostawiłaś swojego synka, roztoczyłaś nad nim parasol ochronny. Dbałaś, by u zaprzyjaźnionych ludzi niczego mu nie brakowało. Skąd mogłaś wiedzieć, że to wuj, czarna owca w rodzinie, a nie surowy pułkownik Kałużyński, okaże się dla niego największym guru. Wuj morderca. Wszyscy to wiedzieli. Te dziewczyny nikogo nie obchodziły. Okazały się przydatne do spraw narkotykowych. Ruszył wtedy pierwszy transport. Byli esbecy handlowali śniegiem z gangusami. Ot symbioza. Potem pojawił się Dziadek, zakochałaś się. Walka z Warwarą o serce ukochanego zajmowała ci więcej czasu niż ratowanie dorosłego dziecka. Zresztą pewnych rzeczy nie da się odrobić. Sama dobrze o tym wiem. Ciężko przywrócić zmarnowane dzieciństwo. Właściwie niemożliwe. Lucek był z nim blisko. Na tyle, by być szczery do końca. Łukasz nigdy nie podejrzewał, że jesteś jego matką. Ale zawsze tak cię traktował. Był dobrym człowiekiem. Strachliwym, niezrównoważonym, z problemami, ale nie był psychopatą. Jestem tego pewna. A ty go wydałaś. Obie to wiemy. Zginął, bo nie chciałaś, żeby twoja rola wyszła na jaw.

Iga ukryła twarz w dłoniach. Saszy zdawało się, że łka, ale to był tylko śmiech. Kiedy podniosła głowę, na twarzy miała niezdrowe rumieńce. Załuska pomyślała, że Śmiałowska za chwilę zrobi coś nieoczekiwanego, zdawała się nieobliczalna. Ale na twarzy kobiety pojawiła się ulga. Chciała się wreszcie ujawnić. Pragnęła spowiedzi.

– Widzimy, co chcemy widzieć – powiedziała bardzo spokojnie, z lekkim uśmiechem. – Wierzymy, w co chcemy wierzyć. Pamiętaj, że żyłam w domu gry, gdzie wszyscy oszukują.

– Tyle masz mi do powiedzenia? Stare brednie o gąszczu luster? Ten, kto ma złote jabłko, ma kontrolę. Daj już spokój!

– Władza nie bierze się z deklaracji, Saszo. Dobrze o tym wiesz. Trzeba ją wydrzeć pazurami z rąk ludzi o małych sercach i wielkich ambicjach. Nie mogłam być żołnierzem, więc walczyłam w kuchennych korytarzach i za pomocą ukrytych gestów oddanych ludzi. Nie miałam ochoty dłużej być figurantką. Nie mogłam sobie pozwolić na więcej cierpliwości.

Iga Śmiałowska się rozpłakała. Sasza jednak zupełnie nie przejęła się głośnym szlochem byłej protektorki. Dobrze wiedziała, że to gra. Nabrała powietrza i oświadczyła stanowczo:

– Skoro ty nie masz siły, ja to powiem. Wydałaś własnego syna, a wcześniej zleciłaś zabójstwo Dziadka. Nie zaprzeczaj. Czasami lustra pękają. A wtedy nieoczekiwanie gąszcz zmienia się w klarowny obraz. Sama mnie tego uczyłaś. Jak ominąć labirynt.

Iga podniosła głowę. Twarz miała zapuchniętą. Oczy czerwone.

– O tym, że Dziadek z tobą nie pojedzie, dowiedziałaś się od Warwary. Miała swojego szpiega w Tapas Barcelona, kiedy Kajetan próbował zmusić mnie do wydania dokumentów. – Sasza podniosła do góry obandażowaną dłoń. – Śmiała się z ciebie, z twojej naiwności, zmarnowanych lat i choroby, w którą wpędziłaś się z nienawiści. Choć oczywiście wmawiałaś sobie, że to miłość. Nie mogłaś dłużej znieść tych upokorzeń. Pierwszy raz wyszłaś ze swojej kuchennej jaskini. Usiadłaś w fotelu Warwary, na miejscu prawowitej żony, i piłaś koniak z jej szklanki. Knułaś. Czekałaś. Wiedziałaś o nim absolutnie wszystko. Stałaś za nim murem latami. Teraz karty miały się odwrócić. Dziadek przyszedł późno. Miał tego dnia szereg spotkań. Zaprzeczył, kiedy mu wszystko wygarnęłaś. Kłótnia trwała krótko, ale była gwałtowna. Na tyle, byś rzuciła w niego szklanką, kiedy odchodził. Pewnie się zdziwił, bo nigdy nie byłaś agresywna. Rzadko też piłaś. Zdążył się uchylić. Szkło się rozprysło. Jeden z odłamków zranił Dziadka w twarz, ty skaleczyłaś dłoń. – Sasza wskazała jej ropiejącą ranę. Iga już nie chowała rąk. – Zaczęłaś rozpaczać, przepraszać go, błagać o litość. W imię waszej miłości, wspólnego życia we dwoje, które przecież ci obiecywał od lat. Powiedziałaś o raku. O tym, ile dla niego poświęciłaś. Uważałaś, że jest ci to winny. Mimo to pozostał nieugięty. Zimny. Nie chciał nic zmieniać. Powiedział ci wtedy dobitnie, że zdecydował się zostać w Polsce, z żoną. Nie robić skandalu, zatuszować próbę zamachu na Jelcyna, przeczekać trudny czas. Zamierzał również przywrócić starą wersję testamentu, w której nie byłaś ujęta. To wyprowadziło cię z równowagi. Wyjęłaś z szuflady Warwary jej pistolet. Nacisnęłaś spust, ale chybiłaś. Drugi raz.

– Skąd to wiesz? – wyszeptała Iga. – Warwara cię nasłała?

– Nie. – Załuska zaprzeczyła gwałtownie. – Byłam w tym domu. Takie pęknięcia nie powstają od uderzenia, lecz od kul. Bo zamiast w Dziadka trafiłaś w brzeg lustra, prawda? Iga milczała.

– A ponieważ jesteś przesądna, zawsze byłaś, pomyślałaś zapewne o siedmiu latach nieszczęść i innych znakach. Zemsta to była jedyna rzecz, która mogła zrekompensować ci to rozczarowanie. Zadzwoniłaś do Jelcyna. Chętnie zgodził się pomóc. W zamian miał dostać to, co zabrał mu kiedyś Dziadek, ale to ty – nie bez powodu – namówiłaś go, by ukrył to u mnie. Materiały nacisku oznaczały odzyskanie władzy. Nie miał pojęcia, że blefujesz. Raportu nigdy nie miałaś. Ani ty, ani Kajetan. Miałam go ja. Dziadek jednak nie mówił ci wszystkiego. Właśnie dlatego uprowadził Karolinę, by ten dokument odzyskać. Chciał, żebym się bała, lecz nigdy nie doszła, kto za tym stoi. To ty pokrzyżowałaś jego wspaniały plan. Godzinę później Jelcyn przysłał cyngla. Zostawiłaś otwarte wejście od kuchni. Przygotowałaś mu kurtkę. Pomogłaś odejść z miejsca zbrodni.

– Kłamiesz! – Iga wybuchnęła szyderczym śmiechem. – Już wszystko ci się pomieszało.

– Doprawdy? – Sasza przechyliła lekko głowę. Nie mogła uwierzyć, że Iga tak dobrze odgrywa rolę niewiniątka. Zastanawiała się, ile razy wcześniej zachowywała się w ten sposób, a ona jej wierzyła jak matce. Sięgnęła do kieszeni. – Zostawiłaś zabójcy nawet papierosy. To ta paczka.

Sasza pomachała Idze przed oczami foliowym woreczkiem na dowody, w którym znajdował się kartonik z niebieskim nadrukiem R1. Iga zaniemówiła zszokowana. Nie była w stanie dłużej udawać. Jej twarz przybrała szarosiny odcień, jakby odpłynęła z niej cała krew. Oczy zmieniły się w cienkie szparki, usta wykrzywiła wściekłość. Zdawało się, że za chwilę rzuci się na Załuską. Sasza odsunęła się odruchowo.

– Pobraliśmy linie papilarne – powiedziała. – Gdyby doszło do procesu, mogłyby się przydać. Ale obie wiemy, że do niego nie dojdzie. To wiedza operacyjna. Taka moja fanaberia.

– Skąd to masz? – wydusiła wreszcie Iga. Teraz na twarzy miała czerwone placki. Gwałtownie łapała powietrze. – Skąd to wiesz?

– A jak sądzisz? – Sasza schowała paczkę ponownie do kieszeni. Podniosła dumnie głowę. – Tak się składa, że w całej firmie tylko ja i ty palimy jedynki. Z prostej przyczyny: są najsłabsze. Te szczegóły mógł znać tylko zabójca, prawda?

Iga nie skomentowała. Patrzyła na Saszę zrezygnowana.

– Problem pojawił się, kiedy przyszedł czas zapłaty – kontynuowała więc Załuska. – Nagle się okazało, że raportu nie masz. Jelcyn był niezadowolony. Groził ci. Trzeba więc było zmusić mnie, żebym przyniosła go w zębach. Oto jestem. Liczyłaś, że się już nie spotkamy, prawda? Teraz żałujesz, że go wydałaś, ale jest za późno. Stało się.

Zamilkła. Iga również zasznurowała usta. Drżała na całym ciele, czerwone placki na jej twarzy powiększały się, przelewały na szyję i dekolt. Podsunęła sobie krzesło, klapnęła na nie z impetem. Twarz ukryła w dłoniach.

– Jak mogłaś? – wychrypiała niemal bezgłośnie, a potem powtarzała niczym mantrę: – Jak mogłaś?

– Ja? – Sasza uniosła brew. – A ty? Sobie nie masz nic do zarzucenia?

Iga podniosła głowę i splunęła na Załuską. Profilerka w ostatniej chwili uchyliła się przed plwociną.

– Przeklinam cię – wysyczała Śmiałowska.

Sasza poczochrała włosy, uśmiechnęła się, jakby usłyszała przedni żart.

– Skoro sprawa śmierci Dziadka jest, jak widzę, wyjaśniona, chcę wiedzieć jeszcze kilka rzeczy. Dlaczego mnie wtedy uratowaliście? W Krakowie. Po akcji TW Calineczka.

– Łukasz cię uratował.

– Wypchnął mnie na ten balkon – potwierdziła Sasza.

– To było straszne. Myślałam, że zginął. Był czas, że wam wierzyłam. Sądziłam błędnie, że „Czerwony Pająk" to był on – Łukasz. Bałam się, że jest mordercą. Że wróci i zabierze mi córkę, że się na nas zemści. Wmawiałaś mi to, żeby nas poróżnić. Jaka byłam głupia! Długo nad tym myślałam, wiesz? Dziesięć lat. Czasu aż nadto, by to wszystko poskładać. Okazji do odpalenia mnie było mnóstwo. Odkąd wróciłam do Polski, sama się o to prosiłam. Przecież dla wszystkich byłoby najwygodniej, gdyby taki świadek nie istniał. A ja byłam chroniona. Dziadek wysłał mnie do Anglii. Pozwolił przejść terapię, urodzić Karo, stanąć na nogi, szkolić się, rozwijać. Ty byłaś dla mnie jak matka. Ufałam ci. Wierzyłam. Tobie jednej. Dlaczego już wtedy mnie nie zutylizowałaś?

– Przecież wiesz. – Iga podniosła hardo głowę.

Sasza się odwróciła. Chwilę milczała.

– Chciałabym to usłyszeć od ciebie.

– Chodziło o Karo. To moja jedyna wnuczka. Chociaż tyle mogłam zrobić.

Sasza zaśmiała się gorzko.

– I dlatego kazałaś ją uprowadzić? Dlatego skazałaś syna na śmierć? Dlatego pozwoliłaś, żebym go nienawidziła? Przecież mało brakowało, a nigdy by go nie poznała. Genialny plan! Bądź błogosławiona.

– To nie ja – zaprzeczyła natychmiast Iga. – Wszystko miało przebiegać inaczej. Dziadek obiecywał...

– Wiem, co obiecywał. – Sasza znów jej przerwała. Z pliku dokumentów wyjęła dwa najgrubsze komplety. Podsunęła je Idze pod nos. – I ty też wiesz. Bo to ty go wydałaś, a nie Warwara. Nie chciał z tobą jechać do Kanady. Stchórzył. Tom mi powiedział. A ty miałaś już dość. Ale przecież często wychodzi inaczej, niż się planuje. To pierwsza zasada: plan A weźmie w łeb, trzymamy się B, C i D, jeśli trzeba. Sama mi to powtarzałaś. Dlaczego teraz kłamiesz? To nie ma sensu.

Iga uśmiechnęła się smutno. Podniosła dokumenty. Przycisnęła je do piersi jak jakiś skarb. Nic nie odpowiedziała. Sasza zaczynała się już do tego przyzwyczajać. To jej metoda. Bierny opór. Karcące milczenie. Czekać, trwać, obserwować. Atakować tylko w ostateczności, wtedy jednak zawsze skutecznie. Zawsze była w tym świetna.

– Rozumiem dziś wszystko. – Sasza wskazała na pożółkły raport Służby Bezpieczeństwa z brzydką kobietą na fotografii. – Stefania Pieczonka, tajny współpracownik SB Calineczka, a twoja ciotka, podpisała to, żeby jej syn mógł kontynuować karierę polityczną. Wtedy nikt nie miał świadomości, że ten papier będzie kosztował tak wiele istnień. TW Calineczka osiągnęła swój cel. Może i jest szczęśliwa. Pod warunkiem, że nie ma sumienia. Syn Pieczonki zrobił spektakularną karierę, żeby wreszcie odrzucić stołek marszałka sejmu. Przekonywał, że chce trzymać się z dala od polityki. Rządzi dziś niepodzielnie w swoim przedsiębiorstwie, a pionki na politycznej szachownicy ustawia zza kulis. Nie należy obwiniać dzieci o grzechy przodków, ale to dlatego dwadzieścia lat temu kryliście Staniaka.

Iga pochyliła głowę.

– Miał te dokumenty, szantażował Stefanię – przytaknęła.

– Zadbaliście więc o to, żeby śledztwo skręciło na lewe sanki – kontynuowała Załuska. – Ja byłam świetną przynętą. Gdyby wszystko potoczyło się zgodnie z planem, dziś byśmy nie rozmawiały.

Szyfrantka wstała, chciała zaoponować, ale Sasza powstrzymała ją gestem.

– Nie musisz zaprzeczać. Wyniosłam to wtedy z domu Staniaka. To akurat dobrze pamiętam. To nie był żaden pułkownik, tylko brat Calineczki. Nic nie mogło wyjść na jaw, choć powinno się go zatrzymać i osadzić w szpitalu, co zresztą potem na całe lata się stało. Dalej już sprawa jest prosta. Syn Calineczki robi polityczną karierę. Polska gospodarka musi sprawiać pozory wolnego rynku, potrzebni są inwestorzy, złote dzieci biznesu. Dla wszystkich zaczynają się liczyć pieniądze, bo dają nie tylko komfort, ale i władzę. W raporcie Pawłowskiego masz wszystkie nazwiska. Są trzy części. Komplet. Niczego nie brakuje.

– Oddajesz mi to? – zdziwiła się Iga. – Tak po prostu?

– A do czego mi to potrzebne?

– Wiesz, co te dokumenty znaczą? Ile są warte? W niepowołanych rękach mogłyby doprowadzić do destabilizacji bezpieczeństwa narodowego.

– Mam to gdzieś – żachnęła się Sasza. – Dałabym ci je od razu. Wystarczyło tylko poprosić.

Wpatrywały się w siebie bez słowa. Sasza czekała na ofertę, ale Iga nie była łaskawa zaoferować swojej pomocy. Sasza czuła, jak odpływa z niej napięcie.

– Nie pójdę na policję. Nie chcę skandalu, pieniędzy, stanowiska. Wybaczam ci. Nie zostało ci już wiele czasu.

Iga podniosła głowę. Oczy miała zaczerwienione, ale suche. Usta spierzchnięte.

– Wiesz, że nie mogę ci pomóc.

– Chcę tylko wyjechać. Zniknąć.

– Nie możesz. Ty musisz zostać pochowana. Musisz umrzeć. – Iga potrząsnęła dokumentami i rozejrzała się po pomieszczeniu. – Zwłaszcza teraz, kiedy powiązałaś wszystko w całość.

– Pozdrawiam administrację. – Sasza podniosła głos i rozejrzała się ponownie. – Powtarzam raz jeszcze. Chcę tylko Karolinę. Reszta mnie nie interesuje. Akceptuję wilczy bilet. Poradzimy sobie. Ale ty musisz coś wiedzieć, Igo. Teraz już wszyscy mają te materiały. Straciły więc swoją moc. Wkrótce zostaną opublikowane. Są bezwartościowe. Niczego nie ugrasz. Za to twoja konfitura trafiła w ręce prokuratury. Rozpoczną się wkrótce śledztwa, przeszukania i czystki.

– Ja już się nie boję, Saszo. Nie dożyję tego. Zrobiłaś, co zaplanowałam. Powinnam ci być wdzięczna.

Sasza wzruszyła tylko ramionami.

– I ty też nie – dodała z satysfakcją Iga. – Nie wiem, jak z twoim dzieckiem.

– To się okaże – weszła jej w słowo Sasza.

W tym momencie drzwi się uchyliły. Zajrzał Tom z parasolem zawieszonym na ramieniu. Na widok Igi spłoszył się, ale ona podbiegła i wtuliła się w niego.

– Wilmor – szepnęła.

Zaskoczona Sasza wpatrywała się w tę parę. Nie była w stanie wydobyć z siebie słowa aż do chwili, kiedy zwiotczałe ciało Igi opadło na posadzkę, a dokumenty rozsypały się wokół niej.

– Wilmor – powtórzyła jak echo i uniosła brwi, udając zdziwienie. – A więc to na ciebie polują? Ciebie miałam zabić?

Tom nie odpowiedział. Złożył parasol i wrzucił go do szuflady biurka, za którym siedziała wcześniej Iga. Skrupulatnie pozbierał dokumenty, schował je w przepastnych kieszeniach.

– Wybacz ten pośpiech – rzekł wreszcie po angielsku, kiedy nie niepokojeni przez nikogo wydostali się z teatru i wsiadali do taksówki. – Ale słyszałem wszystko, oni też, a to nieco zmienia sytuację. Wyjeżdżamy jeszcze dziś. Nie ma tu z kim dyskutować.

Sasza wpatrywała się w okno. Milczała dłuższą chwilę, by w końcu odpowiedzieć również w ojczystym języku Toma:

– Wciąż jeszcze mam plan B i C.

– Chodzi ci o helikopter gangu? – żachnął się. – Siłowe odbicie, walka wręcz... Wbrew temu, co widziałaś, nie jestem dobry nawet w rzutki.

– Wręcz przeciwnie. Dam się pochować, skoro tego chcą – rzekła.

Po czym wyjęła telefon i wysłała esemes do Grabarza: „Publikuj wszystko. Teraz".

Zanim zdążyła schować archaiczną komórkę do kieszeni i nabrać powietrza, odezwał się dzwonek. Odebrała, wysłuchała kilku zdań, a potem rozłączyła się i zwróciła do Toma zniżonym głosem:

– Jest pierwsza oferta.

Abrams się uśmiechnął.

– Jelcyn czy Otto?

Pokręciła głową.

– Ale dają milion dolarów.

– Zawisza – strzelał dalej Tom. – Teść Krzysztofa?

– Dzwoniła Warwara – odparła Sasza. – Łączono z kancelarii premiera. To był rozkaz. Mamy się anihilować.

– My? Ja też?

– Nagle zacząłeś istnieć, Wilmor. Znów jesteś w grze. Zadowolony?

Ta uwaga nie spodobała się Tomowi.

– A co z małą? – rzucił niby od niechcenia.

Sasza poprawiła opatrunek, włożyła dłoń do kieszeni. Abrams nie spuszczał z oka tyłu głowy kierowcy auta. Oboje myśleli o tym samym. Kolejny raz objeżdżali już skwer Kościuszki. Kiedy znów mijali starą łajbę przerobioną na restaurację o nazwie „Bar Pomorza", Sasza rzekła nagle po polsku:

– Proszę się tu zatrzymać.

Zanim taksówka stanęła, kobieta chwyciła zdrową ręką za klamkę. Tom rzucił na przednie siedzenie zwitek funtów brytyjskich i pośpiesznie wygramolił się z wozu.

– Dają gwarancje?

Sasza podeszła do brzegu. Wpatrywała się w ciemną toń. Okrutnie wiało, więc postawiła kołnierz kurtki, zapięła zamek aż pod szyję.

– Żadnych.

– Mamy przecież helikopter – przypomniał Tom. – Więc zadzwoń i zażądaj podwojenia stawki, bezpiecznego odejścia oraz zasłużonej emerytury.

– Do kogo mam zadzwonić? – Sasza ściągnęła brwi. – Na wyświetlaczu miałam „numer nieznany".

– To chyba jasne. Warwara wszystkim kręci. Ona to załatwi.

– Warwara? – żachnęła się Sasza. – To ty zadzwoń do kogo trzeba. Zacząłeś, to i skończysz. Załatwiłeś Dziadkowi ląd w Kanadzie, a jednocześnie obiecałeś Jelcynowi po nim schedę. Któryś musiał zginąć w tym pojedynku. Napuściłeś ich na siebie, a kiedy Iga to spieprzyła, przyjechałeś posprzątać. Sprytne. Gdzie dwóch się bije, tam trzeci korzysta. Ja nie chcę wiedzieć nic więcej, Wilmor. Rozdawaj karty, jak chcesz. Tylko proszę cię, oddaj mi moje dziecko.

Po czym odeszła, by znaleźć jakieś zaciszne miejsce, w którym nie gasłaby jej zapalniczka.

Duch otworzył oczy, ale pomieszczenie nadal spowijała ciemność. Czuł smród ludzkich wydzielin, zatęchłych sieci i starego tytoniu. Pod drzwiami widział tylko wąską smugę światła, słyszał też stłumione głosy. Mówiono po angielsku. Ciało miał znieruchomiałe. Nogi i ręce mu skrępowano, plastikowe zaciski wpijały się w skórę. Stracił już czucie w kończynach. Od pasa w dół szarpał nim palący ból. Kiedy lekko się przesunął, szmata, którą położono mu na brzuchu, opadła. Wciąż krwawił. Głosy się zbliżały. Jakaś kobieta mówiła coś po francusku. A potem smuga pod drzwiami zniknęła. Zachrobotał klucz. Snop światła latarki oślepił Roberta. Odruchowo zacisnął powieki. Poczuł znajomy zapach perfum i dłoń kobiety na policzku. Zanim zdołał cokolwiek powiedzieć, Claudine zasłoniła mu usta. Ostrze dotknęło jego szyi. Bez trudu rozpoznał własny ząbkowany na czubku kozik. Przygryzł wargi, przyjął pozycję obronną.

– Dlaczego nie nosisz kamizelki? – zrugała go, a następnie nie bez wysiłku rozcięła mu więzy i pomogła usiąść.

Nóż położyła mu na kolanach. Gdyby chciał, mógłby ją teraz zaatakować od tyłu. Oboje to wiedzieli. Nie docenił jednak tego dowodu zaufania. Odtrącił jej rękę, kiedy dotknęła rany. Dyszał ciężko.

– To czysty ręcznik – odezwała się znacznie łagodniej.
Położyła coś obok i się odsunęła. Przycisnął szmatę do brzucha.

– Czego chcesz? – jęknął z wyrzutem. – Wysłali cię, żeby mnie dobić?

Zasyczała, by go uciszyć. Czekali, aż głosy za drzwiami umilkną. Zdawało się, że trwa to w nieskończoność. W ciemnościach nie widział jej twarzy. Zgadywał, że nie jest mu wrogiem, choć w głowie miał mętlik.

– Łamię teraz rozkazy – odezwała się w końcu. – I wcale nie było tak, jak myślisz. Zakochałam się w tobie.

Robert prychnął, a potem zaczął kaszleć.

– Ja to mam szczęście – wychrypiał. – Każda, która coś do mnie poczuje, chce mnie zabić. Czy wy myślicie, że ja mam dziewięć żyć?

W odpowiedzi poświeciła mu w oczy latarką, a potem przesunęła snop światła na podłogę. Dostrzegł rozmazane brunatne plamy i rząd stóp. Jedne z nich rozpoznał bez trudu. Buty Kurczaka z wężowej skóry, ze spiczastymi noskami, zupełnie nie pasowały do pogniecionego garnituru agenta Maurycego Kwiatkowskiego. Pułkownik leżał na plecach obok najsłynniejszej zaginionej kapitan, która postanowiła zostać piratem. MauMau twarz miał spokojną, usta wykrzywione w ironicznym grymasie, jaki przybierał niemal zawsze, kiedy rozmawiali. Zanim dotarło do Roberta, że leży w składziku z martwymi ciałami, Claudine się odezwała:

– Już po wszystkim, Duchu. Załuskiej udało się jednak wysadzić szambo. Teraz agencja będzie zbierać to gówno przez lata.

Po czym pomogła mu wstać i wyprowadziła na zewnątrz.

– Ale nie pozwolę pochować cię razem z nią.

Eustachy Krawiec odłożył camela i spojrzał błagalnie na Jekylla, a potem przeniósł wzrok na stół, na którym leżało otwarte ciało agenta Kwiatkowskiego.

– A tego bohatera gdzie umieścimy? Nie mam już żadnej wolnej lodówki.

Jekyll wysunął jedną z szuflad.

– Ta też zajęta?

Makak opadł zrezygnowany na krzesło. Potarł zaczerwienione oczy.

– Powinienem był odmówić.

– Premierowi się nie odmawia – bąknął Jekyll i dotknął ciała przykrytego folią. Na stopie umieszczono nazwisko martwej osoby. Odczytał. – Może pani Elżunia nie pogryzie go, jak ich położymy razem? Choć MauMau nigdy nie gustował w dziewczynach. Ale Dyżurny zajmuje mało miejsca. Zawsze się lubili.

Makak zgromił technika wzrokiem i wsunął szufladę. Jekyll nie bardzo się przejął.

– Próbuję pomóc. Przecież jakoś musimy z tego wyjść.

– Ja się do takich zadań nie pisałem.

– Ani ja – przytaknął Jekyll. – Od kilku dni nie widuję rodziny. Ale żyć dalej trzeba. Ojczyzna nas potrzebuje.

Dotrzymasz tajemnicy państwowej, dostaniesz nadgodziny i premię. Może nawet Krzyż Zasługi.

– W dupie mam ojczyznę – zbiesił się Makak. – Większość z nich jest w kawałkach. Misterium śmierci, należny szacunek dla ciał. Nikt nawet nie był łaskaw wyjaśnić mi, o co tutaj chodzi. – Przerwał. – O tym, że powinienem pracować w kilkunastoosobowym zespole, już nie wspomnę.

– I tu cię mam! – rozpromienił się Jekyll. – Ale przecież masz mnie.

– I o mnie nie zapominaj. – Do sali wszedł Duch z prokurator Rudnicką w białej muślinowej sukience do kostek.

Makak przetarł oczy. Odnosił wrażenie, że przyszli na przyjęcie. Tak byli wystrojeni.

– Znów przyszedłeś przeszkadzać? – zaprotestował niemrawo.

– Tym razem będzie grzeczny – odparła za Roberta Rudnicka. – Za chwilę mam ślub. Banan kupił frak. Biały. Jesteście zaproszeni. – Położyła na stole plik dokumentów. – Wszystko jest gotowe. Komplet. Tylko się podpisz.

– Chyba zwariowałaś – oburzył się doktor. – Skończę, to podpiszę. Nie będę nic firmował swoim nazwiskiem in blanco.

– To, widzę, poczekamy sobie – westchnęła Rudnicka i usiadła na krześle przy ścianie.

– Raz pod wozem, raz pod wozem. Ot życie. – Duch zajął miejsce obok niej.

Jekyll i Makak przyglądali się tej osobliwej parze.

– Ruda zaliczyła dziś dwanaście godzin ancla – zaczęła prokuratorka. – Rano wlazła do szafy, a wieczorem Banan ją znalazł. Tamże. Mamy nadzieję, że na jakiś czas będzie się trzymała z dala od zamykanych szaf i szuflad.

Duch w odpowiedzi uśmiechnął się smutno.

– Mój wyskoczył z okna trzy dni temu.

– Tak mi przykro. – Janka Rudnicka przyłożyła dłoń do twarzy w geście przerażenia.

Zaskoczony Jekyll dostrzegł prawdziwe emocje na twarzy prokuratorki.

– Ej, nic mu nie jest – kontynuował Duch. – Sąsiad przyniósł go wczoraj. Trochę był wychudzony i stracił kolejny ząb. Ale myślę, że to z tęsknoty. Całymi dniami mnie nie było. Ostatnie dni były ciężkie. Dlatego podjąłem decyzję. Wracam do kryminalnego.

Zapadła cisza.

– Jesteś pewien? – pierwsza odezwała się Rudnicka. – Masz stanowisko, pagony. To degradacja. Dasz sobie odebrać dodatki, autorytet i wpływ na decyzje? Przecież czystki w policji ciebie nie dotyczą. Nie byłeś milicjantem, nie masz nic wspólnego z ZOMO. Jesteś bezpieczny. No i sądziłam, że teraz raczej cię awansują.

– Wolę ciężką pracę od polityki. Bardzo mnie zmęczyły te bankiety i dyplomacja. Motor jakoś spłacę. A Claudine zabiera mnie do Paryża. Nigdy jeszcze nie byłem. I sprawdzę, jak trzyma się teściowa. Podobno kobiety na starość upodabniają się do swoich matek. Wolę upewnić się zawczasu. Gdybym wcześniej spotkał komodorową Stokłosę, w życiu nie spojrzałbym na Załuską.

– Już przesadziłeś. – Rudnicka trąciła Roberta w bok. – Jeszcze słowo, a zmienimy drużbę.

– I chcesz harować pod Papieżem albo innym kupionym kadrowym? – włączył się do dyskusji zdenerwowany Jekyll. – Przecież to szaleństwo. Nie o policję tutaj chodzi. Nie ma znaczenia, jakie ma wykształcenie i jak przydatny w praktyce na danej funkcji będzie dany człowiek. Byle był „swój". Po to, by w trudnej chwili awansowany nie miał wątpliwości i wahań. Żeby popierał władzę i trwał przy niej ślepo, bo wie, dzięki komu i jakie naruszając standardy, trafił na swoje obecne stanowisko. A skoro raz dał się przekupić, bo to w istocie forma przekupstwa, może to zrobić drugi raz. Jeżeli ktoś da więcej.

Duch podniósł rękę, by przerwać przyjacielowi.

– Odkurzyłem swoje stare biurko – powiedział z naciskiem. – Chłopaki z IT przydzielili mi prawie nowy sprzęt. Pewnie moja babcia używała jeszcze tego modelu. Ale czy ja kiedyś przesiadywałem przed kompem w pracy? Zresztą w życiu nie byłem tak uradowany, widząc firmowy list motywacyjny.

Wyciągnął z kieszeni pomiętą karteczkę z resztą taśmy samoprzylepnej i odczytał:

„Komputer po formacie. Uważać na wirusy z USB i nie zgrywać na dysk niepotrzebnych plików. Zachować czystość na stole. I napierdalać mandaty, leniwe chuje, bo brakuje!".

Nikt się nie roześmiał.

– Dam Bananowi w prezencie ślubnym – dokończył Robert.

– Ucieszy się – mruknęła Janka. – Choć wolałby nowy kask.

– Dostałeś polecenie? Propozycja nie do odrzucenia?

Doktor Makak rozpiął fartuch i przysunął sobie krzesło. Po chwili do reszty dosiadł się Jekyll.

– Co to jest? – zaprotestował Duch. – Klub AA?

Doktor Makak nie dał się zbyć.

– Skoro ja, na polecenie ministra, mam pisać opinie in blanco, to powiedz mi chociaż, o co tu chodziło. Bo ty wiesz.

Duch nabrał powietrza i westchnął ciężko.

– Doktorze, skakał pan kiedyś przez fale? Kąpał się w pełnym morzu?

Makak zmarszczył czoło. Poprawił się na krześle.

– Mieszkam tutaj. Co za pytanie?

– To pan wie, że przy brzegu jest bezpiecznie. A im dalej w toń, tym trudniej wrócić. Pozostańmy na Wybrzeżu. Nie ruszajmy w otchłań.

– Słabo się czujesz, Duchu? – zbiesił się doktor. – Co to za moralitety?

– Wszyscy w tych lodówkach mieli swój własny plan na życie. Niestety niezgodny z tym, co dla nich zaplanowała ojczyzna. Rozkaz wykonali, ale emerytury nie dożyli. Będą za to leżeli w alei zasłużonych. Ja nie zamierzam przedwcześnie zostać bohaterem. I nie uważam swojej decyzji za degradację czy tchórzostwo. Raczej obronę kręgosłupa moralnego. Jekyll, oświadczam ci, że wróciłem już do rozumu.

Wstał i wyjął papierosa z paczki.

– Dajcie mi znać, jak skończycie.

I wyszedł.

Cztery godziny później Jekyll zjechał z Alei Zwycięstwa 295 na parking przed Pomnikiem Obrońców Gdyni. Nie minęła jeszcze szesnasta, ale było już ciemno, kiedy wchodził alejką w chaszcze. Latem pełno było tu kochanków, dziś z rzadka dostrzegał spacerowiczów z psami. Duch czekał na Jekylla przy trzeciej ławce. Liczba niedopałków wokół jego stóp wskazywała, że przyjechał dużo wcześniej.

– Skończyliście? – zapytał Robert zamiast powitania.

Jekyll pokręcił głową.

– Wyrwałem się pod pretekstem pizzy. Muszę Rudnickiej przywieźć anchois z ananasem – odparł z grymasem obrzydzenia na twarzy. – Nie widziałem duchowozu ani nawet twojego nowego ścigacza. Chyba nie przywędrowałeś tutaj na piechotę? A może zmieniłeś orientację?

– Nie chciałem robić cyrku. Klaudia mnie przywiozła.

– Twoja nowa Josephine Baker? Koleżanka nieżywego już MauMau?

Duch skrzywił się.

– Ona mnie uratowała. Gdyby nie ona, leżałbym w jednej z lodówek Makaka. I trumnę miałbym obstalowaną na koszt państwa. Wiem, że się nie lubicie, ale ja jej ufam. To dobra kobieta.

772

– No nie wiem. – Jekyll starał się mówić oględnie.

Przyśpieszył kroku. Park zdawał się pusty. Kiedy Duch gwałtownie skręcił z asfaltowej alei, Jekyll zawahał się chwilę, ale ostatecznie poszedł za przyjacielem.

– Rozumiem, że z jakichś przyczyn jest godna twojego zaufania. Nawet wiem z jakich. Pupa w kształcie gruszki. Zawsze byłeś miłośnikiem owoców.

– Owszem, choć o tym nie będziemy dzisiaj mówić.

– A o czym?

Duch się zatrzymał.

– Chciałbym cię przeprosić.

Jekyll poczochrał wąsy. Naciągnął mocniej czapkę na czoło i wsunął dłonie do kieszeni kurtki. Mimo że znajdowali się w zacisznym parku, zdawało się, że wiatr pourywa im głowy. Gwizdał w zaroślach, kołysząc nagimi koronami drzew.

– Wystarczyło zadzwonić. Rozumiem, Francja-elegancja, ale... O, przepraszam. – Przerwał gwałtownie, ale Duch tylko się roześmiał.

Nie dał się zbić z pantałyku.

– Miałeś wtedy rację. Nie we wszystkim, rzecz jasna. W niektórych sprawach to ja się nie myliłem. Ale ogólnie, fakt, dałem się nabrać. Straciłem jasność widzenia. Zwracam ci honor.

– Poważnie? – zakpił Jekyll. – Chyba się wzruszyłem.

– Jestem ci to winien. Kiedy tam leżałem, na Kontenerowej, był czas to poukładać, jakoś w sobie pomieścić. Nigdy nie czułem takiej grozy. A potem Claudine wszystko mi powiedziała.

– Wszystko? I teraz mi to wyjaśnisz? Po prostu o tym marzyłem. Łazić w ciemnościach po parku i słuchać łzawych historii zdegradowanego psa. No, kurwa, wspaniała rozrywka.

– Nie chcesz wiedzieć?

Technik się zastanowił.

– W sumie byłoby kilka pytań.

– Wal.

– Nie – zaprotestował Jekyll. – Jak konfesjonał, to konfesjonał. Najpierw mi wyjaśnij, dlaczego ją zdradziłeś.

– Kogo?

– Saszę.

– Ja?

– To ty kontrolowałeś uprowadzenie Karoliny. Dlatego nic nie robiłeś, nie przejmowałeś się poszukiwaniami. Wiedziałeś, że dziecko jest bezpieczne, i liczyłeś, że zostanie oddane. Pomyliłeś się? A może sprawa wymknęła się spod kontroli?

– Skąd wiesz?

– Już wcześniej współpracowałeś z Kwiatkowskim? Przehandlowałeś ją za stanowisko.

– To nie tak.

– A jak?

– Oszukała mnie.

– Bo nie powiedziała ci, dla kogo naprawdę pracuje?

– Bo nic mi nie powiedziała.

Jekyll się zatrzymał. Za wszelką cenę starał się zachować spokój. Wpatrywał się w Ducha.

– Dziadek skontaktował się ze mną, kiedy Załuska była jeszcze w Łodzi. Dał mi część jej akt. Już wtedy zaczęli mną manipulować. Poznałem Warwarę, żonę Kajetana Wróblewskiego, i Igę, szyfrantkę. Wtedy jeszcze nie wiedziałem, że była kochanką Dziadka. Zjedliśmy obiad, w trakcie którego opowiedzieli mi, kim Sasza jest naprawdę.

– A kim jest?

– Szpiegiem. – Duch wzruszył ramionami. – Bo ta kwestia chyba już nie podlega dyskusji.

Jekyll roześmiał się gromko.

– A ty kim byłeś przez ostatni czas? Bo po tym wszystkim żaden z nas nie ma złudzeń, że i ty dla nich pracowałeś. To się nazywa kontakt informacyjny, figurant. Na dodatek nie wziąłeś za to ani grosza. Chyba że ja o tym nic nie wiem.

– Nieważne. – Robert machnął ręką i dodał pośpiesznie:

– Nie wiedziałem, że grają w swoją grę. Dziadek miał odpaść z policji z powodu czystek, jakie zaplanował nowy rząd. Jak setki innych funkcjonariuszy, którzy mieli w życiorysie pracę w Służbie Bezpieczeństwa. Ale o ile inni po prostu odchodzili, o tyle on chciał odwetu i pieniędzy. Potrzebował tych dokumentów, które miała Załuska, do szantażu. To była sprawa polityczna. Wybory są za trzy lata. Byli komuniści i lewacy już zbierają kwity, chcą wrócić na arenę i uratować kraj przed ekstremistyczną prawicą. Znasz moje poglądy. W tym kraju robi się jak za komuny. To nie jest demokracja, to dyktatura. Czekają nas czasy terroru. Monopartyjność. Pełnia władzy w jednych rękach.

– Więc zrobiłeś to w dobrej wierze? Z patriotyzmu zwabiłeś Saszę do łóżka, by ukraść jej dzieciaka i mieć jeszcze alibi?

– Wszystko miało przebiegać inaczej. Wtedy mówili mi, że tylko ona może je zdobyć, że trzeba ją do tego zmusić.

– I ty się na to złapałeś?

– Nie wiedziałem, że trzyma je pod podłogą ani że to rozgrywka na innym poziomie. Wiesz, co zawierał raport Pawłowskiego? Co było w kwitach, o które chodziło resortowi? To lista win obecnie panujących. Włącznie ze zleceniami najsłynniejszych zbrodni politycznych. W tym zabójstwa komendanta Lekiego. I innych.

Jekyll nie odpowiedział, więc Robert dokończył:

– Więc doskonale wiesz, że ten dokument wart jest fortunę.

– Raczej jak najszybciej powinien być upubliczniony.

– Do tego właśnie nie chcą dopuścić. Dlatego do mediów wypłynęła już lista Norina. Próbują wmówić ludziom, że o to chodziło. Tylko prokurator śmieje się teraz w kułak. Robert podał przyjacielowi gazetę.

Alfabet Bułki, czyli refleksje Norina
po wspominkach świadka koronnego na szlaku
® Wszystkie prawa zastrzeżone.

Anioł – kobieta przeważnie płci żeńskiej, generalnie zajmująca się udeptywaniem pobocza trasy szybkiego ruchu. W przerwach, za niewygórowaną opłatą, świadcząca nieskomplikowane usługi seksualne. Wyróżniająca się urodą na tle innych tirówek (patrz – tirówka), miejsce występowania anioła łatwo poznać po gwałtownie hamujących tirach (patrz – tir) i furach (patrz – fura).

Apelacja – odwołanie od wyroku, sytuacji człowieka (patrz – człowiek) nie polepsza, ale wzbogaca jego obrońcę.

– Do rzeczy. – Jekyll nie dał się zbyć.
– Dziadek przydzielił do tej akcji swoich najbardziej zaufanych ludzi. Elżbieta Stokłosa, pseudociotka Karoliny, miała jej pilnować. Oddaliby małą, jak tylko Załuska dostarczyłaby materiał.
– Tak się nie stało.
– Bo Dziadek nie wyjechał. Został zlikwidowany. Dopadł go „seryjny samobójca" służb.
– Mieczem wojował, od miecza zginął. Kto go wydał?
– A jak sądzisz?
– Czy ja jestem wróżka?

– Kobieta. Ot skutki podwójnego życia. Żył z Warwarą w legalnym związku, a potajemnie z gosposią i szyfrantką. Taki trójkącik przez całe lata. Tykająca bomba, która musiała eksplodować.

– Dzięki Bogu Anielki nigdy nie zdradziłem. Zdradzona żona jest gorsza niż szwadron kilerów.

– Tak wszyscy myśleli. Warwara to harpia, chwaliła się swoimi wtykami w KGB i w innych wywiadach świata. Ma słabość do drogiej biżuterii i władzy. Ale starego wygę zdradziła kochanka. Iga Śmiałowska poświęciła dla niego życie. Starość chciała przeżyć godnie i dostatnio. Nie zostało jej wiele czasu, bo była chora. A ten tchórz znów wybrał fasadę. Może i był to czysty pragmatyzm. Warwara sporo zażądała za swoją wolność. Szkoda mu było kasy, by spłacić żonę, więc tuż przed wyjazdem, w ostatniej chwili, się wycofał. Iga wydała go nowym szefom, ujawniła jego sprytny plan. Potem nastąpił efekt domina.

– O raport Jesiotra zaczęli bić się wszyscy.

– Trudność polegała na tym, że dokument znajdował się w trzech częściach. Trzeba było zdobyć całość.

– Nie prościej było pójść do autora i poprosić? Nie wierzę, że agent Pawłowski nie miał kopii.

– On wypadł z gry. Wziął kasę i otrzymał za to spokój do końca życia.

– To bzdury.

– Może i tak. W każdym razie nagle okazało się, że dziecko przerzucono w nieustalone miejsce. Sprawa się skomplikowała. Nowi ludzie, wrogowie Dziadka, chcieli już czegoś więcej.

– Czego?

– Głowy Wilmora, legendarnego szpiega, który miał w depozycie archiwum Dziadka, bo w domu nic nie znaleziono.

Zrobiła się z tego niezła afera. Do gry wszedł były gangster Wojciech Kłyś, zwany Pochłaniaczem. Na zlecenie służb kontrolował kanał narkotykowy, który otwarto po zabójstwie komendanta Lekiego. Większość zysków zasilała kasę resortu. Można powiedzieć, że to były państwowe narkotyki. Zysk inwestowano w kampanie i budowanie siły politycznej. To dlatego na Kontenerowej padło tyle trupów, a towar zniknął. Pochłaniacz miał swój interes.

– Chciał przejąć kanał dla siebie i swoich ludzi. Pozbyć się polityków, esbeków.

– Oczywiście. I dlatego poza dokumentami Jesiotra chciał zdobyć dokumenty TW Calineczki. Obciął Saszy palec, dał termin. To wtedy przestała z nami współpracować.

– Łukasz Polak brał w tym udział?

Duch pokręcił głową.

– Nie, ale domyślił się bardzo szybko.

– Dlatego zginął – westchnął Jekyll. – Stał się niewygodny.

– Nie wiem, co odkrył. Ale spotkał się ponoć z Wilmorem, dotarł do Jesiotra i pomógł Saszy połączyć kawałki układanki. Teraz już do tego nie dojdziemy. – Duch przerwał. – Łukasz Polak nie został zgładzony. Popełnił samobójstwo.

– Robiłem te oględziny. Nie musisz mnie przekonywać. Dobrze to przygotowali. Skok autem do morza w stroju nurka. Bardzo pomysłowe – szydził Jekyll.

Duch kategorycznie pokręcił głową.

– On sam zdecydował. Może w ten pokrętny sposób starał się ratować Saszę i córkę? Zostawił list pożegnalny, a raczej rodzaj testamentu. Prawnicy jego ojca starają się go podważyć. Okazuje się, że chłopak miał willę w Rewie. Zapisał ją małoletniej Karolinie Załuskiej. Do czasu osiągnięcia przez nią pełnoletności dysponentem majątku ma być Małgorzata Werner. Jak widzisz, wszystko już wtedy było przygotowane. Dziewczynka dostała też w spadku mieszkanie w Krakowie. Należało do Lucjana Staniaka, wuja Polaka i domniemanego zabójcy z lat siedemdziesiątych zwanego „Czerwonym Pająkiem". Facet nigdy nie stanął przed sądem, ale spędził w zakładzie psychiatrycznym więcej niż połowę życia. Wyszedł w dwa tysiące piątym i w ciągu niespełna dwóch lat w Krakowie zginęło pięć rudych kobiet. Znów nikt mu niczego nie udowodnił, za to jego bratanek Łukasz był o to podejrzewany jako *copycat*. W końcu i on trafił do wariatkowa. Pułkownik Kałużyński z Dziadkiem o to zadbali. Jak tylko Staniak znów był pod kluczem, zabójstwa ustały. Zmarł w ośrodku. Na zapalenie płuc. Podobno próbował uciec na bosaka w samym środku zimy.

– Niezła rodzinka.

– Okazało się, że Staniak nie miał spadkobierców. Mieszkanie trafiło się Polakowi. Co za ironia losu! To w nim uwięziono Saszę po akcji Calineczka. Używała wówczas tożsamości Mileny Czarneckiej. To wtedy wybuchł ten pożar, a Załuska omal nie zginęła. Teraz obydwa Pająki nie żyją, więc ten lokal należy do jej córki. Może Załuska nie miała szczęścia w miłości, ale pieniądze zawsze się jej trzymały.

– Wracamy? – Jekyll wprost trząsł się z zimna. – Zostajesz czy mam cię podwieźć do miasta?

Duch nie krył oburzenia.

– Tylko tyle?

– A co mam jeszcze dodać? Wszystko wyjaśniłeś, a dziecka nie ma. Są tylko trupy. Coraz więcej martwych ciał i tajemnic. Po to mnie tu ściągnąłeś? Żebym cię rozgrzeszył?

– Uznałem, że chciałbyś wiedzieć.

– Teraz żałuję – burknął technik.

– Gdzie jest Karolina?

Duch pochylił głowę.

– Nie wiem.

– To spytaj swoją nową kobietę. Zrób coś dobrego.

– Oni jej nie skrzywdzą. Pozwolą zabrać dziecko. Pochłaniacz dostał ofertę współpracy i przyjął ją. Nie będzie mu się opłacało robić nic głupiego. Śmierć Łukasza Polaka wszystko ułatwiła.

Jekyll nie odpowiedział. Ruszył w chaszcze do pomnika. Po chwili jeszcze się odwrócił.

– Jeśli się mylisz, Duchu, mam nadzieję, że będziesz mógł z tym żyć.

Mężczyzna przy barze oszacował jakość nóg Saszy, a potem bezczelnie obmacywał wzrokiem jej biodra i wąską kibić. Wzdrygnęła się pod jego spojrzeniem, jakby dotykał jej nie wyblakłymi zielonymi tęczówkami, lecz rozżarzoną do czerwoności metalową protezą. Wiedziała, że takową kiedyś posiadał. Ładunek wybuchowy z czarnego prochu eksplodował mu w rękach na imieninach Słonia. Solenizant tego nie przeżył. A dziś po prostym bandycie nie było już śladu. Stał przed nią niedorobiony klon Daniela Craiga, równie niski, lecz pewny siebie niczym bohater fabuły z najsłynniejszym agentem 007. Sasza nabrała powietrza i przyjrzała się przekrzywionej białej poszetce, gdyż znudził ją już jego wygłodniały wzrok. Liczyła sekundy, kiedy do niej podejdzie. I chciałaby tego uniknąć, ale przecież po to tu przyszła. Żałowała po stokroć pomysłu z włożeniem żakardowej sukienki zabudowanej po szyję z przodu, za to odsłaniającej jej pokiereszowane plecy aż po strefę lędźwiową kręgosłupa. Nie mogła też sobie darować konceptu z powiększeniem gąbkami wątłego biustu i tej czerwonej szminki, w której czuła się wulgarnie, jak Anastazja z klubu go-go. Nigdy do niej nie dorośnie. Ale Jolanda się uparła. Po telefonie Abramsa Sasza pomyślała tylko o niej. Kurczakowa

781

przybyła w ciągu godziny ze swoimi koleżankami i przywiozły pół ciężarówki ubrań. Większość była jednak tak kusa, że Sasza zdołała na siebie wciągnąć tylko tę balową toaletę. Umalowały Załuską, przykleiły jej rzęsy, jakby co najmniej szła na swój własny ślub. Kiedy zerknęła do lusterka, nie poznała sama siebie. Było to najlepsze z jej przebrań, odkąd pracowała w tej branży. Potem wyszły całe zadowolone, śmiejąc się i żartując z nieudolności policji. Teraz Załuska poprawiła rękawiczki. Ropa z rany przesiąkła już aksamit, wyschła i przykleiła się do dłoni, tworząc nieprzyjemną twardą skorupę. Przy bliższym przyjrzeniu się można było stwierdzić, że jeden z palców jest wypchany. Zasłoniła część twarzy włosami i odwróciła się do mężczyzny tyłem. Musiał ją rozpoznać. Mozaika na jej skórze była jak znak wodny. Nie do podrobienia. Chwilę potem usłyszała jego oddech i poczuła zapach burbona.

– Więc wyeliminowałaś wrogów?

– Sama jestem sobie wrogiem. – Z trudem wzniosła się na wyżyny kostycznego flirtu.

Skinął na kelnera.

– Dwie wódki. Podwójne.

Pokręciła głową.

– Dla mnie pomidorowy z tabasco. Bez lodu.

Przekrzywił głowę wyraźnie rozbawiony.

– Coś słyszałem o twojej przypadłości, ale wziąłem ją za żart.

– Dobry żart nie jest zły.

Kelner podał drinki. Mężczyzna podniósł kieliszek w geście toastu.

– Też prawie nie piję. – Umoczył usta, a potem wlał zawartość do gardła. To samo zrobił z drugą porcją. – I jak to jest?

Sasza podniosła głowę. Patrzyła na niego teraz z góry.
– Jak? – szepnęła. – Nawet nieźle. Tylko na trzeźwo
mniej śmieszą mnie twoje żarty.

Zmrużyła oczy i wypaliła:
– A jak to jest więzić dziecko? Robić krzywdę moim bliskim? Zabijać dla pieniędzy? Jak się z tym czujesz, Horacy?
A może powinnam się zwracać do ciebie starą ksywką: Pochłaniacz? Wystawałeś przed moim domem za plecami Jelcyna. Myślałeś, że nie sprawdzę numerów rejestracyjnych?
Że się nie domyślę? Zresztą Krzysztof już wie, że go wtedy
wystawiłeś w torpedowni, i cię znajdzie. Jeśli ojciec Katarzyny się dowie, nie odpuści ci tego. Dojadą cię. Ale co to
dla ciebie? Obetniesz im wszystkie palce? Zabijesz? A może
znów zmienisz skórę i będziesz udawał zawodowca. Pewnie
tak, skoro byłeś w stanie zrobić to Elżbiecie. Ona cię naprawdę kochała. Myślała, że zostawisz rodzinę, będziecie
razem. Po co mieszałeś jej w głowie?

– Od początku wiedziała, że to układ bez zobowiązań.
– Niektórzy potrafią się rozstać i odejść własną drogą.
Nie muszą zabijać.

– To był wypadek przy pracy.
– Strzykawka z alkoholem też? Kamień, worek... Kiedy
dowiedziałam się o Eli, od razu pomyślałam o tobie. Po
wszystkim nie mogłeś patrzeć na jej twarz. Misterium
śmierci. Poczucie winy. Bliskość ofiary i sprawcy. To książ-
kowy przypadek. I dlaczego? Bo mnie ostrzegła? Bo starała
się chronić moją córkę? Też masz podobno dziecko. Jak
byś się czuł, gdyby uprowadzili twoje niemowlę?

– Nie wykonałaś rozkazu.
– To była moja siostra! – wysyczała Sasza. – Nie z krwi,
ale z serca. Najprawdziwsza. Za to ty zgłosiłeś się ochoczo,
żeby wykonać go za mnie. Zabiłeś swoją własną kobietę.

Za ile? W imię czego? Ojczyzna ci kazała? Zresztą czego się spodziewać po kimś, kto mści się za swoje pomyłki, obcinając palce kobietom.

Zgięła dłoń w pięść. Wskazujący palec pozostał sztywny.

– To samo zrobiłeś Eli. Prawie dwadzieścia lat temu. Jesteś chory!

Chwycił ją za ramię. Sasza natychmiast zamilkła. Nie była w stanie się wyzwolić, więc zastosowała ekonomiczne racjonowanie energii. Kiedy Wojciech Kłyś poczuł, że kobieta wiotczeje, poluzował chwyt. Wokół było zbyt wiele osób. W tym momencie Sasza upuściła szklankę. Szkło rozprysło się z łoskotem na podłodze, oblewając krwawym sosem agresora i kobietę w cekinowej sukni, stojącą obok. Jej partner zareagował natychmiast i rzucił się z pięściami na Pochłaniacza. Był od niego niższy, ale lepiej zbudowany, a przez zaskoczenie zyskał dodatkową przewagę. Załuska wykorzystała ten moment, czmychnęła z baru i ruszyła do kajut. W ręku miała klucz do jego pokoju. Zawsze go nosił w tej samej kieszeni. Nawet się nie zorientował, kiedy go wyjęła. Poszło łatwiej, niż się spodziewała. Zdjęła szpilki i biegła, ile sił w nogach, szukając odpowiedniego korytarza.

Przed drzwiami nie było żadnej ochrony. To ją zaniepokoiło. Przyłożyła kartę, zapaliło się zielone, kliknął zamek. Pchnęła skrzydło, weszła do środka. W ciemności dostrzegła kształt na jednej koi, pośpiesznie zamknęła drzwi i włączyła światło.

Karolina leżała z rozrzuconymi rękoma i nogami, częściowo przykryta kołdrą, jak zawsze, kiedy zmorzył ją mocny sen. Oczy miała zamknięte. Usta lekko rozchylone, pierś się nie poruszała. Sasza przez moment była pewna, że dziecko nie żyje. Podbiegła do córki, szarpnęła ją i zdławiła wrzask rozpaczy, kiedy dziewczynka poruszyła dłonią. Sasza opadła na kolana, wtuliła twarz w ciało dziecka.

– Boże, dziękuję ci, dziękuję. O Boże!

– Mama? – zaszczebiotała łagodnym głosem Karolina.

– Gdzie byłaś?

– Kochanie, idziemy. Już nic ci nie grozi.

Córka rozbudzała się z trudem. Wstała jednak posłusznie, zaczęła się ubierać.

Sasza chaotycznie zbierała jej rzeczy, wreszcie otuliła małą pledem i chwyciła, jakby dziewczynka ważyła mniej niż piórko. Wybiegła z kajuty. Schodami ewakuacyjnymi ruszyła w dół, do pomieszczeń załogi, gdzie czekał Tom z opłaconą szalupą ratunkową. Córka bez słowa wtuliła się w matkę. Cicho łkała.

W połowie maratonu Sasza straciła oddech, postawiła Karolinę na podłodze i wpatrywała się w nią pytająco. Wreszcie wychrypiała:

– Nic ci nie jest?

Dziewczynka pokręciła głową. Wskazała nieokreślony punkt na wyższych partiach promu.

– Dostałam mnóstwo zabawek. Nie wzięłam ich.

Sasza roześmiała się przez łzy.

– Kupię ci nowe. Cały świat. Wszystkie zabawki, jakie istnieją. Musimy się stąd wydostać. Bądź cicho, biegnij tak szybko, jak zdołasz.

Obejrzała twarz małej, każdy kawałek ciała, który wystawał spod ubrania.

– Ta pani była nawet miła. A ten pan śmieszny.

– Pani? – zdziwiła się Sasza.

– Ciocia Elżunia. Twoja koleżanka.

– Potem mi opowiesz – zdecydowała Sasza, kiedy wbiegły na poziom zaparkowanych aut.

Kluczyła między nimi, szukając czarnego chevroleta na holenderskich blachach, aż mała nie mogła za nią nadążyć. Wreszcie matka kazała się jej ukryć między lawetami. Nie mogła uwierzyć w swoje szczęście. Samochód stał dokładnie przed nią. Kucnęła i spod podwozia wyjęła opakowane w szary papier zawiniątko. Rozerwała taśmy. Wewnątrz był nowiutki, może kilka razy przestrzelony glock oraz plik dokumentów. Nie miała torebki ani kieszeni. Nie miała gdzie tego schować. W końcu zawinęła wszystko w prześcieradło i przytroczyła do pasa.

Tom stał przy szalupie. Bandaż na ramieniu przesiąkł krwią, ale profesor starał się nie dawać po sobie poznać, jak bardzo go boli. Sasza wiedziała, że potrzebuje natychmiastowej pomocy lekarskiej. Bała się, by nie zemdlał, zanim dotrą w bezpieczne miejsce. Tom przekazał bosmanowi zwitek banknotów. Włożyli sztormiaki i kamizelki ratunkowe. Marynarz pomógł małej wdrapać się na burtę, podtrzymał też Abramsa, kiedy ten się zachwiał. Sasza widziała, że prawdziwy z niego wilk morski i dobry człowiek, choć pijak. Zionęło od niego na kilometr. Pewnie dlatego Tom zdołał go przekupić. Sprawa była zbyt ryzykowna dla wzorowego marynarza.

– Nic się nie martw – uspokoił Saszę i Karolinę Abrams. – Zdejmą nas helikopterem. Już mają nasze współrzędne. Musimy tylko się tam doczołgać. Jesteśmy zaledwie trzy mile od portu w Gdyni.

Kiedy wszyscy już siedzieli, Karolina ukryła się w ramionach wuja Toma.

– Betka – dodał.

– Twój polski znacznie się poprawił – mruknęła Sasza.

Marynarz zaczął spuszczać gumową tratwę na wodę. Wtedy usłyszeli zduszony krzyk, a potem krótki świst. Lina się zatrzymała. Zawiśli w powietrzu, starając się za wszelką cenę utrzymać równowagę. Tom odsunął się od Saszy i Karoliny, by szalupa się nie przechyliła. Mieliby niewielkie szanse na uratowanie. O tej porze roku temperatura wody z pewnością była poniżej zera. Dziewczynka zaczęła po cichutku płakać. Załuska, jak zwykle w trudnych sytuacjach, zachowała zimną krew. Myślała szybko, precyzyjnie, szukała wyjścia z sytuacji. Patrzyła na drabinkę zwisającą na trzecim poziomie, oceniła szanse wciągnięcia szalupy z powrotem, jeśli z Tomem zastosują dźwignię i przetną jedną z lin, ale każda z tych możliwości była zbyt ryzykowna ze względu na obecność na pokładzie Karoliny. Była jeszcze jedna opcja: mogli pozostać niezauważeni. Było to śmiałe posunięcie, ale na razie inne nie przyszło im do głowy. Porozumiała się wzrokiem z Tomem. Momentalnie przemieścił się, by zablokować karabinek. Szalupa przegięła się niebezpiecznie, ale Sasza trzymała się lin na burtach, Karolina zaś wczepiona była w matkę i przywiązana taśmami do transportu bagaży. Tym razem nikt nie wydał z siebie żadnego dźwięku. Zamarli, czekając na dalszy rozwój wydarzeń. Usłyszeli kolejny świst, a potem przed ich oczyma przeleciał ciemny kształt. Kilka sekund później opłacony marynarz wpadł do wody. Załuska nie potrzebowała więcej danych, by domyślić się, że ten świst to był strzał z broni z tłumikiem.

DZIADEK
(2016)

Kiedy Sasza weszła do Tapas Barcelona, Dziadek oglądał właśnie wina w gablotach. Wojciech Kłyś, dziś już przez nikogo nienazywany Pochłaniaczem, lecz Horacym, niczym prawdziwy znawca trzymał zdrową ręką kieliszek i wdychał aromat Reservy Rioja po pięćset złotych za butelkę. W drugiej miał porcelanową miseczkę. Saszy przez głowę przeleciał flesz, kiedy to spotkali się w zupełnie innej sytuacji, a zamiast oliwek w salaterce pełno było ludzkich palców.

Teraz rozpromienili się obaj na jej widok.

– Jest nasza gwiazda. – Dziadek podszedł do drzwi i zamknął zasuwę. Sasza dopiero teraz dostrzegła, że zwierzchnik ma na sobie kuchenny fartuch.

– Myślałam, że jesteście już z Igą daleko stąd – zdziwiła się.

– To chyba nieaktualne – uciął. – Nie przesadza się starych drzew.

Sasza zaniemówiła.

– Ale nie mów Śmiałowskiej. – Uśmiechnął się dobrotliwie. – Ona bardzo na to liczy.

Sasza się nie odezwała. Rozejrzała się po winiarni. Przełknęła ślinę. Warunki nie były dla niej sprzyjające.

– Kolega wynajął mi to miejsce – kontynuował Dziadek. – Właściwie to nie kolega, ale podwładny. Sześć procent

791

udziałów należy do mnie. Jest więc gwarancja, że nie weźmiemy udziału w aferze taśmowej.

Sasza tylko skinęła głową. Nie czuła się najlepiej w miejscu, gdzie zewsząd otaczały ją pełne butelki. Nie była nigdy znawczynią wina, ale bała się, że to w jej sytuacji nie miało większego znaczenia. Zwłaszcza że na blacie tuż obok kasy fiskalnej dostrzegła otwarty dżin i lód w kubełku. Wydawało jej się, że czuje zapach swojego ulubionego alkoholu.

– Jakie są ustalenia? – zapytał Dziadek, kiedy usiedli.

Sasza szybko zorientowała się, że Pochłaniacz będzie uczestniczył w negocjacjach wyłącznie biernie. Krążył wokół stolików niczym sęp nad ofiarą, jakby wyczuł świeżą krew. Widocznie nawet nie zdawała sobie sprawy, że jest już ranna. Wpatrywała się więc tępo w ścianę z malunkami nieudolnie naśladującymi twórczość Joana Miró i czekała na rozkazy.

– Zgadzam się na wszystko – powiedziała. – Wiesz przecież.

– Twoje dziecko jest bezpieczne – zaczął, a Saszy żołądek podszedł do gardła.

Wiele razy uczestniczyła w takich rozmowach. Skoro Kajetan Wróblewski zaczynał od oswajania zwierzyny, znaczyło to, że jest ona skazana na rzeź. Odważyła się więc na konfrontację.

– Wypuść ją, to ci uwierzę.

– Najpierw dokumenty.

Sasza sięgnęła do torby. Wyjęła szarą, miejscami rozdartą kopertę. Były na niej pieczęcie różnych krajów i aforyzm napisany ręką samego Jesiotra:

„Nie wyśmiałem was. Co czynicie, uczyniliście nie z waszej woli, lecz żeby wasz Bóg otrzymał błogosławieństwo".

A na wierzchu położyła nowiutką kopię raportu z wytłuszczoną pieczątką „TW CALINECZKA".

Bodaj cała krew odpłynęła z twarzy Dziadka.

– Otworzyłam. – Sasza pokiwała głową niezrażona.

– Chciałam wiedzieć, co jest dla ciebie tak ważne, by wikłać w swoją grę mnie i moją rodzinę.

– Twoją jedyną rodziną jesteśmy ja i Iga – odpysknął.

– Zrzekam się tego pokrewieństwa – oświadczyła. – To kopie. Oryginał ma Wilmor. Dziwię się, że twój przyjaciel cię nie poinformował.

Siedzieli chwilę bez ruchu. Pochłaniacz też usiadł. Wiedział, że moment jest ważny. Wszystko się zmieniło.

– Dobrze – zaczął Dziadek. – A więc wiesz.

– Tak.

– To dla ciebie gorzej.

– Zrozumiałam, jak tylko to przeczytałam – odparła zadziwiona własną odwagą. Chyba jeszcze nigdy tak otwarcie się z nim nie konfrontowała.

– Podzieliłaś się z kimś tą wiedzą?

– Masz na myśli twoich przyjaciół-wrogów: Jelcyna, Otta, Zawiszę? A może Warwarę?

Nie odpowiedział. Był coraz bardziej wściekły. Znała go dobrze i wiedziała, że już nie tylko macha bykowi przed oczyma czerwoną płachtą, ale zadała mu niecelny cios.

– Nikomu nie mówiłam. Ale skopiowałam wszystko. Resztę zdobędę. Bo tego ode mnie chcesz?

Nagle Dziadek rozpromienił się i klepnął z rozmachem po udach.

– Głodna jesteś pewnie.

– Zupełnie nie. – Sasza pochyliła głowę.

I już wiedziała, że popełniła błąd. Straciła czujność. Pochłaniacz dopadł ją od tyłu, wykręcił ręce, przygwoździł do krzesła. Syknęła z bólu, po twarzy pociekły jej łzy. Zanim zdążyła krzyknąć, w ustach miała już knebel. Oddychała z trudem.

– A to szkoda – gruchał dalej Dziadek, jakby znajdowali się na rodzinnym przyjęciu. – Robię właśnie paellę.

Kłyś siłą wyciągnął Załuskiej dłoń z kieszeni, położył na stole. Przytrzymał palec wskazujący.

– Podoba mi się ten sam, co u siostrzyczki...

– Wybierz sobie, który chcesz – łaskawie zgodził się Dziadek.

A potem wziął deskę, patelnię z daniem oraz butelkę najdroższego wina w menu i zasiadł przed Saszą.

– To może wyjaśnię, za co, zanim to się stanie – zaczął, jednocześnie napychając usta jedzeniem. – Dostałaś te rzeczy w depozyt lata temu. Sądzisz, że przypadkowo?

Pokręciła głową.

– Oczywiście, że to był wybór. Pozwoliłem ci to mieć. Inaczej Warwara i jej ruski by to wyniuchały. Byłaś moją matrioszką, żywą skrytką i cerberem jednocześnie. Ciebie by skasowali, ja bym zdążył dotrzeć do mety. Taka prawda. No i Iga nalegała, żeby was chronić. Ciebie i Pająka. Nie wiem dlaczego.

Najadł się, odsunął deskę. Upił łyk wina.

– Zrobisz tak: zadzwonisz do Toma, zwabisz go tutaj. A potem bang, bang. – Przesunął w jej kierunku zawiniątko w szmacie uwalanej towotem. – Bezpieczna broń, ta sama, z której zginął generał Leki. Tamagoczi przyniósł mi ją wtedy w zębach. Kazałem rozebrać, bo – jak wtedy sądziłem i miałem rację, jak zwykle – może jeszcze się przyda. Więc kropniesz Tomaszka Abramczyka, skompletujesz resztę papierów i wtedy zobaczysz córeczkę. Nie wcześniej. A jeśli myślisz, że coś wskórasz u Eli, to się grubo mylisz. Zostanie wymieniona. Horacy ją zastąpi. – Zachichotał jak mały chłopiec, co wprawiło Saszę w jeszcze większą wściekłość. – Oryginał TW Calineczki chcę od razu. Teraz. Horacy będzie nam towarzyszył.

W tym momencie Kłyś wyciągnął z ust Saszy knebel. Gwałtownie zaczerpnęła powietrza.

– Umowa? – Dziadek chwycił Załuską za włosy. Zdołała jedynie pokiwać głową. Wtedy Pochłaniacz wysunął się z sekatorem i uciął Saszy jeden z palców. Zawyła tak głośno, że słychać ją było pewnie na „Darze Pomorza". Krew trysnęła fontanną. Sasza cała była w miniaturowych czerwonych kropeczkach.

– Czy cię pojebało? – zbiesił się Dziadek i pośpiesznie podał wspólnikowi szmatę, którą wcisnęli kobiecie do ust. Mimo to wydawała nieartykułowane dźwięki i kręciła się w więzach. A potem usiadł, chwycił ją za zdrową rękę, długo gładził i wreszcie rzekł:

– To tylko przypomnienie, żebyś traktowała nas poważnie, Calineczko. Ku przestrodze i ku pamięci.

Odwrócił się do Pochłaniacza.

– Daj jej trochę wódki, bo jeszcze tu zemdleje. Wszędzie jest monitoring, nie będę jej włókł w dywanie.

Po czym wlali Saszy do gardła szklaneczkę dżinu. Opierała się ze wszystkich sił, ale bez skutku. Świeża rana pulsowała, z każdą chwilą czuła się coraz gorzej. Kiedy alkohol zaczął krążyć w jej żyłach, zrobiło jej się tylko trochę lepiej. Na tyle jednak, że było jej już wszystko jedno. Schowała pistolet do kieszeni kurtki, a potem nagle zapadła ciemność. Ostatnim, co pamiętała, było uderzenie głową o kant stołu. I słowa Dziadka:

– Co jest, kurwa?

Obudziła się we własnym mieszkaniu, na podłodze w kuchni. Naga i sama. W kałuży własnych wymiocin i moczu. Kikut palca miała niedbale obwiązany kawałkiem gazy. Był przesiąknięty brunatną substancją, spuchnięty. Nie mogła poruszać już całą dłonią. Nie była w stanie wstać, od pasa w dół paraliżował ją ból. Na przemian tępy i rwący. Została zgwałcona. Głowę rozsadzał synchroniczny ból, zdawało się jej, że jej mózg ma konsystencję purchawki. Dopiero po dłuższej chwili przypomniała sobie, że tamtego wieczoru nie skończyło się na jednym drinku. Nie wiedziała dokładnie, ile wypiła, jak długo leży. Jedyną zaletą tej sytuacji było to, że nic nie pamiętała.

Pomieszczenie pieczołowicie splądrowano. Kiedy udało jej się doczołgać do łazienki, już wiedziała, że zerwali nawet część podłogi, zdjęli kaloryfery, osłony rur, rozmontowali okap, sprawdzili wentylatory. W zimnej wodzie leżała ponad godzinę. Na dnie szafki znalazła lancet i planowała go użyć, ale ponieważ obok ostrza dostrzegła też dawno przeterminowany ketonal, wzięła pół fiolki na odwagę. Efekt był odwrotny od zamierzonego. Ból z czasem zelżał. Zaczęła myśleć. Kiedy skostniała wyszła z łazienki, pierwszym, co poszła sprawdzić, była skrytka pod podłogą w pokoju Karoliny. Zerwali pierwszy rząd parkietu, dokopali się też do drugiego, ale trzeci był cały. Z ulgą wysunęła prowizoryczne pudełko ze sklejki. Było tam wszystko. Podniosła głowę i wreszcie poczuła, że jest jej zimno. Kiedy zawibrował telefon, aż podskoczyła z przestrachu.

– Jak się masz, Kopciuchu – poznała głos Jelcyna, choć używał nakładki zniekształcającej, w razie gdyby jej komórka była na podsłuchu.

Starał się być nonszalancki, ale wiedziała, że z trudem hamuje oburzenie. Nawet w jego opinii Dziadek posunął się do największej podłości. Poczuła gdzieś w głębi serca wdzięczność. Tym ją kupił. Jak zwykle.

– Przecież wiesz – zdołała wymruczeć. A potem szybko dodała: – Jeśli chodzi ci o TW Calineczkę, to możesz zapomnieć. Zrobili mi kipisz. Wszystko zabrali.

Westchnął ciężko.

– No to masz okazję dokonać srogiej pomsty – rzekł.

Sasza milczała.

– Więc? – docisnął i wtedy zorientowała się, że bardzo mu na tym zależy. – Broń leży na kuchennym stole. Zawinięta w stary T-shirt.

– Pomożesz mi odbić dziecko?

– Nie mam takich kompetencji – odparł szczerze. – To sprawa Dziadka, jego układy. Musisz zająć się tym sama. Ale jeśli dobrze wypełnisz ostatnie zadanie, pozwolę ci odejść.

– Prosto do więzienia?

– Będziesz wolna – zapewnił. – Obiecuję.

– I już się nie spotkamy?

– Jeśli dobrze wypełnisz zadanie – powtórzył. – I jeśli mówisz prawdę, że nie masz tych papierów.

– A Wilmor?

– Kiedy go wezwiesz, zajmę się nim.

– Nie musisz go eliminować – zaoponowała.

– Przywiezie dokumenty, to zobaczymy. Zajmuj się teraz tym, co pilne. Ważne sprawy zostaw mnie.

– Mam nadzieję, że to nagrałeś. Zawarliśmy układ – odparła i już miała się rozłączyć, kiedy usłyszała: „Żegnaj, Sasza".

A może tylko jej się wydawało? We krwi miała pewnie ze dwa promile. Znów czuła się jak kiedyś. Strach gdzieś uleciał. Granice zniknęły. Wszystko zdawało się możliwe.

Ubrała się na czarno, wzięła broń i pojechała komunikacją miejską do willi Wróblewskich w Oliwie. Zadzwoniła, że czeka na tyłach domu.

– Mam oryginał – powiedziała.

Właśnie trwała druga połowa meczu. Nikogo nie było na ulicach. Zewsząd rozlegały się tylko radosne okrzyki kibiców.

Kajetan wyszedł po kilku minutach. Oderwała go chyba od stołu, bo jeszcze wycierał usta chusteczką, kiedy otwierał garaż. Zanim strzeliła, w oknie Igi dostrzegła ruch firanki. Była pewna, że Śmiałowska ją widziała. Mimo to szyfrantka nie zareagowała. Nie przybiegła na pomoc generałowi. Pozwoliła jej nacisnąć spust jeszcze dwukrotnie. Dlatego, kiedy Sasza uciekała, odruchowo chwyciła starą parkę wiszącą przy wejściu. Pachniała smarem i benzyną. Sięgnęła do kieszeni i znalazła w niej raperską czapkę patelnię oraz swoją starą legitymację CBŚ na nazwisko Milena Czarnecka. Przez chwilę łudziła się, że to zbieg okoliczności, ale gdy w wewnętrznej, zapinanej na zamek kieszeni znalazła swoje ulubione papierosy R1 oraz sprawną zapalniczkę, zrozumiała, że znów, jak zwykle, jest jedynie trybikiem sprawnie działającej potężnej maszyny.

EPILOG
(2016)

Pod cmentarzem stał rząd limuzyn na dyplomatycznych numerach. Sprawdzano każdego gapia, który przecisnął się przez zasieki ochrony. Ponoć niektórzy obywatele już wczoraj wieczorem ustawili się w kolejce do wejścia. Najlepsze miejsca sprzedano tydzień temu, jak tylko ogłoszono wielki narodowy pogrzeb. Koniki ledwie w godzinę skosiły porządny pieniądz, bijąc rekord sprzedaży niczym na koncert Eda Sheerana. Reszta tłuszczy musiała liczyć na łut szczęścia. Wszystkie ulice wokół cmentarza oblegane były przez patriotów przybyłych do Gdyni z różnych zakątków kraju. Niektórzy, wyekwipowani we flagi i transparenty, mieli ze sobą przenośne głośniki: wszystkie radia nadawały bezpośrednią relację, *live*, z dzisiejszego pogrzebu zbiorowego. Innym wystarczała sama obecność w tym miejscu. Drogi były zablokowane, ruch kołowy zamknięto w promieniu kilku kilometrów. Dziennikarze ustawili się na murach lub zbudowanych specjalnie w tym celu podwyższeniach. Pracownicy tabloidów i sensacyjnych portali przeciskali się nerwowo między gośćmi z ukrytymi kamerami w klapach, długopisach czy też

wielkich wiązankach kwiatów, ponieważ wydano zakaz reje-
strowania ceremonii pochówku i po przekroczeniu murów
cmentarza rekwirowano telefony komórkowe, a także apara-
ty fotograficzne. Im bardziej jednak restrykcyjnie przeszuki-
wano ludzi mediów oraz wszelkich gości, tym skrupulatniej
rejestrowali oni każdy grymas, łzę i gest żałobników.

Orkiestra grała jedno z requiem Mozarta, kiedy Sasza
dostrzegła pierwszą trumnę wynoszoną przez żołnierzy
w galowych mundurach. W sumie było ich jedenaście.
Wszystkie w tym samym kolorze, lakierowane na mahoń,
bogato złocone. Zamówiono je na koszt państwa. Rodziny
zmarłych otrzymały też zaproszenie na państwową stypę.
Alkohol był podobno zabroniony, ale pobliskie restauracje
ledwie nadążały z realizacją zamówień na wina, wódki
i słodkie likiery dla pań. Trumny niesiono rzędem, z biało-
-czerwonymi flagami na wiekach i zdobnymi wieńcami sygnowanymi godłem na wstęgach oraz wszelkimi emblemata-
mi narodowymi, jakby chowano pomordowanych bohaterów
wojennych. Bo i tak też przedstawiano w mediach tych,
którzy zginęli w strzelaninie na Kontenerowej.

Tłum ruszył właśnie z kaplicy i niczym czarna rzeka
rozpływał się pomiędzy grobami, wypełniając każdą lukę.
Najpierw zapadła monumentalna cisza, a potem do mównicy podszedł premier.

– To poruszająca chwila. Spotkaliśmy się tutaj, by pożegnać i oddać hołd ludziom, których zasługi dla naszego
kraju pozostaną nieocenione, których prawdziwie możemy
nazwać naszymi bohaterami, którzy odeszli tak niespodziewanie. Jestem dumny, że przybyło tu tak wielu z nas, osób
o różnych światopoglądach i różnych postawach. Dziękuję
wszystkim obecnym, politykom, biznesmenom, ludziom
kultury, nauki, funkcjonariuszom i przedstawicielom tak

wielu środowisk, dla których pochylenie głowy nad grobami tych śmiałków i straceńców było tak ważne.

Sasza założyła na uszy słuchawki i włączyła na cały regulator album Edyty Bartosiewicz w Tidalu. Jako pierwszy wybrzmiał *Ryszard*. Załuska wolała tę ironiczną opowieść o samobójstwie niż słuchanie bzdur, które już od kilku dni politycy opowiadali w mediach o poległych. Można by pomyśleć, że agenci, policjanci i byli pracownicy służb faktycznie zginęli w walce z mafiosami, broniąc honoru ojczyzny. Kiedy wczoraj do magazynu na Kontenerową dotarli technicy kryminalistyki, wszelkie ślady już zadeptano. Przed policją na miejscu zbrodni byli wszyscy święci, włącznie z ministrami sprawiedliwości oraz spraw wewnętrznych. Doktor Eustachy Krawiec pracował cały tydzień, więc dokumenty można było śmiało pokazywać mediom. Dziś lekarz nie przybył na cmentarz, najprawdopodobniej spał. Podobnie jak Jekyll i ekipa techników kryminalistyki, którzy praktycznie nie mieli wolnego od dnia ujawnienia ciał. W oddali Sasza widziała samych znajomych. Zaskakujące, jak ta sprawa zmieniła ich sytuację i pozycję zawodową. Obok swojego byłego szefa Arkadiusza Antczaka stał prokurator Dariusz Norin, który choć najwyraźniej znów wrócił do łask, minę miał jak zwykle kpiącą i zdawało się, że tylko czeka, komu i gdzie dałoby się zrobić psikusa.

Z drugiej strony, w otoczeniu najprzystojniejszych ochroniarzy, Warwara płakała nad grobem Igi Śmiałowskiej. Rodzina Bronisława Zawiszy obejmowała ją troskliwie, jakby kobieta miała się znienacka przewrócić na niebotycznych szpilkach od znanego projektanta. Tuż za jej plecami łzy lała matka Saszy oraz jej małżonek komodor Stokłosa. Bardzo się starał, by wyglądać na zbolałego i nie spotkać wzrokiem wyrodnej pasierbicy. Wspólnie trzymali w rękach wielki wieniec pamięci Aleksandry Załuskiej, przeznaczony na grób Eli.

– Wszystko szybko wraca do normy – powtórzył głośniej mężczyzna, który podszedł do profilerki cicho jak kot.

Wyjęła z ucha słuchawkę i przyjrzała się wciąż przystojnej twarzy pięćdziesięcioparolatka. Gdyby nie laseczka z szylkretową rączką, ujawniająca jego niesprawną nogę, być może nie domyśliłaby się jego tożsamości, tak bardzo się zmienił.

– Już wróciło – przyznała dobitnie, wchodząc w słowo premierowi, aż ludzie z kilku rzędów przed nimi zgromili ich wzrokiem.

Sasza uśmiechnęła się ironicznie, słuchając wywodu polityka.

– Składam głębokie wyrazy współczucia bliskim tragicznie zmarłych – pogrążonym w rozpaczy, ale z pewnością odczuwającym dumę na myśl o życiowych dokonaniach swoich córek, synów, sióstr, braci, żon, mężów, przyjaciół. Dobrze znałem wielu z tych, którym towarzyszymy dziś w ostatniej drodze. To byli prawdziwi patrioci.

Mężczyzna skinął głową i stanął tak, by zasłonić Saszę przed ciekawskimi spojrzeniami. Dopiero wtedy dostrzegła na jego ramieniu czerwony punkcik. Rozejrzała się, by zidentyfikować miejsce, gdzie znajdował się snajper. Przez chwilę czuła niepokój, ale zobaczyła w oddali Toma w nieśmiertelnej kraciastej marynarce, trzymającego za rękę jej córkę, która uśmiechała się szeroko do matki, oraz Roberta Duchnowskiego w mundurze. Duchowi towarzyszyła piękna Mulatka w ciemnym kombinezonie, na który narzuciła krótkie futerko; ten strój nadawał się raczej na galę niż na pogrzeb. Sasza natychmiast się uspokoiła. Duch musiał być tutaj służbowo, w przeciwnym razie nie odważyłby się pojawić tak ostentacyjnie z nową dziewczyną w otoczeniu Saszy. Kobiety otaksowały się nawzajem i synchronicznie odwróciły głowy. Załuska musiała przyznać, że agentka Morawska warta była grzechu. Pasowali do siebie z Robertem. Widziała, jak blisko stoją obok siebie, dyskretnie się dotykając, jak patrzą z czułością, nieustannie czujni na potrzeby drugiego. Widać, że się naprawdę kochają, przeleciało przez głowę Załuskiej i pożyczyła im w myślach wszystkiego najlepszego. Gdyby okoliczności były inne, z pewnością by im to powiedziała. Niestety Duch nie zaszczycił Saszy nawet jednym spojrzeniem. Postąpiła krok w tamtym kierunku, ale z drugiej strony zaszedł ją Leszek Grabowski. Mrugnął do niej szelmowsko i pokazał ukryty w dłoni aparat, a potem bezczelnie podniósł sprzęt i trzasnął zdjęcie przemawiającemu politykowi, udając, że robi sobie selfie.

– Wyrzucą cię – mruknęła mu Sasza do ucha.

– W życiu. Dzięki mojemu przyjacielowi Jelcynowi, którego mi naraiłaś, mam szczególne względy. – Leszek bezczelnie wydął wargi. – Zostałem prezesem koncernu wydawniczego GARDE. Wydajemy między innymi „Tygodnik Naprzód". Eliza Bach wraca do gry. Zaopiniowałem jej stanowisko na redaktora naczelnego. W sumie fajna z niej babka.

– Wątpię, czy się zgodzi. Wykonała swoje zadanie i zawrócili ją do służby w stopniu majora. – Sasza odchrząknęła, ale Grabarz nie zwracał na nią uwagi.

Kontynuował rozochocony:

– Zawsze lubili się z Jankiem Mrozińskim. Zrobię go sekretarzem. Ma naturę notariusza. Kwapisza i Brodę chyba zostawię. Będą mi buty czyścić do emerytury. Inaczej nie puszczę im żadnego zakichanego tekstu – ekscytował się.

– A książka? – Załuska podniosła brew.

Tym razem udało jej się go speszyć. Nigdy nie był dobrym aktorem: co w sercu, to na twarzy. A potem, niestety, na języku oraz papierze. Biada tym, którzy dali mu to stanowisko, pomyślała. Ciekawe, za ile go kupili.

– Nie ucieknie – odparł z ociąganiem. – Rodzina ważniejsza niż wojenka.

– Więc jednak Mimi wróciła do łask – mruknęła Sasza kpiąco. – Znów jest miłość?

– Wyznała grzechy. – Grabarz był wyraźnie podbudowany. – Nie taką zdradę prawdziwy mężczyzna potrafi wybaczyć.

– Jeśli uważasz, że tak jest właściwie, to wypada tylko pogratulować.

Po czym odwróciła się do nieznajomego. Odeszli pod sam mur, z dala od reszty żałobników.

– Czyli, jak rozumiem, nic to nie zmieni.

– W gruncie rzeczy, jeśli chodzi o władzę, nigdy się zbyt wiele nie zmienia – stwierdził nonszalancko. – Są tylko roszady na stanowiskach. Tyle lat w firmie, powinna pani to wiedzieć.

– Dobrze, że mnie to już nie dotyczy.

– To nie jest takie pewne. – Uniósł podbródek, wskazując Duchnowskiego. Chwytał właśnie dłoń Claudine i rozgrzewał ją w swojej.

Sasza poczuła ukłucie zazdrości.

– Awansowali go do dołu, dołączył do specjalnego zespołu Klaudii – wyjaśnił mężczyzna. – Papież objął jego stanowisko. I to bez okresu próbnego. Żadnego pełniącego obowiązki. Od razu szef i basta.

– To jest straszne, co się dzieje w tej firmie.

– A co zrobią z sądami?

Sasza pokręciła głową.

– Na to też nie mam wpływu. Przecież nie wyjdę manifestować.

– Nie ciekawi pani, jaką funkcję będzie teraz piastować podinspektor Duchnowski?

– Nie bardzo – skłamała.

– Profilera. Na taki etat został zatrudniony. Płacić mu będzie Komenda Główna, choć, z tego, co wiem, zamierzają mieszkać z Klaudią na Wybrzeżu. Chyba w Sopocie.

– Profilera? – Sasza nie zdołała ukryć oburzenia. Pytanie zadała głośniej niż powinna. – Za moich czasów nie było etatów dla tego typu ekspertów. Musieliśmy przygotowywać opinie po godzinach.

– Nadal nie ma. To wyjątkowa sytuacja. Bo widzi pani, zawsze są wyjątki. I zresztą, choć zasady są te same, czasy jednak się zmieniają. Może, jeśli będzie pani miła dla Klaudii, polska policja zainwestuje jeszcze kiedyś w brytyjską opinię. Radziłbym wybrać tym razem jakieś dobrze brzmiące angielskie personalia. To Klaudia dowodzi tym zespołem specjalnym. Darzy panią dużym szacunkiem.

Sasza nie odpowiedziała. Oboje udawali znów, że słuchają w skupieniu przemówienia. Teraz na mównicy stał generał Tadeusz Otto:

– Ludzie mężni, światli, ideowi, niepokorni, honorowi, o niezachwianych zasadach i otwartych umysłach. Oddani ojczyźnie i rodzinom. Ich czyny to dziedzictwo nas wszystkich. Zasłużyli na nasz szacunek, trwałe miejsce w pamięci.

Tak naprawdę każde z nich układało teraz dalszą strategię. Sasza odezwała się pierwsza.

– Trochę się śpieszę.

Mężczyzna wyjął z kieszeni kopertę. Wiedziała, że są tam bilety, dokumenty oraz karty płatnicze na nazwisko Małgorzaty Werner, które, zgodnie z umową, miała otrzymać z resortu zamiast emerytury. Wyglądało na to, że od tej chwili Sasza Załuska i ojczyzna są kwita. Kobieta bez słowa schowała pakunek do torby. Wyciągnęła sprawną dłoń. Uścisnął ją, przytrzymał dłużej.

– Powodzenia.

– Miło w końcu pana poznać, panie Jesiotr. Jestem zaszczycona, że pofatygował się pan osobiście. Wiele o panu słyszałam.

Nawet jeśli go zaskoczyła, nie dał tego po sobie poznać.

– Już od Jelcyna, w dziewięćdziesiątym ósmym, kiedy zlecił pan zabójstwo komendanta Lekiego – ciągnęła. – To pana reprezentował Ryszard Domin w Marinie. Pan kontrolował śledztwo, manipulował prokuraturą i sprzedał przyjaciela, Dariusza Norina, kiedy Kanada nie dokonała ekstradycji pana figuranta. To pan, a nie pułkownik Otto ani nawet nie Bronisław Zawisza, ani tym bardziej Kajetan Wróblewski, choć Dziadek całe życie był przekonany, że to on zdecydował o politycznym losie naszego kraju. Ale to pańska wątpliwa zasługa, że czerwona pajęczyna mogła utkać swoją sieć kontaktów w biznesie i przejąć w tym kraju wszystko, co wiąże się z pieniędzmi i władzą. Dziś, po zaledwie dwóch dekadach, nie da się już cofnąć historii ani też rozplątać tych więzów. Zresztą po co? Nie wy, to ktoś inny sprywatyzowałby ten kraj. Takie były wytyczne Rosjan i Amerykanów.

Strzepnęła ze swojej kurtki niewidoczne pyłki w momencie, kiedy czerwony punkcik lasera wędrował w miejscu jej serca, a następnie bezbłędnie odnalazła wzrokiem snajpera. Był w wieży kościoła. Spojrzała na Jesiotra wyzywająco.

– Mnie interesuje dziś zgoła coś innego. Jakie to uczucie, panie Jesiotr, być Judaszem, najważniejszym z uczniów?

Wyjęła zza pazuchy pomiętą kartkę. Jesiotr dostrzegł na niej pieczątkę z pajączkiem i resztki taśmy klejącej.

– Nie wyśmiałem was. Co czynicie, uczyniliście nie z waszej woli, lecz żeby wasz Bóg otrzymał błogosławieństwo – odczytała fragment tekstu zwanego Ewangelią Judasza* i przyjrzała się bacznie minie Pawłowskiego. Tym razem trudniej było mu udać obojętność.

– Żałuję, że dopiero teraz panią doceniłem.

– To motto znajdowało się na stronie tytułowej pana raportu.

– Kiedy jeszcze istniał oryginał, w całości. Niewielu widziało tę stronę.

– To swoista karta wizytowa sprawcy.

– Nikt pani nie uwierzy.

– Nie musi. – Wzruszyła ramionami. – Rozumiem pana ówczesne motywacje. Dziś zapewne są inne. Władza uzależnia. Wierzę, a może raczej chciałabym wierzyć, że zdradził pan dla idei, bo gdyby chodziło o zbudowanie basenu na dachu wieżowca na Stolarskiej dwadzieścia jeden, byłoby to raczej słabe.

– Imponujące – przyznał w końcu Jerzy Pawłowski. – Mówiono mi, że czyta pani z ludzkich pragnień jak z książek. Czy na tym właśnie polega profilowanie?

– Te komplementy nie są konieczne. Znam swoją wartość – żachnęła się Załuska. – Pańskie motywacje są dziś ważne tylko dla mnie. Żebym mogła spokojnie odejść, rozumiejąc choć odrobinę. Jak już ustaliliśmy, niczego to nie zmieni. To jest teraz wiedza nikomu niepotrzebna. Politycy i tak obrócą tego kota wedle własnych potrzeb. Brzydzę się takimi grami. Nie moja bajka.

---

* Przekład z koptyjskiego – ks. prof. Wincenty Myszor.

– Niestety muszę się z panią zgodzić – mruknął Jesiotr.
– Tak samo jak z tym, że gdyby nie było Judasza, nie byłoby
Zmartwychwstałego. Nie byłoby tej historii, którą odgrywa-
my co roku, która pozwala na odrodzenie milionów. Ktoś
musiał zdradzić, by pozostali uczniowie osiągnęli doskona-
łość w wierze w swojego Boga.

Sasza uśmiechnęła się kpiąco.

– Nieczęsto bywa się na własnych pogrzebach, więc proszę się nie wysilać.

– Odwiozę panią na lotnisko.

– Nie ma takiej potrzeby – odparła i zaczęła przeciskać
się przez tłum do grobu siostry.

Elżunia była chowana jako pierwsza. Na tabliczce widniało jednak fikcyjne nazwisko Saszy. Dla wszystkich było
lepiej, by córka komodora na zawsze pozostała zaginiona.
Agnieszka Werner, po mężu Stokłosa, głośno łkała. Komodor podtrzymywał ją, by nie skoczyła popisowo do dołu.
Obok, w długim płaszczu i wełnianym kapeluszu, stał Wojciech Kłyś, zwany przed laty Pochłaniaczem, dziś mianowa-
ny Horacym, szycha polskiego wywiadu, choć według niektórych podła kanalia i zdrajca. Sasza wiedziała, że będzie
miał się dobrze w agencji przez długie lata, może już zawsze. Nie chciała myśleć o tym, ile jeszcze utnie palców
swoim ofiarom. Teraz po prostu udała, że go nie widzi. Minęła go bez słowa i podeszła do matki. Agnieszka Stokłosa,
z domu Werner, natychmiast ucichła. Wpatrywała się
w córkę w niemym przerażeniu. Sasza bała się tej chwili, tak
długo na nią czekała. Nie miała pewności, czy dźwignie to
jarzmo, bo że będzie mocno bolało, była absolutnie przekonana. Ale nie czuła zupełnie nic. Uśmiechnęła się tylko,
chwyciła matkę w ramiona, w myślach szepcząc słowa prze-
baczenia, i poczuła, że nagromadzony przez lata gniew ją

opuszcza. Następnie zdjęła rękawiczkę, chwyciła garść ziemi i rzuciła na trumnę Eli, żegnając się tym samym z Saszą. Stała krótką chwilę w ciszy, a potem napotkała skupiony wzrok córki, więc ruszyła w jej stronę. Wzięła Karolinę za rękę i skierowała się do wyjścia. Tom poszedł za nimi. Odholował je bezpiecznie aż do murów cmentarza w akompaniamencie głosu z mównicy:

– Winniśmy im szczerą wdzięczność. A najlepszy sposób, w jaki możemy ją okazać, to kontynuować ich dzieło, wrócić do swoich domów i zajęć, sumiennie działać i pracować jak dotychczas na rzecz naszej wspólnoty. Tak jak to czynili oni.

Kiedy mijali grób Łukasza, Sasza usłyszała *Roads* Portishead. Obróciła się, ale to tylko jeden z żałobników miał tak ustawiony dzwonek komórki i właśnie ją wyłączył. Poczuła łzy pod powiekami, więc zacisnęła mocniej dłoń na drobnej rączce córeczki i przyśpieszyły kroku. Zdawało się jej, że tłum rozstępuje się przed nimi niczym wody Morza Czerwonego podczas wyjścia Izraelitów z Egiptu. Dla uciekinierów był to dopiero początek, dla Saszy zwieńczenie jej podróży. Liczyła, że naprawdę zamknęła ten rozdział swojego życia.

– Mamo? – odezwała się Karolina, kiedy oddaliły się od cmentarza. – Znów jesteśmy spakowane.

– Znów – przyznała Sasza i mimowolnie pomyślała o szarej kopercie, ich przepustce do nowego świata.

Czy to wystarczy, żeby mogły być wolne? Na jak długo? Była jednak spokojna.

– Kartony są w folii. Panowie rano je zabierali. Znów gdzieś pojedziemy?

– Nie, córko. – Kobieta kucnęła i przyjrzała się małej.

Karolina zmrużyła oczy, wykrzywiła wargi w grymasie niezadowolenia. Brodę dziewczynki dzielił niewielki dołeczek, który podobno jest oznaką stanowczości i uporu. Pierwszy raz Sasza dostrzegła w twarzy dziecka podobieństwo do siebie.

– Twój ojciec przed śmiercią pokazał mi miejsce, gdzie wody Zatoki Puckiej łączą się z Bałtykiem. Kiedy tam stoisz, zdaje się, że kończy się świat, a dalej są już tylko smoki. Ponieważ jednak zewsząd otacza nas woda, ziejące ogniem stworzenia nigdy nas nie dosięgną. Na tym języku lądu postawimy dom. I wreszcie się rozpakujemy.

KONIEC

Podziękowania

Czasem jedno spotkanie może odmienić życie człowieka. Gdybym przed laty w jednej z sal warszawskiego sądu nie poznała prokuratora Jerzego Mierzewskiego – którego darzę szacunkiem za jego hart ducha, uczciwość oraz mądrość, a przy tym szczerze, po ludzku lubię jego kostyczne poczucie humoru – nie byłoby mnie w tym miejscu życia, gdzie teraz jestem. Dlatego po ponad dwudziestu latach od wspomnianego spotkania składam najszczerszy hołd dla tego najdzielniejszego z dzielnych prokuratora, którego szanują zarówno ludzie z jego firmy, jak i ci, których przychodziło mu oskarżać. Dziękuję za pomoc, rozmowy, wyjaśnienia i spotkania wraz z cudowną małżonką i córką, a także za pyszne spaghetti oraz bimbaliony opowieści, które pozwoliły mi wrócić myślami do lat dziewięćdziesiątych, kiedy zdawało się, że polska mafia dokonuje przemian na polskich ulicach.

Dziękuję Nieocenionym: komisarzowi Pawłowi Leśniewskiemu i podinspektorowi Leszkowi Koźmińskiemu ze Szkoły Policji w Pile oraz młodszemu inspektorowi Robertowi Duchnowskiemu, który, mam nadzieję, wybaczy mi w tej części fabularną słabość jego bohatera do piersiastych kobiet.

Za towarzyszenie mi w wycieczkach po Gdyni pragnę się ukłonić Grzegorzowi Perkowi oraz jego rodzicom Lidii i Andrzejowi, którzy poświęcili swój cenny czas, by wozić mnie po mieście i snuć zajmujące historie, wyjaśniać zawiłości życia na skraju bałtyckiej toni oraz znosić moje chodzenie w kółko po najdziwniejszych miejscach, Michałowi „Goran" Miegoniowi z www.inneszlaki.pl, Oli Szkudłapskiej, Monice Merkel oraz jej mężowi.

Gdyby nie spotkania z Leszkiem Szymowskim i Piotrem Wrońskim oraz inspiracja ich codziennym dziełem i twórczością, nie wiedziałabym zbyt wiele o cieniach tajnych służb. Polecam gorąco lekturę książek wspomnianych autorów. To pasjonujące, choć niestety prawdziwe historie, ale tym bardziej otwierają oczy każdemu, kto choć w najmniejszym stopniu zainteresowany jest przyszłością naszego kraju. Bo przyszłość to pamięć. Trzeba zawsze sięgać do źródeł, by rozumieć mechanizmy teraźniejszości.

W tym miejscu trzeba również wymienić autorów, których ślady znajdą Państwo między wierszami tej książki. Nie zdołam wymienić wszystkich tytułów, lecz mniemam, że nazwiska wyznaczą właściwy azymut. Są to więc: Sławomir Cenckiewicz, Piotr Gontarczyk, Witold Bagieński, Piotr Nisztor, Wojciech Dudziński, Dorota Kania, Artur Górski, Tomasz Piątek, Anita Czupryn, Dorota Kowalska, Anna Marszałek, Wiktor Suworow, Andriej Guliaszki, Bertold Kittel, Roberto Saviano, Alfred Staszak, Cezary Bielakowski, Piotr Woyciechowski, Ken Rijock, Sylwester Latkowski, Grzegorz Chlasta, Duane R. Clarridge, Paweł Reszka, Michał Majewski, Peter Wright, Sebastian Rybarczyk, Jerzy Bronisławski, Robert W. Greene, Giovanni Tizian, Wasilij Mitrochin i inni.

Za uchylenie rąbka tajemnicy leczenia tlenem w komorze dekompresyjnej dziękuję pani dyrektor Kliniki Medycyny Hiperbarycznej i Ratownictwa Morskiego dr Ewie Lenkiewicz oraz nieocenionemu docentowi dr Jackowi Kotowi – oby nauka miała w swoich szeregach więcej takich cudownych i zaangażowanych ludzi.

Krzysztofowi Jackowskiemu wraz z jego piękną małżonką – za niesamowite spotkanie. Niech Wam się darzy i Moc będzie z wami.

Kłaniam się także dr. Michałowi Górskiemu z Uniwersytetu Warszawskiego, najlepszemu i jedynemu w Polsce dyplomowanemu specjaliście w dziedzinie profilowania geograficznego, dr. Szymonowi Konwerskiemu z Uniwersytetu Adama Mickiewicza w Poznaniu za poświęcony czas w „owadziej sprawie", Ałbenie Grabowskiej za rozmowę przy obiedzie w Rzeszowie na temat konsekwencji medycznych obcinania palców (przy okazji pozdrawiam pozostałych uczestników tej biesiady).

Wielkie podziękowania za garść zwierzeń i wpuszczenie mnie na chwilę do swojego świata niech przyjmą: Monika Banasiak oraz jej przyjaciele, w tym szczególnie Katarzyna i Robert Gmurscy oraz Emilia Horych. A także Agnieszka Szyszko – za pomoc w kwestii żeglowania, Krzysztof Petek w kwestii nurkowania, Dorota Osińska, która podzieliła się ze mną kawałkiem swojej historii, a poza tym jest ruda jak Sasza, który to szczegół plasuje ją na samym szczycie naszej znajomości.

I wreszcie Edyta Bartosiewicz – to jej muzyka towarzyszyła mi w trakcie lektury, by skutecznie cofnąć się w czasie, a rozmowy oświecały i dodawały siły. Nieprzypadkowo

Sasza słucha właśnie tych piosenek, które znajdujecie Państwo w niniejszym woluminie.

Janinie Purzyckiej – za nieocenioną pomoc; Mamie – za wiarę i modlitwę. Jak bardzo mi żal, że nie zdążyłaś przeczytać tej książki – wiem przecież, jak na nią czekałaś... Opiekuj się nami!; Mojemu Ukochanemu Dziecku – za czytanie fragmentów związanych z Karoliną, szczery rechot jedenastolatki (bezcenne) i inspirujące rozmowy na temat mafii, bo to przecież jak u Harry'ego Pottera (ba!).

Dziękuję!
Katarzyna Bonda

Książkę wydrukowano na papierze
Creamy HiBulk 2.4 53 g/m^2
dostarczonym przez ZiNG Sp. z o.o.

www.zing.com.pl

Warszawskie Wydawnictwo Literackie
MUZA SA
ul. Sienna 73, 00-833 Warszawa
tel. +4822 6211775
e-mail: info@muza.com.pl

Dział zamówień: +4822 6286360
Księgarnia internetowa: www.muza.com.pl

Skład i łamanie: MAGRAF s.c., Bydgoszcz
Druk i oprawa: Abedik S.A., Poznań